Spillman.

Rund um Afrika

Spillmann, Joseph

Rund um Afrika

Inktank publishing, 2018

www.inktank-publishing.com

ISBN/EAN: 9783747793497

Rund um Afrika.

Ein Buch mit vielen Bildern für die Jugend.

Von

Joseph Spillmann S. J.

Zweite, wesentlich erweiterte Auflage, mit einer großen colorirten Karte von Afrika.

Freiburg im Breisgau.
Herder'sche Verlagshandlung.
1891.
Zweigniederlassungen in Straßburg, München und St. Louis, Mo.
Wien I, Wollzeile 33: B. Herder, Verlag.

Inhalts-Verzeichniß.

Verzeichniß der Illustrationen.

(Die Vollbilder sind durch fette Schrift bezeichnet.)

Karte von Afrika. Entworfen von A. Petermann. (Aus Stielers Handatlas.)

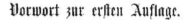

Vorwort zur ersten Auflage.

on verschiedenen Seiten und zu verschiedenen Malen wurde die Redaction der „Katholischen Missionen" aufgefordert, eine Auswahl ihrer Jugendbeilagen neu aufzulegen und so für Knaben und Mädchen, welche den Bilderfibeln und Kinderbüchern entwachsen sind, ein passendes, reichillustrirtes Buch herzustellen. In der That haben wir keinen Ueberfluß an illustrirten Werken, deren Inhalt und Bilder für die Jugend passend wären, und leider werden durch diesen Mangel viele Eltern veranlaßt, Bilderwerke zweifelhafter, oft geradezu gefährlicher Natur auf den Weihnachtstisch zu legen. Wie manche dieser von rein naturalistischen und indifferenten Gedanken erfüllten Bücher mögen in jungen Herzen Giftkeime zurücklassen, aus denen sich später Unglaube oder doch wenigstens Kälte und Gleichgiltigkeit im Glauben entwickeln! Von der Redaction der „Katholischen Missionen" aufgefordert, unterzog ich mich deshalb mit Freuden der Aufgabe, die gewünschte Auswahl zu besorgen.

Es schien am rathsamsten, die verschiedenartigen kleinen Aufsätze, welche in den Beilagen für die Jugend seit 1874 erschienen sind, nach Ländern zu gruppiren. So stellte ich zunächst diejenigen Schilderungen und kleinen Erzählungen zusammen, welche sich mit Afrika befassen. Algier, Tunis, Aegypten, Nubien, einzelne Skizzen über Madagaskar und eine Arbeit über die Sklavenküste in West-Afrika waren in den Jahrgängen 1876—1878 veröffentlicht. Indem ich nun aus den „Missionen" zwei einfache Beschreibungen einer Reise in die Sahara und an der Ostküste Afrika's einfügte und, theils ebenfalls aus den „Missionen", theils neu, einige Kapitel über Abessinien, den Sambesi, Kongo, Niger und Senegal ergänzte, und die neuen deutschen Erwerbungen an der Westküste Afrika's, namentlich „Lüderitzland" und Kamerun, ganz besonders berücksichtigte, entstand eine Rundreise um Afrika, welche ein in sich abgeschlossenes, ziemlich vollständiges Ganze bietet und gewiß des Interessanten, Belehrenden, Unterhaltenden und Erbaulichen manches enthalten dürfte. Jedenfalls ist sowohl in Bild als Wort alles streng vermieden, was der Jugend gefährlich sein könnte. Wenn die vorliegende bescheidene Arbeit den gehofften Anklang und der Herausgeber die nöthige Muße finden, so werden später die Schilderungen und Erzählungen aus Asien, Amerika und Oceanien in ähnlicher Weise gesammelt und ergänzt diesem ersten Bande folgen.

Manche Blätter des vorliegenden Buches lieferten meine theuern Freunde und Ordensbrüder, die hochwürdigen PP. Rudolf Cornely, Alexander Baumgartner und Wilhelm Kreiten. Das übrige hat der Herausgeber geschrieben.

Möge die also entstandene Jugendschrift nach der Absicht, in der sie verfaßt wurde, Stunden der Erholung und Belehrung gewähren und in die Herzen vieler Kinder ein fruchtbares Samenkorn zur größern Ehre Gottes senken!

Blijenbeck, am Feste des hl. Joseph 1885.

9

Vorwort zur zweiten Auflage.

ie allseitig günstige Aufnahme des vorliegenden, zunächst für die Jugend bestimmten Buches heischt an erster Stelle meinen herzlichsten Dank. Dieselbe ermuthigte um so mehr zu dieser zweiten, bedeutend vermehrten Auflage, als Afrika noch immer in hervorragender Weise aller Augen auf sich zieht. Und wahrlich nicht an letzter Stelle die Blicke Deutschlands! Haben doch gerade in jüngster Zeit eine Reihe Deutscher Großes in der Erforschung Afrika's geleistet und sind mehrere deutsche Gesellschaften ins Leben getreten, um Ländereien auf dem Boden Afrika's zu erwerben und auszubeuten. Das Reich selbst ist bemüht, diese Unternehmungen nicht nur zu schützen, sondern in jeder Weise zu fördern und auszubreiten. Zu dem wissenschaftlichen und volkswirthschaftlichen Interesse, das daraus für Deutschland erwächst, kommt für alle und zunächst für uns Katholiken, die innige Theilnahme an dem zeitlichen und ewigen Wohle der armen Bewohner Afrika's, die in geistiger und leiblicher Sklaverei schmachten. Unser Heiliger Vater Leo XIII. hat deshalb seine Hirtenstimme erhoben und allen gebildeten Nationen die Christenpflicht aufs Herz gelegt, den Kindern Chams, die elend hingewürgt werden, beizuspringen und den Greueln der Sklaverei zu steuern. Mit Stolz dürfen wir sagen, daß die Worte des Papstes kaum in einem Lande eine wärmere Aufnahme fanden als in Deutschland, wie die Gründung, rasche Ausbreitung und segensreiche Thätigkeit des „Afrikavereins deutscher Katholiken zur Unterdrückung der Sklaverei" beweist, der unter Leitung seiner Erzbischöflichen Gnaden Philippus von Köln ins Leben getreten ist.

Bei der neuen Bearbeitung wurden dieselben Grundsätze befolgt, welche die erste Auflage leiteten: „Rund um Afrika" soll ein reich illustrirtes, belehrendes, unterhaltendes, erbauliches Buch sein, welches die Eltern ihren Kindern getrost in die Hand geben können und welches für jung und alt des Wissenswerthen manches enthalten dürfte. Es ist wohl kein Abschnitt ohne Aenderungen und Ergänzungen geblieben; einige sind wesentlich erweitert worden. So wurde beispielsweise bei „Aegypten" ein Ausflug zu den Klöstern in der Thebaïs und zu den Kopten Oberägyptens aus dem „Missionen" eingeschoben; der Abschnitt „Sudan" erhielt mit Benützung von Nachtigals „Sahara und Sudan" Bilder aus Wadaï und den Tsadsee-Ländern; in „Abessinien" wurden, wie im Sudan der Aufstand des Mahdi, die neueren politischen Ereignisse erzählt. Eine ausführlichere Behandlung als in der ersten Auflage fanden auch die portugiesischen Besitzungen, die Länder am Kap, am Gabun und Niger und namentlich der Kongostaat. Ganz neu ist der Abschnitt über Marocco (aus den „Missionen"). Vor allem aber wurde Deutsch-Ostafrika, das beim Erscheinen der ersten Auflage noch nicht bestand, eingehend geschichtlich und geographisch geschildert. Die ganze Küste, das eigentliche Schutzgebiet mit dem Binnenland und Einschluß der großen Seen werden in Wort und Bild dargestellt. Deutsch-Südwestafrika, Kamerun und Togoland wurden natürlich nicht übersehen. Das Buch geht so freilich über seinen ursprünglichen Titel „Rund um Afrika" etwas hinaus, indem es nicht nur die Küstenländer, sondern durch seine Ausflüge in das Innere auch eine doppelte Durchquerung des dunkeln Erdtheiles bietet, die eine durch das Sudangebiet (von Osten zu den Tsad- und von Westen zu den Haussaländern) und die andere von Bagamoyo zum Kongo (von Osten und von Westen zu den Binnenseen).

Das Buch hat so an Umfang und, wie wir hoffen dürfen, auch an Werth gewonnen. Gleichfalls wurde durch reiche Illustration alles aufgeboten, um es zu einem wirklich schönen Geschenke zu gestalten: die neue Auflage enthält 334 Bilder, darunter wohl 100, welche der ersten Auflage fehlten. Ueberdies fügte die Verlagshandlung demselben eine werthvolle Karte bei, welche nach den Ergebnissen der neuesten Afrikaforschung ausgeführt ist.

Außer den Freunden und Ordensbrüdern, die in der Vorrede zur ersten Auflage dankend genannt sind, habe ich für diese Auflage den hochw. PP. Robert von Nostiz-Rieneck, Guido Dreves und Anton Huonder für freundliche Hilfe zu danken.

Möge also auch die neue Auflage die Absicht erfüllen, welche ich in der Vorrede zur ersten Auflage aussprach: möge sie „Stunden der Erholung und Belehrung gewähren und in die Herzen vieler Leser ein fruchtbares Samenkorn zur größern Ehre Gottes senken"!

Exaeten bei Roermond, im Januar 1891.

Joseph Spillmann S. J.

Rund um Afrika.

Der Reiseplan.

ei jeder Reise muß der heilige Schutzengel unser Führer und Geleits= mann sein. Auch auf der Fahrt „Rund um Afrika", welche wir zusammen unternehmen wollen, möge er uns zur Seite gehen und uns vor aller Fährlichkeit bewahren, wie einst der Erzengel Raphael den jungen Tobias beschützte und beschirmte!

Der Weg, den wir vorhaben, ist weit und beträgt nicht weniger als 3520 deutsche Meilen oder 24 640 km. Wenn wir ihn zu Fuß zurücklegen wollten, so müßten wir 41 Monate lang Tag für Tag etwa 20 km gehen, und so würden die wenigsten meiner jungen Freunde die Reise um Afrika zu Ende bringen. Wir wollen deßhalb einen Dampfer miethen, der uns rasch und sicher um die ungeheure Küste des „dunklen Welttheils" herumträgt; von Zeit zu Zeit laufen wir dann in einen guten Hafen ein oder gehen in einer Flußmündung vor Anker, um uns Land und Leute anzusehen. Denn rings um Afrika liegen vieler Herren Länder, muselmännische, christliche und heidnische, und wir werden auf unserer Fahrt mit weißen und schwarzen Menschen verkehren.

Der Hafen von Algier soll der Ausgangspunkt unserer Reise sein. Von dort wenden wir uns nach Osten, besuchen Tunis und unternehmen eine Fahrt durch die Sandwüsten der Sahara. Dann fahren wir zur Nilmündung nach Aegypten, durchstreifen das alte Pharaonenland, pilgern in die Thebais und zu anderen ehrwürdigen Orten, bringen stromaufwärts in den ägyptischen Sudan ein, den die Schaaren des Mahdi noch immer besitzen, und wandern westwärts bis in die Länder, welche den Tsadsee umringen. Dann geht die Fahrt auf dem Rothen Meere südwärts bis zum Lande der Königin von Saba und um die östliche Spitze Südafrika's herum nach der Küste von Sansibar. Dort liegt Deutsch=Ostafrika, das wir nach allen Seiten durchwandern und dessen Geschicke wir eingehend erzählen wollen. Ein Ausflug nach dem Bergriesen Kilimandscharo und an die großen Seen, die ebenfalls, zum Theile wenigstens, in das deutsche Gebiet gehören, wird uns auch hier tief in das Herz des dunkeln Erdtheils führen. Auf unserer Weiterfahrt betreten wir die große Insel Madagaskar, durcheilen das Land am Sambesi und kommen endlich an Afrika's Südspitze, in die Länder am Cap der guten Hoffnung. Nordwärts steuernd berühren wir Lüderitzland und Angola und gehen an der Congomündung vor Anker; denn da gibt es vieles zu sehen, vieles zu erzählen vom neuen und alten Congostaat, von Stanley's kühner Stromfahrt und Urwaldreise, von den Arbeiten der Missionäre aus alter und neuer Zeit. Weiter nordwärts steuernd

13

erreichen wir Gabun und Kamerun, wo ebenfalls die deutsche Fahne weht. Noch einmal bietet uns der Nigerstrom Gelegenheit, in das Innere, in die Länder des westlichen Suban vorzudringen. Dann geht die Fahrt längs der Sklavenküste, vorüber an Deutsch-Togoland nach dem Senegal und endlich an den Canari-schen Inseln vorbei zur Meerenge von Gibraltar. Da ladet uns Marocco, das Reich der Mauren, zu einem Besuche ein und dann kehren wir nach Algier zurück, das den Ausgangspunkt unserer Rundfahrt bildete.

Auf unserer Reise wollen wir aber nicht bloß das Land mit seinen Bergen und Flüssen, Wäldern und Wüsten, mit seinen fremdartigen Thieren und Bäumen ansehen, sondern uns namentlich seine Bewohner, ihre Sitten und Gebräuche betrachten, uns von ihrem Glauben und Aberglauben, von ihrer Geschichte er-

Der „Afrikaner".

zählen lassen, und ganz besonders auf die Arbeiten und Leiden der muthigen Missionäre schauen, welche ihr Herzblut daransetzen, die 200 Millionen Heiden und Mohammedaner Afrika's dem lieben göttlichen Kinde von Bethlehem und seiner gnadenreichen Mutter zuzuführen. So wird unsere Reise keine leere Unterhaltung sein, sondern sie wird uns auch mit Dank gegen Gott, der uns als Kinder schon in seine heilige Kirche einführte, und mit dem heiligen Verlangen erfüllen, den armen, verlassenen Kindern Afrika's durch frommes Gebet zu Hilfe zu kommen.

Und somit treten wir mit Gott die Reise an. Algier, wo unser Schraubendampfer, der „Afrikaner", im Hafen vor Anker liegt, ist unser erster Reiseaufenthalt.

I. In Algier.

1. Das Land und seine Hauptstädte.

Von der Küste Italiens oder Frankreichs haben wir einen Seeweg von etwas mehr als 700 km quer über das Mittelländische Meer zurückzulegen, bevor die Küste Algiers aus den blauen Fluten emportaucht. Der erste Anblick der Hafenstadt Algier, welche dem Lande den Namen gibt, ist bezaubernd. Sie liegt an einer breiten, schönen Bucht, welche durch eine weit ins Meer vorspringende Halbinsel gegen die Weststürme gedeckt wird, und steigt im Halbkreise an den sanften Hängen des Sahel-Berges empor.

Ansicht von Algier.

Der Leuchtturm, der uns von ferne grüßt, wie überhaupt der ganze Hafen, ist durch eine Reihe von Forts, von denen die französische Fahne weht, stark befestigt. Riesige Kanonen bedrohen jede feindliche Flotte mit einem vernichtenden Empfang. Auf einem steilen Hügel liegt 200 m über dem Meere das „Fort National", das die Stadt beherrscht.

Ein mächtiger Rampenbau aus Quadersteinen, der unter Napoleon III. mit ungeheueren Kosten ausgeführt wurde, steigt vom Meeresufer die 25 m hohe, steile Küste hinauf, auf welcher die Stadt liegt. Auf den breiten Stufen dieses Uferbaues sind prachtvolle Hallen, Kaufläden, Lagerplätze errichtet; auf der Höhe endlich, die man auf Treppen oder sachte ansteigenden Rampen erreicht, betritt man eine schöne, breite Promenadenstraße. Dann

folgt die fast ganz europäische Unterstadt, in der wir uns nicht aufhalten. Die Oberstadt mit ihren engen, krummen Gassen und den mit flachem Terrassendache bedeckten Häusern bringt uns schon mehr zum Bewußtsein, daß wir uns nicht mehr auf dem Boden der Heimat befinden. Doch mangelt es Algier an schönen und großartigen Gebäuden, wie sie die Mauren in Spanien hervorbrachten. Nicht einmal die Hauptmoschee am Fischmarkt ist trotz ihrer großen Kuppel ein wirklich schöner Bau. Man vermißt das Ebenmaß und die Zierlichkeit der Formen, welche sonst der maurischen Bauart eignet. Der „Waschali", der Palast des Dey, des frühern Beherrschers Algiers, und die „Kasbah", das Schloß, das auf einer Anhöhe steht und jetzt als Kaserne dient, haben allein die schlanken, zierlich gewundenen Säulen, die hohen, reich

1*

rerzierten Hufeisenthore und den bunten Arabestenschmuck, der die mit Porzellanplatten belegten Wände kleidet und dessen phantastisches Spiel die Augen der Orientalen erfreut. Die Stadt zählt jetzt über 60 000 Bewohner, mehr als das Doppelte der Einwohnerschaft vor der Eroberung durch die Franzosen.

Der Ruhm Algiers ist der Halbkreis seiner Landhäuser, der vom Ufer des blauen Meeres bis an den Kamm des Sahel hinansteigt. In zierlichen Formen und in den verschiedensten Stilarten erbaut liegen diese Villen meist in herrlichen, schattigen Gärten und gewähren einen wundervollen Ausblick auf die schneebedeckten Höhen des Atlas im Süden wie auf die Stadt, die Bucht mit ihren Schiffen und die blaue Fläche des Mittelmeeres. Mitten in diesem herrlichen Landschaftsbilde hat Cardinal Lavigerie auf einem Hügel nahe bei der Stadt, von dem aus das Auge über den grünen Uferkranz und die endlos ausgebreiteten Wogen hinschweift, eine prachtvolle Kirche zu Ehren U. L. Frau von Afrika erbaut. Wir wollen sie andächtig betreten, ehe wir unsern Wanderstab weiter setzen, und zu Maria flehen, daß sie ihre mächtige Fürbitte bei ihrem Sohne für die Völker Afrika's einlege, die wir nunmehr besuchen und die fast alle noch im Schatten geistigen Todes sitzen.

Die Hauptstadt Algier liegt fast genau in der Mitte der etwas über 1000 km langen Küste von Algier, das im Westen an das Kaiserreich Marocco, im Osten an das Gebiet von Tunis und Tripolis grenzt. Die Nordgrenze ist das Mittelmeer, die Südgrenze ungefähr längs des 30. Breitegrades die große Sahara. Der Flächenraum

Marengogarten in Algier.

staut; der übrige Theil gehört zu den schönsten und fruchtbarsten Gegenden unserer Erde. Da blühen und reifen die herrlichsten Südfrüchte, Citronen und Orangen, Granaten und Datteln, Feigen und Mandeln in überschwänglicher Fülle.

In der Nähe der Hauptstadt Algier liegt die berühmte „Metidschah", eine fast 100 km lange und 15—20 km breite, gewellte Ebene, welche Fleiß und Unternehmungsgeist seit der französischen Eroberung in einen wahren Garten verwandelt hat. Schon vor grauer Zeit war diese Ebene mit Städten und Dörfern besät und mit Matten und Feldern bedeckt. Aber die heillose Türkenwirthschaft hatte alles zerstört und in einen fieberschwangern Sumpf verwandelt. Heute sind die Sümpfe ausgetrocknet; das saftige Grün der üppigen Wiesen erfreut das Auge, und ganze Wälder von Orangenbäumen erfüllen die Luft zur Blütezeit weithin mit dem köstlichsten Wohlgeruch. Ganz besonders berühmt sind die Orangengärten von Blidah, dem Hauptorte dieser Ebene, in denen an 100 000 Bäume, von den Wassern der nahen Atlaskette getränkt, üppig gedeihen. Blidah, das etwa 10 000 Einwohner zählt, und dessen schöne Umgebung ist der Aufenthaltsort vieler Elsässer, welche nach dem deutsch-französischen Kriege nach Algier auswanderten. Es befinden sich über 6000 deutsche Elsässer in Algier, auch 2700 Schweizer, 14 000 Engländer, 26 000 Italiener, fast 100 000 Spanier und viermal soviel Franzosen. Diesen europäischen Einwanderern und keineswegs den Eingebornen ist alles zuzuschreiben, was für die Verbesserung des Landes geschehen ist.

des also umgrenzten Landes beträgt 667 065 qkm, nur um ein kleines weniger als Oesterreich-Ungarn; die Bevölkerung aber zählt nur 3 817 306 Seelen, mithin eine Million mehr als die Einwohnerzahl der Schweiz. Das Land muß also sehr schwach bevölkert sein. In der That ist nur ein verhältnißmäßig schmaler Streifen längs des doppelten Höhenzuges, der im Südwesten vom Atlasgebirge ausgehend sich ostwärts längs dem Meeresufer ausstreckt, wasserreich und fruchtbar. Dieser dauerbare Streifen heißt „das Tell"; er ist 100—200 km breit und umfaßt die muldenförmige Einsenkung der Hochebene zwischen den beiden Höhenzügen des Atlas, welche durchschnittlich 800—1300 m über dem Meere liegt. Der Nordrand dieser Hochebene ist sumpfig, weil das Randgebirge die von der südlichen Bergkette strömenden Bäche zurück-

Jenseits der ersten Atlaskette, welche sich bis zu 2300 m erhebt, folgt die Steppengegend der großen Salzsümpfe oder Schotts. Der Steppenboden ist salzig und unsichtbar. Südlich an diesen traurigen Strich grenzt die Algerische Sahara, viele Tagereisen weit nur glühender Sand und nackte Felsen, hin und wieder von Oasen unterbrochen, wo ein Quell einige Palmen und Tamarisken wachsen läßt und für die Heerden der Wüstenstämme den Boden mit Graswuchs bekleidet. Im Gebirge hungert die Hyäne und geht der Löwe auf Beute aus.

Algier zerfällt in drei Provinzen oder Departements: im Westen Oran, in der Mitte Algier und im Osten Constantine. Die Stadt Oran, welche mit Algier durch eine Bahnlinie verbunden ist, wird auch heute noch meist von Spaniern bewohnt.

1509 entrissen die Spanier dieses feste Seeräubernest in heldenmüthigem Kampfe den Mauren, Cardinal Ximenes schritt, das Kreuz in der Hand, der Sturmcolonne voran. Bis 1792 blieb die Stadt fast ununterbrochen in spanischem Besitz. Die starken Befestigungen, namentlich auch die Burg auf dem 400 m hohen Felsblock im Westen, sind noch von den Spaniern aufgeführt. Ein ganz anderes Gepräge trägt das südwestlich von Oran, nahe an der Grenze von Marocco gelegene Tlemsen, das im 13. Jahrhundert die Residenz des maurischen Herrschergeschlechts der Sianiden (Beni-Sian) war. Ihre Einwohnerschaft belief sich auf 125 000 Seelen. Herrliche Bauwerke, meist in Trümmer gesunken, reden von der Pracht, die diese Chalifen des Westens in der düstern Berglandschaft, welche die Stadt umschließt, einst entfalteten und welche ihr den Namen Granada Afrika's erworben.

Hauptort der östlichen Provinz ist die Felsenfestung Constantine. Sie war schon die Hauptstadt des alten Numidierreiches und die Vaterstadt Jngurtha's; denn ihre fast uneinnehmbare Lage auf einem 300—400 m hohen Felsen, dessen Fuß auf drei Seiten von einem schäumenden Flusse

Basilika U. L. Frau von Afrika bei Algier. (S. 4.)

bespült wird, verleihen ihr eine natürliche Herrscherlage. Man vergleicht sie deshalb auch mit einem Leu, der auf hoher Felsplatte zum Sprunge bereit liegt, mit einem Adler, der von unzugänglichem Horste nach Beute späht. Die Eroberung dieses Felsennestes hat den Franzosen viel Blut gekostet. Der erste Angriff 1836 mißlang gänzlich; von 8000 Mann brachte General Clauzel nur 2800 zurück.

General Valée wetzte die blutige Niederlage im darauffolgenden Jahre aus, indem er Constantine am 13. October 1837 mit Sturm nahm. Oberst La Morciére drang zuerst in die Bresche, wurde aber aus einem Halbkreis von Häusern mit einem vernichtenden Feuer empfangen und suchte umsonst, in die Gassen einzudringen. Zwei Minen flogen auf; ganze Mauern stürzten über die ersten Reihen der Franzosen nieder; der Sturm schien mißglückt. Aber die zweite Colonne drang siegreich über Leichen und Trümmer vor. Es begann ein Gemetzel, wie es nur von den blutigsten Stürmen erzählt wird. Mit der Wuth der Verzweiflung vertheidigten die Mohammedaner jede Spanne Raum; viele stürzten sich über die Felswände in den Abgrund, um der Gefangenschaft zu entgehen. Ströme von Blut rötheten die Gassen; aber der Sieg ließ sich nicht mehr aufhalten, und die französischen Fahnen verkündeten ihn bald vom Palaste des Bey Achmed, der geflohen war.

Damals zählte Constantine etwa 30 000 Einwohner; heute mögen es 40 000 sein. Doch ist es auch nach einem halben Jahrhundert seiner Eroberung immer noch eine mohammedanische Stadt, welche mehr Moscheen als Kirchen zählt. Die Anlage einer Hauptstraße durch das Araberviertel hat eine große Anzahl elender Hütten entfernt. Im Innern der Stadt erhoben sich manche ansehnliche Neubauten, während in der Oberstadt ein vollständig modern-europäisches Quartier entstand. Unter den neueren Bauten verdienen hervorgehoben zu werden: ein großes Militärgefängniß mit eigener Kapelle, ein Justizpalast, zu dessen Vorlage

man das alte Prätorium von Lambaesi nahm, das europäische Ly-
ceum, ein prachtvolles diesem gegenüber liegendes Bürgerspital, die
ganz moderne Rue de France. Viele der alten Befestigungswerke
werden nach den Forderungen neuerer Kriegskunst umgebaut. Die
Stadt hat durch diese Veränderungen nicht wenig von ihrem frühern
romantisch = phantastischen Ansehen verloren, hat aber dafür an
prosaischer Wohnlichkeit und Zweckmäßigkeit bedeutend gewonnen
und im ganzen doch von ihren geschichtlichen Eigenthümlichkeiten
noch genug bewahrt, um für den Reisenden eine sehr interessante
Stadt zu sein; denn neben den modernen Stadttheilen erheben sich
noch manche Ueberreste der Römerzeit; über die engen orientalischen Straßen des arabischen Quartiers ragen die Kuppeln und
Minarets der alten Moscheen; neben dem Comfort reicher Europäer zeigt sich noch die urwüchsige Armuth des Wüstenbewohners,
und in den Straßen drängt sich eine Bevölkerung, wie man sie
bunter nicht wünschen mag: französische Soldaten, Kaufleute aus
allen europäischen Nationen, Türken, Berber, Kabylen, Moza-
byten, Neger und Negerinnen, Juden, arabische Karawanenführer,
Beduinenhäuptlinge, verschleierte Maurenfrauen, mohammedanische
Imams und Thotbas, Marabuts verschiedener Secten, orientalische Pracht und afrikanisches Elend, europäische Verfeinerung
und barbarisches Naturleben im grellsten Gegensatze, und das
alles wirr durcheinander auf dem gewaltigen Felsen, um den
Jugurtha mit den Römern gekämpft, der den hl. Augustin auf
seinem Felsenschloß beherbergte, auf dem wohl durch Jahrhunderte arme Christensklaven unter dem Joch des Halbmondes
seufzten, der heute noch, von den Wasserfällen des Rumel
umtost, mit seinen weißen Klippen und Abgründen ebenso gewaltig und malerisch wie ehedem in den dunkeln Himmel
hineinstarrt. Neben dem Kreuz und neben dem Halbmond seiner
Kuppeln flattert über ihm das Banner einer Republik, die zwar
beide zu schützen vorgibt, aber das Christenthum in Europa
mehr bekämpft, als es ihre Söhne in Afrika auszubreiten
vermögen.

Ansicht von Constantine. (S. 5.)

Die Hauptverkehrsadern der Stadt bilden fünf größere Straßen,
welche ungefähr in derselben Richtung laufen wie der Rumel.
d. h. im Bogen von Süden gegen Norden. Sie werden von
zahlreichen kleineren und meist sehr engen Gassen und Straßen
geschnitten, welche zum Theil gewölbt, zum Theil mit Brettern
gedeckt, zum Theil mit Tüchern überspannt sind und hinwieder
mit den zahlreichen Winkelgassen der Altstadt in Verbindung stehen.
Die Franzosen haben zwar viel gethan, um das arabische Quartier zu verschönern, haben die Einwohner gezwungen, gerader zu
bauen, ihre Häuser zu weißen, Straßenpolizei zu halten u. s. w.;
aber die Araber haben nun einmal wenig Geschmack an der Prosa
gerader Linien und rechter Winkel und bringen mit ihren Boutiken,
Erkern, Vorsprüngen, Anbauten immer wieder ein wunderliches
Mittelwesen zu Stande, das romantisch aussieht, aber wie ein
Zigeunerlager mit vielen Unsauberkeiten verbunden ist. Und da
ganze Heerden in die Stadt getrieben werden, die Araber fast
immer zu Pferd sind, so ist es eine wahre Kunst, im richtigen
Zickzack sich durch das Gewühl dieser engen Straßen durchzu-

drücken und ohne Rippenstöße und unsaubere Insecten wieder nach
Hause zu kommen. Constantine ist noch immer ein bedeutender
Woll= und Ledermarkt. Auch viele Erzeugnisse der Oasen, Datteln,
Goldstaub, Weihrauch u. s. w., kommen hier zum Verkauf. Vor
allem wichtig aber ist der Verkehr in Korn und Feldsrüchten,
welche von der ganzen Provinz und noch von Tunesien her in
Constantine zu Markt gebracht werden. Bei der Verschiedenheit
der Einwohner und der Fremden, ihrer Costüme und Sitten bietet
darum das Verkehrsleben der Stadt eine Fülle von seltsamen
Genrebildern, wie man sie nur an den größeren orientalischen
Märkten zu sehen bekommt.

Von den Gebäuden, welche der Zeit der mohammedanischen
Herrschaft entstammen, zeichnet sich durch Schönheit und Größe
der Palast des letzten Beherrschers Achmed Bey aus, welcher gegenwärtig dem jeweiligen französischen Stadtcommandanten zur
Wohnung dient. Es ist ein weitläufiger Complex von Flügeln,
halboffenen Sälen, Galerien, Corridoren, Gärten und Gebäuden,
alles in jener phantastischen Zeichnung und Farbenpracht, welche

dem Geschmack der Orientalen eigenthümlich ist und für den Europäer etwas Märchenhaftes hat. Neben diesem orientalischen Prachtbau hat die Stadt noch mehrere ansehnliche Moscheen, die bestens in Stand sind und der Frömmigkeit eines gläubigen Muselmanns nichts zu wünschen übrig lassen: so die große Moschee (Dschama-el-Kabir), die auf den Ruinen zweier römischer Tempel (der Venus und der Concordia) steht und theilweise noch aus dem Mittelalter herrührt; die prachtvolle Moschee Satah Bey mit ihrer zugehörigen Medrasa (Tempelschule) u. s. w.

Das älteste katholische Gotteshaus in Constantine ist die ehemalige Moschee am Wollmarkt (Sul-el-Rezel), deren Raum im Innern durch 24 Säulen in fünf ziemlich niedrige Schiffe getheilt wird. Der Hauptaltar wurde in der Kebla, d. h. der Nische, errichtet, wohin die Moslemin beim Gebet sich zu wenden pflegten, und über welcher sich eine elegante, reich mit durchbrochener Arbeit geschmückte Kuppel erhebt. Jetzt steht hier der Liebfrauenaltar, indem der Hauptaltar in ein großes Chor verlegt wurde, das man an das Hauptschiff der ehemaligen Moschee angebaut hat und das mit einer hexagonalen Apsis abschließt. Die zwei Seitenwände der Kirche sind mit bunter Fayence, durchbrochener Arbeit, Schnitzwerk und anderer Ornamentik in orientalischem Stil reich geschmückt. Man hat daran auch kleine Fenster angebracht, die mit geschmackvollen Glasgemälden ausgestattet sind. Die prächtig gearbeitete Kanzel hat zuvor der Verkündigung des Islam gedient. Sie ist ein wahres Meisterwerk von Schnitzarbeit.

Maure und Maurin von Constantine. (S. 8.)

Nachdem wir Algier und dessen Hauptstädte kennen gelernt, wollen wir einen Blick auf dessen Volk und Geschichte werfen.

2. Das Volk und seine Geschichte.

Das Küstenland wurde schon im grauen Alterthum bevölkert; Karthago, vor dessen Feldherren und Flotten das stolze Rom zitterte, herrschte hier. Als dann die Apostel die Lehre Jesu Christi in alle Welt hinaustrugen, bildete sich auch in Afrika bald eine blühende Christengemeinde, der die Kirche große Lehrer, wie den heiligen Kirchenvater Augustin, und viele heilige Blutzeugen gab. Aber in der Folge verfielen diese Länder der Irrlehre, und zur Strafe schickte Gott wilde, unbändige Kriegsvölker: zuerst die Vandalen, die den Wohlstand des Landes vernichteten, und dann von Osten her die Araber, welche mit dem Schwert in der Hand den Glauben Mohammeds predigten und das Christenthum gründlich ausrotteten. Vierzehnmal, so erzählt ein arabischer Geschichtschreiber, fiel das Volk gezwungen von Christus ab und vierzehnmal kehrte es wieder, wenn die Todesgefahr vorüber war, zum Christenthum zurück. Da machten die Muselmänner mit einem Schlage dem Widerstand ein Ende. An einem und demselben Tage vertrieben sie mehr als 30 000 christliche Familien von Haus und Hof und jagten sie in die Sandwüsten und Felsengebirge der Sahara hinaus, wo wohl die meisten verschmachteten. Der Rest ließ sich auf den wenigen Oasen der Wüste nieder, wo ein Quell einigen Dattelpalmen Wachsthum gewährt; von ihnen stammen wahrscheinlich die kriegerischen Tuareg ab, welche die Araber noch heutzutage „die Christen der Wüste" nennen. Auf ihren Waffen führen sie das Kreuz eingeschnitten, mit ihm bezeichnen sie ihre Leichensteine, und wenn man sie fragt, was dieses Symbol bedeute, so antworten sie: „Wir haben es von unseren Vätern ererbt und werden es unseren Kindern übergeben als ein Zeichen des Glückes; denn es ist das Zeichen des alten Weges." Ja freilich ist es das Zeichen des alten christlichen, des einzigen Weges zum Heile; aber von dieser innern Bedeutung des Kreuzes wissen die Tuareg nichts mehr. Im ganzen Küstengebiete hatte der Glaube Mohammeds gesiegt, und es gibt wohl nirgends so glühende Anhänger des Koran, wie das heilige Buch der Türken heißt, als gerade in Algier. Noch heute ziehen viele sogenannte Marabuts bettelnd und den Islam predigend im Lande umher. Ueberall sprechen sie die schrecklichen Flüche des Koran über die Ungläubigen, gegen die Christen aus. Wir können unseren jungen Freunden das einer Photographie nachgezeichnete Bild eines solchen muselmännischen Missionärs geben. Der Knabe an seiner Seite hat das Unglück, von diesem Manne im Hasse gegen das Christenthum und in den Lügen Mohammeds unterwiesen zu werden.

Zwei Volksstämme, die eingedrungenen Araber und die musetmännisch gewordenen Berber oder Kabylen, wie man sie noch dem Worte „Kabila" nennt, welches Stamm bedeutet, wohnten seit dem Siege des Islam über das Christenthum im Lande, und in der Folge bildete sich noch das Mischvolk der Mauren, unheimliche, böse Leute. Das Meer konnte den vorstürmenden Anhängern Mohammeds keine Schranke setzen. Bald schifften sie hinüber nach dem nahen Spanien und drohten, das ganze Abendland dem Koran zu unterwerfen. Es kostete viel Heldenblut und jahrhundertelange Kämpfe, bis es endlich den Christen unter dem besondern Beistande der Mutter Gottes gelang, die Muselmänner wieder nach Afrika zurückzudrängen. Und auch da blieben sie noch die Herren des Mittelmeeres und schleppten mit ihren Raubschiffen jährlich Hunderte von Christen in die Sklaverei.

Zu Anfang des 16. Jahrhunderts rief der Emir der Metidschah den Seeräuberführer Horuk Barbarossa (Rothbart) gegen die Spanier, die 1506 Oran bemächtigt hatten, und 1509 vor dem Hafen Algiers eine Burg erbauten, um das Seeräubernest im Zaum zu halten. Horuk ermordete den Emir und riß die Herrschaft an sich, wurde aber 1518 von den Spaniern gefangen und enthauptet. Jetzt wählten die Korsaren dessen Bruder Chair-Eddin zum Haupte, und dieser stellte Algier unter die Oberhoheit der Großtürken, der ihn zum Pascha ernannte und mit

Hilfstruppen ausrüstete. Von dieser Zeit bis zur Eroberung durch Frankreich (1520—1830) war Algier der gefürchtete Seeräuberstaat, der oft mit mehr als 200 Raubschiffen nicht nur das Mittelmeer, sondern selbst dem Atlantischen Ocean unsicher machte. Ein Angriff Karls V. mit einer Flotte von 370 Segeln und 30 000 Mann mißglückte 1541 infolge eines furchtbaren Unwetters vollständig. Nicht glücklicher waren die Engländer und Holländer in wiederholten Versuchen im 17. Jahrhundert. Etwas mehr erreichte Ludwig XIV., dessen Marschall d'Estrées 1687 Algier bombardirte und nahezu in Asche legte; doch wurde dadurch keine nachhaltige Wirkung erzielt.

Zu Anfang des 18. Jahrhunderts sagte sich der Dey von Algier, Baba Ali, von der Oberhoheit der Pforte los; das Korsarenwesen ging fort, alle Küsten zu bedrohen, während im Innern eine heillose Janitscharenwirthschaft hauste. Erst im 19. Jahrhundert ermannten sich die Großmächte zum Einschreiten gegen die Seeräuber, denen sie bis dahin einen schmachvollen jährlichen Tribut bezahlt hatten. Sogar England entrichtete bei jedem Consulwechsel ein „Geschent" von 600 Pfund Sterling (12 000 Mark). Eine ernste Schlappe erlitten die Korsaren 1815 durch die Nordamerikaner. Im darauffolgenden Jahre erschien eine englische Flotte in Algier, erzwang die Freilassung von 1211 Christensklaven und das Versprechen, von der Seeräuberei zu lassen. Dasselbe wurde aber nicht gehalten und so griff endlich, nach wiederholtem Friedensbruch seitens des Dey, Karl X. zum Schwert. Ein Schlag mit dem Fächer, durch den der Dey den französischen Gesandten beschimpfte, führte die Entscheidung.

Am 20. April 1830 erfolgte die Kriegserklärung.

Ein Marabut (mohammedanischer Missionär) und sein Zögling.

Eine stattliche Flotte mit 64 000 Mann an Bord erschien vor Algier. Die Landung erfolgte am 15. Juni. Nach einem siegreichen Gefechte, welches etwa 40 000 Beduinen zersprengte, wurde die Belagerung eröffnet; nach kurzer Beschießung übergab der Dey am 5. Juli die Stadt. Man erlaubte ihm, mit einem Theile seiner Schätze nach Italien auszuwandern, wo er starb.

Allein mit der Eroberung der Stadt war der Krieg keineswegs beendet. Der Besitz von Algier sollte Frankreich noch viele tausend Menschenleben und Milliarden Geld kosten. In den Kämpfen, die sich ein ganzes Menschenalter hindurch fast ununterbrochen fortsetzten, zeichnete sich namentlich der kühne Araberführer Abd-el-Kader aus, der später nach Syrien verbannt wurde, wo er die Christen in Damaskus bei dem blutigen Drusenaufstande so heldenmüthig vertheidigte. Doch es ist nicht möglich, auch nur einen Ueberblick dieser wechselvollen Kämpfe und sich immer wiederholenden Empörungen zu geben. Einen folgenschweren Sieg, der die Unterwerfung der östlichen Provinz nach sich zog, die blutige Erstürmung Constantine's, haben wir schon oben erzählt. Statt dessen wollen wir lieber einen Zug aus der Zeit einflechten, da der erste Nachfolger Chair-Eddin Barbarossa's, des wilden Korsarenführers, über Algier herrschte und Christenblut vergoß.

3. Ein arabischer Blutzeuge.

Im 16. Jahrhundert hatten die Spanier an der afrikanischen Küste einige Bollwerke zum Schutze wider die Seeräuber angelegt. In eines derselben wurde mit anderen Gefangenen im Jahre 1538 ein kleiner arabischer Knabe geschleppt; ein Geistlicher, Namens Johann Caro, taufte ihn, unterrichtete ihn im Glauben und spendete ihm die heilige Taufe, wobei der Kleine den Namen Hieronymus empfing. Etwa vier Jahre später gelang einem Theile der Araber ein Fluchtversuch; diese nahmen Hieronymus mit sich und führten ihn in die Heimat zu seinen Eltern. Aber der Same des Glaubens, der in das jugendliche Herz gestreut war, keimte fort, und im Alter von 21 Jahren kehrte der Araberjüngling freiwillig mit seiner jungen Frau zu den Christen zurück und übte öffentlich den christlichen Glauben aus, zu dem er auch seine Braut bekehrt hatte.

Einige Jahre später kreuzte Hieronymus in einem kleinen Boote unfern der Küste. Da kam ein Seeräuberschiff, nahm ihn mit neun Gefährten gefangen und schleppte ihn nach Algier auf den Sklavenmarkt. Dey von Algier war damals Ali-el-Eudi, ein Renegat (d. h. ein zum Mohammedanismus abgefallener Christ), und diesem Menschen fiel Hieronymus als Beuteantheil zu. Kaum gewahrte der Abtrünnige, daß der neue Sklave ein zum Christenthume bekehrter Araber sei, als er ihm auch mit dem ganzen Ingrimm eines abgefallenen Christen den Glauben Moham-

Der Martyrtod des ehrw. Hieronymus von Algier.

meds wieder aufnöthigen wollte. Von nun an hatte Hieronymus Unsägliches zu leiden; aber er wankte nicht. Die Sarazenen umgaben damals Algier mit starken Festungswerken, und eben war man mit der Erbauung eines Forts beschäftigt. Seine Mauern wurden aus gewaltigen Blöcken aufgethürmt, die man künstlich aus Steinen, Mörtel und Sand in großen Mulden formte. Als der Renegat eines Tages die Arbeit seiner Leute überwachte, sagte er plötzlich zu dem Aufseher: „Lasse diese Mulde bis morgen leer! Der Hund von Araber soll mir in diesen Block gebacken und in die Feste eingemauert werden."

Der Aufseher, ein Christ, suchte alsbald Hieronymus auf, verkündete ihm sein Schicksal und ermahnte ihn zur Standhaftigkeit. Der christliche Sklave sagte nur: „Gott sei mir gnädig und verzeihe mir meine Sünden!" und bereitete sich dann ruhig auf seinen Opfertod vor. Die Stunde des letzten Kampfes schlug; Hieronymus stand, von den Knechten des Dey umgeben, an der

halbgefüllten Mulde: „Wohlan, du Hund," schrie der unglückliche Renegat, „ein für allemal — willst du den Glauben des Propheten Mohammed wieder annehmen oder nicht?" — „Nein," antwortete Hieronymus, „weder du noch all deine Qualen sollen mich dazu vermögen!" — „Siehst du diese Mulde?" entgegnete jener, „noch eine Minute und du liegst lebendig begraben in ihr!" — Aber der Märtyrer sagte ruhig: „Thue nach deinem Willen." Da knirschte der Dey vor Wuth mit den Zähnen und winkte seinen Sklaven. Augenblicklich wurde der glorreiche Blutzeuge in die Mulde gelegt und lebendig mit der Masse überschüttet. Kaum war eine Schicht über ihn gelegt, da sprang ein spanischer Renegat in die Mulde und trat mit seinen Füßen die Mischung über dem lebendig Begrabenen fest, wüthender selbst als die Muselmänner; denn abgefallene Katholiken sind stets die ersten in jeder Verworfenheit. Als der Block, zugleich das Sterbelager und der Sarg des Martyrers, fest war, wurde er alsbald den Mauern des Forts eingefügt. Das geschah am 8. September, am Tage Mariä Geburt, des Jahres 1569.

Seither sind viele, viele Jahre verflossen, und niemand dachte mehr an den treuen Araber, der so heldenmüthig sein Leben für seinen Glauben dahingegeben hatte. Aber das allsehende Auge Gottes, das vom Himmel herab die Thaten der Menschen schaut, hatte den Zeitpunkt der Verherrlichung seines Dieners vorherbestimmt, und in unseren Tagen, fast drei Jahrhunderte nach dem Martyrtode des armen Sklaven, sollte an eben der Stätte seines Kampfes sein Triumph auch vor den Augen der Menschen kund werden. Ein spanischer Geschichtschreiber, Don Diego de Haedo, hatte die Nachricht von dem Martyrtode in seinen Büchern aufgezeichnet und zugleich den Wunsch ausgedrückt, Gott möchte dereinst die Stelle offenbaren, an der die kostbaren Ueberreste ruhten, damit sie eine würdigere Bestattung fänden. Das sollte sich erfüllen. Als die Franzosen Herren des Landes geworden waren, befahl der französische Gouverneur, das Fort, in dem der Leib des Martyrers eingemauert war, zu schleifen. Die mit der Ueberwachung dieses Unternehmens betrauten Officiere gaben sich alle Mühe, die Reliquien aufzufinden; aber schon schien alles Suchen umsonst, als plötzlich das Sprengen einer Mine am 27. December einen Steinblock spaltete und den lange gesuchten Leib offen legte.

Bald darauf bewegte sich eine glänzende Procession, an deren Spitze zwei Bischöfe und ein Abt schritten, aus den Trümmern des Forts nach der Kathedralkirche von Algier. Dorthin übertrug man die Ueberreste des ehrw. Hieronymus und dort ruhen

Arabische Bettlerfamilie. (S. 12.)

sie jetzt vorläufig in einem Grabe, bis sie dereinst nach Beendigung des Heiligsprechungs-Processes auf den Altären zur Verehrung ausgesetzt werden.

4. Das Christenthum in Algier.

Man sollte glauben, Algier, das jetzt schon 60 Jahre unter der Herrschaft des „katholischen" Frankreich steht, müsse ganz oder doch zum größern Theil christlich geworden sein. Die Araber haben die Lehre des Halbmonds überall mit der Schärfe des Schwertes gepredigt und hätten sich also nicht wundern müssen, wenn ihnen die Lehre des Kreuzes ebenso angeboten worden wäre. Allein mit Gewalt werden die Herzen nicht belehrt, und Christus will keine gezwungenen, sondern freiwillige Brüder, die seine Lehre

glauben und das süße Joch seiner Gebote freudig auf sich nehmen. Daß also Frankreich das Christenthum den Arabern nicht mit Waffengewalt aufzwang, verdient gewiß keinen Tadel; aber daß es nicht die Predigt des Glaubens unterstützte, ja daß es die Predigt des Glaubens geradezu verbot, die Bekehrung der Araber bestrafte und den Islam mit allen Mitteln schützte, ist eine Schmach für den christlichen Namen seiner Beherrscher. Es ist wahr, schon im Jahre 1831 wurde Abbé Colin als „katholischer Priester" nach Algier geschickt, und nach kurzer Zeit folgte ihm Msgr. Dupuch als erster Bischof; allein die Zahl seiner Priester betrug nur vier, und diese mußten ihre Arbeit auf die Militärspitäler beschränken. Es war ihnen streng verboten, sich mit der Belehrung der Muselmänner zu beschäftigen. Die französische Regierung ging noch weiter: sie bezahlte den Anhängern des Islam die Pilgerfahrt nach Mekka, sie stellte eine Menge von Franzosen als Beamte an, die offen vom Christenthum zum Islam übertraten, sie unterstützte die Schulen des Islam im ganzen Lande und zwar auch nachdem die Erfahrung gezeigt hatte, daß in diesen Schulen der Krieg gegen Frankreich gepredigt werde und daß die Marabuts und Tolba an der Spitze jeder Empörung stehen!

Gerade das Schulwesen des Islam setzt der Ausbreitung des Christenthums ein fast undurchdringliches Vollwerk entgegen. „Der Primärunterricht," so erklärte La Morcière, „viel verbreiteter, als man glaubt, besteht darin, vom sechsten bis zum zehnten Jahre die ersten Elemente der Religion, die Glaubensartikel, die Gebete und äußeren Ceremonien, die Gesetzesvorschriften, kurz das zu lernen, was ungefähr unserem Katechismus entspricht; dann lernen einige noch etwas lesen und schreiben. Merkwürdigerweise steht in den fünf Geboten, welche unsern Decalog ersetzen, absolut nichts von Sittenlehre: sie sind lauter Formeln, welche sich auf die Glaubenslehre und den Gottesdienst beziehen.

Erzbischof Lavigerie, umgeben von seinen arabischen Seminaristen in St. Eugen. (S. 14.)

„Die Taleb (Plur.: Tolba) sind Leute, welche lesen und schreiben können und den Koran mehr oder weniger auswendig wissen. Jeder Taleb kann Schule halten. Ein regelmäßiges Gehalt hat der Taleb zwar nicht. Die Eltern bezahlen ihn je nach ihrem Vermögen und machen ihm an Festtagen Geschenke. Die Familienväter allein wählen und überwachen den Taleb; sie können ihm die Kinder fortnehmen, wenn sie wollen; sie können ihn sogar verjagen, nur müssen sie hierzu erst die Erlaubniß des Cadi (Richter) einholen. In den Städten gehören die Schulsäle zu den Moscheen. Bei den wandernden Stämmen hat jede Duar (Abtheilung von Zelten) ein Zelt, ,Scheria' genannt, das als Schule dient. Die Armen lernen nur ihre Religion. Die Reicheren lernen etwas lesen, Schreiben und die ersten Kapitel des Koran. Unglücklicherweise gehören gerade diese ersten Kapitel zu denjenigen, worin die ,Ungläubigen' (d. h. die Christen) am meisten mißhandelt werden. Daher rührt der Fanatismus bei Kindern von kaum 10 bis 15 Jahren. Jene, welche sich noch weiter ausbilden wollen, wandern von Lehrer zu Lehrer. Dieses Vagabundenleben entwickelt unzweifelhaft ihren Verstand; aber vor allem erlaubt es ihnen auch, ihrer Lust zum Umherschweifen

2*

zu genügen und all den bösen Neigungen und Lastern zu fröhnen, denen sie allgemein ergeben sind; denn man kann ohne Uebertreibung sagen, daß ihre Unsittlichkeit und ihr schlechter Wandel sprichwörtlich sind, und zwar indem man diese Ausdrücke im nur denkbar weitesten Sinn nimmt. Die Gelehrten, welche über den Taleb stehen, nennen sich „Alem' (Plural: Ulema). In den Städten halten sie die Medersa's (oder Medrasa's), d. h. eine Art von Collegien, die von frommen Familien gestiftet sind und Güter zum Unterhalt ihrer Lehrer besitzen. Außer den Städten leiten sie an den Gräbern berühmter Marabuts die Zauias. Gewöhnlich zählt die Familie des Marabut selbst Gelehrte in ihren Reihen. Gehören die Lehrer nicht der Familie an, so werden sie auf deren Kosten erhalten. Der Unterhalt der Schüler wird theils mittelst freier Gaben, theils mittelst der Einkünfte von Stiftungen bestritten.

„Es begreift sich ohne Mühe, daß derartige Collegien, die über das ganze Flächengebiet des Landes hin verbreitet sind, ohne daß je irgendwelche Controle über die eigentliche Richtung ihrer Studien Aufschluß gibt, für jedwede Regierung eine Gefahr bilden müssen. Sie waren auch von jeher die Hauptherde aller Aufstände.

„Im ‚Alem' zu werden, studirt man die Sprache der Bücher, die Anfangsgründe des Rechts und der Theologie. Es ist zu bemerken, daß eine Sittenlehre nicht einmal auf dem Programm dieser höheren Studien steht. Ich muß beifügen, daß die Idee, welche wir mit diesem Worte verbinden, den Muselmännern sozusagen unbekannt zu sein scheint. Ich wenigstens wüßte kein Wort in ihrer Sprache, welches dasselbe wiedergäbe.

„Die einzige Landschaft Tlemsen zählte auf eine Stadtbevölkerung von 12—14000 Seelen 3 Collegien und 50 Schulen, auf eine Landbevölkerung von 125000 Seelen 30 mehr oder minder berühmte Schulen (Zauias) und soviel niedere Schulen, als Stammesabtheilungen. Den Religionsunterricht erhielt jedermann; 2000 Jünglinge erhielten den Unterricht der Mittelschule, 600 machten ihre höheren Studien. Jede Anstalt hat ihre Bibliothek."

Dieses wohlorganisirte Netz von Schulen nun, welches die ganze Provinz Algier umspannte, in welchem der fanatische Haß der Mohammedaner gegen die Christen systematisch von Geschlecht zu Geschlecht fortgepflanzt wurde, dieses Schulsystem, welches notorisch nicht bloß eine Quelle der schreiendsten Unsittlichkeit, sondern auch eine Brutstätte steter Rebellion war, hielten die liberalen Staatsmänner Frankreichs nicht nur mit einer nahezu unbegreiflichen Mutterforge für den Islam aufrecht, sie dachten nicht nur nicht daran, dieser factischen Staatsschule des Mohammedanismus wenigstens durch ein ebenso ausgebreitetes System katholischer Schulen entgegenzuwirken, nein, sie kommten noch die Erzthätigkeit der katholischen Kirche auf Schritt und Tritt verboten die Muselmänner zu belehren und zu verläßlichen treuen Staatsbürgern heranzuziehen.

Hierin liegt der Hauptgrund, weßhalb von Bekehrungen unter den Mohammedanern fast nicht die Rede sein kann. Die Thätigkeit der Missionäre sieht sich fast ausschließlich auf die Kolonisten beschränkt. Das einzige, was sie thun können, ist die Predigt durch das Beispiel, durch die Werke der Liebe und Barmherzigkeit. Aber auch dadurch können sie nicht viel erreichen. Noch im Herbst (20. Sept.) 1877 meldete der Missionspfarrer Henri Delagard in Tebessa seinem Bischofe in Constantine, er habe durch eifrige Ausübung von Werken der Nächstenliebe seit den acht Jahren seiner Amtsführung eine Menge Araber an sich gezogen,

selbst die Gunst mehrerer Taleb (Schullehrer) gewonnen, mehr als einmal den Moslemin das Geständniß entrungen: „Marabut! deine Religion ist besser als die unserige!" Ja, mehrere Scheits (Stammeshäuptlinge) und sogar Caïds wollten ihm absolut ihre Kinder zur Erziehung übergeben; aber — — — so lautet die Klage des Missionärs — „ich habe sie zu meinem großen Bedauern nicht annehmen dürfen".

Die weiteren Eroberungen der Franzosen, die Zunahme europäischer Kolonisten und der große Umfang des ganzen Missionsgebietes veranlaßten den Apostolischen Stuhl im Jahre 1866, das bisherige Bisthum Algier in drei Diöcesen zu theilen: Oran für den Osten, Constantine für den Westen, Algier für den mittlern Theil des Landes. Trotz aller Schwierigkeiten haben die Werke der Barmherzigkeit wenigstens einigen Erfolg gehabt. Als nämlich im Jahre 1866 Msgr. Lavigerie, bis dahin Bischof von Nancy, Erzbischof von Algier wurde und gleich darauf eine furchtbare Hungersnoth seinen neuen Sprengel heimsuchte, sammelte der Erzbischof, wie wir alsbald ausführlicher erzählen wollen, die Opfer derselben in Wohlthätigkeitsanstalten. Die Regierung wollte es ihm verbieten, und Kaiser Napoleon III. ließ ihm sagen, er habe sich gar nicht um die arabische Bevölkerung zu bekümmern. Aber der jetzige Cardinal vertheidigte mit apostolischem Freimuth das heilige Recht der Kirche, Almosen zu spenden und die Kinder Jesu Christo zuzuführen, und die französische Regierung sah sich schließlich genöthigt, den Erzbischof wenigstens einigermaßen seines heiligen Amtes walten zu lassen.

Einige seiner Unternehmungen und namentlich, was Cardinal Lavigerie für die armen Kabylenkinder that, müssen wir eingehender erzählen.

5. Die Hungersnoth.

Im Jahre 1867 wurde Algier, wie gesagt, von einer großen Dürre heimgesucht, infolge deren die Ernte ganz mißrieth und eine wirklich schreckliche Hungersnoth eintrat. Die Berichte aus jener Zeit lauten ganz schauerlich. Die armen Leute kamen schaarenweise in die Städte, namentlich nach Algier, um dort Nahrung zu suchen; viele von ihnen fielen schon unterwegs vor Erschöpfung hin und starben; in Algier selbst suchten diejenigen, welche sich so weit hatten schleppen können, sogar im Straßenkoth nach Dingen, die allenfalls ihren Hunger stillen konnten; aber es starben so viele dieser armen Leute, daß man täglich mehrmals Wagen durch die Straßen senden mußte, um die umherliegenden Leichen zu sammeln. Hunderttausende sollen in den beiden Nothjahren des Hungertodes gestorben sein. Jetzt war die Zeit gekommen, wo die Christen für all das Böse, das ihnen die Korsaren Algiers einst zugefügt, in ihrer Weise Rache nehmen konnten, indem sie nach dem Beispiele des Erlösers Böses mit Gutem vergalten.

Die Katholiken Frankreichs thaten ihr möglichstes, um den armen Leuten zu Hülfe zu kommen; vor allen aber zeichnete sich der Erzbischof von Algier aus. Das große Elend ging Msgr. Lavigerie zu Herzen, namentlich rührten ihn die vielen verhungernden Kinder der Kabylen und der Araber. Auf der Stelle nahm er einige derselben in seine bischöfliche Wohnung auf. Kaum hörte man, daß der Erzbischof Kinder in seinem Palast aufnehme, da strömten ihm von allen Seiten für die kleinen zu, die Mütter brachten selbst ihre Kinder dorthin, um diese wenigstens am Leben zu erhalten. So kamen 30, 40, je 100 täglich an seine Thüre. Was sollte der arme Erzbischof thun? Er hatte ja nichts für so viele. Aber der fromme Herr vertraute auf Gott. Nach wenigen Tagen hatte er 800 Kinder um sich; vierzehn Tage später hatte sich diese Zahl schon verdoppelt. Man machte ihm Vorwürfe, daß er so viele Kinder annehme, die er doch nicht ernähren könne; er aber antwortete: „Ich würde Vorwürfe verdienen, wenn durch meine Schuld die katholische Kirche, die alles Elend der Menschheit gelindert hat, zum erstenmal vor einem Unglück stände, dem sie nicht gewachsen wäre."

Sein Vertrauen wurde nicht getäuscht; reiche Gaben, die ihm aus Frankreich und der ganzen katholischen Welt zukamen, setzten ihn in den Stand, zwei große Waisenhäuser, eines für die Knaben und eines für die Mädchen, zu errichten; in jedes konnte er über tausend Kinder aufnehmen, sie ernähren, kleiden und erziehen. Binnen wenigen Wochen nahm der Erzbischof 1700 verlassene Araber- und Kabylenkinder auf und nährte sie, wie ein Vater. Viele starben infolge gänzlicher Erschöpfung; aber sie wurden vor dem Tode getauft und gingen in den Himmel ein. Doch blieben etwa 800 am Leben; für diese konnte der Erzbischof mit Hilfe der in Europa gesammelten Almosen Waisenhäuser bauen: Ben Aknun, das

6. Die Knabenwaisenhäuser.

Das schönste und größte Haus, in welches der Erzbischof von Algier die Knaben aufnahm, ist das Viereckhaus (Maison carrée). Dasselbe hat eine herrliche Lage. Etwa drei Stunden von Algier entfernt steht es am Meeresufer. Von seinen Fenstern aus schweift der entzückte Blick über die Rhede, wo die Schiffe vor Anker liegen, nach der Hauptstadt hinüber, die sich im Hintergrunde der Bai mit ihren zackigen Mauern, weißen Häusern und schlanken Minarets an den Fuß eines Berges hinschmiegt. Die blauen Fluten des Meeres spiegeln sie wieder und der Lichtglanz des afrikanischen Himmels umstrahlt sie. Als die Araberknaben zum erstenmal hierhergeführt wurden, riefen sie: „O wie schön ist es hier! Es ist wie in unseren Bergen, man sieht nach allen Seiten, man sieht Algier, man sieht das Meer!" Aber das Land war mit Gebüsch und Dornen bedeckt, und statt einer Wohnung mußten sich die Kinder vorerst mit einem Nothdache in einer alten türkischen Strandbastion begnügen.

Se. Eminenz Cardinal Lavigerie. (S. 12.)

Viereckhaus, und das Seminar zum hl. Eugen für die Knaben, und Kuba für die Mädchen. Von dem Mädchenwaisenhause in Kuba hat uns eine der Ordensschwestern eine sehr schöne Geschichte erzählt, und wir werden dieselbe unseren jungen Freunden mittheilen, wenn wir wieder auf dem Schiffe sind. Inzwischen müssen wir miteinander dem großen Knabenwaisenhause einen Besuch abstatten.

Es bedurfte mancher Schweißtropfen und mancher mühseligen Stunde, bis diese Wildniß in die jetzigen Gärten und Mais- und Weizenfelder umgeschaffen war. Und das alles haben die Waisenknaben unter Leitung der Brüder zu Stande gebracht. Lust und Liebe zur Arbeit diesen Kindern beizubringen, die von Jugend auf meist an ein träges, herumschweifendes Leben gewöhnt sind, ist in der That der erste und schwierigste Schritt, der sie dem Christenthume und der Gesittung zuführen kann. Deshalb hat der hochw. Herr Lavigerie sich auch die Worte „Cruce et aratro", d. h. „durch das Kreuz und den Pflug", durch Gebet und Arbeit, zum Wahlspruche genommen.

Auch in dem Waisenhause Ben Aknun wird wacker gearbeitet. Die Knaben erhalten daselbst Unterricht in verschiedenen Handwerken und pflegen die Seidenzucht, und selbst die Mädchen im Hause von Kuba haben unter Leitung der Schwestern weitläufige Gemüsegärten und einen großen Weinberg zu bestellen.

Für die begabteren Knaben wurde das Seminar zum heiligen Eugen gegründet, wo sie vollständigen Gymnasialunterricht erhalten. So hofft man nach und nach einen einheimischen Priesterstand heranzubilden.

Ueberall sind die Kinder froh und zufrieden und gesund, wie der Fisch im Wasser. Die christliche Liebe hat ihre wilden Herzen erobert, in die der Haß gegen die Christen von frühester Jugend an wie eine giftige Pflanze eingesenkt war, und die Geduld und das Beispiel ihrer Erzieher entwurzelte nach und nach die alten, bösen Gewohnheiten, den Hang zum Lügen und Stehlen. Das Gefühl der Dankbarkeit erwachte; von ihm erfüllt, wurden den Kindern auch harte Opfer leicht. Dann kam die Gnade von oben und führte sie dem Christenthume zu.

Das Viereckhaus (Maison carrée). (S. 13.)

„Weshalb findest du die christliche Religion besser als die arabische?" fragte einst der Erzbischof einen schon ältern Knaben, der um die Taufe bat. — „Weil die Religion der Araber befiehlt, die Christen zu morden, die Religion der Christen aber, für die Araber zu sterben", war die schöne Antwort.

Bald baten viele von den Kindern um die heilige Taufe. Aber sie werden sehr lange geprüft, bevor man ihrem Wunsche entspricht. Ihre Sehnsucht nach diesem heiligen Sacramente, das sie zu Kindern Gottes macht, ist rührend. Aus vielen Beispielen wollen wir nur den Brief eines kleinen Kabylenknaben auswählen, den dieser dem Erzbischof nach Frankreich schrieb.

„Ich kann nicht glücklich sein, bis du meine Stimme hörest. Ich bitte um die Taufe, die du bereits anderen spendetest. O, wenn du wüßtest, was die Sehnsucht nach der Taufe ist, du würdest meiner Bitte entsprechen! Du bist ja auch nicht glücklich, wenn du ein Verlangen hast, bis du das Verlangte besitzest, und siehe — deinem kleinsten Salem ul Mulad geht es gerade so!" Der kleine

Kabyle erhielt auf diese Bitte die Taufe und in ihr den Namen Eliakim Cyprian.

Noch glücklicher waren zwei andere kleine Araber, die der Erzbischof mit sich nach Rom nahm und dem Heiligen Vater vorstellte. Wir wollen diese Audienz hier mittheilen; denn sie ist ein schöner Beweis von der Herzensgüte Pius' IX. Die beiden Knaben, Abd el Kader ben Mohammed und Hamed ben Aicha, wurden vom Heiligen Vater freundlich nach ihrem Namen gefragt und ob sie die christliche Religion könnten. „Ja", sagte der eine. — „Schön, ihr wißt den Katechismus? Nun, so sagt mir die zehn Gebote." Die Kinder nannten sie ohne Stocken, aber die Furcht benahm ihnen fast die Stimme, so daß sie sehr leise redeten. Pius IX. neigte sein Ohr fast bis zum Munde der Knaben und sagte lächelnd: „Seht, liebe Kinder, ich fange an alt zu werden und höre nicht mehr scharf." Dann stellte er noch verschiedene Fragen, welche zur vollen Zufriedenheit beantwortet wurden. Jetzt faßte sich der eine Knabe ein Herz und bat: „Heiliger Vater, wir verlangen eine Gnade — die heilige Taufe. Der Erzbischof will sie uns noch nicht geben." „In der That, Heiliger Vater," sagte der Erzbischof, „ich halte es für gut, meine Kinder bis zu den Jahren der Unterscheidung zu prüfen. Aber diese zwei sind wohl vorbereitet und groß genug; auch haben sie keine Eltern mehr, welche sie zurückverlangen könnten." — „Wißt ihr auch," wandte sich der Papst wieder an die Kinder, „was die Taufe ist, welche Verpflichtungen sie auflegt? Wenn ihr nach Afrika zurückkehret, so werden euch die Araber vielleicht verfolgen, weil ihr Christen seid." — „O, Heiliger Vater!" rief der ältere, „wenn man uns auch den Kopf abschlägt — das thut nichts; dann gehen wir geradewegs in den Himmel!" Da legte Pius IX. seine Hand segnend auf das Haupt des Knaben und sagte zum Erzbischof: „Lassen Sie die Kinder hier in Rom taufen; das wird für dieselben eine schöne Erinnerung, für Sie selbst aber eine Freude und ein Lohn sein." Dann entließ der Papst die kleinen Araber, nachdem er sie mit schönen Bildern der seligsten Jungfrau beschenkt hatte. „O" — sagten die Kinder — „was der Papst gut ist! Sie sind gut, aber der Papst ist besser als Sie!"

Die beiden Knaben wurden in der Kirche der heiligen Dreifaltigkeit auf dem Monte Pincio den 18. Januar 1870 von einem Cardinal getauft.

Milud, ein kleiner, lebhafter Schalt, sah eines Tages den
hochw. Herrn Lavigerie ein paar Datteln essen. „Papa (Erz=
bischof," sagte der Knabe zum hochwst. Herrn, den alle Waisen
„Vater" nennen, „issest du gerne Datteln?" — „Ja, sehr gern",
lautete die freundliche Antwort. Einige Wochen später kam das
Fest des hl. Karl, das Namensfest des Erzbischofs. Die Brüder
bemerkten am Morgen, daß der kleine Milud fehle; auch zu Mittag
war er nicht da und man suchte ihn vergebens. Zwei oder drei
Stunden später kam der kleine Bursche ganz glühend und außer
Athem zum Erzbischof mit einem großen Taschentuche voll Datteln.
„Schau," rief er triumphirend, „das ist für dich!" — „Wo hast
du die Datteln her?" fragte dieser erstaunt. — „Ich bin entwischt
und nach Algier gelaufen und habe sie für dich gekauft. Du
hast ja gesagt, du liebtest sie, und heute ist dein Namenstag!" —
„Und womit bezahltest du sie?" — „Mit den Pfennigen meiner
Preise." Die allerfleißigsten Kinder bekommen nämlich wöchentlich
einen Sou (vier Pfennige). So hatte der kleine Milud sich mehrere
Wochen angestrengt, um dem Erzbischofe eine Freude zu machen.

7. Die Söhne des Marabut.

Inzwischen waren schon manche der Araber= und Kabylen=
kinder, welche der Erzbischof in seinen Waisenhäusern erziehen ließ,
große Leute geworden und sollten nun ihr eigenes Brod verdienen.
Aber Erzbischof Lavigerie konnte sich nicht entschließen, seine „Kin=
der" den Gefahren der Städte preiszugeben, und so faßte er den
schönen Plan, für dieselben christliche Dörfer anzulegen, wo sie
auch fortan in glücklicher Gemeinschaft unter Leitung ihrer „Väter"
leben könnten. Er kaufte daher eine Strecke öden Landes, ließ
darauf ein Kirchlein und eine Anzahl Häuschen bauen, nannte
das kleine Dorf St. Cyprian und bevölkerte es zunächst mit einem
Dutzend junger Ehepaare aus der Zahl der bereits erwachsenen
Waisenkinder. Die umwohnenden Araber nannten aber St. Cy=
prian „das Dorf der Söhne des Marabut", indem sie nach ihrem
Sprachgebrauche den Erzbischof „Marabut" nannten. Da bauten
sich also diese jungen Leute an, machten den Boden urbar und
leben seither unter der väterlichen Leitung der Missionäre ganz

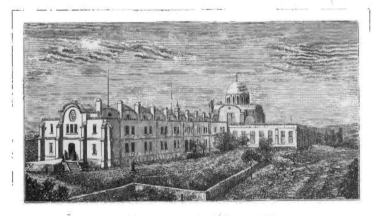

Das Große Seminar von Kuba in Algier. (S. 14.)

glücklich und zufrieden. Bald mußte ein zweites Dorf, St. Mo=
nika, in ähnlicher Weise gegründet werden, und wenn der Erz=
bischof nur Geld hätte, so würde bereits ein drittes und viertes
erbaut sein.

Wenn nun der hochwst. Herr diese Dörfer besucht, so ist das
ein großes Freudenfest für ihre Bewohner. Dann wird das Glöck=
lein geläutet; Flintenschüsse wecken das Echo der umliegenden
Berge; jubelnd ziehen die ehemaligen Waisenkinder ihrem „Vater"
entgegen und führen ihm ihre eigenen Kinder, seine „Enkel", zu.
„Ich wollte," schrieb der Erzbischof vor einigen Jahren, „Sie
könnten mich sehen, wenn ich das Dorf St. Cyprian besuche!
Wie da diese kleinen Knirpse mich umdrängen, wie sie mich ,Groß=
papa' nennen, wie sie mich am Gewande zupfen und ohne alle
Umstände auf meine Knie klettern, um meine Taschen zu unter=
suchen, ob ich kein Zuckerwerk für sie gebracht habe!"

Leider konnten nicht alle erwachsenen Waisenkinder so gut ver=
sorgt werden, weil eben der Ankauf des Landes, die kleine Hütte,
Ackergeräthe und Zugvieh viel Geld kosten. So mußten manche

in Algier oder auf dem Lande als Handwerker und Knechte eine
Unterkunft suchen, und von diesen sind einige durch böse Menschen
zum großen Schmerze des Erzbischofs verführt worden; andere
aber haben herrlich Stand gehalten und selbst laue Christen durch
ihr Tugendbeispiel angeeifert. Diese „Söhne des Marabut" hegen
alle die größte Dankbarkeit gegen ihren „Vater", der sie vor Jahren
dem Hungertode entriß. Ein Beispiel hiervon erzählt uns der
hochwst. Herr in einem seiner Briefe: „Noch gestern besuchte mich
eines meiner Kinder, die sich in Algier niederließen, Karl, ein armer
Krüppel. Wir ließen ihn ein Handwerk lernen, dessen Ausübung
der Zustand seiner Glieder erlaubte. So wurde er Schuster und
arbeitete zuerst als Geselle, als er vor drei Jahren das Waisen=
haus verließ. Mit dem Lohne, den er haushälterisch zurücklegte,
kaufte er sich Leisten, Werkzeug, etwas Leder und gründete in einem
armseligen Stübchen des arabischen Viertels in Algier sein eigenes
Geschäft. Im Anfang ging es knapp genug; aber jetzt arbeitet er
bereits mit einem Gesellen. Das alles erzählte er mir halb be=
scheiden und halb voll Selbstbewußtsein, und plötzlich warf er sich

auf die Kniee, um eine Gnade zu erbitten, und sagte: ‚Meine Kameraden vom Waisenhause würden es sich zur Ehre rechnen und ich ebenfalls, wenn Sie ein paar Schuhe von mir annehmen wollten.‘ — ,Wie — ein Paar Schuhe?‘ — ,Ja, die ich ihnen mache, ich selber — ein Paar Schuhe als Neujahrsgeschenk; aber schöne Schuhe, Schuhe aus Glanzleder.‘ Sie können mir glauben, daß mich dieses kindliche Anerbieten mehr freute, als eine reiche Gabe. Karl nahm sofort das Maß, dann erhob er sich überglücklich und sagte: ‚Wie werden sich alle meine Kameraden freuen, wenn sie hören, daß der Erzbischof ein Paar meiner Schuhe tragen will!"

Dieser schlichte Zug mag uns die Dankbarkeit der arabischen Waisenkinder zu ihrem Vater und Retter veranschaulichen.

Mit diesen Schilderungen aus dem Leben der arabischen Waisenkinder, welche Cardinal Lavigerie vom zeitlichen und ewigen Tode rettete, wollen wir von Algier scheiden. Wir besteigen den „Afrikaner" und steuern, von Wind und Wetter begünstigt, längs der Küste nach Osten; nach kurzer Meerfahrt werden wir die Bucht von Tunis erreichen, welches der zweite kurze Ruhepunkt unserer Reise sein soll. Inzwischen soll uns die Schwester von Kuba die versprochene schöne und wahre Geschichte von dem Kabylenkinde Helyma erzählen, welches sie selbst gut gekannt hat.

8. Helyma, das Kabylenkind.

Helyma war unter den ersten Waisen, die unser Haus vom hl. Eugenius bei Algier im December 1868 aufnahm. Während der Hungersnoth hatte das Kind alle Qualen eines herumirrenden Lebens und alle Schmerzen des Hungers kennen gelernt. Sie war noch sehr jung, als ihre Mutter starb; wie sie uns später erzählte, wurde sie von ihrem Vater jeden Morgen ausgeschickt, um Reisig zu sammeln, aus welchem man dann Besen verfertigte, die er, so gut es ging, zu verkaufen suchte. Mehr als einmal wurde das arme Kind, wenn es nicht genug gesammelt hatte, mit Stockschlägen vom Vater empfangen, bis es einmal, als die Hungersnoth immer größer geworden war, gar nicht mehr in die Gurbi — so heißen die Strohhütten der Kabylen — Einlaß fand, sondern von seinem Vater nur die Worte vernahm: „Ich habe nichts mehr für dich; fort mit dir." Helyma brachte die Nacht unter freiem Himmel und klopfte am folgenden Tage noch einmal an die Thüre des Vaters. Der Empfang war noch unfreundlicher als am vorhergehenden Abende, und nachdem sie noch ein drittes und viertes Mal vergebens Einlaß begehrt hatte, mußte sie die Heimat verlassen. Nur nothdürftig bekleidet irrte sie umher; wilde Kräuter und Wurzeln waren ihre einzige Nahrung, wenn nicht etwa, was allerdings selten geschah, eine mitleidige Aduscha (d. h. im Arabischen eine alte Frau) ihr ein Stücklein Brod reichte. Aber der himmlische Vater wachte über das Kind, und derjenige, der den Vögeln ihre Nester anweist, hatte auch für Helyma einen Zufluchtsort bereitet.

Wir wissen nicht genau, wie lange dieses unstäte Leben Helyma's dauerte; eines Tages fand man sie in Millianah, einer von französischen Kolonisten bewohnten Ortschaft Kabyliens, und man brachte sie uns auf einem großen Wagen mit einer Menge anderer Kinder. Die bisher erduldeten Leiden hatten aber die Gesundheit des Mädchens zerstört und in ihre Brust den Keim der Krankheit gelegt, an welcher es bald sterben sollte.

Als Helyma zu uns kam, mochte sie ungefähr acht Jahre alt sein; in ihrem Gesichte hatte sie etwas Düsteres und Wildes; ihre schwarzen, glänzenden Augen verriethen Verstand, aber auch ein heftiges Wesen. Schweigend kauerte sich das arme Kind an

die Wand und zeigte eine Furchtsamkeit, welche Mitleid erregte. Tags nach ihrer Ankunft lag sie schwer krank danieder; der hochwst. Erzbischof, welcher selbst kam, sie zu besuchen, dachte daran, ihr die heilige Taufe zu geben; allein der Arzt meinte, es sei keine Gefahr vorhanden, und hatte Recht; denn in wenigen Tagen war diese Krankheit überwunden.

Allmählig fand sich das wilde Kind heimisch in dem Waisenhause, und nun trat auch seine verwilderte Sinnesart in ihren häßlichen Eigenschaften an den Tag. Helyma war eifersüchtig, heftig, eigensinnig, naschhaft und lügnerisch. Kein himmlischer Strahl schien in dieses Herz gefallen zu sein. Essen war ihr einziger Gedanke, und Eßwaaren stehlen und verbergen der Gegenstand ihrer verschlagenen Berechnungen. Es ist schwer, ein Kind, wenn es einmal auf schlimmen Wegen ist, zu bessern; doppelt schwer war es bei Helyma, die von ihren ersten Jahren an keine Erziehung empfangen hatte. Indessen wir beteten viel für dieses reichbegabte Kind, und Gott zeigte uns den Weg zu seinem Herzen.

An einem Sonntag, da die meisten Schwestern in der Kirche waren, stahl sich Helyma mit ihrer ältesten Gespielin in die Küche. Vorsichtig schauten sie um sich, und da sie sich unbemerkt glaubten, eilten sie auf den Kessel zu, in welchem das Fleisch kochte. Im Augenblick ist der Deckel entfernt, das Fleisch herausgenommen und die Theilung begonnen. Aber ein wachsames Auge hatte sie bemerkt, und eine angemessene Strafe folgte dem Vergehen. Die große Beschämung, die für Helyma darin lag, daß sie auf der That ertappt wurde, und die Demüthigung der Strafe machte einen tiefen Eindruck. Sie sah, daß sie unrecht gethan, und sie war zornig, daß man sie gestraft hatte. Dieser Kampf zwischen der Wahrheit und dem Stolz dauerte mehrere Tage. Sie redete kein Wort, war düster und mißmuthig und schien für alles freundliche Zureden der Schwestern keine Empfindung zu haben. Eines Tages vertheilte die „gute Mutter" (so nannten die Kinder die Oberin) Feigen unter die Waisen; alle stürzten freudig herbei, nur Helyma blieb ferne und nahm die Früchte, welche man ihr gab, kalt und trotzig an, ohne ein Wort des Dankes. Die Schwestern verdoppelten ihre Gebete für sie und ihre Freundlichkeit gegen sie; endlich suchte die „gute Mutter" in der Noth ihres Herzens dem armen Kinde zu Hilfe zu kommen. Da sie allein mit ihm war, legte sie ihm liebevoll die Hand auf die Schulter und klagte, wie sie es so gut mit ihm meine und so gerne helfen möge, wie aber Helyma alle Liebe zurückweise und immer eigensinnig sich zurückhalte. Diese Worte gingen dem Mädchen zu Herzen; es öffnete weit seine großen, schwarzen Augen und schaute die „gute Mutter" wie fragend an. Als es aber die große Liebe und fühlte, die sich im ganzen Aeußern der Oberin ausdrückt, füllten große Thränen seine Augen, und weinend schlang es seine Arme um den Hals der „guten Mutter", indem es aus seiner tiefsten Seele und in seinem besten Französisch, das es verstand, ein „Merci" stammelte. Helyma sah sich zum erstenmal in ihrem Leben geliebt und war dadurch gewonnen. Daß ein Kind, welches, wie Helyma, nur Grausamkeit von seinen nächsten Angehörigen erfahren hatte, an der Liebe seiner Lehrerinnen zweifeln konnte, ist begreiflich; wie aber kleine christliche Eltern, die von der Liebe beständig in den Armen getragen werden, nicht glauben wollen, daß man es gut mit ihnen meint, selbst wenn man ihre Fehler straft, ist weniger begreiflich und gewiß nicht schön.

Helyma hatte nun das Vertrauen gefunden, und es that dieses ihrem Herzen so wohl, daß sie von Stunde an anders wurde und mit einer wahrhaften Verehrung an der „guten Mutter“ hing, trotz der Strafe, welche sie von derselben erhalten. Ihr Blick wurde von da an sanfter und milder, und ihr ganzes Aeußere zeigte die innere Umwandlung. Sie fing an zu arbeiten, lernte fleißig die Gebete, und allmählich begann sie auch klarer das Gute vom Bösen zu unterscheiden. Wie nothwendig aber das letztere war, kann man daraus sehen, daß Helyma einst ganz ernsthaft ihre Lehrerin fragte: „Ist es wohl eine Sünde, wenn ich meine Gefährtin tödte?“ und dabei machte sie eine Bewegung mit ihrer Hand, welche zeigte, daß sie geneigt sei, dieselbe zu erdrosseln.

Helyma blieb auf dem guten Wege, nachdem sie ihn einmal betreten hatte; nicht als ob sie schon eine kleine Heilige gewesen wäre; o nein, es kamen noch immer viele Fehler vor, aber sie nahm die Strafe dafür gerne an und bemühte sich ernstlich, sich zu bessern. Damals wurde unser Haus unter den besondern Schutz der lieben Mutter Gottes gestellt, und der Schutz der Gottesmutter zeigte sich klar an unseren lieben Kindern; die Sehnsucht nach der Taufe schien alle Herzen zu erfüllen; vor allen ihren Gefährtinnen aber zeichnete sich Helyma aus. Ihr Gesicht glänzte, so oft sie dem Religionsunterricht beiwohnte. „Ich wünsche bald die Taufe zu empfangen,“ wiederholte sie oft, „um mit der „guten Mutter“ in den Himmel zu kommen.“ „Ach,“ sagte sie eines Tages, „wenn der liebe Gott nicht diese Hungersnoth geschickt hätte, wären wir nie so glücklich gewesen, hierher zu kommen und die Taufe empfangen zu können.“ Die Sehnsucht nach der Taufe ließ sie alle Strafen für vorkommende Fehler mit einer solchen Freude und Liebe annehmen, daß ihre Lehrerin schrieb: „Wenn es erlaubt wäre, sollte man wünschen, daß Helyma einen Fehler begeht, bloß um zu sehen, mit welcher rührenden Reue sie ihn gut zu machen sucht.“

Wiewohl sie noch nicht getauft war, kannte sie doch Christus, den Herrn, bereits und wußte auch, daß er im allerheiligsten Sacramente gegenwärtig ist. Wenn sie daher sich wieder versehlt hatte, sagte ihre Lehrerin ihr bloß: „Gehe an die Thüre der Kapelle und bitte den lieben Gott, daß er dir zeige, was du thun mußt.“ Dann ging sie, und bald kam sie zurück und sagte: „Mutter, der liebe Heiland hat mir gesagt: „Du willst mir angehören und bist doch wieder böse gewesen; ich kann jetzt nicht in dein Herz kommen; siehe nur, wie unrein es ist. Thue zuerst diese Buße,

und dann will ich dir vergeben.‘“ Sogleich erfüllte sie dann die Buße, welche sie sich auferlegt hatte, und erst dann wurde sie wieder heiter und zufrieden.

So kam der ersehnte Tag der Taufe heran. Am 25. Januar 1872, am Feste der Bekehrung des hl. Paulus, hatte Helyma das Glück, durch die heilige Taufe in die Kirche aufgenommen zu werden. Sie erhielt die Namen Maria Sophie Albina. Die Freude und Seligkeit, welche sie an diesem Tage empfand, läßt sich nicht beschreiben.

Auf einmal wird niemand gelehrt, sondern alle, die etwas lernen wollen, müssen sich viele Jahre plagen. So wird auch niemand auf einmal gut, sondern wir müssen auch daran viele Jahre arbeiten. Helyma, so will ich das Kind noch immer nennen, obgleich es jetzt Albina hieß, war zwar nun Christin geworden; die heilige Taufe hatte sie rein gewaschen von allen ihren Sünden, so daß sie unschuldig und rein war vor dem allwissenden Auge Gottes; aber die heilige Taufe hatte nicht zugleich alle ihre bösen Neigungen hinweggenommen. Diese lebten noch immer in ihr und suchten sie zu neuen Fehlern zu verleiten. Indessen war sie nicht damit zufrieden, bloß dem Namen nach Christin zu sein; sie wollte es auch in der That sein, sie wollte, wie sie selbst sagte, „eine Heilige werden“. Und wirklich arbeitete sie mit der Gnade Gottes ununterbrochen daran.

Wegen ihres heftigen und schwierigen Charakters mußten ihre Lehrerinnen sie manchmal etwas streng behandeln; diese Strenge nun war ihr nichts weniger als lieb. Trotzdem kämpfte sie unablässig gegen die Unzufriedenheit und Traurigkeit, die sich deßhalb in ihrem Herzen regte. Natürlich kamen noch manchmal Fehler vor; aber sie war die erste, diese Fehler zu erkennen, und sie ruhte nicht, bis sie sich selbst dafür eine Strafe auferlegt hatte. Es war auch bald nach der Taufe, wo sie ihre früheren Verirrungen und Sünden mehr und mehr erkannte und bereute, ja sogar um Leiden betete, durch welche sie für dieselben genugthun könnte. Ein schmerzliches Augenleiden, das sogar eines ihrer Augen in Gefahr brachte, ertrug sie in diesem Geiste mit großer Ergebung. Ueberhaupt hatte sie trotz ihrer Jugend bereits fast eine Ahnung von der Bedeutung und dem Werthe der Leiden im Christenthum. Schon vor ihrer Taufe war der hochwst. Herr Erzbischof einmal ins Waisenhaus zu „seinen Kindern“ gekommen, wie er es öfter that.

Kabylen-Kinder. (S. 16.)

um sich zu erholen. Dringend baten ihn die Mädchen, ihnen recht bald die heilige Taufe zu spenden. Da wendete sich der Herr Erzbischof an Helyma und fragte sie:

„Weißt du denn auch, was es heißt, Christin zu sein?"

„Es heißt, Martyrin sein für den lieben Gott", antwortete Helyma sogleich.

„Du hast Recht," erwiderte der hochwürdigste Herr; „aber weißt du auch, was es heißt, Martyrin zu sein?" Und nun zeigte er ihnen das Bild des ehrwürdigen Geronimo (Hieronymus), dessen Geschichte Seite 9 erzählt wurde. Der Herr Erzbischof erzählte den Kindern den Tod dieses Martyrers und fragte dann Helyma:

„Möchtest du auch so lebendig eingemauert werden?"

Sie zögerte ein wenig; dann aber antwortete sie entschlossen:

„Gewiß; man leidet einen Augenblick; dann folgt das Paradies ohne Ende."

Der Gedanke an die ewigen Freuden des Himmels ließ ihr alle Leiden und Anstrengungen hier auf Erden als gering und unbedeutend erscheinen.

Auch das „Heiligwerden" muß man lernen, und Helyma meinte, daß könne sie viel rascher und leichter lernen in Europa, als unter ihren Gespielinnen in Afrika. Von Europa waren ja die Schwestern gekommen, welche sie so sehr liebte; in Europa waren die guten Kinder, die so vieles für die armen Heidenkinder gethan haben und noch thun; unter diesen, meinte Helyma, würde sie auch bald gut und brav werden können. Besonders hatten ihr die Schwestern so vieles erzählt von dem Eifer und der Frömmigkeit der kleinen Waisenmädchen in der Anstalt von Marseille, daß sie keinen sehnlicheren Wunsch hatte, als auch in diese Anstalt zu kommen. „Gute Mutter," sagte sie oft zu der Oberin, die nach

Erzbischof Lavigerie und Helyma.

Frankreich zurückkehren sollte, „gute Mutter, nimm mich mit dir nach Marseille, damit ich dort lerne, heilig zu werden. Du bist so gütig gewesen, meine Pathin zu sein, obgleich ich die Unartigste war; aber jetzt muß ich auch bei dir bleiben." Zwar reiste die Oberin ab, ohne Helyma mitzunehmen; indessen leitete die göttliche Vorsehung die Dinge so, daß ihr Wunsch dennoch in Erfüllung ging. Ihre schönen Anlagen und ihr guter Wille veranlaßten den hochwohl. Herrn Erzbischof, sie und eine ihrer Freundinnen auszuwählen, damit sie in Frankreich eine vollständigere Ausbildung erhielten, als man ihnen in Afrika geben konnte, wo nur für das Nothwendigste gesorgt ist. Diese Nachricht kam ihr sehr erwünscht, und obgleich sie tief betrübt war, als sie die Schwestern und ihre kleinen Gespielinnen in Afrika zurücklassen mußte, war sie doch auch wieder freudig gestimmt. Während ihre

Gefährtin ganz außer sich war vor Freude, in Erwartung alles des Neuen, das sie in Frankreich sehen würde, blieb Helyma ruhig; auf ihren ernsten Zügen konnte man lesen, daß in ihrem Herzen mehr vorging, als in dem anderer Kinder. Das zeigte sich auch, als sie nach einer glücklichen Reise in Marseille ankam. Nicht die großen Schiffe, deren unzählige bei der großen Hafenstadt vor Anker lagen, waren es, die ihre Aufmerksamkeit auf sich zogen; auch nicht die breiten Straßen mit ihren herrlichen Häusern und prächtigen Läden, oder all der Schmuck und die Kostbarkeiten, die sie zum erstenmal in ihrem Leben sah — alles dies ließ sie unbeachtet; sie dachte nur daran, daß sie jetzt in einem ganz christlichen Lande sei, und ihr erstes Wort war: „Welches Glück, jetzt keine Mohammedaner und Heiden mehr sehen zu müssen!"

Mit offenen Armen wurden Helyma und ihre Freundin von der „guten Mutter" und ihren neuen Gefährtinnen empfangen. Helyma war nun am Ziele ihrer Wünsche, und eine heitere Ruhe verbreitete sich immer mehr über ihr ganzes Wesen. Aber die Entbehrungen und das Elend ihrer ersten Kindheit und Jugend hatten auf ihren ohnedies schwachen Körper so tief eingewirkt, daß auch die größte Sorgfalt für ihre Gesundheit die gute Kleine nicht mehr retten konnte; ihre Kräfte nahmen langsam ab, und bald war es klar, daß sie dem Tode entgegenging. Früher hatte sie sich vor dem Tode gefürchtet; der Gedanke, daß ihr Leib in der Erde verwesen werde", hatte sie mit Schrecken erfüllt. Aber an die Stelle der Furcht und des Schreckens trat mit dem Zunehmen ihrer Krankheit eine Heiterkeit, welche sie nicht mehr verließ. Oft drückte sie ihren Wunsch aus, „hinzugehen, um den lieben Gott zu sehen"; zuweilen auch wünschte sie wieder gesund zu werden und bot ihre Freundinnen, zu diesem Zwecke eine neuntägige Andacht zu halten; aber immer blieb sie ganz ergeben in den Willen Gottes. Bis zu ihrem letzten Hauche konnten wir nie auch nur einen Augenblick des Schreckens oder der Unruhe in ihrer Seele gewahren. Lange bevor wir daran dachten, daß sie in Gefahr schwebe, sagte sie lächelnd: „O ich werde nie eine Adschus (alte Frau) werden; ich werde jung sterben." Unaufhörlich erinnerte sie sich an eine ihrer Freundinnen, die bald nach der Taufe gestorben war. „Ich wünsche sehr," sagte sie manchmal, „daß Analie (so hieß ihre verstorbene Freundin) mich abhole."

Sie sollte nicht lange darauf warten; bald vermochte sie keine Nahrung mehr zu sich zu nehmen; täglich kostete es ihr keinen kleinen Kampf, bis sie es über sich brachte, etwas zu genießen. Zuweilen wies sie sogar alle Speise ganz zurück, und ihr früherer Eigensinn

Arabisches Nomadenzelt. (S. 8.)

zeigte, daß er noch nicht ganz erloschen sei; indessen genügten dann ein paar Worte ihrer Oberin und ein Augenblick des Nachdenkens, um ihr den Sieg zu verleihen.

Wenn der liebe Gott das gute Kind auf diese Weise mit Leiden heimsuchte, so wollte er ihr auch auf der andern Seite einen großen Beweis seiner unendlichen Liebe gewähren. Helyma war so weit unterrichtet, daß sie im nächsten Jahre zur heiligen Communion gehen und den lieben Heiland unter Brodsgestalt, mit all seiner Liebe und all seinen Gnaden empfangen sollte. Diese große Gnade war der Gegenstand aller Wünsche und das Ziel aller Anstrengungen des Kindes gewesen. Da sich aber der Zustand der Kranken immer verschlimmerte, so wurde der Tag ihrer ersten heiligen Communion früher angesetzt, und man theilte ihr mit, daß sie schon nach wenigen Tagen, am Feste des hl. Michael (29. Sept. 1872), das Glück haben werde, ihren Heiland zum erstenmal zu empfangen. Ihre Freude über diese Nachricht war so groß, daß sie kaum daran glauben wollte; sie sprach ihr „Mercé" mit einem Blicke und mit einem Tone, die ahnen ließen, was ihr Herz empfand. Wenn jedes Kind, das nur ein wenig denkt, bei dem Gedanken an die erste heilige Communion von Ehrfurcht, Liebe und Freude tief erschüttert wird, so kann man aus dem wenigen, was ich von Helyma's lebendigem Glauben gesagt habe, schon schließen, wie mächtig jene Gefühle in ihrem Herzen waren.

Die Woche, welche dem Feste des hl. Michael vorherging, war für sie eine Leidenswoche; ihre Schmerzen erlaubten ihr nicht, dem Drange ihres Herzens nachzugeben und sich so vorzubereiten, wie sie es gewünscht hätte. Durch alle ihre Leiden aber strahlte doch auch wieder mir Freude hervor. Am Vorabend des Festes, als sie außergewöhnlich litt, fragte man sie: ob sie nicht sterben und in den Himmel eingehen möchte.

„Nein," erwiederte sie, „ich möchte noch auf der Erde bleiben, um die heilige Communion zu empfangen."

„Aber im Himmel wirst du ja Christus den Herrn für immer besitzen."

„Es ist wahr," sagte sie, „nun denn — wie Gott will."

Am Tage selbst, den sie mit ihren heißen Wünschen herbeigesehnt, fand sie sich etwas kräftiger als gewöhnlich; sie konnte aufstehen und in ihrem weißen Kleide der heiligen Messe beiwohnen, in welcher sie die heilige Communion empfing. Was in diesem Augenblicke in ihrer Seele vorging, das weiß nur derjenige, der damals in ihr Herz eingekehrt ist. Ihre Andacht war über die Maßen rührend, und lange blieb sie nach der heiligen Handlung noch im Gebete versunken. Dann aber mußte sie ganz erschöpft sich wieder auf ihr Schmerzenslager niederlegen; ihr Glück jedoch gab sie vor allem dadurch zu erkennen, daß sie die Schwestern dankbar umarmte; denn diese hatten ihr ja zu diesem schönen Tage verholfen.

„Was hat dir der liebe Heiland heute gesagt?" fragte eine der Schwestern das gute Kind.

„Er hat mir gesagt: ‚Siehe, hier bin ich; verlange von mir, was du willst, ich werde es dir geben.' Er ist mein Freund", sagte sie mit großer Innigkeit hinzu, indem sie ihre Arme fest über die Brust kreuzte, wie um ihren Schatz im Herzen festzuhalten.

„Gehst du gern in den Himmel?" fragte eine andere Schwester.

„O ja, sehr gern."

„Also willst du nicht nach Afrika zurück, um die armen Araber- und Kabylenkinder aufzusuchen?"

„Ich gehe auch gerne nach Afrika, wenn der liebe Gott es will."

„Was thust du also lieber, in den Himmel eingehen, oder nach Afrika zurückkehren?"

„O viel lieber gehe ich in den Himmel."

„Aber die armen Araber- und Kabylenkinder?"

„Nun, ich werde sie nicht vergessen; ich werde im Himmel für sie beten."

Still brachte sie nun den ganzen Tag im Gebete zu; sie betete für ihre armen Landsleute, die den wahren Glauben nicht haben und den lieben Heiland nicht kennen; sie betete für die Priester, welche sie unterrichtet hatten, und für die Schwestern, die es so gut mit ihr meinten, vor allem aber für den Herrn Erzbischof, dem sie das Glück dieses Tages wie überhaupt ihr ganzes Glück verdankte.

Nur wenige Tage hatte die fromme Helyma mehr zu leben; es waren Tage der Leiden, aber auch Tage der Gnaden. Weil ihr Tod so nahe war, erlaubte ihr Beichtvater, daß sie noch einmal am nächsten Sonntag, dem Rosenkranzfest, den Trost haben solle, ihren Herrn und Heiland zu empfangen. Aber auch zwei andere große Gnaden wurden ihr noch zu theil; zunächst empfing sie das Sacrament der heiligen Oelung, um sich für den letzten Kampf zu stärken; dann aber kam noch der hochwst. Herr Bischof selbst zu ihr, um ihr die heilige Firmung zu spenden. Sie war schon zu schwach, als daß sie ihr Bett hätte verlassen und in die Kapelle gehen können. Deshalb wurde ihr kleines Zimmer mit weißen Vorhängen und grünen Kränzen gleichsam in eine Kapelle verwandelt; alle anderen Kinder umgaben das Krankenlager, und trotz ihrer großen Schwäche fand Helyma noch die Kraft, ihre Dankbarkeit und ihre Freude über diese neue Gnade an den Tag zu legen. Die Gnade der heiligen Firmung hatte die Kraft ihrer Seele für Leiden und Opfer sichtlich erhöht. Sie schien sich an die Worte zu erinnern, welche sie einst in der Einfalt ihres Glaubens zum hochwst. Erzbischof von Algier gesprochen, als sie ihren Wunsch ausdrückte, eine Martyrin zu werden: „Man leidet einen Augenblick, dann folgt das Paradies ohne Ende." Wenn ihre Schmerzen zunahmen und ihr Thränen auspreßten, brauchte man ihr nur vom lieben Gott, vom Himmel, von der ewigen Freude zu sprechen, und sogleich war sie ruhig. Sie verlangte dann ihr kleines Crucifix, hielt es fest in ihrer Hand und keine Klage kam über ihre Lippen. Sie opferte alle diese Leiden für ihre noch ungläubigen Landsleute und ganz besonders für ihren Vater auf. Mehr als einmal haben wir sie weinen sehen, wenn sie an ihren Vater dachte, der vielleicht unglücklich sei und gewiß nicht den lieben Gott kenne. Am Tage vor ihrem Tode, als man sie aufforderte, für die Araber und Kabylen zu beten, rief sie aus: „Gewiß, und für meinen Vater. Ach," setzte sie hinzu mit einem Tone, der uns die Thränen in die Augen trieb, „ich weiß nicht, ob er auch in den Himmel kommt."

So kam der Tag ihrer Auflösung heran; Helyma, oder vielmehr Albina, hatte den guten Kampf gekämpft und den Sieg errungen. Am Donnerstag, nachmittags gegen 4 Uhr, hatte sie einen heftigen Anfall, der ihr nahes Ende verkündete. Ihr Beichtvater, der ihr mit väterlicher Liebe bis zum letzten Augenblicke beistand, kam, ihr noch einmal die heilige Lossprechung und den Sterbeablaß zu ertheilen; gemeinschaftlich mit den Schwestern verrichtete er die Gebete für Sterbende und sprach ihr von Zeit zu Zeit einige Worte des Trostes und der Ermuthigung zu. Die liebe Kranke konnte kein Wort mehr sprechen, nicht einen Tropfen Wasser zu sich nehmen; aber ihr Blick war voll Ergebung. Von

Zeit zu Zeit wurde sie von Krämpfen befallen, und ihr Athem wurde kürzer, aber ihr Auge schaute ruhig zum Himmel; keine Spur von Angst oder Unruhe war an ihr zu merken.

So lag Helyma zwischen Tod und Leben bis zum Morgen des folgenden Tages. Nur einmal noch gab sie ein Zeichen des Bewußtseins. Mehr als alle anderen Schwestern liebte das dankbare Kind jene, welche sie zuerst auf den guten Weg geführt hatte; eben diese „gute Mutter", wie sie dieselbe zu nennen pflegte, kam an jenem Morgen noch zum Schmerzenslager und rief der Kleinen mit inniger Liebe zu: „Albina, meine kleine Albina. hörst du mich, die ‚gute Mutter'? Sage mir Adieu; siehe, der liebe Gott und die seligste Jungfrau kommen, dich zu holen. Küsse das Kreuz." Da leuchtete auf dem Antlitz der Sterbenden ein letzter Lebensstrahl; sie bewegte die Lippen. wie um eine Antwort zu flammeln, und küßte das Kreuz. Es war ihre letzte Bewegung; die Lippen auf das Kreuz geheftet hauchte sie ihre Seele aus.

So war das Ziel erreicht; es scheint, daß sie schon im letzten Augenblick hienieden die Freuden des Himmels zu verkosten be-gann; denn die Züge der kleinen Leiche zeigten keine Spur des Schmerzes; sie .waren wie verklärt und voll heitern Friedens; ihre halbgeöffneten Augen und ihr lächelnder Mund schienen noch einmal „Mercé" zu sagen.

Die Waisenkinder, welche Helyma gar sehr liebten, fürchteten sich nicht vor ihrer Leiche; mit Ehrfurcht und Liebe kamen sie alle, ihr den Abschiedskuß zu geben. Staunend betrachteten sie das freundlich lächelnde Antlitz. „Das ist der Lohn," sagte die eine, „daß sie sich ganz dem lieben Gott aufgeopfert hat." „Sie hat so viel gelitten," sagten andere, „jetzt ist sie glücklich." „Der liebe Gott muß sich doch freuen," meinte eine dritte ganz ernsthaft, „wenn er kleine Araberkinder in den Himmel kommen sieht."

Ein kleines, dreijähriges Kind aber stand am Fenster und schaute fest auf einen Punkt des bewölkten Himmels, durch welchen gerade das blaue Firmament strahlte. „Da hindurch," rief sie endlich freudig, „ist Albina in den Himmel eingegangen", und sie fügte mit kindlicher Innigkeit hinzu: „O jetzt muß man sagen: Heilige Albina, bitte für uns!"

1. Die heutige Stadt.

Tunis, das wir jetzt betreten, grenzt im Westen und Süden an Algier, im Südosten an das Gebiet von Tripolis. Die übrigen Marken bildet das Mittelmeer. Sein nordöst= lichstes Vorgebirge Ras Addar ist nur 150 km von der Küste Sicilieus entfernt. Die flache Ostküste von Tunis wird von dem gefährlichen Syrtenmeer bespült. Der Flächenraum des Landes beträgt 118 400 qkm, etwa soviel wie Bayern, Würt= temberg und Baden zusammen, aber die Bevölkerung beträgt nur 2 100 000 Seelen, wovon rund 2 Millionen Mohamme= daner sind.

Vom Meere führt ein enger Canal, den zwei nahe Landspitzen bilden, zu der gleichnamigen Hauptstadt des Landes. Rechter Hand zur Ein= fahrt liegen die Ruinen Car= thago's, von Sand bedeckte Schutthaufen, aus denen die Kapelle des hl. Ludwig empor= ragt. Hier starb nämlich dieser fromme König von Frankreich vor 600 Jahren, am 22. Mai des Jahres 1271. Obwohl von Krankheit bereits gebrochen, hatte er sich doch noch einmal erhoben und mit ihm viele Herren und Ritter, um das hei= lige Grab aus den Händen der Ungläubigen zurückzuerobern. Erst wollten sie Tunis nehmen

Kapelle des hl. Ludwig.

und von da über Aegypten nach dem Gelobten Lande ziehen; aber vor den Mauern dieser Stadt brach in dem Heere der Kreuzfahrer eine pestartige Krankheit aus und raffte manchen streitbaren Helden hinweg. Auch der heilige König fiel ihr zum Opfer. Als er sein Ende herannahen fühlte, ließ er sich auf Asche legen und gab, für sein Heer und für die Bekehrung der Ungläubigen betend, die mit Tugenden reich geschmückte Seele in die Hand ihres Schöpfers zurück. Erst im Jahre 1830 konnte Frankreich seinem heiligen Könige an dem Orte seines Todes diese Kapelle erbauen.

Links droht die alte Feste von Goletta, der Schlüssel von Tunis. Hart an den Festungsmauern und Bastionen müssen die Schiffe vorbeifahren, dann auf einmal bietet sich ein ganz un= erwarteter Anblick. Der enge Canal mündet in einen großen,

wunderschönen See, den die Araber El=Bahyrath, „das kleine Meer", nennen. Seine Spiegelfläche strahlt im Sonnenlichte; Schaaren von Silbertauchern und rothgefiederten Flamingos be= leben und viele Barken mit dreispitzigem Segel durchfurchen ihn. Im Hintergrunde schimmern die weißen Mauern der Hauptstadt, zwischen deren Häusern und Moscheen Palmen ihre Kronen in den Lüften wiegen. Die Araber preisen Tunis als „die Glorreiche", die „wohl Ver= wahrte", „die Wohnung der Glückseligkeit"; aber wenn wir unsere jungen Freunde in ihre Mauern einführen, um ihnen das Bild einer orientalischen Stadt zu zeigen, so werden sie sich vielleicht enttäuscht fin= den. Die Gassen sind meist eng, krumm und schmutzig; nur wenige Paläste, einzelne Mo= scheen und die Minarets fesseln durch ihre Bauart unsere Auf= merksamkeit. Minaret nennt man die schlanken Thürme, von denen herab zu bestimmten Stunden der Ruf des Muezzin die Muselmänner zum Gebete auffordert. Die Wohnhäuser sind meist düstere, fensterlose Gebäude, die von außen nichts mit der Pracht und dem Prunke unserer Wohnungen gemein haben. Aber was ihnen nach der Außenseite abgeht, das er= setzen sie reichlich durch den Glanz und Reichthum der in= nern Einrichtung. Der Orien= tale will nämlich nicht, wie wir es oft thun, sein Haus für die Vorübergehenden bauen, um ihnen so eine hohe Meinung von seiner Wohlhabenheit zu geben; er baut es nur für sich und daher verbirgt er die ganze Pracht im Innern.

Wenn wir eines dieser finsteren Häuser betreten, so staunen wir über die Wohnlichkeit und den Reichthum seiner Räume. Durch einen dunkeln, winkligen Gang gelangen wir gewöhnlich in einen innern Hof, der nicht selten von schön verzierten Marmor= galerien umgeben ist. In seiner Mitte steht ein Springbrunnen, dessen Wasserstrahle rauschend in das kostbare Marmorschale fällt und rundum die duftenden Blumenbeete erquickt. Gruppen von Orangen= und Citronenbäumen wechseln mit Jasmingesträuch und Rosen= stöcken. In diesen Hof gehen die Fenster der Wohnzimmer, während nur wenige dicht vergitterte Oeffnungen nach der Straße sich finden. Bevor wir diese Zimmer betreten, legen wir unsere Schuhe ab, um die weichen, kostbaren Teppiche nicht mit dem Schmutze der Gassen zu beflecken. Die Räume sind gewöhnlich hoch und lustig, und auch in ihnen trägt nicht selten ein plätschernder Springquell zur Milderung der Hitze bei. Längs zweier oder dreier Wände sind niedere, mit kostbaren Stoffen be-

zimmer kennt der Orientale nicht. Im Sommer schlafen die Leute meist auf den flachen Dächern. Sonst legen sie sich in den gewöhnlichen Wohnzimmern auf ihre Matraze, die dann des Tages über zusammengerollt und beiseite gelegt wird. Das würde man diesen einförmigen Gebäuden, die alle wie alte Gefängnisse dreinschauen, nicht angesehen haben, daß ihr Inneres so glänzend reich wäre — nicht wahr?

Ansicht von Tunis. (S. 22.)

legte Polster angebracht, auf denen der Hausherr seine Gäste empfängt, oder ruhig aus silberner Schale seinen Kaffee schlürft und seine lange Pfeife schmaucht. Der Fußboden wie die Wände sind mit verschiedenfarbigem Marmor bekleidet und hoch oben am Gesimse ziehen sich Koransprüche hin. Die Decke ist gewöhnlich mit kunstreichem, buntbemaltem und reichvergoldetem Schnitzwerk verziert, so daß, wo immer der Blick hinfallen

Der schönste Palast von Tunis ist der Bardo, das Residenzschloß des Bey oder Fürsten von Tunis. Es ist ein weitläufiges Gebäude mit großen Prachtsälen, in denen kostbare Teppiche aus dem fernen Morgenlande den glatten Marmorboden bedecken. Ganz besonders berühmt ist der sogen. Löwenhof; derselbe hat seinen Namen von einer breiten und hohen Marmortreppe, an deren Seite in Stein gehauene Löwen Wache halten.

Der Löwenhof im Bardo.

mag, Glanz und Reichthum ihm begegnet. Nur eines würden unsere jungen Freunde seltsam finden: eigentliche Schlaf-

Schöne Gärten umgeben diesen Palast. In den Gassen drängt sich eine bunte Menge; farbige Turbane, rothe Feze (Tarbusche oder Mützen), weiße Kapuzen der Beduinen wogen durcheinander; aber nirgends eine Kutsche, wie in unseren Städten; statt dessen schreiten schellenklingelnd in langen Reihen beladene Kamele, die aus dem Innern Afrika's durch die weite Wüste Gewürze, Goldstaub und Elephantenzähne bringen, durch die Menge. Hin und wieder lehnt ein Maure vor seiner Hausthüre, die Vorübergehenden mit seinem listigen Auge beobachtend. Auf dem Bazar (Marktplatze) oder vor den zahlreichen Cafés sitzen türkische Kaufleute auf Teppichen, rauchen aus ihren langen Pfeifen und schließen ihre Geschäfte.

Echt auffallend würden unsere jungen Fremde auch die Art finden, wie sich die Orientalen grüßen. Sie sagen sich nicht kurzweg „Guten Morgen", wie wir das thun. Erst legen sie die Hand auf das Herz und verneigen sich tief vor einem Gleichgestellten; vor einem Vorgesetzten aber werfen sie sich zur Erde und küssen den Saum seines Kleides. Dann folgt statt eines kurzen Grußes ein ganzes Wechselgespräch, etwa so: Achmed: „Möge dieser Tag dir Glück bringen!" Mulod: „Dir sei er süß wie Milch!" A.: „Blüht die Blume deines Glückes?" M.: „Und dein Gut, hat es sich gemehrt?" A.: „Mein Wunsch ist, daß Gott dich segne!" M.: „Und meine Bitte, daß er dir Freude verleihe." So geht es in immer zierlicheren Redensarten eine gute Weile fort.

Ich aber weiß einen viel schönern Gruß — wenn wir katholische Christen uns von Herzen zurufen: „Gelobt sei Jesus Christus!" so antworten mit uns alle Engel im Himmel: „In Ewigkeit. Amen."

Straße von Tunis. (S. 23.)

2. Glaube und Aberglaube der Muselmänner.

Tunis ist die erste mohammedanische Stadt, die wir mit unseren jungen Freunden betraten; denn obgleich es auch in Algier viele Muselmänner gibt, so herrschen doch daselbst die Franzosen und mit ihnen unser heiliger Glaube vor. Von jetzt an aber werden wir lange Zeit fast ausschließlich unter den Moslemin reisen müssen, und so wird es am Platze sein, etwas über die Religion dieser Leute zu sagen.

Die Hauptlehre des Islam — so nennt man die Religion der Muselmänner — lautet höchst einfach: „Es ist kein Gott außer Gott, und Mohammed ist sein Prophet." Die Türken glauben also, wie wir Christen, an einen einzigen Gott, und nicht an mehrere Götter, wie die Heiden; aber an eine heilige Dreifaltigkeit glauben sie nicht. Nach ihrer Lehre hat Gott der Reihe nach sechs Propheten an die Menschen geschickt: Adam, Noe, Abraham, Moses, Jesus und Mohammed. Jeder dieser Propheten, sagen sie, wird an Würde und Vorzüglichkeit von seinem Nachfolger übertroffen, und so wäre Jesus geringer als Mohammed, und durch diesen, den letzten und größten der Propheten, wäre die Lehre Jesu Christi abgeschafft. Natürlich können die Mohammedaner, wenn sie ihren Lügenpropheten für größer halten als unsern lieben Heiland, nicht glauben, daß Jesus Christus wahrer Gott sei, obwohl sie mit Ausnahme seines bittern Todes am Kreuze fast das ganze Evangelium als wahr annehmen und seine wunderbare Geburt aus Maria der reinen Jungfrau, seine Wunder und seine Himmelfahrt bekennen.

Der eigentliche Name Mohammeds (d. h. „der Vielgepriesene") ist Abul Kasem, der Sohn Abdallahs; geboren wurde er zu Mekka, einer Stadt in Arabien, im Jahre 571. Dieser Mensch hatte neben vielen guten Eigenschaften einen solchen Stolz, daß er sich selber vorlog, er sei der von Jesus Christus im Evangelium verheißene Tröster, er sei der Heilige Geist. So schrieb er denn aus den Büchern des Neuen und Alten Testamentes ein neues Evangelium, den Koran, zusammen, nach Lust und Laune hinzufügend oder weglassend, wie es ihm am besten paßte und wie er dachte, daß die Araber es ihm am leichtesten glauben würden. Natürlich sagte er, der Koran sei ihm von Gott eingegeben, und log noch vieles dazu, wie er auf einem Schimmel in den Mond geflogen sei, wie sich der Mond ihm zu

Ehren in zwei Hälften getheilt habe, weshalb denn auch die Türken den Halbmond im Wappen führen, wie die Christen das heilige Kreuz, und noch manches derart. Hören wir nun weiter seine hauptsächlichen Lehren!

Auch die Moslemin glauben an Engel, an gute und böse; unter den guten nennen sie besonders Gabriel und Michael, an der Spitze der bösen steht Iblis, der Engel der Verzweiflung. Die Menschen sind von Gott geschaffen, und ihre Seele ist unsterblich; jeder Gläubige wird von zwei Schutzengeln begleitet und von zwei aufzeichnenden Engeln, von denen der eine die guten, der andere die bösen Handlungen aufschreibt. Wenn Israfel, der Engel der Posaune, das zweite Mal bläst, so werden die Todten in ihren Leibern auferstehen. Dann wird Gott ein allgemeines

Türkische Kaufleute. (S. 24.)

Gericht halten, indem er auf einer Wage das Gute und Böse abwägt und die Menschen in den Himmel einläßt oder der Hölle überantwortet. Nach dem Gerichte müssen alle Menschen über die Brücke „Es-Sirath" gehen, welche dünner als ein Haar und schärfer als die Schneide eines Schwertes ist; diese Brücke führt mitten über die Hölle, und von ihr herab stürzen alle Sünder in den Schlund der Qualen. Doch glauben die Muselmänner, keiner, der in ihrer Religion gestorben sei, werde ewig brennen, sondern nach einiger Zeit geläutert in den Himmel eingehen. Demzufolge gäbe es für die Türken keine Hölle, sondern nur ein Fegfeuer; bloß diejenigen, welche nicht an Gott und seinen Propheten Mohammed geglaubt, würden ewig verdammt werden. Dem Koran gemäß soll die Hölle aus sieben Stockwerken bestehen; das erste und oberste Gewölbe wäre der zeitweilige Aufenthalt

böser Mohammedaner; im zweiten sollten die Christen, im dritten die Juden, im vierten die Sabier oder Feueranbeter, im fünften die Zauberer, im sechsten die Götzendiener, im siebenten und untersten endlich die Heuchler gequält werden.

Den Himmel malt der Lügenprophet seinen Anhängern im Koran so aus, als ob das höchste Glück des Menschen in Schwelgerei und in den Lüften des Leibes bestände. Dem geringsten unter den Seligen werden 80 000 schöne Jünglinge als Diener versprochen. Ein überaus großes Zelt, mit Perlen, Hyacinthen und Smaragden überladen, ist seine Wohnung. Während des Essens tragen 300 Aufwärter in goldenen Schüsseln jedesmal 300 verschiedene Gerichte auf, deren letzter Bissen ebenso wohlschmeckend sein wird wie der erste. Auch Wein, der den Muselmännern auf Erden verboten ist, mögen sie ohne Gefahr der

37

Trunkenheit im Paradiese genießen, lüften will ich gar nicht reden, stehung die Leiber der Seligen die Höhe von Palmbäumen haben, also etwa kirchthurmhoch sein. Wenn aber einer als Martyrer, d. h. im Kampfe für die Ausbreitung der Lehre Mohammeds gefallen ist, so darf seine Seele schon vor der Auferstehung des Fleisches in den Leib grüner Vögel fahren, welche die Büsche des Paradieses bevölkern, und von seinen Früchten essen und von seinen Strömen trinken. Und solche plumpe Fabeln ließen sich die Araber als göttliche Offenbarung aufbinden, so daß sie sich zu Hunderttausenden erhoben, um mit der Schärfe des Schwertes den Glauben ihres Lügenpropheten auszubreiten! Nach dem Tode in der Schlacht waren sie lüstern; sollte er ihnen doch die Pforte zu all diesen Genüssen sein! Wie werden im Jenseits die armen Betrogenen dem frechen Betrüger geflucht haben!

Statt einer gnädigen Vorsehung, die mit milder, väterlicher Hand die Schicksale jedes Menschen lenkt und unser vertrauensvolles Gebet erhört, wie wir Christen die trostreiche Zuversicht haben, glauben die Mohammedaner, es beherrsche sie ein starrer, unbedingter und unabänderlicher Rathschluß. Ob sie sich in eine Todesgefahr stürzen oder nicht, ob sie in Krankheit einen Arzt rufen oder nicht, ist nach ihnen ganz gleichgiltig; es geschieht doch, was geschrieben ist. Wenn sie durch die Wüste reisen und der tedbringende Sandsturm, die Luft verfinsternd, heranbraust, so lauern sie sich in dumpfer Ergebung neben ihr Kameel und lassen sich ruhig von dem glühenden Sande begraben. „Was geschrieben steht, muß sich erfüllen", murmeln sie und sterben. Wir aber wissen, daß die Leiden eine Schickung Gottes sind, der uns durch sie heimsucht und von der Liebe zu den hin-

Von den anderen Sinnenlüsten will ich gar nicht reden. Auch sollen nach der Aufer-

Muselmann im Gebete.

fälligen Geschöpfen ablöst, daß er auf unsere Gebete hört und sie zurückzieht, sobald das zu unserem Heile dienlich ist. Uns sind Leid und Unglück kein blindes, unabwendbares Verhängniß.

Das sind in kurzen Zügen die Glaubenslehren der Mohammedaner. Unsere jungen Freunde mögen nun dieselben mit dem christlichen Glaubensbekenntniß vergleichen und dann selber angeben, was davon der von Gott geoffenbarten Wahrheit entlehnt ist und was der Lügenprophet aus sich änderte und hinzufügte. In überaus schrecklichen Kriegen eroberten die Moslemin einen großen Theil von Asien und Afrika diesem Glauben; Ströme von Blut flossen für seine Ausbreitung, und heute noch zählen seine Anhänger viele, viele Millionen, nach der Schätzung gelehrter Leute mindestens 170 Millionen. Wie muß uns das ein Antrieb sein, für die Bekehrung dieser vielen im Irrthume lebenden Mitmenschen zu beten!

3. Die religiösen Pflichten der Mohammedaner.

Unter den Geboten, welche Mohammed seinen Anhängern auferlegte, nimmt das Gebet die erste Stelle ein; der Koran nennt es „den Schlüssel des Paradieses". Sobald ein mohammedanisches Kind zur Welt kommt, wird ihm der „Adan" oder Ruf zum Gebete in das rechte Ohr gesprochen. Fünfmal des Tages muß der Moslem beten, und der Ruf der Muezzin von den Minarets herab ruft diese Pflicht allen ins Gedächtniß. Dann werfen sich die Gläubigen, nachdem sie die vorgeschriebene Waschung verrichtet, auf den Gebetsteppich nieder, berühren mit der Stirne den Boden und sagen ihr Gebet nach der

Muselmann im Gebete.

Gegend von Mekka gerichtet. Dabei müssen sie so gesammelt sein, daß ein Abschweifen des Blickes oder der Gedanken, Husten oder ähnliches sie nöthigt, wiederum von Anfang zu beginnen. Menschenfurcht scheinen sie dabei nicht zu kennen; auch wenn sie zufällig mitten unter Andersgläubigen sind, z. B. auf dem Verdecke eines europäischen Schiffes, werfen sie sich auf den Boden und verrichten ihre Gebete. Wie beschämend ist das nicht für uns Christen, wenn wir so zerstreut beten oder es nicht wagen, dieser heiligen Pflicht vor anderen Leuten nachzukommen! — Auch Almosen sind dem Muselmanne zur Pflicht gemacht; wer 40 Schafe besitzt, muß jährlich eines, wer 120, jährlich zwei den Armen geben; wer vermögen von über 200 Drachmen Silber hat, ist verpflichtet, den vierzigsten Theil zu frommen Zwecken zu verwenden.

Eine strenge Vorschrift des Koran ist ferner das Fasten. Den ganzen Monat Ramadan, den neunten des Jahres, muß strenge Fasten gehalten werden, weil in ihm angeblich der Prophet die erste Offenbarung erhalten habe. Das Fasten der Mohammedaner ist für alle Tage dieses Monats verpflichtend, und zwar dürfen sie von Tagesanbruch an, sobald es so hell ist, daß man einen weißen und einen schwarzen Faden unterscheiden kann, bis Sonnenuntergang gar nichts genießen. Der Türke muß sich dann nicht nur der Speise, sondern auch jeglichen Trankes, des Rauchens und aller Wohlgerüche enthalten und darf sich gar kein Vergnügen gestatten. Das ist aber in einem Lande, wo es im Sommer noch viel heißer ist als bei uns, ungemein hart. Die Reichen freilich können den Tag über auf ihren Polstern liegen und schlummern; aber die Armen und alle die vielen Arbeiter, welche in der Hitze des Tages ihr Brod verdienen müssen, wie

Arabische Musikanten.

schwer muß es ihnen werden, sich jegliche Erfrischung zu versagen! Folgenden Zug haben wir aus dem Munde eines sehr gelehrten Freundes, der vor einigen Jahren das Morgenland bereiste. „Es war ein überaus heißer Tag im Monat Ramadan," erzählte er uns, „da ich mich aufschickte, von Kairo aus die Pyramiden zu besuchen. Ein junger Araber, dessen Esel ich zu diesem Ritte gemiethet hatte, lief den ganzen Tag unter der glühenden Sonne, die fast senkrecht über unseren Scheiteln brannte, rüstig neben dem langsam vorantrabenden Thiere. Ich hatte einige Orangen mitgenommen, deren Genuß bei der Hitze sehr erfrischend ist; dem jungen Araber bot ich eine an. Er nahm sie dankend an und barg sie in seinem Gewande. ‚Warum issest du sie nicht?' sagte ich zu ihm; ‚es dürstet dich doch wohl und sie würde dich erquicken.' ‚O ja, Effendi (Herr),' war seine Antwort, ‚aber ich darf nicht, denn es ist Ramadan.' Und in der That ging der arme Schelm den lieben langen Tag neben seinem Grauschimmel, ohne auch nur das mindeste zu genießen. Als aber die Sonne untersank und von der Stadt her der Kanonenschuß das Ende des Fastens anzeigte, saugte er seine Orange sofort aus der Tasche und biß herzhaft hinein." Nicht wahr, so genau nehmen wir es nicht mit dem Fasten?

Dagegen muß man aber auch sagen: ist einmal der Tag vorüber und die Nacht angebrochen, dann verstehen die Muselmänner sich für die ausgestandenen Entbehrungen schadlos zu halten. Wie mit einem Zauberschlage hat sich das Aussehen der Stadt geändert. Musikbanden durchziehen die Straßen oder lagern sich auf den Plätzen. Da dröhnt die Pauke, gellt die Pfeife, seufzt die Flöte und rasselt das Tamburin! Tänzer drehen sich

4 *

mit den Castagnetten klappernd im Kreise, und Gaukler führen ihre Kunststücke aus. Hat man sich durch eine reichliche Mahlzeit gestärkt, so drängt sich alles nach den Kaffeehäusern, wo man seine Tasse schlürfend und seine Pfeife schmauchend dem Vortrage beliebter Romanerzähler lauscht. So bereitet sich der Muselmann während eines guten Theiles der Nacht auf die Mühsale des kommenden Tages vor.

Noch bleibt die letzte der vier wichtigsten Pflichten eines Mohammedaners zu erwähnen: die Wallfahrt nach Mekka zur heiligen Kaaba und nach Medina zum Grabe des Propheten. Die Kaaba ist ein viereckiger Tempel, den nach der mohammedanischen Fabel Abraham auf Gottes Befehl erbaut hätte. Jeder Muselmann ist verpflichtet, einmal in seinem Leben diese Wallfahrt zu machen; nur Armuth und Krankheit entschuldigt. Jährlich gehen große Pilgerzüge von allen Hauptstädten des türkischen Reiches nach der heiligen Stadt. Heimgekehrt, pflegen sie dann natürlich die Erlebnisse und Abenteuer dieser weiten Reise zu erzählen; die hauptsächlichsten Gegenstände, so die Pyramiden, das Kameel des Propheten, die Moschee von Mekka, sind in groben Zügen Teppichen eingewirkt; solche breiten sie dann wohl aus und erzählen an diese Bilder anknüpfend ihre Pilgerfahrt.

4. Das Weltgebäude nach den Lehren des Koran.

Jetzt will ich noch kurz erzählen, wie sich die Moslemin nach dem Koran das Weltgebäude vorstellen; unsere jungen Freunde

Ein Araber erzählt seine Wallfahrt nach Mekka.

mögen daraus sehen, welch blühenden Unsinn dieses nach der Lehre Mohammeds von Gott geoffenbarte Buch enthält.

Es gibt sieben Himmel, einen über dem andern, und sieben Erden, eine unter der andern. Diejenige, welche wir bewohnen, ist die oberste und befindet sich zunächst unter dem untersten Himmel. Die Oberfläche sämmtlicher Himmel und Erden ist fast ganz flach und kreisrund und mißt 500 Jahreisen im Durchmesser; auch die Dicke und der Abstand derselben ist 500 Jahreisen. Hinsichtlich des Stoffes, aus dem die Himmel bestehen, sind nicht alle Ausleger des Koran einig; der glaubwürdigsten zufolge besteht der erste aus Smaragd, der zweite aus Silber, der dritte aus großen weißen Perlen, der vierte aus Rubin, der fünfte aus rothem Golde, der sechste aus gelbem Hyacinth und der siebente aus glänzendem Lichte. Da soll denn auch nach einigen das Paradies sein; aber nach anderen wäre die Sache nicht so einfach; nun kämen erst sieben Meere von Licht, dann die verschiedenartigsten Vorhänge, von jeder Art sieben, und endlich ganz zu oberst das Paradies, das wiederum sieben Stockwerke zählt. Das unterste, das „Haus des Ruhmes", bilden weiße Perlen; das zweite, das „Haus des Friedens", besteht aus Rubin; das dritte, den „Garten der Ruhe", bildet grüner Chrysolith; das vierte, den „Garten der Ewigkeit", gelber Karneol; das fünfte, den „Garten der Wonne", weißes Silber; das sechste, den „Garten des Paradieses", rothes Gold, und das siebente, „Eden", große Perlen, und alles überragt endlich der Thron Gottes.

Was die Erde anlangt, so mißt sie nach den Worten des Propheten, wie gesagt, 500 Jahrreisen nach Länge, Breite und Dicke. 200 Jahrreisen fallen auf das die Erde umströmende Meer, 200 auf unbewohnte Wüste und 80 auf das Land Gog und

Magog. Das bewohnte Land ist im Verhältnisse zum übrigen wie ein Zelt mitten in der Wüste. Die Mohammedaner bewohnen die Mitte der Erde, deren genauen Mittelpunkt Mekka (nach anderen Jerusalem) bildet. Jenseits des Meeres zieht das Gebirge Kaf rund um die ganze Erde einen hohen Wall; es besteht aus Chrysolith, und der Schimmer dieses Steines verleiht dem Himmel am Horizonte seine hellere Farbe. Jenseits dieses Gebirges seien Geschöpfe, die Gott allein kenne; man könne nicht wissen, was darüber hinaus sei; so sagen einige der Ausleger des Koran. Andere aber wollen es doch noch wissen: dort lägen nämlich noch viele, große Länder, eines von Gold, siebenzig von Silber und sieben von Moschus, die sämmtlich von Engeln bewohnt und je 10 000 Jahrreisen lang und breit wären.

Jetzt müssen wir noch vernehmen, was sich alles unter unserer Erde befindet. Zunächst sechs weitere Erden, jede so lang und breit und dick wie die unsere und immer 500 Jahrreisen von

der obern entfernt. Auf unserer Erde wohnen Menschen, Thiere und Geister; auf der zweiten weht erstickender Wind, auf der dritten sind brennbare Steine der Hölle, auf der vierten glüht Schwefel der Hölle, auf der fünften hausen Schlangen der Hölle, auf der sechsten Scorpionen der Hölle von der Größe und Farbe schwarzer Maulthiere und mit Schwänzen wie Lanzen, auf der siebenten endlich Iblis oder Satan und seine Heerschaaren. Wie sich diese Erden gegenseitig stützen und tragen, ist nicht völlig bekannt. Sie sollen anfangs nicht fest gestanden haben, da aber hätte Gott einen Engel geschaffen von unermeßlicher Größe und höchster Kraft und ihm befohlen, unter die unterste Erde zu gehen und sie auf seine Schultern zu nehmen, und seine Hände erstreckten sich über den Osten und Westen hinaus und erfüllten die äußersten Enden der Erde und hielten sie. Es war aber keine Stütze, worauf der Engel seine Füße hätte stellen können; da schuf Gott einen Felsen von Rubin mit 7000 Löchern, aus jedem dieser Löcher

Dorf auf den Ruinen von Carthago.

brach ein Meer hervor, dessen Größe nur Gott kennt. Und Gott befahl diesem Felsen, unter den Füßen des Engels zu stehen. Der Felsen aber hatte keinen Halt, weshalb Gott einen ungeheuren Stier erschuf mit 4000 Augen, Ohren, Nasen, Mäulern, Zungen, die sämmtlich 500 Jahrreisen voneinander entfernt sind — so groß ist der Stier. Der mußte unter den Felsen gehen und ihn auf seinen Rücken und seine Hörner nehmen; wenn er sie schüttelt, so ist Erdbeben, wenn er den Athem einzieht, so ist Ebbe, und wenn er den Athem ausstößt, so ist Fluth auf dem Meere. Nun war aber keine Stütze für den Stier da. Gott schuf daher einen ungeheuren Fisch, Namens Behemoth, den niemand ansehen kann wegen der Größe und des Glanzes seiner Augen. Wenn man alle Meere in eines seiner Nasenlöcher gösse, so wäre es, als ob man ein Senfkorn in die Wüste legte. Unter den Fisch breitete sich ein Wasser und unter das Wasser Finsterniß — was aber der Finsterniß als Stütze dient, das ist den Menschen unbekannt.

Und ganz zu unterst unter dieser Finsterniß sind die sieben übereinander gebauten Gewölbe der Hölle.

5. Märtyrer von Carthago.

Wir haben soeben unseren jungen Freunden vieles über die Muselmänner und ihre Religion erzählt; so ist es nun hohe Zeit, zu unseren christlichen Glaubensbrüdern zurückzukehren.

Das alte Carthago wurde frühzeitig mit der Religion Jesu Christi bekannt. Gegen Ende des zweiten Jahrhunderts nach Christus war es größtentheils christlich, wie Tertullian, einer der ältesten lateinischen Kirchenschriftsteller, als Augenzeuge berichtet. Schon vor dem Jahre 200 floß in Carthago christliches Märtyrerblut; es wurden nämlich im Jahre 198 die hl. Namphamion, Miggin und Sanaen mit 25 Gefährten aus der Stadt Madaura auf dem Forum von Carthago enthauptet. Zwei Jahre später, am 17. Juli 200, erlitten auf demselben Platze 12 Märtyrer

Die alten Hafen und das alte Forum von Carthago.

aus Scillium die gleiche Todesart für Christus; der hl. Speratus war ihr glorreicher Anführer. Von ihrem Martyrtod sind die ersten schriftlichen Beweise auf uns gekommen. Sie litten unter dem Proconsul Saturninus, von welchem Tertullian berichtet, daß er zuerst in Afrika die Christen mit dem Schwert verfolgt habe und dafür mit Blindheit gestraft worden sei. Er forderte die heiligen Martyrer auf, beim Genius des Kaisers zu schwören, aber Speratus erwiederte: „Den Genius des Kaisers kenne ich nicht, sondern ich diene dem Gott des Himmels. Ich habe mich nie eines vor den Staatsgesetzen strafwürdigen Verbrechens schuldig gemacht und allzeit die Abgaben entrichtet, die dem Kaiser gebühren. Diesen anerkenne und ehre ich als meinen Herrn auf Erden; ich bete aber nur den Einen Gott an, welcher ist der König der Könige." Am folgenden Tage suchte Saturninus die Frauen zu gewinnen, aber die hl. Donata, eine von ihnen, antwortete im Namen aller: „Wir geben dem Kaiser, was des Kaisers ist; wir beten aber nur Gott an und ihm allein bringen wir Opfer dar." Vergebens bot der Proconsul allen drei Tage Bedenkzeit an, damit sie sich eines Bessern besönnen. „Dieser Aufschub ist unnöthig," entgegnete Speratus, „denn niemals werden wir den Glauben an unsern Herrn Jesus Christus abschwören; befiehl demnach, was dir gefällt." Erzürnt verurtheilte Saturninus alle zwölf zur Enthauptung, und frohlockend riefen sie aus: „Gelobt sei Gott, der uns in die Zahl der Martyrer um des Bekenntnisses seines Namens willen aufgenommen hat."

Die eigentliche Verfolgung begann jedoch erst im Jahre 202; die berühmtesten unter den vielen carthagischen Martyrern dieses Jahres sind die hll. Perpetua und Felicitas mit ihren Gefährten. Auch die schriftlichen Aufzeichnungen über ihren Martyrtod sind uns noch erhalten, und sie gehören unzweifelhaft zu den schönsten Denkmälern des christlichen Alterthums, die wir besitzen; dieselben wurden in den carthagischen Kirchen als die treue Geschichte ehrwürdiger Vorbilder der Glaubensstärke beim öffentlichen Gottesdienst zur Erbauung des Volkes vorgelesen. Den ersten Theil dieser

Martyrergeschichte hat die hl. Perpetua selbst noch niedergeschrieben, einen andern Theil ihr Leidensgefährte Saturus und einen dritten ein Augenzeuge.

Aber nicht bloß in Carthago, wohin an ihrem jährlichen Festtage große Pilgerschaaren strömten, wurde ihr Andenken gefeiert, sondern ihre Verehrung dehnte sich auf die ganze Kirche aus, und noch heute nennt jeder Priester die hl. Perpetua und Felicitas täglich mit Andacht im Canon der heiligen Messe. Die hl. Vivia Perpetua stammte aus Tuburbo, einer in geringer Entfernung von dem alten Carthago gelegenen Bischofsstadt. Sie war verheirathet und hatte ihr kleines Kind bei sich, als sie erst 22jährig mit einigen andern Gläubigen als Christin ergriffen und anfangs in leichter Untersuchungshaft gehalten wurde. Ihr Vater und ihre Mutter lebten noch, und sie hatte zwei Brüder, von denen einer Katechumen war, d. h. sich auf die heilige Taufe vorbereitete. Ihr Vater suchte sie vom Glauben abwendig zu machen. „Vater," erwiederte sie ihm, „siehst du dieses irdene Geschirr hier? taunst du ihm einen andern Namen geben als den, welchen es hat?" „Nein", antwortete er. — „So kann auch ich nichts anderes sein, als was ich bin, nämlich eine Christin." Erzürnt warf sich der Vater auf sie, um sie zu mißhandeln, zog sich aber dann zurück, beschämt darüber, daß er seine Tochter nicht hatte zum Abfall bewegen können. Die hl. Perpetua war aber noch Katechumenin, wie ihre Gefährten, und erst wenige Tage nach diesem Auftritt mit ihrem Vater empfingen sie gemeinschaftlich die heilige Taufe. Bald darauf führte man sie nach Carthago und warf sie dort in den Kerker.

Ruinen des Amphitheaters von Carthago am Fuße des alten Burghügels. (S. 32.)

„Anfangs", schreibt sie, „machten die Schrecklichkeit und die Dunkelheit dieses Ortes einen tiefen Eindruck auf mich; denn ich hatte keine Idee von einem solchen Aufenthaltsort gehabt. Wie lang wurde mir dieser Tag! Welch furchtbare Hitze! Wir waren so eng aneinander gedrängt, daß man fast erstickte, und dazu hatten wir noch beständig von der Frechheit der uns bewachenden Soldaten zu leiden. Was mir aber das größte Leid verursachte, war, daß ich mein Kind nicht bei mir hatte. Aber zwei Diakone, Tertius und Pomponius, erlangten durch Geldgeschenke, daß man uns an einen geräumigeren Ort brachte, wo wir wenigstens athmen konnten. Hier beschäftigte sich jeder mit sich selbst, und ich pflegte mein Kind, das man mir wiedergegeben hatte und das während seiner Trennung von mir beinahe verschmachtet war. Nur für das Kind war ich besorgt und unruhig, und ich empfahl es dringend meiner Mutter und meinem Bruder, indem ich dieselben zugleich zu trösten mich bemühte; denn es rührte mich tief, daß sie aus Liebe zu mir so betrübt waren. Mehrere Tage lang fühlte ich recht lebhaften Schmerz darüber; aber nachdem ich die Begünstigung erlangt hatte, daß man mir mein Kind ließ, nahm der Schmerz ab; ich fand mich ganz getröstet, und der Kerker wurde mir ein so angenehmer Aufenthaltsort, daß ich hier ebenso gern wie irgendwo anders bleiben mochte."

Der hl. Cyprian redet oft davon, daß die Martyrer durch Offenbarungen und Erscheinungen über ihren bevorstehenden Martyrtod unterrichtet wurden. Auch die hl. Perpetua wurde einer solchen Gnade gewürdigt. Auf die Bitte ihres Bruders nämlich bat sie den Herrn, er möge ihr zeigen, ob sie den Martyrtod erleiden werde. In der folgenden Nacht wurde ihr ein Gesicht zu theil. Während sie betete, sah sie eine goldene Leiter, die bis zum Himmel hinanreichte; an den beiden Seiten derselben befanden sich schneidige Messer und Schwerter, an welchen sich jene zerschnitten, die unachtsam, den Blick nicht aufwärts gerichtet, emporsteigen wollten. Am Fuße der Leiter lag ein ungeheurer Drache, der jeden vom Betreten derselben abschreckte. Satur stieg zuerst die Leiter hinan, und oben angekommen, munterte er Perpetua auf, ihm zu folgen, sich aber vor dem Drachen zu hüten. Muthig setzte sie „im Namen des Herrn Jesus Christus" ihren Fuß auf den Kopf des Drachen und stieg dann die Leiter hinauf. Oben sah sie einen ungeheuer großen Garten, in dessen Mitte ein Mann saß im Gewande eines Hirten — so wurde der Heiland in jener Zeit meistens dargestellt —; dieser melkte die Schafe, umgeben von vielen Tausenden in weißen Kleidern; er hieß Perpetua willkommen, gab ihr ein Stücklein von den weißen Käse, den er auspreßte, und sie nahm es mit gefalteten Händen und aß es, während die Umstehenden „Amen" sprachen — es war dieses der Gebrauch, der bei der Austheilung der heiligen Communion beobachtet wurde. Bei dem Amen erwachte Perpetua von ihrem Gesichte, und sie spürte noch die Süßigkeit der Speise, die sie von dem Hirten empfangen hatte, und erkannte daran, daß sie mit ihren Gefährten den Martyrtod erleiden würde.

In der That wurden sie nach wenigen Tagen zum Richterstuhl geführt. Kaum eilte der Vater Perpetua's herbei und beschwor sie wieder, nicht durch ihren Starrsinn und einen schmachvollen Tod Schande auf seine grauen Haare und die ganze Familie herabzuziehen. Er erinnerte sie an seine Liebe zu ihr, an alle die Mühen, die er sich für sie und ihre Erziehung gegeben; er wies sie hin auf ihre Mutter, ihre Brüder, ihr Kind, warf sich ihr zu Füßen, küßte ihre Hände und weinte und jammerte. Aber Perpetua blieb standhaft, so wehe ihr auch der Schmerz ihres Vaters that, der allein von ihrer ganzen Familie kein Verständniß für ihre Standhaftigkeit hatte. Um ihn zu trösten, sagte sie zu ihm: „Betrübe dich nicht, es wird nichts geschehen, als was Gott will; wir hangen ja nicht von uns selbst ab, sondern von seinem Willen." Vor dem Richterstuhl des Hilarianus bekannten sich Perpetua und ihre Gefährten laut als Christen. Noch einmal machte ihr Vater hier einen Versuch, sie zum Abfall zu bewegen, und zeigte ihr das Kind, welches sie durch ihren Tod zur Waise machen werde. Auch Hilarianus wies sie auf ihren Vater und ihr Kind hin; aber die hl. Perpetua blieb standhaft, und der Richter sprach das Urtheil, daß sie alle im Amphitheater den wilden Thieren vorgeworfen würden. Die Betenner wurden in den Kerker zurückgeführt; außer der hl. Perpetua waren es die hl. Felicitas, eine Sklavin, die hll. Saturus, Saturninus, Revocatus und Secundulus. Von diesen starb Secundulus an den erlittenen Qualen im Kerker, bevor noch der für die Hinrichtung bestimmte Tag angebrochen war. Unterdessen bereiteten sich die übrigen durch Gebet auf das Opfer vor, daß sie darzubringen gewürdigt wurden, und Gott stärkte sie durch wiederholte Gesichte, welche sowohl Perpetua als Saturus schauten.

Nachdem ihnen am Tage vor dem Kampfe dem Gebrauche gemäß ein öffentliches Mahl gegeben war, welches sie als Liebesmahl nach der Sitte der ersten Christen feierten, wurden sie zur festgesetzten Zeit in das Amphitheater geführt. „Sie verließen den Kerker", berichtet uns ein Augenzeuge, „fröhlich, schön von Antlitz und zitternd vor Freude, als ob sie in den Himmel gingen." Die Königin des Zuges war Perpetua; sie schritt einher wie eine Braut Jesu Christi, mit niedergeschlagenem Auge, ganz in Gott versunken. Am Thore des Amphitheaters wollte man alle zwingen, ihre Kleidung mit der Kleidung der Saturnuspriester für die Männer und der Ceresprieserinnen für die Frauen zu vertauschen; allein die heiligen Betenner widersetzten sich: „Freiwillig sind wir hierhergekommen", sagte Perpetua, „wir geben unser Leben hin, um nicht den Göttern zu opfern; wie will man uns zwingen, die Kleidung der Götzendiener anzulegen?" Die Ungerechtigkeit dieser Weigerung konnte die Billigkeit dieser Weigerung nicht verkennen, und so gestattete ihnen der Tribun, in ihren eigenen Kleidern dem Kampfe entgegenzutreten. Psalmen singend betrat nun Perpetua die Arena; die hll. Revocatus, Saturus und Saturninus aber bedrohten die gaffende Menschenmenge mit dem ewigen Gerichte. Ihre edelstolze Haltung auch dem Proconsul Hilarianus gegenüber reizte die Heiden noch mehr, und sie verlangten, daß die heiligen Betenner gegeißelt würden, bevor sie den Kampf mit den Thieren aufnähmen. Es geschah, und gegenseitig wünschten sie sich Glück, etwas vom Leiden des Herrn verkosten zu dürfen. Dann ließ man die Thiere auf sie los; Revocatus und Saturninus wurden zuerst von

Grabschrift einer heiligen Martyrin aus Tunesien.

einem Leoparden und dann einem Bären zerfleischt; Saturus, auch einem Bären preisgegeben, blieb unverletzt; Perpetua und Felicitas wurden von einer wilden Kuh umhergeschleudert; zuletzt empfingen sie alle, da die wilden Thiere sie nur verwundet, aber nicht getödtet hatten, vom Henker den Todesstoß. Perpetua mußte selbst dem ungeschickten Menschen die Stelle anzeigen, wohin er stoßen solle.

Von dem Amphitheater, in welchem diese heiligen Martyrer den Heiden zum grausamen Schauspiele dienten, sind nur wenig Ruinen mehr vorhanden. Im 13. Jahrhundert dagegen war es nach dem Zeugniß des arabischen Geschichtschreibers Edrisi noch ziemlich erhalten. Derselbe spricht von noch bestehenden 50 Bogen, deren jeder eine Spannweite von etwa 7 m hatte, so daß der ganze Umkreis der unteren Zuschauerplätze etwa 400 m haben mochte. Ueber diese untere Reihenzone erhoben sich aber nach dem Zeugnisse Edrisi's noch fünf andere von gleicher Ausdehnung, daß man leicht ermessen kann, welch ungeheure Menge von Heiden dem zu traurigen und doch so glorreichen Kampfe der hl. Perpetua und ihrer Gefährten zuschauten. Damals mochte das Heidenthum sich siegreich glauben und das Christenthum in dem Blute der Martyrer zu ersticken vermeinen; aber wie das carthagische Amphitheater, so ist das römische Heidenthum verschwunden, und siegreich blickt das Kreuz von der Kapelle des hl. Ludwig auf dem alten Burghügel herab auf das Forum und auf die Ruinen des Amphitheaters.

Jedoch nicht nur zu Carthago wüthete die Verfolgung; auch Hadrumetum und die meisten anderen Städte des heutigen Tunesiens hatten ihre heiligen Bekenner; allein die Namen weitaus der meisten, welche, sei es in der severischen, sei es in den späteren heidnischen, donatistischen und vandalischen Verfolgungen litten, sind uns unbekannt. Während diese Namen eingeschrieben stehen im Buche des Lebens, sind die ihnen hienieden gesetzten Grabinschriften meistens verschwunden. Auf dem Gebiete der Regentschaft Tunesien finden sich nur wenige christliche Inschriften; denn vielleicht nirgendwo haben die Vandalen und später die Araber in gleichem Grade ihr Verheerungswerk vollführt. Der Grabstein einer heiligen Martyrin wird gegenwärtig in der Kapelle des hl. Ludwig aufbewahrt. Er nennt uns die hl. Victorina und bezeichnet sie durch den beigefügten Palmzweig als Martyrin. Wann aber diese Heilige

gelebt und gelitten hat, ob unter Severus oder in einer der späteren Verfolgungen, wissen wir nicht mit Sicherheit; das römische Martyrerbuch nennt ihren Namen nicht.

Doch hat man in jüngster Zeit glücklichere Funde gethan. Ganz in der Nähe des Amphitheaters entdeckte man viele christliche Grabsteine, und zahlreiche Grablampen sind mit christlichen Sinnbildern verziert: mit dem guten Hirten, der Taube, dem Fische, dem Bilde des Jonas, der vom Walfische ausgeworfen wird, dem Kreuze und vielen anderen ähnlichen Darstellungen, welche den göttlichen Heiland, die christliche Seele, die Auferstehung von den Todten u. s. w. bedeuten. Auch hat ein Missionär im Jahre 1881, als er mit seinen Negerzöglingen einen Ausflug nach dem Berge Kamart bei Carthago machte, in den Grabgewölben dieses Berges zahlreiche christliche Grabstätten entdeckt.

Nach dem Tode des Kaisers Septimius Severus (211) trat

Abbildung des guten Hirten auf einer christlichen Grablampe von Carthago.

1 a   1 a und 2 a oberer Theil.   1 b und 2 b Seitenansicht.   1 c und 2 c unterer Theil.   2 a

1 b

1 c   2 b   2 c

Zwei christliche Lampen von Carthago.

für die Christen eine Ruhezeit ein, indem die folgenden Kaiser dem Christenthum weniger feindlich, theilweise sogar günstig gegenüber standen. In dieser Zeit nahm auch die Kirche in Nordwest-

Afrika einen neuen Aufschwung; wie sehr sie hier die Aufmerksamkeit auch der höheren und gebildeten Klassen auf sich zog, zeigt die Bekehrung des hl. Cyprianus. (Er stammte aus einer reichen

Senatorenfamilie Carthago's und war ein berühmter Lehrer, als er durch den Priester Cäcilius das Christenthum kennen lernte und sich großmüthig zu demselben bekannte, indem er seine Güter zum Besten der Armen verkaufte, sich zu beständiger Keuschheit verpflichtete und die heilige Taufe empfing (245). Drei Jahre später wurde er zum Bischof von Carthago erwählt. Er ist der größte Kirchenlehrer, den dieser Theil Afrika's der Kirche geschenkt; denn sowohl der Geburtsort des hl. Augustinus als auch sein Bischofssitz fallen außerhalb der Grenzen des heutigen Tunesiens.

Der hl. Cyprian hatte kaum die Leitung der carthagischen Kirche übernommen, als dieselbe von einer neuen heftigen Verfolgung heimgesucht wurde. Im 250 erließ der Kaiser Decius ein strenges Gesetz, die Christen durch Martern und Qualen aller Art zum Götzendienst zu zwingen und die Widerspänstigen zu tödten. Leider hatte der vierzigjährige Friede, dessen die carthagische Kirche sich erfreut hatte, wohl zur Ausbreitung des Christenthums beigetragen, aber auch einen erschlaffenden Einfluß auf viele Gläubige ausgeübt. Der hl. Cyprian entwirft ein recht trauriges Bild von den Sitten vieler Christen. So darf es uns nicht wundern, daß gar manche gleich auf die ersten drohenden Worte den Glauben verläugneten, und daß auch christliche Priester auf den heidnischen Altären opferten. Aber neben diesen traurigen Abtrünnigen fehlte es auch nicht an heldenmüthigen Bekennern. In keiner andern Verfolgung waren die Qualen, die man den Martyrern anthat, so grausam, wie in der decischen; denn Decius wollte nach den Worten des hl. Hieronymus „nicht den Leib tödten, son-

Christliche Grabstätten zu Kamart bei Carthago. (S. 33)

dern die Seele", und der hl. Cyprian sagt: „Wenn man auch gern sterben wollte, man konnte es nicht, sondern die Folter quälte die Gequälten so lange zerfleischte, bis nicht der Glaube, der stark ist, sondern das Fleisch, welches schwach ist, erlag." Der erste, welcher in dieser grausamen Verfolgung zu Carthago für den Glauben starb, war der hl. Mappalicus. „Du wirst morgen sehen, wie wir kämpfen," sprach er zum Proconsul in seinem und der mit ihm gefangenen Christen Namen, und der hl. Cyprian setzt hinzu: „Er hat den versprochenen Kampf gestritten und die verdiente Palme erhalten." Dem Beispiel des hl. Mappalicus folgten seine 20 Gefährten und Gefährtinnen, und voll Freude über ihren glorreichen Tod konnte der hl. Cyprian ausrufen: „O, wie glücklich ist unsere Kirche, die in solcher Weise von Gott begnadigt und

beehrt und in unseren Zeiten durch das Blut der heiligen Martyrer verherrlicht wird. Zuvor war sie weiß in den Werken der Brüder, jetzt hat sie den Purpur angezogen im Blute der Martyrer. Ihrem Blütenschmuck fehlen weder Lilien noch Rosen. O, wie erfreut wurde dort Christus! Denn er war beim Kampfe gegenwärtig; er hat die Kämpfer und Bekenner seines Namens aufgerichtet, gestärkt, ermuthigt." Nicht weniger getröstet wurde der hl. Cyprian durch den heldenmüthigen Opfermuth vieler anderer Bekenner; wir erwähnen von diesen nur den hl. Numidicus, dessen der hl. Cyprian in einem seiner Briefe gedenkt. Derselbe hatte viele Martyrer ermuthigt und gestärkt und wurde deshalb mit seiner Gattin und vielen anderen Christen ergriffen und zum Feuertode verurtheilt. Er sah seine Gattin den Scheiterhaufen besteigen und

heftig ihn dann auch selbst. Aber der Scheiterhaufen stürzte zusammen, bevor noch Namibicus todt war; die Schergen jedoch, welche
Arbeit genug hatten, bekümmerten sich nicht um ihn. Da kam seine
Tochter abends, um die Asche ihrer geliebten Eltern heimlich zu
sammeln; sie fand an ihrem Vater noch Lebenszeichen, und es
gelang ihr, den Halbverbrannten wieder zum Leben zurückzurufen.
Der hl. Cyprian ertheilte später diesem wahrhaft im Feuer Ge-
prüften die heilige Priesterweihe.

Während der derrischen Verfolgung, welche es vor allem auf
die hervorragenderen Glieder der Kirche und also namentlich auf
die Bischöfe absah, hatte der hl. Cyprian sich von Carthago entfernt und ein Versteck aufgesucht — nicht aus Furcht vor dem
Tode, sondern um sich seiner Heerde zu erhalten. Aehnlich han-
delten zur nämlichen Zeit die heiligen Bischöfe Dionysius von
Alexandrien, Gregor der Wunderthäter von Neu-Cäsarea, Maximus
von Nola u. a.; auch sehr viele Gläubige zogen dem Sturme
aus, der Mahnung des Herrn folgend: „Wenn sie euch in einer
Stadt verfolgen, fliehet in
eine andere." Von seinem
Verstecke aus fuhr der heilige Bischof von Carthago
aber fort, seine Kirche zu
leiten, die Gläubigen zu
ermuthigen und die Mar-
tyrer zum Kampfe zu stärken.
Glücklicherweise dauerte die
Verfolgung nicht lange;
schon um Ostern 251 ließ
sie an Heftigkeit nach, und
der Heilige konnte sein
Versteck wieder verlassen;
als Decius nun gegen
Ende 251 in einer Schlacht
gegen die Goten fiel, hörte
die Verfolgung ganz auf.

Aber keine gar lange
Ruhe sollte den Christen
von Afrika gegönnt wer-
den. Eine Pest, welche
252 Carthago und die Um-
gegend verheerte, gab dem

Sklavenmarkt. (S. 36.)

hl. Cyprian und seiner Gemeinde Gelegenheit, ihre Liebe und
ihren Opfermuth zu bewähren. Während die Heiden flohen und
sich ihrer eigenen Kranken nicht annehmen wollten, ermahnte der
heilige Bischof die Gläubigen eindringlich, die Pflichten der
Barmherzigkeit zu üben. Sein Wort fiel auf guten Boden, und
man sah so rührende Beispiele der Hingebung, daß selbst die
Heiden voll Begeisterung diese große brüderliche Liebe bewunderten. Auch versäumte der heilige Bischof nicht, durch mehrere
Synoden, die er veranstaltete, für das Beste der Kirche zu wirken.
Allerdings gerieth er hier auf einen Abweg. Im Jahre 255
wendeten sich einige numidische Bischöfe an ihn mit der Frage,
ob die von den Ketzern ertheilte Taufe gültig sei; mit seinen Synoden von 255 und 256 antwortete er verneinend. Diese Antwort war jedoch unrichtig, und Papst Stephan, an welchen der
hl. Cyprian die Beschlüsse seiner Synoden einsendete, verwarf daher
mit Recht die Entscheidung. Dennoch suchte der Bischof von Carthago auf einer neuen größern Synode (Sept. 256) seine Ansicht
festzuhalten und trat sogar ziemlich heftig gegen den Papst auf.

Bildet dieser Vorgang einen Flecken im Leben des Heiligen, so
hat er Sorge getragen, denselben durch sein Blut abzuwaschen.

Bereits 257 erließ der Kaiser Valerian ein Edict, welches die
gottesdienstlichen Versammlungen der Christen untersagte und die
Entfernung der Bischöfe und Priester von ihren Gemeinden ver-
ordnete. Der hl. Cyprian, welcher sich vor dem Proconsul Aspa-
sius Paternus als Christ und Bischof bekannte, wurde in die Verbannung geschickt; er zog sich nach Curubis, etwa 15 Meilen
östlich von Carthago, zurück und fuhr hier fort, seines Amtes zu
walten. Im folgenden Jahre 258 sprach ein neues Edict Vale-
rians den Tod aus über die Priester und Bischöfe, und nun
sollte auch der hl. Cyprian die Martyrkrone erlangen. Er war
nach Carthago zurückgekehrt und hielt sich in den Gärten der
Stadt auf, als der neue Proconsul Galerius Maximus ihn
aufs neue verhaften ließ und zum Tode verurtheilte. In dem
untern Stadtviertel, Megara genannt, nicht weit vom Amphitheater, sollte das Urtheil an ihm vollzogen werden. Begleitet von seiner Gemeinde
und von vielen Heiden,
wurde er hinausgeführt;
an der bezeichneten Stelle
angekommen, betete er zu-
nächst, ließ dann dem Henker 25 Goldstücke aus-
zahlen, verhüllte sich selbst
die Augen und empfing
den Todesstreich von der
zitternden Hand des Schergen (14. Sept. 258). Die
Christen aber hatten rings
Tücher ausgebreitet, um
sein Blut aufzufangen. Er
war der erste afrikanische
Bischof, welcher mit
der Martyrkrone geschmückt
wurde. Die Verfolgung
blieb indessen nicht auf die
Bischöfe und Priester be-
schränkt, sondern gab der
afrikanischen Kirche noch
viele andere Martyrer.

In Utica, einer etwa 2 Stunden nordwestlich von Carthago
gelegenen Stadt, befanden sich gegen 300 Christen in den Gefängnissen, und Galerius Maximus, der nämliche Proconsul, welcher
den hl. Cyprian zum Tode verurtheilt hatte, beschloß, dieselben
zum Abfall zu bewegen. Vor der Stadt wurden Götzenaltäre
errichtet und daneben eine tiefe Grube mit ungelöschtem Kalk
bereitet. Dann wurden die Gefangenen herbeigeführt und ihnen
die Wahl gestellt, entweder den Göttern zu opfern oder im Kalk
verbrannt zu werden. Eine ungeheure Menschenmenge umgab im
weiten Umkreis die Stätte und erwartete neugierig die Entscheidung
der heiligen Bekenner. Da plötzlich, wie auf Eingeben des Heiligen Geistes, stürzten sich alle diese Christen unter Freudengeschrei
in die rauchende Kalkgrube, und über sie schlug die weiße Masse
wie ein Leichentuch zusammen. Daher wurden denn auch diese
heiligen Martyrer unter dem Namen Massa candida (weiße Masse)
verehrt. So erzählt es der hl. Prudentius, welcher etwa ein Jahrhundert später lebte und ihr Martyrium in einer seiner Hymnen
verherrlichte. Von Utica sind jetzt nur noch wenige Trümmer

5*

vorhanden; das Amphitheater und die Häfen sind noch kenntlich, aber keine Kunde hat sich erhalten von der Stätte, wo die 300 heiligen Martyrer litten.

Nachdem Kaiser Valerianus im Jahre 259 von den Persern gefangen und zur Sklaverei verurtheilt worden war, erfreute sich die Kirche wieder einer großen Ruhe, welche nur hie und da durch die Grausamkeit einiger Beamten unterbrochen wurde. Erst mit dem Kaiser Diocletianus trat eine neue Verfolgung ein, aber eine Verfolgung, die schrecklicher war und mehr Opfer forderte, als alle früheren. Wie überall im römischen Reich, hatte auch im proconsularischen Afrika die Kirche die Zeit der Ruhe benützt, sich weiter auszudehnen, und offen war sie ans Tageslicht hervorgetreten. Ihre Bischöfe und ihre Priester, ihre Versammlungsorte und Kirchen waren bekannt; so konnten sich denn die Christen auch schwerer den Nachforschungen der Heiden entziehen, als dieß früher der Fall gewesen war. Sobald der Kaiser Diocletian seine Edicte gegen die Christen erlassen hatte (303), brach auch im Gebiete von Carthago der Sturm gegen sie los. Der erste africanische Martyrer der diocletianischen Verfolgung ist der hl. Felix, Bischof von Tibursicumburä, dem hentigen Tebursul, 20 Meilen südwestlich von Carthago. Aufgefordert vom Stadtpräfecten, die heiligen Bücher anzuliefern, damit sie verbrannt würden, gab er die muthvolle Antwort, lieber werde er seinen Leib, als die heiligen Bücher zum Verbrennen ausliefern. Darauf schickte der Stadtpräfect den Heiligen zum Proconsul nach Carthago, dieser überlieferte ihn an den Befehlshaber der prätorianischen Leibwache, welcher gerade in Afrika anwesend war. Mit schweren Ketten beladen, mußte nun der hl. Felix die Reise nach Italien antreten; vier Tage lang wurde er im untersten Schiffsraume ohne Nahrung und Trank gelassen, bis man zu Agrigent auf Sicilien landete. Die Gläubigen empfingen den heiligen Bekenner hier mit großen Ehren; ebenso geschah es in den anderen Orten der Insel, durch welche er geführt wurde. Zu Neunfia in Apulien endlich versuchte der Befehlshaber der Prätorianer noch einmal, seinen Gefangenen durch die Folter zur Auslieferung der heiligen Bücher zu zwingen; als jedoch seine Bemühungen fruchtlos blieben, verurtheilte er ihn zur Enthauptung. Auf dem Richtplatz hob der hl. Felix seine Hände dankend zu Gott empor, der ihm die Barmherzigkeit erweise, für seinen Namen zu leiden, und empfing dann den Todesstreich. Mit dem hl. Felix litten zusammen, wie das römische Martyrerbuch angibt, seine beiden Priester Audactus und Januarius, sowie zwei beiden Lectoren Fortunatus und Septimus. Alle die zahlreichen Martyrer hier anführen, welche im Gebiete des heutigen Tunis das Beispiel des hl. Felix während der diocletianischen Verfolgung nachahmten, ist ein Ding der Unmöglichkeit; doch wollen wir wenigstens noch die heiligen Jungfrauen Maxima, Donatilla und Secunda erwähnen. Die beiden ersten waren Schwestern und stammten aus Tuburbo Lucernaria, einer Stadt, welche jetzt ganz verschwunden ist. Sie wurden verhaftet und in schmachvollsten und schimpflichsten Anzug durch die Straßen geführt, als Secunda, die erst zwölfjährige Tochter des vornehmsten Patriciers der Stadt, von der Terrasse ihres elterlichen Hauses herab sie erblickte. Sogleich eilte sie auf die Straße, gesellte sich zu ihnen bei und erklärte sich auch als Christin. Die drei Jungfrauen erschienen so zusammen vor dem Präfecten Anulinus, welcher ebenso vergebens seine Ueberredungskünste wie seine Qualen aufbot, sie zum Abfall zu bewegen. Er ließ sie foltern, auf einen glühenden Rost legen, mit Eisenhaken zerfleischen — umsonst, sie beharrten bei ihrem Bekenntniß. Da verurtheilte er sie zu den wilden Thieren; aber

als diese sich menschlicher erwiesen, als der heidnische Richter, und sie nicht berührten, wurden die heiligen Bekennerinnen am 30. Juli 303 enthauptet.

Die diocletianische Verfolgung dauerte in Nordwest-Afrika nicht so lange, wie in den östlichen Gebieten des römischen Reiches. Schon unter Severus, welchen Galerius 305 als Cäsar für Italien und Afrika annahm, ließ sie in Afrika nach, und die Behörden begnügten sich damit, die heiligen Schriften wegzunehmen, gestatteten auch wohl, daß man ihnen häretische Bücher statt der heiligen Schrift auslieferte. Vollständige Sicherheit jedoch erlangte auch die afrikanische Kirche erst, als die Kaiser Constantin und Licinius im Frühjahr 313 den Christen volle Religionsfreiheit zusicherten.

6. Spätere christliche Erinnerungen.

Seitdem sich die Muselmänner dieses Küstenlandes bemächtigten, hat Tunis einen gefürchteten Namen; denn sein Hafen war der Schlupfwinkel zahlreicher Raubschiffe, welche jährlich Hunderte von Christen in die Gefangenschaft der Sarazenen schleppten. Um das überaus traurige Loos dieser christlichen Sklaven zu mildern und wo möglich alle, welche in Gefahr waren, ihrem Glauben zu entläugnen, loszukaufen, stiftete der hl. Johann von Matha mit anderen frommen Männern unter dem besondern Antriebe Gottes den Orden der heiligen Dreifaltigkeit zum Loskaufe der Christensklaven, den Papst Innocenz III. bestätigte. Bald darauf forderte auch in Spanien die Mutter Gottes zur Gründung einer ähnlichen Genossenschaft auf, welche den Namen „Unsere liebe Frau vom Loskaufe" annahm.

Diese beiden Orden sollen in der Folge gegen 1 200 000 Christensklaven freigekauft haben, und es ist unsäglich, welche Martern und Beschwerden viele Ordensbrüder bei ihren Werken der christlichen Liebe erduldeten.

Bereits um das Jahr 1200 kam der hl. Johann von Matha selbst nach Tunis und kaufte unter namenlosen Beschwerden 120 Christen frei. Der heilige Mann wurde in den Straßen dieser Stadt fast todtgeschlagen; aber, obwohl im Blute schwimmend, freute er sich, um Christi willen leiden zu können. Endlich war er mit seinen Losgekauften zu Schiffe und steuerte nach Italien; doch die Sarazenen holten sein Fahrzeug ein, zertrümmerten Mast und Steuer, zerfetzten die Segel und überließen es hohnlachend Wind und Wellen. Allein Gott erbarmte sich des Gebetes seines Dieners und führte die hilflose Barke wunderbar nach dem Hafen von Ostia.

Fast Jahr für Jahr lehrten nun die Brüder seines Ordens wieder, und der Martyrtod, den viele erduldeten, schreckte sie nicht ab. Im Jahre 1217 wurde P. Petrus von unselbstmännischen Kindern in den Straßen von Tunis zu Tode gemartert; er war als Geisel zurückgeblieben, weil er das Lösegeld für 208 Sklaven nicht völlig erlegen konnte. Zwei Jahre nachher wurden die Brüder bei ihrer Ankunft geplündert und ermordet, und im Jahre 1253 verbrannten die Sarazenen den P. Thibaut lebendig, nachdem er das Lösegeld für 129 Gefangene bezahlt hatte und eben mit ihnen absegeln wollte, die Unglücklichen wurden wieder in Ketten gelegt. Doch wir können nicht alle kennen, die um ihres Glaubens und ihrer Nächstenliebe willen verbrannt, gepfählt und unter den grausamsten Qualen von den Sarazenen hingewürgt wurden. Um die Mitte des 15. Jahrhunderts schmachtete der hl. Laurentius Compani 16 Jahre lang als Gefangener in Tunis. Einem Blinden gab er durch die Taufe das Augenlicht und befreite eine Tochter des Bey vom bösen Geiste. Dadurch stieg er bei dem Sarazenen in so großes Ansehen, daß er ihn zweimal als Unterhändler an König Alsons V. schickte, überzeugt, er werde freiwillig wieder in seinen Kerker zurückkehren. Endlich siegte die Geduld des Heiligen: der Moslem, zwei seiner Frauen und acht seiner Söhne nahmen das Christenthum an.

Scheerenschleifer von Tunis.

Das Seeräuberunwesen machte zu Anfang des 16. Jahrh. das ganze Mittelmeer und alle seine Küsten so unsicher, daß Kaiser Karl V. die dem Christenthume zugefügte Schmach rächte und Tunis in heldenmüthigem Kampfe im Jahre 1535 eroberte. 20 000 Christensklaven befreite damals die Tapferkeit des Kaisers. Aber bald war die gezüchtigte Stadt wieder der alte Schlupfwinkel der Seeräuber.

Im Jahre 1605 schleppten sie den hl. Vincenz von Paul gefangen nach Tunis, wo er als Sklave an einen Renegaten verkauft wurde, an einen Mann, der seinen christlichen Glauben ab-
geschworen hatte. Es gelang ihm, die Frau seines Herrn und
den unglücklichen Gebieter selber wieder zum Glauben zu bekehren.
Dann floh er mit ihnen in einem kleinen Schifflein über das
Meer nach Frankreich. Diese Gefangennahme des heiligen Mannes
war eine ganz besondere Fügung der Vorsehung; er stiftete in
der Folge einen Verein von Priestern, der sich auch mit den
Werken der geistlichen und leiblichen Barmherzigkeit unter den gefangenen Christen befaßte. Bald wurde in den Kerkern von Tunis
die heilige Messe gelesen, und der Empfang der heiligen Sacramente stärkte die armen Leute. Man zählte um jene Zeit zu Tunis
gegen 7000 Christensklaven und über 4000 Unglückliche, welche,
um dem Elende der Sklaverei zu entgehen, ihren Glauben abge-
schworen hatten. Aber auch den Loskauf der Sklaven ließ sich
der hl. Vincenz angelegen sein; in den letzten 15 Jahren seines
Lebens verwendete er mehr als eine Million Franken darauf und
befreite so gegen 1200 Sklaven. Ein Priester, den der heilige
Vincenz nach Tunis schickte, Louis Guérin, hat uns mehrere schöne
Züge christlicher Standhaftigkeit aufgezeichnet, sogar von Kindern,
und diese müssen wir unseren jungen Freunden noch mittheilen.

Die Corsaren hatten an den Küsten Englands einen kleinen
Knaben geraubt und nach Tunis geschleppt, wo er in den Gefängnissen mit der katholischen Religion bekannt wurde und dieselbe
freudig annahm. Sein Herr wollte ihn aber durchaus zum Glauben Mohammeds zwingen. Vor den Augen Guérins, der diese
Thatsache in einem Briefe vom Jahre 1646 aufgeschrieben hat,
wurde der elfjährige Knabe grausam gemartert und geschlagen.
Aber unter den unbarmherzigen Streichen rief der heldenmüthige
Bekenner seinem Peiniger zu: „Schlage, schlage nur zu! Reiße
mir den Kopf ab, wenn du willst, aber wisse, daß ich als katholischer Christi sterbe!" Dann wandte sich der Knabe zu dem Missionär und sagte: „Seien Sie ruhig! Ich bin entschlossen, eher
alles zu dulden, auch den Tod, als meinen göttlichen Meister zu
verläugnen." Im selben Jahre noch ertrug ein portugiesischer
Jüngling, weil er wie der ägyptische Joseph der Versuchung widerstand, die Marterkrone, und ein junger Franzose wurde aus demselben Grunde lebendig gepfählt. Vom Jahre 1648 wird wiederum
von zwei Jünglingen berichtet, deren Standhaftigkeit die Wuth
der Henker entwaffnete. Eines Tages warf sich ein wüthender
Muselmann mit einem Dolche bewaffnet auf einen dieser jungen
Glaubenshelden mit der Drohung, ihm die Ohren abzuschneiden,
wenn er Christum nicht abschwören wolle. Der Jüngling entwand
dem Türken das Messer, schnitt sich selbst das eine Ohr ab und
reichte es, ohne eine Miene zu verziehen, dem Wütherich hin mit
der Frage: „Willst du auch das andere?" Bald darauf raffte
eine Krankheit die beiden Fremden hinweg. Leider sind uns die
Namen dieser jugendlichen Blutzeugen nicht bekannt; aber sie sind
eingeschrieben im Buche des Lebens und werden uns dereinst unter
den ewig Glückseligen genannt werden.

7. Die Mission in Tunis.

Erst seit etwa 30 Jahren darf die christliche Religion öffentlich in diesem Lande geübt werden, und was bisan von den Missionären geschah, kann man mit der Vorbereitung des Bodens und

der Aussaat vergleichen; es scheint, daß ein schwerer Fluch auf
diesem Lande liegt, vielleicht zur Strafe für die Thränen so vieler
tausend christlicher Sklaven, die hier vormals erpreßt worden.

Es ist ein Ruhm des ehrwürdigen Kapuzinerordens, daß er
inmitten aller blutigen Umwälzungen der Corsarenzeit seinen Posten
in Tunis nicht verließ. Gott allein weiß, wie viele Christensklaven durch die opfermuthigen Väter im Glauben gestärkt, wie
viele heiße Thränen durch ihre Liebe getrocknet wurden. Glücklicherweise nahm die Zahl der Sklaven immer mehr ab. 1638
zählte man noch 7000, 1788 noch immer 2000, 1812 nur mehr
500 Christensklaven in den Gefängnissen und auf den Ruderbänken
von Tunis. Erst 1830, am Vorabende der Eroberung Algiers,
schaffte Hussein Bey die Corsarenwirthschaft ab. 1843 erhob Gregor XVI. die Mission von Tunis zur Würde eines Apostol. Vikariats
und ernannte den frühern Apostol. Präfecten Mgr. Sutter O. C.
zum Bischof von Rosalia. Derselbe gründete Schulen und rief die
Schulbrüder zu Hilfe. Als 1881 Tunis sich gezwungen sah, das
Protectorat von Frankreich anzuerkennen, übernahm 1882 Cardinal
Lavigerie die Leitung auch dieser Kirche, und Leo XIII. ertheilte derselben 1885 den altehrwürdigen Titel „Erzbisthum Carthago".

Unter den 100000 Einwohnern von Tunis befinden sich bereits mehr als 10000 Katholiken, und die Gesammtzahl der Katholiken in dem Besitzungen des Bey beläuft sich auf 50000 Seelen.
24 geordnete Pfarreien bestehen jetzt schon; daneben blühen große
Schulen und Wohlthätigkeitsanstalten. Man muß zum Lobe des
mohammedanischen Bey sagen, daß er den katholischen Missionären
in jeder Weise freundlich und wohlwollend ist, ja sie thatsächlich
unterstützt, während die französischen Behörden in allem das gerade
Gegentheil thun. 53 Missionäre sind in Tunis thätig; darunter
11 Kapuziner und 19 Väter von Algier. Auch sind die Schulbrüder und die Schwestern des hl. Joseph von Frankreich herübergekommen, welche ungemein viel Gutes durch Schulen und Verpflegung armer Kranken wirken. Türken und Mauren sind von
ihrer Liebe nicht ausgenommen und verehren auch ihrerseits diese
Schwestern, die ihnen wie Engel des Himmels vorkommen. Unter
den Schülern und Schülerinnen befinden sich viele Araber- und
Judenkinder, von denen sich schon einige zum Christenthume bekehrt haben. Ganz besonders feierlich wird das heilige Weihnachtsfest begangen. In einer Krippe ladet der göttliche Knabe zum
Besuche ein, und nicht nur Christenkinder, sondern auch kleine
Türken und Juden drängen sich herbei, um ihm ihre Geschenke
darzubringen: Spielzeug, Honigkuchen, Geldstücke und Kleider, was
dann unter die allerärmsten Kinder ausgetheilt wird. Auch bei
der Maienkönigin wird mit Blumen und Kränzen geehrt, und am
Feste des hl. Joseph pflegen sie Wachskerzen zu opfern, die Armen
eine, die Reicheren mehrere, damit man dieselben auf dem Altare
des Heiligen anzünde. Wir dürfen also erwarten, daß der liebe
Gott auf die Fürbitte der seligsten Jungfrau und des hl. Joseph
den ersten Fluch von diesem Lande wegnehme und ihm seine Gnade
zuwende, damit das Christenthum von neu und kräftiger blühe.

Uebrigens ist das Wirken dieser eifrigen Ordensleute nicht
ohne Frucht geblieben; die guten Schwestern können jährlich bei
ihren Krankenbesuchen 700—800 kleinen Kindern im letzten Augenblicke die heilige Taufe spenden und ihnen so den Himmel öffnen;
auch in Tripolis, wo sie eine Schule von 400 Kindern haben,
arbeiten die Schwestern mit ähnlichem Erfolge.

1. Rhadames.

Statt den an Tunis grenzenden östlichen Barbareslenstaat Tripolis zu besuchen, der bei einem doppelt so großen Flächenraum als das Deutsche Reich auf seinem öden Wüstenboden nur etwa eine Million Menschen ernährt, wollen wir einigen Missionären in die Sahara folgen; denn ein großer Theil von Tripolis kann zu dieser ungeheuern Wüste gerechnet werden. P. Richard, der 1879 dieselbe durchreiste und zwei Jahre später in ihrer Einöde den Tod fand, soll uns seinen interessanten Streizug erzählen. Das Städtchen Rhadames oder Ghadames, wie es auf den Karten gewöhnlich heißt, das von Tunis gerade südlich 200 Stunden entfernt auf dem Boden Tripolis' am Saume der Wüste liegt, ist der Ort, von dem aus P. Richard und seine Gefährten die Wüstenreise unternahmen, um wo möglich auch den Beduinen der Sahara die frohe Botschaft der Erlösung zu bringen. Hatte doch der Papst auf die Bitte Mgr. Lavigerie's bereits im Jahre 1868 eine Apostolische Präfectur der Sahara errichtet und die muthigen Väter von Algier mit dem Missionswerk der Wüste betraut.

Rhadames besitzt keine der Schönheiten europäischer Städte. Die Häuser bestehen aus Lehmwänden oder einer Art großer, an der Sonne getrockneter Backsteine. Gewöhnlich haben sie zwar ein Stockwerk und eine Terrasse; aber sie sind so ineinander hineingeschachtelt, so verbaut und verrammelt, daß sie viel eher den Anblick eines Wirrsals von regellosem Mauerwerk, als einer Stadt gewähren. Die Straßen sind enge Fußsteige, in denen gewöhnlich nur einer hinter dem andern gehen kann. Von Kaufläden, von Fenstern keine Spur; eine aus festen Palmenplanken gezimmerte Thüre bildet die einzige Verbindung mit der Straße. In diese Gassen gewähren nicht einmal dem Himmelslichte freien Zutritt. Die ersten Stockwerke der Häuser springen nämlich so weit vor, daß sie vollständig gedeckte Gänge bilden und daß man trotz der

Wandernder Tuareg aus der Sahara.

seltenen freien Stellen, die einen Lichtstrahl hereinfallen lassen, mit Hand und Fuß im Dunkeln sich durchtasten muß. So geht man durch die Stadt, ohne dieselbe zu sehen.

Doch versuchte man hin und wieder einige Verschönerungen. Die Gassen erweitern sich zu ihrer drei- oder vierfachen Breite und bilden ein mehr oder weniger regelmäßiges Viereck, das von einem auf plumpen Pfeilern ruhenden Gewölbe überdacht wird. Die mit Mörtel beworfenen Mauern sind mit unbeholfenen Zeichnungen bedeckt; zu unserer Freude finden wir darunter verschiedene Kreuze, wahrscheinlich das Werk der Tuareg. Bänke aus Backsteinen stehen an diesen öffentlichen Plätzen in der Runde. Da trifft man die Bewohner von Rhadames; die einen verfertigen Schuhe aus gelbem Leder oder säumen Pantoffeln; weitaus die meisten aber pflegen des lieben Müßiggauges oder sagen höchstens an Verschnüren ihre muselmännischen Gebete her.

Die Bevölkerung von Rhadames läßt sich nicht genau angeben; die Einwohner selbst kennen die Zahl nicht; sie mag zwischen 3000 und 5000 Seelen betragen und zerfällt in vier Klassen: in die Edeln, Ataras, Hamuvanias und Sklaven. Die ersteren geben vor, sie stammten von allen Mohammedanern ab, welche sich zur Zeit der mohammedanischen Eroberung Nordafrika's zu Rhadames niedergelassen hätten. Stolz auf ihren Namen, verachten sie die übrigen Klassen, namentlich die Ataras und die Sklaven. Nie würden sie mit diesen eine Klasse eingehen, ja sich nicht einmal mit ihnen auf derselben Bank niederlassen. Manche sind reiche Kaufleute, andere auch bettelarm; gleichwohl würden sie ihren Unterhalt nie mit ihrer Hände Arbeit verdienen; das käme ihnen zu schmählich vor. Das bischen Geld, welches sie als Unterhändler u. s. w. erwerben, verwenden sie auf schöne Kleider und Luxusschuhe, indem sie viel lieber hungern, als den Schein der Armuth ertragen wollen. Die Frauen dieser vornehmen Klasse dürfen sich nicht in den Straßen zeigen; die flachen Dächer der Häuser, die alle durch enge Pförtchen und schmale

Brücken verbunden sind, bilden ihren Aufenthalt. Nur einmal des Jahres, am höchsten Festtage, besteigen die Männer diese Terrassen, und dann dürfen auch die Frauen hinabkommen. So bilden die Frauen auf ihren Terrassen eine ganz abgesonderte Stadt und Gesellschaft; sie haben da ihre eigenen Märkte, Versammlungen und Feste.

Die Ataras sind die Nachkommen freier oder freigelassener Neger. Unter ihnen befinden sich die einzigen Handwerker von Rhadames, erbärmliche Pfuscher, die kaum die Anfangsgründe ihres Gewerbes kennen. Die wenigen kunstfertigen Gegenstände von Rhadames (Körbchen und gestickte Pantoffeln) sind das Werk der Frauen. Einige Ataras sind Großhändler und machen mit Tripolis und Sudan Geschäfte. Ihre Frauen sind nicht so strenge eingeschlossen, wie jene der Ebeln.

Die Hameranias stehen zwischen den Ataras und den Ebeln und haben Zutritt zu diesen, obschon auch sie Abkommen von Negern sind.

Für die Missionäre bilden die Sklaven den interessantesten Theil der Bevölkerung. Sie stammen nämlich von Haussa und Timbuktu her und werden aus fast allen Gegenden Sudans bezogen. Ihre fröhliche und offene Gemüthsart sticht vortheilhaft von dem stets ernsten, zugeknöpften, stolzen und hochmüthigen Wesen der Rhadameser ab. Ihre Tagesordnung ist bis ins Kleinste von ihren Herren vorgeschrieben, sogar bis auf den Ort und die Zeit ihrer Tänze. Sie sind nämlich leidenschaftliche Tänzer; ihre Musik besteht aus einer Art Dudelsack, aus einer großen Trommel und aus großen, eisernen Castagnetten. Die armen Leute suchen das

Ansicht von Rhadames. (S. 39.)

Elend ihrer Sklaverei bei den Tänzen ihrer Heimat zu vergessen. Solange sie arbeiten können, werden sie nicht schlecht behandelt und ordentlich genährt und gekleidet; wenn sie aber einmal keine Dienste mehr leisten, ist das nicht immer der Fall. Da steht z. B. ein alter Sklave, der sein Leben lang die Karawanen nach dem Sudan geleitete; jetzt ist er verstoßen und verlassen, denn er ist zu alt zur Arbeit. Sein Herr gehört zu den reichsten Bewohnern von Rhadames; er würde ihn aber eher vor Hunger sterben lassen, als ihm eine Handvoll Gerste reichen. Die Missionäre geben diesem Greise aus Liebe zu Gott sein Stücklein Brod; er war der erste, der sich P. Richard während der ersten Monate seines hiesigen Aufenthaltes näherte. Die guten Eigenschaften dieser Neger entsprangen den Wunsch der frommen Glaubens-

bensboten, möglichst bald im Sudan, ihrer Heimat, die frohe Botschaft des Heiles zu verkünden, und dieser Wunsch trieb sie zu der mühseligen Reise durch die Sahara, welche P. Richard uns gleich erzählen wird.

Der Brunnen der Stadt ist ein sehr reichlicher Quell. Das Wasser springt in mächtigen Strahlen aus mehreren natürlichen Oeffnungen und füllt ein großes Becken, von wo aus Bächlein nach verschiedenen Richtungen der Oase fließen und die Palmpflanzungen und Gärten bewässern. Früher war die Quelle noch reichlicher, und gewiß würde sie wieder gewinnen, wollte man sie nur einmal reinigen; aber davon wollen unsere Rhadameser nichts wissen. Das Wasser im Becken hat 32° Wärme, während die Temperatur der Atmosphäre viel niedriger ist; in der Quellöffnung selbst soll es sogar 38° messen; es ist ein schwefelhaltiges Mineralwasser.

Die Oase ist nur klein: sie mag eine Länge von 1500 m und eine Breite von 600 m haben. Sie zerfällt in verschiedene, durch Mauern getrennte Gärten; dieses Gemäuer raubt ihr den ganzen Reiz. Der Boden ist fruchtbar; die Palmbäume sind schön und kräftig; hin und wieder stehen auch ein Feigenbaum, ein Granatbaum, ein Aprikosenbaum und einige Weinstöcke. Unter den Bäumen pflanzt man Gerste und etwas Weizen. In der Umgegend ist das Land an vielen Stellen jeden Pflanzenwuchses bar und vollständig dürre.

Die Missionäre von Rhadames wünschten namentlich mit dem Nomadenstamme der Tschamba (Chamba) in Beziehung zu treten,

welche mit ihren Kameel- und Schafheerden von Wargla aus, dem Mittelpunkte der algerischen Sahara, bis zu den östlich davon gelegenen großen Sanddünen „El Erg" umherstreifen. Die Häuptlinge dieses Stammes hatten sich den Missionären gefällig erwiesen. Als im Jahre 1876 die Patres Bouchaud, Paumier und Menoret, welche in Timbuktu, der „Königin der Wüste", eine Mission eröffnen wollten, von den schwarzen Tuareg (s. S. 44) ermordet wurden, holten die Tschamba die ehrwürdigen Gebeine dieser Glaubensboten vom jenseitigen Saume der Wüste. P. Guillet hatte mit einem Häuptlinge dieses Stammes, der nach Rhadames gekommen war, um Kameele zu verkaufen, folgendes Gespräch:

„Weshalb verschenktet ihr dieser Tage eure Gerste umsonst an Bettler, während ihr sie doch mit Vortheil an die Reichen verkaufen

Eine Hauptstraße von Rhadames. (S. 39.)

konntet?" fragte der Sal. — „Weil wir nicht Geld verlangen, sondern die Unglücklichen trösten wollen." — „Ihr thut wohl, und diese Leute werden euch ihr Leben lang lieben, wenn sie ein Herz in der Brust haben." — „O wir spenden ihnen keine Wohlthaten, um ihre Dankbarkeit zu erwerben. Das geschieht vor Gottes willen. Wir thäten dasselbe, selbst wenn wir zum voraus wüßten, daß sie uns nur mit Haß und Beleidigungen vergelten würden." — „Ihr fürchtet also Strafe von Gott, wenn ihr die Wohlthaten nicht spendet?" — „Nein, aber wir wünschen ihm wohlzugefallen und lieben ihn. Wir Christen dienen Gott nicht aus Furcht, sondern aus Liebe. Sage mir, Sal, welcher von zwei Söhnen ist der bessere: derjenige, welcher seinem Vater gehorcht, weil er ihn liebt, oder derjenige, welcher gehorsam ist, weil er ihn fürchtet?"

— „Marabut," sagte der Sal, „du hast Recht, und dein Weg ist der bessere!" Dann fügte er nach einer Pause bei: „Auch bei den Tschamba gibt es viele Arme, die oftmals weder Korn, noch Milch, noch Datteln haben; würdet ihr auch diesen beistehen?" — „Ja, Sal, und von ganzem Herzen; aber hierzu müßten wir unser Zelt bei euern Zelten haben, und die Tschamba sehen uns vielleicht nicht gerne in ihrer Mitte." — „Die Tschamba, Marabut, werden sich darob freuen wie ob eines Segens. Die Armen werden ihre Zelte um euer Zelt her anschlagen und werden euch lieben wie ihre Väter, und der ganze Stamm soll euch auf den Händen tragen. Die Tschamba, Marabut, haben ein Herz; niemals vergessen sie einer Wohlthat. Und wenn ihr dann zu den Tuareg, nach Twat oder bis nach dem Sudan reisen wollt, so werden die

Tschamba euch dahin begleiten. In unserem Geleite habt ihr nichts zu fürchten. Die Pforte der Sahara ist bei uns, Marabut, und wir sind im Besitze ihres Schlüssels!"

Doch lange genug haben wir uns auf der Oase von Rhadames zwischen der algerischen Sahara und der großen Südsahara aufgehalten und umgesehen; es ist Zeit, daß wir mit den Missionären aufbrechen und südwärts ziehen, hinein in die weg= und wasserlose Wüste! Denn Sahara heißt: „ödes, wasserloses Land". P. Richard hat aber seine Reise also aufgeschrieben:

2. Von Rhadames nach den Dünen von Edeirar'en.

„Es ist der Abend des 21. Mai (1879). Wir begeben uns in die kleine Kapelle und verrichten unser Reisegebet. Um 11¹/₂ Uhr erreichen wir die ‚Götzenbilder'. So werden einige roh gearbeitete alte Säulen bei Rhadames genannt, deren Bestimmung sich nicht mehr ermitteln läßt. Herrliches Mondlicht und ein frischer Luftzug machen die Nacht wundervoll. Schon schlummert Rhadames ruhig zu unseren Füßen, und niemand ahnt unsere Abreise. Die Karawane ist aber auch nicht danach angethan, Himmel und Erde in Aufregung zu bringen; sie besteht aus zwei Tuareg vom Stamme der Ifuras, aus einem Tschaambi (Tschaambi ist die Einzahl von Tschamba) von Wargla, aus P. Kermabon und mir. Fünf friedliche Kameele, welche uns als Reit= und Lastthiere dienen, ein Jagdhund für die Gazellenjagd in der Sahara, Mundvorrath für zwei Monate, Datteln und geschmolzene Butter, und Wasser für fünf Tage machen unsere Ausrüstung.

„Um des Schlafes Herr zu werden, gehen wir zu Fuß in gerader südlicher Richtung. Nach einer Stunde erreichen wir die Niederung des Kobo; dieser ‚Wadi' (Bach, Thalsohle) kommt von Osten und ergießt in regnerischen Jahren sein Wasser in die Sandbünen des El Erg. Südlich vom Kobo genossen wir dann einige Stunden Ruhe. Die Fläche, die wir tags darauf durchzogen, war

Die Sanddünen „El Erg".

nicht so steinig wie der Boden nördlich vom Kobo; hin und wieder hat sie fruchtbare Stellen, und da sie dieses Jahr hinreichend Wasser erhielt, hatten die Bewohner von Rhadames daselbst Melonen und ‚Gesob' (eine Art Feldsalat) gepflanzt. Diese Pflanzungen waren schön grün, obgleich die ganze Arbeit sich darauf beschränkt hatte, mit dem Finger ein Loch in den Boden zu machen und den Samen hineinzustecken. Gegen Mittag erst, am Bache Mareßan, beßiegen wir unsere Kameele. Bei einer Reise durch die Sahara ist es anzurathen, stets einige Stunden zu Fuß zu gehen; der Magen gewöhnt sich nur schwer an den schaukelnden Schritt des Kameels. Der Wadi Mareßan (d. h. seine Thalsohle) hat eine Breite von 1200 m und seine Ufer sind wohl 9 m hoch. Der Boden ist sandig; hin und wieder schaut ein Ginsterbüschel daraus hervor. Die folgende Ebene neigt sich gegen Südwesten; in dieser Richtung werden auch die Sandhügel der Dünen sichtbar; unter dem Einflusse einer Fata Morgana (Luftspiegelung) schien es, als ob sie aus einem großen See auftauchten, und die 45 Bergspitzen, die

wir am Horizonte zählten, wurden durch die Beugung der Lichtstrahlen vergrößert und schwankten hin und her, wie Schiffe auf Meereswogen.

„23. Mai. Die Nacht war erfrischend, die Temperatur war von 39° auf 21° gesunken. Der Nordostwind hielt an. Auf diesen Ebenen sieht man kaum einen Strauch, keinen Vogel, keine Gazelle; nur in den ausgetrockneten Bächen, wo von Zeit zu Zeit etwas Wasser fließt, trifft man grünes Gewächs. Als wir den seinen weißen Sand des Timisit=Baches durchschritten, stieg die Hitze auf 44°. Einige wilde Schafe (Muffelthiere) nahmen vor uns die Flucht; aber die Sonne glühte unserem Tschaambi gar zu gewaltig, als daß er ihn verfolgt hätte. So mußten wir auf frisches Fleisch verzichten und uns mit dem gewöhnlichen Gerichte der Sahara, der ‚Acida', begnügen. Die Acida bereitet man also: Man wirft Gerstenmehl in siedendes Wasser, daß eine Art Brei entsteht; dann gießt man etwas geschmolzene Butter dazu und rührt es mit einem Stocke um.

„24. Mai. Als ich mich mittags umsah, glaubte ich in großer Ferne eine zahlreiche Karawane auf unserem Pfade zu sehen. Ich theilte meine Entdeckung mit. ‚Eine Karawane,‘ sagte Othman, der eine Tuareg, ‚das ist unmöglich. Keine Karawane zieht hier durch. Schaue durch dein Fernrohr!‘ Ich that so und erkannte wirklich eine zahlreiche Truppe Kameele, aber nur fünf Reiter. ‚Wenn ihrer nur fünf sind,‘ sagte der Tschaambi, ‚so laßt sie kommen; ob Freund oder Feind, wir fürchten sie nicht!‘ Der Ort ist übel beleumundet wegen der Wegelagerer, die sich hier herumtreiben. Glücklicherweise war es diesmal nur eine harmlose Heerde. Bald erreichten wir den Wadi Tisachschan, der, wie alle früheren Bäche, von Osten nach Westen fließt und sich im ‚Erg‘ verliert. Bei Sonnenuntergang waren wir in der Mulde von Eluaz; der Bach, welcher sie durchzieht, hat noch Wasser; rundum breitet sich eine Grasfläche aus, und unsere Kameele finden eine gute Weide.

„25. Mai. Die zweite Stoffel der Wüste Tin'ert war nun zurückgelegt; zur dritten führt ein steiler Hohlweg zwischen hohen Kalksteinfelsen hinab. Als wir die Niederung erreicht hatten, sahen wir uns auf drei Seiten von diesen Fels-wällen eingeschlossen; nur nach Westen war die Gegend offen. Diese Höhenzüge sind wohl 100 m hoch; man hätte sie für die Ringmauern einer riesigen Stadt halten können. Wiederum führt ein Engpaß in eine zweite ähnlich umschlossene Ebene. Den Wadi Tahala und seine grünen Weiden lassen wir zurück und ziehen weiter auf die steinigen, nackten, verbrannten Fläche. Unser Nachtlager schlugen wir am Wadi Inedon auf, am Fuße eines hohen und getrennt stehenden Felsenhügels.

Tuareg in der Sahara.

„26. Mai. Es ist sehr schwierig, solche Felsen zu besteigen. Gleichwohl versuchten wir es, in der Hoffnung, eine weite Fernsicht zu gewinnen und der Jagd unseres Tschaambi zuzusehen, welcher die zahlreichen Muffelthiere verfolgte. Vergebliche Bemühung! Nach zwei langen Stunden qualvollen Kletterns kamen wir außer Athem zur Karawane zurück. Wilde Schafe gibt es hier wirklich genug; aber sie allein haben die Kunst, windschnell diese Felsen zu erklettern. Beim Timifit sah ich die Spur eines dieser Thiere am Fuße eines 15 m hohen Felsens. Es war von der Spitze herabgesprungen, war auf den Kopf gefallen — noch sah man Kopf und Hörner im Sande abgeprägt — und hatte trotzdem seinen Weg ruhig fortgesetzt. Um solches Wild zu erlegen, muß man es überraschen. Doch haben die Tuareg-Imrhad Hunde, welche es auch auf den schlimmsten Pfaden verfolgen und festhalten, bis ihm der Jäger mit dem Wurfspeer den Gnadenstoß gibt. Wir erreichten die Ebene Hohanet, welche das Wasser zahlreicher Bäche aufnimmt. Dieses Jahr war der Pflanzenwuchs herrlich; wir durchzogen Weiden, welche mit einer kleinen Kleeart bewachsen waren. Die Sonnenglut wird diese Weiden versengen; denn Wegelagerer machen diese Gegend viel zu unsicher, als daß die Tuareg ihre Heerden hier zu weiden wagten. Wir gruben nach Wasser, um unsere Kameele zu tränken, und fanden ganz gutes schon in einer Tiefe von nur 40 cm. Im Westen und Süden dehnen sich unabsehbare Sandfelder hin; an ihrer Grenze schlagen wir unser Lager auf.

„27. Mai. Zwischen den ersten Sandhügeln dieser Dünen wurden im Jahre 1874 die französischen Forscher Dournaux-DupERRÉ und

Isabel ermordet. Dort liegen jetzt noch ihre gebleichten Gebeine im Flugsande. Unsere Tuareg weigerten sich, uns an Ort und Stelle zu führen; so konnten wir die Ueberreste unserer Landsleute nicht bestatten und mußten uns mit einem Gebete für ihre Seelenruhe begnügen. Folgendes ist die Geschichte ihrer Ermordung. Als die beiden Reisenden zu Rhadames die letzten Vorbereitungen ihres Zuges trafen, wurde durch Isuae, vielleicht auch durch Rhadamesen, dem aufrührerischen Tschaambi Bu-Said, welcher bei El Biod lagerte, hinterbracht, zwei Christen wollten über Tilhammilt nach Rhat reisen. Bu-Said und sein Bruder ließen alsbald 33 Reiter aufsitzen und zogen in Eilmärschen nach Hohani. Am Wadi fanden sie die frischen Spuren und verfolgten dieselben. Bald waren die Franzosen eingeholt. Diese stiegen sofort ab, den Revolver in der Hand. Da machten ihre Begleiter, drei Asurae, mit den Kameelen Kehrt und überließen die Fremden ihrem Schicksale. Sie wurden augenblicklich überwältigt; Bu-Said setzte dem einen seine Pistole an die Schläfe und schoß ihn nieder; sein Bruder wollte dem andern eine Kugel durch das Herz jagen, verwundete ihn aber nur tödlich. Dann fielen die Räuber über die Beute her. Erst tief in der Nacht starb der Verwundete an Blutverlust. Die Leichen wurden ihrer Kleidung beraubt und unbestattet liegen gelassen. Die Mörder reisten nach Rhadames zurück und verkündeten ungescheut den Erfolg ihres Zuges; sie weilten ganz unbehelligt zwölf Tage in der Stadt und gingen dann zu ihren Lagerplätzen heim. Bu-Said selbst erzählte diese Einzelheiten meinem Gewährsmanne; er war

Schwarzer Tarig aus der Sahara. (S. 41.)

übrigens mit seiner Beute wenig zufrieden. Die Reisenden hatten den größten Theil ihres Geldes bei einem Türken in Rhodames, Namens Mustapha-Rafit, hinterlegt und wollten es sich mit einer sichern Gelegenheit nach Rhat senden lassen. Von ihren drei gezogenen Gewehren fand nur eines in Rhadames einen Käufer; die beiden anderen und eine Taschenuhr wagte niemand zu nehmen.

„Hier beginnen die Dünen von Edeirar'en; sie ziehen sich östlich bis in das Gebiet von Jefau. Nur in den Thälern und am Laufe der Bäche (Wadi, Udian) haben die Tuareg Weideplätze; die Ebenen dazwischen sind vollständig nackt. So bilden denn diese Thalgründe auch ihre einzigen Lagerstellen. Wir fanden einen 50 m tiefen Brunnen; sein Wasser war schlecht und faul; doch

werden wir davon trinken müssen bis Tilhammalt. In der Sahara muß man vorlieb nehmen. Das Herz eines Missionärs fühlt sich aber glücklich, wenn es von Zeit zu Zeit seinem Herrn und Heilande Jesus Christus ein Opfer bringen kann. — Wir haben 44° im Schatten."

3. Am Tilhammalt und beim Scheik Jenaïl.

„Ueber verschiedene ausgetrocknete Bäche, durch dürre, felsige Ebenen, aus denen hin und wieder ein Sandhügel aufragt, erreichten wir den 30. Mai die Grenze bewohnten Landes. Unsere Führer, bisher ziemlich sorglos, waren jetzt sehr auf ihrer Hut. Es ist eigenthümlich, wie wenig man in der Sahara eine Begegnung wünscht. So sehr der Mensch in einem friedlichen und geordneten Lande die Gesellschaft liebt, so eifrig meidet er seinesgleichen, wo Raub und Anarchie an der Tagesordnung sind.

„In einiger Entfernung vom Tilhammalt steigen unsere Führer ab und gehen voraus, indem sie uns bedeuten, ihnen stillschweigend zu folgen. Vorsichtig nahen sie sich den Tamariskenbüschen, welche hier das Ufer des Flusses krönen, und spähen mißtrauisch hinüber, als gelte es, einen Feind zu beschleichen. Wirklich sehen sie etwas; sie wenden sich um und winken uns, ebenfalls abzusteigen. Wir thaten so, und ich muß sagen, daß mir das Herz laut schlug. Aber wie staunte ich über das Schauspiel, das sich meinem entzückten Auge bot! Große Bäume, weite grüne Wiesengründe, zahlreiche Kameel- und Schafheerden, welche hier und dort zerstreut zu unseren Füßen weideten. Das war nicht mehr die Wüste. Das war Fruchtbarkeit, das war Leben, das war ein Stück heimatlichen Bodens! Lange wird diese freudige Ueberraschung in meiner Erinnerung haften.

„Da lagern die Imaurhasaten' (oder Imanghasaten), sagte Othman. — ‚Wir bleiben', antworteten wir; ‚haben wir doch gerade sowohl ihretwegen als der übrigen Stämme wegen diese Reise unternommen.'

„Wir umgingen nun die hohen Sandhügel, welche am linken Ufer des Tilhammalt stehen. El Battai, der eine Tarig (Tarig ist die Einzahl von Tuareg), kletterte inzwischen über die Dünen, und zwar mit einer Umsicht, als wollte er einen Todfeind auskundschaften; doch wollte er nur die Lagerstelle entdecken. Die

Lager der Jnanarhafofen am Tiftonmucht. (S. 44.)

Imanrhasaten hatten nicht die mindeste Ahnung von unserer Ankunft. Wir waren wohl eine Stunde längs des Ufers hingezogen, hatten bereits Zelt und Gepäck im trockenen Flußbette des Tilhammalt selbst abgeladen, und noch zeigte sich kein Mensch. Endlich erschien ein Tarig; die Lanze in der Rechten, das Schwert in der Linken, mit stolz erhobenem Haupte schritt er langsam und in wahrhaft majestätischer Haltung auf uns zu. Die Tuareg lieben diesen imponirenden Gang. Othman hatte inzwischen eine sorgfältige Toilette gemacht, wobei er freilich mehr Kleidungsstücke sich umhing, als ihm paßten; nun ergriff er die Büchse des Tichaambi, warf sie sich über die Schultern und schritt ebenfalls so majestätisch wie möglich dem Imanrhasaten entgegen. Der letztere wendete sich sofort unserem Führer zu. Es war Aissa-Ben-Mumen, einer der

Imanrhasaten, welche sich Oberst Flatters feindselig zeigten. Nachdem er eine Weile mit unserem Führer gesprochen hatte, kam er auf uns zu, grüßte trocken und fuhr fort, mit unseren Führern zu reden. Wir hatten keinen Grund, von diesem ersten Willkomm gerade entzückt zu sein; hätten wir aber den Mann gekannt, so würden wir uns Glück gewünscht haben, so billigen Kaufes loszukommen.

„Mit Einbruch der Nacht entfernte sich Aissa, und wir kochten unser Abendessen. Von ganzen Wolken Stechfliegen umschwärmt, suchten wir anfangs umsonst den Schlaf. Dann kamen zwei Mehara, eine Art Kameele, und lauerten sich neben unserem Lager nieder; ihre Reiter begannen ein Gespräch mit unseren Führern. Es waren Leute von der Nesla (Stamm) Aissa=Ben=Mumens.

Marschbereite Tuareg.

Aber endlich siegte die Müdigkeit über die Hitze und die Moslitos, und wir schliefen bis Sonnenaufgang. Bei den Stämmen der Wüste ist der Diebstahl im allgemeinen etwas Ungewöhnliches; man kann ruhig schlafen. Nicht so ist es in den festen Plätzen; da bestiehlt einen der Gast, nachdem man ihn auf das freundlichste verpflegt hat.

„31. Mai. Die Kunde unserer Ankunft hat sich verbreitet. Die Tuareg besuchen uns in ihren besten Gewändern und Waffen mit Schwert, Lanze und Dolch. Nichts von den langen und überschwänglichen Begrüßungsformen der Araber: alles ist kurz gemessen und in rauhen Tönen. Die Imanrhasaten haben keine gewinnenden oder vertrauenerweckenden Züge. Ihre hohe und knochige Gestalt, ihre schwarzen, blitzenden, tief in den Höhlen

liegenden Augen, ihre breiten Schultern, ihre herausfordernde Haltung, welche selbst den Frauen eigen ist, sind wohl geeignet, eine große Aehnlichkeit mit gefürchteten Räubern hervorzubringen.

„Willkommen!" sagten sie. „Ihr habt hier nichts zu fürchten. Wir kennen euch schon. Faßt Vertrauen in unserer Mitte!" Wir dankten und sagten, der einzige Zweck unseres Kommens sei, das Band der Freundschaft mit ihnen enger zu knüpfen und mit unseren Aerzten ihren Kranken zu helfen. „Willkommen!" wiederholten sie. „Fürchtet euch nicht!" Damit setzten sie sich einige Schritte von unserem Zelte im Kreise auf die Dünen.

„Es waren wohl ihrer 15. Jeder hatte seine Lanze vor sich in den Sand gesteckt und redete, wann die Reihe an ihn kam. Mehr als eine Stunde beriethen sie sich so, dann wendeten sie sich uns zu. „Wir haben die große Karawane der Franken (des Oberst Flatters) ungern im Lande der Asger gesehen,' sagte einer. „Aber ihr könnt hinziehen, wohin es euch gut scheint, selbst nach Rhat. Niemand soll euch aufhalten oder beunruhigen; dafür bürgen wir.' Damit grüßten sie uns und kehrten zu ihren Zelten zurück. Nur Mohammed Ben Ibraim und Mustapha blieben; wir kannten diese beiden von Rhadames her und hatten ihnen früher einige Dienste erwiesen. „Es ist euch wohl bekannt,' sagten sie, „daß die Tuareg immer ein Geschenk verlangen. Hier aber sollt ihr nicht aus Furcht und nicht widerwillig geben. Ihr habt hier größere Freiheit, als in Rhadames.'

„Am Nachmittage schickte man uns Milch, am Abende brachte Mohammed Ben Ibraim eine Ziege, während sein Knecht eine wahre Last Kameelfleisch herbeischleppte. „Das ist für euern Diffa (Mahlzeit),' sagte Mohammed. „Entschuldigt uns, wir haben nichts anderes.'

„1. Juni. Der Monat des Herzens Jesu! Um 2 Uhr morgens waren wir schon auf und lasen in unserem Zelte die heilige Messe; seit Rhadames vermißten wir dieses Glück. Auf die Einladung der Imanrhasalen lagerten wir heute zu Isuan. „Ihr könnt nicht verreisen, ohne den Rabir von Saghen gesehen zu haben', sagten sie. Wir thaten nach ihrem Willen und erreichten nach einigen Stunden den Sumpf von Saghen. Dieser Sumpf nimmt den Tithammalt auf; er besteht aus zahlreichen Lachen, durch welche sich mit dichten Schilfe bewachsene Dämme ziehen; Tamarindenbäume wachsen mitten dazwischen, und hohe, baumähnliche Gesträuche geben Saghen das Ansehen eines förmlichen Waldes. Schaaren von Wasserhühnern schwimmen auf den überschatteten Teichen; Störche, wilde Enten und noch zahlreiche andere Sumpfvögel beleben sie. Auch eine armsdicke Schlange sahen wir in den Binsen; die Tuareg sagten, es sei eine sehr gefährliche Art. Wir ließen sie also ungestört und kehrten zu unserem Zelte zurück.

Tuareg aus der Sahara. (S. 46.)

„2. Juni. Des Abends besuchten uns die Imanrhasaten nochmals; wir vertheilten Arzneimittel und einige kleine Geschenke unter sie, und sie wünschten uns eine glückliche Reise. Die Temperatur betrug 46° im Schatten. Unser nächstes Reiseziel war das Lager des Imanrhasaten-Häuptlings Fenaïl. Unsere Karawane hatte sich um zwei Mann verstärkt; der eine davon war Kelala, ein Bruder Fenaïls. Wir zogen den Tithammalt aufwärts, ohne jedoch dem Bette des Flusses unmittelbar zu folgen. Die Hitze war erstickend, 48° zu Mittagszeit. Othman zog voraus, um einen Bekannten zu treffen, der seine Heerde in der Gegend weidete. Er fand ihn mit seiner kleinen Familie, seinem Weibe, zwei Negerinnen und zwei Knaben. Sie hatten nicht einmal ein Zelt, sondern lebten unter einem hohen und dichten Ethelbusche. Die zahlreichen Milchkrüge, die an seinen Zweigen hingen, erhielten die Abendmahlzeit. Immer Milch, selten Fleisch und etwas geschmolzene Butter mit Mehlbrei bilden die Nahrung, und dabei sehen die Leute trotz des lästigen Klimas ganz gut aus. Wir

wählten einen Ethel, dessen Aeste wohl 50 m im Umkreise beschatteten, zu unserem Lagerplatze. Der Hirt brachte uns Milch und am Abende ein ganzes gebratenes Schaf.

„3. Juni. Wir belohnten die großmüthige Gastfreundschaft unseres Wirthes nach Kräften und zogen weiter. Während wir an der nahen Lache unsere Kameele tränkten, holte uns ein Tarig auf seinem raschen Mehari ein. „Das ist Ali Gagga, ein Hund von der schlimmsten Sorte,' sagte Othman. „Wir haben ihn wahrlich nicht nöthig.' In der That, der Name war uns wohl bekannt; von Fesan bis Wargla, im ganzen südlichen Tunesien und Tripolis hatte Ali Gagga zeitlebens das Räuberhandwerk ausgeübt. Das Zusammentreffen mit diesem Schnapphahn, der vielleicht eine Bande in der Nähe hatte, war uns keineswegs erwünscht; zudem wußten wir, daß er mit Assfa-Ben-Mumen und Dudu, dem Bruder Fenaïls, der Expedition des Oberst Flatters Schwierigkeiten bereitet hatte. Gleichwohl schloß sich Ali Gagga unserer Karawane an, und wir machten gute Miene zum bösen Spiel; übrigens war auch Kelala ein verrufener Bursche.

„Auf unserem Marsche trafen wir zum erstenmal mit wilden Eseln zusammen; sie gleichen völlig den zahmen Eseln der Tuareg. Sobald sie uns erblickten, legten sie die Ohren und hoben den Schweif, und fort ging's mit der Geschwindigkeit der Gazelle quer durch die Büsche. Die Tamarisken erreichen hier eine bedeutende Größe. Ein Stamm maß über 2 m im Umfang bei einer Höhe von wohl 20 m. Wir zogen durch einen förmlichen Wald. Der Fluß ist an dieser Stelle nicht völlig ausgetrocknet; einige tiefe Lachen sind noch voll Wasser.

„Doch wir verließen das Flußthal und wandten uns den felsigen Höhenzügen der Hochebene von Tassili zu, wo Fenaïl lagert. Nachts weckte uns ein Führer aus dem Schlafe: ‚Habt ihr's nicht gehört?' Wir griffen nach unseren Waffen, in der Meinung, es drohe ein feindlicher Ueberfall. ‚Es ist nicht ein Feind,'

flüsterte der Tschaambi. ‚Es sind die Gespenster der Wüste — hört ihr sie nicht?' Da legte ich mich ruhig wiederum auf das Ohr. Am nächsten Morgen erklärte sich die Sache: eine Schaar von vielen hundert Tauben hatten die Nacht im nahen Gebüsche zugebracht und das sonderbare Geräusch verursacht.

„4. Juni. Wiederum trafen wir den Fluß, der hier Mihero heißt und dessen Ufer durchweg mit dichtem Tamariskengebüsch bestanden sind. Ali Gagga und Kelala waren vorausgeeilt, um Fenaïl von unserer Ankunft zu benachrichtigen. Plötzlich erblickten wir ein auf der Erde lauerndes Mehari vor uns in der Wüste. Sein Reiter saß im Schatten eines Strauches daneben; er sah uns, im Nu war er im Sattel und hinter den hohen Bäumen des Flusses im Westen verschwunden. Offenbar ein Wachtposten, denn nach wenigen Minuten erschien von jener Seite ein Dutzend Mehari, an ihrer Spitze ein Tarig zu Pferde. Im Galopp sprengte der Reiter auf uns los, umkreiste unsere Karawane und schrie, die

Begrüßung einer Karawane.

Hand gegen uns ausstreckend: ‚Wie geht es euch? Willkommen, willkommen!' Der Reiter war niemand anders als Fenaïl. Wir stiegen ab und reichten uns die Hände, dann schwangen wir uns wieder in den Sattel, und von dem Geleite des Häuptlings geführt, zogen wir nach seinen Zelten. Einen solchen Empfang hatten wir nicht erwartet.

„Während wir in Lager unser Gepäck abluden, rührten die Weiber auf einer Anhöhe ihre Handtrommeln (s. S. 51) und schrieen dazu laut ihren Willkomm. Fenaïl aber ließ seine Mehari einen Scheinkampf aufführen, er selbst sprengte hoch zu Roß dazwischen und ließ ‚das Pulver reden', wie die Araber für Schießen sagen. Dann kam er wieder zu uns, reichte uns nochmals die Hand. ‚Wie?' fragte er, ‚ist es möglich, in dieser Sommerhitze? Aber ihr seid wohl keine Franzosen, ihr seid Tuareg!' Wir sagten, auch die Franzosen verständen die Geduld zu üben. ‚Ja,' antwortet er, ‚die Franzosen sind Männer. Wir sind bloße Memmen. Was euch betrifft, so kennen wir euch. In

Rhat und in der Sahara hörten wir von euch.' Hiermit gab er den Befehl, unser Zelt aufzuschlagen, und verließ uns.

„Sofort nahm man unsere Hülfe für einen Sterbenden in Anspruch, der eine vorgeblich giftige Coloquinte genossen haben sollte. Wir gaben ihm zwei Opiumpillen. Ob die medicinische Facultät mit dieser Behandlung übereinstimmt, wissen wir nicht; soviel ist aber sicher, daß Gott die Arznei segnete und daß der Kranke schon am folgenden Morgen uns persönlich danken konnte.

„5. Juni. Als wir in der Frühe erwachten, wartete Fenaïl und eine Anzahl seiner Leute schon darauf, uns zu begrüßen. Wir überreichten ihm jetzt das Empfehlungsschreiben, welches der französische Consul von Tripolis für uns von Motaddem erwirkt hatte. Fenaïl fühlte sich sehr geschmeichelt; da er nicht lesen konnte, schickte er sofort ein Mehari in ein benachbartes Lager, um einen ‚Thaleb', einen ‚Weisen', zu berufen, der ihm den Brief vorlese. Vor Sonnenuntergang kam derselbe; Fenaïl und sein Gefolge traten mit ihm in unser Zelt, wo das Schreiben feierlich verlesen ward. ‚Von jetzt an sind wir Freunde und nicht mehr Feinde,' sagte dann der Häuptling, ‚Bleibet bei uns, solange es euch gefällt. Mein Pferd und alle meine Leute sind zu euern Diensten.'

„6. Juni. Wir hatten die Unvorsichtigkeit, bei einer Hitze von 52° eine Fußtour auf die Höhe von Tassili zu wagen; glücklicherweise hatte das Wagniß keine ernsten Folgen für die Gesundheit. Daß der Emir aller Asgeren, der Scheik Kenulen, ganz in unserer Nähe weilte, verursachte uns keine geringe Verlegenheit. Umzukehren, ohne ihn zu grüßen, schien nicht gerathen; mit leeren Händen zu ihm zu gehen, ebenso wenig. Und wir hatten keine Geschenke mehr. Wir legten unsern Zweifel Fenaït vor. Er rieth uns, einen Brief an Kenulen zu schreiben, den er selbst besorgen wolle, und ihm zu sagen, nur die Furcht, seinem Angesichte zu mißfallen, da wir keine seiner würdige Geschenke bei uns hätten, zwinge uns, den Besuch auf die nächste Reise zu

verschieben. Wir folgten unserem Gastwirthe und setzten unsere Abreise auf den nächsten Tag fest. Die Entfernung von hier nach Rhadames mag wohl 11½ Stunden betragen.

„7. Juni. Noch mußten wir die Ifuras-Asgeren besuchen, welche im Thale Ighargaren lagerten. Wir zogen also westwärts längs der Höhen von Tassili. Fenaït gab uns eine weite Strecke zu Pferd das Geleite; dann schwenkte er zu seinen Zelten zurück. Rhat hätten wir in vier Tagereisen erreichen können. Unterwegs trafen wir eine Art stacheliger Gummibäume; ihre Blätter benützen die Tuareg zum Gerben der Häute. Am Abende begegnete uns eine Familie von Ifuras und bot uns freundlichen Willkomm.

„8. Juni. Die Ifuras sind freundlicher und gesprächiger als die Imanrhasaten und die übrigen Asger. Seitdem sie von den Tschamba besiegt wurden, entsagten sie ihren gewohnten Streifzügen und begnügten sich mit den Weidegründen ihrer Flußthäler.

Die Tuaregenstadt Rhat.

Sie sind reich an Kameelheerden; mancher Ifuras hat 200 bis 300 Stück. Die Nahrung besteht dennoch nur aus Milch, Datteln und Mehlbrei. Oft nimmt der Tarig zwei bis drei Tage keine Nahrung zu sich, ja man erzählte mir einen Fall, daß einer acht volle Tage fastete; freilich verschlang er dafür auch bei einer Mahlzeit die Nahrung einer Woche. Die Frauen kamen ebenfalls, uns zu grüßen. Das Tuaregenweib steht viel höher als das Weib des Arabers; es ist frei und schaltet und waltet als Herrin im Innern des Zeltes, während der Araber erst seinem Hunde und dann seiner Frau die Nahrung zutheilt. Diese höhere Achtung der Frau ist auch eine Spur der christlichen Abstammung der Tuareg, wie das Kreuzzeichen, die Ehe mit nur einem Weibe, der Abscheu vor dem Diebstahle, lauter Tugenden, von denen der Islam nichts weiß.

„11. Juni. Wir kamen durch ein Flußthal, welches Zeuge einer Niederlage der Ifuras durch die Tschamba gewesen war. Die Gräber, welche wir von Zeit zu Zeit trafen, machten unserem

Spillmann, Rund um Afrika. 2. Aufl.

Tschamba offenbar Freude; vergebens versuchte er, sie völlig zu verbergen. Othman sah es und sagte: ‚Ja, die Tschamba sind Männer; man darf nicht mit ihnen spaßen.' Etwas weiter trafen wir an einer Stelle zusammen 20 Gräber. ‚Das ist aber nicht das Werk der Tschamba,' erklärte Othman, ‚das ist das Werk des Falesses". Vor zwölf Jahren lagerte einer unserer Stämme hier. Als man die Körner des Drin sammelte, kamen durch Unvorsichtigkeit auch Körner des Falesses dazwischen, und von diesem Gemenge kochte man Brei. Mitten in der Nacht erfolgte ein allgemeiner Aufstand; jeder griff zu seiner Waffe, und so fielen sie in plötzlicher Raserei mit Säbeln, Lanzen, Dolchen und Flinten übereinander her. 20 Leichen deckten am Morgen den Lagerplatz. Die Körner des Falesses hatten diesen Wuthausbruch verursacht.'

„Unser heutiges Reiseziel war das Thal des Tedschudschelt. Bei seinem Austritte aus dem Gebirge von Tassili bildet er einen bedeutenden Sumpf. Oberst Flatters hatte daselbst längere Zeit

7

sein Lager. Nicht ferne davon trafen wir die Ifras Ronquiras und wurden auf das beste von ihnen empfangen. ,Eure Feinde sind unsere Feinde,' riefen sie, ,und eure Freunde unsere Freunde!'

4. Der Aufenthalt am Fuße des Tassili und die Rückreise.

„Das Flußthal des Tedschudschell ist das bedeutendste, welches vom Tassiligebirge in die Ebene von Ighargaren mündet. Der Boden ist fruchtbar und würde sich, wie die meisten ähnlichen Thäler, ganz gut für Pflanzungen eignen; aber die Tuareg sind keine Arbeiter. Arbeit gilt bei ihnen als eine Schmach für einen Edlen, und nur ihre Hörigen bebauen das Land. Man findet einige Gersten- und Weizenfelder; schade, daß sie so winzig sind. Auch einige Weinstöcke, Feigenbäume und Dattelpalmen erblickt man.

„Othman drängte zur Weiterreise. Aber die Leute von Ighargaren waren nicht seiner Ansicht. ,Man würde uns beschuldigen, wir hätten euch vertrieben,' sagten sie. ,Diese Schmach wollen wir nicht auf uns laden. Bleibet, solange es euch gefällt. Othman hat euch nichts zu befehlen; er ist ja euer Lohnknecht. Möge er allein weiterziehen, wenn es ihm hier nicht gefällt; wir werden euch einen andern Führer mitgeben.' Othman beeilte sich, seine Unterthänigkeit unter unsere Anordnung mit den Worten zu betheuern: ,Ich bin das Fleisch und ihr seid die Messer.'

„Man brachte uns mehrere Kinder mit einem schlimmen Kopfausschlage (Grind); wir wuschen und verbanden sie. Diese Krankheit ist unter den Tuareg sehr verbreitet. Als einziges Heilmittel wenden sie dagegen die Asche von Ziegenhaaren an, welche in geschmolzene Butter gemischt und so als Salbe benützt wird. Der Erfolg ist nicht glänzend.

„15. Juni. Die ganze Nacht hatten Neger vor unserem Zelte gelangt, um uns zu ergötzen. Trotzdem waren wir aber bald eingeschlafen; denn unsere Müdigkeit war überwältigend. Die Tuareg lieben die Musik; im Kreise sitzend, lauschen sie gerne dem Spiele eines ,Imiad' (Violinspieler). Ich hatte eine Spieldose mitgebracht. Man denke sich ihr Staunen, als ich das kleine Kästchen vor sie hinstellte und anzog. ,Wie?' riefen sie, ,ein Imiad, der spielt? Euch Franzosen kann nur der Tod besiegen!' Trotz aller Erklärungen sahen sie in mir eine Art Hexenmeister.

„16. Juni. Während wir frühstückten, kam ein Reiter auf einem Mehari vorüber, der uns zumerkzaun betrachtete und dann in das Lager des Imcas ritt. ,Das ist El Betschschawy, der Herr der Flußthäler,' sagte man uns. ,Er hat von eurer Anwesenheit gehört und kam gewiß, um den üblichen Zoll von euch zu fordern. Aber fürchtet euch nicht.' ,Richtig, Abdel Hakem kam als Unterhändler. ,Der Reiter, den ihr sahet,' verkündete er, ,ist der Neffe Itenulens, der ihm den Zoll von Ilesi, Tedschudschell und allen Flußthälern bis Sirman abtrat. Der Zoll für jede Heerde beträgt eine Ziege, und die fremden Karawanen bezahlen ebenso viel. Wenn ihr nicht bezahlen wollt, so soll es ihm nicht gelingen, euch die Gabe abzunöthigen; es wird jedoch besser sein, sich an die Gebräuche des Landes zu halten.' Wir erklärten uns bereit, den Werth zweier Ziegen in Geld (40 Mark) zu entrichten, wenn das genüge. ,Vollständig', war die Antwort.

Zweig von Foleotes. (S. 49.)

„17. Juni. Wir waren eben mit dem Verbinden der kranken Kinder fertig, als El Betschschawy persönlich in unser Zelt trat. Alsbald kamen aber auch zwei unserer Gastfreunde und setzten sich neben uns, zu meiner großen Beruhigung. ,Was ist dein Wunsch?' fragte ich den Mann, der uns nicht einmal gegrüßt hatte. — ,Ich bin der Gebieter dieser Flußthäler,' sagte er in barschem Tone. ,Ihr steht auf meinem Boden und auf dem Grunde Itenulens; ihr müßt die Abgabe bezahlen.' — ,Wohl, Abdel Hakem hat dir ja 40 Mark gebracht.' — ,Was sind 40 Mark für Itenulen, dessen Boden ihr mit Füßen tretet! Ihr werdet nicht so leichten Kaufes loskommen.' — ,Oho! du redest nicht mit Rhabamesen, sondern mit Franzosen, und hier sind zwei Tschamba, bereit zu ihrer Vertheidigung!' Diese scharf betonten Worte unserer Gastfreunde hatten ihre Wirkung. El Betschschawy änderte seinen Ton; er bat um einige Arzneimittel, die wir ihm gaben, und dann ging er.

„18. Juni. El Betschschawy kam wieder und verlangte mit unverschämter Frechheit unsere Abreise. ,Ihr steht auf meinem Boden,' schrie er, ,und ich will, daß ihr auf der Stelle abreist und zwar auf dem gleichen Wege zurückkehret, den ihr gekommen seid!' — ,Das hast du ungezettelt,' sagte ich zu Othman; ,aber es soll dir nicht glücken! Wir werden hier bleiben, solange es uns gefällt, und dann über Satwya heimreisen.' — ,Ihr sollt nicht über Satwya reisen!' schrie dagegen El Betschschawy, und so setzte sich der Streit noch lange fort. Endlich räumte er alles ein, und wir wurden die besten Freunde; man muß bei den Tuareg vor einem bösen Geschrei nicht bange werden.

„21. Juni. Nach zehntägigem Aufenthalt im Lager am Tedschudschell, der, wie wir hoffen, für die Sache Jesu Christi nicht ganz ohne Frucht sein wird, bereiteten wir uns zur Abreise. Iuros, welche nach Rhabames reisten, nahmen Briefe mit der Nachricht von unserem Wohlbefinden mit. Wir erneuerten unsere Vorräthe, vertheilten unsere kleinen Geschenke und setzten den Aufbruch auf den folgenden Tag fest.

„22. Juni. Um 5 Uhr in der Frühe waren wir schon unterwegs und zogen zwischen den hohen Sanddünen im Norden und den Tassili-Bergen im Süden durch das breite, grüne Flußthal westwärts. ,Ihr habt noch nie Sand gekehen wie unsern Sand,' sagte der Führer. ,In der ganzen Welt gibt es keinen ähnlichen.' Der Dünensand hat hier wirklich eine schöne Rosenfarbe, und die dunkeln Schatten der Berge heben sich kräftig von seinen zarten Tönen ab.

„Wir überschritten einen Ausläufer des Tassili und kamen bei 48° Hitze nach Tilabitin. Die beweglichen Sanddünen haben sich von Norden bis an den Fluß vorgeschoben und bilden eine Art Sackgasse. Der Ort steht bei den Asger in trauriger Andenken. Vor etwa 30 Jahren hatten sich fast alle Asger, selbst der Stamm Itenulens, an dieser Stelle gelagert. Da wurden sie nächtlicherweise von den Tschamba, mit denen sie in Fehde stehen, überfallen und fast gänzlich vernichtet; mehr als 1000 Kameele waren die Beute der Sieger. ,Die Kraft der Asger ging hier zu Grunde,' erzählte unser Führer, ,mit genauer Noth entwischte Itenulen mit vier oder fünf der Seinigen; die Tschamba sind Männer!' Noch stehen die Gerüste der Lagerhütten unberührt von Menschenhand.

Keine Karawane würde wagen, etwas wegzunehmen oder an dieſer Stelle zu lagern: das alles iſt das Eigenthum des Todes!

„23. Juni. Eine giftige Schlangenart iſt hier ſo zahlreich, daß die Tuareg manchmal eine förmliche Jagd auf dieſelben unternehmen müſſen. Heute Nacht waren wir Zeuge einer ſolchen Birſch. Die Leute des benachbarten Stammes ſteckten das Ufergebüſch in Brand; man erzählte uns des Morgens, auf einem kleinen Fleck habe man zwölf dieſer giftigen Reptilien todt gefangen. Wiederum überſtiegen wir ein vorſpringendes Joch des Taſſili.

„24. Juni. Im Flußbette des Swaten 49°. Die Gazellen flüchten ſich in den Schatten des nahen Gebüſches, ſelbſt unſere Kameele ſchmiegen ſich unter die Büſche; nur der Tarig trotzt der Sonnenglut. Hier endet die Region des Ethel und Tarfa; erſt in der Sawya werden wir dieſe Bäume wieder finden.

„25. Juni. Das Waſſer geht auf die Neige. Durſt bedeutet hier aber Tod, und ſo müſſen wir eilen, um die dunkle Wand am Horizonte zu erreichen, welche das Flußthal des Samen bezeichnet. Wir ziehen nordweſtlich. Den Samen nennen die Tuareg „die Pforte des Taſſili“. In der Regenzeit füllt das Waſſer ſein breites Bett vollkommen; aber es verſickert in den nördlichen Sanddünen. In drei Tagen iſt alles vorbei; nachher iſt der Fluß

Eine Muſikbande der Tuareg. (S. 48.)

hatten dieſen Weg von Rhat nach ihrer Heimat gewählt, um den Arabern aus Feſan zu entgehen, waren aber dafür den Tſchamba in die Hände gefallen. Die Tuareg, welche ſie begleiteten, thaten nichts zu ihrer Vertheidigung; ja ſie theilten ſich mit den Räubern in die reiche Beute. „Das iſt aber zu ſchändlich!“ ſagte ich zu dem Führer, der mir dieſes erzählte. — „Was willſt du?“ antwortete er; „die Tuareg waren die Freunde der Tſchamba; was gingen ſie die Rhadameſen an? Wären ſie tapfer, man würde ſie achten; denn auch der Tarig fürchtet den Tod. Ihre Feigheit aber macht ſie vogelfrei.“

„28. Juni. Zu Tebalbalet finden wir einige Gräber und Ruinen, ein paar Palmbäume und einen Brunnen mit reichlichem Waſſer. Auch er wurde von Oberſt Flatters ausgebeſſert. Sonſt iſt der Ort eine Wüſte. Unſer Tſchaambi erjagte eine prächtige Gazelle, deren Fleiſch uns nach ſo vielen Faſttagen trefflich mundete. Heute erreichten wir die äußerſte Grenze der Ebene von Ighargaren; vor uns dehnten ſich die großen Sanddünen.

„29. Juni. Es geht nordweſtlich durch die Dünen. Hin und wieder ragt ein Fels aus dem Sandmeer; es ſind dies die letzten Spuren des Taſſili. Mitten in den Dünen erhebt ſich das dunkle Felſenplateau Egwele.

„30. Juni. Sand und nichts als Sand! Gegen Abend wurde

ſo trocken, wie wir ihn trafen. Bei Tatat lagerten wir uns im Schatten des ſchönſten Gummibaumes, den ich je ſah. Nahebei iſt ein Brunnen; die Karawane Flatters’ hat ihn gereinigt, und er bietet jetzt reichliches und gutes Waſſer.

„26. Juni. Der Weg führte uns an fünf Gräbern von Rhadameſen vorbei, welche hier beraubt und ermordet wurden. Sie der Weg überaus ſchwierig; mit der größten Mühe konnten wir kaum vorwärts kommen und mußten endlich nach Einbruch der Nacht ganz erſchöpft im Sande uns zur Ruhe niederlegen.

„1. Juli. Gegen Mittag erblickten wir in der Ferne Timaſſanin. Bald hatten wir die Oaſe der Sawya erreicht und raſteten im Schatten von Palmen und rieſigen Feigenbäumen. Der Wächter

7*

der Sawya, der mit seiner Familie allein hier weilte, kam und
begrüßte uns. Er konnte uns vom Hörensagen und bedauerte, daß
er uns keine bessere Herberge anbieten könne. Bald kam er wieder,
die Hände voll Feigen, Zwiebeln und Kürbissen. Die Oase lehnt
sich im Westen an eine hohe Sanddüne und hat nur 130 Palmen
und einige Feigenbäume, die in einem Garten von etwa 300 m
Länge und 60 m Breite stehen. Oestlich davon und außerhalb
der Umfassungsmauer befindet sich das Grab und die Kubba Sidi-
Mussa's, des Gründers der Sawya. Der Bau liegt halb in
Trümmern und wird von dem jetzigen Wächter bewohnt. Daneben
steht ein Haus in etwas besserem Zustande. Das Wasser eines
halb versandeten artesischen Brunnens dient zum Bewässern der
Palmen, des Gemüsegartens und der kleinen Gersten- und Weizenfelder. Die Ernte an Datteln und Getreide wird zwischen dem
Wächter und der Familie Sidi-Mussa's getheilt; doch wird den
vorüberziehenden Karawanen stets ein ‚Diffa' gespendet. Das Grab

Sidi-Mussa's wird von den Tuareg hochgehalten; sie meinen,
dieser Marabut stehe Mohammed sehr nahe. Der Wächter er-
mangelte nicht, uns das Lob dieses Todten zu verkünden. ‚Sidi-
Mussa sieht es nicht gerne, daß man ihn vernachlässige,' sagte er.
‚Wer hier vorbeizieht, ohne sein Grab durch ein Geschenk zu
ehren, wird nie eine glückliche Reise machen; wer aber etwas
schenkt, hat nichts zu fürchten.' Und zahlreiche Beispiele, mit
großer Wärme und Ueberzeugung vorgetragen, sollten diesen Satz
erhärten. Wir begnügten uns, dem Manne seine Früchte gut zu
bezahlen, und waren gegen den Zorn Sidi-Mussa's gesichert. Die
Oase von Timassanin ist übrigens durchaus kein Paradies.

„3. Juli. Weiterreise. Wir durchzogen quer das Flußthal
Hohanet. Zu unserer Rechten lag Timassanin mit etwa 40 Pal-
men, dem Eigenthume Abdel Halems. Dem ausgetrockneten Bache
Tondschenturt folgend, erklommen wir die Hochebene von Tinret.
Der Boden ist felsig. Der Weg führte der Reihe nach durch

Ansicht der Sawya.

verschiedene versandete Bäche, welche zur Regenzeit ihr Wasser den
Sanddünen von El Erg zuführen.

„7. Juli. Wo der Weg von Tchoankort in den unsern mündet,
entdeckten wir frische Spuren von mehr als 30 Kameelen. ‚Ist
das eine Karawane oder eine Räuberbande?' fragte unser Führer.
Die Gegend ist sehr verrufen. Tuareg und Tschamba streifen hier
oft genug umher. Die Rhadamesen fürchten diesen Ort, der nicht
umsonst ‚Bla-Rhadames', d. h. ‚Unglück von Rhadames' heißt.
Auch der Sohn des Scheik von In-Salah wurde hier überfallen; 70 beladene Kameele fielen den Räubern zur Beute, und
15 halbverdurstete Krieger raffte ihr Schwert weg. Glücklicherweise hatten wir nur die Spuren einer Karawane vor uns. —
Vor zehn oder zwölf Jahren verfolgten die Ulad-Mothan (auch
ein Stamm der Tuareg) diesen Weg. Die gebleichten Knochen
ihrer Kameele und Maulthiere liegen noch im Sande. Die ganze
Karawane verschmachtete hier. ‚So war es geschrieben,' sagte
der Tschaambi.

„11. Juli. Auf der ganzen Reise seit Timassanin sind uns
die zahlreichen ‚Mesdschedd' (Gebetsplätze) aufgefallen. Jeden
Augenblick sieht man am Wege mit einer Reihe Steine abgegrenzte
Rechtecke; in der Mitte ist ein Kreis angebracht, der die Kuppel
der Moschee andeuten soll. In diesen Kreis stellt sich der Vor-
beter. Einige dieser Gebetsplätze haben die Form eines regelrechten
lateinischen Kreuzes. Diese rühren von eifrigen Tuareg her; sie
sind aber ziemlich selten. Die Größe ist sehr verschieden, je nachdem ihre Urheber zahlreich oder weniger zahlreich waren. So un-
scheinbar diese religiösen Denkmäler sind, beweisen sie doch den
Glauben dieser Nomaden."

5. Die Ermordung der Missionäre.

Die Reise, welche uns P. Richard soeben erzählte, verlief glücklich. Am 16. Juli 1879 trafen die Missionäre wieder in Rhadames ein, nachdem sie 56 Tage im Gluthofen der Sahara verweilt
hatten. Als sie aber im Herbste 1881 die Frucht dieser müh-

seligen Reise pflücken und im Vertrauen auf die also erworbene Freundschaft der Nomadenstämme eine neue Mission in der Sahara gründen wollten, büßten sie dieses unruhige Unterfangen mit ihrem Leben. P. Richard, der uns die obige Reisebeschreibung geliefert hat, wurde zwei Tagereisen von Rhadames mit den Patres Morat und Pouplard meuchlings ermordet. Der Führer der Karawane, welcher die drei Missionäre umsonst vor der Verräterei der Tuareg gewarnt hatte, erzählt ihren Tod also:

„Am Morgen des dritten Tages, nachdem wir kaum einen Weg von 20 km zurückgelegt hatten, machten wir auf den Rath Aïssa's, des Führers der uns begleitenden Tuareg, Halt. Er wollte in der Umgegend nach Wasser forschen, gab er vor. Wir brauchten noch gar kein Wasser; der Grund fiel mir auf, und ich theilte P. Richard meine Besorgnisse mit. Er antwortete mir, die Tuareg, denen die Kamele angehörten, müßten auch am besten wissen, wann dieselben Wasser bedürften. Auch die beiden anderen Missi-

onäre, welche nicht ohne Sorge waren, suchte P. Richard zu beruhigen. Erst spät am Abend kehrte Aïssa zurück. Die Verfolgung eines wilden Schafes, behauptete er, habe ihn vom Wege abgebracht; daher die Verspätung.

„Man gab sich mit dieser Erklärung zufrieden und beschloß, an Ort und Stelle zu übernachten. Nach dem Abendessen verweilte ich mit P. Morat, Aïssa und El Khadjem seinem Rhadameser in demselben Zelte. Einige Schritte von uns entfernt befand sich P. Richard mit meinem Bruder an einem großen Feuer; zu ihnen gesellten sich der Neger Djadur und Mohammed Beliha, El Khadjems Sohn; P. Pouplard und Abdallah hatten sich in einem nahen Zelte bereits zur Ruhe begeben. Sämmtliche Waffen und Geräthschaften waren in einem Gezelte aufgestapelt. Als ich ins Freie trat, um mein Gebet zu verrichten, hörte ich die Tuareg in ihrer Muttersprache miteinander verhandeln; dann stieß Aïssa einen Schrei aus und stürzte sich mit einem Dolche auf P. Morat. In

Ansicht von Timassanin in der Sahara. (S. 52.)

demselben Augenblicke feuerte Mohammed Beliha ein Doppelgewehr, das er unter dem Mantel versteckt gehalten hatte, auf P. Richard ab. Mit einem Schrei des Entsetzens brach dieser, mitten in die Brust getroffen, zusammen. Djadur machte dem Leben des Missionärs mit dem Dolche vollends ein Ende. P. Pouplard, durch den doppelten Schuß aufgeschreckt, sprang mit Abdallah von seinem Lager auf und suchte zu entfliehen; allein kaum hatte er eine Strecke von 50 Schritten zurückgelegt, als er einem Hinterhalt von acht Tuareg in die Hände fiel und von einem gewissen Jadda aus dem Stamme der Imanrhasaten niedergestochen wurde. Ein anderer feuerte noch einen Schuß auf den zuerst gefallenen P. Morat, und dann begann sofort die Plünderung der Leichen.

Ihn selbst, behauptet der Muselmann, hätten die Tuareg während dieser Mordscene, die sich in einem Nu abspielte, bei sich zurückgehalten. „Mein Bruder war mit einer Büchse entflohen; allein, als er Miene machte, auf die Angreifer zu schießen, riefen sie ihm zu, ich würde im selben Augenblicke des Todes sein. So

blieben Abdallah und ich die Nacht hindurch Gefangene der Tuareg." Die Kleider P. Richards hatten durch den nahen Schuß Feuer gefangen und brannten weiter, so daß man den Todten mehrmals mit Sand bedecken mußte, um dasselbe zu löschen. Die Vertheilung der Beute nahm den ganzen folgenden Tag in Anspruch. Dann entließen die Mörder ihre Gefangenen, ohne dieselben zu berauben; ja selbst die Gewehre, die man jedoch vorher entlud, wurden ihnen zurückgestellt. Diese Leute brachten die Nachricht nach Rhadames. Eine Verfolgung der Schuldigen hielt der Kaimakam (Bürgermeister von Rhadames) nicht für gerathen. Einige Neger wurden mit Abdallah zurückgeschickt, um wenigstens die Leichen der Gefallenen zu holen; doch diese befanden sich in einem Zustande, der eine Uebertragung unmöglich machte, weshalb man sie an Ort und Stelle beerdigte.

Von Rhadames nehmen wir unsern Weg nordöstlich nach der Hafenstadt Tripolis, wo der „Africaner" uns erwartet. Tripolis steht unter türkischer Herrschaft und wird von einem Pascha regiert, keineswegs zum Besten des Landes, dessen Uferstrich bei vernünftiger Verwaltung eine fruchtbare und glückliche Gegend sein könnte. Das Klima ist nämlich gesund und der Boden bis an

das Gharianugebirge hin, welches mit dem Atlas zusammenhängt, an sich sehr ergiebig. Selbst im Gebirge trifft man noch fruchtbare Thäler. Die Hauptstadt, auf türkisch Tarapulus genannt,

R. P. Richard aus der Gesellschaft der Missionäre von Algier. (S. 53.)

liegt auf einer in das Meer vorspringenden Landzunge und ist mit Mauern und Bastionen umgeben. In den Gärten reifen köstliche Südfrüchte; aber von Westen her bringt die Wüste nahe heran. Ein alter, halbverschütteter Triumphbogen erinnert an die

Römerherrschaft. Von den 30 000 Einwohnern sind 2000 Christen; ihre Seelsorge wird von den Vätern eines Franziskanerklosters geübt, bei denen wir einer gastfreundlichen Aufnahme sicher sind, bis unser Dampfer bereit ist zur Weiterfahrt nach Aegypten.

Von Tripoli aus müssen wir eine gute Strecke mit unserem Dampfschiffe nach Osten fahren, bis wir die Mündungen des Nil und somit das Land Aegypten erreichen, das unseren jungen Freunden aus der biblischen Geschichte bekannt ist. Dort lebte ja der ägyptische Joseph erst als armer Sklave im Hause Putiphars und nachher als Vicekönig des ganzen Landes; dorthin zog der greise Patriarch Jakob; dort wurde Moses geboren, wirkte er große Wunder, befreite sein Volk und führte es fort nach dem Gelobten Lande. Und als in der Fülle der Zeiten das göttliche Kind geboren war, flüchtete es mit seiner jungfräulichen Mutter und mit dem hl. Joseph vor den Nachstellungen des Herodes nach Aegypten und wohnte daselbst mehrere Jahre

Der Ruwenzori oder das „Mondgebirge".

lang. Es ist also schon der Mühe werth, daß wir dieses Land besuchen und uns in demselben umsehen, sowohl was seine eigenthümliche Gestalt, als seine alten Baudenkmale, seine Vergangenheit und Gegenwart angeht.

1. Der Nil.

Aegypten verdankt alles, seine eigenthümliche Gestalt und seine Fruchtbarkeit, dem großen Strome, dessen Thalsohle es bildet — dem Nile; ohne ihn wäre das ganze Land nichts als eine öde Sandwüste. Diesen Strom und seinen wohlthätigen Einfluß auf das Land wollen wir daher auch zuerst betrachten. Die Länge des Nils wird auf 6450 km angegeben; doch sind seine Quellen immer noch nicht bekannt. Tief im Innern Afrika's, just unter der Aequatorlinie, liegen mehrere große Seen, von denen der eine, der Victoria-Nyanza, allein 75000 qkm bedeckt, also größer ist als das ganze Königreich Bayern. Dieses ungeheure Wasserbecken liegt mehr als 1000 m über dem Meeresspiegel und wird von Flüssen gespeist, deren Lauf und Quellen noch immer nicht völlig bekannt sind. Die Hauptquellen jedoch liegen, wie schon die Alten wußten, in dem „Mondgebirge", das Stanley auf seiner letzten berühmten Reise in dem gewaltigen Bergstock des Ruwenzori gefunden zu haben glaubt, welcher zwischen dem Victoria-Nyanza und Albert-Eduardsee nahe am Aequator seine mit ewigem Eise bedeckten Gipfel mehr als 5000 m in die Lüfte erhebt. Von diesen Höhen stürzen zahlreiche Quellflüsse und sammeln sich in den drei großen Quellseen, dem Victoria-, Albert-Eduard- und Albertsee, zum Nilstrom. Nach dem Austritte aus diesen großen Quellseen eilt der Nil meist in nördlicher Richtung, Nubien zu. In seinem obern Laufe braust der Strom bald in engen Felsenthälern, bald breitet er sich zu unabsehbaren Sümpfen aus und windet sich dann wieder träge zwischen Schilf- und Wasserpflanzen und unter überhängenden Palmbäumen hin. Zahlreiche Nilpferde tummeln sich in ihm, und in leichten Kähnen treiben mit Pfeil und Bogen bewaffnete Eingeborene, nach Jagdbeute ausspähend, auf seinen Wellen,

Vor dem Eintritte in Nubien nimmt der Nil seinen Zwillingsbruder, den Blauen Nil auf, der ihm die Gewässer Abessiniens bringt. Immer nördlich strömend, bricht er sich in Stromschnellen durch Granitberge seinen Weg nach Aegypten, wo er in der Nähe der Hauptstadt Kairo sich in zwei Arme theilt und endlich seine Wasser durch eine Unzahl von Kanälen dem Meere zuführt, nachdem er etwa sechsmal den Weg von Berlin nach Paris oder von Köln nach Rom zurücklegte.

Soviel vom Laufe des Nils; nun etwas von der Weise, wie er Aegypten befruchtet. Jedes Jahr zu Anfang Juni beginnt der Strom zu steigen und über seine Ufer auszutreten. Seine Gewässer sind dann ganz mit fettem Schlamme gesättigt, der sich theilweise auf den Aeckern und Wiesen Unterägyptens ablagert. Daher pflegen die Fellahs, wie man dort zu Lande die Bauersleute nennt, den Strom

Abu Barata, d. h. „Vater des Segens", zu nennen; sein Wasser wird als Kostbarkeit und Heilmittel versendet, und bei den Muselmännern geht die Rede, wenn es Mohammed vergönnt gewesen wäre, an seinen Wellen die Lippen zu netzen, so würde er sich von Allah ewiges Leben erbeten haben, um die Unsterblichkeit an seinen Ufern zu genießen. Sobald der Nil zu steigen beginnt, werden alle Schleusen gesperrt; denn jetzt kommt es darauf an, durch Kanäle und Schöpfräder seine Wasser überallhin zu vertheilen, daß er das ganze Land überflute. Gegen Ende September erreicht der Strom seinen höchsten Wasserstand; dann bietet Aegypten einen eigenthümlichen Anblick: das Festland ist fast verschwunden, und aus der unabsehbaren Spiegelfläche des Sees ragen nur die Dämme und, Inseln ähnlich, die Städte und Dörfer mit ihren Palmbäumen und Minarets empor.

Nilschleuße des Ebrahim-Kanals.

Wenn der Nil hoch genug gestiegen ist, so wird zu Kairo die Schleuße des Hauptdammes mit großer Feierlichkeit durchstochen. In festlichem Gepränge, Fahnen schwingend, ziehen die „Munadis", welche beim Steigen des Flusses täglich in den Gassen die Flußhöhe ausriefen, am Vorabende durch die Stadt und künden das freudige Ereigniß an. „Der Strom hat Ueberfluß gegeben", ruft der Munadi. „Er hat sein Maß erreicht", antworten die ihn begleitenden Knaben. Dann fährt bei Wechselgesang etwa so fort: M.: „Der Kanalteich ist gefüllt." K.: „Und in den Gräben strömt das Wasser." M.: „Die Schiffe sind flott." K.: „Und zahllos flattern ihre Wimpel." M.: „Wohlan, bereitet euch zum Fest!" K.: „Die Mädchen haben sich geschmückt, und die alten Weiber taumeln umher."

Ganz Kairo folgt der Aufforderung zum Fest und zieht hinaus an die Ufer des großen Kanals. Am Abend nimmt die Feier unter Kanonendonner ihren Anfang; viele mit bunten Lampen geschmückte Boote kreuzen die ganze Nacht hindurch auf dem Strome; an den Ufern flammen blaue Leuchtfeuer, Raketengarben steigen zischend empor, und aus der Stadt von Zelten rundum tönt die ganze Nacht rauschende Musik. Beim Morgengrauen wird endlich der Hauptdamm durchstochen. Unmittelbar vor der Stelle, wo dieses geschieht, hat man eine Erdsäule im Flusse errichtet und mit Blumen und Aehren bekränzt; diese Säule heißt die „Braut". In grauer heidnischer Zeit soll es nämlich Sitte gewesen sein, eine geschmückte Jungfrau zum Danke für die gespendete Fruchtbarkeit als Opfer in die Wellen des Flusses zu werfen, und an die Stelle

Ruinen auf Philä in Ober-Aegypten. (S. 56.)

dieser „Braut" hätten dann die Muselmänner die bekränzte Erd-scholle gesetzt. Wenn der Pascha, die Richter und die Beamten ge-kommen sind, läßt man ein geschmücktes Festboot mit Gewalt gegen den schon gelockerten Damm rennen, der dem Stoße weicht, und unter dem vieltausendfachen Rufe: „Der Strom kommt, der Strom kommt!" schwankt das Schiff auf den mitströmenden Wogen in den sich füllenden Kanal; ihm nach steuern hundert andere Boote. Der Kadi aber fertigt, je nach der Höhe, die der Fluß erreichte, die Urkunde aus, welche der Regierung die Erhebung des vollen Tributes zuspricht oder nicht erlaubt.

Sobald sich man das Wasser zurückzieht, streuen die Fellahs den Samen in den mit fettem Schlamme bedeckten Boden, und üppig und rasch entwickelt sich das Wachsthum. Bald ist das ganze Nilthal ein wogendes Meer von grünen Saaten und gol-

denen Aehren, und so war Aegypten durch seinen Nil früher die Kornkammer aller Nachbarländer.

Den Grund des regelmäßigen Anschwellens des Nils, dem Aegypten seine Fruchtbarkeit verdankt, kannten die alten Aegypter nicht. Durch seltsame Fabeln suchten sie das glückbringende Er-eigniß zu erklären. Noch heute lebt eine dieser Sagen im Munde der Nilbewohner: In einer der schönsten Juninächte senke Gott einen Tropfen in den Strom, und dieser Tropfen lasse den Nil über seine Ufer treten. Der eigentliche Grund beruht in den wolken-bruchartigen Regen, die zu Ende der Trockenzeit über die Gebirge Abessiniens niederstürzen; je reichlicher und anhaltender sie fallen, desto mehr tritt der Nil von Juni bis September über seine Ufer und desto reichlicheren Schlamm bringen seine Wasser aus den Thälern Abessiniens. Die steilen Bergflanken nöthigen nämlich

Der Kopf der Sphinx und die große Pyramide. (S. 59.)

die Regenmasse zu raschem Abfluß; nur der einzige Tanasee in der Höhe von 1750 m dient einem kleinen Theile der Wasser als Sammelbecken, und so ist der Blaue Nil, der in weitem Bogen durch die Bergwelt von Habesch strömend die Gewitterregen auf-nimmt, der eigentliche Urheber der Nilüberschwemmungen. Freilich fällt auf das Quellgebiet des Weißen Nil eine ungleich größere Masse des Tropenregens. Aber dort sind die großen Sammel-becken des Victoria-Njansa, des Albert- und Eduard-Albertsees und die weiten Sümpfe mit ihren Schlamm- und Pflanzen-barren. Diese ungeheueren Flächen, auf die sich die Regenmasse vertheilt, verhindern den plötzlichen Abfluß der Gewässer. Sie senden dem Weißen Nil ihre beständigen Wasser, die nur wenig steigen und fallen, während der plötzlich hervorbrechende Ueberfluß des Blauen Nils in Unterägypten die befruchtende Ueberschwemmung hervorbringt.

Den Nil und seine fruchtbringende Thätigkeit, der Aegypten sein ganzes Dasein verdankt, haben wir nun gesehen; jetzt wollen wir noch, bevor wir uns der Gegenwart zuwenden, das eine oder andere jener uralten Baudenkmale betrachten, die uns von den Geschlechtern der grauesten Vorzeit dieses Landes erzählen.

2. Ein Blick in das alte Aegypten.

Schon zu den Zeiten des Patriarchen Jakob, also lange bevor es in unserer Heimat Städte und Dörfer gab, ja selbst lange bevor das alte Rom gebaut wurde, standen an den Ufern des Nil große Städte, ragende Paläste und riesige Tempel, deren ungeheure Ruinen sich mit keinen Bauten späterer Zeiten vergleichen lassen. Da ist z. B. in Oberägypten das Trümmerfeld der alten Hauptstadt Theben, die mit ihrer Mauer von hundert Thoren eine Ebene von mehr als 200 qkm umschloß. Noch heutzutage erheben sich da bei

den Dörfern Karnak und Luxor die Trümmer der alten Königs-
paläste und vieler Tempel, Obelisken, Standbilder. Ganze Reihen
seltsam geformter Thierbilder, Sphinxe genannt (Löwenleiber mit
Menschenköpfen), halten, halb vom Sande eingeweht, vor den
alten Tempeln und Palästen Wache. Bei Karnak erhebt sich auf
einer künstlichen Terrasse von 3½ km Umfang der um 1650 v. Chr.
von einem alten ägyptischen Könige, Thotmosis (Thutmes) I.,
begonnene Tempelpalast, in dem ein einziger Saal über 4600 qm
Flächenraum einnimmt und der im mittlern Raume eine Höhe hat,
daß große Kirchen darin stehen könnten. 134 Säulen tragen die
mächtigen Quadersteine der Decke; die Höhe der Säulen mißt
26 m, ihre Durchmesser 4 m, und auf dem obern Knaufe, dem
Kapitäl, können 100 Menschen stehen. Man sollte meinen, ein
Geschlecht von Riesen hätte diese Bauten aufgeführt und bewohnt.

Der König Ramses der Große (Sesostris) baute sich am westlichen
Nilufer eine ähnliche „große Wohnung". In einem Säulenhofe
befinden sich noch die sitzenden Kolosse des Königs und der Königin
aus rothem Granit gemeißelt; Ramses mißt von den Hüften aufwärts fast 20 m, hat eine Schulterbreite von 7 m, und der
Zeigefinger seiner Hand ist 1½ m lang, also etwa so groß wie die
meisten meiner jungen Freunde.

Wenn wir nun dem Laufe des Niles folgend die Stromschnellen hinabsteigen, so treffen wir unmittelbar vor dem ersten
Falle eine Inselgruppe, unter welcher die Insel Philä durch
ihre Schönheit und ihre Tempelüberreste berühmt ist. Der Anblick
derselben wird von den herrlichsten Palmen und immergrünem Buschwerk gekrönt, aus dessen saftiger Frische die weißen griechischen

Die Pyramiden von Gizeh.

Marmorsäulen hervorschimmern. Denn die Tempelreste dieser Insel
gehören nicht jener alten ägyptischen Zeit an, wie die oben beschriebenen von Karnak, sondern verdanken ihren Ursprung den
spätesten Königen vor Christus, den Ptolemäern. Außer dem
Haupttempel der Isis ist die Insel noch mit anderen Baudenk-
malen bedeckt; so erzählt z. B. ein Triumphbogen des Diocletian
von der Unterwerfung Aegyptens durch die Römer. Auch berichten
uns einige Kreuze und griechische Inschriften, daß dieser heidnische
Tempel in den ersten christlichen Jahrhunderten in eine christliche
Kirche umgewandelt wurde.

In Mittelägypten, unfern der heutigen Hauptstadt Kairo, wo
das alte Memphis stand, erheben sich bei Gizeh die weltberühmten
Pyramiden, die zu den höchsten Gebäuden der Erde zählen.
Die größte unter ihnen ist die des Cheops; sie hat jetzt noch eine
Höhe von 172 m; mit dem Gipfel maß sie einst nahe an 190 m.

Jede der vier Flanken beträgt an der Grundlinie 280 m, so
daß die Steine, aus denen sie erbaut ist, eine Masse von etwa
2 Millionen cbm bilden und man mit ihnen eine 2 m hohe und
etwa 4500 km lange Mauer aufführen, also ein doppelt so großes
Land als das Deutsche Reich umschließen könnte. Wozu haben
diese ungeheuren Bauten gedient? Diese Frage hat viele gelehrte
Leute beschäftigt, und es sind darüber dicke Bücher geschrieben worden.
Die einen meinten, es seien die großen Kornmagazine des ägyptischen
Joseph; andere wollten aus ihnen Sternwarten machen; wieder
andere hielten sie gar für große Schirmwände, welche den Flugsand der Wüste abhalten sollten. Seitdem man aber das Innere
der Pyramiden kennt, weiß man, daß sie riesenhafte Königsgräber
sind. Sie enthalten nämlich nur wenige Grabkammern; die vornehmste für den Sarkophag des Königs, eine für die Königin
und wenige andere, wahrscheinlich für die nächsten Familienglieder.

8*

71

Die alten Aegypter waren nämlich von der Hinfälligkeit und Eitelkeit dieses kurzen Erdenlebens völlig überzeugt und meinten, nur die Todten dürften dauerhafte Wohnungen haben. Da sie ferner aberglänbischerweise glaubten, das Wohlergehen der Seele hange vielfach von der Erhaltung des Leibes ab, erfanden sie frühzeitig die Kunst, die Leichen einzubalsamiren und sie in Mumien zu verwandeln. Für diese bauten sie dann unterirdische Prachthallen, und ein Todtengericht mußte entscheiden, ob der Verstorbene der Einbalsamirung und Beisetzung in den Wohnungen der Todten würdig sei. Noch wurden ihnen verschiedene Geräthe in die stille Behausung mitgegeben, namentlich auch Papyrusrollen, welche der Seele bei dem Gerichte vor den Göttern der Unterwelt von Nutzen sein sollten. Denn auch die alten Aegypter glaubten an ein Gericht nach dem Tode, das über das ewige Loos der Seele zu bestimmen habe. Einige dieser Rollen haben sich bis heutzutage erhalten, und es ist den Gelehrten gelungen, sie zu entziffern. Wir wollen aus einer derselben eine kurze Stelle hersetzen, damit man sehe, wie wohl bekannt auch diesen alten Heiden die natürlichen Forderungen der Sittlichkeit waren.

„Ich habe keine Gotteslästerung begangen", vertheidigt sich die hingeschiedene Seele vor ihren Richtern. „Ich habe nicht gelogen; ich habe niemanden meuchlerisch getödtet; ich bin nicht träge gewesen; ich habe mich niemals betrunken; ich habe keinen ungerechten Befehl ertheilt; ich habe mich keiner unschicklichen Neugierde schuldig gemacht; ich habe aus meinem Munde kein Geschwätz gehen lassen; ich habe niemanden geschlagen; ich habe keinem Ursache zur Furcht gegeben; ich habe nie verleumdet; ich habe mein Herz nicht von Neid anfressen lassen; ich habe nichts Uebles nachgeredet dem Könige oder meinem Vater; ich habe keine falsche Anklage betrieben; ich habe meinem Sklaven nicht weh gethan durch Mißbrauch meiner Gewalt über ihn." Und weil es nicht genug ist, nichts Böses zu thun, indem man auch seine Pflichten erfüllen muß, fügt die Seele in ihrer Vertheidigung bei: „Ich habe den Göttern die Opfer entrichtet, die ihnen gebührten; ich habe den Hungrigen gespeist, den Durstigen gelabt, den Nackten mit Kleidern versehen u. s. w."

Wer sollte da bei so vernunftgemäßen Anschauungen diese alten Aegypter für so unvernünftig halten, daß sie dem greulichsten Götzendienste fröhnten und Stiere, Widder, den Vogel Ibis und anderes unvernünftiges Gethier göttlich verehrten? Und doch war es so. Dem Stiere Apis z. B. bauten sie große Tempel und ließen ihn von Priestern bedienen, und wenn er verendete, so legte ganz Aegypten Trauer an. So tief kann also ein Volk, das so gelehrt und kunstsinnig wie die alten Aegypter ist, fallen, wenn es von der wahren, von Gott geoffenbarten Religion abweicht.

Wohl meinten die alten Pharaonen in den riesigen Grabgebäuden der Pyramiden ungestört wohnen zu können. Sie haben sich getäuscht! Nicht einmal ein ruhiges Grab konnten sie sich mit all ihrer Macht erkaufen. Ihre Mumien wurden aus den Grabkammern herausgerissen und stehen jetzt in allen möglichen Museen den Blicken der Neugierigen bloßgestellt. In dem Museum von Bulak bei Kairo stehen ganze Reihen von Königssärgen, deren

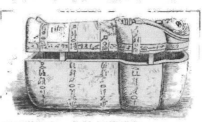

Aegyptische Mumie und ihr Sarkophag.

Anblick, wie der österreichische Reisende H. Hürmer mit Recht sagt, jeden Besucher tief bewegen sollte.

„Ihr mächtigen Pharaonen," schreibt derselbe in seiner Orient-Reise, „die ihr stumm und starr daliegt, wie habt ihr es verdient, nach all dem Glanze eures Lebens, nach all den Mühen und Sorgen um eine würdige Grabesstätte nun hier zu liegen, wo ihr zu Schaustücken fremder, die Heiligkeit des Todes verletzender Neugierde geworden sind! Ist es nicht tief ergreifend, hier am Sarge, an der Leiche Ramses' d. Gr., des Sesostris der Griechen, zu stehen, dessen Ruhm die ganze Welt erfüllte, dessen Regierungszeit für Aegypten den Gipfelpunkt des Glanzes und der Macht bedeutete, dessen erhabene Größe im Kriege wie im Frieden die gleiche war. Er verband den Nil mit dem Rothen Meere, schuf große Handels- und Kriegsflotten, knüpfte rege Verkehrsbeziehungen mit Arabien und Indien, baute zahllose Städte und Burgen und schmückte das Reich von Norden bis tief in den Süden hinab mit den großartigsten, herrlichsten Tempeln, deren Reste heute noch das Staunen der Welt erregen. An der Spitze eines Heeres von mehr als 500 000 Streitern besiegt Ramses d. Gr. Aethiopien, dringt dann nach Asien, besiegt die Chittim, erobert Ascalon, Jerusalem und so viele andere Städte und unterwirft sich Palästina, Syrien und Mesopotamien. Unter ihm blühten alle Künste und Wissenschaften, und als das herrlichste unter allen Ländern damaliger Zeit steht Aegypten da. Ramses ist der Pharao, von dem die Bibel an mehr als einer Stelle spricht; er ist der Vater jener Pharaonentochter, welche das Knäblein Moses gerettet hatte, und in seinem Palaste war es, wo dem heranwachsenden Moses die Geheimnisse des ägyptischen Cultus und Wissens sich eröffneten.

„Und dieser hölzerne Sarg, an dem ich tief gerührt, schmerzlich bewegten Herzens nun stehe, er birgt die Leiche dieses großen Königs! Kennt die Geschichte ein ergreifenderes, deutlicheres, ein nur ähnliches Beispiel der Vergänglichkeit irdischer Größe! Die Leiche Ramses' d. Gr. das mit der Nummer 5233 bezeichnete Schauobject eines Museums! Das ist die Stelle, wo Könige ihre Söhne Demuth lehren sollten und wo der Hochmuth der Menschen erkennen müßte, daß hienieden alles eitel ist."

3. Das heutige Aegypten.

Seit den Tagen, da die alten Pharaonen in Aegypten herrschten, hat sich im Thale des Nil unendlich viel geändert; nur der segenbringende Strom ist sich gleich geblieben.

Im Jahre 350 v. Chr. eroberten die Perser Aegypten. Ein halbes Menschenalter später besiegte Alexander d. Gr. die Perser und zog im Triumphe in Heliopolis ein. Die Hafenstadt Alexandrien, die er gründete, und die eine der prachtvollsten Städte der Welt wurde, verkündet heute noch seinen Namen. Sein Erbe am Nil übernahm Ptolomäus mit dem stolzen Beinamen „Soter" d. h. der Erretter, dessen Haus Aegypten beherrschte, bis es von Rom erobert und in die Reihe der römischen Provinzen aufgenommen wurde.

30 Jahre später flüchtete auf Befehl des Engels der hl. Joseph mit der sieben Wochen alten Mutter Gottes und dem göttlichen Jesukinde nach

Aegypten und blieb daselbst, bis der Engel ihm abermals erschien und ihn aufforderte, nach dem Gelobten Lande heimzukehren, da diejenigen gestorben seien, welche dem Kinde nach dem Leben trachteten. So wurde Aegypten für das Christenthum eingeweiht, das bald nach der Auferstehung des Herrn am Nil emporblühte. Unter der Herrschaft Roms, namentlich während der großen Verfolgung Dioktetians, floß viel Martyrerblut in Aegypten. Als das Christenthum endlich siegte, kam das Land unter die Herrschaft der Kaiser von Byzanz, und bald brachen Irrlehren und Spaltungen aus. Zur Strafe dafür übergab Gott Aegypten der Gewalt der Araber.

Amru, der Feldherr des Chalifen Omar, eroberte das Nilthal im Jahre 638, und drei Jahre später fiel auch Alexandrien in die Macht der Mohammedaner. Umsonst versuchte der hl. Ludwig, der 1249 Damiette eroberte, den Halbmond aus Aegypten zu vertreiben und Jerusalem mit dem heiligen Grabe zurückzugewinnen. Aegypten blieb unter dem Islam, zuerst unter den Chalifen, dann unter unabhängigen Herrschern (870—1250), denen Mameluken-sultane (1250—1516) folgten. Mameluk bedeutet eigentlich so viel als Sklave; die Leibwachen hatten nämlich die Herrschaft an sich gerissen. Sultan Selim I. entthronte 1517 den letzten Mameluken-herrscher und reihte

Aegypten als Provinz (Paschalik) dem türkischen Reiche ein, dem es seither, wenigstens dem Namen nach, angehört. Thatsächlich blieb freilich die Gewalt in den Händen der Mameluken-häuptlinge, die unter dem Titel „Bey" eine wahre Räuberwirthschaft fortführten, bis ihnen Mohammed Ali ein blutiges Ende bereitete. Am 1. März 1811 ließ er sie auf der Citadelle von Kairo ver-

rätherischerweise zusammenhauen; von 480 soll nur einer durch einen kühnen Sprung dem Tode entronnen sein.

Es ruhte aber kein Segen auf Mohammed Ali und dem durch ihn gegründeten Herrscherhause. Er selbst starb wahnsinnig. Sein Nachfolger Abbas Pascha endete durch Meuchelmord, dessen Nachfolger Said Pascha, unter dessen Regierung der Suezkanal begonnen wurde, starb elend und so verlassen, daß auch nicht ein Beamter oder Freund seiner Leiche folgte. Ismail Pascha, der nach ihm die Zügel der Regierung als Khedive (d. h. Vicekönig) ergriff, wurde wegen Verschwendung abgesetzt und lebt verbannt in Italien, während der gegenwärtige Khedive Taufik Pascha nur mit Hilfe englischer Truppen wieder auf den Thron gehoben wurde.

Das also vom Khedive unter Aufsicht verwaltete „Vicekönigreich Aegypten" ist, was Ausdehnung angeht, eines der größten Reiche der Welt. Sein Flächenraum beträgt in runder Zahl 2½ Millionen qkm, ist also fünfmal so groß als das Deutsche Reich und erstreckt sich zwischen dem Rothen Meere und der Libyschen Wüste bis nahe an die großen Seen, die unter dem Aequator liegen. Freilich ist die ganze große Sudanprovinz, d. h. das ganze Land südlich von Wadi-Halfa seit dem Aufstande des „Mahdi" im Herbste 1882 wenigstens vorläufig für den Khedive ver-

loren, und auch sonst sind ungeheure Strecken werthloses und unbewohntes Wüstenland. Nur Unterägypten und so weit der Nil in Mittelägypten durch Kanäle verzweigt wird, ist ein wirklich fruchtbares Land.

Die Einwohner schätzt man auf 17½ Millionen Seelen, im eigentlichen Aegypten nur 7 Millionen. Der eigentliche Kern der

Grabstatue Ramses' II. (S. 60.)

Bevölkerung sind auch heute noch die Nachkommen des alten Pharaonenvolkes, wie schon der Vergleich zwischen ihren Gesichtszügen und den Aegyptern auf den alten Denkmälern des Landes zeigt. Sie haben sich aber in zwei Klassen gespalten, in die Fellachen und Kopten. Die Fellachen haben sowohl die Sprache als die Religion ihrer arabischen Unterjocher angenommen. Der Name kommt von dem arabischen Wort fellaha her, welches „pflügen" bedeutet, und gibt ihre Hauptbeschäftigung, den Ackerbau, an. In den Städten nennt man sie auch jetzt noch „Abe Farnua", d. h. „Volk Pharao's". Sie sind von mehr als mittlerer Größe, sehnig und hager; die Hautfarbe ist bald hell, bald dunkelbraun. Arbeitsamkeit und Genügsamkeit, Treue und Friedfertigkeit zeichnen sie aus; im Schweiße ihres Angesichts bestellen sie die Felder, um mit dem Ertrage die Launen ihrer Beherrscher zu bezahlen und nebenher in Noth und Arbeit das eigene Leben zu fristen. Ihre Wohnungen sind elende Hütten, oft wahre Erdlöcher, in denen sie in einem und demselben Raume mit den Hausthieren zusammenhausen. Die Kopten, deren Anzahl auf 400 000

Seelen angegeben wird und die gleichfalls von den alten Aegyptern abstammen, haben viel mehr von ihrer Eigenart bewahrt als die Fellachen. Schon ihr Name, der eigentlich „Gypti" heißt, verkündet, welchen Stammes sie sind. Sie haben überdies, wenigstens beim Gottesdienste, die altägyptische Sprache beibehalten und sind trotz aller Verfolgungen dem christlichen Glauben treu geblieben. Freilich ist derselbe durch die Irrlehre entstellt, daß Christus keine menschliche, sondern nur die göttliche Natur habe. Wir werden diese christlichen Aegypter, welche für uns ein besonderes Interesse haben, noch näher kennen lernen.

Die Beduinen Aegyptens, die auf etwas über eine halbe Million angegeben werden, sind Nomaden arabischer Abkunst. Sie nähren sich von Viehzucht und ziehen, wie zur Zeit Abrahams, von Oase zu Oase unter ihren Stammeshäuptern, ein einfaches, patriarchalisches Leben führend. Man rühmt an ihnen Gastfreundschaft und Treue. Die Milch ihrer Heerden, die Datteln ihrer Palmen und das Wasser ihrer Quellen sind fast alles, was sie brauchen; eine Schale Kaffee ihr einziges Genußmittel. An Fest-

Fellahdorf.

lagen lochen sie Reis und Schaffleisch und setzen auch wohl dem Gaste eine Wabe wilden Honigs vor. Sehr von diesen einfachen und unverdorbenen Naturmenschen verschieden ist die arabische Bevölkerung der Städte. Dieselbe ist dem Müßiggang ergeben und im hohen Grade unzuverlässig, doch nicht mehr so christenfeindlich wie früher.

Die Verwaltung des Landes ist äußerlich nach europäischem Muster zugeschnitten, in Wahrheit aber herrscht Willkür, Schlendrian und Unterschleif, wobei das an sich reiche Land schmählich ausgesogen und die arbeitenden Fellachen hart bedrückt werden, heute noch ebenso schlimm wie zur Zeit der schlimmsten Mameluckenherrschaft. Den großen Städten und Provinzen stehen Mudirs vor; der Mudir soll Recht sprechen, Polizei üben, die öffentlichen Bauten überwachen, wozu namentlich die Schleußen und Dämme gehören. Unter dem Mudir steht der Nazir (Kreisvorsteher), unter diesem der Hakims-Chatt (Bezirksvorsteher), welche ihrerseits die Ortsvorsteher (Schechs-el-beled) unter sich haben. Der Kadi ist Richter in allen Fragen, die mit dem Koran zusammenhangen,

also auch in Erb- und Ehesachen. Die Beamten wie die Richter sind durchweg bestechlich, und ein reichlicher „Backschisch" (Trinkgeld) verfehlt vom Thürsteher bis zum Minister selten seine gute Wirkung. So ist Aegypten, das bei einer vernünftigen Verwaltung ein fruchtbares und glückliches Reich sein könnte, unter der Wirthschaft des Halbmondes bettelarm geworden.

Wir wollen uns nun nach diesen allgemeinen Schilderungen die Verhältnisse im Reiche des Khedive etwas näher ansehen und zunächst seine Hauptstadt, das viel gepriesene Kairo, besuchen.

4. Ein Gang durch Kairo.

Von Alexandria aus können wir auf der Eisenbahn die Hauptstadt Aegyptens erreichen; wir dürfen aber ja nicht die dritte Klasse nehmen, sonst müssen wir uns mit unterschlagenen Beinen mitten unter die Türken und Beduinen auf den Boden setzen; denn von Bänken ist da keine Rede. Welch ein Gedränge und Geschrei, bis alles pünktlich eingepfercht ist! Zwischen der wogenden Menge schreitet großmächtig der türkische Schaffner in seinem von Schmutz glänzenden blauen Kaftan mit dem weißen Turban auf dem Kopfe auf und ab, mit Blicken und Geberden seine Befehle verkündend. Endlich sind die Wagen gefüllt, und der Zug setzt sich in Bewegung, erst durch das fruchtbare Dektaland, dann auf riesigen Gitterbrücken über die breiten Nilarme, weiter durch nackte Sandsteppen, und endlich tauchen in der Ferne in blauem Dufte, durch Hügel von Flugsand halb verdeckt, zunächst die Pyramiden von Gizeh auf; dann zeigen sich hochragende Minarets und Kuppeln. Der Zug hält und der Schaffner ruft: „Mahr-el-Kahira" — wir sind zur Stelle. „Die Perle des Orientes", wie der Araber diese Stadt nennt, liegt vor uns.

Um ein annäherndes Bild von Kairo zu erhalten, dürfen wir bloß den Bazar miteinander durchwandern. Die Frankenstraße, in der meist europäische Kaufleute wohnen, wollen wir nur flüchtig durcheilen, um gleich nach dem Chan-Kahlil, „dem reichen Bazar", zu kommen. In den orientalischen Städten ist es Sitte, daß die Verkäufer, nach Gilden geordnet, nebeneinander ihre Buden haben: so treffen wir den Markt oder Bazar der Kupferschmiede, Schneider, Schuster, Sattler, Schreiner, Pfeifenbohrer, Blechschläger u. s. w. Die Buden sind zu beiden Seiten der oft engen, unebenen und ungepflasterten Straßen. Die Gassen selbst sind, um die Hitze abzuhalten, oben mit Tüchern überspannt, die oft in Lumpen herunterhängen. Mit untergeschlagenen Beinen, die Pfeife schmauchend, sitzt der Araber unter seinen Schätzen und wartet ruhig auf Käufer. Da tritt ein Kauflustiger herbei, und nach dem üblichen Gruße: „Selam aleikum" (Friede sei mit dir) und der Antwort: „Aleikum es-selam" (Mit die der Friede) verlangt er den gewünschten Gegenstand. Nun beginnt die Feilscherei; denn man muß wissen, daß alle Orientalen übersordern. „Madschallah!" (Lob sei Gott!) betheuert der Kaufmann, „ich gebe es dir noch viel zu billig! Gestern noch verkaufte ich dieselbe Waare einem Giaur (so werden verächtlich die Christen genannt) für das Doppelte; aber freilich du bist einer von den Gesegneten Mohammeds (gepriesen sei der Prophet Allahs!), bei dir muß ich schon billige Preise machen, o Bruder!" So können Käufer und Verkäufer bei einer Tasse Kaffee stundenlang markten, bis endlich der eine müde wird, und der Handel zu Stande kommt. Wenn um die Mittagsstunde dann der Ruf des Muezzin von den Minarets herab

zum Gebete auffordert, werfen sich die Krämer auf ihre Teppiche nieder, oder gehen auch wohl zu einer nahen Moschee, um dem Gesetze genugzuthun. Die Bude bleibt aber auch unbewacht doch offen und nur durch ein Netz abgesperrt.

Wir gehen weiter, an den verschiedenartigsten Buden vorüber und gelangen zu den Kaufständen der Kleiderhändler. Welches Durcheinander von Farben und Formen! Weiße und grüne Turbane, rothe Turbusche, bunte Seidentücher aller Art zur Kopfbedeckung; dann Jacken und Kaftans, reich mit Stickereien verziert, bunte und weitfaltige Beinkleider, hochgeschnäbelte rothe oder gelbe Saffianpantoffeln, persische Shawls von brennenden Farben, weiß und braun gestreifte Burnusse — das alles liegt und hängt in bunter Fülle durcheinander. Recht interessant beschreibt uns ein englischer Reisender im Gegensatze zu den Schätzen des „reichen Bazars" die Bude eines armen Spezereiwaarenhändlers, wie es deren in Kairo fast unzählige giebt:

„Die kleine Bude meines Scheich Mohammed kann als ein wahres Muster von der Betriebsamkeit der Leute am Nil gelten. Sie bildet einen Vorsprung von nicht einmal 2 m Breite und mag ebenso tief sein; durch eine Bretterwand ist sie in zwei Abtheilungen gesondert; die hintere enthält das Waarenlager — eine Menge leerer Körbe liegt dort auf dem staubigen Boden umher. In der vordern Abtheilung liegen und stehen alle für den Verkauf bestimmten Gegenstände ohne Ordnung durcheinander. Hier eine Matte, auf der persischer Tabak ausgebreitet ist, dort Gefäße mit Pfeifen, ein Korb aus Palmblättern mit schlechten Kaffeebohnen, brauner Zucker, in braunes Papier eingehüllt. Auf dem Auslagebrett stehen hölzerne, abgegriffene Büchsen mit allerlei Specereien und Apothekerwaaren; sie tragen alle eine Aufschrift, die aber mit dem Inhalt nicht immer stimmt; denn ich finde Pfeffer in der Rhabarberbüchse, Arsenik in der Schmirgelbüchse. In einer sorgfältig angeketteten Schublade liegen einige kleine Münzen, beschädigte Parfümerien, schlechter Spießglanz zum Färben der Augenbrauen, rothe Schminke, die nicht besser ist, zum Färben der Fingernägel. Ein Paar alte verrostete Wagschalen, die so mangelhaft sind, daß selbst die täuschende ägyptische Justiz sich ein Gewissen daraus machen würde, mit ihnen abzuwägen, und einige Steine und Metallplättchen bilden das Mobiliar. An den Nägeln der

Koptin. (Nach Ebers, Aegypten.)   Kopte. (Nach Ebers, Aegypten.)

Fellah. (Nach Ebers, Aegypten.)   Beduine. (Nach Ebers, Aegypten.)

Aegyptische Typen. (S. 62.)

Vorderseite hängen Talglichter, Wachsstöcke und Bündelchen Papiercigarren — alles dick mit Staub überzogen. Von einer Thüre ist natürlich keine Rede; statt ihrer hat mein Scheich einen durchlöcherten Vorhang, welcher den Kaufmann vor Fliegen und die Waaren vor Dieben schützen muß. Endlich ist noch eine große hölzerne Fallklappe vorhanden, die bei Tage in die Höhe geschlagen und abends niedergelassen wird. Vor der Bude stehen zur Bequemlichkeit der Käufer zwei Schemel mit zerrissenen Polstern, die von Ungeziefer wimmeln."

Uebrigens wird nicht nur in den Buden, sondern auch in den Gassen gehandelt: da werden kostbare eingelegte Waffen angeboten, Amulete aus Mekka vom Grabe des Propheten, Süßigkeiten und Früchte, Datteln und Weintrauben, Aprikosen und Pfirsiche. Garköche bieten allerwärts frischgebratenes Hammelfleisch mit Reis zum

Kaufe. Schon der alte Sebastian Frank, der im 16. Jahrhundert eine „wahrhaftige Abkonterfeiung" von Kairo schrieb, erzählt uns von diesen öffentlichen Küchen: „Es sind auch da bis in 15 000 gemeiner Küchen, darin man täglich allerlei Kost und Speis kocht, Gesottenes und Gebratenes; denn die Einwohner kochen wenig in ihren Häusern. Aber viel Köche gehen in der Stadt herum, einen Kochherd mit Feuer auf dem Kopfe tragend. So jemand etwas haben will, heben sie das Oefelein vom Haupte ab und kochen dem Hungrigen um ein ziemlich Stück Geld alles, wozu er gerade Lust hat."

Man begreift nur kaum, wie das alles mitten in dem Drängen und Wogen der engen Bazarstraßen möglich ist, von dem schon der eben angeführte alte Schriftsteller sagt: „Es wibelt (wimmelt) in allen Gassen, wie zu Rom in einem Jubeljahr. Arme und

Kairo. (S. 63.)

reiche Aegypter, Araber, Mauren, Nubier zu Fuß und zu Pferd, auf Eseln und Kameelen; dicht vermummte Frauen, von Sklavinnen gefolgt, bettelnde Derwische mit hoher spitzer Filzmütze, und halbnackte türkische „Heilige", sogen. „Scheck', Soldaten, Kaufleute, Diener — alles wogt und drängt durcheinander. Dazwischen lange Züge beladener Kameele, denen der Ruf des Treibers: Guarda, oritlal, jaminak, jamalal — aufgepaßt auf deine Füße zur Rechten, zur Linken — durch den Menschenstrom Bahn bricht." Man weiß nach einiger Zeit nicht mehr, wo einem der Kopf steht, und ist ganz glücklich, durch eine der lärmenden Gassen den Ausgang zu den schönen Gärten Ibrahim Pascha's zu finden.

Da können wir uns im Schatten hoher, gefiederter Palmen, weitästiger Sykomoren, breitblättriger Bananen und dunkler Cypressen von dem Lärm des Bazars erholen und auf das Häusermeer hinblicken, das über 300 000 Menschen beherbergt. Wie

wenige aus dieser großen Zahl theilen mit uns das Glück, den wahren Glauben zu haben und somit zu wissen, weshalb sie denn eigentlich hienieden leben und arbeiten!

5. Ein Besuch in einem mohammedanischen Kloster.

Die Mohammedaner halten große Stücke auf alle, welche sich einem vollkommenern Leben widmen, das Irdische vernachlässigen und der Betrachtung sich ergeben. Das ist nun alles gut und schön, aber sie haben ihre eigenen Begriffe über die Vollkommenheit. Blödsinnige und Narren werden von ihnen als ganz besonders heilige Menschen angesehen; denn sie meinen, der Geist dieser armen Leute weile im Himmel und schaue Gott, während nur der gröbere Theil auf Erden wandle. Wer einmal den Ruf eines „Heiligen" hat, der kann getrost auch die unsinnigsten Handlungen begehen und alle Vorschriften der Religion übertreten — man

wird ihn nur um so mehr als einen ganz in Andacht versunkenen
Mann ansehen, der aus lauter Frömmigkeit sich selbst und seine
Umgebung gänzlich vergessen habe. So sieht man denn diese Ver-
rückten oder Betrüger fast nackt und vor Schmutz starrend in den
Straßen umherlaufen, und sie sind des Almosens der Muselmänner
um so gewisser, je abscheulicher sie sich geberden.

Ganz ähnlich wie diese öffentlichen „Heiligen" treiben es die
türkischen Derwische oder Mönche, die entweder in Klöstern zusammenwohnen oder auch einzeln, als wahre Landstreicher im eigentlichen Sinne des Wortes herumwandern. Das Kloster, welches wir besuchen, ist das der tanzenden Derwische (s. S. 67); es gibt auch
„heulende", „bellende", „fastende" und „sich geißelnde" Derwische. Das Kloster wird von drei Seiten von einem verwilderten
Garten umschlossen, in dessen Mitte das Becken eines verwahrlosten
Springbrunnens steht. Statt Wasser füllt es zur Hälfte Sand, und
grüne Eidechsen sonnen sich in ihm statt der früheren Goldfische.
Auf einer Steintreppe ersteigen wir den Bogengang des ersten und
einzigen Stockes. Auf diesen Gang münden die Zellen der Derwische; die des Scheich oder Obern ist etwas größer. Niedrige Di-
vane laufen längs den Wänden hin, und einige Täfelchen hängen an
den Mauern. Darunter befindet sich die Abbildung des Mewlewi-
Klosters zu Konia in

Straße in Kairo. (S. 63.)

Kleinasien, das der Hauptsitz des Ordens ist; die übrigen Tafeln
zeigen den in den verschiedenartigsten Schnörkeln geschriebenen Namen
des Ordensstifters, des Scheich Tscheladdin Rumi. Durch lange,
seltsam gewundene Gänge gelangen wir von hier zu der gemeinsamen
Halle, wo die Derwische ihre Tänze halten. Der Mittelraum ist durch
Gitterwerk abgesperrt und mit Matten belegt. Jetzt erscheinen die
Derwische, in weite graue, blaue, braune und schwarze Mäntel ge-

hüllt, hohe spitze Filzhüte auf dem Kopfe, verneigen sich gegen
Mekka und stellen sich im Kreise auf. Wenn der Scheich seinen
Platz eingenommen hat, treten alle der Reihe nach vor ihn und
verneigen sich zur Rechten und zur Linken vor dem Teppiche zu
seinen Füßen, in den der Tempel von Mekka gewirkt ist. So
geht es fünfmal im Kreise herum, dann lassen sie plötzlich den
Mantel fallen, treten wieder vor den Scheich und fangen nach aber-
maligen Verbeugungen an, sich wie die Kreisel zu drehen, erst langsam,
dann schneller, daß der faltenreiche Leibrock wie ein Rad im Fluge sich
ausbreitet. Es ist unglaublich, wie lange sie dieses Kreiseln fortsetzen; einige fallen hin, mit Schaum vor dem Munde, und werden
beiseite geschleppt, während die anderen noch immer kreiseln. Endlich gibt der Scheich ein Zeichen, und alle stehen terzengerade, verneigen sich, hüllen sich in ihre Mäntel und gehen in ihre Zellen
zurück, von den Türken um so heiliger ge-
halten, je länger sie das Kreiseln aushalten können.

Die armen Leute! Wie sie sich selbst und die anderen betrügen!

6. Das Geburtsfest Mohammeds in Kairo.

Erst im Jahre 1610, also mehr als 1000 Jahre nach Mohammeds Geburt, ist es dem Sultan Achmed I. eingefallen, den Ge-
burtstag des Lügenpropheten unter die öffentlichen Feste anzuneh-
men, und seither feiern ihn die „Gläubigen" in der zwölften Nacht des dritten Monats.
Die Lustbarkeiten beginnen aber schon neun Tage früher und dauern
ununterbrochen Tag und Nacht fort, bis sie in der zwölften Nacht
ihren Höhepunkt finden. In Kairo ist der große Platz „Esbekieh"
der Schauplatz des Festes; Hunderte von Zelten umfassen ihn. In
der Mitte werden hohe Masten errichtet, einzelstehende und verbundene, bestimmt, bei Tag bunte Flaggen und Wimpel, bei Nacht

aber schimmernde Lampen zu tragen. Zahllose Buden mit Eßwaaren und Süßigkeiten stehen allerwärts und sind auch bei Nacht geöffnet. Tänzer und Tänzerinnen, Musikanten und Romanerzähler, Taschenspieler und Wahrsager, Seiltänzer und Zauberer produciren Tag und Nacht ihre Künste. Ganze Schwärme halb rasender Derwische ziehen umher und brüllen ohne Ende ihr ewiges: „La ilah illa Allah" (Es gibt keinen Gott außer Allah), und dabei neigen sie sich und beugen sie sich und hüpfen und springen, wie die reinsten Tollhäusler.

Endlich ist die zwölfte Nacht, „die gesegnete Nacht", gekommen. Ganz Kairo ist hinausgeströmt, um das Fest mitzumachen. An den Masten und den sie verbindenden Tauen und Stangen flimmern Hunderte von Lampen, die Umrisse von Blumen und Löwen bildend oder die Namen Allahs und des Propheten mit feurigen Punkten zeichnend. Reiches Feuerwerk wird abgebrannt, Leuchtkugeln steigen, Schwärmer schlängeln auf, platzen und sprühen grüne, rothe und blaue Sterne herab. Wie staunen die Söhne

Ein Nubier in Kairo. (S. 63.)

Eine Frau aus dem Volke in Kairo. (S. 63.)

der Wüste, die von weit her gekommen sind und vielleicht zum erstenmal solche Wunder sehen! Und doch würde man sich trotz alles Glanzes, der entfaltet wird, täuschen, wenn man glaubte, es wäre in Wahrheit ein freudiges Fest: gerade im Gegensatze zu diesen Anstalten stehen die Tausende und Tausende unter einem drückenden, beängstigenden Gefühl, das sich in dem dumpfen Schweigen der Menge kundgibt. Jetzt hört man ein fernes Getöse, das immer näher und näher kommt. Es sind die verschiedenen Der-

wisch-Orden Kairo's, die mit zahllosen Fahnen und Laternen und lautem Geschrei daherstürmen. Ihnen folgen die „Gottbegeisterten", Gruppen von 12—14 Menschen, die sich wie Besessene geberden. Junge kräftige Leute, die sich die Hände reichen und so einen Kreis um diese unglücklichen Menschen bilden, führen und schieben dieselben durch die Menge. Man kann sich kaum etwas Scheußlicheres denken als diese trunkenen Derwische. Ihre Arme hängen schlaff herunter, die Augen rollen, der Kopf hängt vorwärts oder rückwärts, die Beine versagen ihren Dienst. Bleich und Todten ähnlich scheinen sie jeden Augenblick hinzustürzen. Ihr Anblick flößt mehr Abscheu ein als Mitleid; sie haben sich durch Genuß des berauschenden Haschisch in diesen widerlichen Zustand gebracht.

Die Derwische, die ihrer noch mächtig sind, erheben unterdessen, in Gruppen um die Masibäume gelagert, den „Zikr"-Gesang, ohne Ende wiederholend: „Es gibt keinen Gott außer dem wahren Gott", immerfort sich nach vor- und rückwärts bengend, den Kopf nach rechts und links werfend; dabei werden sie immer feuriger, sie springen und stoßen greuliche Töne aus, ähnlich dem Gehenle wilder Thiere. Auch hier werden bald einige aus ihrer Zahl oder von den Zuschauern „vom Geiste ergriffen" — aber wahrlich von keinem guten! Laut schreiend stürzen sie in den Kreis

und werden, wie von der Fallsucht betroffen, in greulichen Krämpfen zu Boden geworfen, wobei ihnen der Schaum vor den verzerrten Mund tritt. So feiern die Türken das Geburtsfest ihres Religionsstifters.

Ist dann die „gesegnete Nacht" vorbei, so findet das Fest durch das „Dôseh", das Treten, seinen Abschluß. Der oberste Scheich des Saadijeh-Ordens reitet auf einem reich gezierten Schimmel von einer Moschee aus quer über den Esbekijeh-Platz zum Hause des Scheich el Bekri, der allen Derwisch-Orden Kairo's vorsteht. Der Weg, den das Pferd nehmen muß, ist an einer Stelle buchstäblich mit Derwischen und anderen Muselmännern gepflastert; sie legen sich Mann an Mann gepreßt auf die Straße, so daß die Hufe des „heiligen" Schimmels auf sie treten müssen. Durch Fasten und gewisse Gebetsformeln haben sich die

Tanz der Derwische. (S. 65.)

Schwärmer zu dieser Ceremonie vorbereitet; wer rein sei, sagen die Derwische, brauche die Hufe dieses Pferdes nicht zu scheuen; nur die Sünder werde es zerquetschen. Jetzt treten mehrere Fahnenträger über die Menschengasse, die den beiden Seiten von der Menge Kopf an Kopf eingeschlossen wird. Die Zuschauer erheben ein lange anhaltendes Allahgeschrei. Das Pferd scheint sich anfangs, die Daliegenden zu bescheiten; aber man nöthigt es, und nun durchmißt der Schimmel langsam und schwankend, als ginge er auf Wellen, die mit Menschen belegte Strecke, den Scheich mit dem großen Turban auf seinem Rücken.

Nun mögen unsere jungen Freunde dagegen das freudenreiche und trostreiche Weihnachtsfest der Christen mit seinem Engelsgesang: „Ehre sei Gott in der Höhe und Friede den Menschen auf Erden", mit seiner Krippe und seinem Weihnachtsbaume vergleichen! Wo ist wahrer Herzensfriede und himmlischer Trost, und

wo eitles Gepränge und teuflisches Blendwerk? Wie glücklich sind wir, der christkatholischen Kirche anzugehören!

7. Das alte christliche Aegypten.

Wir haben bisher in Aegypten zunächst die Spuren des alten Heidenthums in Augenschein genommen und die trostlose Lage betrachtet, in welcher die Religion Mohammeds gegenwärtig den größten Theil der Bewohner jenes sonst so glücklichen Landes schmachten läßt. Zwischen der Zeit des Heidenthums und der des Mohammedanismus liegt aber mitten darin eine andere schöne Zeit, in der das ganze Land christlich war und das Christenthum seine herrlichsten Früchte hervorbrachte.

Schon als kleines Kind wollte der göttliche Heiland, wie wir schon oben erwähnten, mit seiner heiligsten Mutter und dem hl. Joseph auf seiner Flucht vor Herodes das Land am Nil-

9*

ſtrom durch ſeine Gegenwart heiligen. Einer alten Ueberlieferung zufolge ſollen damals die Gößenbilder umgeſtürzt und zerbrochen ſein, als die heilige Familie die Grenzen des Landes überſchritt. Noch jetzt zeigt man, nicht weit von Kairo, bei dem ehemaligen Heliopolis, einen uralten wilden Feigenbaum; unter ihm, erzählt die Legende, habe die heilige Familie geruht und an der nahen Quelle ihren Durſt gelöſcht. Wir werden dieſem ehrwürdigen Penme miteinander einen Beſuch abſtatten. Auf der andern Seite Kairo's, in Alt-Kairo (Foſtät), bezeichnet eine koptiſche Kirche die Stelle, wo ſie während ihres Aufenthaltes gewohnt haben ſoll. Als dann nach dem Pfingſtfeſt die Apoſtel in alle Welt hinausgingen, um das Evangelium zu predigen, gab es bald auch an den Ufern des Nils eifrige Anbeter des lieben Heilandes. Der hl. Petrus ſchickte ſeinen getreuen Gefährten, den heiligen Evangeliſten Marcus, nach Aegypten, und dieſer gründete zu Alexandrien den erſten ägyptiſchen Biſchofsſitz. Das Chriſtenthum ſproßte herrlich hervor und verdrängte nach und nach das Heidenthum. Allerdings koſtete es auch hier Ströme von Martyrerblut, bis das Kreuz ſiegte. Welcher unſerer jungen Leſer weiß nicht, daß die hl. Apollonia, die hl. Katharina und je viele andere Jungfrauen und Jünglinge, Männer und Frauen in Alexandria für den Glauben ihr Blut vergoſſen? Aber das Kreuz ſiegte, und gerade in Aegypten war es, wo

zuerſt die ſchöne Blüte des Einſiedler- und Kloſterlebens hervorſproßte.

Gleich anfangs nämlich gab es in der Kirche manche fromme Leute, welche freiwillig auf die erlaubten Freuden der Welt verzichteten, um ſich ausſchließlich mit ihrem Seelenheile zu beſchäftigen. Dieſe zogen ſich dann wohl, um den Heiland während

ſeiner vierzigtägigen Faſten nachzuahmen, in eine Wüſte zurück und brachten darin alle Tage ihres Lebens mit Gebet, Faſten und vielen anderen Bußwerken zu. Eine ſolche Wüſte, die ſeit den erſten chriſtlichen Zeiten mit frommen Seelen bevölkert war, erſtreckt ſich in Aegypten zwiſchen dem Nile und dem Rothen Meere hin und wird die Thebais genannt; ſie iſt die Heimat des Ordenslebens. Nacktes Felſengebirg und loſe Sandhügel, die der glühende Wüſtenſturm bald anhäuft, bald wegwirbelt, ſchließen einen öden, theils bergigen, theils ebenen Landſtrich ein, der in einer Breite von etwa 150 km den Nilſtrom von den Ufern des Rothen Meeres trennt. Man kann ſich keine traurigere Gegend denken, als dieſe von einer glühenden Sonne verbrannte Schluchten und Sandfelder. Da gedeiht nur hin und wieder ein Baum oder ein Strauch; von grünen Feldern und Wieſen aber erblickt man keine Spur. In den Felshöhlen wohnt wildes Gethier und giftiges Gewürm. Und in dieſer Wüſtenei ſollte ein wahres Paradies von Tugend und Heiligkeit erblühen!

Das kam alſo: Um die Mitte des dritten Jahrhunderts brach die blutige Chriſtenverfolgung des Decius aus. Damals lebte in Aegypten ein überaus reicher Jüngling, Namens Paulus; dieſen ſuchten ſeine nächſten Verwandten dem Richter zu überliefern, um ſich ſo ſeines großen Vermögens zu bemächtigen. Aber Paulus floh, vom Geiſte Gottes geleitet, in die Wüſte der Thebais und verbarg ſich daſelbſt in einer Felſenhöhle. Als ſpäter die Verfolgung aufgehört hatte, kehrte er doch nicht mehr unter die Menſchen zurück; denn er hatte das Gebet und die Betrachtung in der ungeſtörten Einſamkeit über alles lieb gewonnen. Ein Palmbaum vor dem Eingang ſeiner Höhle gab ihm Nahrung und Kleidung, ein Quell löſchte ſeinen Durſt, und zudem brachte

Töſeh. (S. 67.)

ihm auf Gottes Befehl ein Rabe täglich Brod, wie ehemals dem Propheten Elias. So lebte der Heilige mehr als 100 Jahre in der Felsenhöhle, ohne auch nur das Antlitz eines andern Menschen zu sehen. Inzwischen hatten die späteren Verfolgungen noch viele andere eifrige Männer in die Wüste getrieben, welche ebenfalls als Einsiedler daselbst lebten. Unter ihnen nahm der hl. Antonius eine hervorragende Stelle ein. Der Ruf dieses Heiligen zog Schaaren von Menschen herbei, von denen viele sich unter seine Leitung stellten, und die Wüste bevölkerte sich immer mehr mit Einsiedlern. Als der hl. Antonius bereits ein Greis von 90 Jahren war, wurde er durch göttliche Leitung zum hl. Paulus geführt, der nun das hohe Alter von 130 Jahren erreicht hatte und am Abende seines tugendreichen Lebens stand. Diese Begegnung der beiden großen Einsiedler war für beide ein überaus süßer Trost. Bald darauf verschied Paulus im Gebete, und da Antonius den Leib des Heiligen bestatten wollte, kamen zwei Löwen aus der Wüste und gruben mit ihren Vorderpfoten das Grab, wie uns der hl. Hieronymus berichtet. Später zog sich der hl. Antonius noch tiefer in die Wüste zurück und wählte den Berg Colzim am Ufer des Rothen Meeres zu seinem Aufenthalte. Am Fuße des Berges bauten sich seine Jünger ihre Zellen, während er selber auf der Höhe lebte und nur von Zeit zu Zeit herabstieg, um die Mönche zu unterweisen. Sein Nachfolger war der hl. Pachomius, der seinen Jüngern zuerst feste Regeln gab und bereits 3000 Mönche leitete; bald nach seinem Tode zählte man ihrer aber schon 50000. So wurde die Wüste der Thebais das Geburtsland aller Mönchsorden, die so unendlich viel zur Ehre Gottes, zur Ausbreitung der Kirche und zum Wohle der Menschen gearbeitet haben und noch arbeiten.

In Alexandria blühte frühzeitig eine berühmte Schule der Gottesgelehrtheit, aus der neben dem hl. Athanasius auch der unglückliche Irrlehrer Arius hervorging, welcher die Gottheit des lieben Heilandes läugnete und damit die Grundlage der christlichen Religion angriff. Das geschah um das Jahr 318, und der Sturm, den der gottlose Mensch hervorrief, wurde der Kirche weit gefährlicher, als alle blutigen Verfolgungen der römischen Kaiser. Später setzten sich in Aegypten noch andere Irrlehren fest; zur Strafe dafür erging es dem Lande gerade wie der einst so blühenden

Nachbarkirche von Carthago. Auch über sie kam die furchtbare Geißel der mohammedanischen Araber; Aegypten nahm im großen und ganzen die Religion des Islam an, wenn auch das Christenthum nicht so völlig wie in Carthago ausgerottet wurde.

Namentlich waren es die Klöster in der Thebais, die bis auf unsere Tage herab den christlichen Glauben zwar nicht fleckenlos bewahrten, aber doch theilweise aufrecht erhielten. Wir wollen deshalb diesen altehrwürdigen Klöstern einen Besuch abstatten, oder uns vielmehr von P. Jullien S. J. den Ausflug erzählen lassen, den er 1881 in die Wüste der Thebais zu den Klöstern des hl. Antonius und des hl. Paulus unternahm. Wir werden so am besten diesen für alle Christen so überaus interessanten Theil Aegyptens kennen lernen.

Unterirdische Kapelle in der Mariengrotte zu Fostât (Alt-Kairo). (S. 68.)

8. Ausflug in die Thebais.

„In der Wüste der untern Thebais nahe den Ufern des Rothen Meeres und im Angesichte des Sinai, etwa 250 km südöstlich von Kairo", erzählt P. Jullien, „befinden sich die beiden Klöster des hl. Antonius und des hl. Paulus, die man für die ältesten der Christenheit hält. Hier lebten diese berühmten Erzväter des Einsiedlerlebens, hier starben sie nicht lange nach jenem Besuche des hl. Antonius bei St. Paulus, dessen rührende Beschreibung wir dem hl. Hieronymus verdanken.

„Diese Klöster sind seit vielen Jahrhunderten von koptisch-schismatischen Mönchen bewohnt, die den Irrthümern des Dioskuros anhangen. Das Kloster St. Anton ist das bedeutendste seiner ganzen Sekte, und aus seinen Mauern sind die meisten der koptischen Patriarchen hervorgegangen. Wenige Reisende besuchen sonst diese Klöster; allein für den Missionär der Kopten und die Beduinen ist dieser Ausflug von ganz besonderem Interesse. Mgr. Franz Sogaro, Apostolischer Vikar von Central-Afrika und dem ägyptischen Sudan, und Mgr. Anton Marcos, Apostolischer Visitator der katholischen Kopten,

Martyrtod der hl. Katharina. (S. 68.)

werden die verehrten und liebwerthen Führer unserer Karawane sein. Ich werde einen unserer Laienbrüder mitnehmen, den Bruder Ludwig Korrat, der im Umgange mit den Eingeborenen erfahren ist. Mgr. Sogaro wird einen seiner Freunde einladen, Herrn Sante Bonavia, aus der Umgegend von Como, Unternehmer zu Kairo.

Vor allem war es nöthig, unsern Plan dem Patriarchen aller koptischen Schismatiker zu unterbreiten und einen Empfehlungsbrief „Seiner Seligkeit“ an die Oberdobern der Klöster zu erbitten.

„Der Patriarch empfing uns auf dem großen Sopha seines Palastes sitzend im Hintergrunde des Saales, zu seiner Rechten vier oder fünf Laien, die Angesehensten der Nation. Er sprach mit vieler Liebenswürdigkeit, während die Erfrischungen, vor allem der übliche Kaffee, in Vorbereitung waren. Seine Seligkeit war vielleicht nicht wenig erfreut, zu sehen, daß diese Herren sich aufs vertraulichste mit uns unterhielten; er wußte nicht, daß drei aus ihnen ihre Söhne unserem Colleg anvertraut hatten, ein Schritt, den sie sich wohl hüteten, ihn wissen zu lassen.

„Von Zeit zu Zeit erschienen einige ebenfalls dem Laienstande angehörige Secretäre mit allerlei Papieren und nahmen die Befehle des Patriarchen entgegen, wobei es sich fast immer um Ehesachen und Erbschaftsanliegen handelte.

„Nachdem wir unser Ersuchen vorgetragen, gab er ein Zeichen, woraus zwei junge Leute ihm ein Blatt Papier und ein arabisches Tintenfaß von der Form einer Messerscheide reichten. Er schreibt nach Weise der echten Araber, indem er das Papier auf seine Knie breitet. „Man schreibt besser“, sagen Sie, „auf der Hand als auf dem Pulte.“ Ist das Papier etwas zerknittert und bilden die Linien einen Berg und Thal, so ist das eine Schönheit mehr. Das Blatt wird einem der Secretäre zurückgestellt, der bald mit dem auf solcherei Weise verfaßten Briefe zurückkehrt. Nachdem Seine Seligkeit neuerdings Einsicht von demselben genommen, zieht dieselbe aus ihrer Brust ein hübsches rothseidenes Sacktuch, in dem ihr Siegel eingewickelt und an ihrem Halse aufgehängt ist. Ein Diener präsentirt eine kleine Schachtel, die zweierleihohe Stempeltinte enthält, und der Patriarch setzt am Ende des Briefes sein Siegel bei und reicht ihn uns. So than alle Eingeborenen vom Müller bis zum reichsten Effendi. Bittet man sie um ihre Unterschrift, so ziehen sie aus ihrer Weste ein Täfelchen Carmin oder Tusch, feuchten dasselbe mit etwas Speichel an und reiben mit des kleinen Fingers Spitze ihr Siegel, das sie als Zierde an ihrer Uhrkette tragen. Dies Siegel prägt ihren Namen in arabischen Schriftzeichen so deutlich dem Papier auf, daß kein Sterblicher ihn entziffern wird. Was schadet es! Er ist immer noch so leserlich, als manche unserer Unterschriften.

„Der Brief des Patriarchen ist für den Bischof von Benisuef, der unserer Reise durch die Wüste Vorschub leisten und uns dem Klostervorständen empfehlen soll. Seine Seligkeit trieb die Höf-

Das Begräbniß des hl. Einsiedlers Paulus. (S. 69.)

lichkeit so weit, uns eigenhändig diese Erklärungen auf ein Papier zu schreiben, das uns überreicht wurde.

„Der Patriarch Anaba-Kirollos scheint ein Fünfziger zu sein; er ist milde und wohlwollend, liebt die Unterhaltung vom Sopha und entbehrt nicht seiner Umgangsformen. Vor seiner Wahl zum Patriarchen nannte er sich Johanna-el-Nasseth (Johann der Schreiber). Er war ein gewandter Abschreiber. Den Künsten und Wissenschaften unserer Zeit ist er völlig fremd und spricht keine europäische Sprache. Bei einem andern Besuche erlaubte ich mir die Frage, ob er nicht gedächte, einige der jungen Leute, die er zum Priesterthum bestimme, nach Europa zu schicken, wie dies die Katholiken thun. ‚Es genügt, daß sie zu beten und fromm zu leben verstehen‘, war seine Antwort.

„Auch diesem guten Patriarchen fehlt sein Kreuz nicht. Ungeachtet all seiner Nachgiebigkeit haben ihn soeben die Großen der Nation in der Verwaltung der Schulen und Kirchengüter überhoben, des Vorgebens, es besser machen zu wollen. Und der Khedive hat zu allem Ja gesagt. Auch hier die Wahrnehmung, daß, wer sich dem milden Joche des wahren Hirten, des Stallhalters Jesu Christi, entschlägt, sich dafür unter das drückende Joch irgend einer Laiengewalt begeben muß. Dennoch fehlt es dem Patriarchen nicht an Freunden; wir beobachteten mehr denn einen Besucher, die ihm die unzweideutigsten Zeichen der Liebe gaben, indem sie dreimal seine Hand mit Innigkeit küßten.

„Noch am Vorabend unserer Abreise besuchte er uns, um eine glückliche Reise anzuwünschen. Er fand uns in Gesellschaft mehrerer Großen seines Volkes, von denen einer gekommen war, uns um Bücher gegen die Protestanten zu bitten und uns seine Schwierigkeiten gegen die Prädestination auseinanderzusetzen.

„Der kürzeste Weg nach den Klöstern führt über Benisuef. Die Bahn von Oberägypten befördert uns in drei Stunden dahin; dort nehmen wir Kameele, um in achttägigem Ritt die Wüste zu durchziehen.

„Drei Tage vor unserem Eintreffen sandten wir einen ausgedienten Dolmetsch dorthin voraus, den wir all unseren französischen Freunden mitzugeben und für den sie uns stets voll des Dankes sind. Seine Aufgabe war, mit dem Scheik der Kameele einen regelrechten Vertrag abzuschließen. Wären wir selbst angekommen ohne vorher bestellte Kameele, so hätten die Beduinen sich unsern Wunsch, rasch vom Flecke zu kommen, zu nutzen gemacht, um uns in der unverschämtesten Weise zu überfordern. Unser Dolmetsch hatte unerachtet der liebenswürdigen Vermittlung des Bischofs große Noth, die Kameele zur bestimmten Zeit zu erlangen für den bescheidenen Preis von 2 Mk. 50 Pf. per Tag.

„Sonntag den 11. November in der Frühe bestiegen wir die Bahn Bulak-Dakrur am jenseitiger Nilufer. Um halb 9 Uhr dampften wir ab. Haben wir nöthig, nach so vielen Vorgängern die poetische Ansicht der Nilufer am Ende der Ueberschwemmung zu schildern: die Felder im herrlichsten Grün, die Palmenhaine, geziert mit ihren aus goldenen Früchten gebildeten Königskronen, die herrlichen Seen, die der Nil bei seinem Rücktritt hinterläßt und die aufeinander folgen und sich verschlingen wie in einem ungeheuern englischen Garten? Zwischen den langen Reihen von Palmbäumen hindurch erscheinen da und dort düster gefärbte Dörfer mit alten weißen Minarets. Als Hintergrund des Bildes sieht man im Westen die weißen Hügel der libyschen Bergkette, im Osten die hohen Felswände der arabischen Wüste und dazwischen die tausend Barken, die mit ihren großen dreieckigen Segeln den Nil durchfurchen.

Stufenpyramide von Sakkarah.

Da ist zunächst die Stufenpyramide von Sakkarah, deren vier Flächen ungeheure Treppen sind; es folgen die Pyramiden von Dakhur, unter denen man eine unterscheidet, deren geknickte Formen etwas Besonderes sind; in halber Höhe brechen sich die Flächen und neigen sich gegeneinander. Noch sehen wir hier die invvianten Reste zweier großer Pyramiden aus Ziegeln von Lehm und Häckfel, welche die Seltenheit des Regens in diesen Gegenden seit 3000 Jahren bezeugen. Etwas weiter in Matameyh ist eine andere krumme Pyramide; endlich erhebt sich über einem Palmenhaine mit seinem Dorf, das aussieht wie eine Insel in einem Meer von Grün, die gewaltige Pyramide von Merdum, die man die falsche Pyramide nennt, eine Art von Kastell, gebildet von drei viereckigen, schräg abfallenden, sich verjüngenden Thürmen, deren einer auf den andern gethürmt ist und deren höchster von einem Kegelstutz gekrönt wird.

„In Europa würden so viele landschaftliche Reize ausgebeutet werden zur Annehmlichkeit der Reichen. Schlösser und Villen würden die lachendsten Punkte und die herrlichsten Fernsichten beschlagnahmt haben. Hier wird das alles als etwas Alltägliches vernachlässigt. Wir haben die Zeit nicht, das hinreißende Schauspiel zu genießen; wollen wir mit dem Fernrohr alle Einzelheiten betrachten, die der Fremdenführer erwähnt, so dürfen wir keine Minute verlieren.

„Nachdem wir beim Ausfahren aus dem Bahnhofe einen Blick geworfen auf die unermeßlichen Umfassungsmauern des Palastes des Prinzen Hassan, des Bruders des Khedive, und des Palais Ghizeh, des schönsten der Paläste Ismaels, befinden

„Hin und wieder zieht ein großes Haus von fast europäischer Bauart unsere Blicke auf sich. Die Höfe, die Schoppen, welche sie umgeben, lassen sie als Mittelpunkt irgend einer landwirthschaftlichen Gründung erkennen, an denen Europäer aus aller Herren Länder einer nach dem andern zu Grunde gehen. Der Europäer bringt zu viele kostspielige Bedürfnisse mit und kann allein den Kampf nicht aufnehmen mit der Faulheit und Geriebenheit aller. Sein Haus und sein Land wird über kurz an einen reichen Eingeborenen verkauft werden; in den Rest theilen sich Hunderte von Fellahs, deren jeder sein bescheidenes Auskommen findet, wo ein Engländer, Franzose, Italiener, ja Grieche nur seinen Ruin gefunden hat.

Knickpyramide von Daschur.

wir uns im Angesichte der großen Pyramiden, die mit ihrer unbeweglichen Wächterin, der Sphinx, die ägyptischen Freimarken zieren. Hierauf lassen wir während zweier Stunden die gesammte Reihe der ägyptischen Pyramiden an uns vorübereilen, die am Saume der libyschen Wüste 5—6 km abseits des Weges aufgepflanzt sind.

„Ungefähr Meidum gegenüber erreichen wir den Bahnhof von Onasta, von wo die Zweiglinie ausgeht, welche die Oase von Fayum bedient. Ein Viertel vor 12 Uhr erreichen wir endlich Benisuef. Ueber einer der Bahnhofsthüren liest man in großen Buchstaben: l'ostos égyptiennes, und darunter auch arabisch:

Bosta ma*rich; auf dem Deckel des Briefkastens liest man auf
italienisch: Buca per le lettere; und betrachtet man die schönen
Wagen, so steht auf den Thüren das englische First place. Etwas
für alle! Aegypten gehört eben allen. Ob das so bleiben wird?

„Unser Dolmetsch harrt unser auf der Plattform des Bahnhofes
mit einer allerliebsten Gesellschaft von Esel und Eseltreibern,
immerhin etwas weniger elegant als die von Kairo; er verkündet,
wir hätten sofort weiterzureisen nach dem großen Dorfe Busch,
wo der schismatische Bischof uns erwarte. Es entstand freilich ein
kleines Handgemenge, bis Reisende und Reisegepäck in gerechter
Weise auf die unterschiedlichen Grauschimmel vertheilt waren; indes
war rasch Ordnung geschafft, und wieder befinden wir uns unterwegs. Wir haben 12 km in nordöstlicher Richtung vor uns.
Der Schienenweg dient uns für zwei Drittel der Strecke als Heer-
straße. Andere Wege gibt es in Aegypten nicht, einige Alleen um
Kairo und Alexandrien abgerechnet. Kommt ein Zug, so weicht
man aus, gerade wie man sich auf der Landstraße einem Fuhr-
werke entzieht. Kein Tunnel, kein Viaduct erschwert die Lage.
Nach einem stündigen Ritt zieht sich der Pfad links hinab zur
Seite des Kanals, der dem Wege folgt und ihn unter einer Brücke
schneidet, die aus Ziegeln gebildet und mit etwas Schilf und
Erde bedeckt ist. Sie macht gerade keinen beruhigenden Eindruck,
und es bedarf der Ritterlichkeit, um als der erste sich hinüber-
zuwagen. Wir folgen nun dem Rande einer Furche bis zu dem
Dorfe, das auf einer einige Meter hohen Erhebung Schutz gegen
die Ueberschwemmung gesucht hat.

„Welcher Abgrund von Unreinlichkeit sind diese arabischen Dörfer!
Alles bleibt liegen, selbst die verendeten Thiere; bereits haben
hundertjährige Schichten von Trümmern und Schmutz die Straßen
mehr denn 1 m über den Boden der Häuser erhöht. Diese sind
aus Lehm gebaut; die Terrasse und die zum Sonnenlichte aus-
gelegten Mauern sind mit Misthaufen bedeckt, die trocknen, um als
Brennstoff dienen zu können. Diese Fellah-Familien wohnen buchstäblich auf, unter und in Misthaufen. Man sieht nichts anderes,
und kann sich eines Lächelns nicht erwehren, wenn man an die zur
Cholerazeit ins Leben gerufenen Desinfectionscomités denkt.

„Nicht lange und wir ziehen durch ein großes Portal in einen
länglichen Hofraum. Der Bischof Amba-Josseph sitzt am Ende
dieses Hofes im Freien auf einem Divan und raucht in Gesellschaft einiger Herren gemächlich seinen langen Schibuk. Er empfängt uns mit Herzlichkeit und läßt uns an seiner Seite Platz
nehmen. Sein Anzug unterscheidet sich kaum von dem der koptischen Priester; schwarzer Turban mit eine rothe Calotte, großer
Ueberrock aus schwarzem Sarsche mit weiten Aermeln, über einem
röthlichen Unterkleide, um die Schultern einen schwarzen, violett
geränderten Kragen, den er von Zeit zu Zeit kapuzenartig über
sein Haupt zieht.

„Das Gebäude, in dem wir uns befinden, gehört dem Kloster
St. Anton in der Wüste; ja hier ist sogar der Sitz des Obern,
der vor allem für die Güter zu sorgen hat, die das Kloster in
der Umgegend besitzt und von deren Erträgen es lebt.

„Amba-Josseph weilt hier seit zehn Jahren in der Eigenschaft
als Oberer von St. Anton. Er ist kürzlich zum Bischof von Benisuef geweiht worden und führt die hiesige Verwaltung weiter,
bis die Mönche sich ein neues Haupt gegeben haben. Er ist ein schöner,
wohlwollender Mann, der gut mit seinen Mönchen umgehen muß.

„Kirche und Gebäulichkeiten, die uns umgeben, sind durch ihn
ins Leben gerufen. Letztere, aus Ziegeln aufgeführt, scheinen uns
wohl gebaut und jedenfalls geräumig genug für die 25 Mönche,

welche sie bewohnen. Die Kirche, welche den 200—300 Kopten des
Dorfes als Pfarrkirche dient, ist nach dem Muster aller koptischen
Kirchen gebaut. Am Aeußern machten sich Arkaden bemerklich,
welche die Frauenempore tragen; die Vorderseite beherrschen zwei
hübsche Thürme mit Spitzen, verziert mit schwarzen Arabesken auf
weißem Grunde. Das Gewölbe des Innern ist nichts als eine
Reihe von Kuppeln, die von Pfeilern getragen werden. Die
Mauern und das Holzwerk, welche das Chor abschließt, sind ver-
ziert mit einigen alten Gemälden ohne jede Perspective, nach grie-
chischer Manier. Eines derselben stellt die hl. Athanasius und
Cyrillus von Alexandrien vor, ein anderes den hl. Barsam den
Nackten, einen alten Einsiedler; das beste ist, wie mir scheint, ein
Portrait des Kirillos, des 112. Patriarchen, der die Schulen von
Kairo gegründet, die Kirche erneuert hat und 1860 gestorben ist.
Der Kirche gegenüber bemerkten wir das Thor eines alten Divan,
dessen Kuppelbau verziert war mit einer Art Mauerwerk aus Holz,
Ziegel und Mörtel. Das Kloster St. Paul hat ebenfalls seine
Meierei und seinen Obern im Dorfe und keine Güter in der
Nachbarschaft. Alles ist hier kleiner und ärmlicher als an dem
Meierhof von St. Anton. Vor wenigen Jahren, zur Zeit Is-
maels, war der Obere Muselmann und verkaufte die Klostergüter
an die Regierung, die noch einen Theil derselben in Besitz hält.
Etwa 14 Klosterbrüder bewohnen den Hof.

„Seit unserer Ankunft sitzt der Bischof noch immer unbeweglich
auf seinem Divan an der Thür des Klosters und plaudert mit
Mgr. Morcos über religiöse Dinge, indem er von Zeit zu Zeit
eine Tasse Kaffee schlürft; darüber traten einige Herren oder Essen-
dis ein, die sich in einen heftigen Wortwechsel verwickelten. Sie
haben dem Bischofe einen Ehecasus unterbreitet; soviel wir zu verstehen vermögen, handelt es sich um eine Neuvermählte von Bani-
suef, die ihrem Vater sagen ließ, er möge sie heimholen, da sie
mit ihrem Manne mißglücklich sei. Der Vater kommt; aber die
Tochter will nicht mit, indem sie diesmal behauptet, überaus glücklich zu sein. Der Vater ist hier, ebenso der Gatte und die beiderseitigen Rechtsanwälte; sie scheinen Stoff für mehrere Tage zu haben.
Erst wenn alle Gründe erschöpft sind, wird der Bischof auf oder
gegen Scheidung erkennen und alles beendet sein. Mit Einbruch
der Nacht verkündigt eine Glocke den streitenden Theilen, daß es
Zeit ist, sich zurückzuziehen. Der Abendgottesdienst soll beginnen.

„Sechs oder sieben Mönche und ein Dutzend Klosterknaben
reihen sich in aufrechter Stellung in einem Halbkreise um den Bischof. Dieser hält, auf dem Divan sitzend, in der Rechten ein
kupfernes Kreuz, dessen Stiel mit einem weißen Sacktuch umwickelt
ist. Das Gebet beginnt in einem weinerlichen und uschelnden Ton;
man psalmodirt dreimal fünfzig Kyrie eleison, zu je drei in einem
Satze gruppirt. Darauf ein unbeschreibliches Durcheinander jal-
scher Töne. Zur Erklärung wird uns bemerkt, daß der Mönch, den
wir soeben von einem zum andern gehen und jedem etwas ins
Ohr flüstern sahen, habe, um das Officium abzukürzen, ohne etwas
ausfallen zu lassen, den verschiedenen Psalmen zur Recitation unter
die Anwesenden vertheilt. Was wir hören, ist der gleichzeitige
Gesang von fünf oder sechs Psalmen. Unser Herrgott allein wird
sie zu unterscheiden wissen. Dreimal ward der Psalmengesang
unterbrochen durch die Lesung zweier Episteln und eines Evangeliums durch einen Einzelsänger in der Mitte des Halbkreises.
Das Officium schloß mit einem Gebete für den Patriarchen und
den Bischof, deren Namen durch eine tiefe Kopfverbeugung geehrt
wurden. Endlich zogen alle an dem Bischofe vorüber, der sich erhoben hatte, indem sie Hand und Kreuz küßten. Die Mönche

die zu spät kamen — und sie bildeten die Mehrzahl —, gingen um das Chor, drückten jedem Mönche die Hand und näherten ihm ihr Haupt wie zur Umarmung.

„Zur Abendmahlzeit setzte man uns die größere Hälfte eines Hammels vor auf einem Berg von Grütze und unförmlichen Stücken weißen Käses von eiserregenden Gerüchen, dazu einen Topf Syrup, den man hier Rohrhonig nennt, nicht zu gedenken der kleinen koptischen Brode und des Nilwassers, das man sich wohl gehütet seines fruchtbaren Schlammes zu berauben.

„Wir verbrachten die Nacht im Speisesaal auf einigen Polstern und lasen des andern Morgens frühzeitig die heilige Messe in der Kirche auf unseren Tragaltären in Gegenwart mehrerer Mönche. Mgr. Morcos hatte den guten Einfall, sich nach dem Evangelium umzuwenden und den anwesenden Mönchen auf Arabisch das 16. Kapitel des hl. Matthäus vorzulesen, in dem unser Herr den hl. Petrus zum Oberhaupt der Kirche bestellt. Sie hörten mit Begier das Wort Gottes an und gaben mit Haupt und Händen Zeichen ihres Beifalls.

„Wir konnten uns beim Bischofe nicht verabschieden; er war um Mitternacht ausgegangen, um in einer reichen Familie eine Ehe einzusegnen, gemäß eines auch bei den wohlhabenden Katholiken nur zu verbreiteten Gebrauches, den Priester zur Spendung dieses Sacramentes zu sich zu rufen. Indessen alles war vorgesehen; der Bischof ließ uns einen Brief einhändigen für den

Inneres einer koptischen Kirche. (S. 72.)

Vikar des Klosters St. Anton und wird die Güte haben, uns Thiere und Führer zu geben bis zum Beduinendorf El-Miah am jenseitigen Nilufer, wo wir Kameele für den Wüstenritt finden werden.

„Mgr. Morcos, von Kindheit auf an die Pferde von Palästina gewöhnt, nimmt einen jungen, noch nicht zugerittenen Araber, dessen Muthwille uns einige Besorgnisse einflößt. Wir anderen

besteigen Esel, unter denen der des Bischofs, ein schönes, großes, weißes Thier mit bequemem blauen Sattel, sich auszeichnet. Wir folgen der Straße nach Benisuef bis zur Eisenbahn, biegen dann östlich ab dem Nil zu und folgen dem Damme eines schönen Kanals. Wunderbar zu sehen war die Behendigkeit, mit der unsre Esel über die breiten und tiefen Einschnitte setzten, welche den Damm durchbrachen, um die anliegenden Felder zu bewässern. Auf Seiten der Reisenden mangelte es nicht an einigen Fällen ohne Gesätze und ohne Schande, da Sattel und Reiter zugleich fielen; übrigens glaube ich mich zu erinnern, daß im Verlauf der Reise jeder von uns, ohne Rücksicht auf die hierarchische Staffel, den Boden berührt hat.

„Als wir uns dem Dorfe Nagla näherten, waren Vieh und Fellahs, denen wir begegneten, so zahlreich und drängten sich dergestalt, daß wir uns erkundigten, in welchem Nachbardorf Markt sei. ‚Es ist heute kein Markt‘, antwortete man mir, ‚diese Menschen und dieses Vieh ziehen auf die Weide.‘ Beim Einzuge ins Dorf mußten wir einige Minuten halten, um sich die Menge verlaufen zu lassen, die uns die Brücke über den Kanal sperrte. Unsere französischen Gegenden, auch die bevölkertsten, geben kaum einen Begriff des überfließenden Lebens an den Ufern des Nil.

„Nagla ist Eigenthum des Scherif-Pascha, Präsidenten des Ministerathes. Wie alle anderen Dörfer kann man es bestimmen als ein großes Unrathslager, wo in Hütten von Lehm und Mist mit- und durcheinander Männer, Weiber, Kinder, Ochsen, Büffel, Hunde, Ziegen, Hämmel u. a. m. hausen. Oft wohnen Ziegen, Hunde und Schafe auf dem Dache von Rohr und Erde, das ihren Herren zum Obdache dient.

„Der Nil befindet sich am Ende des Dorfes. Wir verabschieden uns von unserem Dolmetsch, sowie von den Dienern des Bischofs und setzen in Barken über den Fluß. Nun wird die

10

Wüstenfahrt beginnen. Aber es bedarf noch einiger Geduld; die Kameeltreiber werden erst in zwei bis drei Stunden fertig sein; sie sind beschäftigt, die Schläuche im Fluß dicht zu machen und zu füllen, in großen Säcken Bohnen und Stroh zu mengen zur Nahrung der Kameele.

„Wir befinden uns am Fuße eines Kalkhügels, auf dem sich der Weiler El-Mlaß erhebt. Dieser Weiler gehört zum Dorfe Bayad, ½ oder 6 km südlich; er ist von Beduinen bewohnt, die hauptsächlich vom Handel mit Gypssteinen leben, welche man aus der Wüste bringt. Im Norden, Osten und Süden des Dorfes dehnt sich eine ausgedörrte Ebene, abgeschlossen von den Felsen der arabischen Gebirgskette.

„Endlich sind die Kameele beladen; das jüngste trägt das Wasser, die fünf anderen das Stroh und Gepäck, über welchem allen wir uns möglichst gut einzurichten suchen. Des Beduinenhaupt, welches unsern Vertrag unterzeichnet hat, entschuldigt sich, uns nicht persönlich begleiten zu können, und vertraut uns feierlich seinem Sohne Hassan und seinen Vettern Ahmed und Mahomed.

„Die Straße entfernt sich zuerst vom Nil und verliert sich in einer Ebene von Sand, ganz durchwühlt von Gypshügeln. Am Fuße des Gebirges dreht sich der Weg gen Norden und führt über etwas wellenförmiges Terrain. Erst nach 2½stündigem Ritt verlieren wir Nil und Nilthal aus dem Auge. Nun beginnt die unermeßliche Einöde, in der wir für zehn Tage von allem Leben abgeschnitten sein werden. Der Weg steigt in den Wadi-el-Seleb, ein kleines Thal, das sich von Osten nach Westen hinzieht und im Norden von scharfen Felsspitzen begrenzt wird. Einige Zeit zieht sich dieses Thal gegen Osten und verläuft dann in südlicher Richtung durch ein steiniges Tobel, das von der Hochebene herabkommt. In der Tiefe dieses Tobels stoßen wir auf drei oder vier vom Wasser in den Kalkstein gegrabene Höhlen, ohne Zweifel die natürlichen Cisternen, deren P. Sicard in seiner Reise nach El-Anton gedenkt. Sie waren trocken. Es war Nacht geworden, und wir hielten am Anfange der Hochebene auf einem harten und nackten Boden. Im Norden hatten wir das imposante Schauspiel eines gewaltigen Gewitters, das sich über Suez entlud. Ein kalter Nordwind half uns die Vorbereitungen zu unserem bescheidenen Nachtmahl beschleunigen.

„Unsere Kameeltreiber haben schnell die Thiere entlastet, stellen dieselben zu zwei und zwei auf und vor jedes Paar große Säcke mit Bohnen und Häcksel, von denen einer, größer als die anderen, als Trog am Boden ausgebreitet wird. In diese Vorrichtung schüttet der Kameeltreiber den zwei Thieren ihren Pflichttheil, und diese nehmen ohne Eile und ohne Eifersucht abwechselnd je einen Mund voll. Mittlerweile waren einige der Dienstbeflissensten ausgegangen, einiges Gesträpp, einige trockene Pflanzen im Bette des Tobels zu suchen, um den Kaffee zu kochen, ja wenn möglich auch ein Süppchen mit etwas Fleischextract und Schiffszwieback anzurichten. Die Kameeltreiber ihrerseits kneten auf einem Kalkfell das Brod, das sie in der Asche unseres Feuers zu backen gedenken. Ihr ganzer Vorrath besteht aus einem leichten Mehlsack und einer Flasche Butter; die Butter ist nämlich hier flüssig wie Oel, nur wenig durch die Kälte verdickt. Sowie sie ihren Brodkuchen aus der Asche gezogen, zertheilen sie ihn und einem Eisenblech in kleine Stücke, die sie in die Butter tunken. Dies Gericht nennen sie Mafruta.

„Diese armen Leute haben eine besondere Vorliebe für Licht und Hitze des Feuers. So lange der Reisigvorrath reicht, reiben sie sich vor dem Feuer stehend die Beine, indem sie behaupten, daß

gebe ihnen Kraft. Später sucht sich jeder dicht bei den Kameelen kein Ruheplätzchen; er hebt die Steine weg, ebnet ein wenig den Boden, legt sein Kopfkissen gegen den Wind wider irgend eine Kiste oder einen Sack, die ihn schirmen, und breitet auf den Boden die Decke, die ihm als Matratze dienen soll. Nach einem kurzen Gebete wickelt man sich nach bestem Vermögen in eine zweite, zur Seite seine Waffen und bescheidenen Reiseeffecten, die man ohne diese Vorsicht leicht beim Ausbruche vermissen möchte. Endlich ist alles still. Schweigen, das Schweigen der Wüste rundum. Kein Laut ist mehr zu hören, als das dumpfe Geräusch, das die Bohnen unter den Zähnen der Kameele verursachen. Bald schweigt auch dieses, und Todtenstille ist umher. Nicht ein Schrei eines Raubvogels oder Schakals, nicht das Summen einer Mücke; selbst der Wind, der auf keinen Widerstand stößt, verursacht nicht das mindeste Rauschen.

„Wir stehen um 3 Uhr morgens auf, um die heilige Messe zu feiern vor dem Aufbruch, der mit Sonnenaufgang stattfinden soll. Mgr. Sogaro und Mgr. Morcos errichteten ihren Altar auf flachem Boden aus Gepäckkisten, und stellen, um sich vor dem Winde zu schützen, hinter diesem improvisirten Heiligthume unsere drei Beduinen auf, die an den Bajonetten ihrer Gewehre zwei große Decken befestigt haben. „Nie hat ein Muselmann', sagte nachher Mgr. Sogaro, „in größerer Nähe und mit mehr Ehrfurcht der heiligen Messe beigewohnt. Während beider Messen standen sie unbeweglich und gesammelt da, ohne auf Müdigkeit und Kälte zu achten.'

„Ich stieg mit Br. Luigi in den Tobel hinunter, wo ich ein Loch ähnlich den Cisternen des P. Sicard bemerkt hatte. Vorsichtig wagte ich mich durch das Geröll am Eingange, eine kleine Laterne vorhaltend, den Revolver in der Hand, während der Bruder mit dem Gewehre im Hintertreffen blieb. Eitle Vorsicht: keine Hyäne, nicht einmal ein Schakal ließ sich blicken.

„Während der ganzen Reise haben wir täglich in offener Wüste unter dem nächtlichen Himmel Messe gelesen, und jedesmal ergriff uns die Stille und Unermeßlichkeit des gestirnten Tempels, der so recht ein Bild der unendlichen, unwandelbaren, ewigen Majestät ist. Keine Schwierigkeit schreckte uns ab, so glücklich fühlten wir uns, unsern Herrn in diese Einöden zu rufen, die einst Zeugen so vieler heldenhafter Tugend waren, aber nun seit zwölf Jahrhunderten das Lob seines heiligen Namens nicht mehr vernahmen. Wie oft kam uns, wenn wir nach dem heiligen Opfer das Benedicite sprachen, der Gedanke, daß wir selbst, ba hier so viele Geschöpfe unserem Aufrufe nicht entsprächen, diesen Mangel durch die größte Innigkeit unseres Gebetes ersetzen müßten!

„In der Frühe des Morgens brachen wir auf in östlicher Richtung. Vor uns dehnt sich eine weite, trockene Ebene aus, abgeschlossen durch eine rostfarbene Hügelreihe. Im Norden erhebt sich der Berg Hajar Mussum. In dieser Ebene ist keine Spur von Grün; nur von Zeit zu Zeit pflücken unsere Treiber eine Jerichorose; graue Knollen, die sich kaum von den Steinen unterscheiden, mit denen der Boden bedeckt ist.

„Nach dreistündigem Marsch — es ist inzwischen 9 Uhr geworden — erreichen wir eine Hügelkette und steigen in den Wadi Sammr (Katzenthal), deren westliche Grenze diese Hügel bilden. Der Wadi Sammr bietet den Anblick eines breiten, ausgetrockneten Gießbaches und hat südöstliche Richtung. Eine wahre Freude war es hier, einiges Grün zu entdecken, ja selbst in zwei Felsenhöhlen etwas milchfarbenes Wasser, Reste des letzten Regens. In der Ferne gewahren wir einige Ziegenheerden, von zwei Beduinen geleitet, die bei unserem Anmarsche entstiehen. Das sind die ersten lebenden Wesen, denen wir seit El-Minh begegnen. Wir hatten am Fuße eines Felsens der östlichen Kette, der uns ganz an die höhlenreichen Felsen in der Umgegend von Aïr in der Provence erinnert. Nachdem unsere Kameele am Wasser der Felsen getränkt worden, zerstreuen sie sich, um nach eigener Wahl die Kränter abzuweiden, die sie finden werden. Es stehen hier überall stachelichte Pflanzen, wie die Zilla myagroides mit ihren kleinen, violetten Blüten, der Sonchus spinosus u. a. m. Die Kameele scheinen sie allem anderen vorzuziehen. Wer weiß, ob diese abscheulichen Stacheln, von denen man meinen sollte, sie müßten ihre Lippen zerreißen, für sie nicht ein angenehmes Reizmittel sind, ähnlicher Wirkung wie der Pfeffer? Sehr erpicht scheinen sie auch auf die salz- und sodahaltigen Pflanzen, wie sie der ägyptische Sandboden hervorbringt.

„Auf einem Spaziergange in dem Thale entdeckte Mgr. Sogaro am entgegengesetzten Abhange, etwas unterhalb unseres Freljens, eine ganze Bank fossiler Schnecken von eines Meters Dicke, die sich über eine Fläche von mehr denn einem Hektar hinzieht. Sie besteht hauptsächlich aus enormen Austern und anderen Doppelschalthieren von 30—40 cm Länge und beträchtlicher Dicke. Etwas nördlich finden wir auf derselben Seite im Sande eine ziemliche Menge versteinerten Holzes, dessen Oberfläche die Eisenoxyde eine violette Tinte gegeben. Im Bette des Gießbachs sammelten wir einige hübsche Bruchstücke von Kieseln, die aus concentrischen Lagen aller Farben bestehen und unter dem Namen ägyptischer Onyx bekannt sind.

„Um 3 Uhr brechen wir auf. Beim Austritte aus dem Wadi haben wir westlich in der Ferne den Berg Keleil vor uns, eine mäßige Hügelreihe südlicher Richtung, und hinter dieser die gleichgerichtete, bedeutend höhere des südlicher Galala, deren höchster Punkt der Berg Cotzim ist. Der Gipfel des Cotzim, der gerade gegen Osten liegt, wird der Zielpunkt sein, dem wir zustreben. Das Kloster St. Anton liegt an seinem Fuße.

„Auf dem langwierigen Zuge durch die Wüste haben wir Zeit, mit unseren Kameeltreibern uns zu befreunden. Diesmal werde ich nicht viel Böses über die unseren berichten; denn ich glaube, man wird selten weniger lästige finden. Sie sind unter sich verwandt, die Thiere gehören ihnen, und die Reisenden sind geduldige Leute, die ihnen morgens und abends Kaffee geben. Alles das dient zur Anknüpfung guter Beziehungen. Wir fragten sie, ob sie den Stamm der Beni-Nassef kennten, der vor fast zwei Jahrhunderten (1716) einen unserer alten Patres, P. Sicard, zu den Klöstern führte. ,Wir alle sind Beni-Nassef,‘ antworteten sie lebhaft; ,unsere Voreltern haben euern P. Sicard geführt.‘ Seit der Zeit sind wir Freunde, fast Vettern.

„Der älteste der drei ist Hassan. Nach dem Rechte des Altersvorranges ist er das verantwortliche Haupt; die anderen gehorchen ihm wie die Matrosen ihrem Kapitän, und wir sind seiner Gnade preisgegeben wie Passagiere. Hassan arbeitet nicht, er leitet die Arbeit. Kaum daß er sich würdigt, die letzte Hand anzulegen, um die Last seines Thieres ins rechte Gleichgewicht zu bringen, obschon er stark und gewandt ist. Wir nennen ihn Hassan-Bey, und er hört es gerne.

„Sie haben alle drei die leichtgebräunte Hautfarbe der Bewohner von Mittelägypten und die edlen, festen Züge, mit denen die biblischen Maler die Söhne Jakobs ausstatten. Der jüngste der drei, Mahomed, wäre werth, ihnen zu sitzen. Er hat nicht das schwere und nachlässige Wesen der Fellah, nicht die welke

Farbe des ägyptischen Dorfbewohners, noch sein mattes und erstorbenes Auge. Sein Gesicht ist ohne Runzeln, sein Auge schwarz und klar, sein Blick hell und heiter.

„Auf dem Marsche leitet einer der Treiber die Karawane, indem er das erste Kameel am Halsterbande führt; ein zweiter marschirt zur Seite der Reisenden, um sie zu bedienen; er trägt gewöhnlich den Wasservogat; der dritte geht in einiger Entfernung voraus, ohne jedoch die Karawane aus dem Auge zu verlieren, und sucht irgend eine Gazelle oder ein anderes Wüstenthier zum Schuß zu bringen. Ihre Unterhaltung ist ziemlich lebhaft, ihre Antworten beschränken sich meist auf jene kleine Auswahl ständiger Redensarten, die man unter den Muselmännern auf Schritt und Tritt hört und die so trefflich sowohl den muselmännischen Schicksalsglauben wie die arabische Verschmitztheit zum Ausdruck bringen. Fragen wir sie etwas, worauf sie nicht antworten wollen, so lautet die Antwort: ,Gott weiß mehr.‘ Wollen sie etwas abschlagen: ,Gott ist großmüthig.‘ Sind sie traurig oder wollen sie sich über erlittenes Unrecht trösten: ,Allah ist groß.‘ Stößt ihnen etwas zu: ,Maktub, so stehts geschrieben.‘ Religion üben sie so gut wie gar nicht. Kaum daß wir sie hier und da einige Augenblicke beten sahen; sie sagen uns, sie hätten keine Moschee in ihrem Dorf.

„,Denkt ihr nie daran,‘ fragten wir sie, ,das Nothwendige zu thun, um die Hölle zu vermeiden und ins Paradies zu kommen?‘ — ,Maktub,‘ heißt die Antwort.

„,Aber warum quält ihr euch denn ab, um für eure alten Tage euer Brod zu haben — das steht ja auch geschrieben?‘ Treu der Vorschrift des Koran, jeden Disput zu fliehen mit denen, die das Buch (das Evangelium) gesehn, antworten unsere Beduinen nur mit einem nichtssagenden Lächeln.

„Rechnet das Kameel zu den klugen oder den dummen Thieren? Das ist eine Frage, in deren Beantwortung die Reisenden nicht einerlei Meinung sind. Ich möchte sie nicht lösen, obschon ich an den schönen Kameelschädeln, weiß wie Schnee, wie man sie von Zeit zu Zeit auf den Wüstenpfaden liegen sieht, ersehe, daß ihr Inhalt an Gehirn ein Liter nicht übersteigt. Was ich besser weiß, ist, daß keine Kameele, die sich durch nichts vor ihresgleichen auszeichnen, vortrefflich den Posten ausfüllen, für den die Vorsehung sie geschaffen hat.

„Wir fühlen uns in der That ganz behaglich in unseren Sitzen über einer Plattform von Gepäck und Decken; da können wir mit aller Bequemlichkeit lesen und denken, etwas befürchten und ohne auf etwas anderes achten zu müssen. Das Kameel schreitet stets regelmäßigen und sicheren Schrittes einher; es tritt nie fehl, es erschrickt über nichts, es macht keine plötzlichen Bewegungen. Komme, was da wolle, und steht nie stille, als wenn ihnen der Weg ausgeht. Sein geräuschloser Tritt stört in nichts die feierliche Stille der Wüste. Kaum daß es sich erlaubt, durch heftiges Stampfen des Bodens ein Zeichen der Ungeduld zu geben, wenn es gar zu arg zu den großen, schwarzen, käferförmigen Parasiten gequält wird, die sich besonders zwischen seinen Vorderfüßen festsetzen.

„Seine Mäßigkeit wäre geradezu unglaublich, wüßte man nicht, daß die fettige Masse seines Höckers die Nahrung erhält. Als ich gegen Ende der Reise nichte ward, weil ich nicht mehr Rückhalt an meinem Thiere fand, kam ich auf den Gedanken, seinen Höcker zu untersuchen. Derselbe war ganz verschrumpft und auf die Seite geneigt. ,Es hat viel gearbeitet und wenig gefressen,‘ sagt der Kameeltreiber, ,das höhlt den Höcker aus.‘

„Unsere Kameele hatten einen so regelmäßigen Schritt, daß wir uns desselben hätten bedienen können, um mit ziemlicher Genauig

10*

teilt die Entfernungen zu messen. Ihr Schritt betrug 80 cm; deren kamen 71 auf die Minute, was auf die Stunde einer Weg von beiläufig 3600 m gab. Dagegen machen, wie mir Mjgr. So= garo sagte, die schweren Karawanen von Suatin nur 3 km die Stunde.

Unsere Kameeltreiber zeigen uns rechts vom Wege einige röth= liche Marmorsteine ohne Werth, Reste von Ausgrabungen, die vor beiläufig 20 Jahren von Europäern veranstaltet worden sind. Wir kreuzen in der Folge mehrere Wadis, weniger tief, weniger breit und nicht so grün als der Samur, die alle sich in südwest= licher Richtung hinziehen. Bei Einbruch der Nacht lagern wir uns in einem dieser Wadis, der den Namen Abu=Rise hat und der uns eine Fülle von Reisig und gute sandige Lagerstellen bietet. Uns war auf denselben so wohl, daß einer sagte, er fühle sich versucht, sein Bett in Kairo mit einer Kiste voll Sand zu vertauschen.

Anderen Morgens heißen uns nach dreiviertelstündigem Marsche die Treiber absitzen und zeigen uns zur Seite des Weges ein Loch von eines Meters Tiefe, eingegraben in zerrissenen Kall= stein. Hält man das Ohr in die Nähe, so vernimmt man ein Geräusch, ähnlich dem eines Gießbachs, der durch Felsen hin= braust; auch strömt aus demselben ein Wind, stark genug, um ein Kerzenlicht auszublasen. Es ist höchst wahrscheinlich, daß dies Loch mit einem unterirdischen Flusse in Verbindung steht, der, indem er sich in ein sehr abschüssiges Bett wirft, diesen Luftstrom erzeugt. Anderthalb Stunden weiter kreuzen wir einen schönen Wadi von geringer Tiefe, aber voll kochenden Grüns. Nichts Zierlicheres als diese Coloquinten, die sich in dem Sand hinziehen. Man stelle sich einen Kreis vor von 3–4 m Durchmesser, be= kränzt von dunklem Grün, das als Bett dient für ein Hundert kleiner, vollkommen kugelförmiger Kürbisse von der Dicke schöner Orangen, deren Farben je nach dem Alter der Früchte alle Spiel= arten vom Dunkelgrün bis Goldgelb durchlaufen. Irre ich nicht, so ist dies der Wadi Abu=Debal. Ich muß indes gestehen, daß ich mich wenig um die Namen so untergeordneter Oertlichkeiten interessire. Solange nicht eine verläßige Karte die Namen fixirt hat, wird der Reisende oft gezwungen, seine unwissenden Kameel= treiber zu befragen, welche die Namen verstümmeln und verwechseln, so daß es schon jetzt schwer ist, sie in den Schriften der wenigen Reisenden wieder zu finden.

Unfern von da zieht sich die Wasserscheide hin in fast süd= licher Richtung. Alle Wadis, die wir bisher kreuzten, führen das Regenwasser zum Nil und Mittelmeer; die kommenden wenden die ihrigen dem Rothen Meere zu.

Nach vierstündigem Marsche überstiegen wir gegen 10 Uhr den Keleil in einer Schlucht, in der die Karte des P. Sicard die Ruinen eines Klosters verzeichnet. Wir konnten diese nirgends entdecken; aber indem wir auf den nächstliegenden Hügeln sie suchten, fanden wir einige kleine Alabasterbänke, welche uns die schönen Säulen des morgenländischen Alabasters ins Gedächtniß zurückriefen, ambra= und milchfarben, wie sie in Mehmet Ali's Moschee zu Kairo und in St. Paul vor der Stadt zu sehen, oder die Mauerbekleidung gleichen Stoffs im Al Gesu zu Rom, die aus eben diesen Gegenden stammen. Die Rinnsale haben süd= westliche Richtung zum Wadi Omm=Argub, Nebenfluß des Samur.

Beim Austritt aus der Schlucht steigt der Pfad über Berg= trümmer in die weite Ebene Arabah (der Wagen) hinunter, die sich von Südwest nach Nordost bis zum Rothen Meere hin= zieht in einer Länge von 80 km und in einer mittleren Breite

von 25–30 km. Der Anblick ist großartig: zu Füßen eine graue Ebene, glatt wie das Meer; vor sich die schönen Kegel des Colzim, der sich zur Höhe von 1900 m erhebt; im Norden die steile Kette des nördlichen Galalagebirges, die sich an den Keleil anschließt; im Nordosten die Dämpfe des Rothen Meeres und in unbestimmter Ferne die Berge der Halbinsel des Sinai. Wir ziehen eine Zeitlang in nordöstlicher Richtung am Fuße des Keleil hin und halten um 11 Uhr unter einer mageren Acacia nilotica, die mindestens ebensoviel Dornen als Blätter hat. Die Acacia nilotica, von den Arabern saut genannt, ist einer der Bäume, aus dem die Anwohner des oberen Nil das Gummi arabicum gewinnen. In Aegypten wird er nur um seines Schattens und Holzes willen gepflanzt.

Am Fuße des Keleil besuchen wir die Quelle Ain=el=Atraide, die sich durch zwei bis drei Palmbäume dem Wanderer ankündigt. Sie entspringt aus einem weißen Kalkstein und sammelt sich in einer Vertiefung des Felsens. Ihr süßlicher Geschmack hindert die Beduinen und Kameele nicht, sie zu befruchen. Hier verläßt die Straße den Keleil und schneidet das Thal. Man sieht in der Ebene einige kleine Hütten, die bei Gelegenheit der Nachgrabungen entstanden, welche Figari=Bey auf Befehl von Said Pascha (1840–1847) nach Erdöl anstellen ließ. Ein gewisser Industrieritter ließ Oel von Cardiff am Rothen Meere auf Kameelen nach Bentisuef ver= führen als ein Product der Wüste, das man seiner gelehrten Erforschungen verdanke. Der Vicekönig ließ sich täuschen, sandte den Ingenieur und Naturforscher Figari und ließ die nöthigen Arbeiter vornehmen. Dieser fand nichts als eine harzige schwarze Masse, die, in einem Verfaulungsstadium begriffen, sich jeder Brauchbarkeit entzog.

Was den Wanderer am meisten auffällt, sind die langen, geraden, parallelen, gleichhohen Wälle, die auf einer Strecke von etwa 15 km das Thal in südlicher Richtung theilweise absperren. Es gibt deren eine beträchtliche Anzahl im ganzen nördlichen Theile der Arabah. Man sollte sie für Verschanzungen halten, von Menschenhand zur Vertheidigung eines Platzes aufgeworfen, oder für ungeheure Zeugen, die das Wasser zum Beweise seiner Arbeit zurückgelassen.

Diese Wälle sind sämmtlich eisenhaltiger Gries. Herr Schwein= furth hält dieselben für Meeresproducte und glaubt, der Boden der Arabah sei ebenso gehoben, wie jenseits die Berge der sinai= tischen Wüste, auf denen man in beträchtlicher Höhe Polypen findet, die in allem denen des Rothen Meeres gleichen.

Verschiedene Wadis oder Gießbachbette, in deren Flächen von der Sonne gespaltener Lehmerde auf kürzlichen reichlichen Regen schließen lassen, durchschneiden diese Wälle. Wir verbringen die Nacht in einem der Wadis und marschiren vor 6 Uhr gegen wei= ter in östlicher Richtung auf einen schwarzen Punkt zu, der sich allmählich vom Himmel als ein schöner Palmbaum abhebt. Die Mönche von St. Anton haben ihn mit kleinen Mauern um= geben, um dies schöne Auge der Wüste zu schützen, das weithin die Quelle Ain=el=Bueral ankündigt. Die Quelle selbst ist 500 m weiter in einer Felsenhöhle, und ihr Wasser hat einen leicht schwefeligen Geruch. Die Kameeltreiber sagen uns, es sei eine zweite Quelle mit Salzwasser am Fuße einer Atazie, die wir in ½ km Entfernung in nordöstlicher Richtung gewahren.

Weiterhin finden wir auf unserem Wege einige Haufen von Gypssteinen, die zum Gebrauche des Klosters gesammelt sind. Gegen 11 Uhr werden die blauen Gewässer des Rothen Meeres über den Wänden des Thales sichtbar; vor uns erscheint ein langer weißer Streifen am Fuße des Cotzim. Gegen diesen weißen Felsen, sagen unsere Führer, lehnt sich St. Anton. Bald entdecken wir wirklich die Umfassungsmauern des Klosters, die in größerem Maßstabe wie einer unserer Dorfkirchhöfe sich ausnehmen. Man sieht nur eine weiße Mauer ohne jede Oeffnung, über die eine Menge Palmbäume ihre Häupter erheben. Rundum nur Sand und Felsen."

9. Im Kloster St. Antonius.

„Um halb 2 Uhr stehen wir vor den Thoren des Klosters, am Fuße einer gewaltigen Mauer von 12—15 m Höhe und 200—300 m Länge. Suchet nicht nach einem Thore; es gibt keines. Ihr findet in der Mauer nur eine halbkreisförmige Nische, 3½ m breit, 8—9 m hoch, und darüber eine Oeffnung von denselben Dimensionen, in halber Höhe mit durchbrochenem Holzwerk

in Gestalt eines Balkons umgeben. Kaum haben wir die Klosterglocke gezogen, die dicht bei der Nische hängt, so erscheinen auch schon die braunen, mit schwarzen Turbanen umwickelten Köpfe mehrerer Mönche in den kleinen Fenstern des Holzwerkes. „Wir sind Pilger, die euch besuchen wollen; hier ist ein Brief eures Obern, des Bischofs von Benisuef."

„Eine Fallthüre öffnet sich mit Gekrach in der Decke der Nische, und rasch fährt ein Mönch hernieder, hängend an einem Strick, dessen Endknoten er zwischen die Füße klemmt. Es ist der zum Empfange bestimmte Mönch. Er ist bekleidet mit einem weitärmeligen Ueberrock von schwarzem Sarsche, vorne offen, ähnlich der Tracht der Oberägypter. Er begrüßt uns höflich und ladet uns ein, ins Kloster hinaufzusteigen, indessen andere Mönche herniedergleiten, um sich unseres Gepäckes zu bemächtigen.

Das Kloster des hl. Antonius.

„P. Sicard wurde 1716 in einem großen Korbe emporgehißt. Bei uns war die Sache weniger bequem. Der dicke Strick, der in der Mitte der Nische hängt, theilt sich an seinem Ende in zwei Arme, deren jeder in einen starken eisernen Haken endigt. Man stellt sich nun, die Nase vor dem Strick, zieht die beiden Enden unter der Achsel durch, befestigt hinter dem Rücken die beiden Haken ineinander und hält mit den Händen die beiden Strick-Enden vor der Brust krampfhaft umschlungen. Nun ist alles zur Auffahrt bereit. Ein Zeichen ertönt, und man ist mit Blitzesschnelle 8½ m emporgehißt bis über die Fallthüre, wo ein Mönch einen mit den Armen um die Mitte des Leibes packt und auf die Seite zieht. Glücklich, wer beim Hissen nicht aus der Senkrechten gewirbelt wird und so seine Schultern an die Steine der Mauern schlägt.

„Oben angekommen, sieht man sich von einer Schaar Mönche umringt, welche sofort damit beginnen, die übrigen Höflichkeiten

am einem zu vollziehen, und mit Befriedigung die schöne Winde mit vertikaler Are zeigen, die von zwei Mönchen bedient wird und um welche der Strick der Hebemaschine läuft. Allerdings eine Einführungsceremonie, wie sie bei ehrlichen Menschen sich nur selten im Leben ereignet. Klosteresel und Klostergaul gehen, wie man uns versichert, auf dieselbe Weise ein und aus.

„Beim Austritt aus dem Elevator steigt man über eine offene Stiege auf eine große Plattform hinab. Vor sich hat man ein ganzes Dorf von kleinen, mehr oder minder in Reihen stehenden Hütten, welche von den weißen Kuppeln der Kirchen und dem viereckigen Zwinger überragt werden, der im Angriffsfalle als Zufluchtsort dient. Alles das hebt sich von einem grünen Hintergrunde von Palmbäumen ab.

„Man führt uns zum Vikar durch eine Straße, wie sie arme Dörfer von kleinen, mehr in der Provence oder Italien durchschneiden. An beiden

Seiten stehen kleine Häuschen von Stein und Lehm, 3—4 m breit, nur mit einem einzigen Fensterchen über der Thüre und einer mäßigen Oeffnung für das Zimmer des obern Stockwerkes. Das sind die Wohnungen der Mönche; jeder hat sein Häuschen. Die Wohnung des Vikars ist ähnlich, nur daß sie ein wenig geräumiger ist und daß die Thür zunächst auf einen kleinen Vorflur führt. Der Vikar, ein hoher Greis von 70 Jahren, fast blind, sitzt im Hintergrunde des Zimmers auf einem langen gemauerten Divan, der die ganze Breite des Raumes einnimmt. Der Tag dringt nur durch ein armseliges, kleines Fenster herein; alles ist elend und unsauber. Eine Tabaksdose, Schibuks, arabische Schuhe, einige alte Kissen und Fetzen von Teppichen liegen bunt durcheinander.

„Der Vikar empfängt uns mit Herzlichkeit. Die Mönche, welche allmählich das Zimmer erfüllen, heißen uns willkommen. Unter ihnen befindet sich ein junger Mönch, den wir vor zwei Jahren in den Klöstern von Nitrien getroffen haben. Infolge unseres Besuches kann er nach Kairo, bat uns um Unterricht im katholischen Glauben, verschwand aber nach einigen Tagen. Zweifelsohne haben ihn seine Obern nach St. Anton geschickt, als an einen festen Platz, um dem nicht leicht zu entkommen, sollte er sich noch einmal versucht fühlen, katholisch zu werden. Wir sind offenbar für alle die Gegenstand einer mit Wohlwollen gepaarten Neugier; denn diese armen Leute haben seit mehr denn 40 Jahren keinen Fremden gesehen. Auch wir haben viele Fragen zu stellen; alles ist hier unbekannt und erinnert sogar nicht an das, was man anderswo zu sehen gewohnt ist. Zunächst wollen wir uns an die Geschichte des Klosters erinnern.

„St. Antonius hatte sich in eine alte Burg zurückgezogen, welche in Trümmern lag und sich auf einem der Berge des rechten Nilufers befand, hoffend, dort von den Menschen getrennt in beständigem Gebete leben zu können. Allein die Kranken und Beseßenen kamen bald seinen Aufenthalt ausgekundschaftet und kamen in Schaaren, um Heilung von ihm zu erflehen. Auch hochgestellte Personen kamen, ihn zu besuchen. Vor der Versuchung der Eitelkeit sich fürchtend, beschloß er, sich in der obern Thebais zu verbergen. Während er am Flusse des Ufers auf eine Barke wartete, die er besteigen könnte, um sein Vorhaben auszuführen, sprach eine himmlische Stimme zu ihm: ‚Willst du der Ruhe genießen, so verzichte auf deinen Plan und ziehe dich in die Tiefe der benachbarten Wüste zurück; du nimmst von dort die Saracenen nachzuziehen, welche sie in diesem Augenblicke durchziehen; sie werden dir den Weg zeigen.‘ Er gehorchte und gelangte nach einem Marsche von drei Tagen und drei Nächten an den Ort, an dem Gott wollte, daß er wohnen sollte.

„Der hl. Hieronymus beschreibt denselben mit folgenden Worten: ‚es ist dies ein felsiger Berg von ungefähr tausend Schritten. An seinem Fuße entspringen Wasser, von denen einen Theil der Sand verschluckt. Ein anderer, der weiter strömt, bildet allmählich ein Bächlein, an dessen Ufern man eine große Anzahl Palmbäume sieht, die sehr dazu beitragen, diesen Ort bequem und angenehm zu machen.‘ Man nannte diesen Berg Kolzim; seitdem heißt er St. Antonsberg. Der Altvater erkannte hier die Wohnung, die Gott ihm bestimmt, und ließ sich um so lieber hier nieder, als die Araber, mit denen er gezogen, die einzigen waren, die ihn kannten. Seine Zelle war sehr eng; sie hielt ins Geviert nur soviel Raum, als ein Mensch mit ausgestreckten Beinen einnimmt. Es befanden sich daselbst noch zwei andere in Fels gehauen und von gleicher Größe, zu denen man nur schwer gelangen konnte.

„Er konnte nicht lange verborgen bleiben. Einige seiner Jünger entdeckten sein Versteck und kamen, ihre Zellen am Fuße des Berges aufzuschlagen, um seines Beispiels und seiner Unterweisungen zu genießen; sie errichteten daselbst eine Kirche, in welcher der Ueberlieferung zufolge der Erzvater zu beten und die Einsiedler zu unterrichten pflegte. Diese brachten ihm dafür das nöthige Brod an seine Grotte. Antonius, der ihnen diese Mühe ersparen wollte, bat sie um einen Spaten, eine Sichel und etwas Korn, womit er ein kleines Stück Land bestellte, das für seinen Unterhalt genügte und ihm die Freude bereitete, fürder niemanden zur Last zu fallen. Er that auch einige andere Arbeit. Denn als ein Jahr nach seinem Tode der hl. Hilarion seinen Aufenthaltsort besuchte, führten ihn die Jünger des hl. Anton zu einem Garten mit den Worten: ‚Hier pflegte er die Psalmen zu singen; hier ruhte er, wenn er ermüdet war; er selbst hat diese Rebe, jenen Busch gepflanzt; er selbst hat diese Tenne gebaut; er selbst hat diesen Wasserbehälter gegraben, um den Garten zu bewässern.‘ Sie erzählten weiter, als vor drei Jahren wilde Esel, die zum Saufen kamen, ihm sein Gemüsebeet verwüstet hatten, habe er dem ersten Einhalt geboten, ihn leise mit dem Stocke auf die Flanken geschlagen und gesagt: ‚Warum frissest du, was du nicht gesäet?‘ Seit jener Zeit richteten diese Thiere kein Unheil mehr an.

„Um den Fremden beizuspringen, die bei seiner Liebe und Erleuchtung Hilfe suchten, ohne die Vortheile seiner Abgeschiedenheit zu verlieren, ließ er das Kloster Pispir am nächstgelegenen Nilufer bauen, wo er von Zeit zu Zeit Besuche empfing. Da er kraft göttlicher Mittheilung wußte, daß sein Ende nahe sei, wollte er noch einmal die Einsiedler des äußern Berges, unfern des Flusses, besuchen, um ihnen ein letztes Lebewohl zu sagen. Nach diesem Besuche zog er sich in seine gewöhnliche Siedelei zurück, und als er bald darauf krank wurde, rief er zwei Einsiedler, die ihn seit 15 Jahren wegen seines Alters bedient hatten: ‚Fliehet über alles‘, sagte er ihnen, ‚die Schismatiker und Häretiker! Berget meinen Leib unter die Erde und machet, daß niemand außer euch wisse, wo er ruht. Ich hoffe, daß mein Heiland ihn mir bei der Auferstehung unverwes-lich zurückgeben wird.‘ Darauf bot er ihnen den Friedenskuß und gab seinen Geist auf, den 17. Januar des Jahres 356, 105 Jahre alt.

„Gott wollte indes nicht, daß der Leib seines Dieners für immer verborgen bleibe. Er ward infolge einer Offenbarung unter Justinian im Jahre 561 entdeckt, nach Alexandrien und endlich nach Frankreich gebracht in ein Kloster seiner Mönche, welches heute das kleine Dorf St. Antoine in der Diöcese Grenoble ist, 10 km von St. Marcellin.

„Den Ueberlieferungen der Mönche zufolge hätte der erste Klosterbau im Jahre 315, zu Lebzeiten des hl. Antonius stattgefunden; seitdem wäre dasselbe nur einmal verlassen worden, nämlich zur Zeit der Eroberung Aegyptens durch die Saracenen. Die Mönche gaben aus Furcht vor der Barbarei der Sieger ihre beiden Klöster auf, die 70 Jahre hindurch der Entweihung durch die Araber preisgegeben blieben. 758 kamen die koptisch-schismatischen Mönche und ließen sich daselbst nieder, um bis heute zu bleiben.

„Bauten und Umfang des Klosters sind heute beträchtlicher, als sie zur Zeit waren, da P. Sicard sie besuchte. 1859 ließ der Patriarch Cyrillus, ehemaliger Mönch zu St. Anton, eine neue Umfassungsmauer von bedeutend größerem Umfang errichten, um die Quelle und alles bebaute Land darin einzuschließen. Die

Sammlung, die er zu diesem Zweck in allen Kirchen Aegyptens abhalten ließ, ermöglichte außerdem den Bau einer neuen Kirche, mehrerer Speicher und von zwei Reihen Zellen.

„Unsere liebevollen Wirthe zeigen uns die Quelle und den Garten des hl. Antonius, seine alte Kirche, kurz alles, was uns in und am Kloster interessiren kann. Morgen werden sie uns zur Grotte am Berge führen, dort die heilige Messe zu lesen.

„Die neue Umfassung des Klosters bildet ein unregelmäßiges Fünfeck von mehr als 1 km im Umfang; sie umspannt die alte Mauer von allen Seiten mit Ausnahme der nordwestlichen gegen die Ebene der Arabah. Die Mauer, 10—12 m hoch und mindestens 2 m dick, endet in einen Weg, der nach der Außenseite durch eine Brustwehr gedeckt ist. Zwei oder drei Thürmchen

und einige in den Stein gemeißelte Kreuze sind ihr ganzer Schmuck. Der umschlossene Raum beträgt über 6 ha, von denen auf die jüngste Erweiterung etwa die Hälfte kommt.

„Die Quelle liegt auf der Bergseite dicht an der Mauer, unter einem schneeweißen Kalkfelsen, geziert mit schönen Büschen; sie fließt über bunte Kiesel und entwickelt einen ausgesprochen schwefeligen Geruch; ihre Temperatur, kaum höher als die Durchschnitts-temperatur des Jahres, beträgt 23—24° und läßt darauf schließen, daß sie aus nicht allzu großer Tiefe kommt. Die Oeffnung ist armesdick, und sie bewahrt, wie man uns sagt, stets dieselbe Weite und Wärme. Wir konnten den Salzgeschmack nicht wahrnehmen, den mehrere Reisende beobachtet haben. Kommt man von der Quelle herab und tritt man in die alte Umfassung, so um-

Eingang in das Kloster des hl. Antonius. (S. 77.)

jängt den Besucher ein Schatten, dem die Wüste eine besondere Frische und ungewohnten Reiz verleiht. Dattelpalmen, Oelbäume und Terebinthenbüsche wechseln mit kleinen Feldern, auf denen die Mönche schönes Gemüse und kräftiges Gras ziehen. Einige Mimosen mit tausend kleinen Gold-Blütenbüschchen durchwürzen die Luft. Hohe Palmbäume, hier und dort vertheilt, beherrschen alles mit ihren langen Blättern und lassen nur ein gemildertes Licht auf diese Gärten fallen. Diese herrliche Oase könnte noch mehr Anmuth und Frische entwickeln, wenn sie von fleißigeren Händen bebaut würde; aber diese guten Mönche haben keine Ahnung von der Zierlichkeit und Eleganz, die unsere kundigen europäischen Gärtner ihren Beeten zu geben wissen. Sie lassen ihren Garten in einem etwas vernachlässigten und verwilderten Zustande. Thun sie es vielleicht, um uns mehr an die Strenge

des heiligen Abtes zu erinnern, der diesen Winkel der Wüste be-wässert und bepflanzt hat?

„Die alte Kirche von St. Anton befindet sich zwischen dem Garten und den alten Zellen. Treten wir mit Ehrfurcht ein in diesen heiligen Ort, und beten wir einige Zeit auf den Knien vor dem Heiligthume mit dem Eifer von Pilgern, die am heiligen Ziele einer beschwerlichen Wallfahrt stehen; beten wir für unsere Brüder und mehr noch für diese armen Mönche, die ein elendes Leben im Schatten des Todes fristen, weit von der wahren Kirche des hl. Paulus und Antonius. Ihre Rückkehr zur Kirche würde vielleicht die Bekehrung mehrerer Bischöfe zur Folge haben, und diese ihr Volk in den Schafstall des wahren Hirten hinüber-führen. Die Richtung der Kirche geht von Südwest nach Nordost. Sie ist 20 m lang, bei einer Breite von 10 m. Ihr Plan ist

nach dem unabänderlichen Muster der alten griechischen und koptischen Kirchen, eine Nachahmung des Tempels von Jerusalem:
ein längliches Viereck, der Breite nach in vier Theile gegliedert,
zwei für das Volk, einer für die Priester, der letzte als Heiligthum. Das letztere ist durch ein hohes Holzwerk abgetrennt,
dessen drei Thore drei einzelne, freistehende Altäre und hinter denselben eine Nische oder Apside sehen lassen. Alle diese Theile des
Gebäudes sind von Kuppeln überragt.

„Der am weitesten vom Heiligthum entfernte Theil ist der
älteste. Die Mauern desselben sind mit Gemälden altbyzan-
tinischen Stiles bedeckt; ungeachtet der Verheerungen der Zeit
sind noch die Gestalten von Kriegern, Engeln, Aposteln und das
Kind Jesus in den Armen seiner heiligen Mutter kenntlich. Rechts
von der Eingangsthüre gewahrt man einen römischen Krieger zu
Pferd, das Haupt von einem Heiligenscheine umgeben und eine
Lanze in der Hand. Darunter ist eine große Kirche mit zahlreichen Kuppeln abgebildet. Sollte es nicht die Sophienkirche
sein und der Kaiser Constantin, den die Griechen als Heiligen
verehrten? Ihm zur Seite ist ein anderer Reiter, ebenfalls mit
Heiligenschein. Diese Gemälde scheinen uns den ersten Jahrhunderten byzantinischer Kunst anzugehören; sie verdienten, von irgend
einem gelehrten Archäologen studirt zu werden. Dieser erste Theil
der Kirche von St. Anton ist von der übrigen Kirche durch eine
kleine Mauer getrennt, überragt von einem etwas zugespitzten
Bogen. Der Eingangsthüre gegenüber befindet sich eine kleine
dunkle Seitencapelle.

„Das Kloster besitzt noch drei andere Kirchen: die der hl. Petrus
und Paulus. Dieselben wurden zum Gebrauch der Mönche vor
zwei Jahrhunderten gebaut und liegen dicht neben der andern,
von der sie nur durch einen Kreuzstein getrennt werden, der zum
Garten führt. Die Kirche des hl. Marcus ist einem Laienbruder
dieses Namens gewidmet, der im Kloster im Rufe der Heiligkeit
verstarb. Eine dritte Kirche endlich stößt an die nördliche Seite
der neuen Umfassungsmauer. Alle diese Kirchen sind, wie die
des hl. Antonius, in vier Theile getheilt. Jeder dieser Theile
ist wieder in drei Räume gegliedert, deren jeder seine Kuppel hat.
Jede Kirche wird somit von zwölf weißen, gleich großen, sym-
metrisch in drei Reihen stehenden Kuppeln überragt.

„Zwischen der Kirche der Mönche und ihren Zellen erhebt sich
ein dicker, viereckiger Thurm, der zum Zufluchtsort bei einem
Angriffe dient. Man gelangt über eine Fallbrücke, welche auf
die Terrasse der benachbarten Zellen führt, hinein, und findet im
Innern alles für eine lange Abwehrung Nöthige: Wasserleitung,
Herd, Speicher, Kapelle ꝛc. Dieser Zwinger ist weniger beträchtlich und minder fest als die der Klöster Nitriens und scheint vernachlässigt. Offenbar vertrauen die Mönche von St. Anton mehr
auf ihre Mauern; auch stehen die Beduinen des Gebirgs augenblicklich in besserem Leumund als die von Nitrien.

„Man zeigt uns noch unsern vom Thurme einen alten, feuchten,
gewölbten Saal. In der Mitte ist aus Stein eine Art Speise-
tisch erbaut, zu dessen beiden Seiten sich kleine Mauern von der
Höhe einer Bank hinziehen. Dieser Saal dient, wie man uns
belehrt, den Mönchen als Refectorium während der Fasten. Sie
kauern sich alsdann auf die kleinen Mauern und nehmen ihre
Mahlzeit von dem großen Steintisch ein. Während des übrigen
Jahres holt sich jeder seine Portion in der gemeinsamen Küche
und verzehrt sie, wo es ihm gut scheint.

„Die guten Mönche stellten uns für das Abendessen und die
Nacht einen reinlichen und neuen Saal zur Verfügung, der ohne

Zweifel für Fremde reservirt ist. Man bringt uns unsere Nahrungsmittel auf einer ungeheuern Metallplatte von 1,25 m Länge, die
man auf einen Sessel in die Mitte des Saales stellt. Wir lauern
uns nach arabischer Sitte auf Teppichen herum. Ein Hammel,
in Butter schwimmende Bohnen und Honig bilden unser Mahl.
Es scheint, einer von uns hat gefragt, ob man noch im Kloster
jenen Wein aus getrockneten Weinbeeren mache, von dem P. Sicard
spricht, und den er für die heilige Messe zurückwies, in diesem
Puncte strenger als unsere heutigen Gottesgelehrten. Der P. Oeconomus brachte uns davon am Schluß des Mahles, indem er
uns erklärte, er sei bereitet aus trockenen Trauben der griechischen
Inseln, deren Beeren einzeln ausgesucht und in einer bestimmten
Menge Wasser in Gährung versetzt werden.

„Die Ordensleute bereiteten uns eine angenehme Ueberraschung,
indem sie während der Nacht ein großes vermauertes Thor durch-
schlugen, das der Regel gemäß nur für die Patriarchen geöffnet
wird, und einmal im Jahre, um den Hotzvorrath des Klosters
einzunehmen. Der Abuna Hanna-Massehudi, der Oeconomus und
die rechte Hand des Abtes, ist ganz glücklich, uns die „Ehren
des Thores" anzuthun, und mehrere Mönche erwarten uns, um
sich über unsere Freude zu freuen.

„Der Abuna Hanna wird uns zur Grotte geleitet; ein junger
Beduine, schwarz wie ein Abessinier, das Gewehr auf dem Rücken,
die Brust behangen mit Pulverbüchsen, die an einer alten Schärpe
hangen, bemächtigt sich, von seinem jüngern Bruder gefolgt, des
Koffers, der unsern Tragaltar enthält. Der Pfad, der zur Grotte
St. Anton führt, steigt gegen Südwesten auf zwischen Trümmern
und Erdmassen, die vom Berg heruntergekommen. Steinhaufen,
die von Zeit zu Zeit an hervorragenden Puncten aufgethürmt sind,
geben dem Pilger die Richtung an. Nach einer halben Stunde
angestrengten Marsches hieß uns der Abuna hinter einem Felsen
in einer Umwallung von lose aneinander gelegten Steinen halten.
„Das sind die Reste der Zelle, in welcher Paul der Einfältige,
ein Schüler des hl. Antonius, gewohnt hat", sagte er. „Wenn
der heilige Altvater Kranke oder Besessene hatte, die er nicht zu
heilen vermochte, sandte er sie zu seinem Schüler, überzeugt, daß
Paul der Einfältige hierin eine reichere Gnade erhalten habe.
Sehet diesen dicken Stein, der über 100 Pfund wiegt; eines Tages
legte ihn Paul der Einfältige auf sein Haupt, indem er zu Gott
sprach, er werde ihn nicht herunternehmen, bis er die Heilung
eines Besessenen erlangt hätte, den man ihm zugeführt hatte.'
Ich weiß nicht, welche Glaubwürdigkeit man diesen Ueberlieferungen
der Mönche beimessen darf. Jedenfalls veranschaulichen uns diese
kleinen Steinumwallungen von 3—4 m Länge, hinter einem großen
Felsen vor dem Seewinde geschützt, recht gut jene Zellen, welche
die Mönche der Wüste an Einem Tage erbauten und dem ersten
besten schmerzlos überließen.

„Wir ersteigen während einer Viertelstunde einen immer ab-
schüssigern Abhang. Endlich gelangen wir auf eine kleine Terrasse
von wenigen Schritten, am Fuße eines langen, zugespitzten Felsens
von 300 m Höhe. Hier ist der Eingang zur Grotte. Wir sind
2 km südwestlich vom Kloster, 270 m über der Kirche von St. Anton, 680 m über dem Rothen Meere und befinden uns auf dem
28.° 55' n. Br. und dem 30.° 3' ö. L. Die Fernsicht erstreckt
sich über die Araba, auf das Galala-Gebirge im Norden und auf
das Rothe Meer; aber ein großer Hügel von Bergtrümmern verdeckt uns das Kloster.

„Wir folgen mit frommem Schauer dem Abuna in den kleinen
unterirdischen Gang, der zur Grotte des Heiligen leitet. Er mißt

bei 10—12 m Länge im Durchschnitt nur 1,60 m in der Höhe und 0,60 m in der Breite. Am Ende steigen wir über zwei hohe Stufen in die Höhle. Grotte und Gang sind offenbar durch Gewässer in den weißen Kalkstein des Berges gegraben. Sie mißt von Ost nach West 7 m in die Länge, vom Eingang gerechnet, 2 m in die Breite und ist etwa 3 m hoch. Am östlichen Ende weitet sie sich rund aus; im Westen verjüngt sie sich und verläuft in eine Felsenspalte. In der Mitte befindet sich ein roher Altar aus zerbröckeltem Gestein.

„Der Abuna Hanna erleuchtet das verehrte Heiligthum mit einer Anzahl kleiner Kerzen, die er an die Felswände klebt, indes wir beten und uns zur heiligen Messe bereiten, die ersten vielleicht, die an diesem heiligen Orte gelesen. Stets werden wir als einen der schönsten Momente unseres priesterlichen Lebens dies heilige Opfer schätzen, dargebracht in einer Höhle der Thebais, die Zeugin der Buße des großen Antonias und Wiege des Mönchslebens war.

„Beim Austritt aus der Grotte zeigte man uns in einer Höhe von 8 m der Felswand zwei Oeffnungen, der des Ganges ähnlich, zu denen man nicht ohne Gefahr gelangen kann; sie führen zu einer zweiten ganz ähnlichen Grotte. Der kleine Beduine versuchte vergeblich durch eine Felsenspalte dahin vorzudrängen.

„Die Mönche von St. Anton und St. Paul haben dieselbe Lebensweise, dieselbe Regel und beinahe dieselben Gebräuche, wie die zwei Klöster, welche in der öden Wüste von Scete und Nitrien an die ersten Zeiten des Mönchthums erinnern. Dreimal des Tages beten sie das Officium in der Kirche. Diejenigen, die geistlich werden wollen, lernen lesen und arabisch schreiben, oder üben sich, ihr koptisches Ritual zu entziffern, ohne sich zu bemühen, es zu verstehen; den Rest der Zeit verwenden sie auf häusliche Arbeit oder auf gemeinschaftliches Rauchen des Schibuk an den Thüren ihrer Zellen. Ihre ganze Bibliothek besteht in einigen alten, im Thurm eingeschlossenen Büchern, die niemand liest. Ihre Unwissenheit auch in religiösen Dingen ist groß. Diese Mönche, entartete Nachkommen der 80 000 Mönche, die Aegypten zur Zeit des hl. Pachomius bevölkerten, sind ein todter Zweig, abgefallen von dem großen Baume, an dem einst die ganze Welt die schönsten Blüten der Tugend bewunderte. Jetzt ist es nicht mehr die Liebe zum Gebet und zur Buße, was sie in die Einsamkeit führt. Die einen kommen in der Hoffnung, nach einigen Jahren eines friedlichen Klosterlebens zu irgend einem schismatischen Bischofsstuhle berufen zu werden; denn aus den Mönchen dieser Klöster erwählt man die Bischöfe Aegyptens und Abessiniens. Andere, und sie bilden vielleicht die Mehrzahl, scheinen im Kloster nichts weiter zu suchen als ein Hospiz, wo sie ohne Arbeit und Unrast eine ruhige, sorgenfreie Existenz finden. Diese Genossenschaft erinnert nicht an die Liebe zum Gebet und an unsere Asyle für Greise, denn an unsere Trappisten und Karthäuser.

„Die Mönche von St. Anton sind 19 an der Zahl, acht Priester und elf Brüder. Der Vikar (ghomos bulos) ist seit 50 Jahren

im Kloster und versieht sein Amt seit 30 Jahren. Er scheint milde und zurückhaltend; ich glaube, er läßt meistens die Mönche unter sich ihre kleinen Familienangelegenheiten schlichten. Der Oekonomus Abuna Hanna-Massehudi schien uns thätiger und einsichtiger, so daß es uns nicht überraschte, als wir nach unserer Rückkehr vernahmen, er sei statt Anba Jussef, der Bischof von Benisuef geworden, zum Obern des Klosters erwählt.

„Einer von uns fragte einige Mönche, wodurch sich ihre Tracht von derjenigen der Weltpriester unterscheide, worauf sie auf ein kleines, zwei Finger breites Band von schwarzem Tarsche wiesen, das vom Turban auf den Nacken fällt und sich unter dem Kleide verliert. ‚Das ist‘, sagten sie, ‚das Askim oder englische Kleid.‘ Ehemals war das Askim eine Art Pallium, das von den Schultern über Rücken und Brust fiel und dessen Saum mit verschlungenen Kreuzen verziert war. Man gab das Askim nur den vollkommensten Ordensleuten. Diejenigen, die damit bekleidet waren, mußten an bestimmten Tagen fasten und jede Nacht 300 Kniebeugungen und eine gleiche Anzahl Kreuzzeichen machen. Heute ist das vertheuerte

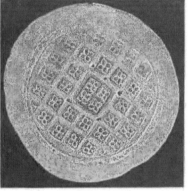

Koptisches Hostienbrod.

Askim allen Ordensleuten gemeinsam und verpflichtet zu keinerlei besonderen Kasteiungen. Wir erfahren noch, daß alle Priester des Klosters den Titel Ghomos oder Hegumen, d. h. Hirte, führen. Der Bischof ertheilt die Hegemonie durch einen besonderen Segen den Priestern, die zur Leitung der Seelen bestimmt werden. Ein Priester kann nicht zum Bischof geweiht werden, er sei denn zuvor zum Ghomos befördert. Die Priester feiern nur selten die heilige Messe. Man liest mir nie jeden Mittwoch, Freitag und Sonntag, wobei die Priester abwechseln. Das heilige Sacrament wird nie in ihren Kirchen aufbewahrt und nie den Gläubigen zur Anbetung ausgesetzt.

„Der Sakristan schenkte uns eines der kleinen, zur Consecration bestimmten Brode, dessen Abbildung wir hier beifügen. Dies Brod mißt 11 cm im Durchmesser und ist 2 cm dick. In der Mitte befindet sich ein in kleine Vierecke getheilter Kreis, den eine koptische Inschrift umgibt. Das Mittelviereck, größer als die anderen, ist mit einem Kreuze bezeichnet. Ganz in seiner Nähe sieht man fünf Löcher, drei oben und zwei unten. Sie stellen die fünf Wunden unseres Herrn dar. Nach der Wandlung trennt der Priester alles links, dann alles rechts vom Mittelviereck Befindliche, endlich das obere Stück. Was unter demselben, theilt er in drei Stücke, die er als Communion empfängt. Das Mittelstück läßt er in den Kelch fallen und nimmt es mit dem heiligen Blute, während die drei größeren Stücke für die Communion der Gläubigen dienen oder vom Celebranten genossen werden.

10. Von St. Anton nach St. Paul.

„Vom Kloster St. Anton bis nach St. Paul sind in der Luftlinie nur einige 20 km in südöstlicher Richtung. St. Anton liegt am nordwestlichen Abhange der südlichen Galalakette am Fuße des Colzim. St. Paul liegt am Fuße des Südostabhanges desselben Gebirgszuges auf der Seite des Rothen Meeres. Der Reisende, der St. Anton verläßt und über das Gebirge will, sieht sich den Weg durch eine lange Felswand mit zackigen Spitzen versperrt; er muß die Kette von der Seite des Rothen Meeres umgehen. Nachdem er etwa 15 km im Thal der Araba am Fuß der Berge hingezogen, kann er sich nach rechts wenden in den Wadi Rigbe, der durch die Felsen bis zum Kamm des Gebirges emporsteigt, und mag von da einen steilen Pfad nach St. Paul hinunter verfolgen. Alles in allem wird ihn neun Stunden kosten. Dieser Weg ist aber nur zu Fuß oder zu Esel möglich. Die Kameele müssen das ganze Gebirge, dort, wo es beinahe das Meer berührt, umgehen, was einen sechzehnstündigen Ritt erfordert. Wir werden den zweiten Weg machen. Wir wissen nicht, welchen Weg der hl. Antonius einschlug, als er den hl. Paulus besuchte. Der hl. Hieronymus berichtet nur, daß er zwei Tage durch steinige Flußbette ging und den andern Morgen die Höhle des hl. Paulus fand, indem er einer Wölfin folgte, die zur Tränke ging.

„Unsere Karawane setzte sich um die Mitte des Tages in Bewegung. Beim Austritt aus dem Kloster ließen wir rechts eine kleine, von Palmbäumen umgebene Quelle liegen und von Menschenhand aufgeworfene Erdhügel. Spuren der Nachgrabungen Figari Bey's nach dem vermeintlichen Erdöl. Der Weg verfolgt das Ostende der Araberwüste und führt durch Trümmer, die vom Gebirge rollten. Nichts schrecklicher als die steilen und dunkeln Schluchten, die sich vom Gatala herunterziehen; nichts Trostloseres und Unfruchtbareres als diese lange, von tausend Erdstürzen zerrissene Felsenkette.

„Die Nacht verbrachten wir auf dem Sande eines ausgetrockneten Gießbaches. Des andern Morgens, nachdem wir unsere Messe gelesen, gaben wir unsern Kameeltreibern vergeblich den wiederholten Befehl, aufzustehen und zum Aufbruch zu rüsten. Die armen Burschen blieben in ihren Decken eingewickelt und wiederholten mit schwacher Stimme das ewige „Hader, ich bin bereit". (Endlich streckt Hassan seinen Kopf aus der Hülle, schaut zum Himmel und ruft: (Es ist noch nicht Zeit; die beiden Sterne der Wage sind noch nicht angekommen, wo sie sein müssen.' Es war in der That erst 1 Uhr morgens. Wenig hätte gefehlt, und wir hätten unsere Messe vor Mitternacht gelesen. Indes unser Irrthum war ein glücklicher. Da wir schon um 2 Uhr aufbrachen, erreichten wir die letzten Höhen der Kette im Augenblicke, als die Sonne hinter dem Horeb und Sinai aufging. Das Schauspiel ist hinreißend. Der heilige Berg ist wahrscheinlich einer der letzten südlichen Gipfel jener großen wellenförmigen Kette (Serbal), die vor uns das ganze Sinaigebirge beherrscht und sich auf einem Himmel von Feuer abhebt. Licht, Leben und Wärme kommen uns vom dreimal heiligen Felsen, wo die wahre Sonne der Gerechtigkeit der Welt das Licht und das Leben des Sittengesetzes gebracht hat. Im Norden bedeckt ein leichter Nebel, der vor der Sonne zerfließt, mit sanften und geheimnißvollen Linien die Wasser des Rothen Meeres, diese Zeugen des großen Gotteswunders für sein Volt, wo versunken schlafen die Wagen und Krieger Pharao's.

„Kaum begrüßten wir den Pharos Zafaran, dessen großer weißer Thurm auf der äußersten Spitze einer sandigen Zunge hingepflanzt ist. Wir wendeten uns gegen Mittag, stiegen herab auf den Ufersand und machten um 9 Uhr Holt an Meeresstrande. Es ist eigenthümlich, daß dieser Golf von Suez, der 40 km breit ist, kaum mehr Eindruck auf uns macht als der Nil. Das liegt zweifelsohne an den großen Bergen des östlichen Ufers, weil höher, als die in unserm Rücken. Wir waren alle begierig, im Sande die hübschen Muscheln zu finden, welche die Beduinen in den

Straßen von Kairo mit ihren kleinen Dattelwürsten feil bieten. Die Ernte übertraf unsere Erwartung. Für alle fanden sich große Weihwassergefäße (Tridacna gigas) von 35 cm Länge, eine Anzahl schöner Kreisel (Strombus pugilis) u. dgl., mehr als wir tragen konnten. Die Flut ließ bei ihrem Rückzuge eine Felsplatte ganz bedeckt mit Tausenden kleiner, violetter Austern (Mytilus exustus), kleiner Schnecken mit dichten Häusern von allen Farben (Norita polita), Purpurschnecken (Purpura haemastoma) u. s. w. Diese beträchtliche Flut in einem etwas weniger langen, aber ebenso abgeschlossenen Meere als das Mittelmeer, brachte uns während unseres kleinen Mahles auf Physit zu sprechen. Der Unterschied zwischen dem höchsten und niedrigsten Wasserstand ist in Suez dreimal so groß als in Port Saïd. Hassan unterbrach uns, triumphirend brachte er einen hübschen Fisch von einem Pfund, mit braten Streifen; er hatte ihn mit der Hand gefangen. Da wir uns über den Fang verwunderten, erzählte er uns, daß Meer sei an dieser Stelle äußerst fischreich; die Mönche der beiden Klöster fingen an ein oder zwei Tagen den Bedarf für ein ganzes Jahr. In der That hatten wir im Kloster eine Anzahl dieser gesalzenen und an der Sonne gedörrten Fische bemerkt. Die meisten haben das Aussehen und die Größe eines bedeutenden Stockfisches.

„Wir durften uns nicht so lange aufhalten, wenn wir vor Nacht das Kloster erreichen wollten. Etwas nach Mittag brachen wir auf, die Dünen immer in südlicher Richtung durchkreuzend. Das Meer entfernte sich, das Gebirge trat näher. Vor uns, 50 bis 60 km entfernt, erhoben sich äußerst zierlich die phantastischen Umrisse des Gebel-Om-Gl-Tenašieb, welcher die Formen des Mailänder Domes ins Gedächtniß ruft. Weiter entfernt zur Linrea sieht man den Gebel-Charib, den höchsten Berg in diesen Gegenden und vielleicht in ganz Aegypten. Noch etwas weiter und noch etwas mehr links unterscheidet man mit einiger Anstrengung den Gipfel des Gebel-Zeit (Oelberg), an dessen Fuß Petroleumquellen und gute Schwefelminen in Ausbeute sind. Wir haben stets zur Rechten und ganz in unserer Nähe das Galalagebirge mit seinen tiefen schwarzen Furchen. In einem dieser Schlünde, dem Wadi Abu-Girf, hat der Reisende Wilkinson in den Felsen gehauene Grabkammern entdeckt, aus der Griechen zugeschrieben.

„Bald traten wir in das Bett eines ausgetrockneten Wildbaches, der von Süden kommt und nach Norden läuft; unsere Treiber nannten ihn Wadi-el-Deir (Klosterthal). Sie zeigten uns inmitten dieses breiten Bettes von Sand und Kiesel einen vereinsamten Felsen von 5 bis 6 m Höhe, der ganz mit kleinen Steinen bedeckt ist. „Wenn die Beduinen da vorbeigehen,' sagten sie, so werfen sie einen kleinen Stein auf den Felsen mit den Worten: Das ist das Herz der Mönche von St. Paul; seit uns so daraus gemacht haben. Wir nennen diesen Felsen Felsen (Gelb-el-Raheb, Mönchsherz.' Das erinnert uns an eine die bizarren Ceremonien, die den Mekkapilgern vorgeschrieben; sie müssen bei der Rückkehr vom Bairamfeste jeder 49 Steine auf drei kleine Bauwerke werfen, welche sie glühende Kohlen der Züchtigung nennen, und dabei ausrufen: ,Allah ist groß.' Hinter diesem Felsen wendet sich der Wadi-el-Deir gegen Abend und nähert sich dem Gebirge. Sein Bett verengt sich zwischen zwei zackigen Mauern von Lehm und Stein, die 6—7 m hoch sein mögen; es scheint von den Wassern durch das angeschwemmte Geröll gegraben zu sein.

„Es war Nacht, als wir am Fuße der Mauer ankamen; mehrere Mönche erwarteten uns mit Lichtern. Wie zu St. Anton eine Thüre, nicht einmal eine zugemauerte, sondern nur ein dicker Strid, um Fremde in das Kloster zu hissen. Mgr. Moreos ist als der erste hinaufgezogen; er ruft und bittet uns, ihm zu folgen, ohne uns durch das Gepäck aufhalten zu lassen. Ich greife also zum Strid und lasse mich aufziehen. Oben finde ich das Zimmer des Elevators ganz voll Mönche, die brennende Kerzen tragen, unter ihnen Mgr. Morcos, mit herrlichen bischöflichen Gewändern aus goldbestidtem violetten Sammet angethan. „Sehen sie,' sagt er, „wie sie mich bekleidet haben; ich habe sie machen lassen und werde suchen, daraus Nutzen zu ziehen.' Gleichzeitig wirft man mir ein breites roth-goldenes Scapulier über den Kopf. Offenbar hält man mich für den Apostolischen Vikar von Central-Afrika, der noch nicht gehoben ist; aber Mgr. Morcos verbietet mir allen Widerstand. Ich lasse mir also noch einen schönen Mantel gleicher Farbe umhängen. Sowie unsere Begleiter durch die Fallthüre erscheinen, gibt man ihnen Kerzen, und die Procession beginnt.

„Die Laienbrüder und Priester in ihrer gewöhnlichen Tracht mit Fadeln in der Hand gehen voraus; dann folgen drei Mönche in einer Linie mit Bannern, über denen ein Kreuz aufragt, das größte in der Mitte, darauf der Sängerchor und zwei Rauchfässer. Sie psalmodiren in näselndem Tone eine Art eintöniger Litanei, deren stets sich wiederholende Cadenz mit Cymbeln und Schellen begleitet wird, welche sie mit einem großen Nagel bearbeiten. Bei jeder Cadenz machen die Rauchfässerschwinger vor Mgr. Morcos eine tiefe Verbeugung und geben drei Züge. Alle wiegen und bewegen sich, während sie singen, nach rechts und links nach Art der Imans, wenn sie den Koran lesen. Alles das contrastirt seltsam mit der Würde und Sammlung des Mgr. Morcos in seinen bischöflichen Gewändern, das bischöfliche Kreuz in Händen.

„Es dauerte lange, bis wir die Kirche erreichen. Endlich ist Mgr. am Altare angekommen; auf sein Zeichen legt sich nun der Gesang und schweigen die Instrumente, und er hält den aufrecht vor ihm stehenden Mönchen eine warme Ansprache. Er dankt ihnen für die Ehre, die sie dem heiligen Stuhle Petri erweisen, dessen unwürdiger Diener er sei, ermahnt sie, sich zu vereinen mit der heiligen Kirche, die Jesus Christus gegründet und dem hl. Petrus vertraut habe. Er endigt mit einigen Ausrufen, auf welche alle mit Begeisterung antworten: „Amin, Amin', indem sie die Hand auf das Herz legen. Der Bischof wird sodann feierlich zum bischöflichen Stuhle geführt, einem Platze an der Epistelseite, in dem für die Cleriker reservirten Theil der Kirche. Nachdem er Platz genommen hat und der Gesang zu Ende, stellt sich einer der ältesten Mönche ihm gegenüber und verliest aus einem alten Ritual eine Art Willkomm und bittet um seinen Segen. Mgr. Morcos antwortet mit einigen Worten voll Würde und Liebe, indem er noch einmal auf die Nothwendigkeit und das Glück zurückkommt, dem wahren Statthalter Jesu Christi, dem römischen Papste, zu gehorchen. Dann segnet er alle Umstehenden mit dem metallenen Kreuze, worauf sich die Mönche zurückziehen, indem sie das Kreuz und die Hand des Bischofs küssen.

„Die kirchlichen Empfangsfeierlichkeiten sind vorüber, die bürgerlichen beginnen. Wir werden der im Zimmer des Vikars Abuna Jakub versammelten Communität vorgestellt. Alles, seine Zelle wie die Kirche, ist noch ärmlicher und unordentlicher als in St. Anton; auch die Mönche haben etwas Nachlässigeres und Bäuerischeres an sich. Kaum könten wir unter den Mönchen, die uns umringen, den Vikar erkennen. Abuna Jakub hat nichts, was ihn äußerlich unterscheide. Mittlere Größe des Leibes wie des Bartes, schüchternes Aussehen. Ein junger, dicker und starker Mönch spricht gewöhnlich für ihn. Die Mönche sind ihrer 25, neun Brüder und 16 Priester, von denen zehn den Titel Chomos haben.

Einer aus ihnen, Abuna Tadros, ist beinahe 90 Jahre alt und hat seit 60 Jahren das Kloster nicht mehr verlassen. Wenn wenigstens unser Besuch diese Seele gewinnen könnte, die ihrer Ewigkeit so nahe ist. Mehrere Mönche sind durch die Worte Mgr. Morcos' gerührt und wünschen ihn unter vier Augen zu sprechen. Mgr. Morcos verbringt einen Theil der Nacht mit diesen Unterhaltungen.

„Das Zimmer, das man uns anweist, jedenfalls das beste und bequemste und für Freunde bestimmt, hat kein Glas in seinem kleinen Fenster; sein Boden ist abgenutzt und an mehreren Stellen durchgetreten; die Decke ist die einer Hütte, indem einige morsche Balken Lagen von Palmblättern tragen. Alles das macht so sehr den Eindruck des Unsichern, daß man nicht ohne Vorsichtsmaßregeln sich hinein wagt. Unsere Wirthe sind denn auch weder überrascht noch beleidigt, als wir vorziehen, im Freien zu schlafen. Sie bereiten sich, uns Teppiche auf das Pflaster des Hofes nächst dem Elevator auszubreiten, woselbst wir eine angenehme Nacht verbrachten.

11. Die Grotte und das Kloster des hl. Paulus.

„Des andern Morgens hatten wir alle das Glück, die heilige Messe in der Grotte des hl. Paulus zu feiern, welche kurz nach dem Tode des Heiligen in eine Kapelle verwandelt worden ist. Hier wurde er mit dem wunderbaren Brode genährt, hier empfing er den Besuch des hl. Antonius, hier hauchte er mit zum Himmel gehobenen Händen seine Seele aus und gruben ihm zwei Löwen sein Grab. Doch hören wir den hl. Hieronymus, der uns diesem rührenden Schauspiele beiwohnen läßt:

„Paulus und Antonius umarmten sich gegenseitig mit inniger Liebe und verrichteten zusammen ihr Gebet, worauf sich Paulus neben seinen Gaste niederließ. — Sage mir, bitte, wie es in der Welt geht? Baut man daria neue Gebäude? Wie heißt, der gegenwärtig darin herrscht? Gibt es noch Menschen, die blind genug sind, die Götzen anzubeten? Indem sie sich also unterhielten, brachte ihnen ein Rabe ein ganzes Brod, das er in ihrer Nähe auf den Boden legte. Siehe, wie gut Gott ist, sagte Paulus; seit 60 Jahren sendet er mir täglich die Hälfte eines Brodes; heute, da du angekommen bist, verdoppelt er die Portion, um zu zeigen, wie er für sich sorgt, welche ihn lieben. Nachdem sie gedankt hatten, wollten sie sich gegenseitig die Ehre des Brodbrechens erweisen, indem Paulus sich auf die Vorrechte des Gastes, Antonius auf die des Alters berief. Endlich verständigten sie sich, und jeder faßte das Brod an seiner Seite und behielt, indem er an sich zog, dasjenige, was in seiner Hand zurückblieb. Die ganze folgende Nacht verbrachten sie im Gebete. Paulus sprach zu Antonius: Seit lange, mein Bruder, bin ich von deinem Aufenthalt in der Wüste unterrichtet. Meine letzte Stunde ist gekommen. Der göttliche Meister hat dich gesandt, meinen Leib zu begraben, damit du seine Erde der Erde zurückgebest. Als ihm Antonius von seinem nahen Tode reden hörte, zerschmolz er in Thränen und beschwor ihn, Gott zu bitten, daß er ihm nachfolgen dürfe. Deine Brüder, erwiederte Paulus, bedürfen noch deines Beispiels. Ich bitte dich, wenn es dir nicht zu beschwerlich ist, den Mantel zu holen, den der Bischof Athanasius dir gegeben, und ihn zu bringen, um mich darin zu begraben.

„Antonius wagte nicht zu widersprechen, sondern sich begnügend, reiche Thränen zu vergießen, küßte er ihm die Augen und Hände und kehrte zu seinem Kloster zurück. Das Verlangen, seinen Freund wieder zu sehen, trieb ihn zur Eile; er nahm den Mantel und kehrte schnellstens zurück.

11 *

„Kaum hatte er drei Wegstunden zurückgelegt, da sah er plötzlich die Gestalt des hl. Paulus in blendendem Lichte und von seligen Geistern umgeben zum Himmel schweben. Bei der Grotte angekommen, fand er den Leichnam des Heiligen knieend, mit erhobenem Haupte und zum Himmel gebreiteten Armen. Während der Heilige lebe noch, kniete er neben ihm, um zu beten; als er ihn aber nicht seufzen hörte, wie er es im Gebete zu thun pflegte, erkannte er, daß er todt sei, und warf sich um seinen Hals, um ihm einen traurigen Kuß zu geben. Er zog den Leichnam aus der Höhle, um ihn zu begraben, indem er die Hymnen und Psalmen nach kirchlichem Gebrauche sang. Da er aber kein Werkzeug hatte, das Grab zu graben, sandte ihm Gott zwei Löwen, die mit fliegenden Mähnen aus der Wüste herzuliefen. Antonius, anfänglich erschrocken, erhob seinen Geist zu Gott, ihn um Hülfe anzuflehen. Die Thiere aber näherten sich der Leiche des hl. Paulus, legten sich zu seinen Füßen, wedelten mit dem Schweife und stießen ein großes Gebrüll aus, um so nach ihrer Weise den Schmerz über seinen Tod zu bezeugen. Endlich scharrten und warfen sie mit ihren Klauen den Sand fort und stellten eine Grube her, groß genug, die kostbaren Ueberreste des Heiligen aufzunehmen. Gleich als wollten sie von Antonius den Lohn für ihre Arbeit fordern, kamen sie daran zu ihm, indem sie die Ohren reckten, das Haupt senkten und ihm Füße und Hände leckten. Antonius erkannte, daß sie um seinen Segen baten, und indem er Gott dankte, sprach er dieß kurze Gebet: Herr, ohne dessen Willen kein Blatt vom Baume fällt und nicht das kleinste Vöglein verdirbt, gib diesen Löwen, was du weißt, daß ihnen noth ist. Darauf gab er ihnen ein Zeichen, sich zurückzuziehen, nahm den heiligen Leib, legte ihn in den Graben und bedeckte ihn mit Sand. Antonius kehrte in sein Kloster zurück mit dem Kleide von Palmblättern, das der Heilige sich gefertigt hatte, und bekleidete sich damit jährlich an Ostern und Pfingsten.' —

„Die alte Kapelle des hl. Paulus ist eine in den Boden gebaute Krypta, zu der man über zwei Stiegen hinabsteigt. Das Ganze ist ein Viereck von 9 m in der Seite, nur durch eine kleine Kuppel erhellt. Die Kapelle blickt von West nach Ost und ist wie alle koptischen Kirchen eingerichtet, doch nur mit einer Scheidung, die das Heiligthum vom Schiffe sondert. Die Grotte des hl. Paulus bildet heute den nordwestlichsten Theil des Heiligthums und eine Art Seitenkapelle, die an die nördliche Wand sich anlehnt.

„An derselben Mauer befindet sich ein steinernes, mit einem Teppich bedecktes Grab. Der Mönch, den wir befragten, sagte anfangs schüchtern, es sei das Grab des hl. Paulus; dann aber gestand er, was wir übrigens schon wußten, daß man den genauen Ort nicht weiß, wo die Reliquien des Heiligen ruhen. Nach der Ueberlieferung der Mönche wollte der hl. Athanasius den heiligen Leib nach Alexandrien überführen; aber der hl. Paulus erschien ihm und sprach: Deine Anstrengungen sind überflüssig; ich will, daß mein Leib immerdar verborgen bleibe.'

„Mauern und Gewölbe der Kapelle sind mit rohen Gemälden bedeckt, das Leben des Heiligen und einige Züge aus der Heiligen Schrift darstellend. Diese Gemälde, zu denen nichts weiteres verwandt wurde als die farbigen Erdarten des Berges, sind das Werk eines Mönches aus dem Kloster. Die alte Kapelle des hl. Paulus dient als Krypta für eine weiter nach Norden darüber erbaute Kirche. Die linke Seite der Kirche entspricht der rechten Krypta. Diese Kirche, ebenfalls dem hl. Paulus geweiht, scheint vor etwa 200 Jahren gebaut zu sein und bietet nichts Merkwürdiges.

„Das Kloster St. Paul (Deir-Amba-Bulos) ist an dem einsamsten und schrecklichsten Orte gelegen, den man sich denken kann. Man stelle sich einen unermeßlichen Bergkessel vor, dessen schwarze Felswände 800 m hoch und von zahlreichen Schluchten zerrissen sind. Im Grunde erheben sich die großen Mauern des Klosters, dunkel und ohne Oeffnung, wie die eines Grabmonumentes. Das Auge entdeckt nicht einen grünen Punkt auf diesen trostlosen Felsen, nicht einen Vogel in den Lüften, nicht ein Thier, das diese todte Scene belebte. Wahrlich, die Einsiedler der Thebais konnten keinen Ort wählen, der sie die Welt mehr vergessen ließ und besser die unveränderliche Ewigkeit darstellte. Hätten sie noch von ihren Zellen aus das blaue Meer sehen können! Aber nein. Schwarze Trümmerhaufen entziehen es den Blicken, und nur von der Höhe der Klostermauern kann man einen schmalen Streifen davon gewahren.

„Die Umfassungsmauer des Klosters hat die Form eines länglichen Vierecks, das sich von Ost nach West hinzieht; sie ist weit weniger ausgedehnt als die von St. Anton und umschließt höchstens 1½ ha. Der Eingang liegt gegen Osten. Links der südlicher Mauer entlang liegen die Zellen in zwei ungefähr parallelen Reihen. Gegenüber dem Eingang ragt der Thurm, größer und besser erhalten als der von St. Anton. Er scheint die Kirche der Mönche zu sein, die südlich von ihm steht, und die nördlich gelegene Paulskirche. Gärten mit Palmen und anderen Bäumen nehmen den Norden und Westen ein. Die Quellen befinden sich in einem unlängst angegliederten und durch die alte Umfassungsmauer getrennten westlichen Theile des Gartens. Es sind ihrer drei, und sie haben sämmtlich einen schwefligen Geruch. Ich halte sie für weniger mineralreich als die von St. Anton. Die reichste und einzig nutzbar gemachte Quelle befindet sich im Norden. Außerhalb des Klosters liegen nördlich und südlich etwa über 100 m entfernt noch zwei andere kleine, von einigen mageren Palmen umstandene Quellen. Die Beduinen des Gebirges tränken da ihre Heerden.

„Gegen Mittag mußten wir diese heiligen Orte verlassen mit dem Bedauern, nicht so lange dort geblieben zu haben, als wir gewünscht hätten. Gerne hätten wir diesen armen schismatischen Mönchen etwas Besseres zurückgelassen als das kleine Almosen und unsern Dank für die Ehre und Zuvorkommenheit, womit sie uns aufgenommen. Möchten unsere Wünsche und die feurigen Ermahnungen Mgr. Morcos' in einigen Herzen gutes Willens das Licht der Wahrheit und das Feuer der Liebe angezündet haben.

„Beim Verlassen des Klosters erblickten wir zwei junge Beduinen von 10 bis 14 Jahren, die wir schon am Tage vorher gesehen. Sie hatten die Nacht in den Futtersäcken zugebracht, welche das für die Kameele bestimmte gehackte Stroh enthalten. Sie zitterten vor Kälte, denn sie hatten fast keine Kleidung, und baten uns um ein Stück Brod. Ihr Vater ist todt, ihre Mutter ist ins Gebirge gegangen, um einiges Reisig zu sammeln; sie wissen nicht, wieviel Tagen sie zurückkehren wird. Wir erboten uns, sie mit nach Kairo zu nehmen; dort würden wir sie kleiden, gut nähren, ihre Dienste bezahlen, und es solle ihnen stets freistehen, uns zu verlassen, wenn es ihnen nicht gefallen würde. Alle unsere Anerbieten waren umsonst. Diese armen Kinder zogen ihre Freiheit mit all ihrem Elend jedem andern Zustande vor. Sie hofften, daß die Mönche fortdauern, von Zeit zu Zeit ein Stück Brod zu geben, und wenn die Nacht zu kalt wird, werden sie sich einen Graben im Sande machen, darin einiges Reisig verbrennen und sich schlafen legen, begraben in dem also erwärmten Boden.

„Wir werden die Nacht am Meeresstrande zubringen und am andern Tage mit Sonnenaufgang zum Kloster St. Anton zurückkehren.

„Msgr. Morcos hat während dieser Reise mehrere Religions-gespräche gehabt über die Kirche und über die beiden Naturen in Jesus Christus, sowohl mit dem Bischof von Bensuef als mit den Mönchen der Klöster.

„Die wichtigste dieser Conferenzen, der alle übrigen glichen, fand statt zu St. Anton am Abende unserer Rückkehr im Zimmer des Vikars. Msgr. Morcos saß allein in der Mitte des langen Divan; die Mönche kauerten am Boden den Wänden des Zimmers entlang, der Vikar rechts von Monseigneur, zur Linken, dem Vikar gegenüber, der Oekonom Hanna Massehudi. Diese Versammlung hatte etwas Feierliches; Msgr. Morcos war recht das Bild des guten Hirten, welcher in die Mitte der Schäflein tritt, die ein Dieb irregeleitet, und sie zurückruft.

„Unser Herr Jesus Christus', sagte er, ‚hat nur Eine Kirche gestiftet mit einem einzigen Haupte. Diese Kirche ist nicht beschränkt auf 3—100 000 Einwohner am Nil; sie ist katholisch oder all-gemein. Ihr Oberhaupt ist nicht in Kairo, sondern in Rom; es ist nicht der vorgebliche Nachfolger des hl. Marcus, sondern der wahre Nachfolger des hl. Petrus, des Apostelfürsten. Die Väter der drei ökumenischen Concilien, von Nicäa, Constantinopel und Ephesus, gehörten dieser wahren Kirche an und anerkannten als Haupt den hl. Petrus. Ihre Beschlüsse beweisen es. St. Antonius und St. Paulus, eure verehrten Väter, hielten mit dem großen Athanasius zum Papste in Rom. Ihr selbst, singet ihr nicht in der Messe am Feste des hl. Petrus die Worte, die seinen Primat anerkennen: Gruß unserm Vater Petrus, den Jesus Christus ein-

Kloster des hl. Paulus. (S. 84.)

gesetzt zum Haupt der Apostel. Gruß unserem Vater Paulus, der salbungsreicher Zunge, dem Lehrer der Völker. Gruß unserem Vater Petrus, der die Vollmacht besitzt, die Sünden zu lösen und zu binden; Gruß unserem Vater Paulus, dessen Worte zu den Enden der Erde gedrungen sind?

„Anderswo sagt euer Ritual vom hl. Petrus, Gott habe ihm das Werk seiner Hände anvertraut und die Schlüssel des Himmel-reiches. Ich könnte euch auch ins Gedächtniß rufen die Lection, die ihr in der Messe des Kirchweihfestes Unserer Lieben Frau von Cäsarea betet; da heißt es, daß der Heiland, getragen von den Flügeln der Cherubim und umgeben von seinen Aposteln, auf dem Boden den Plan zeichnete des Gebäudes und das Muster des Bones; dann legte er seine Hände auf das Haupt unseres Vaters Petrus, machte ihn zum Haupte der Hierarchie auf der ganzen

Erde und gab ihm die Gewalt, zu binden und zu lösen. Da ward große Freude im Himmel und auf Erden, und alle riefen: Würdig, würdig, würdig! Ja, habt ihr nicht ein eigenes Fest, um den Primat des hl. Petrus zu feiern?'

„Msgr. Morcos lud nun den Vikar und die Mönche ein, ihre Zweifel und Schwierigkeiten mit aller Freiheit vorzulegen, und war bereit, ihnen zu antworten.

„Abuna Hanna begann mit den alten Einwänden, die man in den Handbüchern der Theologie findet. Er war offenbar vor-bereitet. Monseigneur antwortete auf jeden einzelnen in wenig Worten mit ebenso großer Einfachheit als Würde, indem er oft den Beweis ad hominem anwendet.

„Du sagst, St. Peter sei nicht das Haupt der Apostel, weil ihn der hl. Paulus einmal getadelt hat. Nun wohl, ich frage dich, wenn du es eines Tages für deine Pflicht hieltest, dem Ghomos Bulos, deinem Obern, eine Bemerkung, auch eine etwas lebhafte, zu machen, müßten dann alle daraus schließen, daß Ghomos Bulos nicht dein Oberer sei?'

,Der Abuna war verwundert, er nahm die Antwort an und bestand nicht weiter auf diesem Einwurfe.

,Andere Mönche machten wahrhaft kindische Einwände, auf die Mgr. Moreos kurz antwortete. Der Vikar sprach wenig, aber hörte auf alles mit der gespanntesten Aufmerksamkeit und schien wenig befriedigt. Mehrmals fragte ihn Mgr. Moreos, ob diese Unterredungen ihm mißfallen; lieber wollte er sich zurückziehen, als ihm die mindeste Unannehmlichkeit bereiten; er spreche übrigens nur, um ihnen zu nützen.

,O nein,' erwiederte der Vikar, ,das alles interessirt mich.'

,Einmal unterbrach der Ghomos Bulos den Bischof mit Lebhaftigkeit: ,Du sagst also, daß, wer nicht in allem den Willen des Papstes thut, verdammt ist!' — ,Ich habe gesagt,' erwiederte Mgr., ,daß der verdammt ist, der Jesus Christus nicht gehorcht, und daß Jesus Christus befohlen hat, dem Papste in allem dem zu gehorchen, was die Glaubens- und Sittenlehre betrifft. Den Schluß machet selbst.' Diese guten Leute glauben, einmal dem Papste unterworfen, könnten ihre Bischöfe keine Weihen mehr ertheilen, keine Pfarrer mehr ernennen, noch die Güter der Kirche verwalten, ohne für alles die Erlaubniß des Papstes nachzufragen. Vielleicht gingen sie so weit, zu meinen, sie müßten sich an den Papst wenden für alle ihre kleinen häuslichen Anliegen und Vollmachten.

,Aber,' sagen sie, ,die Apostel reisten, predigten und leiteten ihre Kirche, ohne viel den hl. Petrus um Erlaubniß zu fragen.'

,Monseigneur hatte die Begreiflichkeit zu machen, wie kindisch ihre Besorgnisse seien, wie milde und weitherzig die Leitung des Heiligen Vaters über die Bischöfe und Priester sei, denen er die größte Freiheit läßt, für die ihm anvertrauten Seelen zu sorgen. Ich weiß nicht, ob er alle zu entschädigen vermochte.

,Betreffend die Frage von den zwei Naturen in Christus, war es unmöglich, dieselbe in theologischer Weise zu behandeln oder auch nur zu bestimmen. Diese armen Schismatiker sind allem philosophischen Denken fremd und vermengen unausgesetzt Natur und Person; es ist ihnen das übrigens eine Nebensache. ,Mag man eine oder zwei Naturen halten,' sagte einer der Haupttheilnehmer, der im Namen aller zu reden schien, ,es genügt, an die Gottheit unseres Herrn Jesus Christus zu glauben, um selig zu werden.'

,Monseigneur, stutzig über eine solche Antwort, sah ein, daß es Zeit sei, abzubrechen.'

,Die Ruhe Monseigneurs war edel, seine Würde und Güte imponirte allen. Sein Wort war die Wahrheit, die den Irrthum beherrscht, das Licht, das in die Mitte der Finsterniß dringt, die Stimme des guten Hirten, der seine Hingebung und seine Rechte vertheidigt. Ich weiß nicht, was ich den vertraulichen Unterredungen vorging, die auf diese öffentlichen folgten und sich bis tief in die Nacht hineinzogen. Die Zukunft wird es uns vielleicht lehren.

12. Nach Kairo zurück.

,Während des Frühstückes wird uns das Fremdenbuch gebracht. Es ist vor 15 Jahren angelegt und enthält nur drei Namen: der Stabshauptmann Purdy mit Gefolge 1871 — ein englischer Reisender 1875 — endlich der berühmte Afrikaforscher G. Schweinfurth mit dem Astronomen Güßfeldt im April 1877. Wir tragen auf Französisch unsere Dankbarkeit für unsere Wirthe und unsere frommen Wünsche für sie ein. Möge die göttliche Wahrheit diese christlichen Herzen erleuchten, die eines größeren Lichtes so werth scheinen. Es mögen Jahre vergehen, ehe diese guten Mönche erfahren, was wir geschrieben haben.

,Während dieser Zeit bemühte sich der Schaffner um unsere kleinen Reisevorräthe. Er jagte rothes Hammelfleisch bei, indem er uns bemerkte, wir könnten es in der Wüste braten auf den Gewehrläufen unserer Beduinen als Rost; eine Idee, die mit Erfolg verwirklicht wurde. Einen andern Gebrauch fanden unsere Waffen nicht.

,Der Abschied hatte etwas Rührendes; wir hatten, glaube ich, alle mehr im Herzen, als wir sagen konnten, aber das Wort erstarb uns auf den Lippen. Endlich gegen Mittag traten wir den langen Weg durch die Wüste an, den wir bereits kennen, und auf dem wir ungefähr die alten Haltstellen einhielten.

,Man hat gesagt, die Wüste sei nicht unbetheiligt an der großen Vorliebe, mit der sich die Aegypter vor anderen götzendienerischen Völkern mit der Ewigkeit beschäftigten, wie die Inschriften ihrer alten Denkmäler answeisen. Man könnte auch sagen, sie habe die wunderbare Entwicklung des Klosterlebens auf ägyptischem Boden in den ersten Jahrhunderten des Christenthums gefördert. Diese unermeßlichen, schweigsamen Einöden, die der Einwohner des Nilthales unausgesetzt vor Augen hat, und die da beginnen, wo sein Feld aufhört, die ihn zwischen Fluß und Sand, zwischen Leben und Tod einklemmen, sind sie nicht für ihn ein ewiges Memento mori? Sagen sie ihm nicht, daß das Leben ein enges Thal ist, das man rasch durchmißt, und darüber hinaus die Unermeßlichkeit und Ewigkeit?

,Für den heutigen Aegypter ist die Wüste etwas Geheimnißvolles: er fürchtet sie und wundert sich, daß wir Fremde uns hineinwagen, ohne von großen Interessen genöthigt zu werden. Unsere Kameeltreiber selbst, die seit mehreren Jahren alle sechs Monate die Klöster mit Lebensmitteln versorgten, fürchten sich, allein in die Wüste zu gehen und in der Nacht zu reisen.

,Eines Tages bemerkten sie nach einem Marsche von einer Stunde, daß sie auf dem Lagerplatze ihren kleinen Mehlsack vergessen hatten. Es war heller Tag, und seit lange hatten wir keine Beduinen gesehen; dennoch hatte keiner von ihnen den Muth, allein den verlorenen Sack zu holen; sie gingen ihrer zwei.

,Am Rothen Meere hießen wir zwei junge Beduinen, die uns gefolgt waren, an den Meeresstrand gehen und uns Muscheln sammeln. Sie gingen; aber bald, da es anfing zu dämmern, hatten sie Furcht und kehrten zu uns zurück. Die armen Jungen! Man konnte ihnen doch nichts stehlen, nicht einmal Kleider!

,Für uns, die wir diese Furcht nicht kennen, war die Wüste trotz ihrer Entbehrungen die beste Erholung. Obgleich wir alle bei unserer Abreise mehr oder weniger müde waren, war nach dem ersten Tage in der Wüste nicht mehr Rede von Magenschmerz, Kopfweh und Brustbeklemmung. Alle Nahrung schien uns ausgezeichnet, der trockene Zwieback selbst ein Leckerbissen. Auf diesen Ebenen gibt die Reinheit und Bewegtheit der Luft, der wolkenlose Himmel und der Boden ohne jede Feuchtigkeit allen Thätigkeiten des Lebens solchen Schwung und vertreibt alle Uebelbefinden. Und dann, welche Erleichterung! Bei Tage keine Mücke, die uns belästigt, bei Nacht keine Schnake, die uns bedroht.

,Einige Wochen in der Wüste, verlebt mit den tausend Bequemlichkeiten, welche der Fortschritt der Industrie überallhin mitzunehmen erlaubt, wären vielleicht das beste Heilmittel gegen den Mangel an kräftiger Lebensthätigkeit, wie er in unseren großen Städten so häufig ist. Zweifelsohne trug die Luft der Wüste viel bei zur Langlebigkeit der heiligen Einsiedler. Der hl. Paulus wurde hier 113, der hl. Antonius 105 Jahre alt; die hl. Paphnuntius, Matarius und viele andere Einsiedler der Thebais und von Nitrien erreichten ebenfalls ein überaus hohes Alter.

„Ein Wort über die Wüste, die wir durchwandern. Bei Edfu, 811 km von Kairo, tritt der Nil in ein großes Muschelkalk= Plateau. Vom Nilthale aus gesehen erscheinen die Abhänge dieser Hochebene wie zwei Bergketten, die man die libysche und arabische nennt. Die Hochebene der libyschen Wüste bewahrt ungefähr überall eine Höhe von 300—400 m über dem Meeresspiegel; es regnet daselbst sehr selten, und so findet man nur ab und zu einige Spuren spärlicher Vegetation. Die Hochebene der arabischen Seite gewährt einen ganz andern Anblick. Sie erhebt sich, indem sie sich vom Nil entfernt, stufenförmig bis zu einer Höhe von 1500 m. Ueberall ist sie durchfurcht von den Betten, welche sich Gießbäche gegraben, und hier trifft man meist eine eigenthümliche, ziemlich reiche Vegetation. Dies sind die Wadis der Wüste. Die Grenze des erwähnten Muschelkalk=Plateaus ist G. Schweinfurth zufolge eine Linie von Suez nach Keneh. Ueber diese Linie hinaus sind massive Urfelsen, die dem Rothen Meere entlang eine Bergkette, eine Art ägyptischer Cordillere, bilden.

„Der Regen ist auf dieser Seite des Nils und vor allem in der Nähe des Rothen Meeres von Ende October bis Anfang April ziemlich häufig. Aber er ist sehr unregelmäßig und fällt strichweise als Wolkenbruch nieder. Auch ist es nicht selten, sagten uns die Mönche von St. Anton, daß wir ein oder zwei Jahre ohne jeden Regen sind. Immerhin zerstört dies zufällige Ausbleiben des Regens nicht jede Vegetation. Die Natur des Kalk= felsens erlaubt den Regenwassern, tief einzudringen und bis zu entfernten Thälern zu gelangen, und dann bedürfen die Pflanzen der Wüste auch nur wenig Wasser. Den verhältnißmäßigen Reich= thum an Regen in dieser östlichen Wüste verdankt diese offenbar den Bergen zu beiden Seiten des Golfes von Suez, welche die Dünste aufhalten und verdichten, die durch die herrschenden Winde vom Mittelmeere hergetragen werden.

„Der Reichthum an Mineralien ist bedeutend. In den südlich von St. Paul gelegenen Bergen finden sich Lager des alten rothen Porphyr, wie er in den Bauten des alten Rom so viel zur Ver= wendung kam. Verschiedene farbige Marmorarten, Alabaster, Oder aller Arten finden sich in Menge, sowohl im Kalkfelsen=Gebirge, wie auf der Muschelkalk=Ebene. Diese reichen Fundgruben wur= den zur Römerzeit ausgebeutet, heute sind sie unbekannt. Die Be= duinen bringen aus der Wüste nur Gyps und Salz. Der Gyps= stein findet sich auf ebener Erde am Fuße der Hügel. Wir sahen große Haufen desselben im Hafen von El=Miah. Diese Steine hatten ein schwammiges Aussehen und die gelbliche Farbe des Kalktuffs und bildeten nicht selten denn 2 cohen. Sie sind ein Ge= menge von Gyps und Kieselerde. Das Salz findet sich fast überall im trockenen Wüstensande in der Form von matten weißen Stei= nen, ähnlich dem Milchquarz. Die Beduinen erkennen mit Auge und Zunge den Sand, der es bedeckt. Sie brauchen ihn ge= wöhnlich nur mit der Hand zu entfernen, um den Salzstein zu finden. Es ist kaum nöthig, zu sagen, daß dies Salz der Gegen= stand eines kleinen Schleichhandels zwischen den Beduinen und den Apothekern von Kairo ist.

„Die Versteinerungen des Muschelkalk=Plateaus sind dieselben wie die des Berges Mokattam bei Kairo. In den Schluchten bei

St. Paul sind die See=Igel (Epiaster) hingesät wie der Sand am Ufer. Bei St. Anton sieht man die Felsen voll Gryphäen (Gryphaea vesicularis), die an den Stein von Saint=Cyr=au= Mont=Doré bei Lyon erinnern.

„Die zwei Pflanzen, welche G. Schweinfurth als die für die Wadis unserer Plateau charakteristischen bezeichnet, sind die Ar= temisia Judaica und die Retama Roetam, eine Art Ginster, der 3—4 m hoch wird, und den die Kameele nicht fressen. Neben wir noch hervor die Cleome droserifolia, eine hübsche wohl= riechende Pflanze, deren klebrige Blätter sich mit Sand überziehen, die Aërva javanica, die Pulicaria undulata und andere wohl= riechende Pflanzen, die unsere Treiber in den Sattel der Kameele stecken, um damit den Duft dieser Thiere erträglicher zu machen.

„Wir sind auf dieser ganzen Ebene keinem Vierfüßler begegnet, keinem Saurier; bisweilen nur entdecken wir in der Nähe von Grasbüscheln die Spuren einer leichten Gazelle und in harten Boden die großen Löcher des Waran oder Wüstenkrokodils. Unsere Kameeltreiber gestanden uns, daß sie niemals eine Gazelle oder Hochwild in diesen Strichen erlegt haben.

„Während unserer zehntägigen Reise durch die Wüste begeg= neten wir nur sechs Beduinen, stets gruppen zusammen, alle auf der Suche von gestohlenen Kameelen begriffen. Zwei von ihnen hatten die 14tägige Reise nach Keneh gemacht. Wird in der Wüste ein Kameel gestohlen, so muß sich der Eigenthümer selbst Recht ver= schaffen; trifft er nicht wieder zu seinem Thier kommen, so stiehlt er, um sich schadlos zu halten, ein anderes. Er wendet sich an den Kadi, wenn der Diebstahl im Dorfe vorkam und er Zeugen stellen kann. Dann wird der Schuldige zu Ersatz und Gefängniß= verurtheilt und muß nach Landesbrauch ein zweites Kameel bei= geben; wo nicht, verfällt er der Rache. Die zwei bis drei Be= duinenfamilien, die wir bei den Klöstern trafen, waren von einem tiefen Schwarzbraun, das sie uns von ihrer Reger hatten ließ. Mgr. Sogaro fand in ihnen große Aehnlichkeit mit den wilden und starken Bicharris, die vor den gegenwärtigen Aufstande die Karawanen zwischen Suakim und Berber führten. Sie gehörten in der That zum Stamme der Ababdes, welche dem der Bicharris verwandt sind.

„Es war 1 Uhr, als wir das Nilthal erreichten. Der Zug, der nach Kairo fährt, wird uns um 3 Uhr nach Benisuef mitnehmen. Der Bahnhof liegt vor uns, aber wie hinkommen? Der Fähr= mann ist am andern Ufer, und wer weiß, wann es ihm gefällig sein wird, uns überzusetzen. Unsere Treiber, nicht minder begierig als wir, an ein Ende zu kommen, rufen ihn aus allen Kräften, indem sie Hände voll Sand in die Luft werfen, wie sie in der Wüste pflegen. Umsonst. Der Fährmann bleibt unbeweglich am Ufer sitzen.

„Endlich hatten wir, Benisuef gegenüber, den Nil wieder er= reicht. Da aber der Fährmann, offenbar auf Passagiere wartend, und nicht leer überfahren zu müssen, zögerte, uns hinüberzuholen, war der Zug bei unserer Ankunft abgefahren. Das kostete uns einen Tag. Eine Barke brachte uns die Nacht nach Nasta, wo morgen früh der Zug von Fayum durchfährt. Der Wind ist un= günstig. Was liegt daran; auch mit Laviren kommt man vor= wärts. Zahllose Barken fahren den Nil hinauf und könnten uns in der Finsterniß in Grund bohren, wenn unsere Matrosen nicht fortwährend ‚Achtung!‘ schrieen.

„Eine Barke kreuzt sich auf diesem schönen Strome, und die Nacht ist fast so belebt als der Tag (siehe das Bild S. 88). Der Handel Aegyptens und eines Theiles des Sudan geht ohne

Gefahr und fast ohne Kosten diese Straße mittelst tausend kleiner Segel; darum nennt auch der Aegypter seinen Nil „El=Bahr", das Meer.

„Ohne es zu bemerken, passirten wir eine alte schismatische Kirche des rechten Ufers, genannt das Kloster St. Anton, welches ohne Zweifel das alte Kloster Pispir ist, wo der Heilige die Fremden empfing.

„Einige Stunden später zogen wir wieder in die Hauptstadt ein."

13. Katholische Anstalten der Gegenwart.

Das Abendland hat es immer als seine Pflicht angesehen, den bedrängten Katholiken anderer Welttheile hilfreich beizuspringen, und sendete daher stets Schaaren eifriger Ordensleute auch in die fernsten Länder der Ungläubigen. Kaum hatte der hl. Franz von Assisi seinen Orden gestiftet, als er auch schon selbst nach dem Morgenlande eilte, um den Christen, die unter der Herrschaft der Türken schmachteten, Hilfe zu bringen, und wenn es Gottes Wille wäre, die Marterkrone zu erlangen. Es war im Sommer 1219, als er bei Damiette landete. Damals kämpfte ein Heer von Kreuzfahrern in Aegypten gegen die Türken, und der muselmännische Sultan hatte einen goldenen Byzantiner für jeden Kopf eines Christen versprochen, der ihm eingeliefert würde. Gleichwohl entschloß sich der hl. Franz in das Lager der Türken zu gehen, um dem Sultan den christlichen Glauben zu predigen. Auf dem Wege dahin begegneten dem Heiligen zwei Schäflein; da sagte er zu seinem Begleiter: „Bruder Illuminatus, siehe, das Wort des Evangeliums wird an uns erfüllt: ‚Ich sende euch wie Schafe mitten unter die Wölfe.'" Seither ist der Orden des hl. Franziskus in Aegypten eingebürgert, und bis herab auf unsere Tage wohnen seine Söhne inmitten der Türken in der That „wie Schafe mitten unter den Wölfen". Gott allein kennt vollständig die Früchte ihrer rastlosen Arbeit! Am Ende des 16. Jahrhunderts kamen auch die Jesuiten nach Aegypten; ihren Bemühungen gelang es, einen Theil der irrgläubigen Mönche und Priester zu bekehren und eine unirte koptische Kirche zu gründen. In letzter Zeit haben sich dann neuere Orden mit den Franziskanern in die Mühen der

Nilfahrt bei Nacht. (S. 87.)

Mission getheilt, namentlich Schulbrüder, Lazaristen und verschiedene weibliche Genossenschaften, welche den Werken der Nächstenliebe obliegen und Waisenschulen leiten. Wir wollen die eine oder andere ihrer Anstalten mit einander besuchen.

Da sind wir im Hafen von Alexandria! Fürchten wir uns nur nicht vor diesen dunkelfarbigen, halbnackten Gestalten, die sich mit rauhem Geschrei herandrängen, das sind die ägyptischen „Dienstmänner", und wir müssen auf gut Glück uns einem von ihnen anvertrauen. Aber man geht hierzulande nicht leicht zu Fuß, und so müssen wir einen der vielen Eseltreiber miethen und den Rücken seines Granzschimmels besteigen. „Zu den sieben Töchtern des Pascha's!" rufen wir, und sofort geht es im Galopp zu dem Hause der barmherzigen Schwestern. Die Schwestern des hl. Vincenz von Paul nämlich nämlich vor ungefähr 40 Jahren, sieben an der Zahl, nach Aegypten und ließen sich unter dem besondern Schutze des Pascha's nieder. Daher gaben ihnen die Türken den Namen „die sieben Töchter des Pascha's". Wir finden bei ihnen von morgens früh bis abends spät stets Kranke aller Art in großer Zahl. Da ist eine Halle, in welcher sie verpflegt und verbunden werden. Türken, Araber, Mauren, dunkle Nubier, Kopten, Griechen, Juden, alt und jung. Mann und Weib — alle werden mit gleicher Liebe verpflegt. Doch sie begnügen sich nicht damit, nur die Leidenden zu verpflegen, die man ihnen in das Haus führt; sie gehen vielmehr in die ärmsten Stadttheile und in die schmutzigsten Hütten, um die Noth und das Elend der Kranken zu lindern, gleichviel ob es Christen oder Mohammedaner sind. Namentlich zur Zeit der Cholera vervielfältigten sie ihre Hilfe, und seither werden sie von den Türken wie überirdische Wesen, „wie Engel der Liebe in Menschengestalt" betrachtet.

Außer den Anstalten der christlichen Barmherzigkeit treffen wir sowohl in Alexandria als in Kairo eine ganze Reihe Waisenhäuser und Schulen, die alle von christlichen Ordensleuten geleitet werden. Da ist z. B. in der letzten Stadt mitten in einem muselmännischen Stadttheile das Haus der Schulbrüder, ein prächtiger Bau, in dem etwa 600 Kinder von 32 Brüdern ihren Unterricht erhalten. Der frühere Vicekönig von Aegypten, Said Pascha, hat nicht nur den Grund und Boden zu diesem Hause geschenkt, sondern auch noch eine Gabe von 30 000 Franken beigelegt und sonst noch regelmäßige Unterstützung versprochen. Die Schulen tragen die besten Früchte, und schon manche junge mohammedanische Waisenkinder sind zum christlichen Glauben übergetreten. Noch häufiger ereignet sich aber dieses in den Waisenhäusern der Schwestern, deren zwei in Kairo bestehen: das der italienischen Clarissen mit über 100 und das der Schwestern vom Guten Hirten mit mehr als 200 Kindern. Viele dieser Zöglinge wurden um den geringen Preis von wenigen Mark von ihren mohammedanischen Eltern verkauft, oder auch, namentlich zur Zeit der Cholera, elend und verlassen von der Straße aufgelesen; es befinden sich unter ihnen Kinder aus Abessinien, aus Nubien und von den Ufern des obern Nil. Die Schwestern wissen auch manch schönes Beispiel der Gnade von diesen Kindern zu erzählen, die anfangs meist mit allen möglichen Fehlern behaftet, ja oft mit Lastern befleckt sind und endlich zu guten und tugendhaften Menschen herangebildet werden. Nur eines dieser Beispiele wollen wir hier anführen.

Unter den vielen Kindern armer mohammedanischer Eltern, die sich fast nackt in den Straßen von Kairo umhertreiben, befand sich vor wenigen Jahren ein kleines Mädchen, das, wie alle seine Genossen, den dürftigen Lebensbedarf erbettelte. Eines Tages schien es ihm schlimmer ergangen zu sein als gewöhnlich; es schrie umsonst nach einer Gabe und brach endlich, von Hunger und Elend aufgerieben, auf der Straße ohnmächtig zusammen. Barmherzige

Katholische Kirche und Franziskanerkloster in Luksor. (S. 90.)

Hände hoben es auf und trugen es in ein nahes katholisches Haus, wo sich gerade ein Franziskanerpater befand. Alle meinten, das kleine Mädchen sei am Sterben; der Ordensmann fragte es also, ob es nicht die heilige Taufe empfangen wolle. Sofort sagte die Kleine ja, und nachdem der Pater ihr den allernothwendigsten Unterricht ertheilt hatte, beeilte er sich, da der letzte Athemzug schon auf den Lippen des Kindes zu schweben schien, ihm die heilige Taufe zu spenden. Allein kaum hatte das Wasser der Wiedergeburt seine Seele reingewaschen, als auch wie durch ein Wunder die Todesgefahr vorüberging und das Mädchen sich rasch erholte. Nun war die Verlegenheit des guten Paters keine geringe, denn er konnte die junge Christin nicht mehr ihren mohammedanischen Eltern zurückgeben, die sich übrigens gar nicht um ihr Kind bekümmerten. So nahm er seine Zuflucht zu den Schwestern vom

Guten Hirten, welche dasselbe auch gerne in ihr Haus aufnahmen. Aber welche Geduld mußten sie mit dem ganz verkommenen Geschöpfe haben! Unreinlichkeit, Frechheit, Trägheit, Eigensinn und Trotz schienen seinem Herzen fast unauslöschlich aufgeprägt, und als man ihm sagte, weshalb es denn eine Christin habe werden wollen, wenn es von der christlichen Tugend doch nichts wissen wolle, erklärte es offen, es habe die heilige Taufe nur verlangt, um die schönen Kleider der christlichen Waisenkinder zu erhalten! Lange meinten die Schwestern an der Besserung dieses verwahrlosten Kindes verzweifeln zu müssen; aber nach und nach siegte ihre Geduld und wurde mit einer völligen Umwandlung belohnt. Jetzt ist die kleine Zenobia — so heißt das Mädchen — voll Eifer und Lernbegierde, ein wahres Vorbild ihrer Gefährtinnen und ein Trost ihrer Lehrerinnen.

101

Dieses Beispiel ist höchst einfach; aber es zeigt uns die Art und Weise, wie die katholischen Ordensschwestern mit aufopfernder Geduld dem göttlichen Kinderfreunde die verlorenen Kinder dieses Landes zuführen.

Auch für die Bekehrung und den Unterricht der Kopten geschieht viel. P. Jullien, der uns soeben zu den Klöstern der Thebais führte, hat für dieselben in Kairo eine Unterrichtsanstalt „Zur Heiligen Familie" gegründet, welche bereits die schönsten Früchte trägt. Die Zöglinge, die sich in diesem Hause zum Priesterthume heranbilden, zeigen gute Anlagen des Geistes und Herzens und versprechen dereinst viel für ihre verirrten Landsleute zu thun.

An der Seelsorge der Katholiken betheiligen sich namentlich die Söhne des hl. Franziskus, dann die Lazaristen und Jesuiten. Die Zahl der Katholiken wird auf 82 000 Seelen angegeben; 45 000 davon gehören verschiedenen orientalischen Riten an und leben mit ihren Priestern unter dem Gehorsam des apostolischen Stuhls. Ganz besonderes Interesse verdienen die katholischen Kopten. Ueber sie wollen wir uns daher von P. Aulefage S. J. erzählen lassen, indem wir diesen Missionär auf einem Ausfluge zu den Kopten in Oberägypten begleiten.

14. Eine Koptenstadt in Oberägypten.

„Am 17. Januar (1887) traf ich auf meiner Nilfahrt in Achmim ein und ließ mich sofort durch einen kleinen Fellahknaben in das Kloster der Franziskaner führen", erzählt P. Aulefage. „Der hochw. P. Vincenzo nahm mich mit der herzlichsten Gastfreundschaft auf. Nach der heiligen Messe gesellten sich im ‚Divan', wie hier der Speisesaal heißt, auch die PP. Francesco und Fortunato zu uns, welche am Abende vorher angekommen waren und nach ihrem Kloster in Luxor gehen sollten. Auch P. Paolo, der koptische Pfarrer, ein alter Zögling der Propaganda, kam. Ich befand mich sofort unter Freunden und Brüdern und kann nicht umhin, den hochw. Franziskanerpatres an dieser Stelle meinen herzlichsten Dank für die große Liebe und Gastfreundschaft auszusprechen, welche sie mir in allen ihren Klöstern in Oberägypten, zu Luxor, Kench, Siut u. s. w., erwiesen haben.

„Das Kloster von Achmim ist geräumig und gut gebaut und kann im Vergleiche zu den landesüblichen Privatgebäuden ein Prachtbau genannt werden. Der Eingang führt durch einen von Säulenhallen umschlossenen Hofraum; auch die Kirche ist verhältnißmäßig groß, sehr reinlich und gut besorgt. Aber die Jahre fangen an, das einst solide Mauerwerk zu zerstören, und die Armuth der Patres gestattet die durchaus nothwendige Ausbesserung nicht; wenn sie keine Unterstützung erhalten, wird das Gotteshaus bald eine Ruine sein.

„Achmim ist so wunderschön gelegen, daß man sein materielles Bild nicht leicht vergessen wird. Schon aus bedeutender Ferne sieht man das Städtchen auf einem niedrigen Vorgebirge gelagert; Akaziengebüsch ist sein grüner Mantel, und schlanke Palmen flechten ihm eine blütenreiche Krone. Zu seinen Füßen schmiegt sich in einem Halbkreise liebkosend der Nil; im Osten zeichnet die arabische Bergkette ihre duftigen Linien auf den blauen Himmel. Dank seiner höhern Lage, seinen Bäumen und dem Flusse erfreut sich Achmim auch während der größten Hitze einiger Kühlung. Die Reinlichkeit seiner Straßen läßt weniger zu wünschen übrig, als es sonst in Oberägypten der Fall ist; auch sind sie breiter und gerader. Die Häuser werden mit Ziegeln aus Nilschlamm aufgeführt, die man an der Sonne trocknen läßt. Gewöhnlich sind sie mit einem Kranze großer Krüge gekrönt, welche den Tauben

zum Nisten dienen; überdies erhebt sich auf dem flachen Dache ein viereckiger geweißter Thurm, das eigentliche Taubenhaus. ‚Den Vögeln der obere Theil, den Menschen der untere Theil der Wohnung', das ist Landessitte. Die Taubenzucht ist hier recht einträglich sowohl wegen der Jungen als auch wegen des Taubenmistes, der ziemlich hoch bezahlt wird. Die Araber denken jedoch nicht daran, ihnen Futter zu streuen; mögen sie sich auf den Weizen- und Hirsefeldern ihre Körner selber holen!

„Achmim hieß in alter Zeit Khemmis oder Khemim, d. h. Stadt des Khem. Khem war aber der Gott Ammon, ‚der Erzeuger'. Die Griechen machten Ammon zu ihrem Pan und nannten deßhalb die Stadt Panopolis. Einige sind der Meinung, Khem sei gleichbedeutend mit Cham, und die alten Aegypter hätten ihren Stammvater Cham unter diesem Namen verehrt.

„Achmim war zu Anfang des vierten Jahrhunderts ein Bischofssitz. Ein Bischof von Achmim Namens Papim wohnte (431) der Kirchenversammlung von Ephesus bei. Nestorius, der in eines der Klöster von Panopolis verbannt wurde, hörte nicht auf, von den Mauern seines Gefängnisses aus das Gift seiner Irrlehre zu verbreiten. Einer Ueberlieferung von Achmim zufolge soll er in dieser Stadt gestorben sein, und Würmer hätten die Zunge des noch Lebenden zerfressen; seine Leiche sei auf den Schindanger geworfen worden, und heute noch zeigt man die Stelle, wo sie unbestattet verfaulte. Makrizi, ein arabischer Schriftsteller des 15. Jahrhunderts, führt namentlich zwei Klöster von Achmim an: eines, das dem hl. Peter, und ein anderes, das dem hl. Michael geweiht war. Die Kirchen dieser beiden Klöster sind heute in der Hand der Jakobiten. Makrizi berichtet auch einen interessanten Gebrauch, dem der schismatische Klerus dieser beiden Kirchen huldigte, offenbar um den Muselmännern für die von ihnen empfangene Duldung dankbar zu beweisen. Jedes Jahr zogen die Priester und Diakone am Palmsonntage in Prozession, das Kreuz an der Spitze, mit brennenden Kerzen und geschwungenen Rauchfässern zunächst vor das Haus des Kadi (Richter). Derselbe wurde incensirt, dann las man ihm das Evangelium vor und stimmte zu seiner Ehre ein geistliches Lied an. In ähnlicher Weise besuchte die Prozession die Häuser der einflußreichen Muselmänner und wiederholte überall dieselbe Ceremonie. Dieser Zug ist charakteristisch für die Geschichte des Christenthums unter dem Islam.

„Nach und nach vernichteten die Verfolgungen der Mohammedaner im Laufe der Jahrhunderte die Christengemeinde von Achmim. Viele nahmen den Islam, um dem Tod oder doch wenigstens den endlosen Quälereien, deren Zielscheibe sie waren, zu entgehen. Als im Jahre 1738 zwei Franziskaner vom Apostolischen Stuhle die Erlaubniß erhielten, sich in Achmim niederzulassen und den Versuch einer Mission zu wagen, hatte man daselbst kaum mehr eine Erinnerung an die katholische Religion. Die Patres traten zuerst als Aerzte auf, und da ist das Glück hatten, die Tochter des Scheich-el-beled zu heilen, gestattete ihnen dieser hochgestellte Moslim aus Dankbarkeit, das Kloster und die Kirche zu bauen, welche ihnen heute noch gehören. Seit dieser Zeit höchste sich langsam eine katholische Gemeinde, die jetzt 400 bis 500 Seelen zählt. Die Stadt mag 15 000 Einwohner haben, 6000—7000 sind nichtkatholische Kopten, der Rest Mohammedaner. Zur Mission von Achmim kann man auch noch die 100 Katholiken des Dörfchens Hamas zählen, das einige Stunden von der Stadt entfernt liegt. Hamas ist der Geburtsort des Mgr. Agabios Bischai, des katholischen Bischofs der Kopten. Derselbe war ein Zögling der Propaganda und erhielt 1866 zu Alexandrien vom apostolischen Delegaten für Aegypten die Bischofsweihe; leider ist er vor kurzem, erst 55 Jahre alt, gestorben.

„Die Felder rings um Achmim stehen im Rufe seltener Fruchtbarkeit. Sie liefern ausgezeichnete Baumwolle, Zuckerrohr und den schönsten Weizen Aegyptens. Zu den Betriebszweigen der Bewohner gehört der Taubenhandel und die Fabrikation von Holzfügelchen aus dem Holze der Dumpalme; dieselben werden zu Gebetschnüren gereiht und an die Mekkapilger verkauft. Zu Achmim werden ferner prächtige Baumwollgewebe hergestellt, bunt von Farbe, dauerhaft und in schönen Mustern, welche herrliche Schabraden und Zelte geben. Sogar eine Dampfmühle von 20 Pferdekräften hat sich bis hierher verirrt. Ein ganz eigenthümliches Geschäft ist die „Fabrikation von jungen Hühnern", d. h. die künstliche Ausbrütung der Eier. Als P. Sicard im letzten Jahrhundert von dieser Sache schrieb, scheint man nur zu Betneh in Unterägypten diese Art und Weise der Brütung geübt zu haben. Jetzt ist sie in ganz Aegypten verbreitet. Im Mudirieh (Kreis) von Sohag, zu dem Achmim gehört, bestehen laut der letzten Zählung 70 Brutöfen. Ein Brutofen kann 30 000 bis 40 000 Eier aufnehmen. Man heizt des Morgens und des Abends eine Stunde mit Kuhmist, dem hier gewöhnlichen Brennmaterial, und sorgt dafür, daß Wärme nicht über 35° C. steige. Die Arbeiter wenden hin die Eier; sie bedürfen aber keines Thermometers, sondern fühlen die richtige Wärme mit der Hand. Gegen den 10. Tag stellt man die Feuerung ein; am 20. spaltet das Küchlein mit dem Schnabel die Schale, und am 21. oder 22. Tag hüpft es aus seinem Gefängnisse. Man rechnet, daß ⅓ der Eier ausschlüpfen. Jedermann erhält halb soviel Küchlein als er Eier in den Ofen legte; der Ueberschuß gehört dem Besitzer der Anstalt. Jährlich kann jeder Ofen etwa zehnmal benützt werden, das würde durchschnittlich 250 000 Küchlein geben. Die Zahl ist erstaunlich, aber die Rasse läßt sehr zu wünschen übrig. Die ägyptischen Hühner sind elend und schwächlich; das Fleisch ist schlecht, und die Eier sind klein. Man legt die Verschlechterung der Rasse dem künstlichen Brüten zur Last.

15. Eine koptische Taufe.

„Am Tage nach meiner Ankunft lud mich P. Paolo zu einer koptischen Taufe ein, welche er als Pfarrer in der lateinischen Kirche zu spenden hatte. Natürlich ließ ich mir die Gelegenheit nicht entgehen, die betreffenden Ceremonien dieses morgenländischen Ritus kennen zu lernen, der so beredt zum Herzen spricht und der phantasiereichen Natur des Orientalen so vorzüglich angepaßt ist. Bei solchen Feierlichkeiten würdigt man die Weisheit des heiligen Stuhles, der diese altehrwürdigen und schönen Ceremonien durchaus beibehalten wissen will. Da sieht man auch, daß die Kirche eine einzige Völkerfamilie bildet, in welcher bei der vollkommensten Einheit des Glaubens- und Sittenlehre die Riten und Gebräuche der verschiedenen Völker geachtet werden.

„Die Familie des Neugeborenen hatte sich um das Taufbecken versammelt. Dasselbe ist gewöhnlich tragbar, eine große mit Wasser gefüllte Kupferschale, welche man auf einen mit weißem Tuche bedeckten Tisch stellt. Während der Priester sich mit den heiligen Gewändern, mit dem Schultertuche, der Albe, die mit einem Lederriemen gegürtet wird, der Stola und dem Chormantel, bekleidet, werden die Kerzen angezündet. Auch die Mutter des Kindes ist zugegen; sie trägt das Kind in ihren Armen; dasselbe ist wenigstens 40 Tage, wenn es ein Knabe, 80 Tage, wenn

es ein Mädchen ist. Die Haare der Mutter sind kunstreich geflochten und fallen mit Silbermünzen geschmückt auf ihre Schultern herab; um ihr Haupt ist ein mit Glimmerplättchen und Flittergold gestickter Schleier geschlungen. Zuerst schreitet der Priester zur Ceremonie der Aussegnung (Reinigung) der Wöchnerin. Er beginnt mit den Worten: Gratias agamus Domino Deo nostro (,Laßt uns danken unserm Herrn und Gott'), die er auf koptisch sagt. Dann folgt ein präfationsähnlicher Gesang, der mit seiner hohen und eintönigen Melodie an die Lieder der Araber erinnert; derselbe wird durch eine lebhafte Schellen- und Triangelbegleitung wirksam gemacht; sehr oft wiederholt sich dabei die Anrufung „Kyrie eleison" auf griechisch. Dann breitet der Priester seine Arme aus und verrichtet ein Gebet. Es folgt eine Lesung aus dem fünften Kapitel des Hebräerbriefes, welche mit den Worten beginnt: ,Mein Sohn bist du: heute habe ich dich gezeugt'; dann wird das Evangelium von Mariä Reinigung nach dem hl. Lucas gelesen: ,Nachdem sich die Tage der Reinigung Mariä erfüllt hatten' u. s. w., und sobald der Psalmvers: ,Es stand die Königin zu deiner Rechten' gesungen ist, folgt noch das Evangelium Luc. 10: ,Jesus kam in ein Dorf, und ein Weib Namens Martha nahm ihn in ihr Haus auf.' Dann beginnt eine Reihe von Gebeten für die Kirche, den Papst, für alle Gläubigen, und die Ceremonie der Reinigung ist vollzogen.

„Der zweite Theil der heiligen Handlung besteht aus Exorcismen, Salbungen und Weihen. Zuerst nimmt der Priester den Exorcismus über das Kind vor; dann wird das Wasser geweiht und das Oel exorcisirt und mit demselben der Mutter Stirne, Brust und Hände, dem Kinde Stirne, Brust und Rücken gesalbt. Der Täufling wird nun in die Arme des Taufpathen gelegt, und abermals folgt eine Reihe von Exorcismen, Gebeten, Handauflegungen und Anhauchungen. Wenn dieselben zu Ende sind, legen Pathe, Pathin und die übrigen Verwandten mit lauter Stimme das Glaubensbekenntniß ab, und nachmals wird die Salbung des Täuflings auf Stirne, Brust und Rücken mit Gebet und Handauflegung wiederholt. Im dritten Theile der heiligen Handlung schreitet der Priester zur eigentlichen Taufe. Zunächst gießt er Oel ins Taufwasser. Dann liest der ,Schammos' (Diakon) einen Abschnitt aus dem Titusbriefe (2, 11), der mit den Worten beginnt: ,Es erschien die Gnade Gottes, unseres Erlösers.' Gleich nach dieser Lesung erklingen Cymbeln und Triangeln, welche den griechischen Gesang Hagios o Theos. Hagios Ischyros, Hagios Athanatos, eleison hymas (,Heiliger Gott, heiliger Starker, heiliger Unsterblicher, erbarme dich unser') begleiten. Man legt Weihrauch in das Rauchfaß, und der Diakon liest das Evangelium Joh. 3: ,Es war ein Mann aus den Pharisäern, Nikodemus mit Namen' u. s. w. Abermals erschallt lebhafte Musik, welche den kräftigen Kyrie-Gesang begleitet. Dann legt der Priester die eine Hand auf den Täufling und über das Wasser, während alle Umstehenden abermals das Glaubensbekenntniß ab-zeichnet darauf das Wasser mit dem Chrisam getauchten Daumen dreimal in Kreuzform, indem er die Worte spricht: ,Gepriesen sei Gott der Vater, der Sohn und der heilige Geist.' Zum dritten-mal erbraust Musik, während der Priester betet und Wasser und Chrisam vermengt. Endlich taucht er, vom Pathen unterstützt, den Leib des Kindes zu einem Drittel in das Taufwasser und spricht dabei die Worte: ,Ich taufe dich im Namen des Vaters' (das Kind zum zweiten Drittel eintauchend) ,und des Sohnes' (das Kind bis an den Kopf eintauchend) ,und des Heiligen Geistes. Amen.' Damit ist die Taufe vollzogen, und man zündet sofort alle Kerzen an

12*

„Unmittelbar nach der Taufe wird dem Neugetauften das Sacrament der Firmung gespendet. Gemäß dem alten Gebrauche der koptischen Kirche spendet dasselbe, wenn kein Bischof anwesend ist, ein einfacher Priester. Ich übergehe die einzelnen Ceremonien und bemerke nur, daß das Kind an nicht weniger als 36 Stellen gesalbt wird. Die Lesungen aus dem Evangelium wechseln mit einer Musik ab, die immer fröhlicher und begeisterter klingt, und die ganze heilige Handlung schließt mit einem Umgang im Innern der Kirche. Der Eindruck, den man bei diesen orientalischen Ceremonien empfängt, ist der, daß diese guten Leute noch immer einen lebendigen Glauben haben, welcher sie drängt, ihren Gefühlen durch Gesänge, Musik und Jubel Ausdruck zu verleihen. Es fehlte nicht viel, und ich hätte sie tanzen sehen, wie einst der heilige König David vor der Bundeslade tanzte. Der orientalische Charakter bleibt sich immer gleich.

„Ich schied nun von Achmim. Für den Ritt hatte mir Abuna Paolo freundlichst seinen eigenen Esel geliehen, ein ganz vorzügliches Thier nach dem Zeugnisse seines Herrn, einen Esel, der alle Esel von Kairo übertreffen sollte. Ich erwartete also, daß derselbe einen ordentlichen Galopp anschlagen würde, und bereitete mich demgemäß vor, um ohne Unfall mein Ziel zu erreichen. Allein am andern Morgen wurde mir ein armseliges Reitthier vorgeführt; seine ganze Ausrüstung bestand in einem elenden Sattel, kein Zaum, keine Steigbügel, nicht einmal eine Halfter. Da ich die Gewohnheit habe, niemals nach dem ersten Eindruck zu urtheilen, bestieg ich den Grauschimmel voll Vertrauen und

Ansicht von Sohag in Oberägypten.

zog wie ein König alter Zeit, von einem jungen Fellah als Knappen gefolgt, kühn meiner Wege, nachdem mir die umstehenden Kopten zum Abschiede die Hand geküßt und mir meinen Segen gebeten hatten. Umsonst prügelte der Fellahknabe seinen Esel; der ließ sich dadurch keinen Augenblick aus seiner Gemüthsruhe bringen, und wir erreichten erst nach einer Stunde im Schneckenschritte das Nilufer. Eine weitere halbe Stunde hatten wir zu warten, bis der Sodal, die große Barke, welche hier in Oberägypten die stiegenden Brücken vertritt, beladen war. Diese Sodals nehmen alles mit: Steine, Weizen, Esel, Kameele, Weiber, Musikmänner, Kopten, und sogar Franzis, wozu ich gehörte, wurden an Bord genommen. Wenn der Sodal möglichst vollgepfropft ist, verläßt man endlich das Ufer und fährt entweder mittels eines Segels oder mit Hilfe der Ruder, aber immer recht langsam, quer über den Strom. Wir brauchten eine volle halbe Stunde zur Ueberfahrt.

„Wir kamen nun nach Sohag. Der Ort macht den Eindruck der Wohlhabenheit; er ist die Residenz eines Mudir (Bezirksamtmanns), der daselbst ein schönes Haus für seinen Divan und seine Bureaux hat. Zwei Moscheen mit zierlichen Minarets erheben den Reiz des Landschaftsbildes. Von Sohag zweigt sich ein vom Nil gespeister Kanal ab, der die Gärten von Siut bewässert; er ist nicht mit dem Bahr-Jusef, dem Josephskanal, zu verwechseln, dessen beide Arme zu Derut-el-Scherif und Monfalout beginnen. In Sohag gibt es nur eine katholische koptische Familie, deren Haupt, unter dem Namen Louis bekannt, ein sehr

Dumpalme. (S. 94.)

wohlhabender Gutsbesitzer ist. Sofort begab ich mich zu ihm, und ich kann nicht sagen, mit welcher Herzlichkeit mir diese braven Kopten ihre Gastfreundschaft anboten. Im Nu füllte sich der Divan mit Menschen: Männern, Weibern, Kindern, Müttern mit Säuglingen auf den Armen; jedes Antlitz leuchtete vor Freude. Ich befand mich im Schoße einer patriarchalischen Familie, welche im Frieden die Wohlthaten des Schöpfers genoß. Da und noch öfter während meiner Reise, wenn ich die Heerden auf den Triften sah, erinnerte ich mich der Worte der Psalmisten: ‚Siehe, Söhne sind das Erbe des Herrn!'

‚Schade, daß nicht alle Freunde der Naturschönheit die üppige Landschaft bewundern konnten, welche sich um Sohag ausbreitete. Es war die Zeit, da die zarten Triebe der Verpflanzung den Boden mit einem smaragdenen Teppich bedeckten, der wunderbar schön von dem schwarzen Erdreich und dem satten Grün der Zuckerrohrfelder absticht. Ueberall stehen Hanf, Flachs, Safran, Indigopflanzungen; in den Gärten schießen Erbsen und Linsen, Zwiebeln und andere Gemüse auf. Esel und Pferde weiden ruhig im Grünen; während Ziegen und Hämmel fröhlich hüpfen und springen. Männer, Weiber, Kinder gehen und kommen wie geschäftige Ameisen und tragen auf ihrem Kopfe gewaltige Lasten oder treiben beladene Kameele vor sich her. Ueberall Leben und Bewegung! Und nun vertheilen Sie auf dieser blühenden Ebene hier und dort Akaziengebüsch, Maulbeerbäume, Citronenbäume, riesige Dumpalmen, und begrenzen den westlichen Gesichtskreis mit der tiefblauen Kette der libyschen Berge, deren Umrisse von leichtem Dufte verschleiert sind, und Sie werden ein unbeschreiblich schönes, zauberhaftes Bild erhalten, an dem der Blick sich niemals satt sehen kann. Meine jungen Begleiter scheinen im Frieden dieser schönen Gegend ganz glücklich zu sein; sie sprengten auf die Felder hinaus und kehrten wieder zu mir zurück, um mir eine Handvoll ‚Helbeh' zu bringen, eine kleeähnliche Pflanze, welche die Araber sehr gerne essen und welche ebenso erfrischend als gesund ist.

16. Eine koptische Hochzeit.

‚Bald wurde das Abendessen aufgetragen. Ich werde mich nicht auf eine eingehende Beschreibung desselben einlassen; es war alles nach echt arabischem Gebrauch. Wir lauerten auf Teppichen um einen kleinen, anderthalb Fuß hohen runden Tisch, der mit Gerichten über und über bedeckt war. Teller und Gabeln gab es nicht. Der Araber braucht seine Finger. Die Frauen aßen nicht

mit uns, sondern nachher allein. Man behandelte mich mit so viel Liebe, daß ich mich ganz heimisch fühlte. Am nächsten Morgen las ich in einem kleinen Zimmer die heilige Messe; die ganze Familie wohnte derselben in dem anstoßenden Raume bei. Dann nahm ich Abschied. Die Leute hatten mich durch ihren Glauben und ihre Liebe sehr erbaut.

‚Zwei Stunden später brachte mich das Paketboot nach Tahtah. Da ich mich bei Resqnallat Jossah, einem durch seine Frömmigkeit und seinen Reichthum ausgezeichneten Kopten, telegraphisch angemeldet hatte, erwartete mich sein Sohn Nachleb mit Reitthieren am Ufer; denn Tahtah ist eine gute Stunde vom Nil entfernt. Es ist eine Stadt von 13 000—14 000 Seelen und gleicht Sohag und Achmim, wie sich Schwestern nur gleichen. Doch ist die katholische Gemeinde Tahtahs viel bedeutender; man schätzt sie auf 1100 Seelen, während die schismatischen Kopten nur etwa 200 Seelen zählen. Es ist eine der blühendsten Franziskanermissionen Oberägyptens. Resqnallat ist ein Patriarch aus der guten alten Zeit. Er nahm mich mit würdevoller Einfachheit auf und führte mich in ein eigens für Fremde bestimmtes Haus mit Fliesen und Säulen aus Marmor, einem Springbrunnen in der Halle und reich möblirten Zimmern.

‚Achmim hatte mir eine koptische Taufe gezeigt, Tahtah gab mir das Schauspiel einer koptischen Hochzeit. In der Nacht vom Samstag auf den Sonntag ertönte plötzlich fröhliche Musik; leicht unterschied man die Clarinetten und Hörner, die große Trommel und den Gesang der Weiber. Die Braut wurde nun von einem Gefolge von Frauen bei Fackel- und Laternenschein in die Wohnung des Bräutigams geleitet.

Ein katholischer Kopte aus Oberägypten.

Sie war von einem großen Umschlagtuche ganz verhüllt, das eine Masse Schmuck, namentlich Goldstücke, verzierte. Die Theile, unter denen sich Gesicht, Brust und Hände befinden, müssen mit diesem Schmucke ganz bedeckt sein. Aber die Braut schreitet nicht unter einem Traghimmel, wie das bei den Moslemin Sitte ist. Die Procession zieht so langsam als möglich einher und darf sich nur nach rechts wenden; diese Vorschrift, welche oft zu großen Umwegen nöthigt, muß streng beobachtet werden, weil sonst, wie die Leute wähnen, die Ehe nicht glücklich werden könnte. Die Familie des Bräutigams hat inzwischen einen Hammel geschlachtet und Erfrischungen bereit gestellt. Nach einer Rast von etwa einer Stunde bricht der Zug wieder auf und begibt sich jetzt, immer im gleichen langsamen Schritte, nach der Kirche. Auch der Bräutigam zieht mit seinem

Gefolge, aber von dem der Braut getrennt und ohne Musik, dorthin. Nach endlosen Gebeten werden die Ringe gewechselt und wird die gegenseitige Einwilligung gegeben; dann legt der Priester eine Krone auf das Haupt der beiden Vermählten und eine Schärpe über die Schulter der Frau, um anzudeuten, daß sie sich nun dem Joche des Ehestandes unterzogen habe. Die Ceremonie heißt „Taklil", d. i. Krönung. Die Kronen bleiben in der Kirche zurück; aber die Schärpe wird erst im Hause des Bräutigams vom Priester abgenommen. Man verläßt die Kirche erst mit dem Morgenroth. Am Sonntag geschieht nichts Außergewöhnliches; aber am Montag gibt der Bräutigam seinen Freunden ein Gastmahl und damit schließt die Hochzeit.

„Allein ich hatte nur dem Schlusse der ganzen Feier beigewohnt; eine Hochzeit dauert bei wohlhabenden Leuten acht volle Tage: so viel wird erfordert, daß die Freude voll sei. Man hatte also schon am Samstage vor acht Tagen die Hochzeit mit einem ersten feierlichen Schmause begonnen. Dabei beobachtet man einen eigenthümlichen, etwas abergläubischen Gebrauch. Man verfertigt zwei große Zuckerkugeln, in welche man ein Paar lebendiger Tauben verschließt, deren Flügel mit kleinen Glöcklein behängt sind. Auf ein gegebenes Zeichen zertrümmert man die Zuckerkugeln, und die Tauben flattern auf, indem sie ihre Glöcklein erklingen lassen. Je munterer sie sich dabei benehmen, auf desto größeres Eheglück schließt man, und man jagt sie auf, wenn sie nicht fliegen wollen. Bis zum Mittwoch vergeht die Zeit in allen möglichen Vorbereitungen. An diesem Tage wird die Braut unter Musik nach dem Badehause geleitet; am Freitag färbt man ihr die Nägel an Händen und Füßen mit Hennah roth; am Samstag wird die Ausstattung nach dem Hause des Bräutigams getragen; darunter befinden sich mit Gold gestickte Taschentücher für Braut und Bräutigam. Am Samstag endlich mit Einbruch der Nacht ist die bereits beschriebene Procession unter Fackelschein und Musik.

„Eine Heirat kommt bei den Kopten auf ganz andere Weise zu Stande als bei uns. Wenn ein junger Mann sich verehelichen will, so wendet er sich an eine alte Frau aus seiner Verwandtschaft, und diese übernimmt es, ihm ein passendes Mädchen zu suchen. Nur selten gelingt es ihm, das Angesicht seiner zukünftigen Frau vor der Heirat zu sehen, während das Mädchen tausend Gelegenheiten hat, die Züge des ihr bestimmten Mannes zu betrachten. Sie kann das thun, wenn sie ihm verschleiert auf der Straße begegnen, oder wenn sie an dem vergitterten Fenster des Frauengemachs, dem gewöhnlichen Beobachtungsposten der orientalischen Mädchen, sitzt. Sind die Bedingungen des Ehevertrags durch zwei von den Familien gewählte Wakil (Anwälte) geordnet, so gehen die Brautleute zum Priester, um den Vertrag zu unterzeichnen. Zugleich werden dem Vater der Braut zwei Drittel der ausbedungenen Summe bezahlt. Das alles ist sehr verschieden von den europäischen Gebräuchen; aber eines ist auch bei den Kopten der Fall, daß die Hochzeit hoch gefeiert wird. Trinksprüche, Glückwünsche, Gelegenheitsverse, die man declamirt oder singt, sind die üblichen Feierlichkeiten. Am Tage der Hochzeit steht die Thüre des Bräutigams den ganzen Tag offen; da kann jedermann, bekannt oder unbekannt, eintreten und darf des freundlichsten Empfangs gewiß sein. Wer kommt, wird mit Zuckerzeug, Kaffee und Cigaretten bewirthet.

17. Der ägyptische Blocksberg.

„Einer koptischen Legende zufolge soll in der Nähe von Tahtah der Ort sein, an den der Erzengel Raphael den Teufel Asmodäus bannte, der, wie im Buche Tobias erzählt wird, die Männer einer

Sarah getödtet hat. Die Bewohner von Tahtah behaupten steif und fest, der Berg des Scheich Haridi, der zum Gebel Gau oder Gas gehört, sei der Kerker dieses bösen Geistes. Derselbe liegt auf dem rechten Nilufer, nicht weit von Tahtah, das auf dem linken Ufer liegt, und ich beschloß, diese öde Bergwüste zu besuchen.

„Das Gebirge Gau ist übrigens der Schauplatz mehrerer fabelhaften Ueberlieferungen und Teufelsgeschichten, die vielleicht mit der biblischen Begebenheit einen entfernten Zusammenhang haben. Die ägyptische Göttersabel verlegt in diese Gegend den Sieg der Isis und des Horus über Typhon, den Mörder des Osiris. Später machten die Griechen diese Wildniß zum Schauplatze des Kampfes zwischen Herkules und dem Riesen Antäus. Es stand da ein dem Antäus geweihter Tempel und eine Stadt Antäopolis, deren Ueberreste Vocode und Bruce entdeckt haben. Die arabischen Erzählungen betrachten den Berg Gau als einen Ort der Verlassenheit und der Verbannung. In „Tausend und eine Nacht" kommt dieser Berg oft vor, so z. B. in der Geschichte vom Fischer und Geist. Ueberhaupt scheint dieser Berg der ägyptische Blocksberg zu sein, und der ganze Spuk der Walpurgisnacht wird demselben von den Bewohnern von Tahtah zugeschrieben. Da sollen die muselmännischen Weiber jeden Samstag Abend und während der darauffolgenden Nacht mit dem „Sar" zusammentreffen. Der Sar ist ein Kobold, dessen Hauptvergnügen darin bestehen soll, den Ehemännern allerlei Schabernak zu spielen. Er erfaßt eines oder mehrere der Weiber, wirbelt sie in einem tollen Tanz, ähnlich dem Drehen der tanzenden Derwische, bringt sie in eine Art Teufelsekstase und wirft sie zu Boden, wo sie mit Schaum vor dem Munde liegen bleiben. Dann verlangt er durch den Mund der Besessenen ein Geldpyramme oder Kleinodien, welche der Mann der Frau geben muß. Weigert er sich dessen, so hütet die Frau monatelang das Lager infolge unerträglicher Krankheit, die aber sofort wieder aufhört, sobald das von Sar verlangte Geschenk gegeben ist. Die Mohammedaner wissen das ganz gut und weigern sich nicht, den der Tribut zu zahlen. Auch hüten sie sich wohl, an Samstagen den Harem zu betreten, aus Furcht, Sar möchte mit ihnen verfahren, wie Asmodäus mit den Männern der Sara versuchte. Die christlichen Frauen und deren Männer sind infolge der heiligen Taufe vor den Nachstellungen dieses Geistes, bei dem Dämon im Buche Tobias allerdings einige Aehnlichkeit zu haben scheint, sichergestellt.

„Uebrigens wissen die Leute von Tahtah noch viele andere Teufelsgeschichten zu erzählen, die wir nicht zu glauben brauchen. So z. B. werden Fälle von Vermenschen umgeboten. Nach ihrem Aberglauben verwandeln sich Zwillinge, solange sie noch im Säuglingsalter sind, des Nachts in Katzen und auf den Dächern spazieren. Ein Weib soll neulich nächtlicherweise einer Katze, welche sie störte, das Bein zerbrochen haben, und am nächsten Morgen habe es sich herausgestellt, daß eines der Zwillingskinder der Nachbarin mit gebrochenem Beine in der Wiege gelegen habe. Glaube das, wer will! Wir führen es nur an als ein Beispiel, daß derselbe Aberglaube, der bei uns aus alten heidnischen Zeiten herstammt, im fernen Morgenlande noch im Schwange geht.

„Der Scheich Haridi, von dem der Berg jetzt seinen Namen hat, starb vor etwa 200 Jahren. Er war ein „Falir", ein Betteldervisch, entweder ein Wahnsinniger, ein Besessener oder ein fanatischer Betrüger von der schlimmsten Sorte. Natürlich galt er unter den Muselmännern für einen Heiligen und sie bauten ihm in dieser Bergwildniß ein Grabmal. Sein Sohn Hassan, ein Schlangenbeschwörer, deren Tahtah an jedem Markttage viele besuchen, ein sehr geschickter Herenmeister, schwindelte seinen Glaubensgenossen vor, der Scheich, sein Vater, lebe noch, und seine Seele sei in eine Schlange gefahren, die in seinem Besitze sei. Diese Schlange heile Kranke, offenbare vergrabene Schätze und verkünde die Zukunft. Der Scheich sei ferner in dieser Gestalt unsterblich, oder wenigstens könne ihn niemand tödten vor der von Allah festgesetzten Stunde; zum Beweise schnitt er die Schlange in Stücke und warf dieselben in einen Sack, und siehe, nach zwei Stunden fand sich die Schlange lebend und unverletzt. Der Erfolg des Taschenspielers war ungeheuer; die Muselmänner kamen schaarenweise, um den Geist des Scheich zu verehren. Auch heute noch bringen sie demselben ihre Erntegaben, Körbe voll Früchte und Hämmel, als Weihgeschenke an sein Grab. Von diesen Geschenken leben die Araber, welche

es bewachen. Noch immer beseelt der Geist des Scheich irgend eine Schlange, und der Nachfolger Haridi's steigt mit diesem Gewürm an Markttagen nach Tahtah hinab, um im Namen seines Ahnherrn von den Bewohnern Früchte, Butter, Eier, Mehl u. s. w. einzutreiben. Auch wenn er seine Schlange bei sich hat, behauptet er, der Geist Haridi's begleite ihn und rede aus ihm. In einer französischen Familie, die sich seit vielen Jahren in Tahtah niedergelassen hat, wurde mir der folgende Vorfall erzählt.

„An einem Markttage kam der Gärtner zur Hausfrau und meldete, der Scheich Haridi sei da und verlange Butter und Granatäpfel. Um sich des unbequemen Bettlers zu entledigen, gab die Frau Befehl, das Verlangte zu geben. Als aber der Scheich sah, wie willig man seinen Wünschen entspreche, grinste er vergnügt

Grabmal des Scheich Haridi in Oberägypten. (S. 97.)

und verlangte im Namen des Geistes auch noch Eier. Madame M. lächelte ebenfalls und schlug dieses Begehren rund ab. Da erzürnte der Scheich und drohte; umsonst versuchte man ihn zum Fortgehen zu bewegen. Im Garten blieb er stehen und schleuderte seine Flüche gegen die christliche Familie. Madame M. trat dem Menschen mit aller Entschiedenheit gegenüber und verlangte, daß er sich augenblicklich entferne. Dem Araber fiel es aber nicht ein, zu gehorchen; er setzte sich auf eine Bank und schwur, jetzt sollten alle Anwesenden Zeugen sein, wie sehr der Geist Haridi's zürne. Darauf erhob er seine Arme in die Lüfte und murmelte einige Worte; sofort blähte sich sein weites Gewand um Brust und Knie an, so daß es nach und nach zu einem riesigen Ballon anschwoll. Dann fragte er den Geist, und dieser antwortete mit

dumpfer Stimme, er wolle Eier haben, und stieß gräßliche Drohungen aus. Man glaubte an die Künste eines Bauchredners. Da hieß der Scheich, immerfort die Arme in der Höhe haltend, den Gärtner, er solle mit seinem Stabe das aufgeschwellte Gewand berühren. Kaum ist das geschehen, so ist der Stab wie in das Kleid festgewachsen. Umsonst versucht der Gärtner, ein starker Mann, wiederholt den Stab der unsichtbaren Hand zu entreißen, welche ihn wie mit eisernen Klammern festhielt. Er mußte den Versuch aufgeben, bis der Geist Haridi's durch ein Dutzend Eier besänftigt war, den Stab fahren ließ und das Gewand des Arabers seine natürliche Lage wieder einnahm. Man behandelte den Scheich als einen geschickten Taschenspieler. Aber derselbe erbot sich, sein Gewand auf der Stelle auszuziehen und zu zeigen, daß

er keinerlei Vorrichtung bei sich habe, welche eine derartige Erscheinung erklären könnte. Wie erklären Sie diesen Vorfall? Auch
die Schlangenbeschwörer, die Hauis, die an Markttagen, wie schon
oben bemerkt, zahlreich nach Tahtah kommen, verstehen ihre unheimliche Kunst vortrefflich. Diese Menschen behaupten, von ihren
Voreltern die Macht erhalten zu haben, alles giftige Gewürm zu
bezaubern und zum Gehorsam zu zwingen. Halbnackt, mit einem
Lederfack auf dem Rücken, kommen sie des Weges. In diesem
Sacke sind Nattern und Vipern jeder Größe und Farbe. Diese
holen sie daraus hervor, lassen sich dieselben um Arme, Hals und
Lenden schlingen, führen sie sogar in den Mund hinein und scheinen
sie mit den Zähnen zu verwunden. Die gewöhnliche Erklärung,
die man gibt, die Giftzähne seien diesen Schlangen ausgebrochen,

ist nicht richtig, wie ich mich überzeugte. Unmittelbar nach dem
Spiele, das die Hauis mit dem Gewürme trieben, sah ich, wie
dieselben Schlangen Hühner bissen, die man ihnen vorstellte; dieselben waren wenige Augenblicke nach dem Bisse todt.

„Auf meinem Ausfluge nach dem Grabe Haribi's gaben mir
die Franziskaner von Tahtah einen jungen koptischen Seminaristen
mit, der Professor der arabischen Sprache ist, aber leider nicht die
gesundeste Brust hat. Es stellte sich bald heraus, daß er nie am
Grabe des alten Scheich war und eine gewisse Abneigung vor
diesem Ausfluge hatte. Der Wind wehte sturmartig und warf
große Wellen auf dem Nil. Wir hatten Mühe, einen Schiffer zu
finden, welcher die Ueberfahrt wagen wollte; endlich unternahm es
ein Muselmann, uns für zwölf Piaster bis an den Fuß des Berges

Grotte des Gebel Haribi in Oberägypten. (S. 98)

und von dort wieder zurückzubringen. Die Gewalt des Windes
ließ uns pfeilschnell gegen die Strömung fahren, und bald lagen
wir am Fuße des Berges Haribi vor Anker. Hier erklärte mir
mein koptischer Begleiter, er wisse nicht, wo das Grabmal sei.
Ich wandte mich nun an den Schiffer, und der unternahm es,
nachdem er mich zweimal gefragt hatte, ob ich wirklich zum Grabe
Haribi's wolle, unser Führer zu sein. Schweigend schritt er voraus.
Erst ging der Weg durch ein nicht großes bebautes Feld, dann
durch ein Gewirre von ungeheuern Kalksteinblöcken, wo ich schöne
Kalkspathkrystalle fand. Der Platz ist übel beleumundet; nur zu
oft haben hier arabische Räuber Reisende überfallen und niedergemacht.

„Nachdem wir eine halbe Stunde den Berg hinangestiegen waren,
öffnete sich ein enges Felsenthal mit hohen, steil abstürzenden Wänden, in denen man die Oeffnungen von Höhlen gewahrt, welche

in das Innere des Berges führen. Links erblickt man ein musel-
männisches Bethaus; es ist ein viereckiger Bau, den eine weiße
Kuppel überwölbt; das ist das Grabmal Scheich Haribi's. Rechts
steht ein ganz ähnlicher, etwas kleinerer Bau: das Grabmal seines
Sohnes Hasan. Ich glaubte mich an den Eingang der Hölle
versetzt, in die Vorhalle des Todtenreiches. Das ist ein ganz
passender Aufenthalt des Asmodäus, des Haribi und aller verlorenen Seelen!

„Etwa 30 halbnackte Araber, wahre Galgenvögel, kamen uns
entgegen. Sie begrüßten unsern Schiffspatron, offenbar einen Bekannten, und ich dankte Gott, daß wir denselben mitgenommen
hatten; denn man hat von den Arabern nicht leicht etwas zu
fürchten, wenn man ihnen von einem aus ihrer Mitte vorgestellt
wird. Schließlich kamen sie auch zu uns und begrüßten uns mit

einem gewissen herablassenden Wohlwollen, das zu ihrem wilden Aussehen sonderbar stand. Ich fragte nach dem Scheich; er war abwesend. Dann bat ich sie um die Erlaubniß, das Grabmal Haridi's zu besichtigen und eine Abbildung davon zu machen, damit meine Landsleute einen Begriff von den Wundern dieses Berges gewännen. Sie zeigten sich sehr geschmeichelt und führten mich mit vielen Complimenten zum Grabmal, ja verlangten nicht einmal, daß ich meine Schuhe auszöge. Sieben bis acht Araber traten mit mir ein; das Innere mißt 5—6 qm; in der Mitte befindet sich das Grab. Der Schiffspatron rief mit lauter Stimme den Geist des alten Fakir an, und seine Gefährten unterstützten ihn mit wildem Geschrei. Es wurde mir unheimlich, und ich machte daß ich ins Freie kam. Da setzte ich mich auf einen großen Steinblock und begann die (S. 96) beigegebene Skizze. Auf's höchste erstaunt schauten mir die Araber zu und wunderten sich, wie nach und nach auf dem Papiere das Grabmal und die Felsschlucht entstand. Obschon mich die meisten mit einigem Wohlwollen betrachteten, stießen doch andere, während ich zeichnete, die heftigsten Verwünschungen gegen alle Christen aus. ‚Es sind Verfluchte,‘ schrieen sie, ‚nun soll sie wie Hunde tödten!‘ Das klang nicht sehr beruhigend, und ich beeilte meine Skizze. Als sie fertig war, ging sie von Hand zu Hand; dann schrieen alle um den unvermeidlichen ‚Bakschisch‘ (Trinkgeld). Ich sagte ihnen, ich sei kein gewöhnlicher ‚Frangi‘ (Franke); ich hätte weder Weib noch Kind noch Geld und wünsche ihnen, daß Allah sie segne und ihre Güte belohne. ‚Das sind gute Worte,‘ sagten sie; ‚gehe im Frieden!‘ Ich schüttelte ihnen die Hand und schied.

„Wie ich wußte, waren noch höher auf dem Berge Höhlen, welche den Aufständischen im Jahre 1864 als Zufluchtsstätten gedient hatten. Ich wünschte auch diese zu sehen. Zwei Araber geleiteten mich hin. Vier regelmäßig in die Felsen gehauene Thore führen zu künstlich ausgehöhlten Kammern, offenbar altägyptischen Grabkammern, die ganz denjenigen von Insah gleichen. Die Araber behaupten, man brauche drei Tage, um die unterirdischen Gemächer zu durchschreiten. Ich hatte dazu weder Zeit noch Lust und begnügte mich, eine Skizze der Zugänge zu zeichnen (vgl. die Abbildung S. 97). Noch warf ich von der Berghöhe einen Blick auf den Nil und die weite Ebene. Dann stieg ich die Flanken des Berges hinab und kehrte zu meinen Gastfreunden nach Tahtah zurück.‟

18. Eine Wallfahrt zum Baume der seligsten Jungfrau.

Schon oben haben wir von der frommen Ueberlieferung geredet, der zufolge die heilige Familie unter einem Baume bei Heliopolis, der jetzt noch steht, geruht haben soll, und zu diesem ehrwürdigen Baume wollen wir einen Ausflug machen, bevor wir Aegypten verlassen.

Der Ort ist nur vier oder fünf Wegstunden von Kairo; wir werden aber einen kleinen Umweg machen und noch einige andere denkwürdige Orte besuchen. Natürlich bedienen wir uns zu diesem Ausfluge der Esel; das hat aber durchaus nichts Verdemüthigendes in Kairo. Der Esel Aegyptens ist im Vergleiche mit seinen europäischen Brüdern ein stolzes Thier, das seinen Kopf hoch hält, ja manchmal sich wie ein edles Rassenpferd geberdet. Kaum ist man im Sattel, dem oft eine schöne, rothe, goldverbrämte Reitdecke unterbreitet ist, so schlägt der Esel einen Trott an und geht ganz gerne in Galopp über. Das sind die Folgen einer guten Erziehung! Man gewöhnt ihn von Jugend auf an eine ordentliche Haltung; man näht seine beiden Ohren zusammen, so daß er sie immer hübsch aufrecht tragen muß; man behandelt ihn mit Liebe, überarbeitet ihn nicht und prügelt ihn nicht ohne Grund, und so läßt sich schließlich auch aus einem Esel noch etwas machen. Der Eseltreiber verläßt sein Thier nie; es sind gewöhnlich Knaben von 10—15 Jahren, ohne andere Bekleidung als ein blaues Hemd und einen weißen, mit bunten Streifen verzierten Turban (vgl. nebenstehendes Bild). Der Treiber trottet unermüdlich hinter seinem Esel her, treibt ihn mit seinem Stecken, leitet ihn mit seiner Stimme und sorgt für alles. Für einen Ritt in der Stadt verlangt er einen Piaster (20 Pfennig),

Ein Eseltreiber in Kairo.

für einen ganzen Tag zwölf Piaster. In Kairo reitet alles zu Esel: Reich und Arm, Geistliche und Beamte, Soldaten und Officiere; so brauchen auch wir uns eines solchen Rittes nicht zu schämen.

Wir folgen der großen, glühendheißen Straße von Muski, welche vom Mittelpunkte der Stadt aus gerade nach Osten führt. Zuerst reiten wir an europäischen Kaufläden vorüber; es folgen die Buden der Juden, der Griechen und endlich der Türken; denn am Ende der Straße ist man ganz nahe bei der ungeheuern Moschee El-Azhar, der berühmtesten mohammedanischen Schule der Welt; noch heute zählt sie über 900 Zöglinge. Nach 2 km erreicht man das

Ende der Stadt; der Weg ist eine wahre Staubgrube; an seiner Seite ziehen sich rundliche Hügel hin, soweit das Auge reicht. Das sind Schutthügel, keine Ruinen, keine Steinblöcke oder Säulenschäfte, sondern nichts als in Staub zerfallene Backsteine, Topfscherben und Kehricht. Nur die ungeheure Masse macht sie merkwürdig; ziehen sie sich doch in einem Bogen von 7 km im Süden und Osten um Kairo. Ganz Kairo mit seinen 400 Moscheen und zahllosen Palästen würde keine solche Trümmermasse bilden, wie diese Hügelreihen von Schutt. Sie enthalten den Staub von Jahrtausenden.

Auf dem Kamme des Hügels angelangt, den man auf einem Zickzackwege erklimmt, hat man vor sich die Bergkette von Mokattam mit ihren langen weißen Kalksteinbrüchen, welche das Nilthal im Osten begrenzen. Sich zu Füßen im Thale erblickt man eine ganze Stadt mit Kuppelbauten, mit schlanken und phantastischen Minarets; es ist eine stille Stadt ohne Lärm und fast ohne Bewohner; man nennt sie Turab Kaït-Bey oder gewöhnlich die Chalifengräber. Sie hat Raum wohl für 10 000 Bewohner, und ich zweifle, ob auch nur 300 Menschen darin weilen. Die armen Leute sind nur die Wächter der Todten und der in Trümmer zerfallenden Moscheen. Kein Baum, kein grüner Halm; man sieht nur Tausende von Moslimgräbern. Meistens ist das Grabmal ein mit Kalk geweißter Sarg mit zwei Steinen an den Enden, auf denen die Richtung von Mekka angemerkt ist. Die Reichen errichten bemalte Holzpavillons über ihren Grabstätten; die Mamelukenfürsten erbauten prächtige Moscheen, welche nunmehr in Trümmer fallen, ohne daß man einen Finger für ihre Erhaltung bewegt. Von einer Moschee zur andern führen verlassene Häuser

Die sogenannten „Chalifengräber" bei Kairo.

1 Moschee El-Barkuk. 2 Moschee des Scheik Achmed. 3 Moschee El-Achrof Jnal und El-Gauri (jetzt Pulvermagazin). 4 Moschee von Rabab und Alfai.
5 Moschee El-Achraf Barsboi.

und Straßen; das Ganze ist ein Bild des Islams, der in seiner Leichenstarre in Staub zerfällt.

Bevor wir aber zu der Todtenstadt hinabsteigen, müssen wir einen Blick zurückwerfen auf Kairo. Da dehnt sich die große Stadt mit ihren mehr als 300 000 Einwohnern, mit ihren zahllosen Minarets, mit ihrem endlosen Getriebe und Gewoge: wahrhaftig, wir stehen zwischen dem Leben und dem Tode!

In der Todtenstadt angekommen, verlassen wir die östliche Richtung und wenden uns nach Norden. Die letzte der Grabmoscheen liegt außerhalb der Wohnungen. Trotz ihrer zierlichen Bauart wird sie als Pulvermagazin benutzt. Die einsamen Soldaten, welche sie bewachen, sind fast die einzigen lebenden Wesen; weiter nach Osten beginnt eine wahre Wüste und erstreckt sich bis nach Suez. Immer nach Norden wandernd, überschreiten wir die Höhen von Mogattam, dann den Gebel-el-Ahmar, den rothen Berg aus eisenhaltigem Sandstein; auf der Höhe zur Linken sehen wir die Abklärungsteiche der Wasserleitung für Kairo, und noch immer weilen wir auf dem Boden des Todes. Das Erdreich ist mit Gebeinen bestreut, und hier und dort sehen wir eingesunkene Grabgewölbe.

Von der Höhe erblicken wir links die fünf Kasernen von Abbassieh; die größte davon war der Palast Abbas Pascha's; es sind riesige Bauten am Rande der Wüste. In der Ferne stehen die großen Bäume des Khedivenpalastes El-Kubbeh, und ganz im Hintergrunde ragt ein Minaret von Matarieh. Rechts dehnt sich die endlose Wüste. Wir lassen die Kasernen mit ihren Schießplätzen, Artillerieständen, ungeheuern Stallungen, und sprengen im Galopp vorbei, um nicht in ein Manöver verwickelt zu werden,

13*

111

welches soeben beginnen soll, durchreiten eben noch zur rechten Zeit den Schießplatz und erreichen die jenseits gelegenen Stallungen Abbas Pascha's. Die Pascha's von Kairo senden nämlich ihre Araberpferde während der Monate Januar, Februar und März in die Wüste, wo sie ausschließlich mit frischem Futter genährt werden, welches auf Kameelen hingeschafft wird. Deshalb baute Abbas Pascha in der Wüste diesen großen Pferdestall, dessen vier Seiten je 200 m lang und an den Ecken von achtseitigen Thürmen flankirt waren. Jetzt ist der Bau in einem ziemlich vernachlässigten Zustande.

Wir reiten geraden Weges nach Norden dem Minarete von Matarieh zu, wie der Schiffer dem Leuchtthurme. Eine große Eidechsenart spielt zwischen den Steinen; es ist der Dornschwanz.

Wir saugen ein Exemplar für das Museum; es mag wohl 30 cm lang sein, der Schwanz ist mit Ringen von hornartigen Dornen bewehrt. Auch eine gute Anzahl Blumen sammeln wir; jetzt, im Februar und März, ist hier die Zeit des Botanikers. Später ist alles von der Sonne verbrannt. Aber man hüte sich vor den Pflanzen der Wüste! Sehr viele sind giftig, oder doch im Stande, Kolik zu verursachen. Wir überschreiten die alte Eisenbahn von Kairo nach Suez, welche jetzt ganz mit Sand verweht ist. Die Mauerwerke aus getrockneten schwarzen Schlammziegeln auf jener Höhe waren früher die erste Station.

Noch bevor wir Matarieh mit seinen Palmen erreichen, kommen wir zu einem Straußenpark, der vor einigen Jahren von einer Gesellschaft zur Gewinnung der kostbaren Federn hier am Rande

Der Brunnen der seligsten Jungfrau im Balsamgarten von Matarieh. (S. 101.)

der Wüste angelegt wurde. Der Director ist ein Schweizer, der Unterdirector ein junger Spanier; sie zeigen uns mit der größten Freundlichkeit die ganze Einrichtung. Es handelt sich um die künstliche Brut und dann um das Aufziehen der jungen Vögel. Die Eier werden in eine Schachtel Sand gelegt und diese durch warmes Wasser, das darunter herläuft, auf einer gleichmäßigen Temperatur erhalten. Die Brutzeit dauert gewöhnlich 40—42 Tage. Es kommt viel darauf an, daß die Eier während dieser Zeit keinen Stoß, keine Erschütterung erleiden; man hat deshalb ringsum eine dicke Schichte Sand aufgeschüttet. Wenn der Strauß aus dem Ei kriecht, so hat er die Größe eines Huhnes; die sprossenden Federn gleichen dann den Stacheln eines Igels. Während der ersten 14 Tage hält man die Jungen in einer Temperatur von mindestens 22 bis

23 Grad. Sie fressen grüne Kräuter; die ersten 14—20 Tage gibt man ihnen gar nichts zu trinken, und es ist die allgemeine Erfahrung, daß man sie um so leichter aufzieht, je später man sie trinken läßt. Der Strauß ist erst mit vier Jahren erwachsen; doch kann man ihm schon in einem Alter von zwei bis drei Jahren am Schwarze und an den Flügeln Federn ausziehen. Das ist keine leichte Sache; der Vogel wehrt sich mit solcher Kraft, daß sechs bis sieben Mann ihn kaum halten können. Man bedient sich bei diesem Vorgange übrigens einer Art Falle, in welcher die Vögel festgehalten werden. Bis jetzt hat man nicht ganz so weiche Federn erzielt, wie sie der wilde Strauß hat. Die erwachsenen Vögel sind paarweise in langgestreckten, von Mauern umschlossenen Gehegen; die Thüren müssen sehr fest sein, sonst zertrümmert sie

der Vogel mit einem Schlage seines Fußes, mit dem er einen Mann tödten kann.

Das Dorf Matarjeh, dem wir uns jetzt nähern, ist eines der volkreichsten in der Umgegend Kairo's; es liegt 10 km nordöstlich von der Stadt und 1 km südlich von den Ruinen von Heliopolis. Wenn man auf der großen Straße von Kairo her kommt, reitet man zuerst durch schöne Baumwollen- und Kleefelder, erreicht eine Bodensenkung, welche gewöhnlich Wasser enthält, und am Rande dieses Teiches stehen die ersten Häuser von Matarjeh. Wie überall sind sie der Mehrzahl nach aus Backsteinen gebaut, die man aus dem Flußlehm formte und an der Sonne trocknete; doch gibt es auch etwas bessere Wohnungen, welche sogar über dem Erdgeschosse noch ein Stockwerk haben. Die Straße führt an einer neuen Moschee vorüber, welche der Vicekönig Tewfik aus schönen weißen Steinen erbauen ließ; ihm gehört nämlich ein großer Theil der Landgüter. Dann geht es durch ein kleines Citronengehölz, und nach kurzer Frist ist der Garten der seligsten Jungfrau erreicht. Gleich beim Eingange steht ein Zimmetbaum, der nebeneinander seine großen gelben Traubenblüten und die langen dunkeln Schoten voll süßen Fleisches trägt, welche den Apothekern als Stangenzimmet bekannt sind.

Eine sehr alte Ueberlieferung meldet, die heilige Familie habe in diesem Balsamgarten gewohnt, und auf das Gebet Maria's sei ein Quell dem Boden entsprungen und habe der dürren Wüste diese wunderbare Fruchtbarkeit verliehen. Man zeigt daselbst eine Mauer mit einem kleinen Fensterchen; das soll ein Rest der Wohnung der heiligen Familie gewesen sein. Die Christen bauten darüber ein der heiligen Jungfrau geweihtes Kirchlein, in welchem

Der Baum der seligsten Jungfrau im Balsamgarten von Matarjeh. (S. 102.)

sie am 24. Tag des koptischen Monats Bschan (31. Mai) unter großer Betheiligung das Fest der Ankunft der erhabenen Flüchtlinge in Aegypten feiern. Auch der katholisch-koptische Ritus hat dieses Fest beibehalten. Im Jahre 1685 verwandelte der Pascha Ibrahim von Aegypten aus Christenhaß das Kirchlein in eine Moschee, welche nur Moslim betreten durften. Dreizehn Jahre später machte man sich von diesem Joche los. Die Christen durften das Gebäude nun wieder betreten, das nicht mehr als Moschee diente und wieder einfach den Namen „Markad", d. h. Ort der Ruhe, führte. Um jene Zeit besuchte der Dominikaner Vansleb diese Stätte. Man zeigte ihm in dem Markad eine Art Mauernische, in welche der frommen Legende gemäß die heilige Jungfrau das göttliche Kind zur Ruhe legte, während sie selbst die häuslichen Arbeiten verrichtete. Der Altar der alten Kirche stand ganz nahe an dieser Nische. Der Dominikaner sah noch ein kleines, mit buntfarbigem Marmor verziertes Wasserbecken, welches von dem nahen wunderbaren Quell gespeist wurde. Dieser Bau wurde im letzten Jahrhundert völlig zerstört, so daß kein Rest mehr davon übrig ist.

Im Norden des Gartens, unfern des Einganges, befindet sich ein Ziehbrunnen und ein doppelter Bewässerungsapparat. Plumpe Holzräder, welche von Ochsen in Bewegung gesetzt werden, ziehen an Stricken aus Palmfasern das Wasser in irdenen Töpfen empor. Man nennt das hierzulande eine „Safieh". Das ist das Ueberbleibsel der wunderbaren Quelle. Das Wasser steigt nicht mehr bis zur Oberfläche; es bleibt 3,50 m unter dem Boden; es bewahrt aber im Sommer eine wunderbare Frische und nimmt nie ab, auch wenn alle Safieh der Nachbarschaft vertrocknet sind. Wir haben offenbar nicht durchgesickertes Nilwasser, sondern eine eigentliche Quelle vor uns, und zwar wohl die einzige von ganz

Aegypten. Wo sollte auch in einem Lande, in welchem das ganze Jahr nur 3—4 cm Wasser fallen und kaum ein Dutzend Mal auch nur der Straßenstaub angefeuchtet wird, das Wasser für eine Quelle herkommen? Vansleb versichert uns, zu seiner Zeit hätten die Pascha's von Aegypten ihr Tafelwasser aus dieser Quelle schöpfen lassen, weil es frischer sei als das Nilwasser. Offenbar hat dieser Brunnen dem Dorfe den Namen gegeben, denn Matarieh heißt „frisches" oder „neues Wasser".

Um die Quelle her zog man ehedem den kostbaren Balsam= strauch, welcher den Balsam von Judäa oder Mekka lieferte; daher rührt der Name Balsamgarten. Die beiden einzigen Balsam= gärten der Welt waren früher auf dem Hügel von Engaddi in der Nähe Jerusalems gelegen. Zur Zeit der Geburt unseres Hei= landes gehörten sie Herodes. Die ägyptische Königin Kleopatra mißgönnte dieses Glück dem Könige der Juden und bestürmte Antonius so lange mit Bitten, bis er ihr die beiden Gärten schenkte. Man hob nun die kostbaren Sträucher mit den Wurzeln und der Erde aus dem Boden und führte sie auf Schiffen nach Aegypten. „Die beiden Gärten wurden nicht ferne von Heliopolis angelegt, wo sie nur einen einzigen von der Länge eines doppelten Pfeil= schusses bilden. Der Boden ist beinahe weiß. Als wir im Sep= tember dort waren, erhob sich der niedrige Balsamstrauch nur 1½ Handbreit über dem Boden. So berichtet ein alter Schrift= steller, welcher im 16. Jahrhundert diese Stätte besuchte.

Auch die koptischen Bischöfe mischten Balsam in das heilige Chrisam. Man bezieht die Stelle: „Wie wohlriechender Balsam hauche ich Duft voll Süßigkeit aus", auf Christus, und die Kirche betet bei der Weihe des aus Oel und Balsam bereiteten Chrisams: „Christus ist der Chrisam." Der Balsam, welcher den Leib vor Verwesung bewahrt, träufelt aus den Wunden, welche Menschenhände dem Baume schlagen: so ist auch aus den Wunden Christi der Balsam geflossen, der uns vor dem ewigen Tode bewahrt.

Der Balsamgarten soll nichts hervorbringen, wenn man ihn nicht mit dem Wasser der nahen Quelle bewässere, welche dem Kinde Jesu und der heiligen Familie diente. Die Sarazenen ver= sichern, ganz umsonst mit anderem Wasser den Versuch gemacht zu haben. Der Quell ist im ganzen Lande berühmt, und selbst die Ungläubigen baden ihre Kinder in seinem Wasser.

Der Baum der seligsten Jungfrau steht etwa 20 m süd= östlich von der Quelle. Die fromme Sage meldet, die heilige Familie sei, von Verfolgern gedrängt, auf ihrer Flucht an einem dicken wilden Feigenbaume vorbeigekommen; da habe sich der Stamm so weit geöffnet, daß die heiligen Personen zusammt dem Esel darin Platz gefunden hätten, und der Baum habe sich um alle geschlossen, bis die Bösewichte vorübergezogen waren. Das Silück, welches sich vom Baume gespalten hatte, um der hei= ligen Familie den Eintritt zu eröffnen, stürzte im Jahre 1656 um und wurde lange Zeit in der Sakristei der Franziskaner zum Heiligen Lande als ein ehrwürdiges Andenken aufbewahrt. Wie es sich nun auch mit dieser Sage von dem wunderbaren Ver= stecke verhalten mag: so viel ist gewiß, daß die allgemeine Ansicht diesen Baum mit der heiligen Jungfrau in Verbindung bringt, und daß er von den heiligen Orten steis hoch verehrt wurde. Es ist ein sehr alter wilder Feigenbaum (Sykomore). Sein dicker Stamm ist auf einer Seite abgeplattet, so daß es aussieht, als wäre es nur ein halber Baum; der Stamm mißt noch immer 7 m im Umfange, hat eine Höhe von 8 m und ist nach Norden hin geneigt. Der Baum ist vollkommen gesund; die noch kräftigen

Aeste bilden eine schöne Krone. Um ihn vor der Zudringlichkeit der Pilger zu schützen, hat man ihn mit einem hohen Holzzaune umschlossen, über welchen Jasmin sich rankt. Doch ist es leicht, einige Blätter von den großen überhängenden Aesten zu erhaschen, und für den kleinsten Bakschisch drückt der alte Araber, der auf seinem Mantel daneben liegt, bei diesem frommen Diebstahle sein Auge zu.

Die Sykomore ist ein Feigenbaum, der im August an den jungen Sprossen, welche an den dicken Aesten sitzen, eine große Menge runder, mittelgroßer, rosenfarbener Feigen von süßlich= erdigem Geschmacke trägt. Man verkauft sie massenhaft an die Kinder und Araber in den Straßen Kairo's. Ihr Holz ist schwer und brüchig; starke Aeste brechen oft von selbst, und die Last scheint den Baum niederzudrücken. Die Blätter gleichen dem Laube der Erle an unseren Bächen; sie sind immergrün. Die Sykomore ist ein sehr gewöhnlicher Baum in Unterägypten; wenn man über die Ebene hinschaut, so erblickt man fast an jedem Ziehbrunnen, an jedem Grab die schöngerundete dunkelgrüne Baumkrone einer Sykomore. Die lange Allee von Schubra, welche für Kairo ist was der Prado für Marseille, das Gehölz von Boulogne für Paris, wird ganz von alten Sykomoren gebildet. Ihre Wurzel ist fast nicht zu vertilgen, gleich der Wurzel des Oelbaumes. Der Baum mag vom Sturme geknickt werden, mag an Krank= heit oder Alter absterben: die Wurzel lebt doch noch und treibt neue Schößlinge, die zu einem neuen Baume heranwachsen. Wenn auch heute der Stamm nicht mehr stehen sollte, so ist der heilige Familie bedeckte, so kann es doch ein Stamm aus der= selben Wurzel sein. So ist es auch zu verstehen, wenn man den Pilgern in Garten von Gethsemani sagt: „Diese Oelbäume stammen aus der Zeit unseres Erlösers."

Wir knieen einen Augenblick im Schatten des ehrwürdigen Baumes nieder und beten für unsere Mission zum göttlichen Kinde mit den Worte aus dem Lobgesange Zacharia: „Durch das Herz der Erbarmung unseres Gottes, in dem er uns heimgesucht . . . erleuchte diejenigen, welche in der Finsterniß und in dem Schatten des Todes sitzen."

Auch dem Baume des hl. Joseph statten wir einen kurzen Besuch ab. Der Weg führt durch ein großes Cactusfeld. Es ist gleichfalls eine Sykomore und anscheinend vom gleichen Alter wie der Baum der heiligen Jungfrau. Ihr gewaltiger Stamm ist hohl; vier bis fünf Personen können sich bequem darin verbergen; er mißt 7,30 m im Umfange. Nur wenige Pilger besuchen den Baum des hl. Joseph; kein Zaun schützt ihn, kein Garten um= schließt ihn. Er dient den Kindern und Ochsen zum Aufenthalte, welche an dem daneben liegenden Ziehbrunnen beschäftigt sind.

Wir befinden uns nur eine Viertelstunde von dem alten He= liopolis; ganz gewiß hat die heilige Familie den Weg, der von diesem Garten hinführt, oft durchwandert; ihre Augen haben den Obelisken geschaut, der heute noch aufrecht steht, und der einer Ueberlieferung gemäß schon zur Zeit des Baumes in dieser Stadt gewohnt haben. Der Weg geht nordwärts durch schöne Pflanzungen, welche sich sanft nach Westen neigen. Bald führt er uns durch ein Trümmerlager, welches die frühere Ringmauer von Heliopolis bezeichnet; 700 m westlich er zur Rechten auf eine Allee halbdürrer Bäume, die zu einem Obelisken führt, der mitten in einem Waizenfelde zum Himmel ragt. Er ist der älteste Aegyp= tens; er trägt den Namenszug des Königs Userlesen, der um das Jahr 2700 v. Chr. lebte. Seine Inschrift ist auf allen vier Seiten die gleiche; Wespennester haben sie zum großen Theile bedeckt. Die Höhe des Monoliths beträgt 20,75 m; davon sind aber etwa 3 m und das ganze Fußgestell unter dem Boden, was schließen läßt, daß die Dicke der darum gelagerten Trümmerschichte 8 bis 10 m betragen mag. Wahrscheinlich gehörte er zum großen Sonnentempel, wie auch die „Nadeln der Kleopatra", welche von hier zunächst nach Alexandria, und später, die eine nach Rom, die andere nach London, gebracht wurden. Vor dem Tempel befand sich, wie uns die alten Schriftsteller berichten, eine lange Allee von Sphinxen

und Obelisken, welche die alten Pharaonen errichteten. Der Obelisk und einige gewaltige Steinblöcke mit Hieroglyphen, welche man in einem westlich von jenen Hügeln gelegenen Felde ausgegraben hat, sind so ziemlich die einzigen Ueberreste der alten Riesenbauten. Ein elendes Araberdorf steht jetzt an der Stelle der Palaste.

Heliopolis, die „Stadt der Sonne", das „On" der Bibel, war im Alterthume ein Mittelpunkt der Wissenschaften. Die ägyptischen Priester besuchten es, um die Weltweisheit und Stern=

Der Baum des hl. Joseph zu Matarieh. (S. 102.)

kunde zu erlernen. Man meint, auch Moses habe in seinen Schulen studirt. Philosophen aus Griechenland, Plato z. B., suchten hier Unterricht in der Weisheit. Aber Jeremias weissagte über die Stadt, daß der König von Babylon die Standbilder seines Sonnentempels zertrümmern werde. Und schon der alte Geschicht= schreiber Strabo, welcher die Stadt einige Jahre vor der Geburt Jesu Christi besuchte, fand sie in Trümmern. „Sie hat eine er= höhte Lage," sagt er; „ringsum sind Teiche, welche die Nilkanäle

speisen; sie liegt in Trümmern; sie hat nur noch ihren Tempel und eine sehr kleine Zahl von Einwohnern."

Den Rückweg von Heliopolis nach Kairo nehmen wir auf der Fahrstraße; sie durchschneidet eine schöne Ebene; es ist das Schlacht= feld, auf welchem der General Kleber am 20. März 1800 mit nur geringen Streitkräften 80 000 Türken schlug. Das Gefecht erstreckte sich bis über Heliopolis hinaus und heißt deßhalb „die Schlacht von Heliopolis".

1. Die Erzählung der weißen Mutter.

In Aegypten haben wir uns jetzt genugsam umgesehen. Das Negerland, Nubien und Sudan, sind nun unser nächstes Reiseziel. Um mit den schwarzen Leuten, die wir dort treffen werden, jetzt schon Bekanntschaft zu machen, wollen wir aber noch eine Anstalt in Kairo besuchen, in welcher die armen Negerkinder jener Länder erzogen werden. Ein deutscher Verein, der Kölner Verein zur Unterstützung der armen Negerkinder, sammelt Almosen zu diesem frommen Zwecke, und wohl

Am Ufer des Weißen Nil.

hat schon mancher meiner jungen Freunde seinen Heller dazu beigesteuert. Man wird deshalb die Schicksale eines dieser armen schwarzen Geschöpfe mit Freuden lesen, und die Erzählung derselben soll eine Art Vorbereitung auf unsern Ausflug in das Land der Neger sein.

In Alt-Kairo ist ein katholischer Kirchhof, ganz nahe bei der Grotte, in welcher der liebe Heiland mit seiner Mutter und dem hl. Joseph während ihres Aufenthaltes in Aegypten gewohnt hat. Auf jenem Kirchhofe ist auch ein Kindergrab, und viele schwarze Waisenkinder kommen bisweilen mit einer Ordensschwester auf dieses Grab, zu beten, und dann erzählt ihnen oft die „weiße Mutter", wie die Kinder die Nonne nennen, von dem frommen Kinde, das hier begraben liegt und das erste war, welches in dem Waisenhause von Alt-Kairo getauft worden und gestorben ist. Und wenn die weiße Mutter erzählt, so weinen oft die schwarzen Kinder vor Rührung und Freude und versprechen auf dem Grabe ihrer Schwester, daß auch sie künftighin immer frömmer und gelehriger sein wollen. Die Erzählung der weißen Mutter von dem schwarzen Kinde aber ist diese:

„Als gegen Ende des Jahres 1863 in Kairo wieder ein Negermarkt gehalten wurde, trieben die Sklavenhändler dorthin von allen Seiten Afrika's ihre Gefangenen, die sie entweder von wilden Stämmen gekauft oder auf ihren schrecklichen Menschenjagden erbeutet hatten. Unter den vielen hundert armen Leuten, die da feilgeboten wurden, stand auch ein Mädchen von elf Jahren, das in der großen Stadt niemanden kannte als den Händler, der es auf den Markt gebracht hatte, um es zu verkaufen. O wie fürchtete es sich, als es sah, wie in seiner Nähe Männer und

Frauen zusammengebunden, verkauft und wie eine arme Schafherde fortgetrieben wurden! So oft einer von den grausamen Käufern es anschaute, meinte es immer schon, er wolle es auch so forttreiben. Aber niemand that auch nur ein Gebot auf dieses arme, halbkranke Kind. Darob wurde der Händler ganz böse und fluchte und schwor erschrecklich; das arme Mädchen aber fürchtete sich nur noch mehr. Da kam auf einmal eine reichgekleidete Dame über den Markt, und als das Mädchen sie sah, blickte es sie ganz sehnlich an und dachte in seinem Herzen: ‚O wenn diese Frau mich nur kaufen wollte!' Die Dame sah auch das Kind, und da sie ein mitleidiges Herz hatte, so kaufte sie dasselbe. Der Seelenverkäufer sagte ihr, es heiße Mahbuba und sei aus dem Stamme der Dinka am fernen Gazellenfluß; dort hätten es die grausamen und habgierigen Dschialab mit vielen anderen Leuten seines Stammes geraubt und als Sklavin verkauft.

‚Mahbuba konnte selbst nichts erzählen; denn sie kannte die Sprache ihrer neuen Herrin nicht, und so folgte sie dieser schweigend in ihren Palast. Als sie in diesem reichen dunkeln Hause war, mußte sie gar oft an ihre ferne schöne Heimat und an ihre Eltern denken, die man auch vielleicht in der Knechtschaft, weit von ihrem Kinde getrennt, leben und es wohl nie wieder sehen würden. Darob grämte es sich noch mehr und weinte in einem Winkel unbeachtet und ungetröstet, weil niemand sich seiner annahm, noch es um sein Leid befragte. Die Dame, welcher Mahbuba nun dienen mußte, war eine christliche Frau, welche ihre junge Sklavin zwar nicht schlug, wie es der Sklavenhändler gethan hatte, aber sich auch nicht viel um das arme Mädchen und um seine Thränen kümmerte. Mahbuba wurde der Sorge einer alten mohammedanischen Dienerin anvertraut, welche dem Kinde die allernotwendigsten Unterweisungen in den häuslichen Verrichtungen geben sollte.

Dorf der Dinka-Neger.

‚Was kannst du arbeiten?' fragte diese das Kind.

‚Ich kann schöne Gefäße formen, den Hüttenboden plätten, den Sorghum entkleiden, Bornussteine brühen, daß sie süß werden und wohlschmeckend wie Veilchenwurz. Ich kann auch schöne Ziegen und Kühe aus Thon machen.'

‚So! auch Ziegen und Kühe aus Thon kannst du machen?' unterbrach lachend die alte Dienerin das Mädchen.

‚Das können ja in unserem Stamme alle Kinder, und sie thun das zum Spielen. Wenn sie noch zu schwach sind, um ihrer Mutter beim Formen und Brennen der Korntöpfe zu helfen, so nehmen sie sich Thon, setzen sich in den Murach (Viehpark) und bilden die schönsten Ziegen und Farren nach. O, hier gibt es keine so schönen Kühe wie in unserem Murach; mein Vater hatte 2000 Stück, und er hatte mir ein Rind geschenkt, das mich kannte, wie eine Schwester.'

‚Als Mahbuba dieses sagte, kamen ihr die Thränen in die Augen vor lauter Heimweh; denn die Dinkaleute haben die größte

Liebe zu ihren Kühen und Ochsen. Auf jedem Viehhofe ist eine eigene große Hütte für die kranken Thiere, und wenn eines gefallen ist, so weinen alle, als wäre ein Mitglied der Familie gestorben; ganze Tage lang sitzt dann der Herr mit seiner Frau und den Kindern in der Hütte und sie sagen vor lauter Trauer kein einziges Wort. Auch schlachten sie nie einen Ochsen oder eine Kuh, um sie zu essen, weil sie das für unehrerbietig halten.

‚Die Dinka-Sklavinnen sind sehr gesucht als Köchinnen; daher kam auch Mahbuba in die Küche und lernte gar schnell alles, was ihres Amtes war.

‚Um den Unterricht des Kindes über Gott, die Seele und die Tugend aber kümmerte sich die Dame des Kindes nicht, weil es in Ägypten als ungeziemend und verdemüthigend angesehen wird, wenn die reiche Herrschaft sich mit der Belehrung und Erziehung der Sklaven beschäftigt. Man glaubt, die Sklaven seien bloß auf Erden, um recht fleißig für ihre Herren zu arbeiten, und dazu wäre es ja gleich, ob sie den wahren Glauben hätten oder nicht. Auch meinen viele, die schwarzen Menschen seien zu beschränkt und zu niedrig, um die christliche Religion zu verstehen und anzunehmen. So wurde auch Mahbuba gar nicht in den tröstenden Lehren unseres heiligen Glaubens unterrichtet; sie wußte nichts von dem Vater im Himmel, der auch der ärmsten Sklavin Vater ist und ihr im Himmel einen glänzenden Thron bereitet hat, wenn sie in Geduld und Treue ihr hartes Leben erträgt. Auch erzählte man dem armen schwarzen Kinde nichts von der lieben Mutter Gottes und dem lieben Heilande, welche wie sie fern von ihrem Vaterlande arm und verlassen in Aegypten gelebt haben. So gingen dann in beständiger Arbeit und in stillen Leiden die ersten Monate der Knechtschaft für das Tintamädchen dahin. Dazu kam noch, daß ihre Gesundheit nach all den Mühen und der schlechten Behandlung, welche das Kind auf der weiten Reise erduldet hatte, immer schwächer wurde und Mahbuba anfing zu kränkeln.

„Nun geschah es aber, daß sie mehrmals, wenn sie ihre Herrin bedienen mußte, einzelne Worte hörte, welche die Dame immer aussprach, wenn sie außergewöhnlich traurig oder fröhlich schien, oder auch wenn sie mit ihren Kindern ganz besonders ernst und freundlich sprach. Diese Worte hatte Mahbuba bald gelernt und wiederholte sie auch still für sich, wenn sie recht betrübt und niedergeschlagen war, und obschon sie gleich nicht wußte, was die Worte bedeuteten, so glaubte sie doch immer, es tröste und ermuthige sie, dieselben fromm auszusprechen. Ward ihr eine Arbeit ganz außergewöhnlich schwer, so seufzte sie: ‚Christ, Taufe, Paradies!' oder fühlte sie Schmerzen, so sagte sie: ‚Jesus, Maria, Joseph!' Dann arbeitete sie noch einmal so muthig oder glaubte weniger zu leiden. Seitdem sie aber längere Zeit diese heiligen Namen im Munde geführt hatte, meinte sie, die Reden der alten muselmännischen Dienerin seien gar nicht so gut, und alles, was jene ihr von Allah und dem Propheten erzählte, gab ihr keinen Trost. Darum gab Mahbuba auch immer weniger Acht, wenn die alte Dienerin sie unterweisen wollte, so daß diese darüber erzürnte und das Kind grausam schlug und mißhandelte, so oft es die Uebungen des Korans nicht erfüllen wollte, an welche es doch nicht glauben konnte. So kam die Zeit des Ramadan, der großen muselmännischen Fastenzeit, heran, und das Kind wurde trotz seiner immer schwächeren Gesundheit von der mohammedanischen Lehrerin gezwungen, von morgens früh, wo man einen schwarzen Faden von einem weißen unterscheiden kann, bis zum Untergang der Sonne nichts zu sich zu nehmen, und trotz des Hungers seine gewöhnliche Arbeit zu verrichten. Da ward es denn dem armen Mädchen oft schwer ums Herz; aber es wiederholte nur um so öfter die heiligen Namen ‚Jesus, Maria, Joseph, Christ, Taufe, Paradies', und so ging auch der Fastenmonat endlich vorüber. Die muselmännischen Mitsklaven waren sehr ergrimmt gegen das Kind, als sie erfuhren, daß es christliche Worte ausspreche, und wollten alles versuchen, ihm ihren falschen Glauben aufzuzwingen. Sie glaubten das nun so leichter thun zu können, wenn sie Mahbuba vollständig allein unter lauter Muselmännern hätten, so daß das Kind gar nichts mehr erführe, was ihm den christlichen Glauben zu Gedächtniß rufen könnte. Sie sannen daher auf eine List, das Mädchen aus dem Hause ihrer christlichen Herrin zu bringen. Sie hatten bemerkt, daß während des Ramadan bei Mahbuba die Auszehrung sich deutlich ausgebildet hatte. Da nun diese Krankheit im Oriente als sehr ansteckend gefürchtet ist und man mit keinem Auszehrenden zusammenleben will, so wußten die mohammedanischen Dienerinnen ihre Herrin zu überreden, daß sie Mahbuba auf ein Landhaus schicke, wo nur muselmännische Sklaven waren. Kaum war das kranke Kind angekommen, so fielen die grausamen Menschen über dasselbe her, zündeten große Feuer an und zwangen es, mehrere Stunden bei der Glut zu stehen. Von Zeit zu Zeit vergruben sie das Kind bis an den Hals unter Haufen von heißem Sand und nöthigten es, halbe Tage darunter liegen zu bleiben. Das thaten sie unter dem Vorwande, das Mädchen zu heilen; aber ihre wahre Absicht ging darauf, ihm möglichst bald den Tod zu geben, damit es keine Christin werde. In kurzer Zeit war denn Mahbuba wirklich so schwach geworden, daß sie nicht mehr gehen konnte. Nun mußten es ihre Feinde dahin zu bringen, daß die Herrin das kranke Mädchen wegen seiner gefährlichen Schwindsucht in ein türkisches Krankenhaus tragen ließ.

„Die Dame ahnte nichts von der bösen Absicht ihrer Sklaven, und ebenso wenig von dem Wunsche Mahbuba's, eine Christin zu werden.

„Eines Tages aber kam eine christliche Frau in das türkische Krankenhaus und hörte, wie ein krankes Mägdlein immer die heiligen Namen aussprach. Als sie erfahren, welßen Sklavin Mahbuba sei, eilte sie zu der Herrin des Kindes und erzählte ihr alles. Da erwachte in dieser das Gewissen, und sie ging ohne Zögern zu dem neugegründeten katholischen Negerhaus in Alt-Kairo und bat die Schwestern, sie möchten die arme kranke Sklavin aufnehmen und im katholischen Glauben unterrichten. Mit Freuden wurde dieser Bitte willfahrt.

„Sofort schickten die Schwestern in das mohammedanische Krankenhaus und theilten Mahbuba die fröhliche Kunde mit, daß sie nun in ein Haus komme, in dem man ihr von ‚Jesus, Maria, Joseph', Taufe und ‚Paradies' erzählen werde, wo sie selbst eine Christin werden könne. Mahbuba's Augen leuchteten bei dieser Nachricht ganz selig, und es schien, als sei ein neues Leben in sie gekommen, so überglücklich war sie, die theuren Namen von fremden Leuten an sie richten zu hören. Noch an demselben Tage, dem 9. Februar 1864, wurde sie dann in das Negerinnenhaus der Schwestern gebracht, und da eilten gleich alle schwarzen Kinder an ihrem Bette und freuten sich, daß sie wieder eine neue kleine Schwester empfangen hatten. ‚Willst du gerne eine Christin werden, wie wir sind?' fragten sie die Kranke. — ‚Ja,' antwortete diese, ‚ich will auch die Taufe und das Paradies!'

„Nun wurde gleich der christliche Unterricht begonnen, und Mahbuba fühlte ihr Herz so froh und freudig, daß sie gar nicht mehr an ihre Krankheit dachte, wenn ihre neuen Gespielinnen an ihr Bett traten und ihr erzählten von ‚Jesus, Maria, Joseph, Christ, Taufe und Paradies'. ‚O das ist doch viel tausendmal schöner, als was die alte Sklavin mich lehrte, und das kann ich leicht glauben', sagte sie. Die kleinen Lehrerinnen schlugen die Kranke aber auch nicht, wie die türkische Dienerin es gethan, sondern mit vieler Liebe pflegten sie dieselbe und wachten bei ihr in der langen Nacht, wenn sie vor Freude oder Schmerz nicht schlafen konnte. Am liebsten hörte Mahbuba dem christlichen Unterricht zu, wenn Katharina Zenab ihm gab, weil diese immer in der Tintasprache redete, welche auch ihre Muttersprache war, und sie dabei immer mit Hoffnung und Trost an Vater und Mutter dachte, welche sie einst im Paradiese bei Jesus, Maria und Joseph wiederzusehen hoffte.

„Schon nach zwei Tagen wußte sie ganz gut ihren kleinen Katechismus; da kam ein Priester zu ihr, um zu sehen, ob sie zur Taufe hinreichend vorbereitet sei, und er fragte sie, was sie von der heiligen Religion wisse. Da fing Mahbuba an und sagte: „Gott, Jesus, Maria, Joseph, Christ, Taufe, Paradies‘ und erklärte dann diese heiligen Worte eines nach dem andern, und wie der Mensch von Gott geschaffen sei und durch Jesus, unter dem Beistande Maria’s und Josephs, als Christ mittels der Taufe zum Paradiese und wieder zu Gott kommen müsse. Dann fügte sie freudig hinzu: „Madia, ghen a non puou ba lo pan nial la Dendid niar, iek e ghen piu ioad!‘ Das heißt zu deutsch: „Mein Vater, ich will in das Haus des Himmels gehen, um Gott zu lieben; gib mir das heilige Wasser!‘

„Da das Kind immer schwächer wurde, so glaubten der Priester und die Ordensschwestern die heilige Taufe nicht mehr länger verschieben zu müssen. „Willst du jetzt getauft werden?‘ — „O ja, jetzt gleich, Madin!‘

„Gleich wurde im Zimmer der Kranken ein kleines Altärchen errichtet, und alle Schwestern und kleinen Negerinnen knieten andächtig um das Lager Mahbuba’s. Als diese den Priester in den heiligen Gewändern auf sich zukommen sah, da lächelte sie so unaussprechlich selig wie ein Engel, der in das offene Paradies schaut. Sie bat eine der Schwestern, sie etwas im Bette aufzurichten, dann sollte sie ihre Hände. So blieb sie in Andacht und froher Sammlung unbeweglich sitzen, bis sie fühlte, daß das Wasser der heiligen Taufe über ihren Scheitel sich ergossen habe. Da seufzte sie freudig, als sei eine schwere Last von ihrer Seele genommen worden. Sie wendete sich auf die rechte Seite, und zu dem Priester und den

Nilbarke. (S. 108.)

tuicenden Schwestern gerichtet, rief sie freudig: „Ana Maryam!‘ — ich bin Maria — weil man ihr den schönen Namen der lieben Mutter Gottes in der Taufe gegeben hatte.

„Das neue Christenkind bat nun eine der Schwestern, mit ihr dem lieben Gott für die große Wohlthat zu danken. „O, nun will ich nimmer an den Ramadan denken‘, sagte sie, „was kann er mir helfen zur Taufe und zum Paradiese? Ich will in das Paradies zu Jesus, Maria und Joseph!‘

„Am folgenden Tage empfing Maria Mahbuba auch noch die heilige Firmung und ertrug nun alle ihre Leiden noch einmal so freudig, wenn sie ihr kleines Kreuz betrachtete und das Bild ihres leidenden Heilandes an die Lippen drückte. Als eine kleine heidnische Negerin aus der Stadt sie besuchte, erzählte sie dieser so viel Schönes und Liebliches von Jesus, Maria, Joseph, Christ,

Taufe und Paradies, daß das fremde Mädchen bald wiederkam und nun auch die Taufe empfangen wollte. Es brachte sogar noch eine Gespielin mit sich, und so hatte Maria Mahbuba dem lieben Jesukind bald zwei theure Seelen gewonnen. Dafür sollte sie auch belohnt werden. Am 14. Februar empfing sie morgens sehr frühe ihre erste heilige Communion; aber diesmal kam der Heiland bloß zu ihr, um ihre unschuldige Seele in den Himmel zu holen. Gleich nach der heiligen Communion starb Maria Mahbuba, und Jesus, Maria und Joseph empfingen sie freundlich im Paradies. Dort thront die kleine schwarze Sklavin unter den Engeln und Heiligen Gottes und betet für ihre Eltern und ihre Stammgenossen und für alle Neger und alle Menschen, besonders für die frommen Kinder, welche durch Gebet und Almosen den Missionären beistehen, die sich um die Bekehrung der Neger so große Mühe geben.‘

14 *

So erzählte auf dem Kirchhofe die „weiße Mutter" ihren schwarzen Kindern die Geschichte von Maria Mahbuba, dem zuerst im Waisenhause von Alt-Kairo getauften Dinkamägdlein.

Nach dieser Erzählung beteten die Kinder noch eine Weile auf dem kleinen Grabe, und dann gingen sie in schöner Ordnung sittsam und schweigend zurück in die Stadt. Dort traten sie in das neue Haus, welches man ihnen erst im Jahre 1876 in dem besten Stadtviertel gebaut hat. Früher wohnten sie in einem gemietheten Hause in Alt-Kairo. In diesem neuen Kloster, welches von den Schwestern des hl. Joseph geleitet ist, werden christliche Negermädchen aufgenommen und in den weiblichen Arbeiten sowohl als besonders in der heiligen Religion sorgsam unterrichtet. Viele von diesen Kindern widmen sich dann, wenn sie größer geworden sind, dem Dienste der Mission und unterrichten

wieder andere Negerinnen; viele kehren auch in die Welt zurück, werden fromme Hausfrauen und bilden christliche Familien. Ein ähnliches Haus besteht auch für die Negerknaben. Auf diese Weise dienen die Kinder den eifrigen Missionären am meisten, und wenn die Mission unter den armen Negern einst gut gedeihen wird, so geschieht das durch die Aufführung und die Erziehung der schwarzen Kinder. Die alten Neger sind so versunken in ihren Götzendienst und ihre Laster, daß sie entweder den christlichen Glauben nicht annehmen wollen, oder, wenn sie ihn auch annehmen, doch nie so ganz eifrig und fromm werden, wie sie es sein sollten. Der Kinder Herz aber ist noch unverdorben, und wenn sie einmal den Heiland recht erkannt haben, so lieben sie ihn auch und suchen mit allem Eifer ihre Landsleute für ihn zu gewinnen.

Nil-Kataraktte bei Assuan. (S. 109.)

2. Den Nil aufwärts.

Also auf in das Negerland, wo die Dinka und die Bongo und die Niam-niam und noch so viele andere armen Heiden wohnen, an deren Bekehrung die katholischen Missionäre mit unaussprechlichen Mühen arbeiten. Die Reise in das Vaterland Mahbuba's ist freilich weit, sehr weit, fast so weit als von St. Petersburg in gerader Linie nach Rom; aber wir machen sie auf einer schönen Nilbarke mit riesigem Segel, auf der Stella Matutina (Morgenstern), welche uns bald bis zu den Katarakten des Nils hintragen wird. Von dort aus müssen wir dann sehen, wie wir weiter kommen. Also auf mit Gott!

Kaum haben wir Kairo im Rücken, so eröffnet sich zu beiden Seiten des geheimnißvollen Stromes ein herrlicher Ausblick in die fruchtbaren Ebenen von Wostani, dem Land der Mitte. Bis

zu den fernen duftverlorenen Bergen, die sich aus der Wüste wie langprige Gäste in die grünen Saatfelder hineindrängen, ist zur schönen Jahreszeit das ganze Land wie ein wogendes Meer von Aehren und Blüten, mit zahlreichen Kanälen durchzogen. Der größte ist der Josephskanal und erinnert durch seinen Namen an die Erzählungen von der Knechtschaft der Kinder Israels in diesem Lande, ihren Frohnarbeiten und den Wundern ihrer Befreiung. Bald kommen wir nach Theben in Oberägypten. Dort liegen seit Jahrhunderten die Trümmer der hundertthorigen Pharaonenstadt mit ihren zerbrochenen Säulen, Sphinxen und Königsgräbern. Alle Reisenden steigen aus, um die Ruinen und sandbedeckten Ueberreste vergangener Pracht anzustaunen, aber nur wenige deuten an die heilsame Lehre, welche die Trümmerhaufen den neugierigen Besuchern predigen. „O Eitelkeit der Eitelkeiten, und alles ist eitel außer Gott lieben und ihm allein dienen", so steht es hier mitten in der Wüste, nicht mit schwachen Buchstaben, sondern mit riesigen Tempelresten, zerstörten Palästen und zerbrochenen Königsgräbern geschrieben. Gottes Werke allein dauern, so lange sein allmächtiger Wille es wünscht. Das zeigt sich in den herrlichen Dumpalmen (siehe das Bild S. 93), welche mit ihren mächtigen, ewig grünen Wipfeln die Ruinen beschatten und welche Gott so zu sagen absichtlich mitten in die allgemeine Zerstörung hineingesetzt hat.

Die Dumpalme gehört zu den wenigen Gattungen der Palmen, deren Stamm sich verzweigt. Während z. B. der Dattelbaum in einem einzigen schlanken, von oben bis unten fast gleichdicken Schaft zu einer Höhe von fast 30 m stolz emporsteigt, theilt sich der Stamm der Dumpalme gleich unseren europäischen Bäumen in verschiedene Aeste und Zweige, von denen jeder gleich-

sam eine neue Zwergpalme mit fächerförmig ausgebreiteten Blättern, Blütenkolben und Fruchttrauben bildet. Auch verliert die Dumpalme nicht wie die anderen Palmarten ihre Blätter mit dem Stiele, sondern es fällt nur der äußerste Fächer ab, die zurückbleibenden Stengel aber umgeben nach und nach den Hauptstamm und die Aeste mit großen harten Stacheln, die jedes Emporklettern unmöglich machen. Frucht und Blüte der Dumpalme werden als Nahrungsmittel verwendet. Um die kernige Frucht setzt sich eine dicke mehlige Rinde an, die ganz wie Pfefferuß aussieht und auch so schmeckt. Aus ihr bereitet man ein würzhaftes und kühlendes Getränke. Die faserigen Blätter des Baumes endlich werden zu dem sogenannten afrikanischen Pferdehaar verarbeitet und zu groben Teppichen, Segeltuch und ähnlichen Geweben benutzt. Wie

Der große Nil-Katarakt. (S. 110.)

oft haben wir vielleicht dergleichen Stoffe schon gesehen, ohne daran zu denken, daß ihre Fäden einst als stolze Blätterfahne über dem einsamen Wüstensande oder den noch öderen Trümmern einer ägyptischen Pharaonenstadt geweht haben! Die Dumpalme gedeiht auch wohl noch südlicher als Oberägypten, findet sich jedoch am zahlreichsten in der Umgegend des alten Theben. Von ferne schon grüßt der Reisende ihren schattigen Wipfel in der sonnenverglühten Wüste; an ihrem Fuße gibt es manch erschweifende Beduine seinem Genossen das Stelldichein wie in einer bekannten Herberge, und nicht selten wird die Krone des Baumes in der pfadlosen Ebene ein von ferne sichtbarer Wegweiser des Wanderers.

Da wir schon von den Ruinen Thebens gesprochen haben, können wir gleich unsere Nilreise weiter fortsetzen. Etwas südlich von Theben verengt sich das Flußthal immer mehr; die Felsen

ragen zu beiden Seiten bis zu dem Ufer vor und fallen senkrecht herab, kahl und grau, nicht wie die rebengrünen Hügel am schönen Rheine oder die waldigen Berge des Donauufers, sondern steil und öde, wie eine endlose, riesige Mauer. Und wer die Mauer ersteigen, schaut unabsehbar ausgedehnt die traurige, schaurige Wüste. Aber bald erschallt auf unserem Schiffe der Ruf: „Schellal von Assuan!" d. h. der Katarakt von Assuan. Ein Katarakt ist kein einfacher Wasserfall, sondern ein verworrenes Durcheinander von Stromschnellen, die zwischen enge aneinander gerückten, schroffen Felswänden schäumend und tosend daherstürzen, sich Bahn brechend durch regellos emporsteigende Klippen und Felshäupter, und so durch ihren steilen Fall, ihre starke Strömung und unsichere Tiefe der Schifffahrt die größten Hindernisse bereiten. Große Schiffe können hier gar nicht mehr weiter, kleinere wagen oft noch die endlos mühſelige und langſame Fahrt. Mehr als hundert Eingeborene müſſen oft zuſammengeſucht werden, um das Schiffchen zu ziehen, während andere handfeſte Arbeiter durch das Flußbett waten, um das Steingeröll am Boden auf die Seite zu ſchaffen, und mitunter auch die ganze Laſt auf ihren Armen über ſchwierige Stellen zu heben. Dabei iſt es bisweilen ganz luſtig anzuſehen, wie ungeſchickt die Schaar der gedungenen Zieher ſich bei dem Geſchäfte anſtellt. Auf Commando zu arbeiten, verſtehen ſie faſt gar nicht, den Befehl überſchreiten ſie mit ihrem eigenen Lärm, laſſen oft nach, wenn gezogen, und ziehen, wenn nachgelaſſen werden ſollte. Zuweilen entſteht auch zwiſchen mehreren ein Streit; dann vergeſſen ſie alles, laſſen Schiff und Tau fahren, um erſt mit unzäglichem Geſchrei ihre Händel auszumachen. So gelangt man endlich über den erſten Katarakt, aber bald zeigt ſich ein zweiter, ein dritter u. ſ. w., das Waſſer nimmt immer mehr ab, und die Schwierigkeiten der Fahrt ſteigen. Darum verlaſſen auch die meiſten Reiſenden das Schiff in Korosko und ziehen es vor, die Reiſe durch die Wüſte fortzuſetzen. Es iſt freilich eine traurige Wanderung; überall nichts als kahler Stein, vom Sandſtaub zu Füßen bis zum Kranz der Gebirge, die den Horizont umſäumen; nirgends ein nährendes Pflänzchen, ein ſchattiger Baum, eine labende Quelle; dazu die brennende Sonne und der glühende Sand, der vom Winde emporgewirbelt dem Wanderer das Geſicht verſengt; endlich nicht die geringſten Anzeichen von Leben auf wochenlangen Märſchen, es ſei denn die Gerippe der Kameele, die auf dieſem Wege verendet ſind und deren die Miſſionäre an einem einzigen Tage 227 gezählt haben. Aber ſo gefährlich die Wüſtenreiſe iſt, dürfte doch die Fahrt durch die Nilkataratte noch gefährlicher ſein. Wir wollen uns eine ſolche Fahrt von Herrn Bouchard erzählen laſſen, der als katholiſcher Feldgeiſtlicher die engliſchen Truppen im Kriege gegen den Mahdi begleitete. In einem Briefe vom 25. Januar 1885 ſchildert er die Mühſale und Gefahren dieſer Fahrt durch die Klippen und Wirbel der Stromſchnellen alſo:

„Letzten Mittwoch traf ich hier in Abu Fatmeh ein und habe nun drei Ruhetage genoſſen, die erſte Raſt ſeit einem Monat. Gott ſei Dank, die Fahrt iſt überſtanden! Ich glaube kaum, daß es eine mühſamere und gefährlichere giebt. Wenn ich zurückdenke, ſo kommt es mir beinahe wie ein Wunder vor, daß ſo viele heil hierher gekommen ſind. Wir brauchten von Wadi Halfa bis hierher 31 Tage, legten alſo täglich ſieben bis acht (engliſche) Meilen zurück. Von Sonnenaufgang bis Sonnenuntergang mußten wir uns angeſtrengt rudern, um dieſe Strecke (16 km) voranzukommen. Manchmal hatte ich den ganzen Tag das Ruder in der Hand; dann mußten wir wieder das Boot an Tauen über Stromſchnellen hinaufziehen und dabei wie Ziegen über die Felsblöcke klettern. Bei der Abreiſe hatte ich ein Paar ſtarke Soldatenſtiefel erhalten; bei meiner Ankunft hier waren die Sohlen fort, ſo daß ich barfuß ging. Glücklicherweiſe erhielt ich hier ein neues Paar. Jeden Augenblick gerieten die Boote auf Felſen oder Sand; dann mußte man ins Waſſer ſpringen und ſie voranheben und ſchieben. Ohne alle Uebertreibung war jeder von uns ein Dutzend Mal in Todesgefahr. Der letzte Katarakt iſt eine wahre Schreckensſtraße. Wir brauchten drei Stunden, um die vier Meilen zurückzulegen, und in der Nacht darauf ſchmerzten mich alle Glieder derart, daß ich nicht ſchlafen konnte. Wir hatten einen Canadier an Bord, der uns hindurchſteuern mußte. ‚Heute werdet ihr tüchtig rudern müſſen, Jungens,‘ ſagte er zu uns, ‚wenn je in eurem Leben. Da liegt eine ganze Reihe von Stromſchnellen vor uns.

die man nur durch Rudern überwinden kann. Kein Tau kann uns hier helfen, und wenn ihr nicht über die Strömung Meiſter werdet, ſo wird ſie euch fortreißen, an die Felſen ſchleudern, und es iſt euer letzter Tag.‘ So ſtürmten wir die Vorrathskiſten, mit denen unſere Boote faſt zum Unterſinken beladen waren, auseinander, um Raum für acht Ruder zu gewinnen, und voran ging's, glücklicherweiſe mit günſtigem Winde.

„In meinem Leben werde ich dieſes Rudern auf Leben und Tod nicht vergeſſen. Es war beinahe Mittag; die Sonne brannte auf uns nieder; wir hatten den ganzen Morgen hart gerudert, und ich hatte nichts genoſſen als eine Handvoll Zwieback und etwas Kaffee. Stromſchnelle auf Stromſchnelle wurde zurückgelegt; endlich erreichten wir die ſchlimmſte von allen, welche etwa eine Viertelmeile lang iſt. An dieſer Stelle drängt ſich die ganze Wucht des Stromes zwiſchen zwei gewaltigen, dunkeln, etwa 100 Fuß voneinander abſtehenden Felsriffen durch; da ſchießt das Waſſer mit ſchwindelerregender Schnelligkeit dahin. Dieſe hohle Gaſſe iſt voll von Riffen; einige ragen gerade über das Waſſer, andere ſind eben von den Wellen bedeckt; man kennt ſie leicht an der Wuth, mit welcher der Strom über ihnen anſchäumt. Dazwiſchen bilden ſich gefährliche Strudel; wer in einen derſelben hineingeräth, kommt nicht mehr lebendig heraus. Dieſe Stromſchnelle aufwärts ruderten wir alſo Zoll um Zoll, und der Canadier wich den Riffen mit wundervoller Geſchicklichkeit aus. Endlich erreichten wir ihr oberes Ende; dort iſt der Strom am ſchmalſten, aber ſeine Wucht, gerade zwiſchen den beiden Felſen eingeklemmt, am gewaltigſten. Die eingezwängten Wogen ſtürmten mit aller Macht auf uns ein. Gelang es, dieſe Stelle zu überwinden, dann war alles gewonnen. ,Jetzt, Jungens,‘ rief ich, ,eine letzte Anſtrengung, und es iſt überſtanden!‘ und die acht Ruder faßten mit kräftigem Schlage in das Waſſer. Selbſtverſtändlich iſt das Rudern in dieſen Stromſchnellen keine leichte Aufgabe. Das Waſſer ſchießt ſo raſch und mächtig dahin, daß es einem im Nu das Ruder aus der Hand reißt, wenn man nicht feſt iſt wie der Blitz. Wir ruderten alſo, daß jede Sehne zu reißen drohte; aber wir kamen dem drohenden ſchwarzen Riffe, das ich links ſehen konnte, keinen Zoll näher. Ich bemerkte, daß der Canadier unruhig wurde; er biß die Zähne aufeinander und brummte vor ſich hin; dabei legte er das Steuer bald rechts, bald links, um eine etwas ruhigere Stelle in der Strömung zu finden. ,Rudert!‘ ſtieß er durch ſeine feſtgeſchloſſenen Zähne, ,rudert um euer Leben, ſonſt reißt es uns die Schnelle hinab!‘ Ich beflügelte meinen Ruderſchlag und rief den Leuten zu, um des Himmels willen noch kräftiger die Ruder zu faſſen; denn ich konnte ſehen, wie uns die Strömung langſam zurücktrieb. Es bedurfte aber dieſer Mahnung nicht; die Ruder bogen ſich in ihren Händen. Ich ſchaute über meine Schultern und ſah, wie die alle den Helm abgeworfen hatten, wie ſie barhaupt unter der glühenden Sonne, von Schweiß überſtrömt, mit zuſammengebiſſenen Zähnen und leuchtend unter der furchtbaren Anſtrengung iſt voll von Riffen Ruder legten. Ohne jeden Zweifel thaten alle das Menſchenmögliche, und doch kamen wir nicht voran! Wir hätten ebenſo gut verſuchen können, den Felſen zu durchbrechen, als dieſen Waſſerwall. Nie in meinem Leben habe ich inbrünſtiger um Gottes Hilfe geflehet, und in meine Hand einen kleinen Ruder raſcher ergriff. Gerade als die Mannſchaft ihre Kräfte erſchöpft hatte und wir abermals zurückgetrieben worden, faßte unſere Segel, die von einem günſtigen Winde geſchwellt waren, ein kräftiger Windſtoß, ſo daß das Boot nach einer Seite überlegte; die ſteife Briſe half. ,Muth, Jungens,‘ rief ich, ,noch ein Dutzend kräftige Ruderschläge!' Langsam, Zoll um Zoll, stiegen wir. Bald war der Bug unseres Bootes in einer Linie mit den beiden Riffen. Noch sechs Ruderschläge, in welche wir den ganzen Rest unserer Kraft legten, und wir hatten das Felsenthor hinter uns. Blitzschnell warf jetzt unser Canadier das Steuer herum und steuerte uns links, wo hinter den Felsen ruhiges Wasser stand. Da konnten wir etwas rasten, und wahrlich keine Minute zu früh! Als wir uns den Schweiß abtrockneten, bemerkte ich, daß Gesicht und Brust unseres Canadiers mit Schweiß überronnen waren. ,Du bist ja so heiß geworden,' sagte ich, ,als ob du mit uns die Stromschnelle hinauf gerudert hättest.' ,Wissen Sie, mein Vater, was mir den Schweiß erpreßte?' antwortete er. ,Es war Todesangst. Ich wußte, wenn ihr die Strömung nicht überwändet, würde sie das alte, lecke Boot in der Breitseite fassen, es mitsammt uns über

und über rollen und an den Riffen zu kleinen Splittern zertrümmern. Wahrscheinlich wäre keiner von uns mit dem Leben davongekommen, und dieser Gedanke hat mir den Schweiß ausgepreßt.'

„Tags darauf erreichten wir Abu Fatmeh, und einen Tag später traf I'. Brindle mit einer Compagnie des 18. Regimentes ein. Auch er hat mit den Soldaten um die Wette gerudert, und das Tau, an welchem das Boot geschleppt wurde, über seine Schultern genommen, wie der Stärkste von ihnen, so wenig eine solche Arbeit zu seinen weißen Haaren und seinem grauen Barte stimmen wollte. Wenn es jemals ein ächtes Soldatenherz gab, so schlägt es in der Brust I'. Brindle's.

„Wir sahen uns, wie schon gesagt, sehr oft dem Tode Auge in Auge gegenüber, wenn auch bis jetzt nicht auf dem Schlachtfelde, so doch im Strome. Eines Tages waren wir an einer sehr

In der nubischen Wüste. (S. 112.)

gefährlichen Stelle; der Fluß war mehr als eine Meile breit, bildete aber ein wahres Labyrinth von Klippen, Sandbänken und Stromschnellen. Wir hatten die gefährlichste Stelle eben zurückgelegt und gutes Fahrwasser gewonnen, als wir hinter uns plötzlich laute Hilferufe hörten. Wir sahen ein Boot von den GordonHochländern, das die Strömung auf ein verborgenes Riff geschleudert hatte. Offenbar war das Schiff bedeutend leck geworden; denn wir sahen, wie sie das Wasser mit Eimern ausschöpften. Es war nicht leicht, ihnen Hilfe zu bringen; denn zu diesem Zwecke mußten wir dieselbe Stromschnelle hinab, welche ihnen verderblich geworden war. Aber es mußte gewagt werden; ihr Boot konnte mit jedem Augenblicke vom Riffe abtreiben und mit Mann und Maus versinken. So ließen wir uns, hart gegen die Strömung rudernd, langsam die Schnelle hinab. Etwa zwei Schiffslängen

von ihnen entfernt, fühlten wir plötzlich unsern Kiel auf einem Felsen knirschen, was uns verkündete, daß auch wir auf einem Riffe säßen. Die Lage war gefährlich genug. Wir saßen gänzlich fest; kein Rudern und kein Schieben half, während rund um uns tiefes Wasser war. Glücklicherweise war das Boot heil geblieben. Zunächst ließ ich den Hochländern ein Tau zuwerfen und hieß sie dasselbe an ihrem Boote festknoten. Was nun zu thun war, lag auf der Hand. Unser Boot konnte nie mehr flott werden, wenn wir es nicht erleichterten, und ebenso wenig hätten wir die zehn Hochländer in unser so schon zu schwer belastetes Boot herübernehmen können; ich gab also Befehl, die Proviantkisten über Bord zu werfen, und in wenigen Minuten schwammen Vorräthe für 100 Tage fröhlich den Nil hinab. Sogleich sahen wir unser Boot flott, ruderten nun neben das Schiff der

Hochländer und nahmen seine Mannschaft auf sammt Sack und Pack und Wehr und Waffen. Doch ich könnte ein Buch schreiben, wenn ich alle Gefahren und Mühsale dieser Nilexpedition beschreiben wollte."

3. Der ägyptische Sudan.

Bei Wadi-Halfa haben wir die Grenze des eigentlichen Aegypten überschritten und den Sudan betreten. Beled-el-Sudan bedeutet so viel als „Land der Schwarzen", und dieser Name schon verkündet uns, daß wir uns jetzt im Lande der Neger befinden.

Der Sudan erstreckt sich vom Rothen Meer im Osten quer durch ganz Afrika bis in die Länder am Niger im Westen. Seine Nordgrenze ist die Wüste der Sahara, seine Südgrenze ungefähr die Wasserscheide des Kongostromes. Das ungeheure Gebiet zerfällt in drei Gruppen: die östliche bildet den sogen. ägyptischen Sudan und umfaßt Nubien, Senoar, Kordofan, Darfur und die Länder am obern Nil; die mittlere Gruppe besteht aus Wadai und den drei Sultanaten Kanem, Bagirmi und Bornu, welche den Tsadsee umschließen; die westliche Gruppe endlich umfaßt die Haussastaaten am Niger, welche wir auf unserer Niger-fahrt von der Westküste aus besuchen werden.

Der ägyptische Sudan umfaßt ein Gebiet von rund 2 Millionen qkm, das von 10—11 Millionen Seelen bevölkert wird.

Nubien, das wir zunächst betreten, war schon von den alten Pharaonen Aegypten unterworfen. Uralte Tempelreste verkünden jetzt noch den Ruhm des großen Namens und den Dienst, der

Der Hauptplatz in Chartum.

hier vor vier Jahrtausenden Isis und Osiris geweiht wurde. Auf der sogen. „Insel", dem Lande zwischen dem Blauen und Weißen Nil, lag der Priesterstaat Meroë.

Am Zusammenfluß der beiden Nile steht heute Chartum, die Hauptstadt der nubischen Besitzungen des Khedive, welche aber seit der Empörung des Mahdi thatsächlich noch immer in der Gewalt der Aufständischen ist. Die Zahl ihrer Bewohner vor der Er-oberung durch den Mahdi wird auf 50 000 angegeben; sie war der Mittelpunkt des Handels für den gesammten ägyptischen Sudan. Wir müssen uns aber ja nichts Schönes unter dieser Stadt vor-stellen. Die Dschama (Moschee) mit einem unbedeutenden Minaret, ein gedeckter Bazar, ein Hauptplatz, auf dem täglich Markt gehalten wird, die Gebäude der katholischen Mission und einiger Consule sind so ziemlich alles Sehenswerthe. In den engen Gassen bringen wir am besten gar nicht ein. Entsetzliche Hitze, unaussprechlicher Gestank und zur Regenzeit unsäglicher Schmutz erfüllen sie. Die Unreinlichkeit der Bewohner in Verbindung mit der tropischen Hitze und den sumpfigen Flußufern machen Chartum zu einem ebenso unangenehmen als ungesunden Aufenthaltsort.

Berber, die zweitwichtigste Stadt Nubiens, liegt etwa 300 km nördlich von Chartum. Vor dem Kriege des Mahdi dehnte es sich über mehrere Quadratkilometer aus, jetzt ist es fast ganz zer-stört. Ein viel benutzter Karawanenweg führt von dieser Stadt nach dem Hafen von Suakin am Rothen Meer, der eine Ein-wohnerschaft von etwa 5000 Seelen hat. Der Weg, 420 km, wird von den Karawanen in acht Tagen zurückgelegt. Schon lange war der Bau einer Bahnlinie von Berber nach Suakin geplant, welche die Handelsverbindungen mit den oberen Nilländern herstellen würde; aber die Kriegsunruhen haben die Ausführung in unabsehbare Ferne gerückt.

Südlich und südöstlich von Chartum am rechten Ufer des Weißen und zu beiden Seiten des Blauen Nils, der von den Bergen Abessiniens herniederströmt, dehnt sich das Land Senaar, die Insel Meroë der Alten. Das Land ist zum Theil dicht bewaldet; gras- und buschreiche Steppen sind der Viehzucht günstig. Die Dromedare und Rinder Senaars sind durch ihre Größe und Stärke berühmt. Die gleichnamige Hauptstadt mit etwa 7000 Einwohnern liegt am Ufer des Blauen Nils; ihre krummen, von Lehmhütten gebildeten Gassen sind womöglich noch unsauberer als diejenigen Chartums, und die Stadt gilt als ein Brutnest der schlimmsten Fieber und anderer tödtlichen Krankheiten.

Das Volk der Nubier ist trotz seiner dunkeln Hautfarbe kein eigentliches Negervolk. Statt des krausen Wollhaares der Neger haben die Leute lange, straffe Haare; doch tritt, je mehr man nach Süden kommt, der Negertypus schärfer hervor. Einige Stämme sind arabischer Abkunft, andere scheinen vom Südwesten her eingewandert; alle sind glühende Anhänger des falschen Propheten Mohammed; doch rühmt man ihnen Wahrheitsliebe und Christlichkeit nach. Ihre Wohnungen bestehen in kleinen Hütten, die aus an der Luft getrockneten Ziegeln erbaut und mit dürren Maisstengeln gedeckt werden. Vor den Hütten steht ein Vorrathskasten, aus Nilschlamm geknetetes, cylindrisches Gefäß von 1—1,60 m Höhe und 0,60—1 m Durchmesser, in dem sie Datteln, Getreide u. s. w. zum Schutze gegen Mäuse, Vögel und

Garten der Schwestern in Chartum.

Ungeziefer aufbewahren. Bei der überaus heißen und trockenen Witterung Nubiens genügt diese Art von Speichern vollständig. Die Nubier leben meist von Pflanzenkost. Hirse, Gerste, Bohnen, Linsen, Kürbisse, Melonen, Datteln und Feigen sind die gewöhnlichen Gerichte; auch halten sie Tauben, Hühner, Ziegen und Rindvieh. Der Tabak, den sie ziehen, wird nicht geraucht, sondern gekaut.

Westlich vom Weißen Nil erstreckt sich das von Hügeln durchzogene Steppenland Kordofan über etwa 100 000 qkm, welches kaum 300 000 Einwohner zählt. Nur in und unmittelbar nach der Regenzeit bedeckt freundliches Grün die weite, gewellte Ebene. Der Baumwuchs fehlt fast gänzlich. Als Hauptstadt gilt El Obeid, 350 km südwestlich von Chartum. Vor dem Aufstande des Mahdi blühte daselbst eine nunmehr zerstörte katholische Mission, deren Schicksale wir später erzählen werden.

Der westlichste Staat, der zum ägyptischen Sudan gehört, ist Dar-Fur, das einen Flächenraum von 275 000 qkm und vielleicht 4 Millionen Einwohner hat. Es ist also beinahe so groß wie Italien. Auch hier waltet die Ebene vor; doch bildet das Marragebirge, dessen Gipfel über 1000 m emporragen — der Turo im Norden erreicht eine Höhe von 1440 m, also ungefähr Brockenhöhe — ein ziemlich ausgedehntes Bergland. Der Boden ist fruchtbar; aber es fehlt an Wasser. Die Flüsse, welche vom Gebirge zur Regenzeit herniederbrausen, vertrocknen, sobald der Regen aufhört. Wo man deshalb das Wasser nicht künstlich sammelt und vertheilt, geht die Ernte nicht selten verloren. Die Bergbewohner treiben Viehzucht und sind oft wohlhabend; die Reichen kleiden sich in Musselin; die Frauen tragen einen Nasenring und schwere silberne Ohrgehänge. In Weberei, Spinnerei, Färberei, Gerberei und Schmiedehandwerk sind die Fori, wie man die Bewohner von Dar-Fur nennt, sehr erfahren. Die Hauptstadt El-Fascher liegt 730 km westlich von Chartum und soll 15 000 Einwohner haben, obschon es keine eigentliche Stadt, sondern eine regellose Ansammlung von Hütten ist. Die hohe Lage in der reineren Bergluft macht die Hitze erträglich und das Klima gesund.

Endlich rechnet man zum ägyptischen Sudan das ungeheure Gebiet südlich von Kordofan am Laufe des obern Weißen Nil bis an seinen Austritt aus dem Albertsee. Wadelai, das der deutsche Emin Pascha jahrelang gegen die Aufständischen vertheidigte, ist die südlichste ehemals ägyptische Besitzung. Dieses Gebiet wird von einer großen Anzahl verschiedener Negerstämme bewohnt, von den Schilluknegern, von den Nuer, den Dinka, den Bari, den

Schier, den Bongo, und wie sie alle heißen. Es wird genügen, wenn wir einen dieser Stämme näher kennen lernen, und wir wählen die Dinka. Denn was wir von ihnen sagen, gilt auch von den meisten ihrer Nachbarn am Weißen Nil.

4. Aus dem Leben der Dinka.

So wunderschön das Land der Dinka ist, so wenig schön sind sie selbst. Sie gehören zu den allerschwärzesten Negern von ganz Afrika, sind ziemlich groß und stark, aber unaussprechlich häßlich in ihren Gesichtszügen. Das hindert den Neger jedoch keineswegs, ein großes Stück auf sich zu halten, und von jedem, der ihm begegnet, ein Compliment und Höflichkeiten zu verlangen. Er glaubt auch wunders wie schön er sei. Wenn er sein kurzes krauses

Ansicht von Berber. (S. 112.)

Haar mit Kalkwasser parfümirt und mit Pistasche gepudert, sein Gesicht mit rothem Oel gesalbt und tätowirt, die Glieder mit zahlreichen Ringen geschmückt, eine Feder auf dem Kopf und einen Löwen- oder Leopardenschweif hinter dem Rücken schleppend umgebunden hat, so stolzirt er wie der feinste europäische Stutzer einher und kann sich gar nicht denken, daß es auf der ganzen Welt stattlichere Menschen gebe. Er fühlt sich daher zum Herrschen geboren und befiehlt gerne. Das zeigt sich schon bei den kleinen Buben; ist einer nur um einen Zoll größer als die anderen, so müssen diese ihm streng gehorchen. Gebraucht ein Mann, auch wenn er fremd ist im Dorf, entweder Wasser oder Feuer, so ruft er den ersten besten Jungen und verlangt von ihm jeglichen Dienst; sollte dieser sich aber weigern, so würden ein paar Ohrfeigen ihm bald flinke Beine geben.

Die Dinka glauben freilich an einen Gott, der alles erschaffen hat; aber sie kümmern sich um ihn nicht im mindesten, weil sie meinen, er habe keine Gewalt gegen das Böse in der Welt. Das Böse kommt vom Teufel, und wo immer ein Unglück geschieht, ist der böse Feind allein Schuld daran. Darum hat auch der Neger eine große Ehrfurcht vor dem Teufel und sucht ihn auf alle Weise gut zu stimmen. Während der gute Gott nie ein Gebet oder Opfer vom Dinka empfängt, erfreut sich der böse Geist allerlei Arten von Verehrung. Besonders wird er unter der Gestalt der großen Schlange Python angebetet. Kommt eine solche Riesenschlange ins Lager, so wird ihr gleich ein Ochse geschlachtet und als Opfer vorgesetzt. An die Unsterblichkeit der Seele glauben die Dinka nicht; sie halten es in diesem Punkt mit den Ungläubigen in Europa und sagen:

Mit dem Tode ist alles aus! Sie haben ein Liedchen, worin sie das häufig genug singen:

„Am Tage, da Gott alle Dinge schuf,
Schuf er die Sonne:
Und die Sonne geht auf und unter und kehrt wieder;
Schuf er den Mond:
Und der Mond geht auf und unter und kehrt wieder;
Schuf er die Sterne:
Und die Sterne geh'n auf und unter und kehren wieder;
Schuf er den Menschen:
Und der Mensch kommt hervor, geht in die Erde und kehrt
  niemals wieder."

Dieser traurige Unglaube hängt mit einem andern Irrthum zusammen; die Dinka glauben nämlich nicht an den Himmel und meinen deshalb, es wäre besser, nach dem Tode gar nicht mehr zu leben. Will man den armen Leuten von ewigem Leben sprechen, so werden sie gar traurig darüber, erschrecken und wollen nichts davon hören. Sie meinen, es wäre doch mehr als genug, einmal ein ganzes Leben lang gearbeitet, gehungert und alles Elend getragen zu haben, und ein zweites Mal könnten sie es nicht mehr aushalten. Daß es ein anderes Leben für die Guten eine ewige Glückseligkeit gebe, will ihnen nur schwer in den Kopf. Sie haben eine alte Ueberlieferung, welche nämlich folgendes erzählt: Gott hatte von Anfang an alle Menschen gut erschaffen und sie zu sich in den Himmel genommen; aber einige wurden böse und störten den Himmelsfrieden, und Gott wollte Ruhe haben vor ihnen. Da ließ er einen langen Strick auf die Erde nieder und schickte die bösen Menschen an ihm auf die Erde, damit sie brav würden und Buße thäten. Hatten sich dann einige wirklich gebessert, so erlaubte ihnen Gott wieder, an dem Strick in den Himmel hinaufzuklettern. Droben aber waren alle fröhlich; sie arbeiteten nicht und erlustigten sich an Tanz und Bier den ganzen Tag. Da kam einmal ein blaues Vögelein durch die Luft geflogen und sah den goldigen Strick vom Himmel hangen. Gleich fing es an, mit seinem Schnabel daran zu bicken, und pickte so lange, bis der Strick zerbrach und auf die Erde niederfiel. Nun kann kein Mensch mehr hinauf, alle müssen auf Erden sterben, und der Himmel bleibt verschlossen.

So hat der Aberglaube und die Barbarei die schöne und wahre Geschichte vom Paradiese und vom Sündenfalle entstellt, die den Negern von ihren Stammeltern überliefert wurde.

Kameeltreiber von Chartum.

Sobald jemand krank geworden ist, wird der Zauberpriester gerufen. Dieser erscheint mit einem irdenen Krug, spuckt den Kranken ringsum an, rührt den Staub und die Asche von der Stelle und beginnt dann nach allen Seiten mit den Händen um sich zu schlagen, gleichsam als scheuche er die bösen Geister. Darauf nimmt er ein Stück Holz, steckt es in seinen Krug, gießt Wasser hinein und hält mit dem Teufel Zwiegespräch. Nachdem er zu diesem Zweck etwas in den Krug hineingemurmelt und aus dem dumpfen Widerhall die Antwort Satans vernommen, naht er sich wiederum dem Kranken, belastet ihn von allen Seiten, und ohne daß die Umstehenden merken können, wie und woher, zeigt der Zauberer plötzlich ein Stück Holz oder einen Stein vor, die er aus dem kranken Theil herausgezaubert haben will, und die nach seiner Behauptung die einzige Ursache der Schmerzen gewesen waren. Darum erklärt er den Kranken auch für geheilt, besprengt ihn und die Umstehenden mit dem Wasser des Kruges und geht reich beschenkt von dannen. Der Kranke glaubt ganz fest an seine Heilung, und wenn er nichtsdestoweniger noch nicht gesund ist, so ist das seine eigene Schuld!

Einmal litt ein alter Mann während der schlechten Jahreszeit gar stark an rheumatischen Schmerzen im Rücken. Der Kogur (Zauberer) wurde gerufen und gab dem Kranken als Heilmittel eine aus Holz geschnitzte Rippe, die er beständig bei sich tragen müsse, bis die Schmerzen nachgelassen hätten. So sah man nun den alten Mann mit seiner Holzrippe den ganzen Tag umhergehen, und selbst beim Essen und Schlafen wagte er es nicht, das Zaubermittel aus der Hand zu legen. Nach und nach wurde das Wetter besser, und auch die Gichtschmerzen ließen nach. Da war große Freude im Hause; der Zauberer kam, um seine Wunderrippe zurückzuholen und wurde noch einmal reichlich beschenkt. Als nun nach einiger Zeit ein Enkel des alten Mannes vom Fieber befallen wurde und der kranke Knabe zu den Missionären wollte, weil er getauft war, gestattete dies sein Großvater nicht, sondern ließ den wunderthätigen Kogur kommen. Dieser ordnete an, daß man in der Nähe der Hütte einen abgenützten Mühlstein an einem Strick aufhänge, um den Teufel zu verscheuchen. Ob nun dies Mittel nicht stark genug war, den bösen Geist ferne zu halten, oder ob Gott den kleinen Eddo trotz des Mühlsteins zu sich ins Paradies holen wollte — kurz, der kranke Knabe starb schon nach zwei Tagen, aber an der Macht des Kogur wurde darum nicht gezweifelt.

15*

ist ein Kranker dem Tode nahe, so hilft nach der Ansicht der Neger nichts mehr als ein Opfer für den Teufel. Der Zauberarzt nimmt einen Ochsen, den die Leute des Kranken schlachten, und mit dessen warmem Mageninhalt der Kogur den Kranken bestreicht. Das ist das letzte Mittel. Den schönsten Theil des Fleisches nimmt der Doctor, das übrige essen die Mitglieder der Familie, und der Teufel hat nichts als den Geruch. Hilft aber alles nicht und stirbt der Kranke, so wird ihm das Haupt kahl geschoren; man macht vor seiner Hütte ein Grab, krümmt dem Todten den Kopf zwischen die Kniee und wirft dann wieder Erde über ihn. Der Todtengräber legt sich dabei Erde in das Ohr, damit er das Geheul der Verstorbenen nicht höre. Alle Angehörigen scheren sich zum Zeichen der Trauer das Haar, legen sich einen Strick um Hals und Hüfte und fasten bei dem Tode eines Mannes drei, bei dem eines Weibes vier Tage. Ist diese Trauerzeit vorüber, so machen sie auf dem Grabe ein Feuer, und der Kogur erscheint wieder mit einem Opfer. Diesmal ist es ein Schaf, das zuerst um das Grab geführt und darauf von den Angehörigen in die Mitte genommen wird. Dann werfen sie es nieder, setzen sich alle darauf und bleiben so lange sitzen, bis das arme Thier erwürgt ist. Unterdessen treibt der Zauberer seinen Hokuspokus und besprengt das Grab und die Verwandten eifrig mit Wasser. Endlich wird das Schaf gebraten und verzehrt, aber nicht auf das Wohl des Verstorbenen, sondern bloß um den bösen Geist zu versöhnen, damit er die Familie nicht noch einmal durch einen Todesfall heimsuche.

Der Dinka ist ein großer Herr, und darum hat er euch zwei Schlösser, eines für die trockene Jahreszeit, ein zweites für den Winter. Die Sommerhütten sind in der Nähe des Flusses aus einfachem, gradaufstehendem Schilf errichtet, nicht einmal von allen Seiten geschlossen, da sie bloß als Lagerstätten dienen und vor dem scharfen Nordwind schützen sollen. Die ganze innere Einrichtung besteht aus einer dicken Lage Asche, in welche der Neger

sich nachts verkriecht, um etwas wärmer gebettet zu sein. Wenn aber die Regenzeit herauzieht und der schwarze Vogel landeinwärts steigt, so rüstet sich auch der Dinka zur Wanderung; 40—50 Familien sammeln sich, um einen neuen Wohnsitz zu suchen. Das geschieht nach der Beschreibung eines Missionärs folgendermaße: Voran ziehen die großen Rinderheerden mit den Treibern, dann kommen die Frauen und Kinder, welche die Zeltmatten, die häuslichen Geräthschaften und den Kornvorrath tragen. Zuletzt folgen die Männer mit ihren Lanzen und Knotenstöcken. Ist der Zug so eine Strecke von drei bis vier deutschen Meilen gewandert, so stößt der Heerführer ein lautes und wildes Geschrei aus und gebietet Halt. Alle stehen wie angewurzelt. Dann untersucht derselbe Führer mit den Familienältesten das Waldgebiet, und finden alle es zu einer Niederlassung geeignet, so erschallt wieder ein lautes Geschrei, welches dem ganzen Zuge kundthut, daß alle ihre Lasten niederlegen sollen. Einige junge Bursche treten nun vor die Aeltesten und führen einen fehlerlosen Stier herbei, der mit grünem Laube geschmückt ist. Mit großer Gewandtheit umschlingen die Bursche seine Füße und zerren ihn auf die Erde. Nun tritt das Oberhaupt der Karawane mit den Aeltesten heran, zieht ein zweischneidiges großes Messer aus der Scheide und stößt es in den Nacken des Thieres, das unter furchtbarem Gebrüll einen Strom von Blut vergießt. Der Häuptling nimmt von diesem Blut, besprengt damit nach den vier Himmelsrichtungen den Wald und einzelne Bäume. Das ist die Einweihung des Winterlagers. Jede Familie rammt nun sechs bis sieben Pfähle in die Erde, legt ein Dach von Reisig und Erde darüber und der neue Ansiedelungsort ist fertig. Aber nun beginnt der Bau der Hütten für die fünfmonatliche Regenzeit. Diese Hütten sind rund und haben etwa 4 m im Durchmesser. Sie werden gebaut, indem man eine Reihe von Pfählen einrammt und die Zwischenräume mit Schilfrohr ausfüllt. Auf die Pfähle setzt man einen spitzigen Dachstuhl von dürrem Gras. Im Innern wird die Hütte an

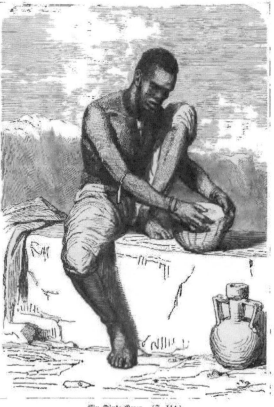

Ein Dinka-Neger. (S. 114.)

den Wänden mit Koth beworfen, der Boden aber mit einer Decke von festgestampftem Lehm belegt. Die Thüre bildet eine ovale Oeffnung, so groß, daß ein Mensch eben hindurchstriechen kann. Fenster braucht der Dinka nicht, wozu auch? An der Wand hängen statt der Oelgemälde zwei Holzbilder, deren eines die Gestalt eines Ochsenkopfes, als Symbol des Lieblings aller Dinka, hat, während das andere eine Schlange vorstellt. Mit etwas gutem Willen und der Nachhülfe der Einbildungskraft kann man die Aehnlichkeit auch wohl erkennen. Gleich neben der Thüre ist der Feuerherd, der auch zur Nachtzeit nicht erlischt und oft eine dem Europäer unerträgliche Hitze in dem engverschlossenen Hüttenraume entwickelt. Eine Rindshaut dient nebst der Asche als Bett, einige Kürbisschalen nebst selbstgefertigtem irdenem Geschirr bilden das übrige Hausgeräth. Vor allem aber ist die Pfeife nicht zu vergessen; denn bei den Dinka raucht alles, Männer, Weiber und

Kinder, und ist der Tabaksvorrath erschöpft, so raucht man etwas anderes. Der Getreidereichthum hängt in Säcken vom Dache herab. Vor dem Hause steht der Mörser zum Stoßen des Getreides, meistens aus Holz, weil im ganzen Lande der Dinka kein Stein anzutreffen ist. Und da auch das harte Holz oft fehlt, so müssen zwei Ziegelsteine das Korn so gut als möglich zermalmen. Das also wäre Haus, Bett und Mühle des Negers. Doch nur die Familienväter haben solche Häuser. Das Gesinde sammt den Knaben bleibt immer bei den Kühen, und auch der Familienvater liebt eine solche Hütte bloß in der Regenzeit; sonst ist sein Lieblingsaufenthalt der Kuhzwinger, ein mit einer hohen Hecke aus Dornen eingeschlossener Raum, worin das Vieh zusammenliegt. Hier weidet er sein Auge an seinem Reichthum, den Kühen. Um sich gegen die zahlreichen Mücken und Mosquitos zu schützen, die sich bei der Abenddämmerung wie eine wahre Höllenqual über Mensch und

Ein Murach der Dinka-Neger.

Vieh werfen, baut der Dinka neben seiner Hütte ein Gerüst mit zwei, oft drei Stockwerken, die alle mit Asche belegt werden. Zu ebener Erde brennt ein gewaltiges Feuer von Kuhmist, das den ganzen Bau mit seinen Rauchwolken umhüllt. Dieses Nebengebäude ersetzt dem Dinka auch den Empfangs- und Unterhaltungssaal, in dem er den Besuch seiner Nachbarn entgegennimmt, die aus Langeweile wohl ein oder das andere Ständchen verplaudern möchten. Wird es dann spät, oder macht die Abendkühle sich fühlbar, so zieht ein jeder sich in seine Hütte und in sein Aschenbett zurück. Von der ganzen Gestalt guckt dann nur der Kopf aus den sonderbaren Federn, und auch er ist noch mit Asche überdeckt. Liegt der Zwinger etwas tief im Walde, so brennt während der Nacht aus dem obersten Stockwert des Nebenbaues ein großes Feuer, dessen Schein die zahlreichen wilden Thiere abhalten soll.

Stolz auf seine Kühe, verachtet der Dinka den Feldbau. „Bin ich ein Sklave?" so fragt er entrüstet, wenn man ihn zur Arbeit anspornen will. Der Mann hilft bloß beim Hausbau, indem er die schwereren Holzstämme zusammenzimmert. Sonst sieht er nur nach seinem Vieh, spitzt zuweilen einen Pfahl, um es daran zu binden, oder dreht dazu ein Seil aus Rindsleder. Am liebsten ißt und trinkt er, vertreibt sich die Zeit mit Tändeleien und Besuchen der Nachbarn, wo er sich gern im Schatten niederläßt und über Tagesangelegenheiten der Wüste plaudert, bis er gegen Sonnenuntergang seine langen Glieder in Bewegung setzt und, seine Keule über die Achsel schwingend, nach Hause geht, voll Freude, sich etwas erbettelt zu haben. Alle Arbeit, namentlich der Ackerbau, bleibt Sache des Weibes. Jeder Dinka hat, je nach seinem Reichthum, mehr oder weniger Frauen, die in kleineren Hütten um jene des Mannes herumwohnen. Wenn eine Dinkafrau zur Arbeit geht, so legt sie ihr kleines Kind in ein Käuzchen von vierteilig zugeschnittenem Fell, bindet die Enden zusammen und schwingt das Ganze über die Achsel. Will sie nun graben oder jäten, so wird das Käuzchen an einem Stock oder am nächsten besten Ast aufgehängt, damit die zahlreichen Schlangen und Mäuse nicht daran kommen. Außerdem haben die Frauen noch für die Hausarbeit zu sorgen und zu sehen, daß überhaupt etwas auf den Tisch kommt. Das ist oft gar nicht so leicht und bisweilen sogar mit Todesgefahr verbunden. Wird nämlich das Wasser seltener oder nehmen die Baumfrüchte in der Nähe des Zwingers ab, so müssen sie weit gehen, um beides zu holen. Im Dickicht lauern manchmal Löwen oder andere Thiere. Am gefährlichsten ist es nach Sonnenuntergang, wenn die wilden Gäste der Wälder auf Raub ausgehen oder an die Pfützen kommen, um zu trinken. Beim Einsammeln der Baumfrüchte müssen die Frauen oft auf hohe Bäume steigen und dabei nicht selten um eine Frucht mit den großen, überaus frechen Affen sich herumzanken, die in jenen Wäldern sehr zahlreich sind. Man hat schon gesehen, wie Affen die Weiber vom Wasser fortlrieben, ohne ihnen auch nur einen Tropfen zu gönnen, oder sie ihrer mühsam gesammelten Früchte beraubten und leer nach Hause schickten. Der Mann schaut müßig zu, ist aber zuerst, wenn etwas da ist, mit die Frau muß mit dem Reste vorlieb nehmen. Der Ackerbau selbst steht auf der niedrigsten Stufe.

Die Hauptfrucht bildet die Erdnuß, welche in allen Tropenländern gedeiht. Sehr verbreitet ist ebenfalls der Sesam und das Sorghumkorn. Bewundernswerth ist auch die Geschicklichkeit, mit welcher die Dinka aus den stärkemehlhaltigen Keimen der Borassuspalme ein feines Nahrungsmittel bereiten. Zu diesem Zwecke werden die Borassusterne gesammelt und an feuchte Orte gelegt, bis sie anfangen zu keimen, dann werden sie durch wiederholtes Brühen und Auslaugen ihrer Bitterkeit beraubt und zu schneeweißem Mehle zerstoßen, dessen Geschmack deutlich an Veilchenwurz erinnert. Eine Lieblingsspeise der Neger sind die verschiedenartigen Kürbisse, deren Fleisch gegessen, deren Schale zu Gefäßen benützt und deren Blätter als Gemüse gekocht werden. An Gewürzen ist das Land arm, und was noch sonderbarer ist, einzelne Stämme halten den Pfeffer, der bei ihnen wächst, für ein gewaltiges Gift, welches sie früher nur zogen, um ihre Pfeile zu vergiften. Als nun Fremde ins Land kamen und den Pfeffer säten, fielen sie darüber her und aßen ihn. Anfangs erschraken die Eingeborenen und meinten, die Fremden müßten sofort todt niederfallen; da dieses jedoch nicht geschah, bekamen die Neger einen großen Respect vor den giftessenden Menschen und meinten, nun könnten auch ihre Pfeile nichts mehr nützen. Daher unterwarfen sie sich bedingungslos den Nubiern.

Weil die Neger überhaupt und die stolzen Dinka im besondern höchst träge sind und mit der Cicade lieber tanzen und singen, als mit der Ameise für die Zeit der Noth Vorräthe sammeln, so bleibt es auch nicht aus, daß bisweilen in einem ganzen Gebiet eine Hungersnoth sich einstellt. Entweder ist Mißwachs gewesen, oder das Flußpferd hat die Saaten zerstört, oder der Schakal hat die Erdnüsse genagt, oder Feuer hat die Ernte eines Dorfes verzehrt. Dann macht der bittere „Magor, Magor“! (Hunger, Hunger!) seine Runde von Hütte zu Hütte und hebt jeden Unterschied zwischen Mein und Dein vollständig auf. Glücklich, wer noch etwas Milch im geheimen hat; die Übrigen essen Gras oder Baumblätter. Dem armen Vieh, das ohnehin oft wegen der Trockenheit verkümmern muß, wird noch Blut abgezapft, und dieses entweder getrunken oder

gegen andere Nahrungsmittel eingetauscht. Während solcher Zeiten der Noth sind gewöhnlich auch die Missionsstationen am fleißigsten besucht. Dann bleibt kein Kind aus dem Unterrichte, weil es zugleich auch ernährt wird. Selbst die Alten drängen sich massenhaft herbei. In aller Mund heißt es: „Ich will auch lernen, beten, Schule und Kirche besuchen.“ Das will so viel sagen, als: „Auch ich will bei euch essen, ich will in eure Küchen hinein, etwas zu suchen, zu betteln, zu stehlen.“ Und was den letzten Punkt angeht, geben in solchen Fällen diebische Neger den europäischen Gaunern nichts nach. In Gondocoro, einem Missionshause der Bari (der Nachbarn der Dinka), hatten die Missionäre alle Fenster ihrer Vorrathskammern tüchtig vermummelt und glaubten sich so vor jedem Diebe sicher. Aber die Schwarzen kletterten von außen über die Mauer, öffneten das Strohdach, stiegen in die Getreidekörbe und ließen das Gestohlene von der Mauer zu ihren Helfershelfern hinab. Sie trieben dies Geschäft schon einige Zeit, bis endlich einer ertappt wurde, der mit fünf Körben Getreide auf einmal herankam. Je einen Korb an jeder Schulter, einen am Halse festgebunden, einen mit den Zähnen und einen in der Hand tragend, kletterte er noch wie eine Katze über die Mauer. Besonders eine Klasse von Dieben scheint den Missionären unverbesserlich. „Kinder der Weite“ heißen sie in der Sprache des Volkes und sind in der That die unglücklichsten Menschen der Welt: Kinder, deren Väter gestorben und die mit ihrer Mutter zu einem Stiefvater kamen, der sie als überflüssige Gesammterfter unbarmherzig aus der Hütte verstoßen hat. Sie haben kein Heim und kein Gut, irren obdach- und zuchtlos umher und suchen, den wilden Thieren gleich, sich etwas Nahrung zu erhaschen. Verschmachten sie nicht vor Elend, so fallen sie entweder den Arabern als Sklavenbeute in die Hände, oder werden selbst Räuber und Diebe. Wie eine wahre Landplage hausen sie nun, wo es etwas zu essen gibt; sie bilden sogar kleine Gesellschaften und hatten ihren Anschluß. Da es keine Polizei der Wüste gibt, so sucht jeder Besitzer sich zu wehren, so gut es geht, und hält dafür, daß sein Nachbar es ebenso mache. Womöglich sucht man den Dieb gleich todtzuschlagen; so hat man am sichersten Ruhe vor ihm. Arme, arme Kinder der Weite, die als unschuldige Wesen so in Noth und Elend des Lebens hinausgestoßen werden und, was noch schlimmer ist, oft in den Rachen des ewigen Todes!

Die Dinka sind ferner eine Art Communisten; sie haben nämlich eine stark ausgeprägte Speisegemeinschaft. Solange jemand noch ein Körnchen Dura im Haus hat, fehlt's an Gästen nicht, die aushalten, bis alles verzehrt ist. Alsdann ziehen Wirth und Gäste weiter und suchen neues Quartier und neue Verpflegung. Und weil alle ein Gleiches thun, so fällt's niemanden ein, für das Genossene auch nur eine Spur von Dankbarkeit zu äußern. Jeder glaubt sein Recht zu holen, und je angesehener er ist, um so mehr fordert er. Gibt man einem etwas, so verlangt der Schlaukopf dreist noch mehr. Denn er denkt so: entweder gibt man mir, weil man meine Freundschaft sucht, und dann habe ich natürlich als Freund ein Recht, zu fordern, was ich will; oder aber man gibt mir aus Furcht, und dann darf ich erst recht kühnlich verlangen. Diese Eigenheit den Missionären manches Kreuzbereitet. Spendeten sie dem armen Volke Wohlthaten, so zogen sie nur Bettler heran; gaben sie nichts, so schimpfte man sie Geizhälse. Ebenso mußten die Patres manchmal auch Geschenke abweisen, welche die Neger brachten, z. B. ein Schaf oder eine Ziege; denn man ging einfach darauf aus, Freundschaft zu suchen, und diese Freundschaft hätte ihnen einen theuren Handel bereitet, alle ihre Lebensmittel wären von nun an Gemeingut geworden. Kein Mensch denkt hier ans Sparen oder an Vergrößerung seines Ackers. Man ißt und tanzt und faulenzt, und denkt erst, wenn schon ein Tag mit hungrigem Magen verstrichen ist, darüber nach, woher neue Nahrung zu holen ist. Würde jemand sparen und seine Ernte vermehren, so käme das nur anderen zu gute. So hatten z. B. die Fischer, welche bei der Mission Heiligenkreuz leben, sich nach längerem Anrathen der Missionäre entschlossen, ein schönes Stück Feld urbar zu machen und mit türkischem Weizen und Sesam zu besäen. Kaum war die Ernte eingebracht, so stellten sich so viele Gastfreunde ein, daß in acht Tagen alles verzehrt und verjubelt war.

Man könnte nach dem Gesagten wohl auf den Gedanken kommen, daß die Neger bei all der vielfachen Noth im ganzen gar sehr zur Trauer oder doch zu einer düstern Stimmung neigten. Und doch ist dem nicht so. Sie können sogar ausgelassen fröhlich sein. Ihre Liebhaberei ist der Tanz. Wenn die Ernte den Hunger beschwichtigt, so vergehen wenige Abende, wo nicht im Schimmer des Mondlichtes gejubelt, gesungen und getanzt wird. Der Tanz ist kriegerisch, wild und keck und mit einem Lärm verbunden, daß einem die Ohren gellen. Da ist vor allem die gewaltige Trommel, welche aus einem hohlen, auf beiden Seiten mit Fellen überspannten Baumkloß gefertigt ist. Bei den Bari und den Bongo muß noch ein dröhnendes Blasinstrument nachhelfen. Es ist dies ein ausgehöhlter Baumstamm mit einem einzigen Mundloch. Das Ganze sieht einer starken Keule, welcher man einen Boden eingeschlagen und die man nun durch das Spundloch "spielen" würde, nicht unähnlich. Beim Blasen wird es wie ein Violoncell von dem Musikanten zwischen den Knieen gehalten; falls es zu schwer ist,

Dorf der Bari. (S. 118.)

bleibt es am Boden liegen, und der Musikant legt sich der Länge nach darüber und posaunt aus allen Kräften. Der erzielte Ton ist dem Brüllen eines Stieres nicht unähnlich; aber das ist ja süße Musik für Herz und Ohren solcher Kuhhirten. Mitunter ruht auch der Tanz, und man singt bloß unter Begleitung eines sogen. Tome. Das Tome ist ein Saiteninstrument, gleich der Schildkrötenleier der Alten. Auf dieser Dinkaguitarre klimpert nun der schwarze Niam-Niam und singt dazu in weichen Molltouarten ein sehnsüchtiges, melancholisches Lied — von schönen Kühen und starken Ochsen! Das sind ja die Ideale der Zuhörer, und höheres verlangt kein ächtes Dinkaherz. Nationale Sagen sind so gut wie unbekannt, und zwar aus dem Grunde, weil das Dinkavolk keinen Staats- oder Stammverband kennt, mithin auch keine gemeinsamen Interessen.

Es gibt „kayn-did" (große Herren), welche bisweilen als Schiedsrichter angerufen werden. Eine eigentliche Obmacht haben sie jedoch nicht, ihr ganzes Ansehen ist bloß der Widerschein ihres viehreichen Kraals.

Bei all ihrer Trägheit sind die Neger sehr kriegs- und jagdlustig. An Ursachen zum Krieg fehlt es nicht. Der Raub eines Weibes oder noch mehr einer Kuh setzt alles in Alarm. Uebrigens ziehen bei den Dinka nur Unverheiratete, Jünglinge aus, die Männer entschuldigen sich und sagen: „Ich habe Weib und Kinder." Bei den Bari hingegen zieht alles hinaus, selbst die Frauen. Der Krieg ist bald zu Ende. Wer zuerst seine Pfeile verschossen oder seine Lanzen verschleudert, sucht Frieden und bezahlt ihn mit Kühen. Interessanter sind die Jagden. Ein feines Wild in den Augen der nubischen Waidmänner ist, wie überall in Afrika, die Katze, die wilde Katze der Steppen. Als das ausgezeichnetste Wildpret aber wird von allen die Hase hochgeschätzt. Um die Schmackhaftigkeit des Leckerbissens klar zu machen, bediente sich ein Eingeborener folgender Redewendung: „Weißt du, Fremdling, was ein Dinka thut, wenn er in der Steppe mit geschicktem Keulenwurf einen Hasen erlegt?" — „Nein!" — „Er macht ein Feuer an, brät und verschmaust die Beute im Stillen. Zu Hause sagt er dann kein Wort davon." — Trotz ihrer einfachen Waffen nehmen die Neger doch unerschrocken einen Kampf mit Löwen, Tigern, Panthern und selbst Elephanten auf. In Schaaren ziehen die Dinka aus, umstellen einen Elephanten und hetzen ihn herum. Während die einen stiehen, schleudern die anderen ihre Lanzen; kehrt das Thier sich gegen diese, so fliehen sie und die anderen setzen ihm mit Wurfgeschossen zu, und das geschieht so lange, bis der Verfolgte vor Blutverlust niedersinkt. Es fällt wohl hie und da einer von den Jägern; allein das Thier wird schließlich erlegt. Weil aber diese Art der Jagd zu beschwerlich ist, haben die schlauen Dinka eine andere erdacht. Auf den Lieblingsfährten der Thiere graben sie nacheinander mehrere tiefe Gruben, die sie leicht mit Reisig zudecken. Wollen dann die Elephanten zur Tränke, so stürzen sie in diese Löcher, und am Morgen kommen die Neger und spicken ihn mit Lanzen und Spießen. Nur vor dem Büffel hat der Neger große und begründete Angst. Was sollten auch wenige schlechtbewehrte Jäger gegen eine wüthende Büffelheerde? Das Waidwerk der Dinka und der anderen Neger ist übrigens mehr Nothwehr als Zeitvertreib. Am Flusse die Krokodile und Nilpferde, im Walde die große Masse des Raubwildes; das alles möchte auf Kosten des Negers leben. Für die Missionäre ist das Gebrüll der wilden Thiere, das allnächtlich durch die Wälder und Steppen dröhnt, anfangs wahrhaft schmerzlich. Der Besuch einiger Löwen in dem Missionshause war gar nichts Seltenes. Als Schutz gegen diese Eindringlinge hielten die Patres große Hunde, denen abends feste Halsbänder, mit Eisenstacheln besetzt, angelegt wur-

Ein Sänger der Niam-Niam. (S. 119.)

den. Gegen Schakale und Hyänen nehmen die Hunde den Kampf schon auf und bleiben meistens Sieger. Naht aber ein Löwe, so können sie höchstens durch ihr ängstliches Bellen die Herren wecken, damit diese auf nachdrückliche Vertheidigung sich besinnen.

5. In Wadai.

Der mittlere Sudan, dem wir nun einen kurzen Besuch abstatten, umfaßt die drei Tsadsee-Länder Bornu, Kanem, Bagirmi und das Sultanat Wadai, das sich als Bindeglied zwischen diese und Darfur einschiebt und das wir also vom ägyptischen Sudan aus zunächst betreten. Alle diese Länder verschließen sich so eifersüchtig gegen die Fremden, namentlich gegen alle Christen, daß es nur sehr wenigen Reisenden, und zwar unter den größten Gefahren, gelungen ist, in dieselben vorzudringen. Der Deutsche Dr. Vogel wurde in Wara, der alten Hauptstadt Wadai's, für sein kühnes Unterfangen hingerichtet. Zwei anderen Deutschen, Dr. Barth und Dr. Nachtigal, verdanken wir die bis jetzt besten Berichte, obschon die Länder noch keineswegs als erforscht betrachtet werden können.

Dem Sultanate Wadai wird ein Flächenraum von etwas über 300 000 qkm — es ist also beinahe so groß wie Preußen — zugeschrieben, während seine Bevölkerung von den einen auf 3, von den anderen auf 6 Millionen Seelen geschätzt wird. Der herrschende Stamm sind die Maba-Neger, ein kräftiges, kriegerisches Volk mit scharfgeschnittenen Gesichtszügen. Der Sultan, der ein eisernes und blutiges Regiment führt, muß stets das Kind einer Mabamutter sein. Alle Gewalt ist in seiner Hand vereint; über Leben und Tod entscheidet er nach Willkür, und auch der gesammte Handel mit dem Auslande geht einzig durch ihn. Früher nahmen die Karawanen, welche Rhinoceroshäute, Straußfedern, Elfenbein, Tamarindenholz und namentlich Sklaven ausführten, um dagegen Waffen nach Wadai zu bringen, ihren Weg durch Dar-Fur nach den Nilländern und dem Rothen Meere; jetzt schickt er sie durch die Sahara nordwärts nach Tripolis. Das Klima des Landes ist ein sehr heißes; doch bringt der Boden vom Regen befeuchtet einen üppigen Pflanzenwuchs hervor; neben Palmfrüchten gedeihen Hirse, Weizen, Mais, Reis, Melonen, alle Arten Gemüse und Baumwolle. Das Land könnte glücklich sein, wenn es unter dem milden Joche Christi und nicht unter der traurigen Herrschaft des Islam stände.

Abesche, etwa 500 km westlich von El Fascher, der Hauptstadt Dar-Furs, ist jetzt die Residenz der Sultane oder Könige von Wadai; die frühere Hauptstadt Wara, in welcher der grausame Vater des jetzigen Fürsten hauste, liegt etwa 50 km nördlich. Dr. Nachtigal entwirft uns folgende Beschreibung von Abesche: „Von Norden kommend, präsentirte sich mir der Ort nicht übel; in dem weiten, nach Süden sich abflachenden Thale, zwischen den Bergen der Kondongo und Lesfinga auf sanfter Anhöhe gelegen, bot er durch die Unregelmäßigkeit seiner Anlagen ein freundliches

Bild. Offenbar war die Stadt aus einzelnen Zeriben (Höfen) hervorgegangen, zunächst die Wohnung des Königs, um welche sich dann regellos in weiten Kreisen die Ansiedelungen seiner Familienglieder und Würdenträger gruppirt haben. Noch jetzt lagen die Höfe der letzteren fast alle außerhalb der Stadt, da sich später die Unterthanen und das gemeine Volk in nächster Nähe ihres Herrschers angebaut hatten. Nur der ausgedehnte Palast der Königin-Mutter war in der Nähe des letzteren; um beide herum wohnten ihre Sklaven, Schutzbefohlenen, fremde Kaufleute vom Nil und aus Kordofan, hier und da ein Tintelat, d. h. ein Königssohn. So gab es eigentlich in dem ganzen Ort nur eine Straße, welche, obgleich sie in den sonderbarsten Windungen verlief, doch mehr oder weniger eine Richtung von Ost nach West hatte. Alle übrigen Verkehrsadern waren nur krumme, enge Gänge, unterbrochen von Hofräumen; hier Thonhäuser, dort Strohhütten, vollkommen regellos angelegt, so daß es äußerst schwer wurde, sich zurechtzufinden. Im westlichen Theile der Stadt hoben sich aus der Umgebung die thurmähnlichen, strohgedeckten Backsteinhütten der Königswohnung hervor. Noch im Innern der Ringmauer des Palastes schloß sich nach Nordosten und Osten der weite Marstall mit seinen Beamten- und Stallknechtwohnungen an. Auf der Nordseite lag vor der Umschließungsmauer der Königsplatz, der zugleich Marktplatz war; nach Südwesten erstreckte sich der abgeschlossene Bezirk der Nabarty, der verachteten Henker- und Musikantenkaste; nach Süden von der Königswohnung die fast ebenso ausgedehnte Wohnung der Momo (Königin-Mutter); die freien

Reiter in Wattenpanzer. (S. 122.)

Unterthanen und die Fremden nahmen den Osten der Stadt ein. Im ganzen mochte dieselbe 10–15 000 Einwohner zählen."

Der berühmte Forscher soll uns auch über den Palast und seine Audienz bei König Hali berichten. Nicht ohne Bangen trat er vor den Sultan, der mit einem Winke über sein Leben verfügen konnte, ja dessen von Christenhaß glühende Unterthanen den Fremdling wahrscheinlich auch ohne jeden Befehl erschlagen hätten, wenn der König ihn nicht seines Schutzes versichert haben würde. „Wir betraten", erzählt Dr. Nachtigal, „die Königswohnung auf dem sogen. Wege der Frauen", während der gewöhnliche Eingang für Beamte und Bittsteller auf dem „Wege der Männer' stattfand; nur Besuchende und Vertraute benutzten den Weg der Frauen. Schon auf dem Platze vor der Königswohnung entfernten meine

Begleiter ihr Gewand von der rechten Schulter, indem sie den Kopf durch den weiten Aermel steckten, jedoch ohne von mir zu verlangen, daß ich der allgemeinen Sitte folgen solle. Vor der äußern Thür befindet sich die Wohnung des Groß-Eunuchen, der den höchsten Rang im Lande besitzt; bei ihm muß sich jeder Besucher, wenn er nicht etwa vom König direct gerufen ist, vor dem Eintritte in den Palast melden, widrigenfalls ihm die Thorwache den Zutritt versagt. Unmittelbar hinter der Eingangspforte führte links eine Thüre in den Theil des Palastes, welcher den Frauen reservirt ist, während wir durch einen länglichen Hof über nunmehr breiten Gang und eine Thüröffnung einen andern Hof betraten, auf dessen linker Seite zwei ein Stockwerk hohe Gebäude aus rothem Backstein sich befanden, welche durch ein großes, festes

Thor, dem Haupteingang, verbunden waren. Von dem ersten derselben erblickte man nur eine hohe, totale, ununterbrochene Wand, während das zweite aus im Unterbau zusammenhängenden Häusern bestand. In den Stockwerken befanden sich Fensteröffnungen, die mit Holzgittern versehen waren, und alle drei das Gebäude bildenden Häuser waren mit halbkugelförmigen Strohdächern bedeckt, welche auf der Mitte verschiedene Straußfeder und Federn trugen. Von den drei Häusern liegt das eine nach Osten, das andere nach Westen, das dritte nach Süden, während der Eingangshof gegen Norden liegt; das ganze Gebäude ragt, wie schon früher bemerkt, erheblich über die übrigen Häuser der Stadt empor, obwohl es selbst nicht gerade von bedeutender Höhe ist. In dem Hofe befindet sich an der beschriebenen kahlen Hauswand eine etwa 1½ m lange Terrasse, zu welcher einige Erdstufen hinaufführen. Dieser erhöhte Platz heißt ‚Tridscha' (Sultansbau) und dient bei verschiedenen hochfeierlichen Gelegenheiten dem König als Sitz. Auf dem Hofe befanden sich außerdem noch verschiedene Schattendächer, unter deren Schutz einige Eunuchen und Diener des Königs saßen. Am Ende des Hofes, hinter der eigentlichen Königswohnung, betraten wir einen kleinen Wartehof, in welchem sich eine große Hütte mit Erdunterbau und Strohdach und ein Schattendach befanden, die beide zum Aufenthalt der persönlichen Diener des Königs, der sogenannten Vögel und anderer Sklaven dienten. Von hier führte eine mit Stoffen aus zusammengenähten, sehr groben Baumwollenstreifen verhängte Thüre in den Empfangshof des Königs.

„Ich hockte in dem Wartehofe, mich an eine Wand lehnend, nieder, bis meine Anwesenheit dem Könige gemeldet wurde. Obgleich ich diejenigen Beamten und Diener, welche in meiner Nähe saßen, begrüßt hatte, so erwiderte doch niemand meinen Gruß; alles rückte von der Wand, an welcher ich mich niedergelassen, scheu fort und sah mich mit argwöhnischen Blicken an. Wenn aber auch niemand mit mir sprach, so belästigte mich auch ebenso wenig jemand. Ich hatte nicht lange zu warten, sondern wurde alsbald von einem der ‚Vögel', welcher niederkniend und leise in die flachen Hände schlagend mich mit den Worten: ‚Der König, unser Herr, ruft dich', anredete, zum Eintreten aufgefordert. Meine Ueberschuhe hatte ich draußen am Eingange des ersten Hofes zurücklassen müssen; doch wegen meiner Strümpfe und meiner aus marokkanischem Leder gefertigten dünnen, sohlenlosen Schuhe hatte ich keinerlei Kämpfe zu bestehen. Ich kroch durch den Stoffvorhang und kam durch einen kurzen, breiten Gang zu einer zweiten Thüre, welche in derselben Weise verhängt war. Auch unter diesem Vorhange hindurchkriechend kam ich in einen ziemlich großen viereckigen Hof, der im Osten an den oben beschriebenen eigentlichen Palast, im Süden an das Dachsteingebäude mit offenen Thüren und Fensteröffnungen grenzte, während er im Norden zwischen der Eingangsöffnung und einer großen Rohrhütte, geschmückt mit Straußeiern und -federn, noch eine Eingangsthür zeigte. Genau in der Mitte des Hofes befand sich ein weites Schattendach, unter welchem große Krüge mit Wasservorrath aufgestellt waren. Zwischen diesem Schattendach und den den Hof zu beiden Seiten begrenzenden Gebäuden saß auf einer mit Teppichen bedeckten Matte der gefürchtete Herrscher von Wadai in einem einfachen Baumwollenhemde, ebensolchen Beinkleidern, mit einem kleinen Tarbusch (rother Mütze) auf dem Kopfe, ohne von Höflingen und Großwürdenträgern umgeben zu sein. Ein Bild höchster Einfachheit!

„Am Eingange in den Hof, nahe an der Thüre, hockte ich nieder, klopfte leise in die flachen Hände und wünschte dem Könige, der Sitte gemäß, langes Leben, Sieg und Gesundheit. Sein Anblick, und noch mehr seine ersten Worte, gaben mir meine ganze Sicherheit wieder. Er dankte einfach für meine Glückwünsche, forderte mich auf, mich dicht neben ihn niederzusetzen, fragte mich nach dem Wege, nach den Strapazen u. s. w. und unterließ nicht, sofort hinzuzufügen, bei ihm und unter seiner Herrschaft werde ich die vollständigste Sicherheit genießen; ja, er fügte hinzu, ich könne, wenn ich es wünsche, sein ganzes Land ‚beschreiben'; er wisse wohl, daß Europäer zur Bereicherung ihrer Kenntnisse in die weitesten Gegenden reisen und diesen Gewohnheiten überall treu bleiben, und wenn er auch den Zweck und Nutzen nicht begreife, werde er mir kein Hinderniß in den Weg legen. . . . Er erkundigte sich nach der Heeresmacht meines Landes, sprach über die Bewaffnung, welche in Europa üblich sei, u. s. w.

„Alle seine Fragen, wenn ihrer auch mehr waren, als ein Mensch und ein Arzt füglich beantworten konnte, waren höchst verständig, und seine Antworten wurden mit größter Besonnenheit, Ruhe und Höflichkeit gegeben. Ich habe in jenen Ländern noch keine Person, noch weniger einen Sultan, kennen gelernt, der mir einen so verständigen, einfachen, würdigen und selbstbewußten Eindruck gemacht hätte, als der gefürchtete König von Wadai. Auch die äußere Erscheinung des Fürsten war nichts weniger als abstoßend. Er war ein kräftiger, breitschultriger Mann von etwa 35 Jahren, mit spärlichem Bart, einer ins Röthliche spielenden dunkeln Hautfarbe, mäßig entwickelter Nase, und seine hervortretenden Backenknochen und im ganzen eher hübschen als häßlichen Gesichte mit etwas Neigung zur Fettbildung. Das schönste an ihm waren die großen, klug und bestimmt blickenden Augen.

„Seine ‚Vögel' und alle, die in die Nähe des Königs kamen — er hörte während meines langen Besuches Berichte an und gab Befehle, fast immer in arabischer Sprache — rutschten, sobald sie den Hof betraten, auf den Knieen, die rechte Schulter entblößt, je nach ihrer Würde, auf verschiedener Entfernungen an ihn heran. Sobald sie in die ihnen zukommende Nähe gekommen waren, richteten sie den Oberkörper auf, beugten denselben nach vorn, schlugen leise in die flachen Hände und murmelten den ihnen zustehenden Gruß, alles ohne jemals die Augen zum Könige zu erheben; auch im directen Gespräch mit ihm starrten ihre Augen auf den Kies, mit dem der Hof bedeckt war.

„Wirklich lebte Nachtigal unter dem Schutze des Sultans in Wadai sicher; leider war er die meiste Zeit fieberkrank und konnte so den Aufenthalt nicht nach Wunsch ausnützen. Auch den großen Aufzug zum Schlusse des Ramadan konnte er nicht mit ansehen. Der Sultan erschien dabei in einem Gefolge von etwa 1000 Reitern. Die Hälfte sowohl der Reiter als der Thiere erschien in Wattenpanzern und sämmtliche Reiter mit dem Schwerte bewaffnet. Etwa 100 mit Flinten bewaffnete Sklaven und zahlreiches Fußvolk zogen mit. Die Stärke des Heeres bilden ungefähr 7000 Reiter, die mit Speeren bewaffnet sind; Flinten finden sich im ganzen Reiche vielleicht kaum 1000. Eine kleine Kanone wurde auf dem Rücken eines Kameels beim Festzuge mitgeführt. Sie hatte keine Lafette; als man sie abschießen wollte, wurde sie also auf die Erde gesetzt und ihr Vordertheil durch Steine erhöht. Ein in allen Farben prangender Sonnenschirm von riesiger Größe wurde von mehreren Sklaven über dem Kopfe des Königs gehalten. Drei (die für die Wadai-Sultane übliche Zahl) eigene und vier erbeutete Straußfederstandarten wurden vor ihm hergetragen. Es war ein prächtiger, eigenartiger Aufzug.

Werfen wir noch einen Blick in das Familienleben, bevor wir Wadai verlassen. Bei der Geburt eines Kindes erhebt man ein Freudengeschrei, dreimal, wenn es ein Knabe, nur zweimal, wenn es ein Mädchen ist. Vom siebenten Tage an rasirt man den Kindern den Kopf; sind sie zwei Jahre alt, so läßt man den Mädchen die Haare wachsen, während man den Knaben nur einen Scheitelschopf stehen läßt. Sind die Knaben im Alter von 8–12 Jahren, so wird an ihnen die vom Islam geforderte Beschneidung vorgenommen. Bei der Beschneidung erhalten die Knaben oft reiche Geschenke und genießen viele Vorrechte. Dann kommen sie in die Schule, d. h. sie müssen den Koran lernen. Schon kleine Mädchen tragen Schmuck an Ohrringen und Armbändern; aber erst, wenn sie fünf Spannen hoch sind, durchbohrt man ihnen den rechten Nasenflügel, in welchem sie Korallenschmuck tragen. Wenn jemand erkrankt, kommen Verwandte und Freunde, um mit Rath und That zu helfen. Ein gegen alle Krankheiten beliebtes Mittel besteht darin, den Patienten vom Kopf bis zu den Füßen mit Butter einzureiben und ihm jeden Morgen 1/4 bis 1/2 Quart geschmolzene Butter einzugeben. Ist jemand dem Tode nahe, so eilt jeder herbei, der ihn irgendwie kannte, und noch ist die Leiche nicht erkaltet, so wird sie schon begraben und das wenig tiefe Grab durch Dornen und Steine gegen die Hyänen geschützt. Nach der Bestattung findet eine allgemeine Bewirthung statt, und die Fuquaha (Fakire) um sieben Tage den Koran zu lesen, wofür sie mit Speise und einer Art Bier versehen werden. Die Bewohner von Wadai sind dem Trunke sehr ergeben.

Von ihren Waffen trennen sie sich selten; dieselben bestehen aus einer großen Lanze, vier bis fünf Wurfspeeren, zwei Armdolchen, einem kleinern, der über dem Ellenbogen getragen wird, und einem am Handgelenk, der etwa die Größe eines Hirschfängers hat. Hierzu kommt bei den Vornehmen ein Schwert und eine mit Eisen beschlagene Keule, die am Sattel hängt. Die Schilde, so hoch wie ein am Boden kauernder Mensch und von der nebenstehenden Form ⌒, sind aus Büffel- oder Giraffenfell gefertigt und wohl auch mit Elephanten- oder Rhinoceroshaut überzogen. Noch sind Maschenpanzer, die unter dem Obergewande getragen werden, im Gebrauch. Die schwere Reiterei trägt ein dickwattirtes, gestepptes Gewand, Helme aus Eisendraht mit wattirter Unterlage, die über den Nacken herabfällt; Eisenstäbe schützen das Gesicht. Der Wattenpanzer des Pferdes reicht bis auf die Fußgelenke und hüllt dieselben so ein, daß nur Augen und Ohren hervorschauen. Hinter dem Sattel sind eine große Anzahl Eisenspitzen in dem Wattenpanzer angebracht, welche den Feind verhindern sollen, sich hinter den Reiter aufs Pferd zu schwingen.

Die Frauen in Wadai sind, so gut sie es vermögen, reich mit Schmuck ausgestattet. Breite goldene Halsschnüre mit allerlei Zierat, Armbänder, Fußringe, Haarschmuck aus Achat, Perlen, Gold, Silber kommt zur Verwendung. Das Haar wird tüchtig eingebuttert, in unzähligen dünnen Flechten rings um den Kopf geordnet. Zwei dicke Flechten laufen vom Vorderkopf über den Scheitel nach dem Hinterkopf und werden von einem breiten, massiven, halbmondförmigen Silberschmuck gehalten, von dem die Korallenschnüre nach den übrigen Flechten auslaufen. Silberne Halbmonde zieren die Scheitellinie und sind über den Ohren angebracht; hohle Gold- und Silberkugeln baumeln hernieder. In den Ohren und Nasen hängt ebenfalls Schmuck, so daß die Töchter Eva's an ihrer Eitelkeit wahrlich genug zu tragen haben. Lippen und Zahnfleisch werden um der „Schönheit" willen noch einer besondern

schmerzhaften Behandlung unterworfen. Man sticht sie mit Akazienstacheln blutig und reibt dann die Lippen mit Eisenfeilspähnen, das Zahnfleisch mit Rindsgalle ein, wodurch jene eine grauschwarze, dieses eine bläuliche Färbung annehmen — das bildet erst die Krone ihrer Schönheit, wie sie meinen.

6. Am Tsadsee.

Der Tsadsee liegt kaum 100 km westlich von den Grenzen Wadai's. „Tsad" bedeutet „große Wasseransammlung", und in der That bedeckt der See etwa 27 000 qkm, ist also nicht viel kleiner als die Provinz Pommern. Im Osten treten Bodenerhebungen auf, welche die Flüsse Wadai's verhindern, sich in diesen See zu ergießen; im Süden, wo die Ufer weithin sumpfig sind, empfängt er den Schari, den größten Zufluß, dessen Quellgebiet noch nicht erforscht ist; im Westen und Norden sind die Ufer eben, und das Land steigt erst in einiger Entfernung, um dem See einen Abfluß nach dem Niger oder nach der Sahara verschließend. Die Breite des großen Wasserbeckens, dessen Fläche 244 m über dem Meere liegt, beträgt mehr als 200 km. Zahlreiche und bewohnte Inseln tauchen aus seinem Spiegel auf. Die Uferlandschaft ist öde und steppenartig und wechselt mit Sumpf und Lagunen.

Im Nordosten des Sees, östlich an Wadai grenzend, liegt das Reich Kanem. Sein Flächenraum wird auf 70–80 000 qkm (also ungefähr die Größe Bayerns), seine Einwohnerzahl auf vielleicht 100 000 Seelen geschätzt. Die Hauptstadt Mao, 50 km östlich vom Tsad, ist ein großes Dorf. Die Leute von Kanem sind ein buntes Gemisch von Araber- und Negerstämmen, die einen seßhaft, die anderen Nomaden.

Viel bedeutender ist das Reich Bornu im Westen des Tsad, das bei einer Ausdehnung von 133 000 qkm eine Bevölkerung von etwa 5 Millionen Seelen zählt. Das Land ist eine ausgedehnte, von wellenförmigen Hügelzügen unterbrochene Ebene. Der Hauptfluß des Landes, der Komadugu, hat bewaldete und dicht bevölkerte Ufer. Von Westen kommend ergießt er sich in den Tsad. Das Klima ist namentlich vom März bis Juni unerträglich heiß. Die Araberstämme treiben Viehzucht; die Negerstämme, unter denen die Komuri den ersten Platz einnehmen, Ackerbau und pflanzen Indigo, Baumwolle, Durra, Mais und Erdnüsse. Nachtigal beschreibt die Komuri als große, plumpe, grauschwarze oder rothschwarze Menschen, die gutmüthig, aber furchtsam, träge und unreinlich seien. Der Sklavenhandel blüht. Als gangbare Münze gilt, wie in den meisten nordafrikanischen Ländern, der Maria-Theresia-Thaler, der einem Werthe von 4000 Kaurimuscheln gleichkommt. Die Marktpreise stehen sehr niedrig; eine Milchkuh tauft man für 3–5, ein Reitpferd für 15–24, ein Schaf für 1 Maria-Theresia-Thaler.

In Bornu herrscht, wie im ganzen Sudan, der Islam. Doch haben sich viele heidnische Gebräuche erhalten. Eine heilige Kürbisschale, ein Stein und ein altes Schwert, welche, von den Priestern verwahrt werden, spielen eine große Rolle. Ein fabelhaftes Ungeheuer, das in Gestalt einer Schlange die Wasser des Sees bewohnen soll, genießt das höchste Ansehen und wird bei allen wichtigen Vorhaben um Rath und Hülfe gestellt.

Als Nachtigal Bornu besuchte, stand Sultan Omar an der Spitze des Reiches. Eine Art Rathsversammlung, zu der seine Brüder und Söhne, Kriegsbeamte und angesehene Bürger gehören, hilft ihm in der Regierung. „Alle erscheinen morgens im Königspalaste," erzählt der berühmte deutsche Reisende, „legen am Eingange Schuhe, Kopfbedeckung und Burnus ab und hocken

16*

dann überall in den Vorhallen und Höfen an den Wänden und auf dem Boden herum, schwatzend und scherzend, klatschend und Räuke schmiedend, bis ein musikalisches Getöse von Trommeln, Pfeifen, Posaunen und Hörnern sie elektrisirt und in den Empfangs- und Sitzungssaal treibt. Bei diesem Zeichen verläßt der Herrscher seine Privatgemächer und betritt den Ausbau des Empfangssaales, begleitet von einigen seiner Brüder und Söhne und fettleibigen Eunuchen, welche sämmtlich kurz abgebrochene Rufe zu seinem Ruhme, wie z. B. ‚die Weisheit!‘ ‚der Löwe!‘ ‚der Siegreiche!‘ ausstoßen. Während er sich auf den Diwan niedersetzt, beeilt sich jeder der Anwesenden, niederzuhocken — es ist dortzulande ebenso unziemlich, vor einem hochstehenden Manne aufrecht zu bleiben, als bei uns, sich ohne Aufforderung eines solchen zu setzen — und den Staub des Bodens auf sein Haupt zu streuen, oder wenigstens die Pantomime dieser Unterwürfigkeitsbezeugung zu machen; denn bei dem sorgfältig geglätteten Boden würde es schwer

fallen, die nöthige Menge Erde zusammenzukratzen. Ein Strom von Begrüßungen entquillt den unterwürfigen Höflingen, die mit untergeschlagenen Beinen und zu Boden gesenktem Gesichte daliegen. Der Scheich (Sultan) erwiedert den Gruß, worauf Dankesworte von seiten der unterwürfigen Schaar ertönen."

Nachtigal hatte Sultan Omar Geschenke des Königs Wilhelm I. von Preußen zu überbringen. Er soll uns die Audienz beschreiben, die er bei dieser Gelegenheit bei dem sudanesischen Machthaber hatte. Der Empfangssaal war mit Teppichen belegt und dessen graue Thonwände mit bunten Stoffen verschiedener Muster ausgeschlagen. Eine eiserne Bettstelle aus Europa, ein rohgezimmerter Lehnstuhl und eine mit Kissen und Teppichen belegte Bank bildeten die Möbel. Auf der Bank saß mit untergeschlagenen Beinen der Sultan, mit einem Tuchburnus bekleidet und einen kunstvoll geschlungenen weißen Turban auf dem Kopfe. Vor ihm auf dem Diwan lag das Königsschwert, neben ihm auf einem Kissen ein mit Silber aus-

Der Tsad bei Ngigmi. (S. 123.)

gelegter Karabiner. Gelbe Pantoffeln lagen vor ihm; die Füße waren mit weißen Strümpfen bekleidet. Als er das verhüllende Tuch zurückschlug, zeigte sich sein ganz schwarzes, aber kluges und freundliches Gesicht. Ueberaus befriedigt wurde er durch die preußischen Geschenke; sie bestanden in einem mit Sammet gepolsterten, reichverzierten Thronsessel, dessen Pracht allgemeines Staunen hervorrief, in einigen Zündnadelgewehren, in lebensgroßen Bildern des Königs, der Königin, des Kronprinzen, in Uhren, Fernrohren, Stoffen u. s. w. Nachtigal war der Bilder wegen einigermaßen verlegen, da der Islam die Abbildung von Menschen verbietet; aber der Sultan belehrte ihn, daß gälte nur von Bildern, „welche Schatten werfen", d. h. also Statuen. Dann mußte Nachtigal den Brief König Wilhelms deutsch vorlesen, und die sudanesische Majestät war ganz gerührt ob all der Lobsprüche, welche ihm darin gespendet wurden. Die Huld, in welche Nachtigal auf solche Weise beim Sultan und dessen Großwürdenträgern gelangte, war

ihm bei seinem langen Aufenthalte in Bornu und bei seinen Reisen in die Nachbarländer von großem Nutzen.

Die Hauptstadt Kuka ist im Viereck gebaut und hat 50 000 bis 60 000 Einwohner. Jede Seite des Vierecks mißt etwa 2 km; eine Mauer umschließt sie, durch welche nach den vier Weltgegenden je ein Thor führt. Die Hauptstraße (Dendal) führt vom West- zum Ostthor. Die Wohnungen sind theils zuckerhutförmige Rohrhütten, theils glockenähnliche Erdhäuser, welche die Hitze besser abhalten. Der Hofraum ist von schattigen Bäumen umschlossen, so daß die Stadt von ferne das Aussehen eines Waldes gewinnt. Sonderbar ist bei der großen Hitze die Vorliebe für möglichst viele und schwere Kleidungsstücke; zwei, drei, vier Gewänder, nicht aus leichtem Baumwollenstoff, sondern aus solidem Tuche, ziehen sie übereinander an und tragen so ihren Reichthum zur Schau. Die Vornehmen werden durch diese Bekleidung zu unförmlichen Maschinen, welche nur mit Mühe von den Sklaven auf die Pferde gehoben werden

Sultan Omar von Bornu mit seinem Gefolge. (S. 124.)

tönen. Auch die Wattenpanzer der Rosse und Reiter, die wir schon in Wadai kennen lernten, finden wir in Bornu. Das Straßenleben bietet ein sehr bewegtes Bild. „Neben dem Greise, der in grobes, weißes Gewand gehüllt einen Stab trägt, welcher seinen Stand als Edelmann kennzeichnet, reitet hoch zu Roß ein tripolitanischer Kaufmann. Im Gewühle mischen sich bunt gekleidete Mädchen mit fleißigen Dienerinnen, die das Wasser in Krügen auf dem Kopfe, aus dem sorgfältig von einer Dornhecke ein-

gefriedeten Brunnen tragen. Arbeitende Sklaven, welche das Gewand beiseite gelegt haben und nur ein Schurzfell tragen, sind unter einem Baumeister beschäftigt, die eingestürzte Wohnung ihres Herrn wieder aufzurichten; oder ein bescheiden situirter Mann baut mit Hilfe eines fachverständigen Nachbarn seine einfache Strohhütte, oder läßt durch einen professionellen Rgimma (etwa Zimmermann) eine solche größer und sorgfältiger herstellen. In der Vorhalle eines Hauses hat ein Elementarlehrer seine Schule (Magaradi) eingerichtet und plärrt seinen Schülern gedankenlos die Verse des „heiligen Buches" vor, oder ein Privatgelehrter, halblaut aus vergilbten Blättern lesend, fördert still sein Wissen oder durchwandelt, ohne seine Thätigkeit zu unterbrechen, pharisäisch prahlend die Straßen. Handwerker, handeltreibende Frauen, Barbiere, Milchfrauen obliegen unter Geräusch ihren Verrichtungen, und wer nicht zu arbeiten braucht, legt sich in den Schatten eines Baumes und gibt

Baumwohnungen in Kiukr. (S. 128.)

sich vom Morgen bis zum Abend dem Geschwätze mit Gleichgesinnten hin. Gegen Abend, wenn die Sonne unterzugehen im Begriffe ist, ertheilen die Vornehmen mit Vorliebe öffentliche Audienzen auf der Straße inmitten ihrer Klienten, Dienstmännern und Sklaven, mit denen sie wohl gemeinschaftlich das Magreb- (Sonnenuntergang-) Gebet verrichten. Dann, zur Zeit der Abendmahlzeit, zieht sich jeder in seine Behausung zurück. Erst später vereinigt sich die Jugend in den Straßen und auf den Plätzen zu Musik und Tanz, und

selten schweigt der einförmige Gesang der Frauen und Mädchen und ihr rhythmisches Händeklatschen vor Mitternacht."

Das ist im ganzen ein freundliches und gemüthliches Bild, und in der That kann man den Leuten von Bornu Sinn für Häuslichkeit und Geselligkeit nicht absprechen; aber die Sklaverei, welche in Bornu einen Hauptartikel und für die angrenzenden Länder eine Bezugsquelle hat, und das Elend der Armuth wirft schwarze Schatten auch über dieses Volk. Durch klagendes Gehen suchen die Blinden und Aussätzigen die Herzen ihrer Mitbürger zu erweichen; aber wahre Liebe findet man nicht unter dem Islam, sondern nur unter dem Kreuze, an dem die ewige Liebe für uns gestorben ist.

Von Kuka aus besuchte Nachtigal das südöstlich vom Tsad liegende Bagirmi, das dritte Reich der Tsadseeländer. Mit den abhängigen Landschaften schätzt man es auf 150 000 qkm, wovon freilich nur ein Drittel auf das eigentliche Bagirmi kommt, und gibt ihm eine Einwohnerzahl von 1½ Millionen Seelen. Das Volk ist von schwarzer Farbe, groß und kräftig gebaut, muthig und kriegerisch. Die unterworfenen Landschaften sind durch grausame, jährlich sich wiederholende Sklavenjagden elend zu Grunde gerichtet.

Der Hauptfluß des Landes ist der Schari, der in den Tsad mündet. Sein Oberlauf und seine Quellen sind noch unerforscht. Er ist zu jeder Zeit des Jahres schiffbar und kann sich, was Stromlänge und Wasserfälle angeht, mit unserm Rhein jedenfalls messen. Trotzdem sind die Ufer in der Nähe des Tsad nicht fruchtbar; erst weiter südlich findet sich üppiger Pflanzenwuchs und geht die Steppe allmählich in den mächtigen Urwald über, der sich wahrscheinlich bis an die Zuflüsse des Kongo erstreckt.

Von einer Kleidung der Leute in Bagirmi kann kaum die Rede sein. Ihre Waffen sind Speere, Pfeil und Bogen, und Wurfeisen. Mit dem Schilde, auch mit breiten Armringen aus

Vegetation am Ufer des Schari. (S. 126.)

Elfenbein, wissen sie geschickt Wurfspeere und Stiche aufzusaugen. Nur wenige verstehen etwas Arabisch, noch viel wenigere Lesen und Schreiben. Sie glauben an ein höchstes Wesen. Seine Stimme, der Donner, ist ihnen der sicherste Beweis seines Lebens und daß es in den Wolken wohne. Ihm bringen sie von ihrer Kriegs- und Jagdbeute Opfer dar und bestreichen einen Pfahl mit Opferblut oder mit dem berauschenden Bier. Nicht jedermann darf sich diesem Opferpfahle nahen; das thun die Priester und Zauberer, welche die Krankheiten beschwören und Regen hervorbringen. Hexerei spielt eine große Rolle bei ihnen. Stirbt ein Vornehmer oder verendet ein schönes Pferd, so ist es verhext, und der Schuldige wird dadurch entdeckt, daß die Leiche aufgehoben und fortgetragen wird. Die Hütte, zu welcher die Träger, vor-

geblich auf Antrieb des durch Zauberei Gemordeten, die Leiche tragen, birgt den Uebelthäter, der sofort erschlagen wird, und dessen Angehörige in die Sklaverei verkauft werden. Sie glauben an ein Leben nach dem Tode, was schon aus der sorgfältigen Leichenbestattung ersichtlich ist. In eine weite und tiefe Grube werden die Vornehmen zugleich mit zwei geschlachteten Ziegen, eine zu Häupten und eine zu Füßen, und mit einer Kürbisschale voll Perlen und Kaurimuscheln begraben; ja, an einigen Orten soll es Sitte sein, zugleich mit dem Todten einen Sklaven und eine Sklavin lebendig zu begraben, damit es ihrem Herrn in der andern Welt an Dienerschaft nicht fehle.

Schon haben wir erwähnt, daß der Sultan von Bagirmi die Nachbarländer alljährlich durch Sklavenjagden verheert. Oft schleppt

Audienz in Massenja. (S. 129.)

er 1000 Menschen von Haus und Heim gefangen in die Knechtschaft, indem er irgend eine wehrlose, friedliche Ortschaft überfällt. Nachtigal erzählt uns, daß die Eingeborenen, gewitzigt durch diese Ueberfälle, sich abseits von ihren aus Strohhütten bestehenden Dörfern auf Riesenbäumen der angrenzenden Wälder schwer zugängliche Wohnungen erbauten. Auf den mächtigen Aesten errichten sie förmliche Hütten, in denen sie Geräthe, Lebensmittel, Wasser, selbst ihre Ziegen bergen. Auf Strickleitern klettern sie mit den Ihrigen in der Stunde der Gefahr in diese luftigen Burgen. Von Strohkörben aus vertheidigen die Männer mit Wurfgeschossen Weib und Kind und ziehen sich kämpfend von Ast zu Ast in den höchsten Wipfel zurück. Oft gelingt es den Sklavenjägern nicht, ihre Beute lebend zu erhaschen; dann schießen sie die Vertheidiger wie die Vögel von den Aesten herab oder stecken auch den ganzen

Baum in Brand, so daß die armen Wilden elend zu Grunde gehen. Noch andere Greuelscenen spielen sich auf dem Transporte der Gefangenen ab; wer marschunfähig wird, den erschlagen sie „zum warnenden Beispiel für die anderen" sofort.

Die Hauptstadt Bagirmi's ist Massenja, etwa 150 km südöstlich vom Tsadsee und 100 km östlich vom Schari. Barth, der sie besuchte, gibt ihr einen Umfang von sieben Meilen, sagt aber, daß der also umschlossene Raum nur zur Hälfte bewohnt sei. Sie besteht aus unregelmäßigen Thongebäuden und Hütten. Dieselben sind rund und haben 1—1½ m hohe Wände aus Pfahlwerk, auf denen ein glockenförmiges Strohdach ruht, das so fest und künstlich gefertigt ist, daß selbst bei den heftigsten Güssen der Regenzeit kaum ein Tropfen durchdringt. Der Sultanspalast dagegen ist aus gebrannten Ziegeln aufgeführt, eine große Seltenheit für den Sudan. Er bildet ein längliches Viereck von etwa 2400 Schritten im Umfang. Als Nachtigal Massenja besuchte, war es kurz vorher durch den Sultan Hali von Wadai zum größten Theil zerstört worden.

Der Sultan, „Mbanga" nennen ihn die Leute, führt ein tyrannisches Regiment. Aehnlich wie früher der Mikado von Japan ist er seinen Unterthanen unsichtbar. Nur durch Thüren und Vorhänge verborgen oder doch so in Kleidungsstoffe gehüllt, daß kaum die Nasenspitze hervorschaut, verkehrt er mit denselben. Nachtigal, der uns seine Audienzen bei den Majestäten von Wadai und Bornu erzählt hat, soll uns zum Schlusse dieser Schilderungen aus dem mittlern Sudan auch seinen Empfang bei Mbanga Mohammedu mit dem Beinamen Abu Settim erzählen.

Nach langen Unterhandlungen war es ihm endlich erlaubt worden, auf bloßen Strümpfen das Innere des Palastes zu betreten. „Innerhalb einer Stoffeinfriedigung befand sich ein kleiner, mit reinlichem Sande belegter unbedachter Raum, dessen eine Seite von einem Schattendach eingenommen war, das wieder durch Vorhänge verschlossen werden konnte. Diese letzteren waren augenblicklich zurückgeschlagen und ließen die Gestalt des Königs auf einer mit bunten Stoffen belegten Bank sehen, ohne daß mir jedoch Burnus und Litam (Gesichtstuch) desselben erlaubt hätten, mehr von seinem Antlitz zu sehen als einen kleinen Theil schwarzer Nase. Die königliche Würde legt in Bagirmi ihrem Träger große Unannehmlichkeiten auf. Unter den schweren Wollstoffen, die kaum den allernöthigsten Luftzug gestatteten, mußte es bei der herrschenden

Missionsanstalt von Delen in Dschebel-Nuba. (S. 130.)

Sonnenhitze zum Ersticken sein; und einige Sklaven, welche mittels rohgearbeiteter Straußenfächer und einfacher Giraffenschwänze die Luft zu erneuern bestrebt waren, konnten kaum eine wesentliche Erleichterung bringen. Ich hockte vor dem Schattendache gegenüber dem Könige nieder und hatte neben und hinter mir meine Begleiter aus Bornu und die obersten Hofbeamten. Alle hatten der Hofsitte entsprechend, von der abzuweichen nur mir und meinen Leuten gestattet war, den Oberkörper bis zum Gürtel entblößt." Nachtigal hielt dann eine längere Rede, in welcher er die Tapferkeit des Sultans feierte. Dieselbe wurde mit Beifall aufgenommen. Der Sultan dankte mit ganz leiser Stimme — so will es die Hofsitte — und sagte, es sei sehr wunderbar, daß ein so fremder Mann, so verschieden von Arabern und Negern, trotz der großen Entfernung und der Gefahren der Reise nur gekommen sei, um ihn zu sehen. Aber

einer der Höflinge erwiederte sofort, das sei bei den herrlichen Gaben der Tapferkeit und Macht des Sultans gar nicht zu verwundern. Man sieht, in Schmeichelei sind auch die schwarzen Höflinge des Sultans von Bagirmi, so barbarisch sie sonst sein mögen, wohl erfahren.

Es ist Zeit, daß wir uns den Anstrengungen zuwenden, welche die katholische Kirche machte, um auch den Völkern im Sudan die Lehre Christi zu bringen, und von den Heimsuchungen erzählen, welche ihre Arbeit großentheils vernichteten.

7. Die Mission im Sudan.

Schon im 17. Jahrhundert versuchten muthige Kapuzinermissionäre wiederholt in den Sudan vorzudringen und den Negern das Evangelium zu predigen. Leider hatten ihre Arbeiten zum Theil wegen der Verstocktheit der Bevölkerung, zum Theil wegen der überaus großen Schwierigkeit, das begonnene Werk durch das regelmäßige Nachsenden neuer Missionäre weiterzuführen, keinen bleibenden Erfolg.

P. Ryllo S. J., ein Pole von Geburt, nahm die Mission vor einem halben Jahrhundert von neuem auf. Zuerst war derselbe ein begeisterter und gefeierter Missionär im Libanon. Die Drusen hatten einen Preis auf seinen Kopf gesetzt zur Zeit des Christenmordes; aber er entkam ihnen. In Rom lernte Gregor XVI. den Missionär kennen und schätzen, und auf dessen Vorschlag gründete der Papst am 26. December 1845 das Apostolische Vikariat des Sudan „zur Bekehrung der Neger, Verhinderung des Sklavenhandels, und damit die einzelnen, in jenen Gegenden zerstreuten Katholiken der Seelsorge nicht entbehrten". Mgr. Casolani aus Malta wurde zum ersten Apostolischen Vikar des Sudan ernannt. Als Begleiter wurden ihm beigegeben P. Ryllo, Dr. Ignaz Knoblecher, geboren bei Laibach 1819, ein Priester der Propaganda, und P. Pedemont S. J., früher französischer Officier.

Im Frühjahr 1847 zog die apostolische Schaar unter Ryllo's Leitung aus und erreichte am 12. Februar 1848 Chartum, den Hauptort des ägyptischen Sudan. Da wurde die erste Missionsstation

Kreuzgang des Missionshauses zu Chartum.

das Land der Barineger südlich von Lado vor. Er fand daselbst vielversprechenden Boden. Aber es fehlte an allen Hilfsmitteln. Um diese zu beschaffen, scheute Knoblecher die weite Reise in die Heimat nach Oesterreich nicht, suchte und fand die Hilfe des Kaisers, sammelte im ganzen Kaiserreich, gründete Unterstützungsvereine und kehrte über Aegypten nach Chartum zurück, wo er Ende 1851 mit dem Missionsschiff Stella matutina wieder eintraf. 1853 konnte er endlich im Lande der Bari bei Gondoforo, etwa 10 Stunden südlich von Lado, die Missionsstation U. L. Frau am Weißen Nil gründen. Die Fahrt flußaufwärts bis Chartum dauerte 24 Tage.

Nach Knoblechers Tod 1858 leitete Dr. Kirchner aus Bamberg die Mission. Aber das Klima räumte schrecklich auf unter den Missionären. In der kurzen Zeit von zwei Jahren wurden 22 in den heißen Boden Afrika's bestattet, und nur der Tiroler P. Fabian Pfeiffer lebte noch als einziger Priester in Chartum. Schon wollte die Propaganda die Mission aufgeben, als Comboni und die von ihm für die Negermission in Verona gestiftete Anstalt in die Bresche traten. Von ihm wurden die Missionen in Kordofan, namentlich in El Obeid und Dschebel-Nuba gegründet, und als er 1881 starb, durfte er hoffen, daß

gegründet, da erlag aber auch P. Ryllo wenige Monate später, am 17. Juni, als erstes Opfer der Mission, die er gegründet, den Strapazen und dem mörderischen Klima. (Siehe sein Grab im Garten der Schwestern S. 113.) In seine Fußstapfen trat der wackere Oesterreicher Dr. Knoblecher, dem die Araber den schönen Namen „Abuna Soliman" gaben, d. h. Vater Friedensfürst. Bald unternahm derselbe eine 64tägige Fahrt auf dem Weißen Nil und drang bis in

das mit so vielen Opfern gegründete Werk (von 1847—1880 waren nicht weniger als 37 Missionäre gestorben) jetzt sich rasch und glücklich weiter entwickeln werde.

Aber Gottes Wege sind nicht der Menschen Wege! Kaum hatte sein Nachfolger Mgr. Franz Sogáro die Leitung der Mission übernommen, da brach die Empörung des Mahdi aus und vernichtete sämmtliche Missionsstationen im Sudan.

8. Der Mahdi und die Missionäre.

Im Jahre 1881 stand ein gewisser Mohammed Achmed auf und behauptete, er sei der „Mahdi", d. h. der große Prophet, von dem der Koran meldet, er werde den Islam über die ganze Erde ausbreiten. Dieser Mahdi ist in Dongola geboren, war in seiner Jugend Schiffszimmermann in Chartum und spielte seit 1871 den Einsiedler in einer Steingrotte am Ufer des Weißen Nil. Da fing er an, den Arabern zu predigen, sie sollten dem Vicekönig von Aegypten keine Steuern mehr bezahlen. Das gefiel den Leuten, und da er sich auch sonst ein großes Ansehen zu geben wußte und Stellen aus dem Koran auf sich deutete, hatte er bald einen großen Anhang. Im Juli 1881 schickte der

Vicekönig zuerst Soldaten gegen ihn, aber nur wenige. Der Mahdi schlug diese, und auch die zahlreicheren Truppen, die jetzt gegen ihn zu Felde zogen, schlug er, und nun war bald aus dem kleinen Feuer ein riesiger Brand geworden, den die ägyptischen Generäle und Soldaten nicht mehr ersticken konnten. Die Bewohner des Sudan eilten zum Mahdi und stellten sich zu Tausenden unter seine Fahnen. Im Mai 1882 hatte er das Land Dar Nuba in seiner Gewalt. Seine Schaaren nahmen die Missionäre von Delen, 3 Tagereisen von El Obeid, gefangen und schleppten sie in das Lager ihres Anführers, des Mahdi, der damals die Stadt El Obeid belagerte. Wie es den Missionären daselbst erging, soll uns einer derselben, Dom Luigi Bonomi, erzählen:

Kirche und Missionsgebäude von El Obeid.

„Wir waren unser sieben (2 Priester: Dom Luigi Bonomi und Dom Joseph Ohrwalder, 2 Laienbrüder: Joseph Regnotto und Gabriel Mariani, und 3 Schwestern: Amalia Andreis, Eulalia Pesavento und Marietta Caprini) und wurden vor den Mahdi geführt. Er sagte uns, es sei nothwendig, daß wir augenblicklich zum Islam überträten. Wir entgegneten fest: ‚Wir können diesem Befehle nicht entsprechen, noch unsere heilige Religion verlassen. Gott verbietet es, und selbst wenn wir der Kleidung und dem Aeußern nach Moslimer würden, so bliebe doch unser Herz unverändert.' Diese kühne Antwort reizte Mohammed Achmed sehr. Er rief: ‚Höret, verfluchte Ungläubige! Morgen ist Freitag. Ich gebe euch Bedenkzeit. Wenn ihr beim Aufgange der Morgensonne nicht zum Islam übergetreten seid, so sollt ihr zum Tode geführt und hingerichtet werden zur Strafe für euren hartnäckigen Unge-

horsam. Sehet also zu und bereuet, solange es Zeit ist! Ich habe gesprochen.' Im Laufe des Tages wurden wir von verschiedenen Derwischen besucht, welche uns beschworen, den Islam anzunehmen. Wir antworteten ihnen: ‚Wie geben euch, o Derwische, denselben Bescheid, wie eurem Meister: Das ist uns nicht erlaubt!' Sie waren wüthend, spieen uns an und zückten ihre langen Schwerter gegen uns. Allein wir vertrauten auf Gott.

„Georg Stambuli, ein zum Islam abgefallener Grieche, kam zu uns, mit dem Auftrage, auch uns zu ‚bekehren'. Er führte uns zu unserer neuen Wohnung; das war nichts anderes als eine Umfriedigung von Schilf unter freiem Himmel, in welcher wir den neugierigen Blicken der Menge nicht entziehen konnten.

„Es war am 27. September 1882. Der Vollmond stieg strahlend vor unseren Augen empor. Nachdem Georg uns angezeigt

17*

hatte, die Weigerung, zum Islam überzutreten, werde uns ganz bestimmt das Leben kosten, hielten wir zusammen unser spärliches Nachtmahl, welches aus einem Stücklein Brod bestand. Wir erwiederten, man solle doch nur keinen Abfall vom Christenthum von uns erwarten, und wiesen ebenso die Aufforderung zurück, eine ungeheure Summe als Preis unserer Freiheit zu entrichten. Er hatte uns dann gesagt, wir möchten uns diese Nacht noch einmal bedenken, und auf unsere Antwort, daß wir zwar den Tod nicht herbeisehnten, daß wir aber um so zufriedener wären, je rascher er käme, rief er uns im Fortgehen zu, der nächste Morgen werde wahrscheinlich unsern Martertod erblicken. Dieser Gedanke erfüllte unser Herz mit großer Freude. Dann trat der Kaïise, der Stellvertreter des Seïd, in den Verschlag, in welchem wir gelagert waren. Er stellte mit verdoppeltem Eifer und noch viel bestimmter die gleiche Forderung an uns; hierauf ging er fort, nachdem er uns einige Wassermelonen geschenkt hatte. Unter anderen Umständen würden wir nichts davon gekostet haben, denn sie gelten für ungesund; wir glaubten aber so bestimmt an unsern Tod, daß wir ruhig davon genossen. Auch riefen wir Georg nochmals herbei und übergaben ihm das Geld, das wir bisher noch verstecken konnten, indem wir ihn baten, am nächsten Morgen vor unserer Hinrichtung uns noch einmal zu besuchen, um unsere letzten Aufträge entgegenzunehmen. Dann schickten wir uns an, die Nacht in heiliger Freude zuzubringen. Wir verrichteten unsere Gebete gemeinsam; wir beichteten alle und empfingen die Lossprechung. Dann schrieben wir beim Scheine des Mondes auf einen Fetzen Papier eine Art Testament, welches wir alle unterzeichneten und am nächsten Morgen Georg anvertrauen wollten, damit er es nach Europa sende. Nach dem Abendsegen legten wir uns zur Ruhe und haben nie so sanft und fest geschlafen; alle unsere Leiden waren vergessen, und die Welt machte uns keine Sorge mehr.

„Am nächsten Morgen wurden wir aus der Hütte, in welche man uns eingesperrt hatte, hervorgeführt. Die Araber standen in Schlachtordnung; hinter dieser Fußvolke hielt eine starke Abtheilung Reiterei. Tausende von Speeren und blanken Schwertern blitzten und funkelten in den Strahlen der Morgensonne. Wir sahen sie aufsteigen über die Wipfel der wenigen Mimosen und die Felskanten vergolden, welche hier und dort aus der weiten, gelben Sandfläche aufragen — wir sahen sie aufsteigen und dachten, es sei das letzte Mal. Nie mehr würden wir einen Sonnenaufgang schauen, unsere Bahn wäre durchlaufen, und wir würden, wie Tausende vor uns, des Martertodes sterben für den Glauben an unsern Herrn — so dachten wir.

„Kriegstrompeten und Trommelwirbel erdröhnten. Von allen Seiten zogen bewaffnete Schaaren herbei, jede der Fahne ihres unmittelbaren Führers folgend. Wir meinten, es gelte einen Sturm auf die Stadt; aber es war nur eine große Heerschau. Bald erschien der Seïd inmitten seiner Krieger; er saß auf einem weißen Kameele; hinter ihm kauerte ein Knabe, der einen offenen Sonnenschirm über das Haupt des Seïd hielt. Von unserem Platze aus konnten wir die ganze Ebene vor El Obeïd überschauen. Es waren wohl 25,000 Soldaten auf dem Platze; vielleicht 10 000 davon waren mit Schießgewehren bewaffnet. Schon war es 11 Uhr morgens. Georg sagte uns, eine solche Truppenschau werde jeden Freitag gehalten. Da kam eine Abtheilung Soldaten, um uns vor den Seïd zu führen, der uns inmitten seiner Armee erwarte. In einem Blicke tauschten wir unsere Gedanken aus; wir übergaben Georg unser kleines Testament und eine Reliquie vom wahren Kreuze, welche wir bei unserer Plünderung gerettet hatten,

und folgten der Wache. Unsere Bedeckungsmannschaft war nicht überflüssig; von allen Seiten umdrängte uns die Menge heulend, drohend und grinsend vor Haß und Wuth; unsere Häscher mußten auf jedem Schritte uns vertheidigen vor den Lanzen und Säbeln, welche man gegen uns schwang. Wir machten den Weg, indem wir die Gebete der Sterbenden miteinander beteten und dem Heilande für die Ehre dankten, daß er uns würdige, um des Glaubens willen zu sterben. Der Seïd erwartete uns in der Nähe des kleinen katholischen Friedhofes, wo wir früher unsere Mitbrüder zur Ruhe gebettet hatten. Nochmals erneuerten wir Reue und Leid, spendeten uns gegenseitig die Lossprechung und traten so vorbereitet vor den Seïd.

„Als wir die lange Front hinabgeführt wurden, gingen wir festen Schrittes und erhobenen Hauptes einher; die Araber zückten ihre langen, zweischneidigen Schwerter gegen uns und verfluchten uns, während wir vorüberschritten. Jetzt erreichten wir den Platz, wo Mohammed Achmed, der sogen. Mahdi, hielt. Er saß auf einem prächtigen Dromedar. Laut rief er uns zu: ‚O Christen, seid ihr bereit, den Islam anzunehmen, oder wollt ihr euch die Köpfe von den Schultern schlagen lassen?‘ — Auf Gott vertrauend gaben wir die Antwort: ‚O Scheïkh Mohammed Achmed! Du hast große Gewalt; du befehligst diese große Schaar von Kriegern, welche sich so weit erstreckt, als das Auge reicht. Du kannst ihnen gebieten, was in deinen Augen gut scheint, und dein Befehl wird vollzogen. Auch über uns hast du Macht, denn du uns erschlagen kannst; denn Gott hat in seinem weisen Rathschlusse uns in deine Hand gegeben. Aber du hast keine Macht, o Scheïkh, uns zum Islam zu zwingen. Wir ziehen den Tod diesem Entschlusse vor.‘ Wir als gaben diese Erklärung ab. Die finstern Reihen schwiegen; Derwische mit langen Schwertern standen gewärtig, den Wink ihres Herrn zu erfüllen und unsere Köpfe abzuschlagen.

„Aber Mohammed Achmed schaute eine Zeit lang aufwärts und gen Osten und schwieg. Dann richtete er ein Adlerauge durchdringend auf uns, und da er bemerkte, daß wir im Glauben nicht wankten, rief er mit lauter Stimme: ‚O Nazarener, möge Allah, der allgütige und barmherzige, eure Herzen recht machen und euch zur Wahrheit führen!‘ Nachdem er dieses gesagt hatte, rief er abermals laut: ‚Ihr alle, die ihr gegenwärtig seid, Scheïkhs und Derwische, und wer immer Waffen trägt unter euch: stecket euer Schwert in die Scheide! Denn dieses ist der Befehl, den ich gebe: Lasset diese Nazarener ungekränkt in eure Hütte führen — ich habe es gesagt!‘ So wurden wir hinweggeführt, und wir dankten Gott, daß er das Herz dieses fürchterlichen Mannes zur Schonung gegen uns bewogen hatte. Wir wurden in eine Strohhütte geführt; er hieß uns niedersitzen und mit ihm speisen. Dabei unterhielt er sich zwanglos mit uns und fragte nach unserer Meinung in verschiedenen Sachen. ‚Seid meines Schutzes versichert‘, sagte er. ‚Kein Haar eures Hauptes soll gekrümmt werden. Ich übergebe euch nun der Obsorge eines Egyriers Namens Georg Stambuli. Dieser Mann ist, Allah sei Dank, dem Irrthum seiner Wege ein und hat den Islam angenommen. Gewiß werdet auch ihr euern Irrthum bald einsehen; Stambuli wird euch in jeder nützlichen Kenntniß unterrichten!‘

„Am Abende erhielt Georg auf seine Bitte die Erlaubniß, uns auf Gefahr seines Kopfes in seine eigene Wohnung nehmen zu dürfen. Es war das eine große Erleichterung für uns, und wir begaben uns sofort nach seiner Hütte.

„Georgs Frau und Sohn nahmen uns mit offenen Armen auf, und wir hatten am folgenden Tag die Freude, sein neugeborenes

Bischof Comboni, Missionäre und Negertreiber. (S. 130.)

145

Mädchen laufen zu können. Allein die zur Noth hergerichtete Hütte unseres Gastes war uns viel zu klein; wir mußten aus Stroh einen Nuban machen, um Schlafstätten zu gewinnen. Noch elender war es um unsere Nahrung bestellt. Im Lager war alles übermäßig theuer, und unser Geld reichte nicht weit. Infolge unserer Strapazen und der ungesunden Nahrung verfielen wir rasch

11 Uhr morgens. Endlich hauchte noch Schwester Amalia Andreis am 7. November ihre Seele in die Hand ihres Schöpfers aus. Wir waren noch vier. Der Tod unserer Gefährten hatte grausamen Leiden ein Ziel gesetzt, grausameren, als der Martertod gebracht hätte. Die Ueberlebenden waren in einem traurigen Zustande; als Georg unsere Lage dem Seid auseinandersetzte, hatte dieser

einer unbeschreiblichen Schwäche. Die kleine Apotheke hatte man uns genommen; wir waren also ausschließlich auf geistlichen Trost angewiesen, den wir uns gegenseitig spendeten, indem wir zusammen alle Gebete verrichteten, welche wir auswendig wußten; denn die heilige Messe lesen konnten wir nicht, und unsere Breviere waren uns längst genommen.

„Inzwischen ließ man nicht nach, uns mit Drohungen zum Abfalle zu drängen. Um uns mehr zu schrecken, redete man nicht mehr von unserer Hinrichtung, sondern man drohte, uns zu trennen und einzeln als Sklaven in die Zelte der Araber zu vertheilen. Man wandte sich vor allem an die Schwestern und ließ ihnen keinen Zweifel über das Loos, das ihrer harre. Das war für diese reinen Seelen ein unsägliches Martyrium. Es gefiel dem Heilande, diese Leiden abzukürzen. Fieber und Dysenterie warf eine der Schwe-

Tom Luigi Bonomi in arabischer Tracht. (S. 131.)

gesagt, er würde ihm erlauben, uns nach Chartum zu bringen, wenn der Weg dorthin frei wäre. Unsere Lage wurde jetzt aber etwas besser. Um den 20. Dec. gelang es Georg, einen Brief unseren in El Obeid eingeschlossenen Missionären zu übermitteln und von ihnen eine Antwort zu erhalten. Wir erfuhren nun, daß die Christen mit ihren Vorräthen sich in die kleine Citadelle der Stadt flüchteten und ihre Häuser und Kirchen der Plünderung überlassen mußten. Sie waren um jene Zeit alle von einer ansteckenden Krankheit, von dem Storbut, befallen; der hochw. P. Losi war am Sterben. Sie schickten uns einige Kleidungsstücke, eine Decke und 600 Mark. Eine Woche später erhielten wir noch einmal Nachricht. Man theilte uns den Tod P. Losi's mit, welcher am 27. December starb, und die Erkrankung P. Rossignoli's, eines Clerikers und dreier Schwestern. Wir konnten nichts

stern auf das Sterbelager, und sie verschied am Abende des 27. October. Es war Schwester Eulalia Pesarento. Wir hüllten ihre Leiche in eine Matte, wie im Lande üblich, verbrachten die Nacht bei ihr im Gebete und begruben sie am nächsten Morgen hundert Schritte von unserer Wohnung. Der Laienbruder Gabriel Mariani folgte ihr bald ins Grab; er starb am 31. October

zu ihrer Hilfe thun. Wir können nicht einmal unbewacht unsere Hütte verlassen; nur zu Gott beten können wir, daß er ihnen Muth und Kraft zur Ausdauer verleihe.“

Am 19. Januar 1883 mußte sich die Festung El Obeid dem Mahdi ergeben. So kamen auch die Missionäre und Schwestern der dortigen Mission in die Gewalt des „Propheten“.

Englische Truppen im Sudan. — Offiziere und Soldaten der bengalischen Reiterei. (S. 136.)

Sehr ergreifend ist die Schilderung, welche Dom Bonomi vom Falle El Obeids entwirft. Derselbe erfolgte im Januar 1883. Ein großer Theil der Besatzung und der Einwohner hatte sich gleich anfangs empört und war zum Mahdi übergegangen. Aber der Gouverneur des östlichen Sudan wollte den Platz bis zum äußersten halten. Da er keine genügende Mannschaft mehr hatte, um die ausgedehnten Gräben und Verhaue rings um die Stadt zu besetzen, gab er die Außenlinien preis und ließ rasch neue Gräben und Wälle um das Regierungsgebäude, das Arsenal, die Kasernen her aufwerfen. Bis zum 18. Januar 1883 schlug er alle Stürme der Aufrührer blutig ab. Dann aber besiegte der Hunger die Belagerten. Für ein Ei bezahlte man einen Maria-Theresia-Thaler; die Straßen der Stadt lagen voller Leichen; die Verhungernden scharrten verwesende Hunde und Kameele aus, um an ihnen sich zu sättigen.

„Die schrecklichen und gräßlichen Scenen in der belagerten Stadt", sagt Dom Bonomi, machten das Blut der Augenzeugen erstarren, und die Schilderung jener Tage ist zu furchtbar, als daß man sie nicht rasch enden müßte. Dennoch verweigerte der grimmige alte Türke, welcher El Obeid befehligte, die Uebergabe, obschon die elenden Soldaten nicht mehr die Flinten tragen konnten und wie hungrige Wölfe umherlungerten, irgend etwas Eßbares suchend. Widerstand leisten konnten sie nicht mehr. Am 18. Januar 1883 erstürmten die Empörer den Wall und drangen in die Mudieriah (Regierungsgebäude) und die umliegenden Häuser ein. Als die Derwische den Divan der Mudieriah, die große Halle, betraten, sanden sie den Commandanten Achmed Pascha Said auf einem hohen geschnitzten und buntgemalten Thronsessel sitzend; stolz aufgerichtet und mit gekreuzten Armen scharte er sie voll Verachtung an. Sie drangen auf ihn ein und würden ihn erschlagen haben, hätten nicht andere gefordert, daß man ihn vor Mohammed Achmed, den Mahdi, führe. „Zurück, ihr Hunde; rührt mich nicht an!" rief er. „Ihr befleckt mich, gemeine Empörer. Ich selbst will vor diesen Erzrebellen Mohammed Achmed treten; geht voran!" Unwillkürlich schreckten sie vor seiner Donnerstimme und seinem grimmigen Blicke zurück. „Haltet seine Hände fest und durchsucht ihn!" befahl der Mahdi, sobald er ihn erblickte, und der Befehl kam keine Secunde zu früh; denn schon zog der alte Krieger einen Revolver aus seinem Kleide, und es ist kein Zweifel, daß er dem Feinde den Tod geschworen hatte. „Fort mit diesem Hunde von einem Türken!" schrie Mohammed Achmed. „Verkauft ihn auf dem Markte als einen Sklaven; hinweg mit ihm!" Der Commandant wurde also nach dem Bazar geführt und zum Verkaufe feilgeboten; doch wagte anfangs niemand auf ihn zu bieten. Da ging ein Emir vorbei und rief, um des Gefangenen zu spotten; „O Ausrufer, ich will wohlich 680 Piaster für diesen Mann geben!" Er wurde also dem Emir zugeschlagen. Als der Mahdi Kunde davon erhielt, gab er Befehl, den Commandanten sofort zu ermorden. Es eilten also einige Derwische aus der Umgebung des Mahdi nach der Wohnung des Emir und verlangten, daß ihnen Achmed Pascha Said vorgeführt werde. Mit festem Blicke und stolzer Haltung trat er vor die Derwische, welche ihre Schwerter entblößten. „Nicht wahr, ihr seid gekommen, mich zu ermorden?" donnerte er sie an. „Verfluchte feige Hunde, ich fürchte euch nicht! Das Grab eurer Väter sei geschändet! Ich fluche euren Vätern und Müttern bis ins dritte Geschlecht, mögen alle ihre Gräber geschändet sein! Fluch euch und einem elenden falschen Propheten Mohammed Achmed!" Während er diese entsetzlichen Flüche ausstieß, fielen die Derwische über ihn her und erschlugen ihn. Er

starb mit dem Muthe eines tapfern Soldaten. Als der Platz erstürmt wurde, hatte er es versucht, das Pulvermagazin, sich und seine Angreifer in die Luft zu sprengen; aber seine Officiere hinderten ihn an dieser That. Die Derwische suchten jetzt, wüthend über die Reden des sterbenden Commandanten, auch Ali Bey Scherif und andere gefangene Officiere auf und hieben sie in Stücke. Dann kehrten sie zum Mahdi zurück und meldeten ihm ihre Thaten. Er brach in Thränen aus, streute Sand auf sein Haupt und tadelte sie ob dieses Blutvergießens: „Ihr seid blutdürstige Männer, o Derwische!" sagte er. „Diese Thaten finden kein Wohlgefallen in meinen Augen!"

Acht Mitglieder der katholischen Mission hatten in dem umzingelten El Obeid alle Schrecken der Belagerung und alle Qualen des Hungers durchgemacht. Der Obere, Dom Giovanni Losi, war denselben um Neujahr 1883 erlegen. P. Rossignoli, der Cleriker Locatelli und 5 Schwestern fielen jetzt in die Gewalt des Mahdi und wurden den übrigen gefangenen Missionären beigesellt.

„So verfloß das Jahr 1883 in einer verhältnißmäßigen Ruhe, welche nur von Zeit zu Zeit durch ernste Zwischenfälle gestört wurde. In unserer Brust lebte die Hoffnung auf eine baldige Befreiung, und die Siege der Armee des Khedive gaben ihr neue Festigkeit. Erschreckt durch die Erfolge, welche die Sendlinge des Mahdi in den westlicheren Theilen des Sudan erzielten, beschlossen der englische und ägyptische Gouverneur von Chartum, den Aufstand mit einem Schlage niederzuwerfen. Sie schickten also den englischen General Hicks Pascha gegen den Mahdi. Nach mehrmonatlicher Rüstung brach dieser Officier an der Spitze von 12 000 Mann gegen Duem am Weißen Nil auf. In Duem ließ er 2000 Mann und zog mit allen übrigen Truppen westwärts nach Kordofan.

„Mit der größten Freude hatten wir Kunde von seinem Marsche erhalten und verfolgten im Geiste seinen Siegeszug, der ihn zu uns bringen sollte. Ach, wie so manche andere, zerfloß auch diese Hoffnung vor unseren Augen! Am 6. November erhielten wir Kunde von seiner Niederlage und hörten, wie die Befreiungsarmee am 3., 4. und 5. desselben Monats in der Nähe von Casghe, einem Dorfe etwa 12 Stunden von El Obeid, gänzlich aufgerieben worden sei. Der einzige Europäer, welcher den Blutbade entrann, war der Preuße Gustav Klotz, ein alter Uhlanenunterofficier, der als Diener von Mr. Donnevan, dem Berichterstatter der „Daily News", den Zug mitmachte. Einige Tage vor der Schlacht entfloh der arme Mensch nächtlicherweise aus dem ägyptischen Lager; denn er erkannte die trostlose Lage der Armee. Die Aufständischen aber, welche das Lager von allen Seiten umschwärmten, griffen den Flüchtling auf, beraubten ihn und führten ihn zum Mahdi. Zwei Missionäre wurden als Dolmetscher herbeigerufen, und der falsche Prophet befragte ihn des langen und breiten über die Stärke des Feindes. Alle Aufstehenden meinten, der Gefangene übertreibe, um sich beim Mahdi gut anzuschreiben, als sie seine Schilderung über die Muthlosigkeit und den Mangel an Disciplin in der ägyptischen Armee hörten. Der Mahdi hatte die Hauptmacht seiner Truppen um El Obeid zusammengezogen; zum Angriff wählte er den Augenblick, da Hicks Pascha aus dem Lager von Rahad aufbrechen würde. Dort mußten die Truppen des englischen Generals durch ein ausgedehntes, stachliges Gehölz, wo es unmöglich war, in geschlossener Front zu marschiren. Man mußte sich also in kleine Trupps auflösen, um für das viele Gepäck, welches das Heer mitführte, einen Weg zu öffnen, und so gestaltete sich der Angriff zu keiner eigentlichen Schlacht, sondern zu einem Schlachten, zu einer Reihe von Einzelkämpfen, in denen eine Handvoll Soldaten, von allen Seiten umschlossen und erdrückt, verzweiflungsvoll mit einer ungezählten Uebermacht rang.

„Wie soll ich Ihnen den furchtbaren Eindruck schildern, den die Niederlage Hicks Pascha's auf uns machte? Jetzt war der letzte Hoffnungsstrahl vor unseren Augen erloschen! Wir mußten dem trostreichen Gedanken entsagen, der uns ein Jahr lang unsere schreckliche Lage erträglich gemacht hatte. Ewige Gefangenschaft war unser Loos. Nach der Vernichtung der Armee von Hicks Pascha erschien die Macht des Mahdi furchtbar, und niemand konnte sich jetzt mit ihm messen."

9. Der Fall Chartums und Bonomi's Flucht.

Noch immer war aber den gefangenen Missionären eine Hoffnung geblieben. Chartum, die Hauptstadt des ägyptischen Sudan, war noch nicht in der Gewalt des Mahdi. Der edle Charles Gordon vertheidigte es, und man wußte, daß General Wolesley mit einer starken Armee zu seinem Entsatze heranziehe. Aber auch diese Hoffnung erlosch. Die Engländer kamen einige Tage zu spät und kehrten um, ohne einen Versuch, die Stadt zurückzuerobern, als sie sahen, daß Gordon und die Seinigen doch schon gefallen seien.

„Die Ereignisse, welche sich während der denkwürdigen Belagerung von Chartum abspielten," führt Bonomi in seiner Erzählung fort, „will ich nicht eingehend beschreiben, weil ich nicht Augenzeuge war, sondern sie nur vom Hörensagen kenne. Einige Worte über die Einnahme dieser Hauptstadt, welche am 26. Januar 1885 in die Gewalt der Aufständischen fiel, will ich aber dennoch beifügen. Die Entmuthigung der Belagerten, welche durch das für uns unerträgliche Zögern des englischen Entsatzheeres hervorgerufen wurde, und die Theurung bestimmten einen höhern Officier der ägyptischen Garnison, heimlich mit dem Mahdi über die Uebergabe der Festung zu verhandeln, ohne daß der brave Gordon darum wußte. Die Aufständischen machten am Vorabende des Unglückstages einen allgemeinen Scheinangriff, um die ganze Besatzung von Chartum auf die Wälle zu locken und hinter den Vertheidigungslinien in Athem zu halten. Unterdessen öffnete den Feinden der Verrath die Thore, indem er ihnen eine Furt im Flusse zeigte, welche die Belagerten erhöht hatten und welche bei

niedrigem Wasserstande gangbar war. Mehr brauchte es nicht. In die Umwallung eingedrungen, griffen sie die Vertheidiger im Rücken an, und diese mußten sich in vollständiger Verwirrung bald ergeben. In der ersten Wuth ergossen sich die Angreifer, trunken von dem blinden Fanatismus, mit welchem der Mahdi sie unablässig durch seine Aufrufe berauschte, über die ganze Stadt und metzelten ohne Unterschied des Alters und Geschlechtes alles nieder, was ihnen in die Hände fiel. Augenzeugen des furchtbaren Tages schätzen die Zahl der Ermordeten auf 20 000. Unter denselben befanden sich Gordon Pascha, H. Martin Hansal, der österreichisch-ungarische Consul, der Consul von Griechenland und eine große Zahl griechischer und koptischer schismatischer Kaufleute. Ein angesehener muselmännischer Kaufmann, den ich kenne, Achmed el Nur el Kebir, verlor bei diesem Gemetzel 30 Mitglieder seiner Familie.

„Der Fall von Chartum hatte den Rückzug der Engländer zur Folge, welche mit blutigen Opfern einige Siege über den Mahdi erkämpft hatten. Das war eine entsetzliche Enttäuschung für alle, welche ihre Hoffnung auf diese letzte Burg der Civilisation und Freiheit des Sudan gesetzt hatten. Kurz vor der Einnahme der Hauptstadt hatte der Bischof, hochw. P. Valentini, wie ich später vernahm, einen Boten mit Briefen an den Mahdi und an mich von Dongola abgesandt. Es wäre unklug gewesen, den erstern auf seine Bestimmung gelangen zu lassen; er wurde also verbrannt. Der zweite wurde der Oberin Schwester Therese Grigotini übergeben, da ich in El Obeid war. Sie las ihn und sagte in ihrer Antwort mit einer kurzen, aber ergreifenden Schilderung ihrer Leiden: ‚Dom Luigi ist in El Obeid und hat ebenso Schweres zu dulden, als wir.‘ Diese gesegneten Worte veranlaßten meine Befreiung. Sie brachten dem apostolischen Vikar die erste Kunde über mein Loos und leiteten die Schritte meiner Befreier nach dem traurigen Orte meiner Gefangenschaft. Wirklich war dem Ritter Santoni, dem der Bischof diesen Auftrag gab, keine Mühe und keine Anstrengung zu viel, um mich der Gefangenschaft zu entreißen.

„Am 3. Juni 1885 sagte mir heimlich ein Einwohner von El Obeid, ein in Kordos geborener Araber mit einem Briefe für mich angekommen und der Bote habe den Auftrag, mich zu entführen. Schon lange waren Flücht-

Negerkinder in Kairo an der Arbeit. (S. 139.)

149

pläne mein Sinnen und Trachten, und viel Zeit und Geld hatte ich zu ihrer Verwirklichung geopfert; aber jetzt wollte ich meinen Ohren nicht glauben. Als ich jedoch mit dem Araber in einer einsamen Hütte zusammentraf und er mir einen Zettel überreichte, welchen er in seinem Gewande eingenäht hatte, konnte ich nicht länger zweifeln. Mit welcher Angst und welchem Herzklopfen kehrte ich in meine Hütte zurück und ersehnte den Augenblick, da ich ohne Gefahr die kostbaren Zeilen lesen konnte! Mit aller erdenklichen Vorsicht und vor meinen eigenen Schatten bange öffnete ich endlich zitternd in meiner Kammer den Brief und las die folgenden drei Zeilen: „Der Träger dieses heißt R. R. Vertrauen Sie sich ihm an; er ist beauftragt, Sie nach Dongola zu führen, wo Sie voll Angst erwarten Ihre Mitbrüder und Ihr Landsmann Santoni.“

„Eine unbeschreibliche Bewegung ergriff mich beim Lesen dieser Zeilen. Meine Träume, in denen ich so oft dieses Glück geschaut hatte, sollten sich also verwirklichen, und meine Freiheit war durch ein kühnes Wagniß zu gewinnen. Der brave Bote fürchtete Unentschlossenheit und Mißtrauen von meiner Seite; aber meine freudige Begeisterung enthob ihn rasch dieser Sorge. Ich setzte die Stunde der Flucht auf den kommenden Tag fest und hieß ihn am Abende allein die Stadt verlassen und den Kameelen und dem Reisebedarf mich in der Wüste erwarten. Er hatte nur zwei Kameele; das eine sollte ich mit seinem Söhnchen besteigen, das andere war für ihn und den Führer bestimmt. Bevor ich in die Flucht einwilligte, hatte ich als Bedingung von dem Araber einiges Geld für meine Mitbrüder begehrt; ich übergab dasselbe P. Ohrwalder und versprach ihm, rastlos für ihre Befreiung thätig zu sein, sobald ich der Gefangenschaft entronnen sei. Unterdessen kaufte ich, um die Araber zu täuschen und jeden Verdacht abzulenken, Stroh, Holz und alles zur Errichtung einer neuen Hütte Nöthige; denn die Regenzeit begann. Ich machte mich auch sofort ans Werk und arbeitete den Abend und am folgenden Morgen so fleißig, daß ich die Hütte fertig brachte. Um 2 Uhr nachmittags ging ich zur festgesetzten Stunde fort; ich trug einen kleinen Korb und ein Messer in meiner Hand, um meinen Gang entschuldigen zu können, wenn ich etwa einem Neugierigen begegnete. P. Joseph Ohrwalder begleitete mich allein bis zur Wüste; ich hatte einen ihn in das Geheimniß eingeweiht. Weder er noch ich hatte die Kraft, ein Wort zu reden, so heftig war unsere Bewegung. Unsere Herzen verstanden sich dennoch. „Mit Gott! mit Gott!“ sagten sie einander, und dieses eine Wort schloß alle Schmerzen in sich, die wir gemeinsam erduldet, alle Hoffnung, welche mein Fluchtversuch für die Zukunft erweckte; es war das Siegel einer Freundschaft, welche die Trennung noch inniger schloß.

„Es war abends 4 Uhr. Vor mir breitete sich die Wüste aus, durch welche ich zu Fuß meinen Weg suchen mußte bis zu der Stelle, wo ich den Führer treffen sollte. Im ersten Ungestüm rannte ich, gehalten und getragen vom Rausche der Freiheit, viel weiter, als ich gemußt hätte. Die Dunkelheit des Himmels flog rasch hernieder, und noch bemerkte ich niemanden, der meiner harrte. Als ich meine Lage überlegte, wurde es mir klar, daß ich schon viel zu weit gelaufen sei und mich wahrscheinlich in der Richtung getäuscht habe. Ich stand still, suchte mit meinen Blicken das Zwielicht zu durchdringen, das die Wüste immer mehr in Nacht hüllte und rief wiederholt den Namen meines Führers. Niemand, nicht einmal das Echo, antwortete meiner Stimme. Wenig erfreuliche Gedanken zogen durch meine Seele; nicht so sehr die Furcht vor wilden Thieren oder vor den Wüstenräubern quälte

mich, als die Angst, der Araber werde mich in der Dunkelheit so weit von El Obeid nicht finden. Jetzt stellte sich auch nach einem Tage voll Aufregung und Mühe, an dem ich kaum einen Bissen genießen konnte, Erschöpfung meiner Kräfte ein, während die Dunkelheit des von Regengewölk verfinsterten Himmels mich bald den Weg gänzlich verlieren ließ. Zuerst wagte ich nicht, bei den Araberzelten, welche in der endlosen Wüste sich ab und zu zerstreut finden, nach dem rechten Wege zu fragen, aus Furcht, Verdacht zu erwecken; doch die Noth und meine zunehmende Schwäche zwangen mich. Schon war es seit zwei Stunden dunkel, als ich zu einem Hirtenzelte kam und ein wenig Wasser und Milch verlangte. Zufällig hatte ich einen österreichischen Viertelgulden bei mir; den bot ich den Leuten an und erhielt dafür eine Schale warme Milch, welche mich etwas erfrischte. Sie knüpften ein Gespräch an, und dank des Korbes gelang es mir, die Leute auf den Gedanken zu bringen, ich suche Arzneipflanzen. Ich ließ mir die Richtung des Weges nach der Hauptstadt erklären und nahm Abschied.

„Was sollte ich nun thun? Ich entschloß mich endlich, den Kopten aufzusuchen, der mir die Ankunft des Arabers, meines Befreiers, gemeldet hatte. Glücklicherweise bin ich ein guter Fußgänger, und so kehrte ich auf dornigen Fußsteigen, welche von Hohlwegen durchschnitten wurden, die in der Dunkelheit ebenso viele Abgründe zu sein schienen, zur Stadt zurück. Durch die Ruinen von Alt-El-Obeid mußte ich mich hindurcharbeiten, und um Mitternacht stand ich endlich vor meiner Hütte. Um keinen Lärm zu verursachen, schnitt ich die Schnüre durch, welche die Thüre schlossen, und suchte mein Lager auf, ohne daß jemand erwachte. Ich konnte aber nicht einschlafen, bevor ich ein Stück Durrah-Brod, in Wasser eingeweicht, genossen hatte.

„Doch vor Tagesanbruch wurde ich plötzlich durch eine Stimme geweckt, welche mich vom Wege her beim Namen rief. Sofort stand ich auf und trat heraus. Es war mein braver Kopte, der ganz erstaunt war, daß er mich an der verabredeten Stelle nicht getroffen hatte. Ich erklärte ihm kurz mein Abenteuer. Dann verhüllte er mein Gesicht nach Sitte der Araber mit einem Tuche bis an die Augen und geleitete mich sofort zum Führer. Ohne einen Augenblick länger zu verlieren, bestiegen wir die Kameele, und ihr scharfer Trott entführte mich rasch dem Ort meiner Gefangenschaft.

„Es würde zu viel Raum in Anspruch nehmen, wollte ich alle Zwischenfälle unseres beschwerlichen, 13tägigen Wüstenrittes erzählen. Mein Führer hatte wohl versprochen, sich mit den nöthigen Mundvorräthen für die Reise zu versehen; aber ein wenig Mehl und ein Stück Brodkuchen, genug für etwa zwei Tage, war alles. Die ersten drei Tage ging es freilich durch eine ziemlich bevölkerte Gegend; allein das war für uns die Gefahr mehr. Wir mußten entdeckt zu werden fürchten und konnten nur mit der größten Vorsicht halten und neue Lebensmittel einkaufen. Wir hatten einen Plan entworfen, welcher die Flucht meiner Mitbrüder ermöglichen sollte. In einem großen Dorfe wollten wir rasten, Mundvorrath kaufen, die Wasserschläuche füllen und die Missionäre von El Obeid erwarten, welche eine Vertrauensperson nachholen sollte. Wir hätten dann die Weiterreise gemeinsam gemacht. Unglücklicherweise mußten wir aber am Abende des dritten Tages in aller Eile das Weite suchen; Agenten des Mahdi, welche in jenem Dorfe weilten, hatten von unserer Flucht Wind bekommen. Ein Führer versprach, uns für Gold in ein anderes Dorf zwei Tagereisen weiter zu führen, wo wir Lebensmittel einkaufen könnten; aber dazu reichte unser Wasservorrath nicht aus und der Brodvorrath noch weniger. Diese Gegenden werden durch Räuber unsicher gemacht, welche die seltenen Kaufleute plündern, die die Sucht nach Gewinn in den Sudan lockt. Auch dieser Gefahr hat uns die gütige Vorsehung entrissen. Als kluger Mann ließ uns der Führer meistens zur Nachtzeit reisen; man leidet so weniger vom Durste und wird nicht so leicht bemerkt. Schon 20 Stunden bevor wir die nächste Cisterne erreichten, war unser Wasser bis auf den letzten Tropfen verbraucht. Wir erreichten sie noch lebend; allein die dürre Zunge klebte am Gaumen, so daß wir kein Wort mehr stammeln konnten. Unsere Kameele, welche schon beim vorigen Rastplatze nicht zur Tränke gekommen waren, schienen so erschöpft, daß wir fürchteten, sie möchten unterwegs erliegen. Um sie voranzubringen, stiegen wir ab und legten einen großen Theil der Strecke zu Fuß zurück. Unser Durst war so groß, daß wir, ohne auch nur eine Trinkschale zu nehmen, zu den Brunnen hinstürzten. Sie hatten eine so geringe Tiefe, daß der Führer einfach hinabstieg und mit seiner hohlen Hand die kostbare Flüssigkeit in unsere hohle Hand schöpfte. Nachdem wir dann unsern brennenden Durst ein wenig gestillt hatten, führten wir auch die Kameele zur Tränke.

„Der Gefahr, auf unserer Flucht entdeckt und aufgehalten zu werden, waren wir jetzt entronnen. Allein noch lag die Wüste vor uns, die eigentliche Wüste, sieben Tagereisen, in denen wir keine Oase mehr treffen konnten bis zum Nil. An dem Orte, wo wir uns befanden, mußten wir Lebensmittel kaufen; aber sie waren so übermäßig theuer, daß der Ankauf für vier Tage den Beutel meines Führers völlig leerte. Ich hatte meine kleine Geldsumme den Mitbrüdern in El Obeid überlassen und nur einen Viertelgulden mitgenommen, den ich aber schon ausgegeben hatte, wie man sich erinnern wird. Eine gute Frau mahlte unsern kleinen Getreidevorrath, den wir erstehen konnten, und setzte uns so in den Stand, Brodkuchen auf unserer Reise im heißen Sande zu

backen, auf dem wir mit Holz oder trockenem Kameelmist ein Feuer angezündet hatten. Die Gesellschaft einiger arabischer Nomaden, welche mit ihren Dromedaren ebenfalls dem Nile zuzogen, um Getreide einzuhandeln, war uns in den letzten Tagen unserer Reise von großem Nutzen. Am 18. Juni konnten wir endlich die Wasser des Stromes begrüßen und unsern Einzug in Abu-Guzi oder Agusa (Alt-Dongola) halten.

„Den beschwerlichsten Theil unserer Reise hatten wir überstanden; aber auch jetzt war noch nicht alle Gefahr vorüber; denn der Rückzug der englischen Truppen ließ das Land den feindlichen Einfällen der Horden des Mahdi offen, und ihr Fanatismus machte sich daselbst bereits geltend. Ich blieb inzwischen vier Tage bei den Verwandten meines Führers; während dieser Zeit kräftigten wir uns wieder und konnten auch das Sattelzeug unserer Kameele ausflicken. Am 22. Juni brachen wir wieder auf und erreichten nach einem Ritte von zwei Tagen längs den Ufern des schönen ägyptischen Stromes Dongola. Der Araber hatte Wort gehalten; heil und gesund hatte er mich von der Hauptstadt Kordofans nach der alten Hauptstadt Nubiens geleitet. Am 4. Juni hatten wir El Obeid verlassen und am 24. Dongola erreicht."

So war Dom Bonomi in Freiheit. Er gab sich alle erdenkliche Mühe, um seinen Gefährten ebenfalls die Freiheit zu vermitteln. Leider blieben bisher seine Versuche erfolglos; nur die beiden Schwestern Maria Caprini und Fortunata Quassò konnten sich durch eine glückliche Flucht der Macht des Mahdi entziehen und trafen am 9. November 1885 in Kairo ein. Ebenso erfolglos wäre jeder Versuch, so lange die Unruhen im Sudan fortdauern, daselbst neue Missionen zu gründen. Doch wird das zerstörte Werk aufs neue in Angriff genommen werden, sobald die Umstände es erlauben. An den Grenzen des Sudan harren die Missionäre auf die Stunde der Gnade; etwa 100 Kinder, welche sie mit sich nach Kairo brachten, werden ihnen dann bei dem apostolischen Unternehmen behilflich sein.

1. Massauah.

Von Nubien aus könnten wir nach Abessinien gelangen, indem wir dem Laufe des Nilstromes entweder bis zur Stadt Berber oder besser noch bis nach Chartum folgen und dann von Berber längs des Atbaraflusses oder von Chartum an dem Blauen Nil aufwärts steigen; denn diese beiden Flüsse entspringen in dem Berglande Abessinien, und der letztere würde uns bis zu seinem schönsten und größten See, dem Tanasee, führen. Diese Reise würde aber nicht nur sehr beschwerlich, sondern auch überaus gefahrvoll sein, und wir thun daher jedenfalls besser, nach Osten aus Rothe Meer zu gehen und unser Schiff wieder zu besteigen, welches inzwischen durch den Kanal von Suez in den Hafen von Sualim gekommen ist. In kurzer Fahrt bringt uns dasselbe nach Massauah. Von dort haben wir nicht mehr weit bis an die Grenze Abessiniens.

Massauah ist das Thor Abessiniens. Es liegt etwa 500 km südlich von Sualim wie dieses auf einer kleinen Insel des Rothen Meeres, die dem afrikanischen Festlande unmittelbar vorgelagert ist. Die kleine Hafenstadt bietet ein freundliches Landschaftsbild, während sonst die öden Küsten des Rothen Meeres sich nicht durch Schönheit auszeichnen. Auf dem kleinen Eilande leuchten im Sonnenstrahl die hohen, weißen arabischen Häuser mit den flachen Dächern, zwischen denen hin und wieder die Minarets einer Moschee aufragen. Im Westen erhebt sich der Palast des Gouverneurs, der von dem Schweizer Munzinger erbaut wurde, mit seiner weißen Kuppel und dem das ganze Gebäude umschließenden Säulengang wohl der stattlichste Bau an den Ufern des Rothen Meeres. Im Süden ragt die über 100 m hohe Kegel des Ghedem aus den dunkeln Fluten der Bai von Arkita, in deren Wassern die kleine, grünumbuschte Insel Schech Said gebettet ist. Landeinwärts dehnt sich die Tiefebene der Sahara, welche bald in ein rauhes, nacktes Hügelland übergeht, aus dem sich steil und schroff die Felsmauern des abessinischen Hochlands erheben, das in der Nähe von Massauah die etwa 2700 m hohe Hochebene von Hamassen bildet. Wenn man aber die Stadt betritt, so findet man sich, wie in allen orientalischen Städten, bitter enttäuscht. Die Straßen sind elend, und abgesehen vom Palast des Gouverneurs findet sich kaum ein bedeutender Bau, der Massauah eigentlich angehört. Denn die italienischen Hotels, Kaffeehäuser, Garküchen und Kasernen, die in den letzten zwei oder drei Jahren aus dem Boden hervorwuchsen, sind für uns nicht sehenswerth.

Die Einwohnerschaft Massauahs und der damit verbundenen Insel Tau el Hud wird auf 4000—5000 Seelen geschätzt; ebenso stark ist gegenwärtig die italienische Besatzung, welche die Befestigungen auf der Landseite besetzt hält. Die eigentlichen Einwohner stammen aus der benachbarten Provinz Tigre von Nordabessinien; man sagt, sie seien träge und unordentlich und zu Streithändeln geneigt. Das Klima ist seiner Hitze wegen, die im Sommer bis auf 48° C. steigt und durchschnittlich 38—40° beträgt, mit Recht verrufen und sehr ungesund. Es hat unter den italienischen Truppen zahlreiche Opfer gefordert.

Wie sind denn aber die Italiener nach Massauah gekommen? Die Lorbeeren der anderen europäischen Mächte ließen sie nicht ruhen; alle erbeuteten „Kolonien" in Afrika, und so glaubte Italien sich berechtigt, ebenfalls sein Stück sich zu holen. Ob das Land schon einen andern Herrscher habe, darum kümmerten sie sich ebenso wenig als damals, da sie dem Heiligen Vater und der ganzen katholischen Kirche Rom und den Kirchenstaat raubten. Zunächst hätten die Italiener gern Tunis gehabt, das ihnen sehr gelegen gewesen wäre. Aber da kamen ihnen, ohne viele Umstände zu machen, die Franzosen zuvor. Nun richteten die Italiener ihre Blicke nach den Küsten des Rothen Meeres und nach dem schönen Bergland Abessinien. Eine erwünschte Gelegenheit bot sich ihnen, als die Niederlagen im Sudan den Khedive von Aegypten zwangen, das Küstengebiet, welches bisher (seit 1557) zu Aegypten, also zur Türkei, gehört hatte, von Truppen zu entblößen. Damals besetzten die Engländer für Aegypten den Hafen von Sualim und vertheidigten denselben in blutigen Kämpfen gegen Osman Digma, der mit dem Mahdi im Bunde stand. Anfangs Februar 1885 erschienen plötzlich italienische Schiffe und Truppen in Massauah und besetzten es, angeblich „zum Schutz der dort lebenden Europäer". Umsonst legte der Khedive und die Türkei gegen diesen angemaßten „Schutz" Verwahrung ein. Die Italiener blieben und betrachteten nun den Küstenstrich, der etwa 150 km südlich von Sualim beginnt, auf eine Ausdehnung von nahezu 1000 km mit allen vorgelagerten Inseln bis hart an die Landenge von Bab-el-Mandeb als ihr Eigenthum. Aber mit der Küste allein und den unfruchtbaren Inseln war ihnen nicht gedient. Sie wollten weiter hinein, in das schöne Bergland Abessinien. Schon Anfangs Mai 1885 wollten sie ins Innere vorrücken, vorläufig nur bis Neren, das etwa 100 km westlich von Massauah landeinwärts liegt; die Truppen konnten nämlich die Hitze in Massauah nicht aushalten, sagten sie. Der Regus Johannes, der Kaiser von Abessinien, verlegte ihnen aber den Weg und stellte ihnen unter Kriegsdrohung die Bedingung, alle Posten mit Ausnahme Massauahs sofort zu räumen und keine Gesandtschaften an König Menelik von Schoa zu senden. Würden sie darauf eingehen, so wolle er den Italienern den Besitz von Massauah einräumen und ein Handelsbündniß mit ihnen schließen.

Im darauffolgenden Jahre schickte der Regus wirklich seinen Feldherrn Ras Alula mit einem Heere von 20—30 000 Mann gegen die Stellungen der Italiener. Zunächst galt es den Befestigungen, welche sie bei Sahati errichtet hatten, einem wegen seiner Quellen wichtigen Orte, 30 km von Massauah an der Karawanenstraße nach Abessinien. Der tapfere Angriff vom 24. und 25. Januar 1887 wurde zwar, dank der verheerenden Wirkung der europäischen Geschütze, blutig zurückgewiesen. Doch sah sich der italienische Offizier gezwungen, von Massauah Proviant und Schießbedarf zu verlangen, die ihm sofort unter Bedeckung von drei Compagnien und einem Zuge Mitrailleusen geschickt ward. Die Abessinier lockten diese Truppen in einen Hohlweg bei Dogali und griffen sie daselbst mit einer Uebermacht von 15 000—20 000

Mann an. Infolge des eins gedrungenen feinen Sandes versagten die Mitraillensen. Dennoch kämpften die Italiener 8 Stunden lang tapfer gegen den von allen Seiten anstürmenden Feind und fielen, nachdem auch der für Sahati bestimmte Schießbedarf verbraucht war, durchbohrt von den Spießen der abessinischen Reiter. Zu spät kam ein Hilfscorps von Maffanah. Es fand die Kämpfer in Reih und Glied nebeneinander liegen, fast alle todt; unter den Ueberlebenden gab es nur wenige, die nicht verwundet waren. 23 Officiere und 407 Soldaten waren erschlagen; 82 Verwundete wurden nach Maffanah gebracht.

Infolge dieser Niederlage mußten die Befestigungen von Sahati und fast sämmtliche Posten außer Maffanah von den Italienern aufgegeben werden. Der Negus aber schrieb ihnen: „Zuerst habt ihr Maffanah weggenommen, jetzt seid ihr nach Sahati gekommen, um dort eine Festung anzulegen. Welchen Zweck habt ihr? Gehört dieses Land nicht mir? Räumet mein Land! Wenn ihr in guter Absicht kamet, wozu bauet ihr Festungen? Warum bringt ihr Kanonen, Gewehre und Soldaten mit?" Und Ras Alula fügte diesen Worten seines Kaisers am Tage von Dogali, nachdem er die italienischen Truppen zusammengehauen hatte, die Bemerkung bei: „Ihr seid schuld an dem Geschehenen! Laßt uns jetzt wieder Freunde sein wie früher. Bleibet in eurem Lande; das ganze Land von Maffanah bis hieher gehört dem Negus."

Italien schickte aber neue Truppen und ver-

Maffanah. (S. 140.)

band sich jetzt mit König Menelik von Schoa, den der Negus von Abessinien früher zu seinem Vasallen gemacht hatte und der jetzt den Fremden zum Kriege gegen Abessinien die Hand reichte. Italien schickte 20 000 Mann; der Negus rückte Ende März 1888 mit einer Armee von 80 000 Mann bis auf eine Stunde an die italienische Streitmacht heran, wagte aber keinen Angriff und zog sich, ohne daß es weder zur Schlacht noch zu Friedensverhandlungen gekommen wäre, in seine Berge zurück. Erst mit dem Tode des Negus Johannes wandte sich das Glück zu Gunsten der Italiener. Derselbe starb Anfangs April 1889 an den Wunden, die er in einem Gefechte gegen die Anhänger des Mahdi am 12. März erhalten hatte. Menelik von Schoa, mit den Italienern verbündet, trat jetzt als Negus von Abessinien auf und hat ihnen bereits ein großes Gebiet abgetreten. Nicht nur Keren im Westen, sondern Gobo, felassi in Südwesten, das 1330 m hoch an der Straße nach Adua, der Hauptstadt von Tigre und nur mehr etwa 80 km in der Luftlinie von derselben liegt, während die Entfernung von Maffanah über 100 km beträgt, gehört jetzt den Italienern, die bereits die Schutzherrschaft über ganz Abessinien beanspruchen. Einstweilen ist der Mareb dort, wo er in seinem westöstlichen Lauf die Straße nach Adua schneidet, die Grenze, und die Italiener wollen sogar auf seinem rechten Ufer, also nur wenige Stunden vor Adua ein Fort bauen.

Großen Nutzen hat Italien aus seiner neuen

Besitzung am Rothen Meer bis jetzt nicht gezogen, für deren Eroberung es einige tausend Menschenleben und weit über hundert Millionen Mark geopfert hat.

2. Ein Gang durch Abessinien.

Abessinien oder Habesch hatte bis zu den oben erwähnten Gebietsabtretungen an Italien einen Flächenraum von 410 000 qkm, war also zehnmal so groß als die Schweiz, während seine Bevölkerung mit 3 Millionen Seelen der Zahl der Schweizerbürger gerade gleichkommt.

Nach dem Zusammenbruch des alten abessinischen Kaiserreichs, aus dessen Tagen wir im nächsten Kapitel ein Bild vorführen werden, zerfiel das durch Bürgerkriege und die Einbrüche der kriegerischen Gallastämme zerrüttete Reich in drei unabhängige Staaten, indem die "Ras", d. h. Statthalter, die Herrschaft an sich rissen. Um die Mitte unseres Jahrhunderts empörte sich ein aus niederem Stande aufgestiegener Beamte gegen seinen Herrn Ras Ali, den Herrscher von Gondar oder Amhara. Seine Empörung glückte, und Kasa (so viel wie Herzog) nahm den Namen Theodoros an.

gab sich für einen Nachkommen Salomons aus und forderte den Herrscher von Tigre zur Unterwerfung auf. Derselbe kämpfte gegen Theodoros und verlor Schlacht und Leben. Auch die Provinz Schoa zwang der Sieger zur Unterwerfung und wurde dann 1855 vom Abuna zum Negus (Kaiser) von Abessinien gekrönt. Mit eiserner Strenge und blutiger Grausamkeit führte er das Regiment, bis demselben die Engländer 1868 ein Ziel setzten. Sein Nachfolger war der energische Negus Johannes, dessen im Jahre 1889 erfolgten Tod wir soeben erzählten. Ob Menelik von Schoa die Herrschaft behaupten wird, oder ob er sich mit Ras Mlula und anderen Fürsten zu theilen hat, läßt sich zur Stunde noch nicht absehn. Wir in Abessinien wollen einstweilen das schöne Hochland, "die Felsenburg Afrika's", miteinander im Fluge durchziehen.

Abessinien wird die "afrikanische Schweiz" genannt; schon dieser Name sagt uns, daß es ein sehr gebirgiges, aber auch ein sehr schönes Land sein muß. Bei einem Besuche desselben müssen wir freilich auf Eisenbahnen und Dampfschiffe verzichten, nicht einmal ordentliche Wege oder Landstraßen dürfen wir erwarten; denn das sind dortzulande unbekannte Dinge. Zu Fuße werden wir allerdings auch schwerlich das sechs Meilen vom Meere entfernten, 2700 m hohen Tarantapaß, das nächste Felsenthor Abessiniens, erklimmen wollen. Da wir das Kameel am Fuße des Gebirges zurücklassen müssen, besteigen wir ein bescheidenes Saumthier und schließen uns der nächstbesten Karawane an. Anfangs ist die Umgebung öde; je mehr wir uns aber vom Rothen Meere entfernen,

desto mehr gewinnt die Landschaft an Reiz. Immer deutlicher treten die gewaltigen Gebirgsmassen aus dem Hintergrunde hervor, immer mehr hebt sich der Boden über den Meeresspiegel, der Pflanzenwuchs wird immer üppiger. Terrassenförmig führt uns der nicht gerade bequeme Steig bergauf; schon muß unser Thier sich mühsam einen Weg zwischen Felsvorsprüngen und riesigem Baum- und Strauchwerk aufsuchen. Bald glauben wir uns auf eine hohe Schweizeralp entrückt. Alles nimmt einen friedlichen Charakter an. Heerden von Rindern, Schafen und Ziegen grasen in großer Anzahl auf den grünen Matten; eine muntere Vogelwelt belebt die Gipfel der Bäume. Die Aussicht erweitert sich immer mehr. Jetzt sehen wir uns wieder inmitten von tausenderlei Gebirgsformen, deren Gestalt allerdings von der unserer Alpen nicht wenig verschieden ist; nur zagend blicken wir bald rechts, bald links in die jähe Tiefe. Manchmal ist die Bildung der Berge eine so regelmäßige, daß man glauben könnte, sich auf den Zinnen eines ungeheuern Felsenschlosses zu befinden, das seine Kuppeln und Thürme, seine Pyramiden und Obelisken malerisch um unsern Standpunkt gruppirt habe. Doch nicht Menschenhand hat solche Kolosse aufgethürmt. Unterirdische vulkanische Kräfte haben diese Bergkegel aus der Tiefe emporgetrieben. Ganz Abessinien haben sie von Norden nach Süden streifenweise bis zu einer Höhe von 2000—3000 m emporgehoben; einzelne Gebirgskämme, welche diese Hochebenen umkrängen, thürmten sie bis zu einer Höhe von

Die Insel Tau el Qud. (S. 140.)

1000, ja 5000 m über den Meeresspiegel. Zeugen ihrer Thätigkeit sind die vielen vulkanischen Gebilde, die zahlreichen warmen Quellen, die erstarrten Lavaströme, die erloschenen Krater, die häufigen Erdbeben. Die einst zahlreichen Feuerspeier sind bis in unsere Zeit noch nicht alle zur Ruhe gekommen, wie neuerdings im Jahre 1861 der Tschebel Dubbeu oder Vulkan von Eb auf der Danakilküste bewiesen hat. Ebenso sollen im Innern des Landes nach der Aussage der Bewohner vor etwa 70 Jahren noch "Berge gebrannt" haben.

Bald haben wir die Höhe des Passes von Halai, des ersten abessinischen Dorfes, erstiegen, wo sich uns eine prächtige Aussicht auf das gesegnete Land erschließt. Vor uns öffnet sich die Provinz Tigre mit ihrer endlosen Zahl von malerischen Berggruppen, mit ihren vielen Wasserstraßen, ihren fruchtbaren Hochebenen, ihren anmuthigen Weideplätzen. Zu unseren Füßen theilen sich die Wasser, und während der in der Nähe entspringende Anseba seinen Weg nach Norden nimmt und mit dem Barka vereint dem Rothen Meere zuströmt, zieht der noch winzige Mareb in die entgegengesetzte südliche Richtung vor, um nach langem selbständigen Laufe endlich bei dem mächtigen Atbara Aufnahme zu finden. Dieser trägt seine

Wasser bei Berber in den gewaltigen Nilstrom. Zu unserer Rechten in der Richtung des Anseba hebt in weiter Ferne der vereinzelte Debra Sina, der Wachtposten des Nordens, sein Haupt hoch in die Wolken; zur Linken verkündet der 3200 m hohe Semaiata gleich einem Riesendome die Nähe der Hauptstadt Adua; den Hintergrund der prachtvollen Landschaft bildet der vom Talazin umsäumt: Alpenstock Semiens. Was immer ein Land an Interessantem bieten kann, das finden wir in Abessinien vereinigt. Zoologen, Botaniker, Geologen, Künstler, Kaufleute, Jäger und Abenteurer jeglicher Art haben hier ein reiches Gebiet für ihre Thätigkeit.

Durcheilen wir flüchtig das ganze Gebiet Abessiniens mit seinen drei größten Provinzen: Tigre, Amhara und Schoa. Bald versetzt uns eine hohe grünende Alp in die Schweiz, und wir horchen unwillkürlich auf, ob nicht das muntere Gejodel eines Sennen ertöne; bald sehen wir uns an die Ufer des herrlichen Lago Maggiore entrückt: es ist der Tanasee, auf dem die vielen

Inseln gleich Blumenkörbchen zu schwimmen scheinen; bald sind es die Ruinen einer Königsburg, die unsere Gedanken in das ferne Portugal hinübertragen, dann wieder prächtige Oel- und Lorbeerhaine, die an Italien erinnern. Die weite Hochebene von Wogara bietet ein Stück Ecuador; ein lieblicher Weinberg, der sich in den Fluten des dem Tanasee entströmenden Blauen Nils spiegelt, ruft den deutschen Rhein ins Gedächtniß zurück. Große Reisfelder, wildwachsender Kaffee, schattige Tamarinden, die mit hohen Sykomoren an Größe wetteifern, über 10 m hohe Colquale mit ihren kronleuchterartig ausgebreiteten Aesten, Prachtexemplare von Aloes, Euphorbien und Asklepiaden erinnern uns jedoch bald wieder, daß wir unter der Sonne der Tropen stehen. Große Aecker mit Weizen, Mais, Gerste, Hirse geben durch ihre Doppelernte Zeugniß für die Fruchtbarkeit des Bodens, ganze Wäldchen von Pomeranzen, Citronen, Feigen von der Mannigfaltigkeit der Producte; hohe schlanke Akazien und Cypressen wechseln ab mit Gummibäumen, Dattelpalmen, Bananen, die wiederum von dem

Abessinische Krieger. (S. 141.)

hohen Deleb überragt, mit baumartigen Cactusbüschen untermischt, von phantastischen Schlingpflanzen gleichsam bekränzt erscheinen. Baumwolle und Zuckerrohr, Reisfelder und Hülsenfrüchte aller Art, alles ist in Abessinien heimisch. Mit wahrhaft verschwenderischer Hand hat die Natur, oder vielmehr der Schöpfer der Natur, seinen Reichthum über dieses schöne Land ausgegossen. Es ist in der That ein Land, das von Milch und Honig fließt. Diese beiden Vertreter des Reichthums bei den alten Orientalen finden sich in einem solchen Maße, daß man sich selbst beim Bade nicht selten der Milch statt des Wassers bedient, und daß der sogen. Honigwein das gewöhnliche Getränk der Eingeborenen bildet.

Dabei fehlt es keineswegs an großen Waldungen, in denen eine zahlreiche Thierwelt unter der Oberhoheit ihres Königs haust. Ganze Heerden von Elephanten, ganze Rudel von Antilopen, Leoparden, Giraffen, Hyänen, Dachse, Füchse und Schakale fordern den Jägersmann zu kühnen Unternehmungen heraus. Auch die Seen und Flüsse versprechen reiche Beute für Büchse und Netz.

vom Nilpferde, Krokodile angefangen bis zu den vielen in prächtigen Farben schillernden tropischen Fischarten. Der Preis in der Farbenpracht gebührt jedoch der Vogelwelt. Wie unsere Alpen, so umkreist auch die Schneegipfel Abessiniens der Adler ernst und feierlich. Der Lämmergeier späht auf hoher Felsspitze nach Beute; seine Raubgesellen, die Ohrengeier, machen ihm seine Mahlzeit streitig. Geräuschvoll fliegt die grüne Papageitaube von einem Baume zum andern, im dunklen Dickicht locken ganze Ketten von Reb- und Perlhühnern; hier greift der Schlangenadler kühn und sicher nach dem Haupte seines Opfers; dort haben Hunderte von Webervögeln das Astwerk der Bäume mit dem Schmucke ihrer kunstvollen Nester reich geziert. Die verschiedensten Geierarten, Hornvögel, Habichte, Weihen, Krähen, Drosseln, Spechte, Finken, Wachteln, Schwalben, selbst der unscheinbare Sperling finden in Abessinien zahlreiche Vertretung. Ist der Besucher ein Freund von Mineralschätzen, so bieten ihm die Berge Eisen, Kupfer, Steinkohlen, Schwefel und Salz, ja selbst Gold. Liebt er Bergtouren und eine lohnende Fernsicht, so wende er sich nach Süden, wo das riesige Kollogebirge ihm einen 5000 m hohen Steig bietet und einen weitern Ausblick verspricht, als sie unser Montblanc zu gewähren im Stande ist.

Etwas ganz Eigenartiges haben die diesen Bergen entspringenden und in tiefen Spalten zwischen deren schroffen Felswänden sich Bahn brechenden Gewässer. Hunderte von Fuß stürzen sie sich manchmal in die jähe Tiefe, um sodann, von drei- bis vier-mal so hohen, senkrecht abfallenden Ufern eingeengt, ihren Weg in den zierlichsten Windungen zur nächsten Ebene zu suchen, der sie mit dem vulkanischen Schutte aus der Höhe neues fruchtbares Erdreich zuführen. Da die meisten derselben, wie der schon genannte Mareb und Talazie, der Salam und Goang, der westlichen Abdachung des Hochlandes folgend, sich in den Atbara und durch diesen in den Nil ergießen, dieser wiederum eine seiner Hauptquellen, die Wasser des sogen. Blauen Nils, aus dem Sammelbecken vieler abessinischer Gewässer, dem Tanasee, bezieht, so erklärt sich leicht der von Alters her berühmte fruchtbare Schlamm dieses gewaltigen Stromes. Manches dieser Flußbette liegt mehrere Monate des Jahres trocken und dient als Weg und Landstraße; zur Regenzeit aber wälzen sich die Wasser oft mit solchem Ungestüm in denselben fort, daß sie schon manchem Wanderer verhängnisvoll geworden sind.

sen, seines kurzen Lebens eingedenk, sich wild und feurig ins Thal hinabstürzt. Die tiefgewurzelten Sykomoren sinken unter seiner Wucht, und die grasige Ebene wird von Schutt überrollt. Das Wasser füllt das ganze Thal bis hoch an die Felsen hinauf. Wehe allem Lebenden, dem es auf seinem Wege begegnet; an eine Flucht ist nicht zu denken — unvermeidlicher Tod in den Fluten ist sein Antheil. Wie uns Heuglin, ein Afrikareisender aus der allerjüngsten Zeit, versichert, sind derartige plötzliche Ueberschwemmungen gar keine Seltenheit und wälzen sich manchmal bis in Gegenden fort, wo kein Tropfen Regen gefallen und wo nur das dumpfe, weithin schallende Getöse als Hiobspost der allgemeinen Verheerung vorauseilt. So wurde noch vor wenigen Jahren ein ganzes Zeltlager eine Beute der Wogen; Hunderte von Menschen verloren dabei ihr Leben.

Diese schrecklichen Verheerungen erinnern an eine andere ähnliche, nicht weniger verhängnißvolle Landplage Abessiniens, an eine Ueberschwemmung ganz anderer Art, deren Wogen durch die Luft daherbrausen: ich meine die Heuschreckenplage. Millionen und Millionen dieser mehr als die blutgierigen Löwen und Leoparden gefürchteten Insekten ziehen manchmal gleich einer dunkeln Wolke am fernen Horizont heran. Die Sonne wird förmlich verfinstert. Wie ein starker Sturmwind brausen sie über das Haupt des erstaunten Zuschauers hinweg; allein trotz ihres schnellen Fluges kann es wohl

Hornvogel. Sammtgeier. Hornrabe.   Chevgeier. Schlangenadler.   Webervögel. Kronvogel. Schattenvogel.

Abessinische Vögel. (S. 143.)

Fast alle Reisenden beschreiben uns das Gefühl des Schreckens, das sich der Reisegesellschaft bemächtigt, wenn sie plötzlich, ohne vorher etwas geahnt zu haben, durch ein fernes Getöse auf das nahende Unheil aufmerksam wird. Es erhebt sich ein Rauschen, sagt Werner Munzinger, wie wenn der Wind durch die Blätter führe. Dasselbe wird lauter, gewaltiger; es zischt, es prasselt, es tost, es brüllt, als wenn böse Geister einherstürmten — nun naht es, mauergleich, schäumend und sich überstürzend — es ist der Waldstrom, der, vom Bache zum mächtigen Strome angewach-

eine Stunde dauern, bis alle vorüber sind. Wehe der Gegend, die sie sich zum Opfer ihrer Verheerungen ausersehen haben! Ganze Meilen weit wird alles, was grünt und blüht, mit Stumpf und Stiel vertilgt. Fingerdicke Zweige liegen zerknickt am Boden, manche Felder werden dergestalt abgefressen, daß man nicht sagen kann, was daselbst angebaut, ja nicht einmal, ob überhaupt je etwas daselbst angepflanzt gewesen; selbst die Rinde der Bäume wird von den gefräßigen Thieren abgenagt. Hunger und Verzweiflung unter dem armen Landvolke sind ihre schlimme Nachhut.

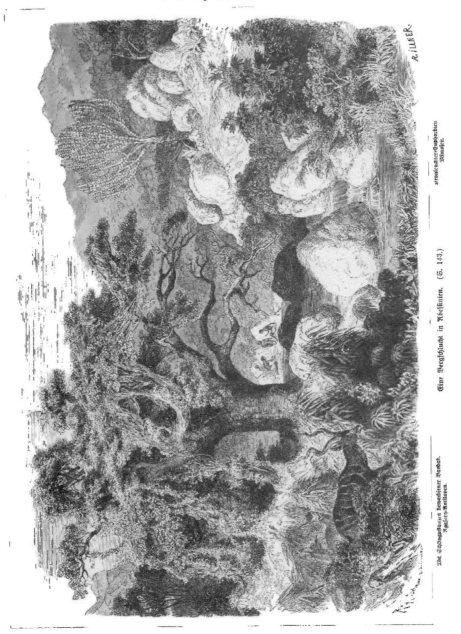

Eine Bergschlucht in Abessinien. (S. 143.)

157

Somit entbehren die schönen Landschaften Abessiniens auch der Schattenseiten nicht; aber immerhin, wenn wir auf das bisher Gesagte zurückblicken, sollten wir erwarten, in einem so reich von der Natur beschenkten Lande ein fröhliches, biederes, christlich religiöses, kunstsinniges und in allen Zweigen der Cultur thätiges Volk vorzufinden. Wir erwarten daselbst volkreiche Städte, schöne Landsitze, reiche Handelsplätze, einen lebhaften Verkehr mit dem Auslande, in jeder Hinsicht geordnete Verhältnisse. — Doch wie finden wir uns enttäuscht! Allerdings an den liebevollen Absichten der Vorsehung hat es keineswegs gefehlt, auch nicht an glücklicheren Perioden in der Geschichte; allein nur Ruinen bezeichnen die Spuren vergangener Herrlichkeit. Wir stoßen fast nur auf elende Strohhütten, die sich gleich Maulwurfshaufen nur wenig über den Boden erheben. Der Name Stadt, selbst auf die sogen. Hauptstädte angewandt, klingt fast wie ein Hohn. Sogar die Königssitze von Gondar, Axum, Adoa, Ankobar würden auf uns verwöhnte Europäer den Eindruck eines über den Resten einstiger Größe aufgeschlagenen Zigeunerdorfes, als den einer civilisirten Großstadt machen. Ihre Einwohnerzahl mag zwischen 4000 und 8000 schwanken. Verwildert wie das Land sind auch dessen Bewohner; sie bilden ein buntes Durcheinander von dunkelsten Schwarz des Negers aus Centralafrika durch alle Schattirungen bis zum vollen Weiß der wenigen Europäer, die sich hier niedergelassen haben. Christen und Heiden, Juden und Mohammedaner, Freie und Sklaven, Wilde und Halbwilde: alles haust hier nicht friedlich, sondern vielmehr sehr unfriedlich nebeneinander.

3. Ein Blick in Abessiniens Geschichte.

„Vor langer, langer Zeit," so erzählen die Bewohner Abessiniens, „etwa um das Jahr 2079 (seit Erschaffung der Welt), regierte in unserem Lande eine große Königin, Maquada war ihr Name. Eines Tages erhielt sie durch ihren Kauffahrer Tamarinus Kunde von einem mächtigen und weisen Könige des Nordens. Tamarinus wußte seiner Herrin so viel des Wunderbaren und Unglaublichen von demselben zu erzählen, daß sich in ihr das Verlangen regte, diesen Wunderkönig zu sehen, mit eigenen Augen seine Macht zu schauen, aus seinem eigenen Munde jene Wunderweisheit zu vernehmen. Der König war kein anderer als der weise Judenkönig Salomon. Reich mit Geschenken ausgerüstet und mit einem zahlreichen Gefolge machte Maquada sich auch nach Jerusalem. Dort fand sie nicht bloß die Bestätigung dessen, was Tamarinus ihr berichtet hatte, sondern ihre Erwartungen wurden weit übertroffen. Salomon vermählte sich mit der für ihn begeisterten Aethiopierin; sie schenkte ihm einen Sohn, dem sie, seinem Vater zu Ehren, den Namen Meneleck, d. h. „Sohn des Weisen", beilegte. Meneleck wuchs unter der Pflege seiner Mutter, die unterdessen die Regierung ihres Landes weiterführte, zum Knaben heran. Dann ward er nach Jerusalem gebracht, um daselbst in der Weisheit seines Vaters unterrichtet zu werden. Salomon ließ ihn im Tempel dem Herrn aufopfern und gab ihm zum Andenken an den Großvater den Zunamen David. Meneleck-David ward bald ein stattlicher Jüngling, im Gesetze des Herrn wohl unterrichtet. Sein Vater ließ ihn feierlich zum Könige von Aethiopien salben und sandte ihn dann in seine Heimat; auch für sein mütterliches Erbe antrate. Viele Schriftgelehrten, an deren Spitze Azarias, der Sohn des Hohenpriesters Sadok, bildeten das Gefolge des jungen Königs. Mit ihm hielt das mosaische Gesetz, also die Anbetung des wahren Gottes, seinen Einzug in Abessinien." So erzählen die Abessinier. Meneleck-David soll auch die alte Königsstadt Axum gegründet haben, deren Trümmer heute noch von ihrer ehemaligen Herrlichkeit Zeugniß ablegen. Die „Königin von Saba" ist unseren jungen Freunden aus der biblischen Geschichte bekannt, und es ist keineswegs ganz unwahrscheinlich, daß dieselbe Königin von Abessinien war.

Als in Bethlehem unser lieber Heiland geboren war, kamen die heiligen drei Könige aus dem Morgenlande, um ihn anzubeten. Darunter soll auch einer aus dem Mohrenlande gewesen sein, und die Kirche wendet auf dieses Ereigniß der Anbetung der heiligen drei Könige die Weissagung des Propheten Isaias an: „Alle kommen von Saba, Gold und Weihrauch opfernd und das Lob des Herrn verkündend." Die Abessinier sagen uns, der eine dieser heiligen Könige sei ihr Fürst gewesen, und wir haben nichts dagegen einzuwenden. Die Kunde von der freudenreichen Geburt des Heilandes wäre also recht früh nach Abessinien gekommen. Dann wird in der Apostelgeschichte ein Zug erzählt, den die Abessinier ebenfalls auf ihr Land beziehen. Der hl. Philippus traf nämlich auf der Straße von Jerusalem nach Gaza den Kämmerer der Königin Kandace von Aethiopien und taufte ihn, und dieser Kämmerer habe dann seine Fürstin und seine Heimat Abessinien für die Lehre Jesu Christi gewonnen oder doch wenigstens vorbereitet, wie mehrere alte Schriftsteller erzählen. Doch dauerte es noch fast 400 Jahre, bis das Christenthum eigentlich siegte. Der hl. Rufinus, der lange in Aegypten lebte, erzählt die Bekehrung Abessiniens also:

Um die Zeit, als Constantius Kaiser in Constantinopel und der hl. Athanasius Patriarch von Alexandrien war, landete ein christlicher Kaufmann aus Tyrus an der Küste des Rothen Meeres. Mit ihm waren seine beiden Söhne Frumentius und Aedisius oder, wie die Abessinier sie nennen, Fremonatos (nach heutiger Aussprache: Fere-Menatos oder Ferie-Menatos, auch Fermonatos) und Sydrac. Der Name des Kaufmanns war Merodius. Rufinus nennt ihn einen Philosophen, wahrscheinlich, weil derselbe außer seinen Handelsgeschäften sich auch mit dem Studium verschiedener Länder und Völker befaßte. Das Schiff wurde von wilden Eingeborenen überfallen und die ganze Mannschaft niedergemacht, woran die Plünderer beutebeladen zu ihren Wohnungen zurückkehrten. Unterwegs trafen sie die beiden Knaben, welche das Schiff verlassen hatten. Ohne von den Geschehenen eine Ahnung zu haben, lagerten diese friedlich unter einem Baume, wo sie mit der Erlernung ihrer Lection beschäftigt waren. Dies Bild des Friedens verfehlte selbst auf die wilden Abessinier seine Wirkung nicht, und anstatt die Knaben wie die übrigen zu tödten, führten sie dieselben vor ihren König. Ela-Esfendi, so hieß der König, nahm die beiden Gefangenen gnädig auf; im übrigen betrachtete er sie als sein Eigenthum und bestimmte sie zu seiner königlichen Bedienung. Er sah bald die trefflichen Anlagen der heranwachsenden Jünglinge erkannte, vertraute er ihnen nach kurzer Zeit wichtige Aemter an. Frumentius wurde Verwalter der Reichseinkünfte und sein Bruder Aedisius königlicher Mundschenk. Verwundert, wie uns die Chronik von Axum erzählt, hier bereits den Glauben an Christus, die Verehrung der heiligen Dreifaltigkeit, das Tragen von Kreuzen und ähnliche christliche Gebräuche vorzufinden, machten sie aus ihnen sofern zu gar kein Hehl; im Gegentheil, sie sannen auf Mittel und Wege, demselben volle Geltung und Anerkennung zu verschaffen. Aber was vermochten sie allein, fern von allen christlichen Verbindungen, ohne Bischof, ohne Priester? Bald starb der König, und Frumentius sowohl wie Aedisius, die unterdessen ihre völlige Freilassung erlangt hatten, dachten daran,

Der Negus Theodoros II. von Abessinien und seine Thronassistenten. (S. 146.)

ihr Amt niederzulegen und in ihre Heimat zurückzukehren. Die Königin aber bat sie dringend, zu bleiben und während der Minderjährigkeit des jungen Thronfolgers ihr Amt fortzuführen, ja, die Verwaltung des ganzen Reiches zu übernehmen. Sie willfahrten der Bitte. Kaum aber hatte der Fürst die Zügel der Regierung selbst in die Hand genommen, als sie beide aufbrachen, um in ihr Vaterland zurückzukehren. Aedisius ging wirklich nach Tyrus, wo er später Priester wurde; Frumentius hingegen wandte sich nach Alexandrien zu dem großen Athanasius, um ihm die hilflose Lage der Aethiopen auseinanderzusetzen. Er erzählte ihm, welch guter Boden in dem grimmitischen Reiche den Samen der christlichen Lehre erwarte, und bat den Heiligen, einen Bischof als Glaubensboten dahin abzusenden. — Wie Athanasius diese frohe Kunde aufnahm, bedarf keiner besondern Erwähnung. Er zweifelte keinen Augenblick daran, wen Gott zum Apostel dieses Landes bestimmt habe. „Wo sollten wir einen zweiten finden", so rief der Patriarch aus, „voll des göttlichen Geistes, gleich dir, der im Stande wäre, solches auszuführen!" Nach kurzer Vorbereitung ward Frumentius zum Bischof von Aethiopien geweiht und kehrte um das Jahr 350 nach dem Lande seiner heiligen Wünsche und Pläne zurück.

Es hat wohl kaum je ein Volk seinen Glaubensboten so freudig aufgenommen, wie die guten Abessinier ihren längst bekannten und liebgewonnenen Frumentius. „Abba Salama", d. h. „Vater des Friedens", also nannten sie ihren Bischof und Apostel, welcher die Hauptstadt Axum selbst zu seinem Sitze wählte, um von da aus seine Priester und Diakone nach allen Seiten hin zu entsenden. Der junge König Aïzan, sowie sein Bruder Sazan, den er zum Mitregenten erhoben hatte, empfingen nicht bloß selbst die heilige Taufe, sondern trugen auch nicht wenig zur Verbreitung des heiligen Glaubens unter ihren Unterthanen bei. Beide werden von den Abessiniern als Heilige verehrt unter den Namen Abraha und Atzbeha. Zeichen und Wunder aller Art (so leben wir in den griechischen Kalendarien) bekräftigten die Lehre des heiligen Apostels. Die heidnischen Gottheiten schwanden nun vollständig, ihre Bilder stürzten, Kirchen und Altäre wurden errichtet. Selbst bis nach Aegypten, wo das katholische Ordensleben bereits seine ersten Blüten entfaltet hatte, drang der Ruf des Heiligen. Zahlreiche Mönche siedelten nach Aethiopien über. Viele Namen derselben zieren die Heiligenverzeichnisse der äthiopischen heiligen Bücher. Die heidnischen und jüdischen Gebräuche wurden immer mehr verdrängt. An ihre Stelle aber trat christliches Leben und christliche Sitte. Aethiopien ward katholisch, und zwar römisch-katholisch. Frumentius und Athanasius, das waren die mächtigen Stützen, die auf dem Felsen Petri fußten. Erfüllt war nun im vollsten Sinne das Wort der Heiligen Schrift: „Von jenseits der Ströme Aethiopiens werden meine Flehenden, die Söhne meiner Zerstreuten, mir Opfergaben darbringen." Jetzt konnte der wie an Jahren, so an Verdiensten reiche Frumentius getrost mit dem hl. Simeon beten: „Nun lassest du, o Herr, deinen Diener in Frieden fahren." Er starb gegen Ende des vierten Jahrhunderts und ward mit Recht unter die Heiligen versetzt. Abessinien feiert das Fest seines Apostels auf den 30. November, während das römische Martyrologium dessen Lob alljährlich am 27. October verkündet. — Unmittelbar auf seinen Namen läßt dasselbe eine der schönsten Früchte der Wirksamkeit unseres Heiligen folgen mit den Worten: „In Aethiopien das Fest des heiligen Königs Elesbaan, der nach Besiegung der Feinde Christi die abgelegte Königskrone zur Zeit des Kaisers Justinus nach Jerusalem sandte und als Ordensmann, wie er gelebt hatte, im Herrn verschied." Unter der Herrschaft dieses

frommen und heiligen Königs, zu Anfang des sechsten Jahrhunderts, reichte die Oberherrlichkeit Abessiniens noch über manche Länderstrecken jenseits des Rothen Meeres, wo sich sein Statthalter Arethas mit vielen Hunderten (nach einigen waren es 4250) die Krone des Martyriums unter der Herrschaft des jüdischen Tyrannen Dunaan verdiente. Das Fest dieser Blutzeugen feiert die Kirche am 24. October. Elesbaan setzte mit großer Heeresmacht über die Meerenge von Bab-el-Mandeb, besiegte Dunaan, welcher selbst umkam, vernichtete dessen Heere, setzte den vertriebenen Bischof Gregentius wieder ein und bestimmte an Stelle des hl. Arethas dessen Sohn zum Statthalter. Dann hielt er seinen siegreichen Einzug in Taphar, um bald darauf der Welt und all ihrer Pracht zu entsagen und sein Leben als Ordensmann zu beschließen.

Abessinien blühte unter seinen christlichen Fürsten; von Nubien bis in das Innere von Arabien, von Mekka bis Meluda, von Tigre bis zum Aequator erstreckten sich seine Grenzen. Das Glaubensbekenntniß von Nicäa und Chalcedon war die Richtschnur seines religiösen Bekenntnisses. — Alles schien einer glänzenden hoffnungsvollen Zukunft entgegenzugehen.

Aber nun kamen traurige Zeiten. Wie in Aegypten siegte auch in dem schönen Berglande die Irrlehre, daß in Christo nicht die göttliche und menschliche Natur, sondern nur die göttliche bestehe. Auch sagte sich die abessinische Kirche vom Mittelpunkte der Einheit, vom Stellvertreter Christi auf Erden, los und kam statt dessen in die schmählichste Abhängigkeit von dem ketzerischen Patriarchen von Alexandrien. Die Folge dieses unseligen Abfalles vom wahren Glauben war der gänzliche Zerfall des Volkes, das sonst, von der Natur begünstigt, einer blühenden Zukunft entgegenzugehen schien. Doch wir wollen den greulichen Aberglauben und die Sittenlosigkeit der armen Abgefallenen nicht schildern. Die Päpste und viele unruhige Missionäre gaben sich zwar alle Mühe, das Bergvolk wieder dem wahren Glauben zu gewinnen, und zeitweilig hatte es auch den Anschein, daß Abessinien wieder katholisch werde; aber immer wurde diese Hoffnung in einer neuen Verfolgung wieder erstickt.

Die Jesuiten namentlich gaben sich ungeheure Mühe, Abessinien zu bekehren. Ihr heiliger Stifter, der hl. Ignatius von Loyola, wäre gerne selbst in diese Mission gegangen. Viele seiner Söhne erlitten in Abessinien den Martertod; andere fielen unterwegs in die Hände von Seeräubern und wurden in die Sklaverei geschleppt. Zu Anfang des 17. Jahrhunderts schien der Sieg des katholischen Glaubens sicher. Damals bauten auch die Missionäre dem Negus den Palast von Gondar (f. S. 149); ja der Negus Segued bat den Heiligen Vater, daß er ihm einen Patriarchen sende. Gerne willfahrte der Papst; er übertrug Alphons Mendez diese Würde und den Auftrag, Abessinien wieder in den Schoß der römischen Kirche zurückzuführen. Als der Patriarch nach einer überaus gefahrvollen und beschwerlichen Reise im Juli 1625 in Abessinien anlam, wo die Missionäre bereits viele Tausende zum wahren Glauben bekehrt hatten, war der Jubel im ganzen Lande groß. In feierlicher Procession ward der neue Patriarch abgeholt. Die königlichen Fürsten, Prinzen und Statthalter (Ras) empfingen ihn, eine Stunde von dem königlichen Hoflager entfernt, mit einem Heerhaufen von mehr als 17 000 Kriegern. Als Cela-Christus, des Negus frommer Bruder, des Patriarchen ansichtig wurde, warf er sich mit allen übrigen auf die Kniee wieder; nur die Bescheidenheit des Bischofs verhinderte ihn an seinem Vorhaben, dessen Füße ehrerbietig zu küssen; er mußte sich mit einem Handkusse begnügen. Alphonsus legte nun seine festliche Pontifikalkleidung an, bestieg ein prächtiges, vom Negus eigens zu diesem Zwecke gesandtes Roß, welches zwei Prinzen am Zügel führten, die königlichen Statthalter ritten ihm zur Seite; die Soldaten nahmen die Glaubensboten in ihre Mitte, und nun ging es unter lautem Poſaunenſchalle, Feſtmuſik, Pſalmen und Lobgeſängen der Hofburg des Regus zu. In der Kirche Unſerer Lieben Frau hatte man den Königsthron aufgeſchlagen; hier ſaß der Regus in vollem Königsornate und in würdevoller Haltung. Als der Zug ſich der Kirche näherte, erhob er ſich von ſeinem Throne, trat dem auf ihn zuſchreitenden Patriarchen entgegen und beide grüßten einander in herzlicher Umarmung. Hierauf ſchritten beide zu den Stufen des Altares, um in gemeinſchaftlichem Gebete Gott für dieſen wahrhaft erhabenen Glanzpunkt in der Kirchengeſchichte Abeſſiniens zu danken.

Nachdem die erſten Empfangsfeſtlichkeiten vorüber waren, führten die Glaubensboten ihr Bekehrungswerk mit erneutem Eifer wieder fort. Auf den 11. Februar des Jahres 1626 ward ein großer Reichstag angeſagt. Zehn königliche Stattholter, die verſchiedenen Ortsbehörden, die Spitzen des Militärs, zahlreiche Prieſter und Mönche fanden ſich in der reich geſchmückten königlichen Hofburg ein. Inmitten der zahlreichen Verſammlung nahmen Regus Segued und Patriarch Alphonſus auf zwei Thronſeſſeln Platz. Zuerſt ergriff der Patriarch das Wort und hielt eine glänzende Anſprache an die Anweſenden über jenen Text des Evangeliums: „Du biſt Petrus (der Fels), und auf dieſen Felſen will ich meine Kirche bauen.“ Indem er darlegte, wie die Kirche Äthiopiens von den Zeiten der hl. Athanaſius und Frumentius her die Oberhoheit des römiſchen Papſtes über die geſammte Kirche anerkannt habe und wie ſie einzig auf dieſem Felſen ſichern Halt und dauernden Beſtand finden könne, forderte er alle Mitglieder der Verſammlung

Königspalaſt von Gondar. (S. 148.)

feierlich auf, mit aufrichtiger Geſinnung zur urſprünglichen Glaubenseinheit zurückzukehren. — Auf die Rede des Patriarchen antwortete im Namen des Königs deſſen Stattholter Melcha-Chriſtus. Alles Elend, ſprach er, das über Äthiopien hereingebrochen, rühre in der That nur von der religiöſen Zerfahrenheit des ſchwergeprüften Landes her. Gott ſei Dank, ſei endlich der glückliche Zeitpunkt gekommen, wo das Äthiopenreich unter Anführung ſeines Königs dem wahren Glauben ſeine Thore wiederum öffne, wo dieſer König öffentlich und feierlich dieſen Glauben bekennen wolle. Regus Segued ward zu Thränen gerührt. Er erhob ſich von ſeinem Throne, kniete zu den Füßen des Patriarchen nieder, und die Hand auf das von dieſem gehaltene Evangelium legend, that er laut und feierlich den Schwur: „Wir Seltan Segued, Beherrſcher von Äthiopien, glauben und bekennen von Grund unſeres Herzens,

daß der heilige Apoſtelfürſt Petrus von Chriſtus, unſerem Herrn, zum Oberhaupte der geſammten chriſtlichen Kirche beſtellt worden mit den Worten: ‚Du biſt Petrus (der Fels), und auf dieſen Felſen will ich meine Kirche bauen . . . und dir will ich die Schlüſſel des Himmelreichs geben‘; und wiederum, da er ſprach: ‚Weide meine Schafe.‘ Ferner glauben und bekennen wir, daß der rechtmäßig gewählte römiſche Papſt in Wahrheit der Nachfolger des hl. Petrus iſt und gleich dieſem über die geſammte Kirche gleiche Gewalt, Würde und Oberhoheit behauptet. Endlich verſprechen, geloben und ſchwören wir dem Heiligen Vater Urban VIII., unſerem Herrn nach Gottes Vorſehung, ſowie deſſen Nachfolgern, wahren Gehorſam und wahre Treue und unterbreiten unſere Perſon und unſer ganzes Reich ſeiner Oberhoheit. So wahr uns Gott helfe und dies ſein heiliges Evangelium.“

Die Schlußformel wiederholten nach dem Könige dessen Söhne, die Statthalter, die Obern der Mönche und endlich die gesammte Geistlichkeit. Des Königs Bruder, der glaubensmüthige Vela-Christus, hielt hierauf eine Anrede an die Versammlung. Zum Schluße derselben entblößte er sein Schwert, und indem er dasselbe hoch emporhielt, rief er in heiliger Begeisterung aus: „Wer immer es wagen sollte, dieß heilige Gelöbniß zu brechen, der möge wissen, daß er dieses Schwertes Rache zu gewärtigen habe." — Der König verhängte über die Abtrünnigen die Todesstrafe, der Patriarch das übliche Anathem. Der Kronprinz Fazilidas rief ebenfalls Gott und die Menschen zu Zeugen an, daß er sein ganzes Leben im katholischen Glauben verharren werde. Es wurden dann noch einige weitere Einigungspunkte in Bezug auf die Feier des heiligen Opfers, die Fastenzeit, das Osterfest, die Ausübung geist-licher Amtshandlungen, die kirch-liche Gerichtsbarkeit und ähnliches festgestellt und durch königliche Herolde laut ausgerufen. Dann ließ der Negus seinem Sohn Fazi-lidas als seinem nunmehrigen Mit-regenten und zukünftigen Nachfolger huldigen. — So schloß dieser denk-würdige Tag des Jahres 1626. — Was man Jahrhunderte lang an-gestrebt und gehofft, was so man-cher apostolische Mann gern mit seinem Herzblute erkauft hätte, was man bis dahin fast für unmöglich und undurchführbar gehalten hatte, schien nunmehr erfüllt und erreicht: Abessinien schien endgiltig der rö-misch-katholischen Kirche einverleibt.

Leider war die glänzende Wie-dervereinigung nicht von Dauer. Sieben Jahre später fiel der Negus Seguëd in seinen alten Tagen vom katholischen Glauben ab. Sein Sohn Fazilidas eröffnete eine blu-tige Verfolgung, deren erste Opfer die Jesuitenmissionäre waren. Mu-thig eilten ihnen von Ägypten aus die Kapuzinerpatres zu Hilfe; aber wenn sie auch das bethörte Volk nicht retten konnten, errangen sie doch selbst glorreiche Martyrkronen:

Ein äthiopischer Häuptling. (S. 149.)

so wie Anfang P. Agatangelus mit zwei Gefährten, so noch später drei Patres, welche am 3. März 1718 gesteinigt wurden.

4. Ein deutscher Missionär in Abessinien.

Trotz alles Undanks seitens der schismatischen Abessinier gab die Kirche ihre Bemühungen nicht auf, die Verstockten zur christ-lichen Wahrheit und Einheit zurückzuführen. Im Jahre 1839 erhielt die Missionsgesellschaft des hl. Vincenz von Paul (die Lazaristen) vom Apostolischen Stuhl den Auftrag, das undankbare Feld abermals zu bestellen. P. de Jacobis, seit 1846 Apostolischer Vikar von Abessinien, begab sich mit seinen Gefährten rüstig ans Werk. Unter tausenderlei Mühsalen und Gefahren sammelte er während der Kriege und der tyrannischen Herrschaft des Negus Theodoros II. etwa 8000 unirte Katholiken in neun Stationen

an der nördlichen Grenze, in dem jetzt von den Italienern besetzten Gebiet, um sich.

Gleichzeitig suchten auch protestantische Sendboten, Boden in Abessinien zu gewinnen. Zwei derselben, die ehemaligen Juden Rosenthal und Stern, beleidigten den Negus und wurden deshalb von Theodoros zum Tode verurtheilt. Der Kaiser milderte zwar dieses Urtheil in lebenslänglichen Kerker; aber die Engländer be-nützten die Gelegenheit, den Tyrannen von Abessinien zu demüthigen. Sie schickten eine Gesandtschaft an ihn und verlangten unter Kriegs-androhung die Freilassung der protestantischen Missionäre. Der Kaiser willfahrte, als die selben ihr Unrecht eingestanden; doch glaubte er bald, neuen Grund zum Unwillen zu haben, und warf die Frei-gelassenen zusammt den englischen Gesandten abermals in den Kerker. Jetzt erklärte England den Krieg und fiel mit 12 000 Mann in das Bergland ein. Wie einst Hannibal über die Alpen zog mit seinem Kriegstroß und seinen Ele-phanten, so stiegen 1868 die Eng-länder über den 3400 m hohen Bergpaß, nur daß ihre Elephanten statt der Streitthürme Kanonen trugen. Der Kaiser Theodoros II. hatte sich mit 10 000 Bewaffneten in die Felsenfeste Magdala, welche er für uneinnehmbar hielt, zurück-gezogen. Längere Zeit kämpfte er tapfer, machte muthige Ausfälle, aber konnte die neuere Kriegskunst nicht besiegen. Er sollte sich auf Gnade und Ungnade ergeben, doch zog er den Tod vor; als die Eng-länder am 13. April 1868 Mag-dala im Sturm nahmen, fanden sie die Leiche des stolzen Negus, der in der Verzweiflung Hand an sich selbst gelegt hatte. Nachdem die Engländer dann Magdala ein-geäschert hatten, zogen sie fort, ohne eine bessere Ordnung in dem un-glücklichen Lande einzuführen.

Auch an der ungünstigen Lage der Mission änderte der Sieg der Engländer über den Kaiser Theo-doros wenig. Beständige Unruhen hinderten die Missionäre an ihrem Wert. Im Juli 1871 mußte der Apostolische Vikar Mgr. Touvier nach Massauah flüchten. Die räuberischen Kriegerhorden des Fürsten Kassa brannten die Gebäude der Mission zu Maharda, Anbeito, Alung, Halai, Saganeiti und Alrur nieder, ja sogar die Kirche und die Missionsgebäude zu Hebo, wo der von den Abessiniern sonst hochverehrte P. de Jacobis begraben war. Das folgende Jahr brachte neue ähnliche Prüfungen. Die Verfolgung machte es un-möglich, dem Stamme zu Altitena, der große Anhänglichkeit an Mgr. Jacobis bewahrt hatte, eine regelmäßige Seelsorge zu ge-währen. Die meisten anderen Stationen lagen in Trümmern. Nur diejenige zu Keren hatte sich unbeschädigt erhalten und konnte als Stützpunkt dienen, das zerstörte Werk von neuem zu beginnen.

Um diese Zeit war es, daß der deutsche Missionär nach Abessinien kam, dessen Namen ich hier nennen und aus dessen Briefen ich einige Zeilen mittheilen will. Denn dieser edle Rheinländer verdient wohl, daß wir ihn bei unserem Besuche in Abessinien, in dessen Boden seine Gebeine ruhen, ehrend nennen. Er heißt P. Hugo von Rolshausen.

Reichsfreiherr Hugo von Rolshausen wurde 1837 auf dem Schlosse Türnich bei Köln geboren. Seine erste Jugendzeit verlebte er in dem freundlichen Städtchen Linz am Rhein. Dann besuchte er als Zögling des erzbischöflichen Knaben-Convictes das Gymnasium zu Neuß. Der Verkehr mit den frommen Missionspriestern vom hl. Vincenz von Paul, unter deren Leitung das Convict stand, legte in das Herz des edlen Jünglings früh den Keim priesterlichen Berufes. Er entschloß sich, im Alter von 21 Jahren, selbst ein Jünger des hl. Vincenz zu werden und sein Leben ausschließlich dem Dienste Gottes und dem Seelenheil seiner Mitmenschen zu weihen. Am 30. Mai 1863 empfing er die heilige Priesterweihe und arbeitete dann abwechselnd in den Häusern seiner Congregation zu Köln, Münstereifel und Malmedy.

Als am 20. Mai 1873 indeß der Bundesrath des Deutschen Reiches das bekannte Jesuitengesetz vom 4. Juli 1872 auch auf die Congregation der Lazaristen (oder Missionspriester vom hl. Vincenz von Paul) ausdehnte, war den Arbeiten des seeleneifrigen Missionärs in der Heimat ein Ziel gesetzt. In kurzer Frist wurden alle Häuser seiner Genossenschaft in Deutschland aufgelöst, ihre Mitglieder zerstreut nach allen vier Winden. P. von Rolshausen, der in der Blüte der Manneskraft stand, wurde von den Obern für die abessinische Mission ausersehen. Es war kein geringes Opfer, das mit dieser, wenn auch noch so schönen Bestimmung an den Priester herantrat, welcher sich bis dahin mit der ganzen Begeisterung seiner Seele dem Wohle der eigenen Heimat hatte widmen

Ein Statthalter Abessiniens. (S. 149.)

können. Er schrieb am 4. September von Paris aus an seine Schwester:

„Ich bin zwar gewiß glücklich zu nennen, daß es mir vergönnt ist, bei den Ketzern und Heiden in fernen Welttheil zu arbeiten für die Ehre Gottes und das Heil der Seelen; doch die menschlichen Eindrücke können nicht fehlen. Am härtesten ist mir, daß ich so weit von den lieben Meinigen entfernt bin; doch denke ich immer, daß mit dem Opfer, welches ich willig und freudig bringe, auch wieder Segen für die Familie verbunden ist."

Schon am 19. September (1873) reiste er von Paris ab. In Lyon empfahl er sich und sein apostolisches Werk dem Schutze der Himmelskönigin an ihrem altehrwürdigen Gnadenorte Notre Dame de Fourvières. Da das Schiff, welches die Missionäre in Marseille aufnehmen sollte, bereits überfüllt und kein Platz mehr für sie

war, hatte er nochmals Gelegenheit, sich in Liebe und Vertrauen der Beschützerin der Meeresspitzer Unserer Lieben Frau de la Garde zu weihen, deren Heiligthum auf hohem Felsen in den Hafen von Marseille hineinragt. Am 2. October bestieg er mit seinem künftigen Bischof und Apostolischen Vikar Mgr. Touvier, fünf anderen Missionspriestern, von denen zwei für Persien bestimmt waren, und zwei Brüdern das Schiff „Mörle", das sie in acht Tagen glücklich in den Hafen von Alexandrien brachte. Hier konnten sie aber nicht, wie sie wünschten, gleich die Niederlassung ihrer Congregation aufsuchen, um ihre Reise möglichst bald fortzusetzen. Erst nach langer Verzögerung erreichten die Reisenden am 13. November Massauah, die noch zu Aegypten gehörige Hafenstadt; dieselbe bildete den Stützpunkt der abessinischen Lazaristenmission.

Nur wenige Tage hielten sie in Massauah Rast, um sich durch geistliche Uebungen nochmals für ihre Missionsarbeiten zu stärken. Dann wurde die Reise zu Lande fortgesetzt. Der erste Ritt begann eines Abends um 5 Uhr.

„Zehn Kameele", so erzählt P. von Rolshausen in einem Briefe vom 13. December, „waren mit unserem Gepäcke beladen; wir bestiegen Maulthiere und ritten der Karawane voraus. Bei hellem Mondschein setzten wir unsern Ritt bis 11 Uhr nachts fort, schlugen unter einem großen Dornbaum unser erstes Lager auf, tranken einen Schluck Wasser, welches wir in Schläuchen mitgenommen hatten, aßen unsern Zwieback und streckten unsere müden Glieder auf einer Kuhhaut aus. Wir schliefen in Gottes freier Natur bis 3 Uhr morgens. Da erscholl die Stimme unseres hochw. Herrn: Benedicamus Domino (Lobet den Herrn!) — unser Morgengruß, und Deo gratias (Gott sei Dank!) antwortend, rieben wir uns die Augen aus, wickelten unsere Häute zusammen, sattelten

die Maulthiere und setzten unsere Reise fort, nachdem uns der Bruder noch rasch eine Tasse heißen Kaffee bereitet hatte. Wir brachen so früh auf, um der drückenden Sonnenhitze zu entgehen. Jeden Tag hatten wir zwei Pausen zum Ausruhen, natürlich immer unter freiem Himmel, und legten 8 bis 10 Stunden zurück.... Jede Nacht zündeten wir ein mächtiges Feuer an zum Schutze gegen die wilden Thiere. Auf dem ganzen Wege erblickten wir kein einziges Dorf; einzelne Nomaden mit ihren Heerden sahen wir in der Wüste. Die Berge waren theilweise grün, theilweise dürr von der großen Sonnenhitze. Was mir besonders auffiel, waren die vielen Dornen, womit das Land bewachsen ist; wir sahen fast nichts als Dornen und Steine, und selbst die herrlichsten Bäume trugen nur Dornen; die Erde kam mir vor wie vom Fluche Gottes getroffen. Eines Mittags, als wir eben unter dem Schatten eines großen Baumes unjer Mahl halten wollten, wurden wir von einem gewaltigen Rauschen, ähnlich einem starken Sturme, überrascht: es waren Heuschrecken, die wie eine dunkle Wolke auf uns zukamen, sicher Millionen und Millionen; eine halbe Stunde dauerte es, bis der Schwarm vorübergezogen war. Solches muß man mit eigenen Augen gesehen haben, um zu begreifen, wie furchtbar die Heuschreckenplage für Aegypten ist. Je mehr wir uns Keren näherten, desto angenehmer wurde die Temperatur, ja in der letzten Nacht fror's mich sogar, und wir wurden alle von starkem Thaue durchnäßt. Auch die Vegetation wurde schöner, ganze Berge mit Cactus- und anderen fremdartigen Bäumen erfreuten unser Auge. Den 6. December 1873 langten wir glücklich gegen 11 Uhr mittags in Keren an. Dieser Ort ist rings von hohen Bergen eingeschlossen und eher ein Dorf als eine Stadt zu nennen. Die Häuser sind alle aus Stroh in Gestalt von Bienenkörben. Unsere Wohnung liegt gerade am Fuße eines Berges; wenn ihr euch die ärmste Strohhütte unserer Dörfer vorstellt, so habt ihr unsere bescheidene Behausung. Die kleine Zelle, die ich bewohne, ist gerade so hoch, daß ich darin aufrecht stehen kann. Um einzutreten, muß ich mich bücken. Mein Koffer dient mir in Ermangelung eines Stuhles zum Sitzen; die Kuhhaut, die auf der Reise mein Lager gewesen, muß mir hier dieselben Dienste leisten; den Mantel, den ich als solchen hier nicht gebrauchen kann, benutze ich als Kopfkissen. Ein Herz-Jesu-Bild habe ich mir mit einer Nadel an die Strohmatte, die meine Wand bildet, geheftet und habe so beständig das schöne Vorbild der Armuth vor Augen, das mit der tröstlichen Worte erinnert: Beati pauperes (Selig die Armen)!"

In diesem armen Aufenthalt widmete sich „Pater Emmanuel", — wie Mgr. Touvier den Missionär benannte, da der deutsche reichsfreiherrliche Name den Aethiopen zu fremd und schwierig war — dem Studium der Landessprache und gewöhnte sich an das entsagungsreiche Leben, welches seiner harrte. Schon um Mitte Juni des folgenden Jahres (1874) wurde er nach Hebo verkehrt, das tiefer im Lande, in der Provinz Okutogusie, liegt — fünf Tagereisen von Keren.

„Wir haben dort ein, im Vergleich zu Keren, hübsches Häuschen aus Stein gebaut, die Balken sind aus Cactusstämmen gefertigt. Die Lage ist wunderschön, auf einem hohen Berge, rings um von noch höheren Bergen eingeschlossen. Die Gegend ist schön, aber wild. Der Fuchs und der Schakal kommen am hellen Tage unseren Hühnern Besuch abstatten. In dem Zeitraum eines Jahres sind hier vier Hunde von Leoparden zerrissen worden. Das Dörfchen ist ganz katholisch. Wir haben die Kirche unserem Hause gegenüber, von Stein gebaut, aber wahrhaft elendiglich eingerichtet. Man glaubt eher in einen Stall zu kommen, als in ein Gotteshaus. Der Altar ist so schmal, daß ich, der ich doch dünn und mager bin, ihn ganz ausfülle. Schreiner oder Maurer gibt es hier nicht. . . . Meine Aufgabe ist es, die Kinder zu unterrichten. Einen Sklaven, den wir in unser Haus aufgenommen haben und der noch nicht getauft ist, bereite ich auf die Taufe und Firmung und erste heilige Communion vor. Eine andere Beschäftigung macht uns die Pflege des Gartens; vorige Woche habe ich Kartoffeln, Bohnen und Erbsen gepflanzt; meine Hände sind voll Schwielen und aufgebrochen. Die Eingeborenen verstehen vom Landbau wenig. Augenblicklich haben wir nur Bohnen und Reis — und Reis und Bohnen zur Nahrung.

„Was die Religiosität der Eingeborenen betrifft, so finde ich vielen Glauben und frommen Sinn. Sonntags kommen sie fleißig in die heilige Messe und gehen oft zu den heiligen Sacramenten.

An zwei hohen Festen, denen ich beiwohnte, hat das Benehmen der guten Leute mich innigst erbaut. Das erste Fest war das Jahresgedächtniß unseres hochsel. Bischofs Jacobis, der, Italiener von Geburt, viele Jahre segensreich hier gewirkt hat und vor ungefähr zwölf Jahren auf einer Missionsreise gestorben ist. Sein Andenken steht bei der Bevölkerung in hohen Ehren; sein Grab ist in unserer Kirche. Jedes Jahr an seinem Sterbetage wird ein feierliches Amt für seine Seelenruhe gehalten. Nicht weniger als 16 Priester waren diesmal von nah und fern herbeigeeilt, und die Katholiken der Umgegend als Gäste erschienen. In der heiligen Messe war gemeinschaftliche Communion. Alle Gemeindemitglieder, jung und alt, groß und klein, waren zur heiligen Beichte gekommen und empfingen die heilige Communion, die hier nach orientalischem Ritus dem Gläubigen unter beiden Gestalten gereicht wird."

Binnen weniger als einem Jahre hatte der Missionär die Sprache so weit erlernt, daß er sich ziemlich gut mit den Eingeborenen unterhalten konnte. Eifrig drängten sich Letztere zu ihm; es war aber bei diesem Zudrang leider weit mehr Neugier im Spiele als religiöser Eifer. „Sicher", meinte er in einem Briefe, „kann man sich zu Hause keine Vorstellung von den Schwierigkeiten machen, die man auf diesem fremden Boden findet. Ja, wie sind die Menschen hier so wild und roh und die Herzen so hart! Wie leicht war es bei uns, die Seelen für die Sache Gottes zu begeistern, und wie schwer ist das hier! Zudem mögen Sie wohl Recht haben, daß von alten Missionen keine so lästig und arm ist wie die unsere; denn ich glaube nicht, daß wir ärmer leben können, als wir hier thun." Im Januar 1875 wurden diese inneren Schwierigkeiten der Mission noch durch äußere vermehrt, nämlich durch Krieg zwischen Abessinien und Aegypten, welcher zur Folge hatte, daß der abessinische Kaiser auch gegen die Europäer feindliche Stellung nahm. Im December kam es so weit, daß die Missionäre Hebo verlassen und sich theils ins Gebirge, theils nach Massauah flüchten mußten. Erst gegen Ende Januar 1876 konnten sie nach Hebo zurückkehren und hier ihre Thätigkeit wieder aufnehmen, unter denselben Mühsalen wie zuvor, unter dem steten Drucke politischer Wirren und persönlicher Gefahr.

Im Herbst 1877 wurde P. von Kolshausen auf die von Hebo nur eine Stunde entfernte Station Atrur versetzt, da eine Hungersnoth fast alle Einwohner von Hebo zur Auswanderung nöthigte. Doch auch hier herrschte Hunger und Theuerung. Bei der Verrütterung des Volkes hat sich nur wenig Gelegenheit, in dem sonst volkreichen Dorfe zu wirken, das jetzt nur wenig Katholiken zählte. Unter den Ausgewanderten von Hebo, die nach der Meeresküste gezogen waren, um dort mit ihren Heerden die Tiefsteppen aufzusuchen, brach bald ein verheerendes typhusähnliches Fieber aus. Kaum hatte der opfermuthige Glaubensbote hiervon Kunde erhalten, als er diesen seinen verlassenen Schäflein nachzog, um ihnen Hülfe im Leiden oder wenigstens Beistand im Tode zu spenden. Unermüdlich zog er hier während des Januars 1878 in dem feuchten Steppenland von Weideplatz zu Weideplatz, pflegte, tröstete, spendete die Sacramente, verrichtete auch mit dem ihn begleitenden Bruder das Amt des Todtengräbers, bis ihn in diesem heldenmüthigen Werke der Liebe selbst das Fieber ergriff und aufs Krankenlager hinwarf. Nach Atrur gebracht, verlangte er, obwohl die Krankheit noch keinen hohen Grad erreicht hatte, die heiligen Sterbesacramente, indem er sagte: „Ich muß sterben, ich habe daran keinen Zweifel." Sein Wunsch ward erfüllt. Am 22. erhielt er die heilige Wegzehrung und letzte Oelung, am 29. erlag

Zug der Engländer durch den Senafe-Paß. (S. 150.)

er der Krankheit, in welcher ihm ſein Ordensbruder P. Duflos
und ein Laienbruder bis zum letzten Augenblick treulichen Beiſtand
leiſteten. „Sobald ſein unerwartet raſcher Tod im Dorfe bekannt
wurde," erzählt P. Duflos, „erhob ſich ein herzzerreißendes Geſchrei und Wehklagen. Die Frauen zerkratzten ſich das Geſicht und
vergoſſen Ströme von Thränen, welche über die zerriſſenen Wangen
tanzend mit Blut vermiſcht niederfielen. Die Armen waren un-
tröſtlich. . . . Ganz in Thränen gebadet, ſchloß ich ihm die
Augen und den Mund und zog ihm mit Hilfe des Bruders ſeine
ſchwarze Soutane, Albe und Stola an.

„Ach, wie ſchön war ſein Anblick! Gott ſchien ihm etwas
von dem Glanze der Strahlenkrone einer unverſehrt bewahrten
Unſchuld verleihen zu haben. Die Wangen bewahrten ihre roſige

Farbe bis zum folgenden Morgen um 9 Uhr, wo er etwas bläſſer
wurde, doch ohne daß ſonſt irgend eine Veränderung eintrat."
R. I. P.

5. Die Galla und ihr Apoſtel.

Die ſüdlichen Nachbarn der Abeſſinier ſind die Galla- und
Somalſtämme. Die Galla ſtehen noch einigermaßen unter dem
Scepter des Negus, die Somal aber bewohnen frei unter ihren
Häuptern das ungeheure, noch wenig erforſchte Gebiet, das ſich
zwiſchen dem Golf von Aden und dem Indiſchen Ocean bis über
den Aequator hinaus an den Lauf und die Mündung des Tana-
fluſſes ausbreitet. Der Flächenraum der Galla- und Somalländer
wird auf nahezu 2 Millionen qkm angegeben.

Anſicht von Zeitah. (S. 159.)

Zu den Gallareichen gehört namentlich Kaffa und Harrar;
beide grenzen an die Provinz Schoa, dieſes im Südoſten, jenes
im Südweſten. Kaffa mit den Hauptſtädten Sofa am Fuße des
3090 m hohen Egauberges und Bonga, iſt das Heimatland des
Kaffees, der von ihm ſeinen Namen hat; außerdem liefert es Myrrhen,
Weihrauch, Zibeth und Elfenbein. Von ſeinen Bergen ſtrömt
der Uma oder Rienamfluß, deſſen Lauf noch wenig erforſcht iſt,
nach Süden und mündet in den 300 km langen und etwa 30
bis 40 km breiten Rudolfſee oder Baſſo Narok, d. h. düſterer See,
wie ihn die Umwohner nennen. Er bedeckt nahezu 8000 qkm,
iſt alſo ungefähr halb ſo groß als das Großherzogthum Baden.
Nackte, kahle Felſen, eine finſtere vulkaniſche Landſchaft, umſchließen
das langgeſtreckte Becken. Im Süden erhebt ſich ein Feuerſpeier,

der einzige noch thätige, den man bisher in Afrika fand. Von
da aus ſcheint ſich in faſt genau ſüdlicher Richtung eine Kette
jetzt erloſchener Vulkane fortzuſetzen, die gleich nach dem Ueber-
ſchreiten das Aequatorlinie den 5500 m hohen Keniaberg und
weiter nach Süden den 6160 m hohen Rieſenkrater des Kilima-
Ndſcharo aufthürmt. Der See und dieſe Berglinie bilden die
natürliche Weſtgrenze der Somalländer.

Der italieniſche Reiſende Cechi erzählt uns, Kaffa werde monar-
chiſch regiert, und zwar von Gallito-Galli-Gao, dem 18. Sproſſen
aus dem Herrſcherhauſe der Minbjo. Die Maſſeliſo, wie die
Bewohner von Kaffa heißen, beten den „Deot" an, den göttlichen
Geiſt, den ſie in der Perſon ihres Herrſchers verkörpert glauben.
Wenn der Herrſcher ſtirbt, ſo fliegt der göttliche Geiſt eine Zeit-

lang in Gestalt eines Vogels um den Palast des Königs, bis es den Zauberern durch ihre Sprüche und Beschwörungen gelingt, den Teot zu bewegen, daß er in den Nachfolger des Herrschers fahre. Diesem Teot opfern sie Widder und Ochsen, daß er es ihnen im zeitlichen und ewigen Leben lohne; denn an die Unsterblichkeit der Seele glauben sie. Noch fettere Opfer spenden sie aber dem Satan, dem bösen Geist, daß er sie nicht quäle. Die Priester allein dürfen opfern und üben einen großen Einfluß auf Herrscher und Volk. Wie unsere heidnischen Vorfahren an Währwölfe, so glauben auch sie, es gäbe Menschen, die sich nachts in Hyänen verwandelten; und dieser Aberglaube führt häufig zur Hinrichtung Unschuldiger. Trotz aller dieser heidnischen Ansichten und Opfer haben sie aber auch von den benachbarten Abessiniern einiges

von ihrem Christenthum angenommen. Sie begehen die Hauptfeste des abessinischen Kalenders, namentlich das Fest des Kreuzes, des Erzengels Gabriel und des hl. Georg. An den kirchlichen Festen feiern sie und besuchen die Kirchen, elende Hütten. Sonst besteht ihr ganzes Christenthum hauptsächlich in der altehrwürdigen Formel: Bosm-ab u Wold u Menfas Kedus haduk Amelak („Im Namen des Vaters und des Sohnes und des Heiligen Geistes, die ein einiger Gott sind").

Unter diesem Volke arbeiten seit 1846 die ehrw. Väter Kapuziner, welche der erste Apostel Vitar für Südäthiopien, Mgr. Massaja, den Leo XIII. für seine Verdienste um die Mission später mit dem Kardinalspurpur schmückte, unter großen Mühsalen und Gefahren in diese entlegenen, heißen Länder führte.

Ansicht von Harrar. (S. 159.)

Geboren zu Piova in der Diöcese Asti (Piemont), am 8. Juli 1809, trat Wilhelm Massaja bereits als Jüngling von 17 Jahren zu Turin in den Orden der Kapuziner ein. Zum Priester geweiht, lehrte er mehrere Jahre Philosophie und Theologie in den Ordenshäusern von Moncalieri und Turin. In letzterer Stadt berieten ihm zwei Prinzen aus dem Hause Savoyen, Victor Emanuel und dessen Bruder Ferdinand, Herzog von Genua, kennen und wählten ihn zu ihrem zeitweiligen Gewissensführer. Wiederholt wurde der junge Ordensmann von der piemontesischen Regierung auf die Bischofsliste gesetzt, schlug aber beharrlich diese Würde aus.

Im Jahre 1840 hatte der französische Reisende M. d'Abbadie die Aufmerksamkeit der Propaganda auf die Gallaländer, südlich von Abessinien, hingelenkt, welche, einst blühende Stätten christ-

lichen Lebens, jetzt aus dem Gesichtskreis Europa's fast verschwunden waren. Durch Decret vom 30. April 1846 errichtete Gregor XVI. das neue Apostol. Vitariat der Gallasländer. Dasselbe wurde der italienischen Kapuzinerprovinz anvertraut, P. Massaja zum ersten Apostol. Vitar ernannt und am 4. Mai zum Bischof von Cassia i. p. i. consecrirt. Vier Jahre lang versuchte der neue Apostol. Vitar umsonst, in sein Missionsgebiet zu gelangen. In der Zwischenzeit gründete er die zwei Kapuzinermissionen in Aden und auf den Seychellen, kehrte 1850 nach Europa zurück, um in Lyon und Paris von dem Verein der Glaubensverbreitung die nöthige Unterstützung sich zu sichern, und machte einen zweiten, vergeblichen Versuch, in die Gallasländer einzudringen, indem er den Nil bis Fasokl hinausfuhr. Im Jahre 1852 versuchte Massaja, als Kaufmann verkleidet, durch Abessinien sich durchzuschleichen, wo der

20*

Regus Theodor, durch ſeine ſchismatiſchen Abuna aufgeſtachelt, auf den Kopf des katholiſchen Biſchofs einen Preis geſetzt hatte. Glücklich entrann der muthige Miſſionär den Häſchern, und es gelang ihm, in der Provinz Gudru feſten Fuß zu faſſen. Hier entwickelte er nun trotz beſtändiger Verfolgung und der härteſten Entbehrungen eine raſtloſe Thätigkeit. Bis 1855 entſtanden fünf blühende Gemeinden. „Statt auf dem hohen Katheder der Philoſophie und Theologie", ſchrieb er am 14. Juli 1856, „ſitze ich hier inmitten meiner kleinen Knaben und lehre ſie buchſtabiren. Da treibe ich alle möglichen Handwerke und bin zur ſelben Zeit Buchdruder, Schneider, Bildhauer, Arzt, ja ſelbſt Schuſter u. ſ. w." Von Gudru dehnte er ſeine Wirkſamkeit über die Nachbarländer aus. Auch von dem König von Kaffa erhielt er einen Ruf, wurde aber von dem argwöhniſchen und treuloſen Kleinfürſten in Ketten nach Gingire abgeführt und wäre hier verſchmachtet, wenn nicht der Regus von Enarea, in deſſen Gebiet er ſich behufs Gründung einer Miſſion vorübergehend aufgehalten, ſich ſeiner angenommen hätte. Die beſtändigen Hetzereien, die ermüdenden, gefahrvollen Reiſen durch die heißen, ungeſunden Landſtriche hatten ſeine Kraft gebrochen. P. Coccino, einer ſeiner erſten Begleiter, mußte als Coadjutor einen Theil der Laſt ihm abnehmen. Kaum von ſeiner Krankheit geneſen, trat er eine neue Reiſe nach Rom an. Um nicht in die Hände des Königs Theodor zu fallen, der ihm ſeit Jahren nach dem Leben trachtete, durchwanderte er als Bettler verkleidet zur

Somali-Frau. (S. 167.)

Nachtzeit das Land, wurde aber diesmal aufgegriffen und ins Gefängniß geworfen. Drei Monate lang hatte er hier Unſägliches auszuſtehen, bis er durch die kräftige Vermittlung des franzöſiſchen Conſuls die Freiheit wiedergewann. Während ſeines zeitweiligen Aufenthaltes in Europa gab er unter anderem eine Grammatik der Amhara-Gallaiſprache heraus, die 1867 zu Paris im Druck erſchien.

1868 finden wir den unermüdlichen Biſchof im Königreich Schoa, im ſüdlichen Theile von Abeſſinien, wohin ihn der chriſtenfreundliche König Menelik berufen hatte. Menelik liebte und ſchätzte den ſeeleneifrigen und treuherzigen Kapuzinerbiſchof wie einen Vater, und unter dem Schutze des Fürſten entwickelte ſich eine blühende Miſſionthätigkeit. Leider verlor im Jahre 1878 König Menelik durch einen unglücklichen Krieg mit dem mächtigen, herrſchſüchtigen Kaiſer Ati Johannes von Abeſſinien ſeine Selbſtändigkeit, und die unter unſäglichen Opfern gegründete Miſſion wurde das Opfer einer durch den Haß des ſchismatiſchen Clerus entzündeten Verfolgung.

Zum ſiebenten Male verbannt, trat Mgr. Maſſaja über Jeruſalem die Rückreiſe nach Europa an. Mit Jubel empfing ihn das italieniſche Volk; der Heilige Vater Leo XIII. überhäufte ihn mit Auszeichnungen, machte ihn zum Titularerzbiſchof von Stauropolis und ernannte ihn am 10. November 1884 zum Cardinal. Staunend vernahm der verdiente, greiſe Miſſionsbiſchof in ſeiner ärmlichen Kapuzinerzelle zu Frascati die Nachricht ſeiner Erhebung. Hier in Frascati beſuchten ihn einſt einige Studenten des engliſchen Collegs. „Wir fanden ihn an einem kleinen, ärmlichen Tiſche ſitzen. Auf ſeinem Schreibpult lag, wie ein großes Contobuch, ein mächtiger Band Manuſcripte. Die Zelle war arm und ſchmucklos, eine echte Kapuzinerzelle. Der nackte Ziegelboden ohne Spur von einem Teppich, zwei Rohrſtühle, ein Armſeſſel, zwei kleine, niedere Bänke, etwa in der Art, wie man ſie in Wartezimmern dritter Klaſſe findet, das war die ganze Ausſtattung. Das einzige Zeichen ſeiner Würde war der Biſchofsring. Im übrigen trug er die gewöhnliche braune Kapuzinerkutte. Mit großer Lebhaftigkeit ſprach er über England, „das Land des Apoſtolates in der Hand der Vorſehung', und über die Ausſichten der afrikaniſchen Miſſion in Afrika. „Gut!" ſo ſchloß er, „hier bin ich nun, ein alter Mann, der letzte der Bischöfe Gregors XVI. Manches ist anders geworden, seitdem ich fort war. Italien ist kaum wiederzuerkennen. Die Zeiten für die Kirche sind andere geworden. Italien hatte einen großen Ruhm, ihm besonders eigen; er ist im Augenblick umwölkt, aber ich hoffe für die Zukunft. Ich werde es nicht erleben, ich bin zu alt, um irgend etwas zu erwarten. Inzwischen bereite ich mich hier im ruhigen Heim meiner Mitbrüder auf die große Reise vor, gehe ein wenig im Garten spazieren, bete und schreibe ein bischen.' Das ‚Bischen' ist nichts weniger als das wohlthat monumentale Werk seiner Memoiren, die er auf besondern Wunsch des Heiligen Vaters unter dem Titel: ‚30 Jahre als Missionär in Aethiopien' begonnen. Sie werden, einmal vollendet, eine Fundgrube historischer, linguistischer, geographischer und ethnologischer Aufschlüsse über die wenig bekannten Länder bilden. Von Hilfswerken und Materialien war nichts zu sehen. Alles ist gespeichert in seinem alten, frischen, treuen Gedächtniß." Nebenbei war Cardinal Massaja ein thätiges Mitglied der Propaganda und mehrerer anderer Congregationen. Um seine sichtlich abnehmenden Kräfte etwas herzustellen, zog er sich noch Amirante, an den herrlichen Meerbusen von Neapel zurück. Bei all den vielen Auszeichnungen und Ehrenbezeigungen, die dem hochverdienten Manne von allen Seiten zu theil wurden, blieb er in seiner Lebensweise und seinem ganzen Auftreten immer der schlichte, prunklose, kindlich fromme Kapuziner. Trotz seines hohen Alters und seiner rasch zunehmenden

Somali-Krieger.

lichem Wohlwollen sein ganzes Wesen so gewinnend und anziehend machte.

Die Nachricht von seinem Tode rief in ganz Italien außerordentliche Theilnahme wach. Selbst die liberalen Blätter konnten einem der größten Missionäre dieses Jahrhunderts den Tribut ihrer Hochachtung und Verehrung nicht versagen.

Wenn der jetzige Regent von Abessinien, Menelik, der sich früher, als König von Schoa, oft den Missionären so gewogen zeigte, zur christlichen Einheit zurückkehrte oder wenigstens den katholischen Missionären freie Hand ließe, so würde voraussichtlich das Christenthum in diesen Gegenden rasch und kräftig aufblühen.

6. Die Somal.

Das Land der Somal (in der Einzahl Somali), dem wir uns jetzt zuwenden, ist kaum längs der Küsten bekannt. Man schätzt ihre Zahl immerhin auf 7 bis 8 Millionen Seelen. Ihre Hautfarbe geht durch alle Stufen von tiefschwarz bis hellbraun. Das Haar ist kraus und dick. Sie haben dicke Lippen, vorstehende Backenknochen, schwarze Augen, und der Gesichtsausdruck ist nicht angenehm. Meist ist der Islam ihre Religion. Sie sind bettelstolz und kriegerisch, raubgierig, mordlustig, treulos und geborene Feinde aller Fremden. So unreinlich sie sind, reinigen sie doch fleißig die Zähne, eingedenk des Wortes ihres Propheten Mohammed, daß ein Gebet, mit gereinigten Zähnen gesprochen, einen vierzigmal größeren Werth habe, als eines, das aus ungereinigtem Munde kommt. Sonst bemerkt man wenig von Reinlichkeit an ihnen.

Gebrechlichkeit schlief er nie anders als in seiner rauhen, unbequemen Kutte auf einer ärmlichen, dünnen Matratze. Wenn ihn die vielen Besuche gestört, holte er noch am späten Abend den Rosenkranz und seine anderen gewohnten Gebetsübungen nach. Bis zum letzten Abend behielt er seine volle geistige Frische und jugendliche Lebhaftigkeit, die in Verbindung mit Herzensgüte und väter-

Ein weißes Stück Baumwolle, Toba genannt, ist ihre Kleidung; Silberspangen und Glaskorallenschnüre sind sehr beliebt. Der Stärkste unter ihnen und derjenige, der die meisten Mordthaten verübte, gilt als der Angesehenste. Da sie nun gegenseitig Blutrache üben, kommt es vor, daß sich zwei Familien oft gänzlich aufreiben. Ihre Waffe sind Lanze, Wurfspieß und Messer. Die

Somaliſrau hat kein gutes Leben. Gleich nach der Heirat wird ſie vom Manne durchgepeitſcht, damit es ihr zum Bewußtſein komme, daß ſie als Sklavin den Willen ihres Herrn ohne Wider= ſpruch zu erfüllen habe. Jede ſchwere Arbeit fällt ihr zu; daher betrachtet die Mutter die Geburt eines Mädchens als ein Unglück und erwürgt dasſelbe oftmals, um es vor einem ſo harten Looſe

Se. Em. Cardinal Wilhelm Maſſaja, O. Cap., vormals Apoſtol. Vikar der Gallasländer. (S. 155.)

zu bewahren. Die kleinen Knaben bekommen eigentlich gar keine Erziehung; von Schule oder Religionsunterricht iſt gar keine Rede. Statt deſſen müſſen ſie ſich früh ans Stehlen und Vagabundiren gewöhnen; an einem Male, das ihnen die Eltern in früheſter Jugend eingebrannt haben, werden ſie von den Angehörigen wieder erkannt. So wachſen ſie heran, um dann ſpäter, wie ihre Ahnen, das Vieh zu hüten oder das Raub= und Mordhandwerk zu treiben, bis ein blutiger Tod oder Krankheit und Alterſchwäche ihrem traurigen Leben ein Ziel setzt. Glücklich die wenigen Somalkinder, welche in Aden bei den guten Kapuzinerpatres Aufnahme fanden und daselbst im Glauben an unsern lieben Heiland erzogen werden!

Wir werden den Boden dieses feindseligen Volkes, das noch dieses Jahr (1890) mehrere Kapuzinermissionäre ermordete, nicht betreten und begnügen uns, längs der Küste desselben hinzusteuern. Von Massauah aus erreichen wir in der Nähe der britischen Insel Perim die Meerenge von Bab-el-Mandeb. Ihr gegenüber hört der jetzt italienische Küstenstrich auf und beginnt die französische Kolonie Obok, welche den Golf von Tedjura einschließt. Dann ist die Küste fast etwa 700 km weit britisch; da liegt Aden gegenüber der wichtige Hafenort Zeilah (Zela), von dem aus die Handelskarawanen nach Harrar und Kassa gehen und wo die Missionäre eine Hauptstation haben. Afrikas äußerste Ostspitze, das gebirgige Land am Kap Guardafui, ist jetzt ungefähr die einzige Küste, welche nicht irgend eine europäische Macht als ihr Eigenthum erklärt oder doch wenigstens als ihre „Interessensphäre" bezeichnet und auf der Karte mit ihrer Farbe bemalt hat. Etwa 200 km weit längs dem Golfe von Aden und 500 km nach Süden die Ufer des Indischen Oceans entlang ist also diese Küste noch „offen". Es hat aber nicht an Bemühungen gefehlt, auch hier europäische Flaggen zu hissen, wie wir aus dem folgenden Briefe ersehen, den Sultan Osman Mahmud Jussuff am 19. März dieses Jahres (1890) an den deutschen Regierungsbaumeister Hörnele richtete. Derselbe lautet:

„Lob sei Gott allein! Von dem Sultan Osman Mahmud Jussuff, dem erhabenen Sultan der Stämme Medjertin, möge er geschützt bleiben. An Se. Wohlgeboren, unseren hochgeehrten und geschätzten Bekannten, den lieben Freund Hörnele, den deutschen Regierungsbaumeister, dessen Macht Gott erhalte. Zunächst die Frage nach Eurem geehrten Befinden; hoffentlich seid Ihr bei vollkommener Gesundheit und Wohlergehen. Sodann wisse, o unser Freund, daß Dein Brief zu uns gelangt ist und wir von seinem Inhalt Kenntniß genommen haben. Ihr habt darin gesagt, daß Ihr einen verständigen, aufrichtigen und zuverlässigen Mann von Euern Landsleuten ausgewählt habt, Namens Kurt Hoffmann, und daß von seiner Seite Männer von diesen Freunden zu uns kommen mit Verehrungen und Geschenken, und Du hast ferner in Deinem Briefe gesagt, daß nur sie sich niederlassen, und ich ihnen einen Platz zum Bauen und Ländereien zum Ackerbau geben solle. Das ist es, was Du uns gesagt hast. So wisse nun, o Freund, zwischen uns, Rußland, Frankreich, England und Italien besteht eine Verbindung und Uebereinkunft. Jede einzelne Macht von diesen

hat von uns Wohnsitze begehrt, hat Häfen und Leute von uns verlangt. Wir haben es aber abgeschlagen, und sie haben uns in Ruhe gelassen. Nicht haben sie uns etwas Böses zugefügt, als wir miteinander zusammentrafen; wir ehrten sie, und sie ehrten uns. Ihr befindet Euch nun in gleicher Lage wie diese; Ihr erfahret vollkommene Ehrenbezeugung, wenn Ihr zu uns kommt. Was aber Bauwerke und Ländereien und Wohnsitze anbelangt, so können wir solche weder Euch noch anderen Leuten zugestehen. Denn unser Land soll frei bleiben von den Fremden; wir wollen darin weder Juden noch Christen, weder Europäer noch Araber haben, sondern einzig und allein die Stämme Medjertin. Darum verlangt von uns nichts von dem, was zu unserem Lande gehört. Dieses ist es, was wir Euch mitzutheilen haben, und der Gruß ist der beste Schluß. 27. Babdads 1307 (nach der Hebschra), 19. März 1890."

Wir umsegeln also das Kap Guardafui und steuern, die britische Insel Sokotra, welche geographisch freilich zu Afrika, politisch aber zu Indien gehört, links lassend mit südwestlichem Kurs die Küste des dunklen Erdtheils entlang. Nach 500 km treffen wir die Negrobai. Von da bis zur Mündung des Jubstußes, nur wenig südlich von Afrika, gehört der Küste, welche lange Zeit von der deutsch-ostafrikanischen Gesellschaft beansprucht wurde, nach den letzten Abmachungen auf die große Strecke von 1200 km Italien. Doch sind die vier bedeutendsten Hafenorte Warscheikh, Mogdischu, Merka und Barawa mit je einem kleinen Gebiete, ebenso wie das südlich an der Jubmündung liegende Kismaju, dem Sultan von Sansibar vorbehalten. Zwischen Kismaju und der Tanamündung steuern wir etwa 300 km an einem Gebiete hin, das noch bis vor kurzem von Deutschland beansprucht wurde. Da liegt nämlich an der Mündung des Scheri der Hohenzollernhafen und der kleinen Insel Lamu gegenüber Wituland. Durch den Vertrag zwischen England und Deutschland vom 1. Juli 1890 hat aber Deutschland auf die Schutzherrschaft über dieses Gebiet verzichtet.

Dafür soll aber der bei weitem größere Theil der zu Sansibar gehörenden Küste, von der Umba-Mündung bei Wanga im Norden bis zum Kap Delgado im Süden, eine Strecke von nahezu 1000 km, welche nach dem Vertrage von 1886 in einer Breite von 10 Seemeilen dem Sultan von Sansibar verblieben war nun ebenfalls an Deutschland abgetreten werden. Auch das Eiland Mafia soll zu Deutsch-Ostafrika gehören; nur die Inseln Sansibar selbst und Pemba werden, unter englischer Schutzherrschaft, künftighin dem Sultan von Sansibar verbleiben. Wir grüßen also vom Verdecke unseres „Afrikaners" aus deutschem Gebiet.

Das große Ländergebiet in Ostafrika, das im Verlaufe der letzten fünf Jahre, seitdem wir zum erstenmal unsere Rundfahrt um den bunten Erdtheil ausführten, in den Besitz und unter den Schutz des Deutschen Reiches gekommen ist, hat für uns natürlich ein ganz besonderes Interesse. Wir werden uns also an dieser Küste länger aufhalten, die Ereignisse erzählen und Streifzüge in das Innere unternehmen. Es ist aber nicht möglich, Deutsch-Ostafrika zu betreten und seine kurze Geschichte zu beschreiben, ohne gleichzeitig Sansibar zu berühren. Mit Sansibar müssen wir mithin beginnen; denn von seinem Gebiete wurde

Ufer von Guamba bei Sansibar.

Deutsch-Ostafrika abgetrennt und nur durch seine Marken können wir zur Stunde noch auf dessen Boden gelangen.

1. Die Insel Sansibar.

Die Insel Sansibar hat einen Flächenraum von etwa 1600 qkm (29 Quadratmeilen), erhebt sich durchschnittlich nur wenige Meter über das Meer und ist kaum zum dritten Theile anbaufähig. Wo aber Grund und Boden es gestatten, entwickelt sich in dem feuchtheißen Tropenklima ein wundervoller Pflanzenwuchs in üppigster Fülle. Da gedeihen Zimmet, Muskat, Gewürznelken, Indigo, Pfeffer, Ananas; über die Orangen-, Melonen-, und Mangobäume erheben Dattel-, Sago- und Kokospalmen ihre schlanken Wipfel. Doch nicht die paradiesische Schönheit dieser Gartenwildniß ist der Reichthum Sansibars, sondern seine bevorzugte Lage

als Haupthandelshafen Ostafrika's. Jährlich werden aus seinem Hafen 200 000 kg Elfenbein ausgeführt, das endlose Karawanen von Trägern aus dem Innern des Festlandes herschleppten. Aber auch anderer Handel wurde bis in die siebziger Jahre offen und wird heutzutage noch insgeheim auf Sansibar getrieben — unmenschlicher Sklavenhandel. Bis 1873 war Sansibar ein Sklavenmarkt, der letzte offene im Bereiche der civilisirten Staaten; jährlich wurden daselbst 12 000 Neger, welche von den Sklavenjägern geraubt worden waren, nach Arabien und Persien verhandelt. Umsonst drängte England den Sultan, auf den schmählichen Handel zu verzichten; derselbe bildete seine Haupteinnahme. Erst als Sir Bartle mit den Kanonen der englischen Kriegsschiffe drohte, ließ sich Said-Bargasch, der Sultan von Sansibar, zur Abschaffung des Sklavenmarktes herbei. Seither machen Kreuzer Jagd auf die

Said-Bargasch, Typen aus Sansibar, Ansicht von Sansibar und Kartenskizze der Hafenstadt. (S. 162.)

1 Französisches Consulat. 2 Palast des Sultans. 3 Englisches Consulat. 4 Katholische Mission. 5 Hospital. 6 Kasernen. 7 Spital u. L. Frau von den Engeln.

Spillmann, Rund um Afrika. 2. Aufl.

21

arabischen Fahrzeuge (Dhaus), welche von der Küste aus noch immer Tausende unglücklicher Neger nach Arabien zu schmuggeln versuchen.

Ein Missionär, der viele Jahre Zeuge des schmählichen Sklaven-handels gewesen ist, dessen trauriger Schauplatz der Markt von Sansibar war, schrieb noch kurz vor Gründung der deutschen Kolonie in Ostafrika: „Von den abscheulichen Menschenjagden im Innern Afrika's, wobei ganze Dörfer in Flammen aufgehen und ganze Provinzen ihrer Bevölkerung beraubt werden, will ich jetzt nicht reden. Was man auch darüber sagen würde: die Wahrheit wäre immer noch viel schrecklicher als die grellste Beschreibung!

„Ich will nur einige Thatsachen vorlegen, wie ich solche während 15 Jahren täglich vor Augen habe, und einige Zahlen nennen. Sansibar war der Hauptstapelplatz für den Sklavenhandel der ganzen Ostküste; auf seinen Markt lieferten die verschiedensten Hafenplätze der Küste, namentlich Kiloa, die Mehrzahl der im Innern geraubten Sklaven; von hier wurden sie nach Aegypten, Arabien, dem Golf von Persien u. s. w. versandt. Der Handel war äußerst einträglich, denn die Waare wurde einfach geraubt; so kamen täglich Schiffs-ladungen voll vor das Zollhaus von Sansibar. Diese Hunderte von armen Wesen, Männer, Weiber, Knaben, Mädchen, Greise, alle zu Gerippen abgemagert, halb stumpfsinnig infolge der Mißhand-lungen, nackt oder doch nur mit einem schmutzigen Lendentuche be-deckt — der Anblick war herzzerreißend! Der Zöllner zählte sie, und es mußte für jeden Kopf eine Steuer bezahlt werden, etwa wie in Europa bei Viehmärkten die Eingangssteuer. Nun gingen die Sklaven in den Besitz der eigentlichen Händler über, welche sie täglich von 4—6 Uhr abends auf einem öffentlichen Platze zum Verkaufe ausboten. Man konnte sie dann in langen Reihen durch die Straßen wanken sehen, kaum im Stande, sich auf den Beinen zu halten, aber vorangetrieben durch die Furcht vor der Peitsche, die ihnen von den Ohren sanfte, und sich gegenseitig stützend und helfend. Die Scenen der Greuel und der Schande, die sich hier abspielten, wollen wir ruhen lassen; nur so viel sei gesagt: kein Viehmarkt kann das Bild eines Menschenmarktes uns vergegen-wärtigen. Mein Herz blutet noch, und mein Auge füllt sich mit Thränen, wenn ich an die Auftritte denke, die ich 15 Jahre hin-durch erlebte. Leider fehlten uns die Mittel, um uns der Sklaverei und der Schande alle jene armen Wesen loszukaufen, welche ihre abgemagerten Arme uns entgegenstreckten und mit herzzerreißender Stimme boten: „Weißer, kaufe mich!‘

„Die Zahl der Sklaven, welche früher jährlich auf den Markt von Sansibar gebracht wurden, ist nicht leicht anzugeben. Gut unterrichtete Leute nannten mir als zuverlässige Mittelzahl 15 000. Da aber auch heute, wo doch die europäischen Kreuzer so scharfe Wache hatten, immer noch eine bedeutende Zahl Sklaven auf ver-schiedenen Punkten der Insel gelandet werden, so ist es gewiß nicht übertrieben, wenn man wenigstens 20 000 eingeschmuggelte der obigen Zahl beifügt. Dazu kommt, daß mindestens der vierte Theil der Sklaven bei dem Raube und auf dem Transporte aus dem Innern umkommt. Das würde die Zahl jährlich aufgebrachter Opfer auf 80 000 bringen, die von 15 Jahren auf 1 200 000 Menschen! Mit Grauen erinnere ich mich daran, wie ich einst auf einer Reise in Ukami mit P. Horner die verwesenden Leichen einer ganzen Karawane fand, welche, der Cholera erlegen, unbestattet im Walde moderten. In der genannten Zahl sind diejenigen nicht einbegriffen, welche zu Lande längs der Küste an ihren Bestimmungsort ge-schleppt wurden; täglich sah man sie zu Hunderten in langer Kette aneinandergefesselt vorüberziehen. So gestaltete sich der Sklaven-handel!

„Seit einiger Zeit ist es der Dazwischenkunft der europäischen Mächte und dem ernsten Willen des Sultans von Sansibar, Said-Bargasch, geglückt, den öffentlichen Markt und die unverhohlene Einfuhr von Sklaven auf Sansibar aufzuheben; er hat sich dadurch den Haß vieler seiner Unterthanen erworben. Trotz aller Maß-nahmen dauert aber der Sklavenhandel fort, und ich zweifle, ob man ihn je völlig unterdrücken werde. Auf dem Festlande hat natürlich die Verordnung des Sultans keine Wirkung; da blüht der Sklavenhandel vor wie nach, nur daß der Preis seither be-deutend gestiegen ist."

Das ist nun freilich, Gott sei Dank, seither anders und besser geworden. Nicht umsonst haben Leo XIII. und Cardinal Lavigerie ihre Stimmen zur Beseitigung des traurigen Sklavenhandels und der blutigen Sklavenjagden erhoben, welche Afrika entvölkern und zur Wüste machen. Deutschland hat ebenfalls das größte Interesse an der Bekämpfung des Sklavenhandels, und seitdem seine Schiffe an den Küsten Sansibars kreuzen, ist den Sklavenhändlern die Aus-fuhr ihrer menschlichen Waare allerdings sehr schwer gemacht. Noch neulich hat ein deutscher Kapitän ein Schiff voll geraubter Kinder weggekapert und die unglücklichen Wesen den katholischen Missionären in Bagamoyo, die wir besuchen werden, zur Erziehung übergeben.

Die Stadt Sansibar hat, dem Palast des Sultans abgerechnet, wenig Merkwürdiges. Es ist eben eine arabische Stadt, wie wir auf unserer Fahrt schon viele gesehen haben, mit kahlen, flach ge-deckten Häusern und nicht gerade reinlichen Gassen. Dafür ist der Pflanzenwuchs in den Gärten überaus üppig. Namentlich im Süden der Stadt finden sich herrliche Anlagen. Die Bevölkerung wird auf 85 000 Seelen angegeben.

„Die katholische Bevölkerung der Hauptstadt übersteigt kaum 400 Seelen", erzählt uns der Apostol. Vikar Mgr. de Courmont. „Außer den Schulkindern (etwa 80), welche unseren verheirateten Neubekehrten angehören, die wir nach Möglichkeit von diesem Mittelpunkte des Islam fernzuhalten suchen, und einer geringen schwankenden Bevölkerung von Europäern bilden Goanesen den Kern unserer Gemeinde. Dennoch ist Sansibar für uns von großer Wichtigkeit. Es ist der Hauptort unseres Vikariates, der Sitz des Sultans und der europäischen Consuln, der Verbindungspunkt mit Europa und eine Art Vorrathskammer für alle anderen Stationen. Unsere beiden Schulen für freigelaufte Kinder geben uns fort-während großen Trost; andere Schulen zu gründen, ist leider wenig Aussicht, da die Mohammedaner für unsere Schulbildung kein Verständniß besitzen. Wir haben hier zwei Spitäler gegründet, eines für Europäer, welche eine mäßige Pension bezahlen können, und eines für die Armen, welche ganz umsonst verpflegt werden. Matrosen aller Nationen, Forschungsreisende, Angestellte der Koloniel-gesellschaften, Handlungsdiener, Consulatsbeamte und sogar Goanesen nehmen ihre Zuflucht zur Pflege, welche ihnen unsere vortrefflichen Nonnen, die ‚Töchter Mariä', angedeihen lassen, und öfter wurden uns Briefe voll Lob und Dank für dieses Werk der Barmherzig-keit überreicht. Wiederholt konnte einem Sterbenden die heilige Taufe gespendet werden. „Eine andere wichtige katholische Anstalt ist das Spital U. L. Frau von den Engeln zu Gutiomi, das am 2. August 1884 eröffnet wurde. Seitdem wurden in diesem Hause der Barmherzigkeit über 7000 kranke Mohammedaner theils ver-pflegt, manche wochen- und monatelang, theils mit Arzneien ver-sehen. „Der Neger ist von Natur ein Vagabund; er läßt sich nicht gerne in die Mauern eines Hauses einschließen, am wenigsten in das eines Weißen, und will sich nicht durch eine Ordnung binden lassen. Solange er ein Glied bewegen kann, schleppt er ſich ſeines Weges und lebt nach ſeiner Laune. So ſind denn auch die Kranken hier im Hauſe faſt alle dem Tode nahe, die man deshalb möglichſt raſch unterrichten und taufen muß. Von 80, die unter ſolchen Umſtänden verpflegt wurden, haben 62 die Taufe empfangen. Man wird das vielleicht einen armſeligen Erfolg nennen", ſagt Mgr. de Courmont. „Aber ich beurtheile ihn anders, da ich Augenzeuge der Herzensänderung war, welche dieſe Taufen hervorbrachten, und da ſie Mohammedanern und zwar mitten in einer mohammedaniſchen Stadt geſpendet wurden. Ich will aus vielen ein erbauliches Beiſpiel anführen.

„Maſu war ein mohammedaniſcher Neger von etwa 30 Jahren, der ſich täglich eine entſetzliche Beinwunde verbinden ließ. Man reinigte ſie, beſorgte ſie, und er wurde geheilt. Dann blieb er frei- willig eine Zeit lang als Diener im Hauſe. Infolge einer Un- klugheit zog er ſich eine Erkältung zu, welche in Blutſpeien und endlich in eine Auszehrung überging, ſo daß er gänzlich arbeits- unfähig wurde. Von einem Diener, der Lohn verdiente, ſah er ſich zu einem armen Kranken herabgeſunken, der von barm- herziger Hand das Spitalbrod empfing. Das kränkte ſeinen Stolz, und eines Tages entfloh er heimlich. Aber ſeine Krankheit machte raſche Fortſchritte. Da er jetzt fühlte, daß er nur mehr wenige Tage zu leben habe, klopfte er wieder an die Thüre des Spitals. Die Oberin war abweſend, und durch ein Mißverſtändniß hieß man ihn ſeines Weges gehen. Das war eine Prüfung, welche Gott zuließ. Dreimal kam er an die Pforte, und dreimal wurde er abgewieſen. ‚Simon,‘ ſagte er endlich zu einem Diener,

Spitalhof U. L. Frau von den Engeln. (S. 162.)

einem ſeiner früheren Kameraden, ‚ich werde jetzt ſterben; ſage es der Biſi mkubwa (Oberin), aber füge bei, daß ich als Chriſt ſterben wolle, und daß ich nur deshalb um Aufnahme bitte, damit ich die Taufe empfange.‘ Es war ihm wirklich Ernſt; man nahm ihn alſo mit offenen Armen auf und ver- pflegte ihn auf das liebreichſte. Aber er dachte nur an die Taufe und bereitete ſich auf das eifrigſte darauf vor. P. Le Roy, damals Spitalgeiſtlicher von U. L. Frau von den Engeln, er- achtete ihn endlich des heiligen Sacramentes würdig und taufte ihn am 9. Auguſt (1887) unter dem Namen Lorenz. Und ſiehe da, am Tage darauf, am Feſte ſeines heiligen Namenspatrons, entſchlief er ſanft im Herrn. Seit dem Empfang der Taufe hatte er in einer Art Freudenjubel gelebt. Er ließ die Oberin zu ſich rufen, betete und pries mit ihr die große Güte Iſa's (Jeſu), der am Kreuze geſtorben, um keine Seele zu retten."

2. Die Entſtehung der deutſchen Kolonien in Oſtafrika.

Bevor wir nun unſere Reiſe durch das Küſtengebiet von Sanſibar und weiter landeinwärts durch Deutſch-Oſtafrika antreten, wollen wir die geſchichtlichen Ereigniſſe kurz zuſammenfaſſen, welche zur Gründung der deutſchen Kolonien in Sanſibar führten.

Als Vasco da Gama nach ſeiner erſten Umſchiffung des Vor- gebirgs der guten Hoffnung im Frühjahre 1498 längs der Oſt- küſte Afrika's hinſegelte, traf er daſelbſt reiche und gut gebaute Hafenſtädte, über welche arabiſche Fürſten herrſchten. Die vor- nehmſten dieſer Städte waren Mozambique, deſſen Hafen er am

21 *

1. März erreichte, Mombassa, wo er am 7. April vor Anker ging, und Malinda, von wo er am 22. April quer über den Indischen Ocean nach Kalikut segelte. Schon seit dem 9. und 10. Jahrhundert hatten sich die Araber an dieser Küste festgesetzt. Die Portugiesen faßten sofort den Entschluß, zur Sicherung des neuentdeckten Seeweges nach Indien den Mohammedanern diese überaus günstig gelegenen Häfen zu entreißen. Bereits im Jahre 1503 besetzten sie die Insel Sansibar, eroberten von ihr aus die arabischen Küstenstädte und verwandelten dieselben mit ungeheurem Kostenaufwande in Festungen, welche in der damaligen Zeit als uneinnehmbar galten. Als aber zu Ende des 17. Jahrhunderts die Herrschaft Portugals in Indien und in den indischen Gewässern zusammenbrach, wurden sie von den Arabern wiederum aus Sansibar und einem großen Theile der gegenüberliegenden Küste vertrieben. Doch blieb Mozambique und das Gebiet bis zum Kap Delgado in ihrer Gewalt. Sansibar unterstand nun dem Imam von Maskat und gehörte zum Reiche Oman in Arabien, bis Said-Medschid im Jahre 1856 die Insel und das afrikanische Gebiet als ein selbständiges Sultanat von Oman ablöste. Ihm folgte Said-Bargasch in der Regierung, und nach dessen Tode wurde im Frühjahre 1888 Said-Chalifa Herrscher von Sansibar.

Wie weit das Küstengebiet landeinwärts dem Sultan gehöre, war durch Verträge mit den europäischen Mächten nicht näher bestimmt; er selbst beanspruchte freilich ein gewisses Hoheitsrecht über die Negerhäuptlinge bis an die großen Binnenseen. Man glaubte aber diese Ansprüche als nicht berechtigt übersehen zu dürfen, und so wandte sich, als Deutschland mit seinen ersten Kolonialversuchen hervortrat, das Auge der Unternehmer naturgemäß nach diesem weiten ostafrikanischen Gebiete.

Wenige Monate nachdem die deutsche Flagge in Kamerun und Angra Pequena gehißt worden, machten sich mithin als Commissäre der Anfangs 1883 gegründeten „Gesellschaft für deutsche Kolonisation" die Herren Dr. Karl Peters, Assessor Dr. Jühlke und Joachim Graf Pfeil auf den Weg, um ihr Glück in Ostafrika zu versuchen. Am 1. October gingen sie, angeblich mit der Absicht einer Expedition in das Land der Boeren, an Bord des österreichischen Lloyddampfers „Titania", der sie durch den Suezkanal nach Aden brachte. Dort bestiegen sie am 22. October den englischen Dampfer „Bagdad", verließen denselben in Sansibar und wandten sich, anstatt die vorgebliche Reise nach dem Kap fort-

König von Usami.

zusetzen, von Saadani aus, gegenüber der Insel Sansibar, dem Wamistuß folgend, dem an Naturschönheit reichen und durch ein gutes Klima ausgezeichneten Nguru-Berglande zu. In kaum glaublich kurzer Zeit, im November und December 1884, gelang es Dr. Peters, mit zehn angeblich unabhängigen Häuptlingen zwölf „bündige und völlig rechtsgültige Verträge" abzuschließen und so das ansehnliche Gebiet von etwa 6500 qkm oder 118 Quadratmeilen der deutschen Gesellschaft „für ewige Zeiten" zu erwerben. Dieses Besitzthum umfaßt die Gebiete von Usigova oder Useguha, das Bergland Nguru, Usagara und Usami. Als ein Beispiel dieser Verträge fügen wir aus dem mit dem Häuptlinge von Cuatunge Cuaniani geschlossenen Uebereinkommen die folgenden Sätze bei:

„Mafungu Biniani, Herr von Cuatunge Cuaniani u. s. w.,

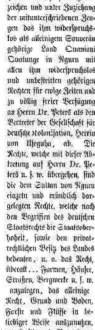

Sultan von Nguru, tritt hiermit durch sein Handzeichen und unter Zuziehung der mitunterschriebenen Zeugen das ihm widerspruchslos als alleinigem Souverän gehörige Land Cuaniani Cuatunge in Nguru mit allen ihm widerspruchslos und unbestritten gehörigen Rechten für ewige Zeiten und zu völlig freier Verfügung an Herrn Dr. Peters als den Vertreter der Gesellschaft für deutsche Kolonisation, Herrin von Useguha, ab. Die Rechte, welche mit dieser Abtretung auf Herrn Dr. Peters u. s. w. übergehen, sind die dem Sultan von Nguru einzeln und ründlich dargelegten Rechte, welche nach den Begriffen des deutschen Staatsrechts die Staatsoberhoheit, sowie den privatrechtlichen Besitz des Landes bedeuten, u. a. das Recht, überall ... Farmen, Häuser, Straßen, Bergwerke u. s. w. anzulegen, das alleinige Recht, Grund und Boden, Forste und Flüsse in beliebiger Weise auszunutzen,

Kolonisten in das Land zu führen, eigene Justiz und Verwaltung einzurichten, Zölle und Steuern aufzulegen." Als Gegenleistung verspricht Dr. Peters dem Sultan und dessen Volk, soweit möglich, Schutz gegen jedermann in Verträge nicht näher genannte Geschenke, sowie eine ebenfalls nur mündlich vereinbarte Jahresrente an Vieh und Handelsartikeln. In einem zweiten, ähnlichen „Vertrage" anerkennt der Häuptling die deutsche Gesellschaft „auf ewige Zeiten als alleinige und ausschließliche Oberherrin seiner selbst und seines ganzen Volkes" und verspricht „auf Wunsch Arbeitsleistungen und militärische Gefolgschaft gegen jedermann".

Schon am 27. Februar 1885 wurde das eben bezeichnete Gebiet durch kaiserlichen Schutzbrief unter den Schutz und die Oberhoheit des Deutschen Reiches gestellt. Sofort hatte der Generalconsul von Sansibar, Hofrath Rohlfs, diese kaiserliche Entscheidung den Vertretern der europäischen Mächte mitzutheilen und wurde Dr. Jühlke mit der Ausübung der Gerichtsbarkeit in dem also erworbenen Gebiete betraut. Gleichzeitig bildete die Gesellschaft für deutsche Kolonisation eine eigene, völlig selbständige „Deutsch-Ostafrikanische Gesellschaft", deren Präsident Dr. Peters wurde.

Neue Erwerbungen folgten dieser ersten in Ostafrika auf dem Fuße, zunächst „Deutsch-Wituland". Bereits 1867 hatte der Sultan dieses Gebietes, Achmed, genannt Zimba (d. h. der Löwe), durch den Reisenden Richard Brenner dem Sultan von Sansibar gegenüber den Schutz der preußischen Regierung gewünscht. Seit

1878 standen die beiden Afrikareisenden Brüder Clemens und Gustav Denhardt in Verbindung mit diesem Swahelihäuptling, und Sultan Achmed verkaufte Clemens den 8. April 1885 etwa 20—25 deutsche Quadratmeilen seines Landes mit allen ihm zustehenden Hoheitsrechten, und sprach den Wunsch aus, unter den mächtigen Schutz des deutschen Kaisers zu kommen. Dem wurde entsprochen; allein durch den neuesten Vertrag kam Witu, wie schon oben bemerkt, unter englische Schutzherrschaft.

Der Sultan von Sansibar, Said-Bargasch, sah aber diesen Verträgen über Ländereien, welche er als Theile seines Reiches betrachtete, nicht gleichgiltig zu. Mit Waffengewalt wollte er zu-

Sonnenaufgang im Nguru-Gebirge in Deutsch-Ostafrika.

nächst den Sultan von Witu, über den er Oberhoheit beanspruchte, zur Verantwortung ziehen. Den Protest der Brüder Denhardt gegen dieses Vorgehen ließ er unbeachtet; als aber der kaiserliche Generalconsul demselben gleichfalls beitrat, zog er seine Streitkräfte zurück. Auch gegen den Ankauf der Länder von Usagara, Nguru u. s. w. und gegen das deutsche Protectorat über diese Gebiete, welches der „Reichsanzeiger" vom 3. März 1885 veröffentlicht hatte, erhob Sultan Said-Bargasch bereits am 27. April Einsprache. Allein der Reichskanzler wies diese Proteste, weil sie einer rechtlichen Grundlage entbehrten, zurück und schickte zur Geltendmachung der deutschen Ansprüche Kriegsschiffe. Am 7. August erschien das deutsche Geschwader vor Sansibar, und schon am

13. August sah sich der Sultan gezwungen, die Oberhoheit des Deutschen Reiches über das Wituland sowohl als über die Gebiete von Usagara, Nguru u. s. w. bedingslos anzuerkennen. Ebenso überließ er den Hafen Dar-es-Salaam, südlich von Bagamoyo, den Deutschen zur freien Benützung. Ein Lieutenant Schmidt hatte daselbst im Namen der Deutsch-Ostafrikanischen Gesellschaft die angeblich 400—500 Quadratmeilen große Landschaft Usaramo erworben. Das letztere Gebiet wurde aber vorläufig noch nicht unter den Schutz des Deutschen Reiches genommen, weil vorher die Grenzen des Sultanats Sansibar durch eine internationale Commission, an welcher sich Deutschland, England und Frankreich betheiligten, festgestellt werden sollten. Endlich nahm der Sultan

einen neuen Zollvertrag an, welcher alle für die deutschen Schutz-gebiete bestimmten Artikel zollfrei erklärte.

Während die internationalen Commissäre die Rechte des Sultans untersuchten, fuhren die Angestellten der Deutsch-Ostafrikanischen Gesellschaft ohne Bedenken fort, immer neue Länderstrecken zu erwerben. Nicht weniger als 18 größere Expeditionen wurden allein in den Jahren 1885 und 1886 unternommen: im Süden bis an die Grenzen des portugiesischen Gebietes, im Norden bis an den Nyanza, in das Hochgebirge des Kilima-Ndscharo bis ins Gebiet der Gallas und längs der Somaliküste. Sowohl im Innern als an der Küste und auf den Komoren wurde eine ganze Reihe größerer und kleinerer Gebiete angekauft, und bereits Ende 1886 zählte die Gesellschaft 13 Stationen, von denen wir die folgenden nennen: In Sansibar und in Bagamoyo waren Depots gegründet. In Usagara bestanden die Stationen Simaberg und Kiora; in Usaramo am Kinganifluß, der unfern Bagamoyo mündet, die Stationen Dunda, Madimola und Usungula; in Usambara am Panganifluß die Stationen Kerogwe und Masi; in Usigova die Station Petershöhe u. s. w. Die meisten dieser Stationen hatten schon ganz bedeutende Grundstücke für Plantagenbau urbar gemacht, so beispielsweise Dunda 170 Morgen, auf denen täglich 50—60 Arbeiter beschäftigt wurden, solide Wohnhäuser, Magazine, Stallungen aufgeführt, einen bedeutenden Viehstand angeschafft. Angebaut wurde namentlich Reis, Mais, Zuckerrohr, Baumwolle, Tabak; letzterer gedieh in vorzüglicher Qualität, und schon das Jahr 1888 würde eine Ernte von etwa 1000 Centner gebracht haben, wenn der Aufstand dieselbe nicht vernichtet hätte.

Die internationale Commission brachte die Grenzregulirung des Reiches von Sansibar im Laufe von 1886 zu Ende. Das Protokoll wurde am 29. October vom Grafen Hatzfeld, am 1. November von Lord Iddesleigh unterzeichnet und am 30. December vom „Reichsanzeiger" veröffentlicht. Dieser Vertrag bestätigte dem Sultan von Sansibar die Souveränität über die Inseln Sansibar und Pemba und die kleineren Eilande im Umkreise von zwölf Seemeilen von diesen beiden Inseln, ferner die beiden Inseln Mafia und Lamu, letzteres vor Witu gelegen. Aber der Besitz des Sultans auf dem Festlande wurde gewaltig eingeschränkt. Während er früher vom dritten Grade nördlicher Breite bis an die portugiesischen Besitzungen am Kap Delgado landeinwärts ohne bestimmte Grenze Hoheitsrechte beanspruchte, gab ihm die neue Grenzregulirung nur einen Küstensaum von zehn Seemeilen (2½ geogr. Meilen) Breite, von der Mündung des Minganiflusses (bei Kap Delgado) bis Kipini an der Südgrenze des Witulandes. Nördlich von Wituland gehören dem Sultan nur mehr fünf feste Küsten-plätze mit einigen Seemeilen Umgebung, nämlich: Kismaju, Barawa, Merka, Mogidschuh und Warscheh. England und Frankreich hatten anfangs wenigstens einen Küstensaum von 40 See-meilen Breite dem Sultanate Sansibar zu eigen erklären wollen; aber sie fügten sich der Forderung Deutschlands. So war nun das ganze ungeheure Gebiet aus der südlichen Westgrenze Sansibars bis an die Ostgrenze des Kongostaates als vom Sultan unabhängig erklärt, und Deutschland und England bereiten sich, dasselbe unter sich zu theilen, beziehungsweise sich für künftige Erwerbungen in demselben freie Hand zu sichern. In Artikel 3 des Vertrags werden die Grenzen der beiderseitigen Interessen-sphären bezeichnet: die deutsche Interessensphäre erhielt im Süden den Rovumafluß als Grenze und von dessen Oberlauf eine quer über den Nyassasee nach dem Südwestufer des Bangweolosees ge-dachte Linie, im Westen den Kongostaat vom Bangweolosee bis

zum ersten Grad südlicher Breite, im Norden endlich den ersten Grad südlicher Breite bis an das Ostufer des Victoria-Nyanza-Sees und von dem Uferpunkte, den der genannte Grad trifft, eine um den Nordostabhang des Kilima-Ndscharo-Gebirges nach der Mündung des Wanga- (oder Umbe-) Flusses gezogene Linie. Die gleiche Linie von der Wangamündung an das Ostufer des Victoria-Nyanza bildet die Südgrenze der englischen Interessen-sphäre, deren Nordgrenze der Tanafluß bezeichnet. Was nördlich von demselben und von dem Durchschnittspunkt des 38. Grades östlicher Länge mit dem Aequator liegt, also das ganze Galla- und Somaliland, stand durch den Vertrag von 1886 den deutschen Ko-lonialbestrebungen offen. England hatte sich durch diese Abgrenzung den Zugang zu einem kleinen, nördlich vom Kilima-Ndscharo ge-legenen Gebiete, das Hamilton Johnston im September 1884 er-warb, und einen Weg nach dem Sudan offengehalten. Deutschland aber kam in den Besitz aller seiner Schutzgebiete und erhielt freie Hand für Kolonisationunternehmen in dem ganzen ungeheuern Länodercomplere zwischen dem Riesenseen Nyanza, Nyassa und Tanganjika und dem schmalen Küstensaume, der noch dem Sultan von Sansibar verblieb.

Um sich auch durch dieses Ufergebiet den Weg offen zu halten, verpflichtete Deutschland in dem Vertrage (Artikel 2) England, daß dasselbe die Verpachtung der Häfen Dar-es-Salaam und Pangani seitens des Suttans an die Deutsch-Ostafrikanische Gesellschaft unterstützen solle. Die deshalb gepflogene Unterhandlung erreichte weit mehr als die Verpachtung der beiden verlangten Häfen; der Sultan Said-Cholifa übertrug nämlich durch den Vertrag vom 28. April 1888 die Verwaltung des ganzen Küstengebiets der Deutsch-Ostafrikanischen Gesellschaft. Der deutsche Generalconsul Dr. Michahelles vollzog mit Gutheißung des Reichskanzlers diesen wichtigen Vertrag, und so schien das letzte Hindernis für die deutsche Kolonialthätigkeit in dem riesigen Gebiete von der Küste bis an die großen Seen und vom ersten bis ersten Grade südlicher Breite beseitigt. Der Sultan selbst hatte sich verpflichtet, dafür Sorge zu tragen, daß die Verwaltung vom 16. August an wirk-lich den Angestellten der Gesellschaft übergeben werde. Auch den bisherigen Beamten des Sultans, denen man es freistellte, ob sie mit dem gleichen Solde, den sie vom Sultan bezogen, in den Dienst der deutschen Gesellschaft treten oder auf ihre Stellung ver-zichten wollten, erklärten sich nach einigem Zaudern willig, ihr Amt unter den neuen Verwaltungsbehörde weiterzuführen. Alles schien demnach geordnet, und die deutsche Gesellschaft bereitete sich vor, am festgesetzten Tage die Verwaltung zu übernehmen. Sie schickte eine Anzahl europäische Beamte nach jedem wichtigen Küsten-platze, nach Tanga, Pangani, Bagamoyo, Dar-es-Salaam, Kilwa-Kivinje, Lindi und Mikindani, und wirklich wurde am 16. August in allen diesen Plätzen die Flagge der Deutsch-Ostafrikanischen Gesellschaft gehißt.

Aber fast an allen Orten kam es bei dieser Gelegenheit zu heftigen Auftritten, indem die früheren Beamten die Verwaltungs-gebäude nicht räumen und die Flagge des Sultans, als Zeichen von dessen Oberhoheit, auch an anderen Stellen als an dem Hause des Gesellschaftsvertreters weiter führen wollten. Unsonst versuchte der Sultan den Streit beizulegen; die Araber waren offenbar entschlossen, das Joch der verhaßten Fremden, das er ihnen von den europäischen Mächten gezwungen aufbürden wollte, nicht zu tragen. Daß einige Beamten der deutschen Gesellschaft, in deren Dienst neben den ehrenwerthesten Personen wohl auch manche Abenteurer standen, den Haß der Araber herausgefordert haben, wird von ver-schiedenen Seiten behauptet, und wohl mit Recht. Nicht nur eng-

Arabische Familie von der Suaheli-Küste.

lifche, fondern auch deutfche Miffionäre jagen, einige hätten fich
Handlungen fchuldig gemacht, welche fie in Deutfchland in Berührung mit dem Strafrichter gebracht hätten. Andere mögen un-
flug und barfch gewefen fein. Der ganze Streit um die Flagge
erfcheint lächerlich; was konnte es für die Gefellfchaft verfchlagen,
wenn neben ihrer Flagge überall die des Sultans wehte, da ja
doch thatfächlich der Sultan Landesherr und fie nur feine Be-
dienftelen waren? Aber bei alledem bleibt beftehen, daß die an
fich unbedeutenden Streitigkeiten bei der Verwaltungsübernahme
nur der Anlaß und keineswegs die Urfache des offenen Aufftandes
waren, der nun folgte.

Leider haben die Europäer, und wahrlich nicht an letzter Stelle
deutfche Kaufleute, um fchnöden Gewinnes willen die arabifchen
Sklavenjäger nur zu gut bewaffnet. Allein im Hafen von Sanfibar
wurden während 3 Jahren für 149080 Pf. St. (2981600 Mark)
Gewehre und für 45330 Pf. St. (906600 Mark) Munition, die
Gewehre zumeift belgifchen und deutfchen Fabrikats, verkauft. Da
ift es nicht zu verwundern, wenn jetzt auf hundert Eingeborene
fchon eine Feuerwaffe gerechnet wird, während man vor zehn Jahren
auf kaum taufend ein Gewehr annahm. Der Kampf, der zur
Niederwerfung des Aufftandes und mehr noch zur völligen Be-
fiegung der Sklavenjäger und ihrer Horden nöthig war, ift dadurch
weit fchwieriger und blutiger geworden, als wenn man, wie fchon
längft vorgefchlagen war, durch internationales Uebereinkommen die
Einfuhr von Waffen und Munition nach Afrika verboten hätte,
welche Maßregel man feither durch die Blokade vom 1. December 1888 durchführen wollte.

3. Kilwa und Lindi.

Wir wollen uns jetzt die Küfte von Sanfibar näher betrachten.
Nach den Bewohnern heißt der ganze Uferftrich „die Suaheliküfte".
Vom Kap Delgado bis zur Rufidfchimündung der Infel Mafia
gegenüber bildet fie eine wellenförmige Ebene, aus welcher fich
hin und wieder vereinzelte Hügel zu einer unbedeutenden Höhe
erheben. Diefe Uferebene hat im Süden eine Breite von etwa
100 km; fie gilt für fehr ungefund. Nördlich vom Rufidfchi
nähert fich die erfte Höhenterraffe des afrikanifchen Feftlandes dem
Meere ftellenweife bis auf 10 km. Da ift der Boden ziemlich
dicht bevölkert, reich an Wäldern und längs den Kinnfalen der
Bäche und Flüffe von üppigem tropifchen Pflanzenwuchs überwuchert. Dann folgen mit hohem Grafe bewachfene Ebenen, welche
nur während der Regenzeit grünen, fonft aber kahl und verbrannt
daliegen. Aus ihnen erhebt fich das Bergland Nguru mit einzelnen Kämmen und Spitzen bis zu 2000 m. Nördlich vom
Tanafluffe, wo das Land von Witu liegt, wird die Uferebene über
200 km breit und ift längs des Meeres mit Dünen und niedrigen
Lehmhügeln gefäumt. Viele kleine Eilande ragen nahe am Ufer
aus den Wogen, alte Korallenbänke, von den Tiefenkräften aus dem
Meeresgrunde emporgehoben. Nur drei diefer Infeln haben einen
etwas bedeutenderen Umfang, Sanfibar felbft, Pemba und Mafia,
welches letztere nun auch deutfches Gebiet geworden ift. Mehrere hervorragende Uferftädte find auf folchen kleinen und niedrigen Infeln
gebaut, weil diefelben infolge der Seeluft immer noch eine gefündere
Lage haben, als das nahe, doch im Fieber berüchtigte Uferland.

Nach diefen Vorbemerkungen über die Geftaltung des Küftenfaumes wollen wir die wichtigeren Ortfchaften befuchen. Wir
beginnen im Süden. Als Führer foll uns dabei Herr Otto Ehlers
dienen, der im Juni des Jahres 1888 den deutfchen Conful Vohßen
begleiten durfte, als derfelbe im Namen des Sultans Chalifa den

Behörden des Küftenfaumes mittheilte, daß vom 16. Auguft an
die Verwaltung in die Hände der Deutfch-Oftafrikanifchen Gefellfchaft übergehen werde. Der Sultan hatte für die Küftenfahrt
eines feiner Schiffe, den kleinen in Flensburg gebauten Schraubendampfer „Barawa", zur Verfügung geftellt. Das erfte Ziel war
Kilwa (Quiloa) oder Kilwa. Es ift Neu-Kilwa (Kilwa Kiwindje)
gemeint, das erft feit einigen Jahrzehnten erbaut wurde, um Alt-
Kilwa (Kilwa Kifiwani, d. h. Kilwa-Infel) zu erfetzen, das auf
einer etwas füdlich von Neu-Kilwa gelegenen Infel geftanden
hatte. Alt-Kilwa erwähnt Vasco da Gama auf feiner Fahrt
nach Indien als eine Stadt, in welcher der Ausfage des Piloten
von Mozambique zufolge „viele Chriften" (Thomaschriften aus
Indien) wohnen follten.

„Von unferem Ankerplatze hatten wir", erzählt Herr Ehlers,
„etwa 4 km im Ruderboote und dann, da gerade Ebbe war,
noch etwa 1500 m auf den Schultern fchwarzer Träger durch
Schlik und Schlamm zurückzulegen, bis wir trockenen und feften
Boden unter die Füße bekamen. Kilwa Kiwindje, fo genannt
zum Unterfchiede von dem füdlicher gelegenen Kilwa Kifiwani, ift
ein freundlich gelegener Ort von 2000—3000 Einwohnern. Die
Ufer der ganzen Küfte find hier flach; weiter landeinwärts reißen
fich Gebirgszüge von einigen hundert Fuß Höhe in fanft gewellten
Linien aneinander, die erft weiter im Süden bei Milundani eine
ftattlichere Höhe erreichen. Kilwa Kiwindje war, bevor die Engländer fich in die Sache mifchten, ein Hauptftapelplatz der Sklaven-
karawanen; heute bilden Elfenbein, Kopal und Kokosnüffe feine
Haupt-Ausfuhrartikel.

„Eine Landung an der afrikanifchen Küfte ift fchon unter
gewöhnlichen Verhältniffen ftets mit unendlichem Hallo und Gelärm
verbunden: um wie viel mehr alfo in unferm Falle, da wir ge-
wiffermaßen officiell als die zukünftigen Herren und Gebieter
erfchienen. Ganz Kilwa war auf den Beinen und am Strande
verfammelt; ganze Horden phantaftifch aufgeputzter, möglichft wild
erfcheinender Neger ftürzten fich unter nicht enden wollendem
Abfchießen ihrer Flinten unferen Booten entgegen, machten dann
ungemein effectvolle Seitenfcheinangriffe, wobei ab und zu einige
die Verwundeten markirten und fich laut heulend in den Schlamm
warfen, um fchließlich, als wir dem Rücken unferer Träger
uns dem Strande näherten, fich uns unter höllifchem Geheul an-
zufchließen. Der Anführer der Bande, mit riefigem Federfchmuck
auf dem Haupte, weißbemaltem Geficht, behangen mit Fellen und
Waffen aller Art, trug als befonderes Abzeichen feiner Würde
unter anderen auch einen 10-Pfennig-Bazar-Spiegel mit Gold-
rahmen auf dem untern Verlängerung feines Rückens. So foll
und ausgelaffen bei allen Gelegenheiten die Neger fich geberden,
fo ruhig und würdevoll bleibt der Araber. Ein folcher bekleidet
in faft allen Küftenorten die Stelle eines oberften Beamten des
Sultans, die Stelle des Wali, dem zur Aufrechthaltung der Ordnung außer feinen Unterbeamten je nach Größe feines Bezirks ein
kleinerer oder größerer Trupp irregulärer Soldaten, fogen. Askari, beigegeben find. Umringt von diefen, fowie von allen in
Kilwa fefthaften Arabern und Indiern, kam uns, als wir das Land
betreten hatten, der Wali, eine ausdrucksvolle, majeftätifche Erfchei-
nung mit lang herabwallendem, glänzend fchwarzen Barte und
ebenfo ariftokratifchen wie intelligenten und einnehmenden Gefichts-
zügen, langfam auf halbem Wege entgegen, um dann jeden einzelnen
zu begrüßen und einzuladen, ihm in feine Wohnung zu folgen. Es
war wirklich ein Bild von echt orientalifcher Pracht, diefe Gruppe
der koftbar gekleideten, waffenftrotzenden Araber, die malerifchen,

Dorf an der Küste von Sanfibar. (S. 168.)

halbnackten, phantastisch bewaffneten Askari, daneben die glänzend beturbanten Indier mit ihren bloßen Gesichtern und den feuchten, schmachtenden Augen, schließlich das Gewimmel von unzähligen Negern groß und klein, alle jetzt die Augen erstaunt auf uns richtend, inmitten der Dinge harrend, die da kommen sollten. Dazu die ganze Scenerie der Umgebung, das in der Sonne erglänzende Meer, die über den Negerhütten sich wiegenden Kronen der fruchtbehangenen Kokospalmen und über dem allem der wolkenlose, lichtblaue Tropenhimmel. Alles Licht in Licht, alles Glanz und Leben!"

Wir wollen Herrn Ehlers auch die Verhandlung mit dem Wali betreffs der Verwaltungsübernahme erzählen lassen. Dieselbe gestaltete sich so glatt als möglich, während später gerade in Kilwa die Durchführung auf den heftigsten Widerstand stieß.

„Wir folgten dem Wali in eine geräumige Halle, wo schon Stühle für uns bereit standen, auf die wir uns niederließen, während die Araber und Indier sich meist auf den Boden niederlauerten. ... Nachdem man sich malerisch gruppirt, sitzt man etwa fünf Minuten möglichst stumpfsinnig da und betrachtet sich gegenseitig; denn nach arabischen Ansichten gilt es für sehr unhöflich, mit geschäftlichen Verhandlungen sogleich zu beginnen. ‚Nur keine Ueberstürzung', denkt der Araber, und da er sich in der glücklichen Lage befindet, daß Wort ‚Zeit ist Geld' mit Verachtung zu strafen, so hat er Recht. Für einen Europäer ist die Langsamkeit, mit der hier alles betrieben wird, oft zum Aus-der-Haut-fahren."

Bevor die Verhandlungen beginnen, müssen Gast und Wirth sich erst an Scherbet, dann an Kaffee und womöglich noch an einem entsetzlichen fladenartigen Brei aus Mehl, Talg, Honig und Rosenöl oder irgend einem ähnlichen Nationalgericht gebührend gelabt haben. Darüber vergeht wieder unter mannigfachen Austausch von Höflichkeitsbezeugungen mindestens eine halbe Stunde, nach deren Verlauf der Bevollmächtigte der Ostafrikanischen Gesellschaft durch Vermittlung unseres kleinen Dolmetschers, eines im deutschen Waisenhause in Jerusalem erzogenen Syrers, beim Wali anfragen läßt, ob es ihm genehm sei, die Verhandlungen nunmehr anzunehmen. Die Zustimmung wird, selbstverständlich in würdevollster Weise, ertheilt, und unser Dolmetsch tritt mit einem Schreiben des Sultans in die Mitte des Kreises, um dasselbe zu verlesen, zu welcher Feierlichkeit er sich — es ist uns ein Räthsel geblieben, warum — stets mit seinem zusammengelegten Sonnenschirm bewaffnete und das Haupt mit einem Tropenhelme bedeckte, trotzdem wir im Schatten saßen. Das Schreiben enthält in kurzen Zügen die Mittheilung, daß die Verwaltung der Zölle und des Landes vom 15. August ab an die Ostafrikanische Gesellschaft übergehen werde; deß Se. Hoheit erwarte, die Bevölkerung werde sich den Deutschen gehorsam zeigen, und daß er seinen Freund Soliman den Nasr mitgesandt habe zur mündlichen Aufklärung sowie Beseitigung etwaiger Zweifel. Nachdem dieses Schreiben verlesen, überreicht Soliman den Nasr dem Wali sein Beglaubigungsschreiben und ein Schreiben ähnlichen Inhalts, wie das soeben gehörte. Der Wali übergibt es seinem Sekretär, der das Publikum mit dem Texte ebenfalls durch Vorlesen bekannt macht. Nun beginnt der deutsche Bevollmächtigte die Versammlung auf die einzelnen Machtbefugnisse, die der Gesellschaft zustehen würden, auf das Recht der Absetzung der Beamten u. s. w. aufmerksam zu machen; derselben mitzutheilen, daß fortan alle Wali und Askari von der Gesellschaft beziehen würden, was ihnen zukomme, und daß er hoffe, sie würden in Zukunft den Deutschen mit der gleichen Treue und Ergebenheit dienen, durch die sie sich bisher als Diener des Sultans ausgezeichnet. Ohne irgend ein Zeichen des Erstaunens, der Ueber-

raschung oder des Unwillens hört die Versammlung die Eröffnungen an, jeden Satz mit einem gedämpften ‚Inschallah' (So Gott will) begleitend und zum Zeichen des Verständnisses leicht das Haupt neigend. Am Schlusse erklärte der Wali, er habe alles verstanden, er sei ein Diener des Sultans und thue, was dieser befehle; der Sultan habe befohlen, den Deutschen zu gehorchen, und so werde er es thun. Die Deutschen könnten versichert sein, daß er alles aufbieten werde, sie gut zu empfangen, und daß sie nie Anlaß haben würden, mit ihm unzufrieden zu sein. Inschallah! ... Der Wali von Kilwa zeigte sich vor Anfang bis zu Ende als ein Mann von ausgesuchter Höflichkeit und den vorzüglichsten Formen; ja es machte vollkommen den Eindruck, als sei er von der bevorstehenden Aenderung der Verhältnisse auf das angenehmste berührt, und wer die Araber, wer ihre Verschlagenheit, Verlogenheit und Verstellungskunst nicht kennt, der würde ihn für einen der größten Förderer der deutschen Sache halten."

Herr Ehlers spricht dann seine Ueberzeugung aus, daß die Araber der neuen Verwaltung überall Schwierigkeiten legen würden, was freilich eingetroffen ist, setzt aber seine volle Zuversicht auf die einflußreiche Unterstützung der dortigen deutschen Reichsvertretung und namentlich auf das ‚schneidige Beamtenpersonal' der Deutsch-Ostafrikanischen Gesellschaft. Das letztere scheint nur zu ‚schneidig' vorangegangen zu sein und gerade dadurch den Ausbruch der Empörung veranlaßt zu haben. Bekanntlich sind am 22. September in Kilwa die beiden deutschen Zollbeamten Heinrich Hessel und Krieger ermordet worden, ohne daß das deutsche Kriegsschiff auf der Rhede ihnen zu Hilfe kommen konnte. Wie nämlich der deutsche Konsul Dr. Michahelles den 25. September aus Sansibar schrieb, brachte eine arabische Dschau die Nachricht, am 22. sei ein Streit zwischen einem der beiden Angestellten und mehreren Arabern ausgebrochen, der zu Thätlichkeiten und schließlich zur Ermordung des Deutschen führte. Darauf scheint die Bevölkerung einen Angriff auf das Stationshaus der Gesellschaft unternommen zu haben; die Insassen vertheidigten sich durch Gewehrfeuer, tödteten fünf oder sechs Angreifer, unterlagen aber endlich der Uebermacht.

Ueber das Aussehen von Kilwa sagt H. Ehlers: „Ein ostafrikanischer Küstenort gleicht so ziemlich dem andern; sie sind fast alle, vom Wasser aus gesehen, sehr malerisch und im Innern, je nach dem Procentsatz der in ihnen lebenden Indier, mehr oder weniger schmutzig. Der Reinlichkeitssinn der Neger ist verhältnißmäßig hoch entwickelt, während derjenige der Indier und Araber entweder stets auf sehr niedriger Stufe gestanden haben oder nie vorhanden gewesen sein muß. Die Neger wohnen in lehmverstrichenen Holzhütten mit vorspringendem, palmgedecktem Dache, welches so eine um das Haus laufende Veranda bildet, und der die Familie ihrer Beschäftigung, Mattenflechten, Getreidestoßen und -nähten, nachgeht. Die Häuser sind meist ganz nach Laune des Besitzers, ohne Rücksicht auf die Lage der Nachbarhäuser gebaut und an verschiedenen Orten mit einem hohen Bambuszaune umgeben. Von Straßen kann somit in solchen Quartieren wenig die Rede sein. Die Indier und Araber dagegen bewohnen fast ausschließlich Steinhäuser mit unglaublich wenig Luft und Licht. Die Veranda, die auch hier nicht fehlt, dient bei dem Indier, in dessen Hände sich der gesammte Handel befindet, als Laden. Hier hockt die ganze Familie stundenlang ohne andere Beschäftigung, als die des Verscheuchens der Fliegen von ihren Süßigkeiten und sonstigen Waaren." An die frühere Herrschaft Portugals erinnert nur noch eine alte verrostete Strandkanone. Die nächste Umgebung Kilwa's ist eine öde Steppe.

Der Abschied, den die Bewohner dem deutschen Bevollmächtigten bereiteten, ließ an Händeschütteln und Flintensalven nichts zu wünschen. Bald sollten aber aus denselben Gewehrläufen Kugeln gegen die Fremden fliegen, welche der eben verabredeten Uebereinkunft gemäß die Verwaltung übernehmen wollten. Da inzwischen die Flut eingetreten war, konnte man das Boot unmittelbar besteigen, und bald dampfte die „Barawa" südlich nach Lindi, das unser Gewährsmann also beschreibt:

„Erst in fast unmittelbarer Nähe des Landes entdeckten wir einen schmalen Kanal, in den wir hineinsteuerten, um nach wenigen Minuten wie durch Zauberschlag ein Bild von entzückendem Reize vor unseren Augen auftauchen zu sehen und uns, nach abermals einigen Minuten, inmitten einer der lieblichsten Buchten, die sich die Phantasie nur ausmalen kann, in der Bucht von Lindi, zu befinden. Wüßte man nicht, daß man in Ostafrika unter dem 10. Grad südlicher Breite wäre, man könnte meinen, auf einem italienischen See zu weilen. Rundum sanft ansteigendes Hügelland in den herrlichsten Abstufungen üppigsten Grüns prangend, weißschimmernder Sand, hie und da mit dunkellaubigen Mangobaum-Gruppen bestanden, aus denen trauliche Hütten verstreut hervorlugen, dazu die im Gegensatze zum Meere spiegelglatte, tiefblaue Wasserfläche des hier vollkommen geschlossen erscheinenden Hafenbassins — das alles war so wohlthuend, schien so glück- und friedenverheißend, daß man sich gar nicht satt sehen konnte an dem anheimelnden Naturbilde.

„Die Wohnung des Wali war in dem durchaus malerischen, aber auch durchaus verfallenen ehemaligen portugiesischen Fort mit hohem Portal und eisenbeschlagenem, zweiflügeligem Thore. Wir durchschritten dasselbe, nachdem wir eine breite Treppe glücklich überwunden hatten, in der die Steine, wie die Zähne in einem stark mitgenommenen Gebiß, entweder fehlten oder wackelig geworden waren, und befanden uns in einem hohen, stark verräucherten Raume, dessen Decke von theils geborstenen Säulen, die an ihrer Aufgabe bereits zu verzweifeln schienen, getragen wurde. Rundumlaufende gemauerte Vorsprünge dienten als Sitzgelegenheit. Licht empfing dieser mit allen Schauern des Geheimnißvollen ausgestattete Raum durch eine in einen Ziegenstall mündende Thüre, sowie durch einige Risse in der Decke, die immerhin breit genug waren, ein Stück

Die Bai Dar-es-Salaam.

blauen Himmels hineinschauen zu lassen. Als wir erschienen waren, betrat vom Ziegenstall aus ein uralter, halberblindeter, weißbärtiger Araber im Schmucke seiner ebenso uralten Waffen, geführt von einem seiner Söhne, gleichzeitig mit uns den wunderbaren Raum und lud, uns mit harker Stimme begrüßend, zum Sitzen ein. Ringsum gruppirten sich die übrigen Araber und die in ihrer verschiedenen Ausrüstung stets überaus effectvollen Askari. Wie der Alte vom Berge, so thronte dieser methusalemartige Araber, der selbst längst vergessen, seit wie viel Jahren er das erste Hundert überschritten, in seiner Höhle. Kein Wunder, daß er sich nicht recht hineinfinden konnte in den neuen Wechsel der Zeiten und erst nach längerem Zureden sich entschloß, einige Auskünfte und Erklärungen zu geben. Endlich zeigte auch er sich willfährig und holte, nachdem er uns eine Ziege, dann ein Schaf als Geschenk versprochen, sein bestes Kalb aus dem Stalle, um es uns als Zeichen seiner Ergebenheit an Bord zu senden.

Als die Unruhen später auch in Lindi ausbrachen, ließ der Sultan den alten Wali nach Sansibar bringen. Die Bewohner des Orts machten auf Herrn Eßles einen traurigen Eindruck. „Die ganze Gesellschaft sah aus, als würde sie jahraus jahrein vom Fieber geschüttelt und habe alle Freude am Dasein eingebüßt." Keine Spur von regerer Betriebsamkeit; dagegen eine reizende Umgebung. „Wir gingen im Schatten prächtiger alter Baumriesen oder zwischen schwankendem Bambus, den saftigen Blattwedeln der Bananen oder in lustigen Palmenhainen wohl eine Stunde weit landeinwärts durch verschiedene saubere Negerdörfer, deren Bewohner bei unserem Anblick erschrocken Schutz in ihren Häusern suchten, bis wir auf eine Höhe kamen, von der wir einen köstlichen Blick auf die beschriebene Bucht genossen, deren Ufer so recht geeignet scheinen, die Wohnstätten glücklicher Menschen zu tragen."

Eine ähnliche Lage hat das Oertchen Sudi und die südlichste Station Mikindani, wo die Abgesandten des Sultan mit dem deutschen Bevollmächtigten ebenfalls freundlich empfangen wurden. Sie wendeten dann das Schiff wieder nordwärts und fuhren, Wind und Strömung benützend, nach dem wichtigen Hafenort Dar-es-Salaam. Unterwegs statteten sie Kilwa Kisiwani, der alten Hafenstadt der Portugiesen, einen kurzen Besuch ab. Es liegt auf einer Insel mitten in einer schönen Bucht. Ausgedehnte

22*

Ruinen alter Festungswerke und großer Moscheen geben Zeugniß von der einstigen Größe und Bedeutung dieses nunmehr selten besuchten Küstenplatzes.

4. Dar-es-Salaam.

Dar-es-Salaam liegt auf hohem, steil abfallendem Ufer in einer Bucht, deren Einfahrt ziemlich schwierig ist. Eine lange Reihe unvollendeter, schon wieder zusammenbrechender Gebäude kehren ihre Front dem Wasser zu und machen nicht eben den Eindruck einer aufblühenden Stadt. Auf einer Landzunge eine halbe Stunde vor der Stadt ist in jüngster Zeit eine evangelische Mission gegründet worden. „Umfangreiche Erdarbeiten sind ausgeführt, Wege angelegt, Felder mit Mhago bepflanzt und ein geräumiges Stallgebäude sowie ein zierliches Brunnenhäuschen bereits

fertiggestellt, während das Missionshaus, welches neben den Wohnungen für die Missionäre auch einen Betsaal enthalten soll, unter den Händen zahlreicher Arbeiter schnell seiner Vollendung entgegengeht."

Die Ruinen Dar-es-Salaams, von dem wir eine Skizze P. Le Roy's beifügen, verdanken ihren Ursprung dem Sultan Said-Medschid von Zansibar. Derselbe wollte nämlich seine Residenz von der Insel nach dieser sichern Bucht des Festlandes verlegen, und rasch entstanden daselbst eine Reihe glänzender Gebäude. Aber bevor die neue Stadt mit ihren Sultanspalästen vollendet war, starb Said-Medschid 1870, und da sein Nachfolger Said-Bargasch von einer Verlegung seiner Residenz nach dem Festlande nichts wissen wollte, zerfielen die kaum begonnenen Bauten, und schon wuchert üppiges Gebüsch in ihren Trümmern.

Neue Kirche - Urbar gemachtes Land. - Kapelle und Kloster Missionskreuz, unter Palmen Bananengarten, Küche, ...

Die am 13. Januar 1889 zerstörte Missionsstation von St. Benedikt zu P.

P. Le Roy, der den Hafen von Bagamoyo aus im Jahre 1886 besuchte, schildert Dar-es-Salaam, oder Dari-Salama, wie es die Eingebornen nennen, also: „Dieser merkwürdige Hafen liegt drei Tagereisen südlich von Bagamoyo, beinahe unter dem 7. Grad südlicher Breite. Zu Schiff erreichte ich ihn in anderthalb Tagen. Die Küste, an welcher man hinsegelt, zeichnet sich weder durch Schönheit noch durch Häßlichkeit aus: ein Streifen weißen Sandes, auf dem sich die Wogen brechen, säumt ein ziemlich fruchtbares Erdreich, auf welchem Kokospalmen und Mangobäume in die Lüste ragen, während von Zeit zu Zeit ein Afferbrodbaum seine lastende und gewaltige Krone über niedriges Buschwerk ausbreitet. Zwischen undurchdringlichem Dorndickicht liegen Felder, auf denen Maniot, Sorgo, Mais, Bataten, afrikanische Bohnen, Reis und manchmal sogar Zuckerrohr gebaut wird. Darüber hinaus gewahrt

man die Umrisse einer bald höheren, bald niedrigeren Hügelkette in wechselndem Farbenspiel, hier grün, dort blau, aber immer schön, welche auf diese schlummernde Küste herabschaut. Mitunter erscheinen unter Gruppen von Kokospalmen kleine Dörfer, deren Bewohner Fischer und Bauern sind, welche gerade so viel arbeiten, als der Hunger sie antreibt (s. Bild S. 171). Die Barke der Mission läuft vortrefflich; mit ihrem großen weißen Segel, das ein himmelblaues Kreuz schmückt, faßt sie den kräftigen Nordwind, und schäumend schießt ihr Bug durch die Wellen. Hinter uns liegt das offene Meer; zur Rechten öffnet sich eine weite Bucht; vor uns grüne, lachende Inseln, links eine Kette von wenigstens 18 Inselchen, die einen wie künstlich geordnete Blumenkörbchen, die anderen versteinerten Riesen gleich, welche bei unserer Fahrt jeden Augenblick ihr Ansehen ändern. Schwärme von Meergeflügel bedecken das

Ufer, und Schaaren von Delphinen umspielten das Fahrzeug. Immer mehr näherten wir uns dem Gestade. Da liegt auf der einen Seite Bungoni unter seinen Affenbrodbäumen, auf der andern Magogoni unter seinen Palmen. Durch einen engen Kanal steuern wir zwischen beiden durch, dann eine halbe Wendung rechts, und vor uns liegt im Hintergrunde der schönen, ruhigen, himmelblauen Bucht, welche Said-Medschid entzückte, Dari-Salaam mit seinen Häusern.

„Die Bucht ist prachtvoll, groß genug, um Hunderten von Schiffen Raum zu gewähren, tief genug, um selbst Kriegsschiffe aufzunehmen, geschützt genug, um den Stürmen des Oceans Trotz zu bieten. Auf den Ufern dieses Hafens, der sich nach Süden zwei breiten Strömen gleich ins Land hinein fortsetzt, könnte man bequem drei schöne Städte neben ebensoviel Unterplätzen bauen. Augenblicklich ist nur die nördliche Bucht, die schönste und sicherste von allen,

angebaut. Ganz nahe am Ufer, dem Palast des Wali gerade gegenüber, gingen wir vor Anker. Das offene Meer war verschwunden; man sieht nur mehr einen blauen See, dessen Fläche sich ruhig, vom Winde kaum gekräuselt, hindehnt, und der ein weites, scheinbar rundes Becken füllt, dessen Rand vom üppigsten Grün umkränzt wird.

„Es war beinahe Mittag. Alle Bewohner schienen in den Ruinen zu schlummern. Nur ein kleiner schwarzer Hirtenbube hütete ein paar Ziegen am Strande. Ohne Zeit zu verlieren, begab ich mich zum Wali, dem Stellvertreter des Sultans Bargasch. Er ist ein großer Araber aus Maskat mit großen Gliedmaßen und einem großen Turban; seine Person scheint an eine riesenhafte Nase angeheftet, die spitz vorspringt und unter der sich ein wahrer Haifischrachen aufreißt. Diese ganze gewaltige Maschine

[Nach einer von Herrn P. Aurhein veröffentlichten Zeichnung.] (S. 175.)

bewegte sich auf meine kleine Persönlichkeit zu, grüßte mich und winkte mir, auf dem einzigen Sessel im Saale Platz zu nehmen. Rings um mich hatten sich die Angesehenen des Ortes auf einer Matte niedergelassen. Seit einigen Monaten war man es gewohnt, daß Europäer kamen und im Schatten dieser ungeheuren Nase Länder annectirten. Um so freundlicher nahm er mich daher auf, als er hörte, daß ich nur aus Bagamoyo und kein Abgesandter irgend einer europäischen Macht sei; er bot mir Kaffee an und wollte mir sogar seinen Esel zu einem Spazierritt durch die Stadt und ihre Umgebung leihen, was ich aber ablehnte.

„Ich mußte eine kleine christliche Station besuchen, die sich etwa eine Stunde von der Stadt gebildet hat. Es war Samstag, und für den Sonntag war alles zur Feier der Messe, bei welcher sich alle dem Tische des Herrn nahten, vorbereitet. Diese armen Leute

wohnen mitten in einem Volke, das im Irrthum und im Laster lebt; aber sie bleiben treu. Da sie keinen Missionär haben, heiligen sie den Sonntag, so gut sie es können. Sie verrichten ihre Gebete gemeinschaftlich, suchen Irrthum und Aberglauben in ihrer Umgebung zu bekämpfen und taufen die sterbenden Kinder. Letzte Weihnachten konnten sie nicht nach Bagamoyo kommen, wie sie es sonst an den hohen Festtagen pflegten; da versammelten sie sich in der Hütte desjenigen, den sie als Häuptling ansehen, und brachten die heilige Nacht miteinander zu, indem sie den Rosenkranz beteten und die Bruchstücke der Weihnachtslieder sangen, welche ihnen in Erinnerung waren.

„Kehren wir nach Dari-Salaam zurück, das am Ufer seiner Bucht trauert, einer arabischen Wittwe gleich, die in Lumpen gehüllt unter den Trümmern ihres Hauses den Mann beweint.

Da steht noch der Palaſt Said-Medjchids, durch dichtes Buſchwerk zur Hälfte überwuchert. Auf einem Flaggenmaſte beanſprucht
die rothe Fahne des Sultans von Sanſibar den Platz ſchüchtern
als Eigenthum. Zwei große, viereckige Häuſer mit zerfallenen
Treppen und einer Doppelreihe von Fenſterhöhlen, durch die der
Wind pfeift, ſind noch bewohnt; das eine dient als Gefängniß,
das andere als Wohnung des Wali. Zwiſchen, neben und hinter
dieſen Gebäuden, deren Wände einſt getüncht waren, finden ſich
zerſtreut große Mauerwände, über welche Schlingpflanzen wuchern
und auf welchen Ziegen klettern und graſen: das ſind die Ueber-
bleibſel jener Häuſer, die man in Eile aufrichtete und die der
Tod des Sultans halbvollendet ließ.

„Die Stadt, ſagte mir ein alter Indier, „hat alles für ſich:
das Meer, das Land, das Klima — nur nicht das Glück. In
ihrer Kindheit, da es ihr zu lächeln ſchien, ſtarb Said Medjchid,
ihr Vater. Wohl kam Said Bargaſch, die Waiſe zu ſehen; aber
ſchon nach einer Stunde floh er von dieſer Stätte, welche ſein
Bruder ſo ſehr geliebt hatte, als ob ein Geſpenſt ihn verſcheucht
hätte, und er lehrte nie hierher zurück. Später begannen die Engländer von hier aus eine Straße ins Innere anzulegen; aber auch
ſie ſind fort, und ihre Straße wird von Buſchwerk und hohem
Graſe bedeckt. Dann kamen die Blattern und haben drei Viertel
der Bevölkerung hinweggerafft. Endlich kam im letzten Jahre eine
Dürre und nach der Dürre die Hungersnoth, eine ſo furchtbare
Hungersnoth, daß ſie täglich hundert bei den Waſaramos (Bewohner
von Uzaramo) zum Opfer fielen und man einen Sklaven für
2 Rupien (4 Mark) kaufen konnte. Wie viele dieſer armen Ge-
ſchöpfe hat man nach Sanſibar, nach Pemba, nach dem Somaliland und nach Arabien geſchleppt! . . . Vater, die Stunde iſt
noch nicht gekommen. Aber wenn du dich in unſerer Mitte nieder-
ließeſt, wie du es in Bagamoyo gethan haſt, könnteſt du ſie
beſchleunigen.‟

Den Gedanken, daß die Niederlaſſung der Miſſionäre Glück
für einen Ort bedeute, fand P. Le Roy unter den indiſchen
Kaufleuten, welche zahlreich an der Suaheliküſte Handel treiben,
vielfach verbreitet.

5. Pugu und ſeine Opfer.

Ende Januar 1888 landeten die erſten Mitglieder der bayeriſchen
St.-Benediktus-Genoſſenſchaft zu Dar-es-Salaam unter Anführung
ihres Obern P. Bonifacius und zogen am erſten Februar auf der
eben erwähnten „engliſchen Straße‟ fünf Stunden weſtwärts nach
Pugo oder Pugu, wo ſie neben einer Station der Deutſch-oſtafri-
kaniſchen Geſellſchaft ihre erſte Miſſionsniederlaſſung gründeten.
Pugu müſſen wir alſo miteinander beſuchen, ehe wir von Dar-
es-Salaam Abſchied nehmen.

Herr Ehlers, der Pugu bei einer andern Gelegenheit in Geſellſchaft des deutſchen Generalconſuls beſuchte, beſchreibt ſeine beiden
deutſchen Niederlaſſungen alſo: „Die Station iſt ſehr hübſch auf
einem ziemlich flachen Bergrücken gelegen. Ihr gegenüber, auf
etwas größerer Höhe, nur getrennt durch ein bewaldetes Thal,
grüßen uns freundlich, ähnlich die Molkenkur bei Heidelberg, die
Gebäude der erſt kürzlich hier errichteten bayeriſchen katholiſchen
Miſſion des Benediktinerordens. Eine Schaar fröhlich ſingender
Arbeiter iſt mit der Hacke in dem zur Aufnahme von Tabakpflanzen
beſtimmten Lande bemüht, während andere mit dem Verſetzer der
jungen Pflänzchen in die ſogen. Vignierbeete beſchäftigt ſind. Das
Ganze macht mit ſeinen zweckmäßigen Holzgebäuden, ſeinem ſaubern
Hofe und ſeiner häbſchen Lage einen recht anſprechenden Eindruck.

Was nun die katholiſche Miſſionsſtation, der wir ſpäter einen mehr-
ſtündigen Beſuch abſtatteten, betrifft, ſo kann man ſich kaum etwas
Idylliſcheres denken, als dieſe auf der Spitze eines ziemlich ſteil
abfallenden, ewig grünen Berges liegende Anſiedlung. Es war der
Abend vor Pfingſten, als wir oben anlangten. Zu Ehren des
Generalconſuls wehte über der Station die deutſche Flagge mit
dem Miſſionskreuz, und alle Miſſionäre — wir trafen dieſelben
gerade bei der pfingſtmäßigen Ausſchmückung der Kapelle — hatten
ſich in ihre kleidſamen weißen Kutten gehüllt. Acht Brüder und
vier Schweſtern theilten ſich in die Arbeit, und was ſie inmitten
der Wildniß im Zeitraum einiger Monate unter Führung ihres
jugendlichen und ſchneidigen Oberhauptes, des liebenswürdigen
P. Bonifacius, zuwege gebracht, das gereicht dieſen modernen
Pionieren zur höchſten Ehre. Wenn auch alle Gebäude nur provi-
ſoriſch errichtet ſind und mit der Zeit durch gute Steinbauten
erſetzt werden ſollen, ſo macht das Ganze doch einen durchaus
widerſtandsfähigen Eindruck, und überall tritt ein guter Geſchmack
des Leiters zu Tage. Leider haben, trotz der luftigen, hohen Lage,
die Brüder mehrfach am Fieber zu leiden gehabt, und manche
ſahen recht bleich und hohlwangig aus, wogegen das Roth der
Wangen der beiden anweſenden Schweſtern ſehr wohlthuend abſtach.
Die Eingeborenen intereſſiren ſich äußerſt lebhaft für die Arbeiten
auf der Station und kommen nach Ausſage des P. Bonifacius
täglich in großen Schaaren hinauf, um ſtundenlang den Miſſionären
zuzuſchauen. Sie können ſich aber noch nicht entſchließen, ihre
Kinder zum Unterricht hinaufzuſchicken, und ſo hat die Station
vorläufig nur drei Zöglinge im zarteſten Alter, von denen der eine
ein von ſeinen Eltern wegen irgend welcher Unregelmäßigkeit bei
der Geburt in einen Sack geworfener und von einem Miſſionär
geretteter Säugling iſt, während die zwei anderen für einige Peſas
angekauft worden ſind.‟

Wer hätte gedacht, daß die herrlich angelegte Miſſionsſtation,
deren Bild dem Fleiße und der Geſchicklichkeit ihrer Gründer ein
ſo beredtes Zeugniß gibt, und welche zu ſo ſchönen Hoffnungen
berechtigte, vor Jahresfriſt vom Erdboden verſchwinden ſollte? —
Und in wenigen Stunden wurde alles zerſtört! Doch das iſt kein
ungewohntes Loos in der Geſchichte der Miſſionen. Nach den
Berichten, welche die beiden aus Sklaverei und der Gefangenſchaft
entronnenen Brüder Fridolin und Joſeph Ende Januar 1889 aus
Sanſibar an ihren Obern ſchickten, ereignete ſich die Kataſtrophe
von Pugu, wie folgt:

„Samſtag den 5. Januar beſuchten uns die Herren Baron
v. Bülow, Klenze und der Koloniſt Roos. Sie erzählten uns,
wie die Araber um Neujahr in Dar-es-Salaam durch das Feuer
des Kriegsſchiffes zurückgeſchlagen worden ſeien und darauf ſich
umſonſt an Unſchl? gewandt hätten, um von ihm Hilfe zu bekommen.
Er ſoll ihnen geantwortet haben, ſie müßten ihre Sachen ſelbſt
ausfechten; er werde mit den Deutſchen in Bagamoyo nicht fertig
und könne daher nicht auch noch Dar-es-Salaam Hilfe bringen;
ja, er denke Frieden zu ſchließen. Daraufhin hätten die Araber
dieſer Stadt, entmuthigt, ſich zum Frieden geneigt. Herr Leue
habe ſie zu einer Verſammlung in Uzagarahams zu Dar-es-Salaam
eingeladen, wo er mit ihnen die Friedensbedingungen berathen
werde. Die Herren ſchienen von dem Abſchluß des Friedens überzeugt zu ſein, und wir fühlten uns daher ganz beruhigt. Da Herr
P. Superior (Bonifacius Fleiſchütz) ſchon lange nothwendig nach
Sanſibar hätte reiſen ſollen, um Einkäufe zu machen, benützte er
die Gelegenheit der Begleitung, nahm von uns Abſchied, ertheilte
uns den heiligen Segen und reiſte ab. Er war, wie wir alle, im

guten Glauben, die Gefahr sei vorüber, und dachte, in wenigen Tagen zurück zu sein. v. Bülow und Klenze brachten die Nacht auf der Plantage des Herrn Roos zu und kamen am Sonntag den 6. Januar nach dem Mittagessen wieder zu uns. Die Schwarzen umringten den ‚guten Herrn‘, wie sie P. Bonifacius nannten, beim Abschied, und die Kinder riefen ihm, solange sie ihn sahen, ihr ‚Qua heri‘! (Auf Wiedersehen!) nach, und er grüßte aus der Ferne wehmüthigen Herzens zurück, aber nicht ahnend, daß er sie nicht mehr belehren und trösten, das geliebte Kloster nicht mehr schauen, einige von uns erst im Himmel wiedersehen werde.

„Die Araber waren inzwischen andern Sinnes geworden und erschienen nicht zur Friedensversammlung. Neue Kriegsgerüchte tauchten auf. Butschiri, hieß es, sei nun doch im Anzug. Daraufhin entschloß sich Herr P. Superior, obwohl bereits fieberleidend, nach Pugu zu den Seinigen zurückzueilen[1]. Aber das Gallenfieber erfaßte ihn mit solcher Heftigkeit, daß er in wenigen Stunden dem Tode nahe war. In diesem Zustande brachte ihn das Schiff von Dar-es-Salaam nach Sansibar, damit er im Spital der Schwestern vom Heiligen Geiste ärztliche Hilfe und Pflege finde. Mehrere Tage schwebte er dort zwischen Leben und Tod und empfing die heiligen Sterbsacramente. Kummer, Sorge und Angst, gerade jetzt von seiner Heerde fern sein zu müssen, trug wohl das meiste zur Heftigkeit der Krankheit bei. Aber seine kräftige Constitution siegte, und nach überstandener Krisis genas der hochw. Obere wunderbar rasch. Nach Pugu zurückzukehren, war indessen unmöglich und unnöthig geworden. Das vor Monaten Gefürchtete war in diesen Tagen wider Erwarten, urplötzlich über das Missionskloster hereingebrochen. Es bestand nicht mehr. Menschenleer war der in kurzer Frist bevölkerte Sterbjacrament. (So hatten die Eingeborenen ihn benennen gelernt.) Die Gärten lagen verwüstet; an Stelle der Gebäude, die mit stattlicher Front (vgl. das Bild S. 172) bis nach Dar-es-Salaam hin sichtbar gewesen, sah man schwarzen Rauch von der Raub-, Mord- und Brandstätte aufsteigen, welche eine Gottesstätte des Friedens und der Barmherzigkeit, des Gebetes und der Arbeit gewesen war, und die armen, braven Eingeborenen, scheu aus ihren Verstecken hervorleuchtend, weinten bei diesem Anblick. Wir waren auf unserer Flucht wiederholt Zeuge hiervon.

„Doch kehren wir zur geordneten Schilderung des Vorganges zurück:

„Am Festtage der Octav von Epiphanie, den 13. Januar, brachten wir den Vormittag theils in der Kapelle mit Gebet, theils im Zimmer zu. Mittags, als wir uns unter der Veranda des Bruderhauses vom Mittagstisch erhoben und wie gebräuchlich uns anschickten, unter dem Gebete des ‚Miserere‘ paarweise nach der Kirche zu ziehen, voran der Obmann, welcher eben den Psalm, ‚Erbarme dich unser, o Herr!‘ angestimmt hatte, da krachte ein Schuß aus dem nahen, dichten Buschwald, welcher der Kapelle und dem Wohnhaus gegenüberliegt[2], und Br. Petrus, der in der zweiten Reihe ging, stürzte mit einem leisen Aufschrei zu Boden; durch die Brust geschossen, hauchte er seine Seele aus, gerade als

die Worte des Psalmes: ‚Nach deiner großen Barmherzigkeit‘ (secundum magnam misericordiam tuam) auf seinen Lippen erstarben! Wahrhaft ‚eine große Erbarmung Gottes‘, so sterben zu können! . . . Dieser erste Schuß kam wie ein Signalschuß; einzeln; aber ehe wir uns nach dem theuren Bruder beugten konnten, erdröhnten Schüsse rings um das ganze Kloster. (Etwa 150 Araber drangen von allen Seiten hervor unter unausgesetztem Flintenfeuer. Durch Fenster und Thüren flogen die Kugeln und bespreugten uns mit dem Lehm und Mauerwerk der Wände. Br. Obmann Benedikt eilte quer durchs Feuer nach der Kapelle, um das Allerheiligste zu bergen, und sank, von Kugeln durchbohrt, vor dem Tabernakel nieder. Vom gegenüberliegenden Schwesternhause war auch Schwester Martha mit einem vor kurzem getauften Negerkinde auf dem Arm nach der Kapelle geeilt und fand hier sammt dem Kinde angesichts ihres göttlichen Herrn gleichfalls die Palme und die Lilienkrone eines heiligen Todes. Noch ein zweites getauftes Kind fand den Tod. Ich floh mit Br. Joseph ins nächste Zimmer, jeden Augenblick gewärtig, daß eine der vielen Kugeln, die uns umsausten und mit losgerissenen Lehmstücken bewarfen, uns gleichfalls tödten werde. Das Zimmer war voll Pulverrauch; so nahe fielen die Schüsse. Wir glaubten, das Dach habe schon Feuer gefangen. Ich empfahl mein Schicksal, ob Leben oder Tod, dem heiligsten Willen Gottes, dem Schutze der seligsten Jungfrau und der heiligen Sterbepatrone, sprang aus dem Zimmer, umsie aber vor den Kugelregen zurückzuweichen, der mich empfing, in ein anderes Zimmer geflüchtet, sah ich einen Neger, wie er sich in Todesangst unter ein Bett verkroch; die Brüder Romuald und Rupert lagen fieberkrank auf ihren dürftigen Lagern. Die Kugeln verfolgten uns auch hier durch Thüre und Fenster. Da mir der Tod gewiß zu sein schien, wagte ich den gefährlichsten Rettungsweg; fast ohne Hoffnung und daher das letzte versuchend, sprang ich mit Br. Joseph durchs Fenster und brach mitten durch die Linie der feurenden Feinde hindurch durch den Bananengarten den Abhang hinunter, dem Buschwald zu. Aus einer Entfernung von wenigen Schritten jagte man uns Schuß auf Schuß nach. Br. Joseph erhielt an der rechten Schulter einen Streifschuß. Die Kugel galt an dem starken wollenen Habit ab und ließ zum Andenken einen schwarzen Fleck und Riß und auf dem Leibe ein rothes Mal zurück. Unsere Stunde war noch nicht gekommen, sonst hätten die vielen Kugeln uns treffen müssen. Auch Fr. Ildephons suchte zu entrinnen, ward aber eingeholt, durch einen Säbelhieb verwundet und gefangen. Zwei Araber verfolgten uns einige hundert Schritte weit ins Gehölz, ließen aber noch 15 Minuten davon ab, da uns die Gebüsche deckten. Wir hörten noch lange das schauerliche Geröse und Schreien der Krieger Mohammeds und das Geschrei der gehetzten, nach allen Seiten verstreuten Neger, die den Sklavensängern zu entkommen suchten und glücklicherweise auch zum großen Theile entkamen.

„Unter den Mission gehörigen Schwarzen standen etwa 40 im zarten Alter von sechs bis zwölf Jahren; die übrigen waren Erwachsene, darunter drei Ehepaare, für die wir drei kleine, nette Häuser gebaut hatten. In Bälde würde ein ganzes Dorf im Umkreis des Klosters entstanden sein.

„Schwester Benedikta war, wie mir scheint, zur Zeit des Ueberfalles in der Küche beschäftigt und wurde, wie ich später vernahm, gleich den zwei kranken Brüdern und Fr. Ildephons gefangen genommen. So viel erzähle ich als Augenzeuge. Was weiter geschah, erfuhren wir, wie ich erzählen werde, später von unseren treuen Schwarzen, welche sich glücklich gerettet hatten.

---

[1] Von Dar-es-Salaam aus schrieb er an den Generaloberen: „Ich wollte nach Sansibar; aber in Dar-es-Salaam vernahm ich, Butschiri sei im Anzuge und ein neuer, großer Aufbruch ausgebrochen. Ich kehre daher nach Pugu zurück, um zugegen zu sein, was kommen, was will. Gottes Wille geschehe!"

[2] Es ist dasselbe Gesträpp, welches auf dem Bilde (S. 172) bei Mission zunächst im Vordergrund zu sehen ist.

„Unter dem Schutze der Gebüsche entfernten wir uns etwa 25 Minuten weit in nordöstlicher Richtung vom Kloster, hielten im Verstecke Rast und berathschlagten, wohin wir uns wenden wollten. Wir empfahlen uns Gott, im Vertrauen, sein Geist werde uns das Richtige in den Sinn geben. Wir übergaben uns ganz dem Willen des Herrn über Leben und Tod und sagten zu einander, wenn unsere Flucht gerecht und gottgefällig sei, werde uns Gott sicher schützen. Zum Troste gedachten wir lebhaft der Flucht der heiligen Familie nach Aegypten und riefen diese heiligen Flüchtlinge um ihr schirmendes Geleite an. Dieses und ähnliches dachten und sprachen wir. Weiterziehend hielten wir uns immer noch im Walde verborgen bis des andern Tages in der Frühe. Wir schliefen nachts auf bloßem Boden unter Gesträuch, ein Bündel Gras unter dem Haupte. Wilde Thiere, Schlangen u. dgl. Unholde fürchteten wir gar nicht mehr, nachdem wir den Menschen entgangen.

„Gegen Morgen fiel etwas Regen, doch schützte uns das Laubdach. Nach der Morgenandacht und dem Officium, das wir, wie im Kloster üblich, in unserer Waldeinsamkeit verrichteten, machten wir uns um 7½ Uhr wieder auf den Weg und näherten uns drei Negerhütten, die am Waldessaum standen. Ich kannte ihre Bewohner sehr gut. Wir hörten des Morgens ihre Stimmen durch den Wald schallen und vernahmen das Gestampf ihrer Reismühlen, die aus einem ausgehöhlten Pflock bestehen, worin die Frauen Reis und Mais mit hölzernen Stößeln zu Mehl stampfen. Sie bereiteten ihr Frühstück, als wir ihnen nahten. Unser Anblick erfüllte sie mit größter Freude, aber fast nicht weniger auch mit Angst. Sie freuten sich über unsere Rettung, bangten aber vor den Gefahren, die uns noch drohten und unterwegs auch ihnen. Sie baten uns, wir möchten uns doch rasch wieder verbergen, weil noch Araber in der Gegend seien. Heute früh sei schon der ‚Sultan‘ von Oganta mit mehreren Arabern hier durchgezogen auf dem Weg nach der Brandstätte unserer Mission. Dieser Sultan sei besonders ‚böse‘, und wenn er um uns wüßte, würde er uns fangen oder tödten, und ihnen selbst würde es sicher den Kopf kosten, daß sie uns geholfen und uns nicht verrathen hätten. Wir folgten dem Rath und Wunsch der guten Leute und verschwanden wieder im Walde, begleitet von einem der braven Eingeborenen, hielten

Schw. M. Lioba Ellwanger (Bayern), gest. am Fieber den 15. Aug. 1895.   Schw. M. Benedicta Sidering (Westfalen), vom 13. Jan. bis 11. März 1899 gefangen.   Schw. M. Martha Wansing (Westfalen), getödtet am 13. Januar 1899.

Die Missionsschwestern O. S. B. von Pugu.

uns aber stets in der Nähe der Wohnungen auf, so daß wir sehen konnten, was vorging, ohne gesehen zu sein.

„In dieser Lage verharrten wir den ganzen Tag und Abend bis Mitternacht. Für unsere Nahrung sorgten die biederen Schwarzen. Vormittags 9 Uhr brachten uns einige Wasser zum Trinken und ein Gericht aus ungesalzenem Mais, das wir nach Negersitte auf dem Boden sitzend mit den Fingern verspeisten, als ein köstbares Labsal, trotz der Unreinlichkeit des Topfes; denn Hunger und Durst lehrten uns diese Liebesgabe schätzen. Nachdem wir so gefrühstückt, erzählten uns zwei Neger, wie die Araber auf dem Berg von Pugu gehaust haben. Alle Gebäude unserer Mission seien ausgeraubt und dann niedergebrannt worden. So wurde unsere Arbeit sammt den Leibern derer, die am meisten dazu beigetragen, ein Rauchopfer vor Gott. Es sei zu seiner Ehre und Anbetung! Von der nahen Plantage des österreichischen Kolonisten Roos bestehe auch nichts mehr. Wir gedachten der unsäglichen Mühen, die es gekostet, und all der Hoffnungen, die mit ihnen zerstört worden, weinten und priesen die theuren Gefallenen glücklich, welche mit dem Werke zugleich gefallen waren, für das sie gelebt hatten.

„Auch die braven Neger weinten, und wir erkannten daraus, wie sehr sie uns zugethan waren. Als sie weggingen, fragten sie, ob wir nicht mittags wieder etwas genießen möchten, sie wollten uns wieder Speise bringen. Ich sagte ihnen aber, sie sollten erst auf den Abend wieder kommen, und so brachten sie uns denn zum Abendessen wieder von ihrem Mundvorrath ein Gericht aus Mais, dazu gebratene Mhogo, eine Art Kartoffel, und für jeden ein Ei. Abends kam unser braver schwarzer Neophyt Rutgaume und sein Bruder Mtondo, der seinen Lehrmeister Br. Petrus verloren, zu uns. Das Wiedersehen war voll Freude und Wehmuth. Sie erzählten: Br. Petrus sei todt; Br. Benedikt todt, im Feuer erschossen; Schwester Martha todt; auch zwei schwarze Knäblein erschossen; alle Gestorbenen wahrscheinlich verbrannt im Feuer der Häuser und der Kapelle. Auch alle Bücher verbrannt. Sonst alles geraubt und weggeschleppt, Vieh, sämmtliches Handwerkszeug und Hausgeräth, alle Speise- und Kleidungsvorräthe, vor allem die Kirchensachen und die heiligen Gewänder. Beim Vertheilen derselben habe jeder Araber ein Meßgewand oder eine Albe u. dgl. an sich zu reißen gesucht, und sie seien darob in

188

Br. Benedikt Kantwerk (Schlesien),
getödtet am 13. Januar 1889.

Br. Wendelin (Bayern),
gest. am Sonnentid 27. April 1888.

Br. Petrus Michl (Bayern),
getödtet am 13. Januar 1889.

Br. Jos. Irrgang (Bayern).

P. Bonifaz Fleschutz (Bayern).

Br. Fridolin Braun (Bayern).

Fr. Stbephons Kauer (Ostpreußen),
in Gefangenschaft vom 13. Jan. bis 11. März.

Br. Rupert Hochberger (Bayern),
in Gefangenschaft vom 13. Jan. bis 11. März

Br. Romuald Hofmann (Baden),
in Gefangenschaft vom 13. Jan bis 11. März.

Missionäre der St.-Benediktus-Genossenschaft zu Pugu.

Streit gerathen. Von den Gebäuden ſtänden nur noch die Mauern des großen Kinderaſyls. Als die treuen Naturkinder uns dies unter lebhaften Geberden ſchilderten, ſtanden ihnen die Thränen in den Augen. „Auch alle anderen Bewohner der Umgegend wollen ſo wie ich", ſagte Rutgaume. Daß er die Wahrheit ſagte, hatten wir ſelbſt an allen geſehen, die wir angetroffen.

„Es trieb uns eine mächtige Sehnſucht, auf unſern ‚Berg St. Benedikt‘ zurückzukehren. Er war für zehn Seelen der Tabor geworden, auf dem ſie zur himmliſchen Verklärung der Ewigkeit emporgeſtiegen: für fünf getaufte Negerkinder, von denen zwei gleich den unſchuldigen Kindlein von Bethlehem den Tod durch Mörderhand fanden, und für fünf Miſſionäre und Miſſionsſchweſtern (die Brüder Wendelin, Benedikt und Petrus; die Schweſtern Lioba und Martha), wovon drei des ſeligen Martyrtodes ſtarben. Aber die Schwarzen wehrten es uns, dahin zurückzukehren. Mlondo ſagte, er wolle hingehen und die Reſte der Todten begraben. Rutgaume und noch ein dritter Neger, Namens Tſchuma, der auch ſchon bei uns gearbeitet hatte, boten ſich dagegen an, uns durch die Wildniß nach Dar=es=Salaam zu führen. Es war ein wahrhafter Liebesdienſt, ohne den wir wohl verloren geweſen wären, und um ſo bewunderungswürdiger, als er offenbar mit Lebensgefahr verbunden, nicht weniger für ſie, als für uns." Wirklich gelang es den beiden Flüchtlingen, nach tagelangem Umherirren Dar=es=Salaam zu erreichen. Die Geſangenen von Pugu aber hatten in der Mitte der wilden Negerhorden ein überaus hartes Loos zu erdulden. Die Araber forderten ein übermäßiges Löſegeld und ſtellten dann noch andere, ganz unerfüllbare Bedingungen. Endlich gelang es den Bemühungen P. Stephan Banés, des Obern der großen Miſſionsſtation Bagamoyo, welche wir ſofort beſuchen werden, die Aermſten durch Vermittlung des Araberhäuptlings Buſchiri zu befreien. 6000 Rupien (etwa 10 000 Mark) mußten bezahlt und zehn gefangene Araber ausgeliefert werden.

Am 27. Juni 1889 unternahm Lieutenant Schmidt mit einer Abtheilung deutſcher Kolonialtruppen einen Zug nach Pugu, um die Ueberreſte der ermordeten Miſſionäre aufzuſuchen und zu beſtatten. Sie trafen in Pugu und auf der Miſſionsſtation alles niedergebrannt und verwüſtet. Die Gebeine der Miſſionäre wurden gefunden, und zwar die Ueberreſte des einen Bruders auf der Schwelle des Hauſes, die der Schweſter wenige Schritte davon entfernt am linken Eingang der Kapelle; eine umgeſtürzte Lehmmauer bedeckte ſie. Die Gebeine des zweiten Bruders lagen in der Kapelle. Sie waren dort, gleich wie die Leiche der Schweſter, faſt völlig verkohlt. Alle drei wurden ehrerbietig in Särge gelegt und auf dem Friedhofe von Pugu beſtattet. Sobald die Kriegswirren es erlauben, iſt von ihren Mitbrüdern das blutig unterbrochene Werk des Friedens, vorläufig in Dar=es=Salaam, wieder aufgenommen worden.

6. Bagamoyo vor dem Kriege.

Von Dar=es=Salaam nördlich ſteuernd, erreichen wir nach kurzer Fahrt den wichtigen Kaufenplatz und Handelsort Bagamoyo, den Ausgangspunkt der beſuchteſten Karawanenſtraßen nach dem Gebiete der großen Seen im Herzen des dunkeln Erdtheils. Da haben die Väter vom Heiligen Geiſte, unter denen ſich viele deutſche Elſäſſer befinden, ſeit dem Jahre 1869 eine herrliche Miſſionsanſtalt, welche die Bewunderung aller Reiſenden geworden iſt, mögen ſie ſonſt über die katholiſche Kirche die traurigſten Vorurtheile hegen. Dieſe wollen wir alſo beſuchen.

Zur linken Hand im Hintergrunde der Bucht zeigt ſich Bagamoyo. Mit Ausnahme einiger Steinhäuſer, welche von Arabern

und Hindu bewohnt ſind, hat die Ortſchaft nur Strohhütten, doch mag ſie etwa 10 000 Einwohner zählen. Am Eingange wehte bis vor kurzem die rothe Fahne an einem Flaggenmaſt; dort ſteht das Haus des Wali, der früher den Sultan von Sanſibar vertrat. Das große Gut gerade vor uns mit ſeinen Kotospflanzungen iſt die katholiſche Miſſion. Seht ihr die Muttergottesſtatue zwiſchen den Bäumen auf der Thurmſpitze? Man ſieht das Thürmchen kaum, und doch hat es 17 m Höhe. Das iſt das Kirchlein der Miſſion. Die Mutter Gottes breitet ihre Arme aus, als wollte ſie alle Gläubigen der ganzen Gegend einladen, ſich an ihr mütterliches Herz zu werfen. Möchten ſie doch dieſen Wink verſtehen!

Eine ſchöne Allee führt uns vom Strande zu den Miſſionsgebäuden; obſchon dieſelben erſt vor zehn Jahren gepflanzt wurde, gewährt ſie uns doch reichlichen Schatten gegen die Glut der Sonne. Rechts in der Ferne, dort, wo der Mangrovenwald aus dem Meere aufragt, ſind einige Neger, die älteſten Zöglinge, unter der Aufſicht eines Bruders beſchäftigt, die Felſen zu ſprengen, welche die Ebbe trocken gelegt hat; ſo gewannen die Miſſionäre ſämmtliche Bauſteine für alle ihre Gebäude. Kleine Mädchen kommen uns entgegengelaufen: hört ihr ſie ein Liedchen ſingen? Singend gehen ſie an die Arbeit, ſo iſt es gebräuchlich in der Anſtalt. Zufriedenheit herrſcht hier in allen Herzen. Die Seite links vom Wege wird von den Mädchen beſtellt, die rechte, bei weitem größere, iſt den Knaben zugetheilt. Am Ende der Allee erblickt man zwei kleine Häuschen. Links verpflegt man die Fremden, rechts iſt die Pförtnerſtube und zugleich die Schuſterei; ein Gitterthor verbindet beide.

Unter der Veranda der Miſſionärwohnung ſtehen die Patres zu unſerm Empfange bereit. Das Haus iſt für dieſes Land ein wahrhaft monumentaler Bau; er mißt 20—25 m in die Länge und 10—12 m in die Breite. Nach einem herzlichen Empfange wird man uns mit Freuden eine Kotosnuß zur Erfriſchung anbieten; der Saft, den dieſe Frucht vor ihrer völligen Reife enthält (die Kokosmilch), iſt ein ganz vorzügliches Labetrunk. Es ſtehen uns aber auch, wenn wir das vorziehen, Orangen, Citronen, Ananas, Mangofrüchte und noch viele andere Erzeugniſſe zu Gebote, die daſelbſt in den Gärten gezogen werden. Bevor wir die Anſtalt durchwandern, wollen wir dem lieben Gott einen kleinen Beſuch abſtatten. Die Kapelle liegt etwas nahe am Hauſe; ſie hat eine Länge von 54 und eine Breite von 15 m. Da ſtehen wir vor dem Thurme, den die Statue der ſeligſten Jungfrau überragt und den wir ſchon vom Meere aus erblickten. Das Innere des Kirchleins iſt einfach; nichts erinnert an den Glanz der Tempel Europa's. Doch iſt alles reinlich und geziemend. Einige Gemälde ſchmücken die Wände, ein Harmonium ſteht auf der Emporbühne, und eines der Kinder ſpielt daſſelbe an Sonn= und Feſttagen. Das Holzwerk der Seitenaltäre und des Chores iſt die Arbeit der kleinen ſchwarzen Schreiner. In einer Niſche über dem Hauptaltare ſteht eine prächtige Statue der ſeligſten Jungfrau, der Patronin der Anſtalt. Ich bedaure, daß wir nicht an einem Sonntage Zeuge des ſchönen Gottesdienſtes ſein können; die Andacht mit welcher ſich die Zöglinge dem Tiſche des Herrn nahen und der heiligen Meſſe beiwohnen, würde uns ſehr erbauen.

Wenn wir die Kapelle verlaſſen, ſo haben wir zur Linken das Haus der Schweſtern, welche mit der Erziehung der Mädchen betraut ſind, die P. Horner und ſeine Gefährten aus der Sklaverei loskauften oder aus den anderen Waiſenhäuſern der Miſſion hierher brachten.

Dieſe einzelnſtehende Hütte war die Wohnung einer Ausſätzigen, deren Geſchichte den Leſern zeigt, welche Leiden durch ihre milden

Gaben gelindert werden. Sie ist vor einigen Jahren gestorben und wird sich jetzt in der Ewigkeit ihren Wohlthätern dankbar erweisen. Sie war die Sklavin eines Arabers auf Sansibar; der Aussatz hatte ihre Füße beinahe ganz weggefressen, und da der Herr ihr keine genügende Nahrung gab, kroch sie oft auf Knieen und Händen eine halbe Stunde weit in die Stadt hinein, um ein Almosen zu bekommen. Eines Tages begegnete ihr einer der Missionäre und fragte sie, von Mitleid beim Anblick des armen, abgezehrten, fast nackten Geschöpfes bewogen, ob sie wohl nach Bagamoyo möchte. „Von Herzen gern, wenn ihr euch meiner erbarmen wollt." Sofort bat der Missionär den Herrn der Sklavin um seine Zustimmung; der bedachte sich natürlich nicht zweimal und des andern Morgens fuhr sie nach Bagamoyo hinüber. Gerne

nahm sie die trostreichen Wahrheiten unserer heiligen Religion an, empfing die heilige Taufe, und nicht lange nachher rief sie der liebe Gott zu sich.

Wir kamen den Weg am Kirchhof vorbei nehmen und durch die große Allee auf das christliche Dorf St. Joseph zugehen. Ueberall begegnen wir Orangenbäumen, Mangobäumen, Citronen- und Bananenbäumen, Guyava- und Melonenbäumen und hundert anderen Baumarten. Die schönen Pflanzungen sind für alle Besucher ein Gegenstand der Bewunderung. Die europäischen Afrikareisenden stauen beim Anblicke solcher Gärten in einem Lande, das sie ganz öde glaubten. Diese zahllosen Kokospalmen, genau nach der Schnur gepflanzt, diese langen herrlichen Alleen, diese Masse von Häusern für die Missionäre und Kinder, welche „die Stadt

Kirche U. L. Frau von Bagamoyo. (S. 178.)

der Weißen" bilden, wie die Neger sie nennen, diese weiten Felder, belebt von zahlreichen Arbeitern, von Schaaren Knaben und Mädchen, die singend zum Hause zurückkehren, gebeugt unter der Last der Früchte, welche sie sammelten — das alles entzückt das Auge der Fremden und verschafft den Missionären wohlverdientes Lob.

Seine Hoheit der Sultan von Sansibar sagte selbst eines Tages zu P. Horner: „Sie, mein Pater, haben die Leute von Bagamoyo arbeiten gelehrt. Vor Ihrer Ankunft lag alles unbebaut; seitdem Sie hier sind, ahmt jedermann Ihr Beispiel nach." Ebenso erstaunt waren die Offiziere des „Surcouf", die mit ihrem Kapitän 1876 Bagamoyo besuchten. Im October 1878 hatten die Patres den Besuch von Herrn Lesèvre-Dubua, dem Commandanten der französischen Seemacht in Indien, der auf dem

Kreuzer „Fabert" nach Sansibar kam. „Ihr Werk", sagte er zu den Missionären, nachdem er die Anstalt gesehen, „ist das schönste, das mir in meinem langen Seeleben zu Gesichte kam. Sie belehren die Neger durch die Arbeit, und Sie haben den richtigen Weg. Bedeckt Afrika mit anderen Bagamoyos, und ihr habt ihm die christliche Civilisation gebracht." Daß auch der deutsche Reichscommissär von Wißmann den Missionären das gleiche Lob spendet, ist bekannt.

Inzwischen sind wir im Dorfe St. Joseph angelangt; die Kinder der jungen Christen von Bagamoyo laufen uns grüßend entgegen. Das Dorf besteht aus etwa 70 Familien und wächst alle Jahre. Schon gibt es daselbst eine große Zahl Kinder, die von ihren frommen Müttern zu guten Christen erzogen werden. Viele Bewohner führen ein wahrhaft heiliges Leben, empfangen

23*

oft die heiligen Sacramente, und alle ehren und üben unsere Religion. Da die Missionäre sie aus der Sklaverei losgekauft haben, behalten sie volle Gewalt über dieselben; die Neger nennen die Missionäre Väter, und diese pflegen sie Kinder zu heißen. Als ihre Zahl zunahm, bauten sie ihnen 1876 eine kleine Kapelle, die uns unwillkürlich an die Armuth unseres Erlösers erinnert. Sie hat nur Lehmwände und ein Strohdach; aber die Reinlichkeit im Innern, die Gemälde und der Kreuzweg an den Wänden stimmen die jungen Christen zur Frömmigkeit. Morgens und abends versammeln sie sich darin zum gemeinschaftlichen Gebete.

An fünf Wochentagen arbeiten sie auf den Gütern der Mission, wofür die Paters ihnen Nahrung und Kleidung verabreichen. Jeden Samstag empfangen sie ihre Portion Muama (Hirse), Mais, Bohnen und gesalzenen Fisch. Ueberdies hat jede Haushaltung in der Nähe der Wohnung einen kleinen Grundbesitz, den sie nach Wahl ausbreiten kann, unter der einzigen Bedingung, daß sie denselben wirklich anbaut. Dafür gibt man ihnen den Donnerstag

frei. Ueber die Früchte, die sie ernten, können sie nach Gutbefinden verfügen; sie können dieselben verkaufen und sich Kleider oder Nahrungsmittel anschaffen. So gewöhnen sie sich an häuslichen Sinn und Sparsamkeit, Dinge, die ihnen früher gänzlich unbekannt waren. Einige haben sich schon recht bequem eingerichtet; wer aus Trägheit sein Feld vernachlässigt, dem wird es zur Strafe genommen und den Fleißigen zugetheilt. Einer der Neger, natürlich derjenige, der das Vertrauen der Missionäre wohl verdient, ist zum Bürgermeister des Dörfchens ernannt; an Festtagen trägt er eine Uniform. Er hat für die gute Ordnung einzustehen und den Pater von jeder Störung in Kenntniß zu setzen. Abends hält er Appell, damit keiner die Nacht anderswo durchschwärme. Auch macht der Pater von Zeit zu Zeit die Runde; spätestens 10 Uhr abends muß jeder zu Hause sein. Das väterliche Regiment, das auf diese Art aufrecht gehalten wird, ist ein mächtiger Hebel, sie zur Frömmigkeit anzutreiben und in guter Ordnung und Arbeitsamkeit zu erhalten. Uebrigens sind die Missionäre mit ihrer Aufführung im allgemeinen zufrieden.

Neue Wohnung der Missionäre in Bagamoyo. (S. 178.)

Jede Familie baut sich ihre Wohnung. Die Hütten haben nur Lehmwände und ein Strohdach, messen 5—6 m ins Geviert und bestehen aus zwei Räumen, wovon der vordere die Wohnstube, der hintere das Schlafgemach bildet. Als Möbel findet sich eine „Kitanda" oder Gurtenbett, dessen Seite aus Kokosfasern gedreht sind, über welche sich eine Matte breitet; ferner ein Tisch, ein Mörser, um den Muama zu zerstoßen, und einige irdene Geschirre. Ueberall herrscht große Reinlichkeit; die Neger lieben sehr, die Wände mit den kleinen Bildchen auszuschmücken, welche sie von den Missionären als Geschenk erhalten.

In dem Maße, als die Mittel es gestatten, beabsichtigen die Missionäre ähnliche Stationen im Innern Afrika's zu gründen. 12 bis 15 Familien sollen sich um den Missionär ansiedeln; sie werden unter seiner Leitung arbeiten, wie hier, und den Kern eines neuen christlichen Negerdorfes bilden.

Hört ihr den Gesang? Es sind die Schulkinder, welche die Kirchenlieder für den sonntäglichen Gottesdienst einüben. Wir

wollen ihnen einen Besuch abstatten. Bei unserem Eintritte in das Schulzimmer stehen alle auf und grüßen höflich. Ihr Lehrer ist aus Sansibar und, wie sie selbst, ein freigekaufter Sklave. Man lehrt sie Lesen und Schreiben. Ihr könnt die Kinder im Katechismus, in der biblischen Geschichte, im Rechnen und in der französischen Sprache examiniren; ihre Antworten werden euch vielleicht in Staunen setzen. Unmittelbar von der Schule gehen sie zur Arbeit auf das Feld, und auch da bewähren sie den gleichen Fleiß wie beim Lernen.

„Im allgemeinen freuen sich die jungen Sklaven sehr, wenn wir sie freikaufen", sagt Mgr. de Courmont. „Schon vorher hörten sie, der Weiße sei gut, sie würden bei ihm lesen, beten und singen lernen und, was die Hauptsache ist, nie Hunger haben. So kommt es, daß sie, wenn sie uns zum Kaufe angeboten werden, sich keineswegs schüchtern zeigen, sondern durch allerlei kleine Künste die Aufmerksamkeit des Paters auf sich zu lenken suchen, damit er sie kaufe. Andere freilich fühlen sich nicht so sicher; denn es gibt

Ein Sklaventransport.

auch Kinder von Stämmen, in welchen die Menschenfresserei nichts Unbekanntes ist. Solche meinen dann, man bezahle die Loskaufsumme für sie nur, damit man sie verspeise. Neulich noch sagte ein kleines Negermädchen, das seit einigen Tagen freigekauft war, zu seiner Gespielin: „Noch lebe ich; aber wird der Weiße jetzt nicht bald kommen, um mich zu fressen?‘ Ein anderes Kind, das von derselben Furcht beseelt war, hatte den klugen Einfall, vor den Obern hinzutreten und ihm eine Wunde mit den Worten zu zeigen: „Da, Bwana, sieh nur gut zu; mein Fleisch ist nicht schmackhaft zu essen.‘ Sind die Kinder einmal in die Anstalt aufgenommen, so werden sie zunächst einem jungen Führer oder einer Führerin übergeben, welche sie zum voraus Pathe oder Pathin nennen. Diese „Pathen‘ sind die ältesten Kinder der Anstalt und gehen den Patres und Schwestern bei der ersten Erziehung der neuen wilden Kinder hilfreich zur Hand. Bald kommt der Director und fragt die Neuangekommenen nach ihren Erlebnissen. Die Erzählung ihrer Schicksale, welche sie oft recht nett zu berichten wissen, wenn man einmal ihr Vertrauen gewonnen hat, ist überaus rührend. „Schau,‘ erzählte neulich ein Kind, „meine Mutter hatte eine Hütte, und die war so groß (mit den Händen beschrieb es die Größe und Gestalt der Hütte). Das Dorf stand hinter den großen Bäumen und Lianen; rings herum waren die Felder; in der Tiefe befand sich ein Quell. Dort drunten, dort hinten (mit dem Aermchen nach der Gegend weisend) waren Berge und Wälder und Bäche, und Fische in den Bächen. Ich hatte einen Bruder; wir waren viele Kinder im Dorfe, und wir gingen gerne an einen Bach, um dort zu spielen und Fische zu fangen. Man sagte uns: „Geht nicht an den Bach zum Fische fangen; euch selbst wird man dort fangen.“ Und wir waren doch dorthin gelaufen und hatten uns im hohen Grase versteckt, während unsere Eltern die Vögel verscheuchten, welche den Sorgo fressen, und wir hatten Fische gefangen und niemanden gesehen, der uns hätte fangen können. Eines Tages waren wir wieder am Bache und tummelten uns im Wasser; da fielen zwei Männer, welche wir nicht gesehen hatten, über uns her. Die größten Kinder entflohen; auch ich lief; aber meine Beinchen waren zu kurz. Man packte mich, schob mich in einen Sack, steckte mir Mehl in den Mund und trug mich von dannen. Darauf ließ man mich laufen, und darauf schob man mich wieder in den Sack. Und wenn ich im Sack schrie, so schlug man mich, und wenn ich auf dem Pfade nicht rasch genug lief, so gab man mir Fußtritte. Da bin ich gelaufen auf Leben und Sterben. O was hat meine Mutter angefangen, als ich nicht mehr zurückkehrte! O wird sie mich jemals wiedersehen, da man mich so weit, so weit von ihr fortgeführt hat.‘ Und nun begann das gute Kind zu schluchzen. Ich könnte viele weit tragischere Geschichten dieses Sklavenraubes im Innern von Afrika erzählen. Nur zu oft vollzieht sich dieser Raub mit gewaffneter Hand und im Gefolge von Brand und Mord. Und wenn dann das friedliche Dorf ausgeäschert ist, so werden die armen Leute, die man an der Küste zu verkaufen hofft oder sonstwo auszumünzen denkt, mit Ketten beladen von ihren grausamen Räubern fortgeschleppt.“

Auf unserem Rückwege zum Hause der Missionäre gehen wir durch die verschiedenen Werkstätten. Alle Schmiede- und Schreinerarbeit kann die Anstalt von Bagamoyo so ziemlich selbst besorgen. Wenn ihr diese Leute das Eisen und das Holz ebenso gut wie in Europa bearbeiten seht, so würdet ihr kaum glauben, daß das Sklaven aus dem Innern des wildesten Theiles der Welt sind. Sie bessern die Wagen aus, reparieren die Wasserpumpen, ver-

fertigen die Schaurucere der Fensterläden. Die Schreiner sind nicht weniger geschickt; das Getäfel der Kapelle, die Lehnstühle, Sessel und Tische der Zimmer sind die Frucht ihrer Arbeit. Kurz, die ganze Einrichtung wird von den Zöglingen unter der Leitung der Brüder angefertigt.

Zum Schlusse unseres Ausfluges machen wir eine Wallfahrt zur Kapelle U. L. Frau von Lourdes. Das ist ein ganz neuer Bau; die Grotte ist aus den schönsten Korallen und den herrlichsten Muscheln aufgeführt. Es ist eine wahre Erholung für uns, an dieser Stelle für die Kirche, für die ferne Heimat und für die Mission beten zu können. Nach eine marianische Congregation ist gegründet, in welche nur die allereifrigsten Aufnahme finden — wahre Apostel unter ihren Altersgenossen. Jeden Sonntag versammeln sie sich unter der Leitung eines Paters. An den vier Haupt-Marienfesten liest man für sie auf einem Altare der Grotte die heilige Messe, und mit großer Freude empfangen sie daselbst die heilige Communion und beten für ihre Wohlthäter. Dieses fromme Heiligthum ist den Missionären um so theurer, als Se. Heiligkeit Leo XIII. durch einen Gnadenerlaß vom 11. Juli 1879 demselben alle Ablässe und Privilegien der Erzbruderschaft von Lourdes gnädigst verliehen hat.

7. Bagamoyo während des Krieges.

Das Bild des Friedens, das sich soeben vor unseren Augen entfaltete, wurde im Laufe der letzten zwei Jahre und vielleicht für längere Zeit gestört. Gerade um Bagamoyo wurden vom Ende September 1888 an zwischen den Deutschen und den Aufständischen, deren Haupt der Araber Bushiri war, blutige Kämpfe geführt. Die Angriffe der Araber galten aber nicht der Missionsstation, sondern der von den Deutschen besetzten Stadt, und es ist ein herrliches Zeugniß für die liebevolle Thätigkeit der Missionäre, daß sie von den Eingeborenen selbst mitten im Kriege als Freunde betrachtet und gänzlich verschont wurden. Wiederholt erklärte Bushiri, er sei der Freund der Patres und werde sie beschützen, und er ist diesem Versprechen nicht untreu geworden. Trotzdem waren diese Kriegszeiten traurige Tage für das große Missionshaus; die Stadt selbst, welche Ehlers kurz vor Ausbruch des Krieges also beschreibt, wurde sah ganz zerstört:

„Von den mir bekannten Küstenplätzen“, sagt Ehlers, „bleibt noch das Sansibar gegenüber liegende, etwa 10 000 Einwohner zählende Bagamoyo der Haupthandelsplatz für das an die Küste gelangende Elfenbein. Soviel ich über den Elfenbeinhandel im gesammten Sultanat Sansibar in Erfahrung bringen konnte, beziffert sich derselbe auf etwa 4 Millionen Mark jährlich, von denen allein mindestens 2 Millionen auf den Handel in Bagamoyo entfallen. Sämmtliche Elephantenzähne gelangen nach oft monatelangen Märschen auf den Köpfen der Neger an die Küste. Von kleineren Zähnen trägt ein Mann natürlich mehrere gleichzeitig; größere, von 70 bis 80 Pfund wiegend, bilden eine Trägerlast, und die ganz großen — es gibt solche von nahezu zwei Centnern — werden von zwei Mann getragen. Vom 15. August v. J. (1887) bis heute — wir schreiben den 30. Juli 1888 — sind 22 700 Elephantenzähne im Sultanat Sansibar zur Versteuerung gelangt. Der Preis schwankt je nach Güte und Größe der einzelnen Zähne zwischen 14 und 30 Mark für das Kilo. Ich hatte das Vergnügen, verschiedene kleine Karawanen, bis zu 100 Mann stark, mit Elfenbein in Bagamoyo einziehen oder in den Dörfern vor der Stadt lagern zu sehen. Es gibt aber Karawanen von mehreren tausend Trägern, und kurz bevor ich dorthin kam, sollen gleichzeitig

15 000 Träger in Bagamoyo anwesend gewesen sein. Das Elfenbein ist übrigens ganz unverhältnißmäßig hohen Steuern unterworfen; denn abgesehen von einem an den Sultan zu entrichtenden Ausfuhrzoll von 15 Procent haben sich seit Jahr und Tag mehrere arabische Familien das Recht angemaßt, beim Uebergang über die drei Stunden von Bagamoyo entfernten Kinganihöhen einen Zoll von 12 Procent des Werthes zu erheben. Durchaus lohnend ist während der Zeit des Karawanenverkehrs ein Ausflug von Bagamoyo nach den soeben erwähnten Höhen. Schon auf dem Wege dorthin trifft man auf zuziehende, lagernde oder mit Waaren beladene, ins Innere zurückkehrende größere und kleinere Trupps, die Führer meist in sehr abenteuerlichen, buntschillernden Kostümen, mit Federkopfputz und silber- oder kupferbeschlagenen Gewehren aller Formen und Kaliber, die Träger lediglich mit schmalem Lendenschurz bekleidet. Jede Karawane führt ihre rothe Fahne und ihre Trommel mit sich, und erstere tragen zu dürfen, ist eine Ehre, um die sich, wenn es auch kaum eine unbequemere Last giebt, alles streitet."

Ein Zwischenfall führte den Ausbruch der Feindseligkeiten in Bagamoyo herbei, wie Mgr. de Courmont berichtet. „Herr Baron von Gravenreuth, der Gouverneur von Bagamoyo, lud den Admiral Deinhard zu einer Flußpferdjagd auf dem Kingani ein. Viele Officiere wollten daran theilnehmen, und eine starke Abtheilung bewaffneter Marinesoldaten wurde mitgenommen, um die Jagd erfolgreicher zu machen. Die Leute von Bagamoyo, welche schon durch die Anwesenheit von drei deutschen Kriegsschiffen, worunter das Admiralschiff ‚Leipzig‘, in großer Aufregung waren, glaubten,

Vertheilung von Lebensmitteln an die Flüchtlinge von Bagamoyo. (S. 184.)

es handle sich um eine Landung und einen Angriff vom Flußufer aus. Sie belagerten nun das Gebäude der Deutsch-Ostafrikanischen Gesellschaft in der Stadt, in welchem sich einige Angestellte mit Hilfe der Soldaten des Sultans verschanzt hatten und tapfer vertheidigten. Der Admiral und seine Gesellschaft kehrten, so rasch sie konnten, zurück, und nach einem dreistündigen Kampfe mußten die Eingeborenen vor zwei oder drei Abtheilungen fliehen, welche die Landung erzwungen hatten. Die Truppen warfen Granaten in die Stadt und unterhielten ein lebhaftes Gewehrfeuer. Eine große Anzahl Hütten ging in Flammen auf, und viele Einwohner wurden getödtet oder verwundet. Man gab zuerst die Zahl der Gefallenen auf 150 an; später ging man auf 60, ja 40 herunter. 20 Verwundete wurden in unsere Mission gebracht, wohin sich viele geflüchtet hatten. Das geschah am 22. September." (Der Bericht des kaiserlichen Generalconsuls vom 24. September giebt die Zahl der gefallenen Eingeborenen auf „etwa hundert" an; von der oben mitgetheilten Veranlassung der Feindseligkeiten weiß derselbe nichts.)

„Herr von Gravenreuth hat Bagamoyo (die Stadt) einigermaßen befestigt und hält sie gegen die Aufständischen", schreibt Freiherr Albrecht von Bülow am 20. October. „Die Stadt ist zum Theil eingeäschert worden. Ab und zu, wenn die Sonne untergeht, veranstalten nämlich kleine Räuberhorden Freudenfeuerchen, d. h. sie zünden Bagamoyo an mehreren Stellen an. Hätten nicht die Leute vorsichtigerweise alle Häuser abgedeckt, so wäre jetzt die ganze Stadt mit Ausnahme der Steinhäuser, Asche. Unser freistehendes arabisches Haus ist in eine kleine Festung umgewandelt worden. Auf den Plattformen stehen Krupp'sche Geschütze, in den Fenstern liegen Sandsäcke, um die Kugeln am Eindringen zu hindern; das Vorterrain ist gereinigt, und wir wachen Tag und Nacht. Es ist Kriegszustand. Den wirksamsten Nutzen gewährt die katholische Mission durch ihre Vermittlung zwischen Baron Gravenreuth und den Aufständischen, da sie über letztere großen Einfluß gewonnen hat. Die Einwohner sind gestohlen. Viele haben sich auf dem Missionsterrain Hütten aufgeschlagen, da sie sich unter dem Schutz der „Padiri" sicherer fühlen als unter dem unserer Kanonen. Ein schönes Zeugniß für das moralische Uebergewicht der ehrwürdigen Bruderschaft! Baron Gravenreuth hat neulich den Kampf hoch zu Roß geleitet, was an dieser Küste wohl noch nie gesehen worden ist."

Gerade einen Monat später berichtet Mgr. de Courmont aus Sansibar: „Vor sechs Tagen bin ich von Bagamoyo zurückgekommen. Die Stadt ist noch immer verlassen, und die ganze Bevölkerung hat sich um die Missionsstation gelagert. Ich habe dieses Lager, eine Art großen Dorfes, besucht und glaube, P. Stephan übertreibe nicht, wenn er die Menschen, welche auf unserem Grund und Boden Zuflucht suchen, auf 4000—5000 Seelen schätzt. Die meisten dieser Leute sind noch mit Lebensmitteln versehen, und so müssen wir nur an die Dürftigsten Nahrung vertheilen. Voraussichtlich werden aber ihre Vorräthe sich bald erschöpfen, und dann wird diese ganze Schaar auf unsere Hilfe angewiesen sein. Man ist in Sansibar von unserer Liebe sehr erbaut. Am letzten Sonntag haben sogar die anglikanischen Prediger in ihrer Kirche von unserer Lage in Bagamoyo gesprochen und ihre Zuhörer aufgefordert, uns in unserer Liebesthätigkeit zu unterstützen. Der Erzdiakon hat darauf unserem P. Acker 40 Rupinen (80 Mark), das Ergebniß der Sammlung, überreicht."

Nach der Niederlage Buschiri's und seitdem Major von Wißmann den Aufstand nicht nur in der Umgebung Bagamoyo's, sondern im ganzen Norden der Suaheliküste mit entschiedener Thatkraft besiegt hat, genießen die Missionäre von Bagamoyo wieder Ruhe und können ihre Aufgabe, Afrika durch die Predigt des Kreuzes vom harten Joche der geistigen und leiblichen Sklaverei zu befreien, ungehindert fortsetzen.

Wir sagen ihrem gastfreundlichen Hause, das neulich auch die beiden berühmten Afrikaforscher Stanley und Emin Pascha beherbergte, einstweilen Lebewohl und wollen nun zunächst den nördlichen Theil der Sansibarküste in Augenschein nehmen.

8. Saadani, Pangani und Wanga.

P. Le Roy wird unser Führer sein. Von Bagamoyo bis Wanga, so weit die Küste jetzt deutsch sein wird, beschreibt er uns die Fahrt wie folgt:

„Von Bagamoyo an beginnen längs des Ufers Mangrowewaldungen. Während der Fahrt bilden diese sonderbaren Bäume, welche den salzigen Ufersümpfen und dem Meeresstrande eigen sind, mit ihren immergrünen Wipfeln einen herrlichen Anblick. Man fährt in der Barke an ihrem Saume hin, kann im leichten Kahne zwischen ihren Stämmen durchschlüpfen, und die Meervögel flattern schreiend darüber weg, so daß man in den Ruf ausbricht: ,Das ist schön!' Aber in dem Maße, als die Flut zurücktritt und der Wipfel der Bäume höher aus dem Wasser hervorragt, zeigt sich ein Gewirr von abgestorbenen Zweigen mit todtem, faulendem Laube, erscheinen die ausgewaschenen Wurzelstöcke mit ihren wunderlich verflochtenen Stelzenranken, deren

Schlammüberzug gefährliche Dünste verbreitet und von Krabben und allerlei Meergewürm wimmelt. Von allen Seiten sieht man sich von diesem Wurzelwirrsal festgehalten, und wenn man ihm endlich entrinnt, so nimmt man als Angebinde des Magrowewaldes das Fieber mit; da erscheint er dem Reisenden in einem andern Lichte. Inmitten dieser ungefunden Ufersümpfe mündet der Kingani ins Meer. In den Bergen von Ukami, in der Nähe seiner Quellen, wo ich ihn früher sah, waren seine Wasser so rein; hier, nahe seiner Mündung, sind sie mit Schlamm gesättigt: ein trauriges, aber leider nur zu wahres Bild des Menschenlebens! Der eigentliche Name des Flusses ist Rufu; aber da noch ein anderer Fluß, der bei Pangani ins Meer fällt, ebenfalls Rufu heißt, was soviel als ,Großer Fluß' bedeutet, nennt man ihn gewöhnlich Kingani, obschon diese Bezeichnung streng genommen nur der Landschaft auf seinem rechten Ufer, nahe der Mündung, zukommt.

„Weiter nördlich findet sich Windi, ein kleines Dörfchen auf niedrigem, schlammigem, umgewundenen Ufer, das einen schlechten Ruf hat und überhaupt ein elendes Nest ist. Es wurde von einem deutschen Kriegsschiffe im October 1888 zusammengeschossen.

„Noch mehr nördlich trifft man die beiden Arme des Wami, den Tscha-Ngungu und den Porolonza, welche zwischen sich ein kleines unbewohntes Delta bilden. Nur der erstere dieser zwei Mündungsarme ist schiffbar; durch ihn versuchte Stanley auf einem Dampfer bis in die Nähe der Missionsstation Mandera vorzudringen, wo ihn Stromschnellen festhielten. Der Wami hat sein Quellgebiet in Usagara.

„Seit Bagamoyo ist der Strand einförmig, niedrig, unbebaut und mit Gesträpp bewachsen; nur selten erhebt sich eine freundlichere Gruppe von Casuarinen, einem Baume, der dem Nadelholze ähnelt und zu den zierlichsten Baumformen des Landes gehört. An vielen Stellen dient das Wäldchen zur Verbindung, in welche die Barken zur Flutzeit einlaufen können, um Brennholz zu holen, auch wohl Dachsparren und leichte Balken, welche dann in Sansibar auf den Markt kommen.

„Abends 5 Uhr warfen wir Anker vor Saadani. Das ist ein trauriger Ort. Das Ufer ist flach, das Wasser brackig, der Boden schlammig. Längs des Strandes zeigt sich eine armselige, verkrüppelte Vegetation, und man muß seine Blicke schon weit schweifen lassen, bevor man einen Punkt entdeckt, auf dem das Auge angenehm ruhen könnte. Ein solcher Gegenstand sind allenfalls die Hügel von Mtange und Nduini, welche 100—150 m hoch sein mögen.

„Wir hatten noch eine Stunde bis Sonnenuntergang und stiegen ans Land. Am Strande trafen wir eine Menschengruppe, welcher wir uns näherten, um zu sehen, was sie versammelt habe. Ein riesiger Sägefisch war an den Strand getrieben; sein Leib maß 4 m Länge, die Säge selbst, deren degenförmige Platte zu beiden Seiten mit starken, knöchernen Zähnen versehen war, war 1½ m lang. Unser alter Koch hätte gerne ein Stück des Fleisches erstanden; aber es verbreitete einen solchen Geruch, daß uns der Appetit verging. Lagunen, welche von einem Walde von Salzkrautbüschchen umschlossen sind, in denen sich Schaaren wilder Hunde umhertreiben, bilden die Vorstädte Saadani's. Wenn man sie durchwandert hat, trifft man endlich eine nachlässig aufgeführte Pallisade, durch deren unverschließbares Thor man umgehindert in die ,Straßen' vordringen kann, d. h. in die Zwischenräume, welche die schmutzigen Hütten, die übelriechenden Lachen und Kehrichthaufen mehr oder weniger offen lassen. Endlich zeigt sich ein in Stein aufgeführtes Haus, das aber noch nicht vollendet ist, und etwas weiter eine recht ordentlich gebaute Hütte, welche sich vor neugierigen Blicken durch eine Umzäunung von Sorgostengeln verbirgt. Wir betraten sie; denn es ist die Wohnung des Bwana-Heri, eines Sprossen aus einem alten Königsgeschlecht, das früher an dieser Küste herrschte; er ist Wali des Ortes und seit langer Zeit ein Freund unserer Mission. Wir trafen ihn unter der Veranda gelagert und von einigen Freunden umringt; er war fieberkrank; aber das hinderte ihn nicht, uns freundlich zu empfangen. Wir plauderten lange mit ihm und tranken Kaffee; erst mit Einbruch der Nacht verabschiedeten wir uns.

„Saadani bietet also weder von der See- noch von der Landseite einen schönen Anblick. Dennoch ist es jährlich der Ausgangspunkt und das Ziel vieler Karawanen, welche die Straße über Bagamoyo vermeiden, da dieselbe zum Uebersetzen mehrerer Flüsse nöthigt und auch mit Lebensmitteln nicht so gut versehen ist. So kommt es, daß die Barken von Sansibar oft bei Saadani vor Anker gehen, um die Waaren abzuholen, und daß manche Muselmänner und Banyans oder Hindu-kaufleute aus Indien sich von Gold-gier verleitet hier niedergelassen haben. Wir fragten Bwana-Heri nach der Einwohnerzahl Saadani's. ‚Eine schwierige Frage‘, antwortete er nach einigem Besinnen. ‚Wir sind nicht in Europa. In Europa weiß man, wie viele Männer in je-

In Gefahr zu scheitern. (S. 186.)

dem Dorfe sind, wie viele Weiber, wie viele Kinder, wie viele Esel, wie viele Hunde. Da ist alles aufgeschrieben. Hier kann ich dir nur die Zahl der Haushunde nennen; es sind ihrer zwei; sie gehören mir, und du hast sie mir geschenkt. Dort liegen sie. — Pater, wir befinden uns hier nicht in Europa!‘

„Darin mußte ich ihm Recht geben. Wir kehrten nun, da es dunkelte, zum Schiff zurück. Es war inzwischen Ebbe geworden.

Weithin dehnte sich der Strand als ein schweigendes, hier und dort mit Wassertümpeln bedecktes Schlammfeld hin, auf welchem wir in bedeutender Entfernung unsere Barke wie einen schwarzen Punkt gewahrten. Wir zogen Schuhe und Strümpfe aus und wateten darauf zu. Wie ein todter Riesenfisch lag sie in nur zwei Fuß tiefem Wasser auf der Seite. Endlich erreichten wir sie und zogen uns in die kleine Cabine zurück, welche in ihrem Hintertheile angebracht ist und gerade zwei geduldigen Menschen Raum bietet. Aber die Flut, die nun bald zu steigen begann, bereitete uns eine unerwartete Unterhaltung, auf die wir gerne verzichtet hätten. Jede Woge hob den Schiffsrumpf einen Augenblick und ließ ihn dann wieder auf den Schlammgrund zurückfallen. So wurden wir in einer gar unsanften Wiege beständig nicht in den Schlaf, sondern aus dem Schlafe gewiegt.

Von Saadani nach Mkwaja dehnt sich eine Wüste. Das Auge sieht immer dieselben sandigen Ufer mit demselben kriechenden Gebüsch, hin und wieder von einem Sumpfe unterbrochen und mitunter von einem Affenbrodbaum überragt. Wo einige Menschen ihre aus Lehm gekneteten und mit Stroh bedeckten Hütten erbauten, erhebt auch die Kokospalme ihren Wipfel. Ueber Mkwaja hinaus wird die Küste schöner. Immer deutlicher erhebt der Genda-Genda, einem im Grünen lagernden Kameele ähnlich, seinen Doppelgipfel, dessen höherer Scheitel wohl 800 m erreicht und bei klarem Wetter von Sansibar aus gesehen werden kann. Um 1 Uhr nachmittags erreichten wir Kipumbue, eine ziemlich große und schöne Bucht, die sich als Sumpf weit ins Land hinein erstreckt und von den unvermeidlichen Mangrowebäumen umkränzt wird. Ganz nahe liegt das gleichnamige Dorf, das freilich nur

24

aus einer einzigen, aber belebten und freundlichen Straße besteht. Es hat einen Schulzen, den wir besuchten, ein freundliches kleines Männchen. Wir überreichten ihm den Empfehlungsbrief des Sultan; er nahm ihn, küßte ihn, wendete ihn um und um, bis sein ‚Secretär‘ herbeikam und ihn mehr oder weniger getreu vorlas. ‚Ja, so habe ich ihn auch verstanden‘, sagte der Schulze schmunzelnd. Kipumbue ist nicht ganz ohne Verkehr; man trifft daselbst Araber von Scheher und Waschihiri, welche mit gesalzenen Fischen handeln, und einige Indier, welche daselbst die liegengebliebenen Waaren ihrer Zunftgenossen von Sansibar absetzen. Aber es ist ein abgelegener Ort, und die Eingeborenen, die Wasegua (Bewohner von Ußegua), finden sich erst 6 Stunden landeinwärts. Der angebauten Felder scheinen nur wenige zu sein. Wir wanderten über

eine große, brachliegende Ebene, auf welcher Zwergpalmen standen und welche im Osten von einem schönen Urwalde begrenzt war. Am Meere, im Schatten von Kokosbäumen, liegt noch ein Dörfchen, Mdyimpia, d. h. ‚die Neustadt‘. Es scheint früher einige Bedeutung gehabt zu haben; denn wir bemerkten daselbst ein großes Mauerviereck, das jetzt in Trümmern liegt. Wir fragten einen Neger, wie diese Festung gefallen sei. Er sagte: ‚Es ist schon so lange her, daß wir einen Krieg hatten.‘

„Glückliches Land,“ ruft da P. Le Roy aus, „in welchem der Friede die Festungen zerstört!“ ohne zu ahnen, daß der Krieg nur zu bald kommen würde. Auf der Weiterfahrt gerieth die Barke in Gefahr, an einem Korallenriffe, die der Schifffahrt so verderblich sind, zu scheitern; aber eine gnädige Woge hob sie über

Pangani.

das Riff hinweg. (Vgl. das Bild S. 185.) Die kleine Insel Mdsimi, welche mit Ratten bevölkert ist, ließen sie rechts liegen. Um 3 Uhr abends kamen sie in Sicht von Pangani.

„Der Anblick ist schön“, fährt P. Le Roy fort. „Links bewaldete und malerische Uferhöhen, an deren Fuß sich längs des Flusses das Dorf Bweni ausbreitet; rechts Pangani mit seinen weißen Steinhäusern und grauen Lehmhütten unter einem Walde schlanker Kokospalmen; in der Mitte der Fluß, breit, ruhig; majestätisch ragt als Hintergrund das Gemälde der Longwa über die unten Hügel empor. (Vgl. das obenstehende Bild.)

„Der Wali war abwesend. Wir hatten Zeit genug, uns die Stadt mit aller Muße anzusehen. Sie ist aus der Ferne betrachtet entschieden schöner als in der Nähe. Die Straßen sind eng, holperig und voll Regenpfützen, deren Wasser geduldig wartet, bis

die Sonne es wieder zum Himmel emporhebt. Man nehme dazu eingestürzte Gräber, verlassene Häuser, schmutzige Winkel, überriechende Magazine, Haufen verwesender Fische, eine unreinliche, träge, widerwärtige und bettelstolze Bevölkerung. Sogar die Kinder, die anderswo sich zutraulich zeigten, sind hier durchaus nicht gewinnend. Endlich gilt Pangani für ungesund, und in der That vereint es in sich alle Vorbedingungen, um ein verrufenes Fiebernest zu sein. Das gegenüberliegende Bweni ist nicht so bedeutend, aber freundlicher. Dort sind die Hütten besser gebaut, liegen nicht so nahe zusammen und sind sorgfältiger und reinlicher gehalten. Auch die Einwohner scheinen weniger verdorben, und die Kinder sind nicht so frech wie in Pangani. Ein Spaziergang unter den Bananen und durch die Felder überzeugte uns von der außerordentlichen Fruchtbarkeit des Flußthales.

„Endlich bestiegen wir unser Boot, spannten das Segel und steuerten bei günstigem Winde und steigender Flut flußaufwärts. Wohl sieht man am Ufer noch hin und wieder einen Mangrove= baum; aber die mit Zuckerrohr bepflanzten Felder und die freund= lichen Hügel zu beiden Seiten, an denen der Blick sich labt, lassen jene Zeugen der Fieberzone vergessen. Der Rufu-Fluß hat seine Quellen am Kilima=Ndscharo, dem Riesen unter den Bergen Afrika's, wo wir so gerne unser Zelt aufschlagen möchten.

„Die ganze Bedeutung Pangani's hängt überhaupt vom Rufu und dessen Flußgebiet ab. Südlich von ihm liegt Usegua (oder Usigowa), wo sich unsere Missionsstationen von Mandera und Mhonda finden; darüber hinaus das herrliche, wohl bewässerte und gut bevölkerte Bergland Nguru, und das Land zwischen Rufu und Wami. Dasselbe leidet zwar mitunter durch Dürre; aber es finden sich da schöne Viehheerden, und die Ausfuhr an Butter ist nicht unbedeutend. Die Bevölkerung ist gut, vernünftig und den Missionären wohlgesinnt, aber an manchen Orten durch die abscheuliche Gewohnheit des Kindsmordes sehr gelichtet. Im Norden des Rufu dehnt sich Usambara aus, ein schönes Bergland, reich bewässert und stark bevölkert; sowohl das Volk als seine Sprache hat viel mit Usegua gemein. Darüber hinaus liegt die Landschaft Pare, ebenfalls ein Bergland, dessen Bevölkerung wiederholt unsere Missionäre von Mhonda herberief und die P. Machon sehr gut kennt. Noch weiter im Innern erhebt sich der Zwillingsgipfel des Kilima=Ndscharo, dessen eine Spitze die Höhe von 6700 m erreicht und 1890 m höher ist als der Montblanc. Diese Höhe gibt der

Insel und Bucht von Tanga. (S. 188.)

deutsche Reisende Dr. Hans Meyer an [nach dessen neuester Messung nur 6000 m], der nach Baron von der Decken und einigen anderen die Besteigung desselben versuchte und, glücklicher als seine Vorgänger, wirklich einen Weg auf den Kibo, die höchste Spitze, gefunden hat.“

Pangani hat bei dem Aufstande gegen den Sultan und die von diesem angeordnete deutsche Zollverwaltung einen lebhaften Antheil genommen. Wurde doch sein früherer Wali Buschiri ben Salam der eigentliche Aufführer der Aufständischen. Gleich zu Anfang widersetzte sich derselbe der allerdings willkürlichen Hissung der Flagge der Deutsch=Ostafrikanischen Gesellschaft. Ein Versuch, denselben zu verhaften, den Mannschaften der „Carola“ am 19. August unternahmen, schlug fehl. Auf deutsche und englische Boote, welche Anfang September landen wollten, wurde geschossen. Da jauchzte der Sultan den Befehlshaber seiner regulären Truppen, Mathews, um die Ordnung herzustellen; derselbe landete zwar am 8. Sept., meldete aber alsbald, der Aufstand sei im Wachsen, und mehrere tausend Bewaffnete seien in der Stadt. Doch gelang es, die deutschen Beamten zu retten. Am 23. September fand es Mathews selbst gerathen, Pangani mit seinen Soldaten zu räumen, nachdem er einen den Aufständischen genehmen Wali ernannt, dem es, wie er hoffte, gelingen werde, nach und nach geordnete Zustände herbei= zuführen. Aehnlich gestalteten sich die Ereignisse in Tanga, das wir alsbald mit P. Le Roy besuchen werden. Auch dort hatte sich der Wali dem Hissen der deutschen Flagge widersetzt. Als am 5. September der Zahlmeister der „Möve“ an Land gehen wollte, um Proviant für die Besatzung zu besorgen, wurde die Jolle mit Flintenschüssen vertrieben. Dasselbe wiederholte sich am folgenden Tage. Hierauf erzwangen die Deutschen die Landung, wobei etwa

24*

30 Aufständische fielen und 2 Matrosen verwundet wurden. Umsonst suchte man den Wali, der geflohen war, zu verhaften. Die deutschen Beamten wurden alsdann, um ihr Leben nicht nutzlos bloßzustellen, nach Sansibar zurückgerufen.

„Wir verließen Pangani", fährt P. Le Roy fort, „mit einer günstigen Landbrise, als die Hähne von beiden Flußinseln sich in der Morgendämmerung die ersten Grüße zuriefen. Die Küste, der wir folgten, zeigte mitunter einige Kokospalmen; rechts dehnte sich eine lange Sandbank hin, auf welcher große Wasservögel gemächlich hin und her wandelten, uns anschauten und mitunter den Schnabel zu einem kurzen Geschnatter öffneten. Man sieht diesen großen, weißgekleideten Vögeln an, daß sie nichts fürchten und in glücklicher Ruhe leben. Links öffnet sich die Bai von Mtangata, welches wir später von Tanga aus zu Land besuchten. Nach Süden ist sie durch eine lange Sandbank geschlossen, und bei der nördlichen Einfahrt dient das Wrack einer großen Barke gar zu lustigen Capitänen als Warnungstafel. Etwas weiter nordwärts tauchen die Karange-Inselchen aus dem Wasser auf; sie sind ganz mit Mangrovebäumen, Muscheln und Möven bedeckt. Nur ein alter Fischer war da in seiner Pirogue, der eine Matte als Segel dient, und wie wechselten einige Reden mit ihm. Das war ein großer Philosoph; ein nahes Inselchen ist sein Königreich, dort hat er etwas Trinkwasser gefunden und seine Hütte aufgeschlagen. Feuer entzündet er durch Reiben trockenen Holzes; sein Gewand erbeutet, und wenn er nur das der Angelschnur bedarf, so hat er die Vögel, die Fische, das Meer, den Himmel. Das alles ist sein Reich, und er ist keines Menschen Diener. Er lebt und verdankt seinen Lebensunterhalt niemand als Gott, und wenn er stirbt, braucht ihn niemand zu begraben als die Vögel und die Fische, der Wind und die Welle. Dieser alte Fischer ist also in seiner Art ein großer Philosoph.

„Da liegt Mworongo mit seinem Walde von Kokosbäumen, und sobald wir die Landzunge umschifft haben, öffnet sich vor unseren Blicken die herrliche Bucht von Tanga, wo wir drei Tage verweilen werden.

„Tanga ist eine kleine Insel mit einer Schichte von Sand, Thon und Pflanzenerde, welche mitten in den tiefen und ruhigen Bucht auf einem Unterbau von Korallenfelsen ruht. Mangrovebäume umschlingen sie wie ein Gürtel, und wo diese aufhören, bedecken Kokos-, Mango- und Affenbrodbäume, große Mimosen, Lianen und andere Kletterpflanzen aller Art undurchdringliches Unterholz. Als die benachbarten Stämme noch zu fürchten waren, hatte sich eine arabische Kolonie auf diese Insel geflüchtet. Aber da an der Küste seit langer Zeit Friede herrschte und die Insel kein Trinkwasser hat, sind die Einwohner nach Mtwotwani, dem jetzigen Tanga, übergesiedelt. Nur die Ruinen einer alten Moschee und ein sorgfältig behauener Stein, der von einer doppelten Palmmatte beschützt wird und im Schatten eines großen, lianenbekränzten Baumes liegt, sind die Erinnerungszeichen einer früheren Zeit und werden mitunter von Pilgern, welche eine Opfergabe für die einsamen Seelen ihrer Ahnen bringen, vom Festlande aus besucht.

„Bei Mtwotwani oder Neu-Tanga gingen wir vor Anker. Es ist ein bedeutendes Dorf und wird, wie alle Küstenorte, von Arabern, Indiern und Suaheli bewohnt, welche alle eine mehr oder weniger große Anzahl Sklaven zur Bedienung haben. Ein Wali, der eine Anzahl Soldaten zu seiner Verfügung hat, führt das Regiment; die Soldaten waren bei unserer Ankunft gerade beim Exerciren und bewiesen dabei großen Heldenmuth. Ueberdies war Markt;

eine große Anzahl „Waschensi" oder Heiden waren aus der Nachbarschaft herbeigekommen, und die Söhne Mohammeds suchten dieselben nach Möglichkeit zu betrügen. Diese Neger scheinen einfältige, gute Leute zu sein; sie gehören meistens den Stämmen von Wadigo und Wabonde an. Auch viele Wajegebuu, die von Norden her eingewandert sind, trifft man in dieser Gegend; allein sie sind fast alle Mohammedaner und glauben sich deshalb berechtigt, ihre Nachbarn zu verachten. Die Felder sind gut bestellt und scheinen fruchtbar. Die Rindviehheerden gedeihen. Ein Araber hat eine Oelpresse, um Oel aus Sesam zu gewinnen, zu deren Betrieb er eine Anzahl Kameele verwendet, welche viel schöner sind als die in Sansibar. Ein Vogel leistet hier den Rindern und Kameelen vortreffliche Dienste; er hat die Größe einer Elster und einen starken, rothen Schnabel; vielleicht ist es der Buphaga erythrorhynchus, von dem Livingstone redet. Diese Vögel sind den ganzen Tag beschäftigt, die Zecken aufzusuchen, welche das Hornvieh belästigen. Bekanntlich begleiten ähnliche Vögel Büffel und Nashorn, nähren sich von deren Schmarotzern und verkünden ihnen zum Danke jede nahende Gefahr. Hier scheinen die Kameele diese Gefährten sehr zu lieben; ich sah ein Kameel am Strande, welches drei dieser Vögel mit sichtbarem Vergnügen während seiner Ruhe auf seinem Kopfe trug.

„Die Bai von Tanga ist breit, tief genug, um Kriegsschiffe aufzunehmen, und gut geschlossen. In ihrer Mitte liegt das bereits erwähnte Inselchen. Zwei Flüsse münden in dieselbe: der Mkurnmuši oder Uhost, der aus den Bergen von Bonde herkommt, und der Zigi, der die Nordgrenze von Bonde bildet und seine Quellen in Mlabora hat. Leider ist die Mündung dieser beiden schönen Wasserstraßen durch einen wahren Wald von Mangrovebäumen versperrt, welcher kaum die Hoffnung gewährt, daß sich an ihren Ufern bald eine Stadt erheben werde.

„Man hatte uns erzählt, südlich von Tanga auf Mtangata zu fänden sich im Dickicht die Ruinen einer sehr alten Stadt, und wir entschlossen uns, dieselben zu besuchen. Die Entfernung beträgt etwa vier Stunden; aber ist nahe niemand, den Weg in der Mittagszeit zu machen; denn man muß drei endlose ausgetrocknete Lagunen, die sich mit feinem, weißen Sand gefüllt haben, durchwandern, und setzt sich dabei der Gefahr einer neuen Art von Sißelmord aus, nämlich, sich bei lebendigem Leibe zu braten. Sonst bietet der Weg manches Interessante. Um die Dörfer her, von denen manche nur von den noch heidnischen Wadigo bevölkert sind, breiten sich Gärten mit Kokos-, Bananen- und Mangobäumen; dann folgen Maniot-, Bataten- und Sorgofelder, auf denen Weiber singend mit kleinen Hacken arbeiten, während ihre Kinder, welche sie auf dem Rücken festgebunden tragen, aus Leibeskräften schreien. Endlich trifft man immer zahlreichere Dumpalmen, auch Mwuno auf (vgl. Bild S. 189) trägt auf seinem oben ausgebreiteten Stamme einen runden, prächtigen Wipfel, den der Wind bald klagend, bald singend durchzieht, je nach seiner Stärke und Richtung. Endlich waren wir zur Stelle und wurden nach Nachfragen an einen Ort Tongeni, d. h. Ruinen, geführt, der im Hintergrunde der Bucht von Mtangata liegt. Wirklich findet sich da am Saume eines Hochwaldes altes Mauerwerk. In einiger Entfernung erhebt sich ein Grabmal mit einer hohen Säule aus behauenem Stein, welche früher mit Porzellantäfelchen bekleidet war, von denen man noch Reste erblickt (vgl. Bild S. 189). Wir drangen ins Gehölz ein und sahen bald merkwürdige Ruinen, Trümmer von Moscheen und Grabmälern, deren Mauern einst mit lasirten Plättchen überzogen waren; manche haben eine prachtvolle seladongrüne Färbung und sind mit Drachen

Dumpalme.   Grabdenkmal und Drachenfigur.   Mkuuto.

Ruinen von Mtangata. (S. 188.)

und Figuren in erhabener Arbeit geschmückt, welche offenbar auf chinesischen [richtiger wohl persischen] Ursprung hinweisen.

„Wenn solche Ruinen sich nur zu Mtangata vorfänden, so müßte man staunen; aber sie finden sich von den Benadirs im Somallande bis nach Kiloa und Mozambique. Sie sind bald bedeutender, bald unbedeutender, mehr oder weniger reich, besser oder schlechter erhalten; aber die Bauart ist überall dieselbe. Um nur einen Ort zu nennen, trifft man zu Brewi oder Mbweni, südlich von Bagamoyo, viel schönere als zu Mtangata. Ich übergehe die Spuren alter phönicischer Herrschaft, welche Georges Revoil am Kap Guadafui in Denkmälern, Gräbern, ja selbst in der Sprache, Kleidung und Bewaffnung gefunden hat; auch von den Schiffen der Griechen und Aegypter, die vor grauer Zeit dieses Küstenmeer durchfurchten, will ich nicht reden, obschon der eben genannte Reisende, wie auch andere, zu Mogidschu, Brawa, Merka und an anderen Stellen der Küste Scherben fremder Töpferwaaren, Bronzen, Celadonporzellan, eine indische Statue und sogar chinesische Sapeken gefunden haben. Schon früher wurde auf der Insel Mafia südlich von Sansibar und nicht weit von Kiba eine solche chinesische Münze gefunden, die jetzt im Besitze Sir John Kirks ist, des früheren englischen Generalconsuls von Sansibar. Anderweitig ist bekannt, daß der Glaubenszwist, der gleich nach Mohammeds Tode unter dessen Anhängern ausbrach, Verkünder des Islam an die Küsten Ostafrikas führte. Schon um das Jahr 86 der Hedschra, also zu Anfang des 8. Jahrhunderts, soll der Islam hierher gekommen sein. Im Jahre 739 wanderten die Emozoiden, Anhänger Ali's, des Eidams des Propheten, hier ein. Um das Jahr 1009 nach Christus verließ eine Flotte des Sultans von Schiras den Persischen Golf und steuerte längs der afrikanischen Küste bis Kitoa hinab, bis ein Zeit gegründet wurde. Dieser erste glückliche Versuch war die Eröffnung eines ganzen Stromes persischer Auswanderer, der fortgedauert zu haben scheint bis zu der Zeit, als die Portugiesen die Herrschaft in diesen Meeren antraten. Noch im Jahre 1592 wird ein Scheik von Mombaja genannt, Scheke Mwita mit Namen, der aus Schiras herstammte. Der Islam drang aber auch bis nach den Sunda-Inseln und China vor; im 11. und 12. Jahrhundert bestand eine arabische Colonie in Kanton, und gerade aus jener Zeit mögen die chinesischen Töpferwaaren und Lazuren stammen, die sich an der ostafrikanischen Küste finden. Den arabisch-persischen Ursprung beweist, um nur ein Beispiel anzuführen, die Doppelinschrift in arabischer und persischer Sprache vom Monat Schabaan 667 (April 1269 nach Christus), welche Revoil an der kleinen seladongrünen Kuppel einer alten Moschee zu Mogidschu entdeckte. Die persische Einwanderung hat sich überdies in der Ueberlieferung der Leute erhalten. Die Häuptlinge in der Nähe dieser Ruinen wollen von Schirazern abstammen, und ihre feiner geschnittenen Gesichtszüge unterscheiden sich auch augenfällig von den benachbarten Suahelisüturnen.

„Nördlich von Tanga ist die Küste von vielen kleinen Inseln besäet, deren bedeutendste Twale oder Kwale heißt; sie wird von mehreren Sümpfen durchzogen und bietet wenig Interesse. Ueber Kwale hinaus steigt das Ufer mehr an und erhebt sich zu einer Hügelkette, welche die Heimat der Wadigo ist, eines heidnischen Volkes, das recht häßliche Züge hat und durch eine große Vorliebe zum Palmwein berüchtigt ist.

„Um 2 Uhr nachmittags erreichten wir die Insel Wasin oder Wasini. Das Dorf liegt auf der Nordseite der Insel, vor den Stürmen des offenen Meeres recht gut geschützt. Je näher unsere

Barke mit ihrem vom Winde geschwellten großen Segel und der wehenden Flagge kam, desto deutlicher sahen wir, wie das Volk sich vor den Häusern drängte und uns beobachtete. Auch wir unsererseits sahen uns die Leute an und stiegen aus Land. Einige Araber und Suaheli kamen uns entgegen und reichten uns die Hand, während die übrigen Dorfbewohner uns mit offenem Munde angafften. Wir wünschten den Gouverneur zu sehen. ‚Es gibt hier keinen Gouverneur‘, antwortete einer höflich. So fragten wir nach dem Richter. ‚Es gibt hier keinen Richter.‘ Wir erkundigten uns also nach dem Vorsteher. ‚Es gibt hier keinen Vorsteher.‘ — ‚Nun, so wollen wir uns wenigstens das Land ansehen.‘ — ‚Es gibt hier kein Land.‘ — ‚Nun, in Gottes Namen, so laßt uns die Häuser betrachten.‘ — ‚Aber es gibt hier keine, wenigstens beinahe keine Häuser.‘ Während man uns so bereden wollte, daß Wasin, welches wir doch unter unseren Füßen hatten, eigentlich gar nicht bestehe, gingen wir voran und machten uns einen Weg durch die Menge. Alles folgte uns nach, und so durchschritten wir mehrere enge Gäßchen, welche von kleinen, aus Stein erbauten und mit flachen Dächern versehenen Häusern, von Hütten mit Lehmwänden und Schuppen eingefaßt sind. Dann drangen wir in das Landesdickicht vor, welches zu beiden Seiten des Dorfes von riesigen Affenbrodbäumen überragt wird. Ein felsiger Pfad, dem wir uns anvertrauten, führte uns ins offene Land. Wasin ruht, wie die übrigen Inseln, auf einem Unterbau von Korallen, hat aber kein Trinkwasser, und die Bewohner müssen es von den nahen Tschuju hervorholen. Dort haben manche auch ihre Felder, ja noch weiter weg, wie z. B. in Hormuz, wovon sie durch einen breiten und gefährlichen Meeresarm getrennt sind. Aber sie gehen nur selten und für kurze Zeit dorthin und schicken an ihrer Statt zur Arbeit die Sklaven unter ihrem Aufseher. Auch auf Wasin selbst gibt es einige Versuche von Pflanzungen; aber der Boden ist außerordentlich dürr und steinig. Dennoch gedeiht hier der Affenbrodbaum, aus dem die Einwohner jedoch gar keinen Nutzen ziehen, obschon man aus den Fasern seiner Rinde, um nur einen Gebrauch namhaft zu machen, vortreffliche Stricke verfertigen kann. Die Zahl dieser Riesen der Pflanzenwelt ist ungemein groß, und manche erreichen wirklich einen kolossalen Umfang.

„Auf unsere Barke zurückgekehrt, hielten wir Rath. Wasin gegenüber verzeichnet die Karte auf dem Festlande Wanga. Wanga und Wasin sind aber die Ausgangspunkte der Grenzlinie, welche die deutschen Besitzungen und die englische Interessensphäre scheidet. Von da geht diese Grenze nördlich am Kilima-Ndscharo vorbei und trifft das Ufer des Victoria-Nyanza unter dem ersten Grad südlicher Breite. Es schien also wohl der Mühe werth, diesen Grenzort Wanga zu besuchen. Wir wandten uns an unsern Capitän Hamisi. Das ist ein braver, würdiger Mann mit einem runden schwarzen Kopf, um den sich ein ungeheurer Turban aus weißer Leinwand windet. Er hat breite Schultern, zählt 50 Jahre, trägt einen grauen Bart, hat eine große Erfahrung, Klugheit und Entschlossenheit, einen angenehmen Umgang, einen offenen und fündigen Geist und eine zarte Freundschaft zu unserem alten Koch Seliman. ‚Capitän,‘ redeten wir ihn an, ‚wir segeln morgen nach Wanga.‘ — ‚Nach Wanga?‘ fragte der Capitän in ernstem Tone, begrieth, daß ihm der Ort gänzlich unbekannt sei. ‚Gewiß,‘ entgegneten wir, ‚das ist ein prächtiger Ort, der da drüben liegen muß.‘ — ‚Da euer Papier das so verkündet, ist es ganz gewiß ein Prachtort; aber Hamisi ist noch nie dort gewesen.‘ — Was ist also zu thun?‘ ‚Wir müssen einen Piloten mitnehmen. Und dann bitte ich mir aus, daß man mir keine Vorwürfe mache, wenn meine Herren an irgend einem unbekannten Riffe scheitern.' — ,Nun, dann werden wir zusammen scheitern.' — ,Ja, was mich angeht, so liegt das in meinem Berufe.' — ,Es liegt auch in unserem Berufe. Suche dir also einen Piloten!"

„Um 5 Uhr des andern Morgens war der Pilot zur Stelle, ein kleines Männchen, dessen Haut eine Mischung von schwarzer, gelber und rother Farbe aufweist. Er stottert und näselt allerliebst und zwinkert dabei mit seinen mandelförmig geschlitzten Aeuglein; er sieht einem Chinesen ähnlich, und vielleicht führt irgend eine Gabelung seines Stammbaums auf das ‚Himmlische Reich‘ zurück. Aber er schien wenigstens die Richtung nach Wanga zu kennen, und darauf kam es uns an. So hoben wir den Anker und steuerten auf das Vorgebirge zu, das sich am Gesichtskreise zeigte. Es war ein schlimmer Tag: Gegenwind, hohle See, mürrische Bootsleute. Wir mußten kreuzen und jeden Augenblick die Stellung des Segels wechseln. Der Wind wurde stärker; es begann zu regnen, und das Meer nahm eine immer drohendere Gestalt an; die Wogen brausten, und die Strömung drohte uns fortzureißen. In der Ferne sah man vom Regen etwas verschleiert die Küste, wo Wanga liegen sollte. Aber unser Pilot erklärte, es sei Ebbe, und wir würden an den Klippen scheitern, falls wir jetzt die Landung versuchten. Man warf also den Anker. Wie wurden wir da geschüttelt, geworfen von rechts nach links, vorwärts und rückwärts, wie in einer Wanne! Was sollte aus uns werden, wenn der Anker nicht hielt? denn wir sahen und hörten, mit welchem Donner die Wogen am Ufer brandeten.

„Endlich ließ der Regen nach, und da wir einige Fischer vom Süden her in einer Pirogue auf Wanga zusteuern sahen, entschlossen wir uns, ihnen zu folgen. Wir setzten ein Boot aus und erreichten nach angestrengtem Rudern glücklich das Ufer. Die Mündung des Flusses Umba ließen wir links; dan wurden wir auf den Schultern unserer Matrosen durch den Sumpf und Morast der Lagunen getragen und hielten so, über und über mit Koth bespritzt, unsern Einzug in Wanga. Hier ging es uns doch nicht wie auf Wasim. Wir fanden einen Suaheli-Häuptling oder ‚Diwani‘, der die Angelegenheiten der Eingeborenen vertritt, den Gouverneur oder ‚Liwali‘, der die Oberhoheit des Sultans von Sansibar ausübt; ferner 20 Beluschi-Soldaten, 5 oder 6 Indier, eine zahlreiche Fischer- und Bauernbevölkerung und endlich, was uns am meisten interessirte, eine Anzahl Waktata, welche aus ihren Bergen von Bura im Innern herabgekommen waren, um Leinwand, Salz und Glasperlen einzuhandeln. Das sind großgewachsene Wilde, die trotzdem noch Kinder sind; sie tragen eine gewaltige Last Glasperlen an einem Theile der Ohrmuschel, haben einen Kranz von Haaren um den Kopf, eine ganze Masse Kupferringe um Hand- und Fußgelenke und einen anständigen Fetzen Leinwand um die Lenden. Sie scheinen sehr zugänglich; wir redelten und scherzten mit einander und waren bald gute Freunde.

„Wanga ist nicht schön und muß ungesund sein; auch hat es keinen Hafen. Nur Fischerkähne und zur Zeit der Flut ganz leichte Barken können einlaufen und durch einen Sumpf bis an die Hütten gelangen. Die Einwohner nahmen uns freundlich auf, am allerbesten die militärische Besatzung. Einer von diesen Helden lag früher in Bagamoyo in Garnison; er erkannte uns sofort, empfahl uns seinen Kameraden, drückte uns die Hand und verfolgte uns förmlich mit seinen wohlgemeinten, aber übel angebrachten Höflichkeiten. Wir wurden zur ‚Barza‘ des Wali geführt;

Barza ist eine lange Galerie, in welcher sämmtliche Soldaten am Boden lauerten und wo uns die Notabilitäten des Ortes ihre Aufwartung machten. Rosenfarbiger Sorbet wurde uns angeboten, und der Kaffee machte die Runde, während ein neuer Regenguß uns zwang, länger, als wir es wünschten, in Wanga zu verweilen."

9. Die Küste von Mombas.

Wir begleiteten P. Le Roy bis nach Wanga, dem Grenzpunkte zwischen Deutsch-Ostafrika und der englischen Interessensphäre. Dort beginnt die jetzt unter englischem Schutze stehende Küste von Mombas. Wir wollen auch dieses „Nachbarland" kennen lernen und folgen daher dem Missionär weiter auf seiner Fahrt bis nach Lamu und Witu.

Wanga gegenüber liegt die Nordspitze der Insel Pemba. „Auch diese Insel, welche an Größe Sansibar fast gleichkommt, besteht aus Korallenfels," fährt P. Le Roy in seiner Schilderung fort. „Sie ist fast ungesund, aber sehr fruchtbar, reichlich bewässert, mit Reisfeldern bedeckt und hier und da mit Gewürznelkenbäumen, mit Oel- und Kokospalmen bepflanzt. Sie ist das ausschließliche Eigenthum der Araber und der Suaheli, welche daselbst zahlreiche Sklaven besitzen. Die Ostküste bietet weder eine Bucht noch einen Hafen; steile Felswände und Zacken ragen in einer mittlern Höhe von etwa 30 m aus dem Meere auf, oben mit Bäumen und Buschwerk bestanden. Dafür ist die gegen die Stürme des Indischen Oceans geschützte Westküste so niedrig, daß man ihre Grenze eigentlich kaum ziehen kann. Sie ist ein Wirrsal von Mangrovewäldern, von schmalen und breiten Meeresarmen, von Inselchen und Sandbänken, ganz wie gemacht für die Sklavenhändler, um ihre verbotene Waare, den englischen Schiffen zum Trotze, durchzuschmuggeln. Trotzdem wagen sich die Engländer auch in dieses gefährliche Fahrwasser und machen mit ihren Dampfbarkassen, in denen sie sich leichter verbergen und freier bewegen können als in den großen Schiffen, Jagd auf jede verdächtige Barke.

„Noch vor kurzem lagen in unserm Missionsspital zu Sansibar ein irischer Officier (ein vortrefflicher Katholik) und fünf Matrosen, welche bei einem Zusammentreffen mit einem solchen Sklavenschiffe schwer verwundet worden waren. Ein Kind, das sie gerettet hatten, erzählte wie es dahin gekommen; und da sich dieselbe in unseren Tagen oft wiederholt, will ich sie, soviel als möglich, mit den Worten des Kindes wieder erzählen. Der arme Knabe war sehr krank; andauernde Strapazen und Entbehrungen hatten ihm eine tödliche Krankheit zugezogen. In den Gassen der Stadt hatten wir ihn aufgefunden, zu uns genommen und in den Grundwahrheiten des Christenthums unterrichtet. Als ich ihn nach seinen Erlebnissen fragte, antwortete er mir: „Wir wollen uns zunächst miteinander in die Sonne setzen; denn es friert mich an ganzem Leibe. Meine Heimat liegt nach dieser Seite hin, schön, aber weit, weit weg auf dem Festlande. Als ich ganz klein war, hatte auch ich eine Mutter. Eines Abends schlief ich vor der Thüre unserer Hütte. Da nahm mich ein Mann von der Küste, der unser Dorf besucht hatte, auf seinen Rücken und sagte: „Komm, wir wollen ins Nachbardorf zum Tanze gehen; deine Mutter hat mir gesagt, ich solle dich dorthin tragen!" — „Es ist gut", sagte ich, halb schlafend, halb wachend, und wurde nun weit getragen; dann mußte ich noch weiter tanzen, und am folgenden Mittag sah ich, daß meine Mutter keineswegs dort sei und daß man mich gestohlen habe. Mit anderen Kindern, die in ähnlicher Weise geraubt worden waren, legte ich den Weg nach Kitoa zurück, wo ich verkauft wurde. Zuletzt sagte mein Herr: „Barata, du wirst eine große Barke besteigen und übers Meer fahren; bist du's zufrieden?" — „Der Herr ist das Messer und der Sclave das Lamm; alles ist mir recht", antwortete ich. Es waren viele Menschen in der großen Barke, Männer, Weiber und Kinder; vielleicht fünfzig, vielleicht achtzig; wer kann es wissen? Man legte an der Küste oftmals an, und so oft man anlegte, stiegen bei Nacht und im Verborgenen immer neue Sklaven ein. Endlich sagte der Capitän eines Abends: „Es sind genug. Wir steuern nach Pemba!" — „Nach Pemba!" erwiederte ein Schiffer, „da nimm dich vor den Engländern in Acht!" Am Abende des nächsten Tages kam die Insel in Sicht. Die Araber, deren 14 an Bord waren, jubelten und priesen ihren Gott. Da sagte einer ganz leise: „Was ist das für ein Rauch, der dort aufsteigt und näher kommt? . . . Das ist der Geruch eines Hundes!" Alles schaute hin; am Horizont zeigte sich ein kleiner schwarzer Rauch, der aus einer Barke aufstieg und gen Himmel wirbelte. Und doch steigt von keiner Barke Rauch auf, als aus den englischen. Gott sei gepriesen! Wie wird es uns ergehen? Der Capitän und die Matrosen beteten und fluchten; dann jagten sie uns in den Kielraum, öffneten die Pulverfässer, luden ihre Büchsen und Pistolen, wetzten ihre Messer und Dolche und Krummsäbel und stellten das Segel so, daß es den ganzen Wind faßte. Aber unglücklicherweise wehte kaum ein leiser Hauch, und die rauchende Barke pustete immer näher ohne Ruder und ohne Segel, gerade wie ein leibhaftiges Unthier. Das war wunderlich — Bum! „Was ist das?" — „Ein Kanonenschuß!" Bum! „Wieder einer!" Bum! „Ein dritter!" Diesmal fuhr die Kugel durch unser Segel. Das hieß so viel als: „Halt! damit wir sehen, was ihr da drinnen habt, ob es Fische seien oder Menschen!" Aber unser Capitän rief den Propheten an und schwur, daß er nicht halten werde. „Halt!" rief jetzt der Capitän der Engländer. — „Ha, du Hund und Sohn einer Hündin!" schrie der Araber und feuerte seine lange Büchse auf das feindliche Schiff, das jetzt ganz nahe gekommen war. Sofort erhob sich ein großes Geschrei. Die Engländer wollten die Barke entern, und das Gefecht begann. Was für ein Kampf, lieber Himmel, was für ein Kampf! Die Araber mit ihren langen Büchsen, mit ihren Pistolen, Messern, Dolchen und krummen Säbeln heulten, sprangen und rasten. Die Engländer mit ihren langen Säbeln, mit ihren kleinen Pistolen, die sich immer drehen und drehen und ohne Aufhören Kugeln speien, als ob ihr ganzer Leib voll Kugeln wäre, schrieen auch. Araber fielen und Engländer fielen, und überall floß Blut, und je länger man kämpfte, desto wüthender kämpfte man, und keiner gab nach. Endlich waren die 14 Araber fast alle todt. Da schleppte sich der Capitän, der aus großen Wunden blutete, zu uns in den Kielraum, schlug uns und fluchte uns und zertrümmerte mit seiner Axt eine Planke im Schiffsboden. Wie ein Bach drang das Wasser sofort ein und stieg, und die Barke sank, und da lagen wir alle im Meer. Lieber Gott! Wie viel Menschen sind da umgekommen! Die Araber, die noch lebten, streckten ihre Arme gen Himmel und schrieen: „Allah, Allah! und Mohammed ist sein Prophet!" und versanken so in die Wogen. Die Sklaven hingen aneinander, wie die Beeren einer großen Traube, und sanken in einem sich um und um drehenden Knäuel unter. Einige hielten sich ein wenig über Wasser und wurden von den Engländern aufgefischt. Siehst Du, so hat die Sache sich zugetragen. Was mich angeht, so weiß ich nicht, wie ich gerettet wurde; aber ich wunderte mich sehr, als ich am Ufer von Pemba wieder zu mir kam. Zwei Engländer starben an jenem Platze, und ihre Gefährten, die sich gegenseitig ihre Wunden verbanden, haben sie im Sande begraben, nachdem sie in ihrer

Sprache ein Gebet verrichtet hatten. Drei Tage später kam ein anderes Schiff und brachte uns alle nach Sansibar. Da sagte man mir, ich sei frei, und ein Indier werde sich meiner annehmen. Aber der Indier sah, daß ich zur Arbeit nichts tauge, und so habt Ihr mich augenommen. Das ist meine Geschichte. Jetzt habe ich Hunger." Das arme Kind! Ich habe es getauft," sagt P. Le Roy, „und den Tag darauf ist es gestorben. So erfolgt nun die Fortsetzung seiner Geschichte im Himmel."

Nördlich von Wanga, wo die Küste des englischen Schutzgebiets beginnt, starrt die Küste von Felsriffen, in denen die Wogen des Oceans mit donnernder Brandung Höhlen auswuschen und Breschen legten. Unablässig rollen die Wellen heran, zerschmettern sich an dem Werke der Korallen in weißen Schaum und überwinden endlich nach jahrhundertelanger Arbeit die starke Felswand. Sobald der Schiffer den Schutz der Insel Pemba nicht mehr zwischen sich und dem offenen Meere hat, erfassen die Wogen, in langen, hohen Hügellinien heranfluthend, das Fahrzeug, heben es hoch und lassen es tief sinken, und schaukeln es in einer gewaltigen Wiege, die nicht jedermanns Freude ist. P. Le Roy fielen die Verse des alten Römers ein:

„Eichbaumholz und dreifaches Erz
Schloß sich dem um die Brust, der den gebrechlichen Kahn
Anvertraute dem Meere zuerst!"

Einige enge Durchfahrten führen zwischen den Korallenriffen in kleine Häfen. Ein solcher ist Chasi. Als aber P. Le Roy denselben zu besuchen wünschte, schüttelte der Capitän den Kopf und wollte von einem solchen Wagniß nichts wissen. „Es ist ein verwünschtes Loch!" sagte er. Man segelte also weiter und war herzlich froh, als am Horizonte der Flaggenmast der Veste von Mombasa erschien.

Mombas oder Mombasa liegt auf einer etwa eine Stunde langen und eine halbe Stunde breiten Koralleninsel mitten in einer fast ganz geschlossenen Bucht. Man hat sie durch einen Damm mit dem Festlande verbunden; so entstanden zwei Häfen, beide ausgezeichnet wegen ihrer Tiefe, ihres vortrefflichen Ankergrundes und ihrer gegen alle Winde geschützten Lage; doch ist die Einfahrt für große Schiffe unregelmäßiger Strömungen wegen nicht ganz gefahrlos. Reisende beschreiben den Hafen mit seinem Kranze schön bewaldeter, sanft abfallender Höhen und den im saftigen Grün prangenden Ufern als ein wahres Schmuckkästchen der Natur. Als Vasco da Gama am 7. April 1498 in den Hafen einlief, konnte er nicht genug staunen ob der Schönheit der Stadt und ihrer Gärten, in denen Granatäpfel, zweierlei Arten Orangen, indische Feigen, Citronen, Gewürznelken gediehen; auch hatte die Stadt vortreffliches Trinkwasser. Der Hafen wimmelte von Schiffen, welche Honig, Wachs, Weizen, Ambra und vor allem Elfenbein und edle Metalle ausführten. Schon damals schützten Festungswerke und Kanonen den wichtigen Handelshafen. Ein persisches Fürstengeschlecht aus Schiras beherrschte zu jener Zeit die Stadt und das dazu gehörende Gebiet. Die Stadt wurde offenbar sehr früh von Arabern gegründet und erobert. Schon Edrisi, der um 1150 eine Geographie schrieb, erwähnt sie als einen bedeutenden Platz; die Portugiesen beschlossen daher auch, diesen wichtigen Hafen zu besetzen.

Im Jahre 1505 erschien der portugiesische Admiral Don Francisco d'Almeida mit 11 großen Schiffen und 8 Barken vor Mombas und forderte den Scheik oder König, welcher sich gegen Vasco da Gama verrätherisch benommen hatte, zur Uebergabe auf. Im Vertrauen auf die Festigkeit des Platzes wurde diese verweigert; aber Almeida erstürmte die Stadt und brannte sie nieder. Auch zwei Deutsche, Balthasar Sprenger und Hans Mayer, welche unter Almeida für Nürnberger Kaufherren ein Schiff nach Indien führten, betheiligten sich an der Eroberung von Mombas. Die Portugiesen befestigten den Platz und legten eine Garnison von 100 Mann hinein. Es fehlte aber in der Folge nicht an Versuchen, das portugiesische Joch abzuschütteln. 1528 mußte die Stadt zum zweiten-, 1585 zum drittenmale erobert werden. Bei der letzten Gelegenheit hatte sie der Türke Ali Bei im Einverständniß mit der mohammedanischen Bevölkerung durch einen Handstreich überrumpelt. Um einem ähnlichen Falle vorzubeugen, erhielt Mombas 1594 das heute noch stehende Fort, welches als ein Meisterwerk damaliger Befestigungskunst gilt. Trotzdem gelang

1631 abermals eine Ueberrumpelung der portugiesischen Besatzung. Unter Anführung eines eingeborenen Prinzen, Namens Jussuf, dem man in Goa vergeblich eine katholische Erziehung hatte geben wollen, drangen 300 Neger in die Citadelle und erschlugen den Befehlshaber, dessen Frau und Tochter und einen Priester am Altare. Die Garnison und die ansässigen portugiesischen Familien hatten sich in das Augustinerkloster geflüchtet; aber auch sie erlagen nach siebentägiger Belagerung unter den Mordstreichen der Empörer. Bald eroberten die Portugiesen Mombas zurück und verstärkten seine Befestigungen, verloren es aber am 4. December 1698 endgültig an den Sultan von Maskat. Die Ruinen des großen Augustinerklosters, vieler Kirchen und Kapellen, Brunnen und Batterien erinnern auch heute noch an die Zeit, da Portugal

Kampf einer englischen Dampfschaluppe mit einem Sklavenschiff bei Pemba. (S. 192.)

diese Insel dem Christenthum erobert hatte. Auch die Reste alter portugiesischer Pflanzungen sind noch kenntlich. Burton hat auf dem Festlande ganze Alleen regelmäßig gepflanzter Fruchtbäume, namentlich Mangobäume, gesehen, welche die alten Portugiesen angelegt hatten. Unter der arabischen Herrschaft hat sich seitdem Mombas in eine Trümmerstadt verwandelt. Heute zählt es nur wenige arabische Häuser von Bedeutung auf dem Schutte früherer Größe. Ein hundertjähriger Kampf zwischen seinem Fürstenhause der Mbara und den Said, dem Fürstengeschlecht von Sansibar, hat es verwüstet. Erst im Jahre 1839 kam die Insel durch blutigen Verrath, dem nach echt mohammedanischer Politik 26 Prinzen des Geschlechts der Mbara zum Opfer fielen, in die Gewalt des Sultans von Sansibar. Jetzt steht es unter englischer Schutzherrschaft.

In Mombasa machte P. Le Roy die Bekanntschaft eines Karawanenführers, der ihm seine Dienste zu einer Reise in das Innere anbot. Es lohnt sich der Mühe, einige Mittheilungen dieses vielgereisten afrikanischen Cicerone herzusetzen. „Mein Name ist Sadi", so stellte er sich P. Le Roy vor. „Ich bin aus Mombasa gebürtig. Wie viele Jahre geben Sie mir wohl?" — „Nun, vielleicht fünfzig." — „Sie mögen es getroffen haben. Nun gut. Zehn Jahre, bevor mir der Bart sproßte, bin ich schon gereist, und seit mir der Bart wuchs, bin ich immer unterwegs. Haben Sie Lust, die Länder im Innern zu sehen? Es wird mir eine Ehre sein, Sie dorthin zu begleiten. Das erste Land, das wir von Mombasa aus durchziehen, ist Schimba, das von den Wadigo, Duruma, Girijama und Wanika bevölkert ist; die Wadigo und

25

Wanila ſind bekannte Stämme; die erſteren trinken gern, die anderen ſind arbeitſam. Uſambara und Pare laſſen wir links liegen; das ſind Bergländer und ihre Bewohner gute Leute. Wir werden geraden Weges auf Teita zugehen. Auch das iſt ein Bergland, und ſeine wilden Bewohner ſind gute Menſchen; ſie kommen oft nach der Küſte mit ihren großen Ohren, welche eine Laſt von Glasperlen tragen. Nachdem wir das Land Teita durchzogen, wenden wir uns ſofort nach Taveta, einem großen Marktflecken, der die Bedeutung von Tabora in Unjanjembe hat. Da kommen die Leute aus dem Innern zuſammen, um Leinwand und andere Sachen einzutauſchen, welche ſie lieben. Südlich davon liegt der Dſchipe- oder Jipe-See, aus dem der Ruſu entſpringt; da gibt es Flußpferde die Maſſe und Fieber übergenug. Da erhebt ſich auch der Kilima-Ndſcharo,

ein großer, großer Berg, auf dem der Teufel wohnt, wie männiglich behauptet. Sein Gipfel iſt weiß, ganz weiß, wie maſſives Silber; aber jeden Augenblick des Tages laſſen ihn die Geiſter in anderer Farbe leuchten: roth, blau, grün, goldgelb. Er hat zwei Hauptkuppen, den Kibo und den Kimawenſi, die wir auch Dune und Dſike, d. h. Mann und Weib, nennen. Die Maſſai heißen den Berg Denye-Ebor, d. h. Weißberg (Montblanc). Am Fuße des Kilima-Ndſcharo wohnen die Watſchaga und treiben unter zwei oder drei Oberhäuptlingen Viehzucht und Bananenbau. Das iſt ein prächtiges Land. Nun wohl. Aber jetzt müſſen wir auf unſerer Hut ſein. Da ſind die Maſſai, ein wildes Volk! Das liebt nur ſeine Ochſen und ſeine Lanzen und führt ein Hirten- und Kriegerleben. Acht Tage nähren ſie ſich von Fleiſch und

Anſicht von Mombaſa vom Lande aus. (S. 192.)

Blut, acht Tage trinken ſie Milch. Das Blut trinken ſie alſo: ſie ſchneiden einem Ochſen die Ader durch, preſſen ihre Lippen auf den Einſchnitt und ſaugen das Blut ein. Die Maſſai haben eine ſehr ſchwarze Haut und ſehr weiße Zähne; aber ſie gleichen uns gar nicht, und ihre Sprache hat mit der unſrigen nichts gemein. Sie haben keinen Häuptling, noch viel weniger einen Sultan; die Greiſe verſammeln ſich und geben den jüngeren Leuten Geſetze. Die Maſſai zerfallen übrigens in verſchiedene Stammfamilien, die Naturnbau, Kapei und andere. Ihr Land erſtreckt ſich ſehr weit, bis nach Kawirondo (am Ufer des Nyanza). Es iſt geſund, aber ſehr trocken; feſte Wohnſitze und Dörfer hat es nicht. Wenn man aber irgendwo Schaaren von Geiern in den Lüften treiben ſieht, dann darf man ſicher ſagen: „Dort iſt ein Lager der Maſſai"; denn die Geier nähren ſich von ihren Abfällen. Zwiſchen den

Maſſai verſtreut, denen ſie unterworfen ſind, wohnen in Wäldern die Wandorobo, pflegen der Elephantenjagd und handeln mit Elfenbein. An Geſtalt gleichen ſie den Wakanje und Walanguro, die im Norden des Landes wohnen und den Gallos unterthänig ſind. Auch die Mtwami bilden ein mächtiges Volk; wie ihre Stammverwandten, die Maſſai, treiben ſie Viehzucht und Krieg. Im Norden vom Kilima-Ndſcharo wohnen die Watamba, ein ſchöner Menſchenſchlag, gleich geſchickt zur Jagd wie zum Aderbau. Aber manche ihrer Häuptlinge ſind den Maſſai unterworfen, wie die Hindu den Engländern. Und wie die Engländer den Hindu ſagen: „Ihr dürft keine Sklaven halten", ſo ſagen die Maſſai den Watamba: „Ihr dürft keine Ochſen halten". Wohl oder übel, ſie müſſen gehorchen! Nur ein mächtiger Häuptling, Mfamba Uu, hat ihnen zum Trotz große Heerden erworben und jagt den Maſſai; „Komm, holt sie euch!" Aber die Massai lassen es bleiben. Wir wollen zu den Walamba gehen; sie werden uns gut aufnehmen; doch darf ich nicht verschweigen, daß sie sehr wild und überaus unreinlich sind. — Endlich kommen wir nach Kawirondo am Ufer des großen Nyanzasees. Das ist ein fruchtbares Land, wo man den Boden bebaut und viele Sklaven trifft. Jenseits des großen Sees liegt Uganda, und darüber hinaus Unyoro, und darüber hinaus ein Land voll Sümpfe und Flüsse, das der Nil durchströmt, und dann kommen die Aegypter und die Türken. So hat man mir wenigstens gesagt; denn so weit bin ich selbst nie gekommen."

Die Missionäre konnten diesmal von den guten Diensten dieses länderkundigen Mannes keinen Gebrauch machen, da sie die Fahrt nach dem Norden fortsetzen mußten. Glücklich überwand die Barke,

die P. Le Roy und seine Gefährten trug, die berüchtigte Barre, welche das Meer vor der Mündung des Kolisi oder kilisi bildet, und kam gegen Abend in Sicht von Malindi. Der Missionär erinnerte sich beim Anblicke dieser Hafenstadt an den großen hl. Franz Xaver, der vor beinahe 350 Jahren vom Verdecke des Schiffes aus, das ihn nach Indien trug, das heilige Kreuz begrüßte, welches er hier am Strande aufgepflanzt sah. „Noch heute strahlt das Kreuz," sagt P. Le Roy, „welches das Herz des hl. Franz Xaver mit Freuden erfüllte, von der Säule herab, die der Ueberlieferung zufolge Vasco da Gama errichtet haben soll. Aber der Segen, dessen Zeichen das Kreuz ist, stieg noch immer nicht auf diese Küste nieder, und seit die Portugiesen dieselbe verlassen haben, beugt sich wohl kaum mehr ein Knie vor dem Zeichen unserer Er-

Ansicht des Forts von Mombasa vom Meere aus. (S. 193.)

lösung. So galt unser erster Besuch wenigstens diesem Denkmal. O heiliger Franz Xaver, auch wir kommen, nun an dieser Stelle, an welcher du gebetet hast, nach deinem Beispiel zu beten. Auch wir berühren Malindi, wie du, nur im Vorübergehen; erbitte uns die Gnade, dereinst Missionäre, reich an Tugenden, hierher zu führen, denen sich endlich das ungeheure Gebiet von Malindi erschließe und aus deren Mund es die Predigt der frohen Botschaft aufnehme!

„Malindi oder Melirde bedeutet in der Suahelisprache eine Meeresstelle mit tiefem Wasser. Vielleicht hat sich die Küste geändert; jedenfalls ist heute der Hafen von Malindi lange nicht so tief, als sein Name hoffen ließe. Die Rhede erstreckt sich in weitem Halbkreise nach Norden, und Woge auf Woge ergießt sich,

soweit das Auge schaut, in endloser Reihenfolge und stolzer Pracht auf den sandigen, glänzenden Strand. Man kann sich an dem Schauspiele nicht satt sehen. Im Süden ragt auf einem von den Wellen unterwaschenen Korallenriff die Säule Vasco da Gama's. Buschwerk umgibt sie, und darin finden sich Trümmer, vielleicht von den Grabsteinen der Portugiesen, deren der hl. Franz Xaver erwähnt. Rechts davon liegen Felder, und etwas weiter weg erhebt sich die Stadt mit ihren Steinhäusern, deren Dach Palmblätter bilden. Die Gebäude gleichen sich alle; hin und wieder trifft man einen Ziehbrunnen, eine Moschee, Ruinen und am andern Ende der Stadt einige Grabdenkmäler, Säulen, die nicht ohne Interesse sind. Die Bevölkerung setzt sich auch hier aus Arabern, Suaheli, Belutschis, indischen Mohammedanern, Hindukaufleuten

25*

und Negern zusammen. Die letzteren sind fast alle Sklaven. Die Leute machten auf uns einen ruhigen, wohlwollenden Eindruck. Das Land um Malindi ist sehr fruchtbar, wohl bebaut und namentlich reich an Cocospalmen; von ihrem Ertragniß wird viel ausgeführt. Die Araber und Suaheli, welche hier Landbesitz haben, scheinen sehr reich. Man zeigte mir Leute, welche 500, 800, ja 1000 Sklaven besitzen. Doch hat sich seit einigen Jahren die Lage verschlimmert. Bei der geringsten Mißhandlung pflegen nämlich die Sklaven nach einem Ort im Innern zu entfliehen, der Matongeni heißt. Sie haben dort Dörfer gebaut, sich ihre eigenen Häuptlinge erwählt und sind immer bereit, den Arabern an der Küste eins mitzuspielen. Man sagt, die Zahl dieser entlaufenen Sklaven betrage, Männer, Weiber und Kinder zusammen, wohl 6000."

Malindi ist noch mehr von seiner alten Bedeutung herabgesunken als Mombas, dem es zur Zeit der ersten Indienfahrten der Portugiesen an Macht und Pracht gleichkam. Der heutige Ort liegt in den übergrünten Trümmern des alten Malindi, von dem Vasco da Gama die Fahrt quer über den Indischen Ocean antrat, und dessen schon damals mit vielen Kreuzen geschmückten Kirchhof der hl. Franz Xaver im Frühjahr 1542 betend betrat.

Zwischen Malindi und Lamu bildet die Küste eine schöne, malerische Bucht, welche nicht umsonst den Namen „Formosa-Bai" trägt. Eingeborene nennen sie Ungama-Bai und erzählen, Gott habe an dieser Stelle zur Strafe für die Frevel der Bewohner eine weite Uferstrecke vom Meere verschlingen lassen. Die beiden Ortschaften Ngomäni und Maränäni, welche von den Karten in dieser Bucht verzeichnet werden, sind beinahe verlassen und von keiner Bedeutung.

Die Dentiäute Vasco da Gama's bei Melinde. (S. 195.)

Endlich ging die Barke der Missionäre vor der Mündung des Tana vor Anker. „Der Tana oder Pokomo", sagt P. Le Roy, „ist einer der größten Flüsse dieser Küste und gleichzeitig einer der am wenigsten bekannten. Die Brüder Denhardt (Deutsche) fuhren ihn 1878 bis nach Massa hinauf; man weiß aber, daß er bis zu einem Orte schiffbar ist, der Hameye heißt und den noch kein Europäer gesehen hat. Dort fließen die Kilulusuu und Mirimoni zusammen, und zwischen diesen beiden Flüssen erhebt etwa 1 Grad südlich vom Aequator der Kenia sein schneebedecktes Haupt 6000 m (nach anderen 5500 m) über die Meeresfläche. Nach vielen Wändungen in fruchtbarer Thalebene theilt sich der Tana bei Engalana in zwei Hauptarme. Der eine, welcher den Namen Tana beibehält, wendet sich geraden Weges dem Meere zu; der andere, welcher Pokomo heißt, nimmt eine mehr östliche Richtung. Die

beiden Arme bilden die Insel oder das Deltaland Osi. Jenseits der Mündung beginnt das Gebiet des Sultans Simba von Witu, der durch den neuesten Vertrag unter den Schutz Englands gekommen ist.

Wituland, ein Gebiet von etwa 25 Geviertmeilen, das sich 60 km weit am Meeresufer hinzieht, bleibt unter englischer Schutzherrschaft Eigenthum der Deutsch-Ostafrikanischen Gesellschaft. Trotz seiner niedrigen Lage, soll es, dem Zeugnisse Denhardts zufolge, recht gesund und überaus fruchtbar sein. Das letztere wird allseitig zugegeben, das erstere aber vielfach und wohl mit gutem Grund in Zweifel gezogen. Die Bevölkerung des deutschen Besitzes schätzt Denhardt auf 10 000 Seelen. Bis jetzt hat es keine bedeutendere Hafenstadt; die Ortschaften sind meist kleine Dörfer von ein paar Dutzend Hütten. Am meisten Bedeutung scheint noch Schagga

Prima-Valgaro. (S. 198.)

209

zu haben, das an der Mündung des Ozi, eines Armes des Tana, gelegen ist. Mitte September dieses Jahres (1890) wurde A. Küntzel mit anderen Deutschen auf Befehl des Sultans von Witu ermordet; wahrscheinlich wird England zur Sühne dieses Frevels das kleine Reich des Sultans als sein Eigenthum erklären.

10. Der Kilima-Ndscharo.

Der Karawanenführer Sadi, der seine Dienste P. Le Roy anbot, hat ihm auch von dem Bergriesen Kilima-Ndscharo gesprochen. Dieser Berg, der zum deutschen Gebiete gehört und von dessen Fuß letztes Jahr eine Gesandtschaft des Sultans Mandara in Berlin war und dem deutschen Kaiser einen 59 kg schweren Elephantenzahn als Geschenk überbrachte, hat dadurch für uns eine besondere Wichtigkeit. Schon zweimal wurde er von dem kühnen Forscher Dr. Hans Mayer bestiegen. Das erste Mal unternahm er die gefährliche Fahrt im Juli 1887. Er beschrieb dieselbe in "Petermanns Nachrichten", wie folgt:

„Nach zweitägigem Marsche durch die Steppe und den Buschwald unterhalb Dschagga erreichte ich mit Herrn v. Eberstein von der Ostafritanischen Gesellschaft Marale's Dorf und wurde vom Sultan in der zuvorkommendsten Weise aufgenommen. Einige Tage später war ich unter Leitung dreier von Marale mitgegebener Führer und nur 22 Mann meiner Karawane bereits auf dem Wege nach dem Kibo (dem Hauptgipfel des Berges). In 1800 m Höhe passirten wir die letzten Bananenpflanzungen und traten in circa 2000 m in den beständig vom Nebel durchzogenen wasserdurchriefenden Urwald ein, den wir am zweiten Tage wieder verließen, um den oberhalb des Urwaldes den Berg umspannenden Grasgürtel zu betreten. Am Ende des zweiten Tages erreichten wir mit circa 3000 m die Stelle, wo im Jahre 1884 der Engländer Johnston sich längere Zeit aufgehalten hatte, und wo ein Bach vollauf Wasser, die am Bach wachsenden Eriken genügend Brennholz liefern. Dort war es, wo ich zum erstenmal den Kibo und Kimawensi (die beiden Spitzen des Kilima-Ndscharo) in ihrer ganzen gewaltigen Schönheit klar übersehen konnte. Bis dahin war das Gebirge immer nur in kleinen Theilen aus dem Nebel und den Wolken sichtbar geworden." (Vgl. das Bild S. 197.)

Höher hinauf pflegen die Eingeborenen nicht zu steigen; doch folgten acht Mann Dr. Mayer über die theils grasbewachsenen Lavafelder bis an die ersten Schneefelder, wo die Leute Marale's umkehrten. Auf dem Sattel, der die beiden Berggipfel verbindet, schlug man in einer Höhe von über 4000 m ein Lager auf. Von da aus versuchte Dr. Mayer und v. Eberstein am fünften Tage seit dem Auszuge aus Marale's Dorf die Besteigung der Hauptkuppe.

„Die ersten drei Stunden ging alles gut; das Wetter war klar und ermöglichte genaue Orientirung; der Schnee war hart, und in langsamem Steigen verfuhren wir sehr sparsam mit dem Verbrauch unserer Kräfte, die in solcher Höhe ohnehin doppelt und dreifach mehr angestrengt waren als bei gleicher in niedrigerer Höhenlage. Dann aber begannen mit zunehmender Sonnenwärme, wie alltäglich, leichte Nebel den Berg zu umziehen und trieben uns an, dem erstrebten Ziele rascher zuzuklettern als bisher. Solang der Nebel zeitweile sich die obern Partien des Berges durchblicken ließ, konnten wir uns immer wieder schnell orientiren. Jedesmal, wenn wir wieder eine der Stufen erreicht hatten, wo ein Lavastrom von einem andern, spätern geschnitten wird und nun ein Schneefeld in ein neues, steileres übergeht, rasteten wir einige Minuten; ich sammelte Gesteinsproben und Flechten, sah nach

Barometer und Thermometer und konnte sehr bald constatiren, daß die Nadeln meiner beiden Aneroide die Scalagrenze von 5000 m längst überschritten hatten und den Kreislauf von neuem begannen. Leider wurden mit steigender Sonne die Nebel dichter und dichter und hüllten den obern Bergtheil vollständig ein. Dazu kam, da auch die Sonne im Nebel verschwand und die Temperatur schnell von + 8° auf — 3° C. fiel, ein ungestümes Graupelwetter, unter dessen Wirkung unsere Fußspuren bald zu verschwinden drohten. So heilet unser Lage auch war, darin waren wir einig, daß unter allen Umständen erst der oberste Rand des Kibokraters erstiegen werden müsse, bevor irgend eine andere Vornahme besprochen werden dürfe. Es dauerte indes keine halbe Stunde, als ich bemerkte, daß Herr v. Eberstein, der mir bisher stets auf dem Fuß gefolgt war, zurückblieb; nach einer weitern Viertelstunde sah ich ihn erschöpft zusammensinken. Er erklärte, mit seinen Kräften gänzlich zu Ende zu sein und nicht weiter vordringen zu können. Meines Erachtens war er nicht mehr allzuweit vom Kraterrand entfernt, und mit dem festen Entschluß, unter keiner Bedingung nachzugeben, kletterte ich trotz Schneegestöber, Mattigkeit, Schwindel, Herzklopfen und Athemnoth allein weiter. Noch einmal erreichte ich eine Stufe, wo ein Schneefeld in ein neues überging; aber dieses war auch das letzte. Etwa 50 m höher traf ich zuerst auf vereinzelte große Eisblöcke; bald darauf, als das Terrain etwas weniger steil wurde, auf ein gigantisches Eistrümmerfeld und jenseits des Trümmerfeldes, etwa 20 m von mir entfernt, sah ich jene blaue Eismauer emporsteigen, die ich von unten als dem obersten Rande des Kraters aufsteigend beobachtet hatte. Soweit ich durch das Graupelgestöber sehen konnte, ist die Wand hier 38—40 m hoch und erstreckt sich in fast gleicher Höhe horizontal nach rechts und links. An eine Ersteigung dieser Eiswand hätte ich auch dann nicht denken können, wenn Herr von Eberstein bei mir gewesen wäre."

Dr. Mayer sah sich also so nahe am Ziele, zur Umkehr gezwungen, und nachdem er eine Reihe photographischer Aufnahmen, Kartenentwürfe und sonstige Aufzeichnungen gemacht hatte, kehrte er mit seinem Begleiter nach dem Dorfe Marale's zurück. Aber schon im folgenden Jahre machte er, diesmal in Begleitung Dr. A. Baumanns, einen neuen Versuch, den Kilima-Ndscharo zu besteigen. Am 22. August 1888 verließen sie Sansibar. Allein dieses zweite Unternehmen scheiterte völlig. Der Führer, den sie gedungen hatten, entfloh; sie mußten umkehren und fielen im October in die Hände Buschiri's, der sie ihrer ganzen Ausrüstung beraubte, ins Gefängniß warf und sogar peitschen ließ. Erst nach Erlegung eines schweren Lösegeldes erlangten sie die Freiheit wieder. Dr. Hans Mayer wurde jedoch durch sein Mißgeschick an der Verfolgung seines Zieles nicht irre. Zum drittenmal unternahm er 1889 die Reise, jetzt in Begleitung des berühmten Alpensteigers Purtscheller aus Salzburg. Am 25. September 1889 stand er wieder am Fuße des Bergriesen. Am 2. October erreichten sie den Sattel zwischen beiden Gipfeln, der schon eine Höhe von 4350 m hat, also die Spitze der Jungfrau bereits um 200 m überragt. Der folgende Tag brachte sie an die Grenze der obersten Eiswand, in einer Höhe von circa 5570 m. Als sie dieselbe aber erstiegen hatten, sahen sie, daß der Hauptgipfel aus mehrern Firn hervorragenden Spitzen gebildet, wohl 1½ Stunden nach links liege. Erst am 6. October erstiegen sie die höchste Spitze, welche sie Kaiser-Wilhelmspitze nannten und pflanzten in einer Höhe von etwa 6000 m (1200 m über der Montblancspitze) die deutsche Fahne auf. Der Krater des Kibo hat eine Breite von 2000, eine Tiefe von 200 m; in seiner Mitte erhebt sich ein 150 m hoher Auswurfslegel. Nach den östlichen Gipfel, den Kimawensi, der eine Höhe von 5260 m hat, bestiegen sie und durchforschten 14 Tage lang die ungeheure Eis- und Lavawildniß dieses ostafrikanischen Bergriesen, der wahrscheinlich nur von dem neuentdeckten Runenzori übertroffen wird. Dann kehrten sie glücklich nach der Küste zurück.

11. Durch Udoë.

Die Küste haben wir nur ziemlich genau kennen gelernt. Auch der 10 Seemeilen breite Ufersaum, der dem Sultan durch den Vertrag von 1886 noch verblieben war, soll jetzt gegen eine Entschädigung von 4 Millionen Mark an Deutschland abgetreten werden, so daß die Ostgrenze von Deutsch-Ostafrika der Indische

Ocean, die Südgrenze der Rovuma und eine Linie vom Nordende des Njassa zur Mündung des Kilambo in den Tanganjika, die Westgrenze dieser See und der Kongostaat bis zum ersten Grade südlicher Breite, die Nordgrenze der erste Grad südlicher Breite, mit Umgehung des Mjumbiroberges, und die schon früher angegebene Linie vom Westufer des Victoriasees zur Mündung des Umba bildet. (Vgl. die beigegebene Karte von Afrika.) Das Innere dieses Gebiets, das einen Flächenraum von rund einer Million qkm hat, also doppelt so groß ist als Deutschland, gilt es nun zu durchwandern. Natürlich können wir nur die wichtigsten Landschaften betreten. Die beiden Missionär: P. Baur und P. Le Roy werden auf dieser Fahrt unsere liebevollen und zuverlässigen Führer sein.

Zum Verständniß der Ortsnamen diene: Die Vorsilbe „U" be-

An der Mündung des Kingani. (S. 200.)

deutet soviel als „Land". Udoë, das wir von Bagamoyo aus zunächst betreten, bedeutet also soviel als „Land Doë", Usegua soviel als „Land Segua oder Sigova". „Wa" bedeutet Bewohner; Wasegua heißt also „Bewohner von Segua"; soll das Wort in der Einzahl gebraucht werden, so setzt man statt „Wa" den Laut „M". Msegua bedeutet mithin: „ein Bewohner von Segua". „Ki" heißt Sprache; „Kisigova": Sprache von Sigova. Die Dörfer sind gewöhnlich nach dem Namen der Häuptlinge benannt. Das Wort „Nguru" bedeutet Berg. Nach diesem kleinen Unterrichte über die vorkommenden Ortsbezeichnungen lassen wir nun P. Baur reden, der uns zunächst seine Reise durch das Land Doë und Sigova also erzählt:

„Vor allem eine Bemerkung. In Sansibar reist man nicht wie anderswo. Wir haben hier weder die Eisenbahnen Amerika's,

noch die Palankine (Tragstühle) Indiens und China's, noch die Kameele der Sahara, noch die Renner Arabiens, noch endlich die mit vielen Ochsen bespannten Wagen des Kaplandes. An erster Stelle muß ein Missionär hierzulande gute Beine haben und sich glücklich schätzen, wenn er ausnahmsweise einen der Esel besteigen darf, welche noch viel störriger sind als die in der Heimat, und Einfälle haben, die einem europäischen Langohr all sein Lebtag nicht kommen. Alles Gepäck muß von Menschen getragen werden; die Wege sind meist schmale Fußsteige durch hohes Gras und dichtes Gestrüpp, die mehr von wilden Thieren als von Menschen betreten werden und auf denen nur ein Gänsemarsch möglich ist. Und wenn hier das Geld nur Gettung hätte! So aber muß man einen ganzen Kramladen mit sich schleppen: Stoffe, Glaswaaren, Draht, Messer, Haken, Spiegel u. s. w., um den Gastwirth bezahlen zu können; dazu sein Zelt, seine Hängematte, sein Küchengeschirr.

„Am 16. Januar 1882 verließ ich Bagamoyo mit P. Hacquard. Zwölf erprobte Träger, welche im Durchschnitt eine Last von 35 kg trugen, sechs unserer Christen und zwei Esel zogen mit; P. Le Roy und P. Fritsch gaben uns bis zur ersten Haltestelle das Geleite. Der Weg führte nordwärts an den Kingarifluß. Da bestiegen wir eine große Pirogue, die uns stromabwärts bringen sollte; denn nahe an seiner Mündung, wo der Schlamm gewöhnlich nicht so tief ist, mußten wir das jenseitige Ufer gewinnen. Zwei Stunden hatten wir mit der Flut zu kämpfen, die bereits zu steigen begann; es war Mittag, als wir endlich das Gestade erreichten. Eine weite Lagune lag vor uns. Zur Zeit der Ebbe und der Dürre ist der Boden ziemlich fest, wenn auch die Flußpferde tiefe und breite Fährten hinterlassen; nach der Flut aber oder nach einem Regen ist der Marsch äußerst beschwerlich; da sinkt man bis an die Kniee in den zähen Schlamm und verwickelt sich in den Schlingwurzeln der Mangrowebäume. Am Rande dieser Sumpfebene stehen auf einer kleinen Erhöhung einige Hütten von Negern, welche Salz bereiten; von dort führt der Weg durch hohes Gras und dichtes Gestrüpp, aus dem sich hin und wieder ungeheure Affenbrodbäume erheben. Der Pfad steigt langsam; nach 1½ Stunden zeigen sich Mangobäume, Kokospalmen und bald darauf eine gute Zahl in wohlgepflegten Pflanzungen zerstreute Hütten. Das ist Karpata.

„Früher war dieses Dorf ziemlich bedeutend; da aber die Felder beständig von Antilopenheerden, von Giraffen und Flußpferden verwüstet wurden und nicht einmal die Bewohner vor den wilden Thieren sicher waren, die zahlreich in dieser Gegend hausten, suchten die Leute anderswo Glück und Ruhe. Ich bin schon öfter hier durchgereist und finde die Furcht der Leute wohl begründet. Kaum ist die Sonne untergegangen, so hört man das Geheul der Hyänen, den Schrei der Leoparden, das Bellen der Schakale und von Zeit zu Zeit das dumpfe Gebrüll eines Löwen, dem allgemeine Stille folgt und das auch dem muthigsten Jäger ein eigenthümliches Grauen verursacht. Nach einem Marsche unter der Sonne Afrika's möchte man sich eine wohltönendere Nachtmusik wünschen.

„Gleichwohl brachten wir die Nacht unter freiem Himmel zu. Neben der Hütte unseres Freundes, des Dorfschulzen Sungu-Sungu, streckten wir uns im Schutze eines riesigen Baumes in unsere Hängematten, welche wir an die Äste knüpften, während rund vor uns her bei einem kleinen Feuer, das die Bestien verscheuchte, unsere Träger lagerten. Wir hätten ganz gut geschlafen, wären uns nicht Wolken von Mosquitos über uns hergefallen. Beim Hahnenschrei brachen wir auf und schieden von unseren beiden Mitbrüdern, welche nach Bagamoyo zurück mußten.

„Hinter Karpata hat man eine unabsehbare, unbebaute und unbewohnte Ebene zu durchwandern, welche einen eintönigen Anblick gewährt, aber einen kräftigen Pflanzenwuchs trägt. Weite Prairien, wo das Gras sich über unsere Köpfe erhebt, wechseln mit Baumgruppen, Dickicht, Wäldern, welche wegen ihrer vielverschlungenen Lianen und ihres Dorngestrüpps undurchdringlich sind. Wehe dem Wanderer, den Neugierde oder Unachtsamkeit in dieselben verwickelt! Nur an drei Plätzen fanden wir in Pfützen schmutziges und salziges Wasser, Tränkestellen des zahlreichen Wildes. Öfter erblicken wir flüchtende Antilopen und Zebraheerden, und gleich hinter Karpata sahen wir kaum 200 m vom Weg ein Rudel von etwa 40 Giraffen friedlich die Blätter einer Akazienart abweiden.

„Auf einem sanften Hange erstiegen wir eine Hügelkette, welche sich etwa 400 m über das Meer erheben mag, und trafen gegen 1 Uhr mittags in dem ersten Dorfe in Udoe, Kwa-Simba-mbili (d. h. ‚Bei den Löwen'), ein. Simba-mbili ist ein ziemlich einflußreicher Häuptling, ein hochbetagter Greis, der wohl seine 100 Jahre zählen mag; ich lernte ihn schon auf früheren Reisen kennen. Von seinen zwei Frauen hatte er 40 Kinder, die fast alle noch leben und in Udoe Häuptlinge mancher Dörfer sind. Schon seit lange haben sie selbst Kinder und Enkel. Die 30 bis 40 Hütten des Dorfes beherbergen fast lauter alte Leute, man möchte sagen, den Senat von Udoe. Der gute Altvater nahm uns freundlich in seine Hütte auf; da er aber ein schlechtes Jahr hatte, konnte er uns nur zwei Hühner und einige Maiskolben geben; dafür rieb ich seinen Rücken mit wohlschmeckendem Öele, um seinen Rheumatismus zu vertreiben, und schnellte ihm eine alte Unterjacke, welche ihm zu seinem Entzücken die alten Glieder wärmte.

„Die europäischen Reisenden haben Udoe bis jetzt noch wenig betreten: wir waren die ersten, welche dieses Land faßen und mit seinen armen Bewohnern, die zum Theil noch Menschenfresser sind, in Berührung traten. Auch die Araber wagen sich nicht dieses Weges, und mit gutem Grunde. Da somit dieses Land so ziemlich unbekannt ist, will ich etwas ausführlicher davon erzählen.

„Udoe wird im Süden durch den Kingani von Ufoemo, im Norden durch den Wamifluß von Usigova getrennt; im Osten erstreckt es sich bis an die Meeresküste und grenzt im Westen an Ntomi und Ukrore. Die Wadoe (d. h. ‚Bewohner von Udoe') sind ein schöner und starker Menschenschlag, alle Bauersleute. Auf ihren Feldern, die gut besorgt sind, ziehen sie Mais im Überfluße, Sorgo, Bataten und Maniok. Fruchtbäume haben sie nicht; Bananen trifft man nur selten. Ihr Hauptreichthum besteht in Schaf- und Ziegenheerden. Sie haben keine Sklaven. Ihre Dörfer liegen gewöhnlich auf Anhöhen und sind im Dickicht verborgen; ein enger, absichtlich im Zickzack angelegter Fußsteig führt zu ihnen empor. Wenigstens von einem Walle und Schlingpflanzen, Dornen und Gestrüpp sind sie umschlossen; manche haben aber Palissaden aus Baumstämmen. Der Eingang ist gewöhnlich von einer Fetischhütte und einem Aschenhaufen überdeckt. Die Hütten sind alle aus Stroh in runder Form aufgeführt und regellos nebeneinander gebaut; man meint Heuschober zu sehen.

„Das Land zerfällt in vier Bezirke und wird von einem Oberhäuptling, dem ‚Mwene', regiert. Von ihm hängen andere ‚Mwenes' oder Dorfschulzen ab, die ihm einen jährlichen Tribut bezahlen; er ist Souverän. Diese Groß-Mwenes lassen ihren Bart wachsen, welcher manchmal ziemlich lang wird, ebenso ihre Nägel, welche sie mit Löwenkrallen zuschneiden und mit Kokosöl und Schaffett einreiben. Dank dieser Sorgfalt erlangt es ihnen, daß ein ehrenräthliches Aussehen zu geben und einen ganz und gar afrikanischen Geruch um sich zu verbreiten, der wohl geeignet ist, einem Europäer die Eingeweide umzudrehen. Vor einem Fremden verstecken sie sich, und es ist sehr schwer, eine Audienz bei einem derselben zu erhalten. Auch gegenseitig dürfen sich diese Mwenes nicht besuchen, und wenn zufällig der eine den anderen erblicke, so müßte einer von ihnen, wie sie meinen, im Laufe des Jahres sterben. Wenn sie etwas miteinander zu berathen haben, so bezeichnen sie ein Dorf für die Zusammenkunft, treten in eine Hütte, welche vier getrennte Räume hat, und unterreden sich durch die Wände. Wenn einer von ihnen stirbt, bereiten sie ihm ein Grab und begraben zugleich mit ihm einige Weiber, welche ihn im andern Leben bedienen sollen. Dann folgen Tänze, Festgelage bei denen Blut aus

Schädeln getrunken und Menschenfleisch verzehrt wird. Aehnliche Opfer begleiten die Wahl eines neuen Mwene. Da sie sich aber nicht gegenseitig aufzehren und doch bei gewissen Feierlichkeiten Menschenopfer nöthig haben, machen sie regelrechte Jagd auf ihre Nachbarn. Das Fleisch der Walomi scheint ihnen das beste; mehreremal im Jahre ziehen sie auf Befehl des Häuptlings zu Hunderten an die Grenzen von Ukami, lauern im Buschwerk verborgen und fallen über die einsamen Wanderer her, bis die Zahl der Opfer voll ist. Die Karawanen, welche in das Innere ziehen, werden oft von ihnen belästigt.

„Als ich das erste Mal in dieses Land kam, liefen die Wados aus den benachbarten Dörfern herbei und umringten unsere Hütte. Die weiße Haut des Missionärs fesselte zunächst ihre Aufmerksamkeit; dann aber zeigten sie der Reihe nach auf unsere Träger und sagten: ‚Der dort wäre gut‘, und schmalzten dabei mit der Zunge. ‚Von dem möchte ich nichts haben‘, meinte ein anderer; ‚der schmeckt nach einem Araber; aber der Große dort, der einer Giraffe ähnlich ist, der müßte ausgezeichnet sein.‘ Unsere armen Leute zitterten wie Espenlaub, hüllten sich in ihre Decken und thaten, als ob sie nichts hörten. Sie kamen aber mit der Furcht davon; denn es war nicht die Zeit der Opfer, und vielleicht nahmen die Wados auch auf uns Rücksicht. Wenn man mit den Leuten auf diese blutigen Gebräuche zu sprechen kommt, so wollen sie immer unschuldig sein. ‚Das thun die Leute im nächsten Dorfe‘, sagen sie.

„Natürlich zieht dieses Laster ihnen den Haß aller umliegenden Völker zu. Sulton Said hatte beim Barte des Propheten geschworen,

Das Nachtlager in Karpata. (S. 200.)

sie bis auf den letzten Mann auszurotten. Man verwüstete ihre Felder, äscherte ihre Dörfer ein und machte Jagd auf sie, wie auf Bestien. Die Gefangenen wurden für einige Maiskolben in die Sklaverei verkauft, und selbst um diesen Preis konnte man kaum Käufer finden. Aber es gelang doch nicht, sie aus ihren Schlupfwinkeln zu vertreiben, und seit etwa 20 Jahren ruht dieser Vernichtungskampf; die Araber sind abgezogen, und die Wados sind vor wie nach Kannibalen.

„Verbrechen gegen die eheliche Treue werden bei ihnen strenge gezüchtigt; auf Diebstahl und Mord steht Todesstrafe. Auf unserer Reise trafen wir eine Viertelstunde von einem Dorfe zwei Leichname, welche mit auf den Rücken gebundenen Händen an den Füßen an einem Baumast aufgeknüpft waren; ihre Kleider hingen in Fetzen an den Zweigen daneben. Ich erkundigte mich, was das bedeute, und man sagte mir, der eine sei beim Diebstahl ertappt worden; man knüpfte ihn auf und schoß ihn todt; der andere hatte seinen Kameraden erschlagen, der ihm ein Stück Geflügel verweigerte: man hing ihn an die Seite des ersteren, und die Weiber zerschmetterten mit Steinwürfen seinen Schädel.

„Die Wados sind natürlich Fetischdiener, wie alle ihre Nachbarn; die Zauberer spielen eine große Rolle und haben bedeutenden Einfluß. Manche sind Häuptlinge von Dörfern, und man fragt sie in allen Vorkommnissen des Lebens, wichtigen und geringfügigen, um Rath. Wenn jemand stirbt, bezeichnen sie die Person, welche durch Zauberei den Tod herbeigerufen, und die angeblich Schuldigen werden ergriffen und lebendig verbrannt. Die Kinder, die an einem Unglückstage geboren werden oder mit irgend einem körperlichen Gebrechen auf die Welt kommen oder die der Zauberer dazu verurtheilt, werden unbarmherzig in das nächste Dickicht geworfen, wo sie den wilden Thieren zur Beute fallen. Weder Vielweiberei noch Sklaverei sind im Volke allgemeine Sitte; nur die Häuptlinge haben mehrere Frauen.

„Wie die alten Leute erzählen, stammen die Wadoë nicht aus dieser Gegend; sie sind vielmehr Abkömmlinge der Wanyuemas, welche westlich vom Tanganjika wohnen und von Livingstone im Jahre 1870, später auch von anderen Reisenden, besucht wurden. Diese haben in der That so ziemlich dieselbe Sprache, dieselben Sitten und sind ebenfalls Menschenfresser.

„Am Morgen des 18. Januar verließen wir Simba-mbili und zogen nach Nordwesten. Hier ändert das Land seinen Anblick; die Ebene hört auf, und der Weg führt über Berg und Thal. Schöne, sorgfältig angepflanzte Thalgründe wechseln mit steilen, mit Busch und Wald bestandenen Höhen. Man sieht viele Arznleuchtercactus von außerordentlicher Höhe, Storaxbäume, Sagobäume von seltener Pracht, mit Früchten beladene Brechnußbäume, Lianen von allen möglichen Formen und Farben, namentlich die köstliche sogen. „Wandererliane", welche wie dicke Schiffstaue an den Bäumen emporklettert und sich um Äste und Zweige schlingt; man nennt sie hier Komboa. Durch Einschnitte, die man ihr in gewisser Höhe beibringt, erhält man ein vortreffliches, etwas gezuckertes Wasser, welches an Kokosmilch erinnert und so reichlich fließt, daß man ganze Flaschen damit füllen kann. Mit Freuden begrüßt der Wanderer diese Pflanze in einem Lande, wo er sonst nur salziges und trübes Wasser in Pfützen findet. Auch trifft man in diesen Wäldern herrliche und verschiedenartige Blumen, namentlich Convolvulus-Arten, Lilien und Amaryllen. Es gibt unter andern eine Amaryllis,

Hütte der Wadoë. (S. 200.)

deren Zwiebel mehr als 15 Pfund schwer wird; auf ihrem einzigen Stengel zählte ich gar 70 blaßrosarothe Blüten — ein wahrhaft königlicher Blumenstrauß! Dieselben Arten fanden wir auch in Usigova. Trotz des Mangels an fließendem Wasser ist der Pflanzenwuchs üppig und die Fruchtbarkeit erstaunlich. Der Boden ist lehmig, röthlich, mit einer starken Lage Pflanzenerde bedeckt; Kalksteine sind selten; Quarz und Sandstein dagegen findet sich überall.

„Nach langem Marsche über Berg und Thal gelangt man endlich auf eine Hochebene, welche das Land weithin beherrscht: die Aussicht ist entzückend. Vor dem Wanderer dehnt sich im Nordwesten eine unabsehbare Fläche aus; hier und dort schauen einige Dörfer aus Zuckerrohr-, Mais- und Sorgopflanzungen hervor; quer durch die Ebene fließt der Wami, der sie zur Regenzeit überschwemmt. Weiter aufwärts sieht man den Fluß aus einem engen Thale treten, das sich am Fuße der Kionaberge (Kiona

schöne Aussicht!) hinzieht. Rückwärts blickend schweift das Auge über die freundlich wechselnden Hügel und Thäler, die wir soeben durchwanderten. Im Norden liegt ein Höhenzug, an dessen Flanken da und dort Dörfer wie Adlernester hängen; im Westen dehnt sich das Land Ukuere wie ein einziger Riesenforst.

„Die Hochebene, von der aus P. Hacquard und ich diese schöne Landschaft bewunderten, wird von einem Groß-Mwene beherrscht. Ich ließ die Karawane halten und begab mich nach seinem Dorfe. Dasselbe zu finden war nicht so leicht. Auf gut Glück wählten wir einen der vielen sich kreuzenden Fußsteige und gelangten nach einigen Irrgängen vor das Thor. Dasselbe besteht aus acht viereckig behauenen Bohlen, welche oben an einem Querholze befestigt sind, so daß man sie unten bei Seite schieben und auf einen Balken heben kann, der sie zurückhält. So tritt man wie durch einen in der Mitte sich öffnenden Holzvorhang in das Dorf ein.

„Da der Mwene des Dorfes sich keines derartigen Besuches versah, hatte er auch keine Zeit, sich zu verstecken; so ertappten wir ihn auf dem Giebel seines Daches beschäftigt, seine Hütte zu decken. Als er uns erblickte, war er wie vom Blitze gerührt; sobald er sich dann von seinem Schrecken etwas erholt hatte, ließ er sich auf der andern Seite des Daches hinabgleiten, verlangte in aller Eile seine Häuptlingsmütze, seine Schärpe und seinen Säbel und erschien dann sehr majestätisch vor der Thüre, wo er auf seinem Throne, einem grob geschnitzten Holzblocke, Platz nahm und uns einlud, an seiner Seite auf einer Art Bett von aus Kokosfasern gedrehten Schnüren zu sitzen. Gleich erschienen die Bewohner des Dorfes, um dem Mwene zu huldigen; jeder legte ihm sein Gewehr, seinen Säbel und sein Messer zu Füßen, warf sich auf die Kniee und sagte: ‚Tscha Mwoe!' (abgekürzt für ‚Kutscha Mwene', d. h. ‚Krallen des Häuptlings'). Jedem antwortete der Mwene durch ein dumpfes Brummen, welches das ferne Brüllen des Löwen nachahmen sollte. Als diese Ceremonie zu Ende war und alle sich gesetzt hatten, grüßte uns der Häuptling und fragte über das Woher und Wohin unserer Reise. Ich sagte, wir kämen von Bagamoyo und wollten nach Mandera und darüber hinaus in das Gebirge von Nguru, um unsere Brüder zu besuchen, und da wir vor sein Dorf gekommen seien, hätten wir nicht vorüber gehen wollen, ohne ihn zu grüßen. Das schien ihm zu gefallen. ‚Zweifelsohne bist du der Mann, der schon früher in meinem Lande reiste', sagte er. ‚Man hat mir von dir und von den Weißen in Mandera gesprochen und erzählt, daß sie die Frau keines Menschen geraubt, noch Sklaven gemacht haben. Sie sind überall beliebt. Es freut mich, dich zu sehen.' Dann sagte er einem seiner Leute etwas ins Ohr; dieser entfernte sich mit einem Jagdnetze und kam gleich mit einem gewaltigen Hahne und einigen

Eiern wieder. Das bot er mir als Gaſtgeſchenk; ich konnte es nicht ablehnen und verſprach ihm ein Gegengeſchenk, und ſo ſchieden wir als gute Freunde, nachdem ich noch einige Erkundigungen über das Land und ſeine Sitten eingezogen hatte.

„Wir ſchlugen den Weg nach dem Wamifluſſe ein. Es ging ziemlich ſteile Hänge auf ſchlechten, ſteinigen Pfaden durch Wald und Geſträpp abwärts. So erreichten wir die große Ebene, welche vom Fluſſe bewäſſert wird. Wir durchſchritten ſie von Oſt nach Nordweſt ihrer ganzen Breite nach und ſchlugen bei Mlonga, 300 m vom Wami, unſer Nachtlager auf. Morgens 5 Uhr ſetzten wir beim Dorfe Mgi-gema in einer Pirogue über den Fluß. Zwei Wege führen von hier nach Wandera; der eine über den Berg iſt weit und anſtrengend, der andere längs des Fluſſes iſt kürzer, hat aber Stellen, welche für unſere Laſtträger und Eſel unganbar ſind. So ſchlug die Karawane den Bergpfad ein, während P. Hacquard und ich mit drei Chriſten den Thalweg wählten.

„Durch hohes Gras und Schilf, das über unſeren Köpfen zuſammenſchlug, kamen wir endlich an den Abhang des Mgigema-Berges, zwiſchen welchem und der gegenüberliegenden Udoë-Kette der Wami in einer tiefen Schlucht ſich durchzwängt. Da iſt keine Spur von einem Wege mehr; über dem Fluſſe hangend klammern wir uns bald an einen Stein, an eine Wurzel, an einen Aſt, und ſuchen, wohin wir den Fuß ſetzen können. Jetzt müſſen wir bis zum Waſſerſpiegel hinab, dann wieder 10—15 m hinaufſtimmen, wie die Ziegen; ein Fehltritt, und wir ſtürzen in den Fluß und ſind eine

Am Thore eines Dorfes. (S. 202.)

Beute der Krokodile, deren ſchwarze Schuppen wir in der Sonne glänzen ſehen. Glücklicherweiſe ging es nur eine halbe Stunde weit alſo, und wir kamen mit einigen Riſſen in unſeren Kleidern und ein paar Hautabſchürfungen davon. Nachdem wir noch zwei Bäche durchwatet, welche ſich in den Wami ergießen, und einen Berg überſtiegen, erreichten wir den Pfad, auf dem unſere Karawane kommen mußte.

„Kaum hatten wir den Wami verlaſſen, ſo ſtellte ſich bei mir ein heftiger Fieberanfall mit Erbrechen ein. Nur mit Mühe konnte ich mich aufrecht halten, und doch mußten wir noch drei Stunden durch hohes Gras und über ſteile Berge zurücklegen. Ich ſchleppte mich voran, ſo gut es gehen wollte; auf einem Hügel ſank ich endlich neben dem Pfade ins Gras. Da wollte ich auf unſere Reitthiere warten. Eine, zwei Stunden verſtrichen, und niemand erſchien; ſchon machte ich den Verſuch, weiterzugehen, da kam ein Träger gelaufen. ,Großer Meiſter,' ſagte er, ,die Eſel ſind in eine Schlucht gefallen, und der eine kann nicht aufſtehen; habe alſo Geduld und warte hier.' Ich wartete; endlich brachte man die Thiere; eines war in der That in einem ſo traurigen Zuſtande, wie ich ſelbſt; ich beſtieg das andere, und wir erreichten unſere theure Miſſion von Mandera, wo eine tüchtige Doſis Chinin und drei Tage Ruhe das Fieber vertrieben und mir die nöthige Kraft zur Fortſetzung meiner Reiſe gaben.

„Man hatte uns von ferne bemerkt, und die Kunde von unſerer Ankunft brachte alles auf die Beine. Eine Gewehrſalve rief auch die Häuptlinge und Bewohner der Nachbardörfer zum Willkomme

26*

herbei. Vor etwa sechs Monaten hatte ich zwei Pateres und einen Laienbruder hierher gebracht, um diese neue Missionsstation zu gründen. Wie war inzwischen alles geändert! Statt der beiden elenden Zelthütten, welche man in Eile im Walde aufgeschlagen hatte, fand sich jetzt ein kleines, ziemlich hübsches Kirchlein, in welchem unser Heiland angebetet wird; ein Häuschen aus Backsteinen für die Missionäre, ein Vorrathshaus; ein schöner und fruchtbarer Garten, in welchem unter der Hand Bruder Alexanders wie durch Zauberei Gemüse aufsprossen; ein kleines Christendorf von 20 Familien, über welches ein großes Kreuz in die Lüfte ragt. Ein Theil des Waldes ist ausgereutet und in fruchtbare Felder umgewandelt, welche mit Fleiß und Verständniß bebaut werden, und Neger eilen von allen Seiten herbei: die einen, um die Missionäre zu sehen, andere, um ihre Hühner und ihr Wildpret zu verkaufen, wieder andere, um Arzneien zu verlangen und sich in ihren Krankheiten pflegen zu lassen, noch andere endlich, um Unterricht zu erhalten und ganz entzückt an Sonn- und Festtagen in diesem Schweigen unserm Gottesdienste beizuwohnen. Wer hätte einen solchen Wandel in so kurzer Zeit inmitten dieser von wilden Thieren bewohnten Wälder und unter Wilden erwartet, die zum größten Theil früher niemals einen Weißen erblickt hatten? Das ist das Werk des hl. Joseph, und ich kann mir bei dieser Gelegenheit nicht versagen, einen Gnadenerweis zu erzählen, welchen dieser glorreiche Patriarch unserer Mission erzeigte; ich erfülle hiermit eine Pflicht der Dankbarkeit.

„Im Jahre 1880 mußten wir eine Zwischenstation zwischen Bagamoyo und Mhonda gründen, und ich unternahm in Begleitung P. Machons eine Reise, um einen zur Gründung eines Christendorfes geeigneten Platz zu suchen. Wir stellten das Unternehmen unter den Schutz des hl. Joseph: an seinem Feste reisten wir ab, nachdem wir zu seiner Ehre die heilige Messe gefeiert hatten, und nahmen den Weg durch Udoe, welches bis dahin niemals der Fuß eines Europäers betreten. Man hat uns zwar nicht aufgezehrt; aber mehr als einmal hörten wir die Bemerkung, unser Fleisch müßte doch recht lecker sein. Als es sich endlich darum handelte, die Erlaubniß zu einer Niederlassung zu erwerben, wurden wir überall abgewiesen. Da wandte ich mich an den hl. Joseph: ‚Du bist unser Führer! Um der Ehre deines göttlichen Sohnes willen mußt du uns den Ort zeigen, den die Barmherzigkeit Gottes für diese armen Seelen erwählt hat. Wir werden nicht umkehren, bevor wir einen Platz für unsere Mission erworben haben.‘ So verließen wir Udoe und setzten unsern Weg auf gut Glück nach Usigowa fort; man wies uns von Dorf zu Dorf, von Häuptling zu Häuptling, bis wir endlich im Dorfe Mandera den Häuptling Kingaru, mit dem Beinamen ‚Schlangengesicht‘, trafen; er trägt diesen Namen zum Unterschiede von Kingaru dem Großen, dem Könige von Utami. ‚Sobald uns Kingaru erblickte, stutzte er, stößt einen Schrei der Verwunderung aus, betrachtet aufmerksam unsere Züge und ruft endlich außer sich vor Staunen: ‚Höret meine Worte, höret! Diese Nacht hat ich einen ehrwürdigen Greis — ich weiß nicht, ob ich schlief oder wachte. Er berührte mich, wie um mich aufzuwecken, und sagte: „Kingaru, es werden zwei Weiße mit einer kleinen Karawane zu dir kommen; nimm sie gut auf und gib ihnen alles, was sie verlangen.“ Und euch Zwei, mich ihr, habe ich mit meinen Augen gesehen! Wie konnte das geschehen? Und ohne uns nur Zeit zu einer Antwort zu lassen, rief er die Leute des Dorfes herbei: ‚Da sind sie,‘ sagte er, ‚das sind die zwei Weißen, die ich mit dem Greise diese Nacht schaute und von denen ich euch heute Morgen beim Aufstehen erzählte. Da sind sie!‘

„Die guten Leute schauten uns, außer sich vor Staunen, an. Wir selbst waren nicht weniger verwundert, erkannten aber sofort, daß der hl. Joseph sich unser angenommen hatte, und dankten ihm von Herzen. Als das erste Staunen sich gelegt hatte, theilte ich Kingaru den Zweck meiner Reise mit und bat um einen geeigneten Platz zu einer Niederlassung auf seinem Gebiete. ‚Meine ganze Habe ist dein,‘ antwortete der Häuptling, ‚meine Hütte ist dein, mein Feld ist dein, und meine Leute sind dein. Wähle noch Belieben und bleibe bei uns.‘ Wir blieben acht Tage und feierten Ostern inmitten dieses unbekannten Dorfes, welches der hl. Joseph uns angewiesen hatte. Kingaru bot alles auf, um sich uns gefällig zu erzeigen; wir wohnten in einer seiner Hütten; er ließ uns Schafe, Geflügel, Reis, Bananen bringen, führte uns überall hin und zeigte uns die besten Plätze für unser Vorhaben. Als alles festgestellt war, begleitete uns der Häuptling bis an die Grenzen von Udoe, besuchte uns 14 Tage später in Bagamoyo, kam dann mit zahlreichen Trägern, um die Missionäre und ihr Gepäck abzuholen, und ist immer noch unser ergebenster Freund.

„So hat der hl. Joseph für uns in Mandera gewirkt; er ist ein vortrefflicher Missionär; ihm sei Ehre, Lob und Dank!“

12. Durch Usegua. Die Blutsbrüderschaft.

„Sonntag, den 22. Januar, nach dem Gottesdienste setzten wir unsere Reise fort, um bis zum folgenden Sonntage das Gebirge Nguru und unsere Mission von Mhonda erreichen zu können. Ich hatte Kingaru gebeten, uns zu einem ihm bekannten Häuptlinge von Bufini zu führen, um den Platz für eine neue geeignete Niederlassung zwischen den zwei schon gegründeten Missionen ausfindig zu machen. Mit der größten Freude erfüllte er meine Bitte und kleidete sich, aus der Wichtigkeit seines Auftrages zu entsprechen, in seinen Staatsanzug. Einen schwarzen Überwurf auf den Schultern, auf dem Kopfe eine alte Blechhaube, welche irgend ein Pariser Löschmann auf mancher Brandstätte getragen hatte, welche aber für einen afrikanischen Häuptling immer noch ein wundervoller Schmuck war, den Säbel in der Hand und das Gewehr auf dem Rücken, schritt Kingaru an der Spitze unserer Karawane kühn einher und führte uns zunächst zum Häuptlinge Kolwa, einem angesehenen Manne und guten Freunde unserer Pateres von Mandera.

„Um 3 Uhr waren wir bei ihm; der Häuptling nahm uns sehr gut auf, schenkte uns ein Schaf, Hühner, Eier und Reis. Auf unsere Frage sagte er, beim Häuptlinge Bwambwara nahe bei Bufini würden wir einen für unsern Zweck ganz entsprechenden Platz finden. Kolwa ist einer der einflußreichsten Männer von Usigova, wozu die Mission von Mandera bereits gehört. Er besitzt schöne Kuh- und Ziegenheerden, prächtige Pflanzungen, rothes, fruchtbares, aber etwas zu trockenes Erdreich. Der Boden ist reich an Eisenerz. Das Dorf ist ziemlich bedeutend und mit einem doppelten, aus gewaltigen Baumstämmen errichteten Walle umschlossen, den undurchdringliches Dorngestrüpp umwuchert. Ein einziges Thor führt in diese kleine Festung. Vor den runden, aus Fachwerk und Lehm aufgeführten Hütten sind gewöhnlich Frauen mit der Bereitung des ‚Pombe‘ beschäftigt. Um dieses in der ganzen Gegend sehr geschätzte Bier zu bereiten, läßt man den ‚Mtama‘ (eine Sorgo-Art) erst keimen, entfernt darauf die Keime, röstet es und gießt es dann in Töpfe, in denen man es kochen und nachher gähren läßt. Vor dem Gähren nennt man das Getränk ‚Towar‘. Es ist zuerst süß und sehr berauschend; später hat es einen säuerlichen Geschmack und ähnelt mehr dem Apfelwein als dem Bier. Gewöhnlich wirft man noch einige Hände voll Sorgo hinein und hat dann zugleich Speise und Trank.

„Mit dem Hahnenschrei des nächsten Morgens verließen wir Kotwa. Wieder diente uns Kingaru als Führer durch den Wald; um 9 Uhr erreichten wir bei Magubilca den von Saadani ins Innere führenden Karawanenweg, versorgten uns mit dem nöthigen Proviante, da wir an den zwei folgenden Lagerplätzen nichts erhalten konnten, und zogen weiter. Kitwajo war das nächste Dorf; es ist ziemlich groß, aber ganz verlassen, indem die Bewohner die ewigen Quälereien seitens der arabischen Karawanen und der Soldaten des Sultans von Sansibar nicht länger ertragen wollten.

„Hier hatte P. Hacquard den ersten Fieberanfall; nachdem er eine Tasse heißen Thee und viel Wasser getrunken, konnte er jedoch schwitzen und schlief in der Nacht ziemlich gut, trotz des massenhaften Ungeziefers, welches die Leute in ihren Hütten zurückgelassen hatten. Am andern Morgen fühlte sich der Pater hinlänglich hergestellt; ich bot ihm den einen Esel an, den wir noch hatten, aber er sagte, das Reiten ermüde ihn mehr als das Gehen. Wir mußten durch hohes, vom Thau nasses Gras und waren bald bis über die Hüften durchnäßt. Nach anderthalb Stunden stellte sich bei meinem Gefährten ein neuer Fieberanfall ein; mühsam schleppte er sich voran, warf sich dann ins Gras, stand nach einer Weile wieder auf und probierte es von neuem, um nach wenigen Schritten wieder zu erliegen. Endlich erreichte er mit uns Kwabigwame. Die Träger wollten eine Station weiter, um Lebensmittel aufzutreiben; ich ließ sie ziehen. Sie kamen aber mit fast leeren

Das Bereiten des Pombe. (S. 204.)

Händen zurück, schnürten sich den Unterleib, um den Hunger weniger zu fühlen, und waren sehr schlechter Laune. Etwas Ruhe und eine Dosis Chinin machten es P. Hacquard am nächsten Morgen möglich, den Marsch fortzusetzen. Wir folgten immer dem Karawanenwege, der langsam ansteigend durch Wälder und schöne Thäler führt, ohne ein Dorf zu berühren.

„Gegen 7½ Uhr gewahrten wir 500 m von unserm Wege große Zebra- und Antilopenheerden. P. Hacquard hätte gar zu gerne dem erzwungenen Fasten unserer Träger ein Ende gemacht; so griff er zu seinem Gewehre und schlug sich in die Büsche. Aber die Antilopen hatten ihn schon bemerkt und flohen. P. Hacquard verfolgte sie und war bald unsern Augen entschwunden. Eine halbe Stunde verstrich; wir riefen und pfiffen ihm — keine Ant-

wort. Drei Mann suchten ihn, verloren aber bald seine Spur und kehrten ohne den Jäger zu uns zurück, nachdem sie umsonst mehrere Flintenschüsse abgefeuert hatten. Andere forschten ebenso vergeblich nach ihm. Ich war sehr beunruhigt, dachte aber, er habe vielleicht weiter voran den Weg getroffen und sei uns nach Busini vorausgegangen. So brachen wir auf und kamen nach 2 Uhr nachmittags zum Häuptling Bwambwoura. P. Hacquard war nicht da. Meine Angst ist begreiflich; was war aus ihm geworden? Liegt er irgendwo fieberkrank, hat er sich verirrt, ist er in eine jener Gruben gestürzt, in denen man hierzulande die wilden Thiere fängt? Abermals schickten wir in allen Richtungen Leute aus. Gegen 6 Uhr abends kam der Pater in Begleitung eines Negers; er war todmüde und in Schweiß gebadet. Von unseren Leuten, die erst spät in der Nacht heimkehrten, hatte er nichts gesehen. Seine Geschichte ist sehr einfach. Nachdem er die Antilopen eine Zeitlang umsonst verfolgt hatte, wollte er zurück, schlug aber eine falsche Richtung ein, traf dann einen Fußweg, den er für den unsrigen hielt, der ihn aber an einen unbekannten Fluß brachte. Er kehrte um und kam auf einen zweiten Pfad, auf dem er die Eindrücke von europäischen Stiefeln fand. Er schrieb dieselben einem Engländer zu, von dem er gehört, er werde in diesen Tagen aus dem Innern an die Küste kommen, schlug also die entgegengesetzte Richtung ein, in der Meinung, er müsse so Bushri erreichen, lief und lief und kam endlich nach Kwadigwane, das wir am Morgen verlassen hatten. Die verführerischen Stiefelspuren waren seine eigenen! Nun, jedes Ding hat seine gute Seite; der doppelte Eilmarsch verursachte ihm heftigen Schweiß und vertrieb das Fieber.

„Inzwischen hatte unsere plötzliche Ankunft bei Bwambwara das ganze Dorf in Schrecken gesetzt. Die Weiber flüchteten in das Walddickicht; die Männer, welche auf dem Felde arbeiteten oder in den Hütten weilten, liefen herbei, griffen zu Pfeil und Bogen und riefen: ,Ein Weißer — Krieg, Krieg!' Dessenungeachtet zogen wir ein, und ich begab mich mit Kingaru geraden Weges zum Häuptling. ,Kein Krieg,' redete ich ihn an, ,kein Blut, keine Sklaven. Aber ich bin dein Gast heute und morgen und will dein Freund sein. Wirst du mich fortjagen?' Bwambwara faßte sich etwas, führte uns unter das Dach einer Hütte, hieß seine Krieger niedersitzen und rief die Frauen zurück. Zitternd griffen diese zu Mörser und Stößel und bereiteten das Mtama für den

Flüchtende Kudu-Antilopen. (S. 265.)

Abend. Wieder richtete ich das Wort an den Häuptling, einen gutmüthigen Alten, und erklärte ihm den Zweck meines Kommens. ,Diese Weißen,' sagte Kingaru, ,sind nicht wie die anderen. Sie pflegen die Kranken, sie bauen schöne Dörfer, sie lehren große Dinge, sie lieben die schwarzen Männer. Seit mehreren Monden weilen sie bei mir, und da du mein Freund bist, habe ich sie zu dir geführt.' — ,Du willst mich vertanzen,' schrie Bwambwara. ,Der Weiße wird meine Männer, Weiber und Kinder stehlen!' — ,Der Weiße raubt keine Sklaven. Er will auch deine Sklaven nicht haben. Ich selbst habe ihm solche angeboten; aber er antwortete mir, er sei der Diener des Gottes in der Höhe, und er könne die Weiber nicht brauchen, sie schwätzten zu viel und hinderten ihn am Beten.' — ,Nun wohl,' sagte der Häuptling, ,so will ich sie aufnehmen, wenn sie meine Blutsbrüder sein wollen.' Auf diesen etwas unerwarteten Vorschlag sagte ich, es sei schon spät; wir wünschten daher die Verhandlung auf den folgenden Morgen zu verschieben und baten jetzt um ein Abendessen. Sofort ließ uns Bwambwara einige Hühner geben, die wir am Bratspieße brieten und dann verspeisten. Nach der Mahlzeit gingen wir zur Ruhe.

„Am Morgen wiederholte der Häuptling seinen Vorschlag. Ich sagte, es sei gewiß unsere Absicht, Freundschaft mit ihm zu schließen; aber da er kein Wadoë und somit an den Genuß von Menschenblut nicht gewöhnt sei, könne ihm vielleicht das Blut eines Weißen schlecht schmecken und nicht wohl bekommen. ,Das ist wahr,' sagte er, ,aber da steht dein Freund Kingaru, der deine Stelle vertreten kann.' Kingaru war es zufrieden, und sofort wurden die Vorbereitungen getroffen.

„Die Ceremonie des Freundschaftsbundes oder der Blutsbrüderschaft, der ich mich nicht gerne unterziehen wollte, obschon sie mir nichts Unerlaubtes zu enthalten scheint, ist in diesen Gegenden allgemein verbreitet. Sie soll semitischen Ursprunges und durch heidnische Araber noch vor der Zeit Mohammeds zu diesen Kindern Chams gebracht worden sein. Will man den Bund lösen, so muß eine andere Ceremonie vollzogen werden, damit der Fluch sich nicht erfülle. Der Bundesschluß geschah also: Zunächst wurde ein Huhn geschlachtet, gerupft und in zwei Theile zerschnitten; die Leber legte man beiseite. Die beiden Hälften und die Leber wurden am Spieße über Kohlen gebraten. Inzwischen hatten Bwambwara und Kingaru sich bis auf das Lendentuch entkleidet, gewaschen und mit gegenseitig übereinandergelegten Beinen auf den Boden gesetzt. Eine Schnur, deren Enden sie zwischen den Zähnen festhielten, verband sie, während jeder in seiner Rechten eine Hälfte des gebratenen Huhnes hielt. Gleichzeitig legten zwei der angesehensten Dorfbewohner mit der einen Hand ihren ,Sime' (eine Art Wurfspieß) auf die Köpfe der Häuptlinge, während in der anderen Hand ein gezücktes Messer blitzte. Langsam das Messer über die Schärfe des Eisens hin- und herziehend, wie um es zu wetzen, sagten sie:

,Bwambwara! Kingaru hat diese zwei Weißen gebracht.' — ,Freilich', antworteten die beiden Häuptlinge. — ,Sie wünschen ihre Hütten auf dem Boden Bwambwara's aufzuschlagen.' — ,Freilich.' — ,Bwambwara nimmt sie und gibt ihnen Felder in Bushri.' — ,Freilich.' — ,Bwambwara wird ihnen helfen und sie lieben.' — ,Freilich.' — ,Bwambwara wird ihnen nicht schaden und jeden Schaden von ihnen fernhalten.' — ,Freilich.' — ,Die Weißen werden Bwambwara's Freunde sein.' — ,Freilich.' — ,Seine Brüder.' — ,Freilich.' — ,Sie werden unser Land nicht stehlen.' — ,Nein.' — ,Unsere Frauen nicht stehlen.' — ,Nein.' — ,Uns nichts Leides zufügen.' — ,Nie.' — ,Und wenn Bwambwara sein Wort nicht hält, so wird er Rede stehen.' — ,Freilich.' — ,Und wenn die Weißen ihr Wort nicht halten, so wird Kingaru für sie Rede stehen.' — ,Freilich.' — Immer rascher wetzten nun die beiden Männer den Stahl, während sie die eigentliche Formel des Bundesschlusses vortrugen, wie ich sie mir genau aufschrieb und hier in wörtlicher Uebersetzung mittheile:

will: ‚Bwambwara wird der Bruder der Weißen.‘ — ‚Ja.‘ — ‚Wie wollen uns nicht Brüder nennen, nur uns zu betrügen.‘ — ‚Nein.‘ — ‚Brüder lieben sich.‘ — ‚Ja.‘ — ‚Wenn dir dein Bruder von seiner Speise gibt, so iß.‘ — ‚Ja.‘ — ‚Wenn er sein Gut verbirgt, so verrathe es nicht.‘ — ‚Nein.‘ — ‚Wenn wir Schätze erhalten, so wollen wir sie zusammenlegen.‘ — ‚Ja.‘ — ‚Wenn du einen Feind siehst, der deinem Bruder Uebles will, so verrathe ihm seinen Aufenthalt nicht.‘ — ‚Nein.‘ — ‚Wenn du einen schlechten Ort weißt, so sage deinem Bruder: Gehe nicht hin.‘ — ‚Ja.‘ — ‚Wenn du einen guten Ort weißt, sage ihm: Gehe hin.‘ — ‚Ja.‘ — ‚Wenn irgendwo Gefahr ihn bedroht, sage ihm: Gehe fort.‘ — ‚Ja.‘ — Noch rascher blitzten die Messer, und lauter erhob sich die Stimme, während die folgenden Verwünschungen gegen den Treubrüchigen geschleudert wurden; alle Zuhörer aber beobachteten feierliches Schweigen im Schatten des uralten Affenbrodbaumes. ‚Der Löwe möge ihn verschlingen (ja), der Tiger ihn zerreißen (ja), die Schlange ihn stechen (ja), der Büffel ihn zermalmen (ja), das Schwert ihn verwunden (ja), sein Eingeweide ihn quälen, bis er berste (ja), sein Auge möge erblinden, daß er nicht sehe (ja), sein Fuß brechen, daß er nicht gehe (ja), seine Hand verdorren, daß sie nicht fasse (ja), sein Leib vermodere (ja), er sterbe (ja) und fahre aus der Welt (ja) und verschwinde auf ewig (ja), und das Stücklein Leber, das er jetzt ißt, sei ihm Gift (ja), und alle diese Uebel sollen denjenigen treffen (ja), der seinen Bruder nicht liebt (ja). Und zum Zeichen, daß er das will, esse er die Leber.‘ — ‚Es ist genug‘, riefen die

Der Freundschaftsbund. (S. 206.)

Zeugen; ‚es ist genug‘, antworteten die Häuptlinge. Der Mann, der das Huhn getödtet hatte, zerschnitt die Schnur. Dann machte er den Häuptlingen einige leichte Ritze in der Gegend des Herzgrube, so daß Blut floß, gab ihnen etwas Salz, das sie auf die Wunde legten, und mit diesem Salze und dem Blute würzten sie die Leber und verzehrten dieselbe miteinander. Damit ist die Blutsbrüderschaft auf ewig geschlossen.

„Nachdem wir so Blutsbrüder Bwambwara’s geworden, bot er uns an, mit ihm sein Land zu durchwandern, um nach Belieben den Platz für eine Niederlassung zu wählen. Wir gingen sofort westlich über den Mtula, einen Seitenfluß des Wami, und das von ihm bewässerte Thal. Er entspringt im Norden, in der Bergkette, welche Usagara vom Lande der Watawari und Watamba

trennt, ist sehr reißend, tritt in der Regenzeit aus und hat ein klares, fischreiches Wasser; die Steine sind mit einer Art Austern und mit großen Muscheln bedeckt, vor unseren Augen fingen unsere Begleiter Aale und eine Art Hechte. Das Mtulathal hat einen üppigen Pflanzenwuchs und ungemein fruchtbaren Boden. Hier und dort stehen in ziemlichen Abständen Dörfer auf den Höhen oder verborgen sich im Walde der Ebene. Am Ufer des Flusses könnten wir uns wohl ansiedeln, und wir haben unser Auge auf einen zwei Stunden von der Karawanenstraße abliegenden Hügel, Namens Hessowe, geworfen. An Grund und Boden fehlt es nicht; man könnte da große Dörfer gründen. Bauholz findet sich in Fülle, auch Erz scheint der Boden zu bergen. Wir entschlossen uns also für diesen Platz und kehrten dann ins Dorf zurück, um

für den folgenden Tag uns reisefertig zu machen; denn am Sonntage mußten wir in Mhonda sein. Meinem „Bruder' Bwambwara und seinen Söhnen gab ich Geschenke, einige Stücke Zeug,
eine Häuptlingsmütze und Glasperlen; als Gegengeschenk erhielt
ich ein schönes Schaf und Reis für unsere Leute. In der Hoffnung, bald wiederzukommen, um dann das Kreuz auf den Nachbar-
hügeln aufzupflanzen, schieden wir. Kingaru kehrte in sein Dorf
zurück. Bwambwara begleitete uns bis an den Kitula, wo er
freundlich Abschied nahm, indem er versprach, bei unserer Wieder-
kunft sollten wir eine Hütte für uns und ein bestelltes Feld daneben antreffen. In der That hörte ich seither, daß er das aus-
führe und uns mit Ungeduld erwarte.

„Wir zogen durch Wald und hohes Gras, aus dem zahlreiche
Zebra- und Antilopenheerden aufsprangen, nordwestwärts weiter.
Nach einem kurzen Halte vor dem befestigten Dorfe Pase, dessen
Bewohner bei unserm Anblicke flüchteten, obschon wir ihnen Freund-
schaftsversicherungen zuriefen, füllten wir unsere Wasserflaschen und
setzten den Marsch ohne Abenteuer fort bis Mjere an Wami.
Am andern Tage zogen wir durch eine waldige und sumpfige
Gegend; es begegnete uns eine mit Elfenbein beladene Karawane.
Das Dorf Kibudwe trafen wir wegen des Todes seines Häupt-
lings in tiefer Trauer und reisten nach kurzem Aufenthalte weiter
bis zum Wale, der sich ganz in der Nähe in den Wami ergießt.
In der Regenzeit nimmt er eine Unzahl Waldbäche auf, die mit
Donnergetöse, Bäume und Felsblöcke mit sich rollend, von den
Höhen Nguru's herabstürzen; dann kann man nicht über ihn setzen;
jetzt aber reichte sein Wasser uns nur bis zum Gürtel. Noch ein
anstrengender Steig auf Bergpfaden und unter strömendem Regen,
und wir erreichten Mhonda, wo unsere kleine Christenkolonie über
unsere unerwartete Ankunft in großem Jubel war."

13. Besuch der Missionsstation Mhonda in Nguru.

„Die Mission von Mhonda im Nguru-Gebirge hat eine prachtvolle Lage. Von allen Seiten ziehen stufenweise sich erhebende
Höhen und Gipfel, deren Flanken kleine Weiler von 10, 15—20
Hütten bergen, einen abwechselnden Kranz von nackten Felswänden,
von Hochwald und niedrigerem Buschwerke um das Dorf. In
den Wäldern steht treffliches Bauholz; der Kulusbach mit seischem,
klarem Wasser, nicht der geringsten Annehmlichkeit dieses Ortes,
fließt nur 30 Schritte entfernt an der Mission vorbei; auch in
der heißen Jahreszeit trocknet er nie völlig aus. In der Ferne ruht
das Auge mit Wohlgefallen auf der Ebene von Kibudwe. Am
Morgen bildet im Thalgrunde ein Nebel, dehnt sich und streckt
sich und verhüllt das ganze Tiefland. Von oben kämpft die Sonne
mit ihm, zaubert oft herrliche Lichteffecte in die Dünste, die sich
aufballen und das Gebirge zu erobern drohen; aber um 8 Uhr
hat die Kraft ihrer Strahlen gesiegt; die Nebel zerfließen, und bis
gegen 3 oder 4 Uhr nachmittags herrscht eine stechende Hitze. Dann
verbirgt sich die Sonne hinter den Bergen; der Abend ist kühl
und die Nacht beinahe kalt.

„Dort hat P. Horner schon vor mehreren Jahren eine Mission
gegründet und sie dem heiligsten Herzen Jesu geweiht. Das Senfkorn, das auf diesen Höhen gepflanzt wurde, um Wurzel zu fassen
und zu einem großen Baume heranzuwachsen, hatte bereits schwere
Stürme zu bestehen. Zunächst mußte der Pater, der mit der
Gründung betraut war, noch Frankreich zurückkehren, um seine durch
Strapazen und Entbehrungen erschütterte Gesundheit wieder herzustellen. Dann starb letztes Jahr ein Laienbruder. Bald nachher erhoben sich einige benachbarte Häuptlinge, neidisch auf die

Macht, welche Gosso, der Häuptling von Mhonda, ein verständiger
Mann und naser Freund, durch unsern Einfluß gewonnen hatte,
gegen die Mission und erklärten ihr den Krieg. Auf Verwenden
des französischen Consuls schickte der Sultan von Sansibar Soldaten
und vermittelte den Frieden. Der Friede kam wohl zu Stande;
aber bald nachher brannte in einer Nacht unsere Vorrathskammer
mit mehreren anderen Hütten nieder, und zerstörten die Flammen
in wenigen Stunden die Vorräthe eines Jahres. Kurze Zeit nachher wurde der gute und wackere Gosso in einem Hinterhalte meuchlings ermordet. Er kannte bereits die Grundwahrheiten unserer
Religion, und wir hoffen, seine Begierde nach der Taufe habe ihm
den Himmel erschlossen. Noch hat Gosso keinen Nachfolger; täglich kommen die Leute und weinen an seinem Grabe, und man
wartet nur das Ende der Trauerzeit ab, um einen neuen Häuptling zu ernennen. Trotz dieser Prüfungen beginnt die Mission
immer hoffnungsvollere Früchte zu zeitigen. Das kleine Christendorf, das dort gegründet ist, übt seinen Einfluß weithin in der
Umgegend. P. Machon, der Obere jener Mission, macht viele
Besuche, und sie bleiben selten ohne Erfolg; manche Heiden wohnen
täglich der Christenlehre bei und besuchen an Sonn- und Feiertagen den Gottesdienst. Während meines Aufenthaltes in Mhonda
hatte ich den Trost, sieben Erwachsenen die heilige Firmung zu
spenden; man hatte ihnen zur Vorbereitung einige Tage Exercitien
gegeben. Die Feier war am Feste Mariä Lichtmeß. Eine große
Zahl Heiden war gegenwärtig und zeigte viel Wohlgefallen an
den feierlichen Ceremonien, deren Sinn sie sich in ihrer Weise zu
erklären suchten. Die Kapelle ist leider in einem elenden Zustande;
sie wurde aus Holz erbaut, und da die Insekten hierzulande
alles zerstören, wäre sie vom Winde beinahe schon umgestürzt
worden; ihr Thurm ist zwar nicht der Thurm von Pisa, aber er
ist noch schiefer als der Thurm von Pisa. Augenblicklich ist man
beschäftigt, ein solideres und geziemenderes Gotteshaus aufzuführen;
leider kann ich die Leute nur sehr wenig unterstützen. Man will
keinen Monumentalbau aufführen; aber es ist die erste Herz-Jesu-
Kirche in dieser Gegend, und man möchte dieselbe seiner nicht ganz
unwürdig machen. Die Eingeborenen und Missionäre tragen Steine
und Holz herbei; werden uns nicht einige großmüthige Verehrer
des heiligsten Herzens in Europa zu Hilfe kommen?

„Viele Häuptlinge aus der Umgegend besuchten mich; Geschenke
und Glückwünsche wurden ausgetheilt. Aber ich mußte auch einen
davon, Madischindscha von Kibudwe, hart zur Rede stellen. Derselbe hatte zwei Menschen verbrannt, weil die Zauberer dieselben
als die Urheber des Todes seines Bruders Makulomo, der an
Altersschwäche gestorben war, bezeichnet hatten."

14. Ueber den Wami nach Ukami.

„Am 8. Februar sagten wir den Missionären und ihrer Gemeinde Lebewohl und setzten unsere Reise fort. Das nächste Ziel
war Simba-Mwene (Löwenkönigin), die Königin von Ukami,
welche am Fuße des Gebirges von Uruguru, südlich von Mhonda,
herrscht. Wir setzten wieder über den Wale und kamen trotz eines
neuen Fieberanfalles P. Hacquards, am den Mtindo, gleichfalls
einen Nebenfluß des Wami, und zu dem gleichnamigen Dorfe
des Häuptlings Mangote, der uns sehr gut aufnahm. Des andern
Morgens gingen wir durch den Mtindo, dessen Wasser uns bis
an den Gürtel reichte, und kamen nach einem zweistündigen Marsche
über eine mit dem üppigsten Pflanzenwuchse bedeckte Ebene an
die Ufer des Wami. Der Wami ist ein breiter und schöner
Fluß, über den wir auch setzen mußten; es fragte sich nur, wie?

„Freilich war eine Brücke da; sie schien aber eher dazu an=
gethan, den Wanderer in die Fluten zu stürzen, als ihn auf
das jenseitige Ufer zu führen. Zwei dicke Lianen sind neben=
einander quer über den Fluß gespannt; dazwischen befestigte
Querstöcke halten diese Ranken von Schlinggewächsen in gleichen
Abständen; darüber sind, um die Tragkraft zu verstärken, zwei
andere Lianen gespannt, welche durch Träger mit den zwei Lianen
der eigentlichen Brücke zusammenhängen. Als Brustwehr dient
gleichfalls ein Paar Lianen; zahlreiche andere verknüpfen diese
Hängebrücke mit den Aesten und den Stämmen zweier Uferbäume.
So also ist diese Brücke gebaut: darüber gehen die Menschen,
darunter lauern die Krokodile, und eine Liane nur trennt die
Beiden.

„Angesichts dieser Brücke hielten unsere Träger, warfen ihre
Last nieder, überlegten und beriethen und kamen endlich zu dem
Schlusse: ‚Die Lianen sind alt und gebrechlich; wir können mit
unserer Last nicht auf den Baum klettern, und da wir keine
Vögel sind, so werden wir nicht über diese Brücke gehen,
o Meister!‘ Die Wahrheit zu gestehen: ich selbst traute dem
Ding nur halb; aber wir hatten keine Wahl. Ich suchte also
den Leuten durch verschiedene Ansprachen Muth einzustößen und
redete endlich ungefähr also: ‚Du wenigstens, Mwenyi-Konda
(so hieß der größte Prahlhans unserer Träger), der du uns
täglich deine Heldenthaten erzählst, mußt es wagen. Wenn du
hinübergehst, wollen wir dir glauben; wenn nicht, so werden wir
dich für einen Aufschneider und einen Feigling halten, und von

Missionäre und Kinder von Mhonda. (S. 208.)

Sansibar bis zum Tanganjika wird man sagen, du habest nicht
gewagt, über die Brücke zu gehen, und die Weiber werden dich
ins Gesicht verhöhnen.‘ Diese etwas derbe Anrede fand all=
gemeinen Beifall, und Mwenyi-Konda antwortete: ‚Ich bin ein
Mann und werde gehen; aber wenn meine Last mir entfällt, so
bin ich nicht dafür verantwortlich.‘ An allen Gliedern zitternd
bestieg er die Brücke und sagte: ‚Ich habe keine Furcht.‘ Die
Träger lassen ihn nicht aus dem Auge; man hört das Krachen
der Lianen; einige Ranken reißen, und mit jedem Schritte wankt
die ganze Brücke. Aber er kam glücklich am jenseitigen Ufer an
und rief uns, noch zitternd, mit einer Stimme, die stark sein
sollte, zu: ‚Mwenyi-Konda ist ein Mann, und wer ein Mann
ist, mache es ihm nach!‘ — Jetzt war die Reihe an mir; ich
kletterte auf den Baum und schritt mit entschlossener Miene, keines=

wegs dem Spiegelbilde meines Innern, voran. Ich hatte unter=
lassen, meine Stiefel auszuziehen, und glitt ein halbes Dutzendmal
aus; wenn ich dann die Lianen fassen wollte, welche als Brust=
wehr dienten, so gaben sie nach und brachten mich in Gefahr,
das Gleichgewicht zu verlieren und in den Fluß zu stürzen. Endlich
erreichte ich, die erste Hälfte aufrecht gehend, und die zweite Hälfte
auf den Knieen rutschend, glücklich das Ufer; P. Hacquard folgte
mir, und bald war die ganze Karawane herüber.

„Noch mußte der Esel, weitaus der schwierigste Passagier,
herübergeschafft werden. Wir versuchten einen Strick an das
andere Ufer zu bringen, allein das Gebüsch war im Wege; eine
Schnur mit einem Steine am Ende, an welcher wir den Strick
nachziehen wollten, konnten wir ebensowenig hinüberwerfen; wir
versuchten den Stein hinüberzuschießen; es glückte auch nicht. Da

kam uns endlich ein Neger zu Hilfe; für 16 Ellen Zeug versprach er, hinüberzuschwimmen und den Esel zu holen. Die Krokodile fürchte er nicht; denn er habe mit ihnen einen Bund geschlossen, daß sie sich gegenseitig nicht schaden wollten. Wirklich sprang er in den Fluß, schlug mit Händen und Füßen tüchtig um sich, während wir Flintenschüsse abfeuerten, um die Thiere zu verscheuchen, und kam glücklich drüben an; dort band er den Strick um den Hals des Esels, warf ihn ins Wasser, und wir hißten ihn mit vereinten Kräften herüber.

„Nach einer kurzen Rast setzte sich die Karawane wieder in Bewegung, ganze Heerden Antilopen und rothborstiger, mit starken Hauern bewehrter Wildschweine (Nghiri genannt) vor sich hertreibend. Durch Wald und Grasflächen kamen wir in das Dorf des Häuptlings Mwana-Mule. Für die Weiterreise wollten wir den Mondschein und die Kühle der Nacht benützen; ein Führer brachte uns zum Häuptlinge Kiguli, in dessen Dorf wir morgens 3½ Uhr eintrafen. Der Mann wollte uns unser Klopfen nicht öffnen; erst um 6 Uhr ging die Thüre auf. Eine Tasse Kaffee nahm er mit Freuden und gab uns für 16 Ellen Zeug zwei Führer mit, wiewohl nicht gerne, welche uns den Weg zu Gombo zeigen sollten.

„Dieser Tag war der schwerste unserer ganzen Reise: es war ein Tag voll Strapazen und Entbehrungen, so ein rechter afrikanischer Tag. Nach einer Stunde verlor sich unser Fußsteig im Dickicht; dann ging es durch eine abscheuliche Gegend, welche nur verkrüppelte Bäume, mageres und trauriges Ge-

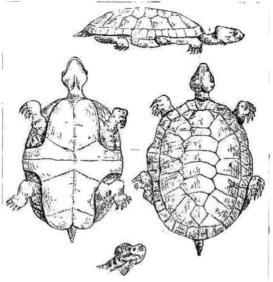

kleine Süßwasser-Schildkröten. (S. 211.)

strüpp, stachelige Akazien, schauderhaftes Dorngeflecht und dornige Lianen aus dem von der Sonne ausgedörrten Boden hervorbringt, und als ob die Dornbüsche nicht genugsam die Geduld des Wanderers auf die Probe stellten, sind selbst einige krautartige Pflanzen auf der Unterseite der Blätter mit Stacheln bewehrt, so daß sie wie Katzenkrallen anstecken, sich in die Kleider einhaken und den Beinen und Händen die empfindlichsten Wunden beibringen. Wie gerne hätten wir dagegen die Dornen, Kletten und Nesseln Europa's eingetauscht! Zudem ging jede Spur eines Pfades verloren; hin und wieder folgten wir aus gut Glück der Fährte wilder Thiere, mußten aber manchmal wieder zurückgehen. Von Zeit zu Zeit sahen wir Giraffen, Zebras, Antilopen, Büffel, ja sogar die Tritte von Elephanten; aber niemand von uns hatte Lust, Jagd auf diese Thiere zu machen, die sich in einer gemessenen Entfernung hielten. Noch war es nicht Mittag; die Sonne glühte.

Müde und verschmachtend vor Durst, suchten die Träger umsonst in allen Vertiefungen nach einem Tropfen Wasser. Bald erklärten die Führer, aus Furcht, auf ihrem Rückwege von der Nacht überrascht zu werden, sie könnten uns nicht weiter begleiten. Auch hätten wir ja nur auf den Berg loszugehen, der vor uns liege und den wir bald erreichen würden, fügten sie bei. Ueberzeugt, daß sie uns doch von keinem Nutzen sein könnten, ließen wir sie im Frieden ziehen und beschleunigten unsere Schritte, um möglichst bald das angegebene Ziel zu erreichen. Aber je länger wir gingen, desto mehr schien der Berg vor uns zu fliehen. Um 3 Uhr nachmittags erklärten die Träger, sie verschmachteten und könnten nicht mehr. Unter einigen elenden, verkrüppelten Bäumen machten wir Halt, und glücklicherweise entdeckte ich eine Art Sauerampfer und Schößlinge wilder Reben; einige kauten diese Blätter, andere konnten das nicht: so trocken war ihr Gaumen. In meiner Feldflasche hatte ich noch etwa ein Glas Wasser und vertheilte es bis auf den letzten Tropfen unter die am meisten Erschöpften. Wir setzten unsern Marsch fort; aber schon nach wenigen Schritten legte einer der Träger nach dem andern seine Bürde nieder und warf sich ins Gras. ,Geduld!' sagten wir, ,wir wollen vorausgehen und Wasser für euch suchen.' — ,Um Wasser zu finden,' sagte einer der Träger, der früher als Sklave in dieser Gegend lebte, ,müßt ihr noch über sechs Berge und sechs Thäler gehen.' — Trotz dieser wenig ermuthigenden Aussicht zogen P. Hacquard und ich mit drei Christen auf Suche. Wir gingen und gingen und suchten unsern Durst durch einige Tropfen Branntwein zu täuschen. Ganz erschöpft kamen wir endlich in eine Schlucht, wo das frischere Grün der Pflanzen uns Wasser hoffen ließ. Und wirklich, zwischen Felsen fanden wir in einer Vertiefung frisches, klares Wasser. Wir jubelten vor Freude und verkündeten unsern Trägern durch Flintenschüsse unsern glücklichen Fund. Rasch waren alle unsere Gefäße mit Wasser gefüllt und unsere treuen Begleiter trugen dieselben den Genossen zueigen. Der Erste, dem sie begegneten, war ein Katechumen, welchen P. Hacquard vor kurzem um den Preis einer Insektensammlung aus der Sklaverei losgekauft hatte. Der arme Mensch war vorangegangen, solange er konnte, war aber endlich, von Müdigkeit übermannt, unter einem Baume liegen geblieben. Der Vater hatte ganz vergessen, daß er ihm eine Feldflasche voll Wasser übergeben, und der wackere Bursche loßte nicht davon, obschon er am Verschmachten war, um das Wasser für uns aufzuheben für den Fall, daß unser

Suchen fruchtlos wäre. Seither haben wir ihn getauft und ihm den Namen Peter gegeben.

„Zwischen 6 und 7 Uhr abends hatten sich alle unsere Leute an dem Wasserbecken eingefunden und schlürften in langen Zügen das köstbare Getränk, das man so oft verachtet, obgleich es sich durch kein anderes ersetzen läßt. Ich gestehe: selten habe ich seinen Werth besser erkannt, als an jenem schrecklichen Tage. Wir fanden aber noch etwas anderes in dem Wasserbecken: winzig kleine Schildkröten von plattgedrückter Form, ungemein lebhafte und flinke Geschöpfe, von denen man mir sagte, sie würden nie viel größer als ein Fünfmarkstück. Ich habe sieben nach Bagamoyo gebracht, und sie leben in einer Glaskugel voll Wasser; gerne nehmen sie sein zertheiltes rohes Fleisch, das ich ihnen von Zeit zu Zeit gebe. Wir hätten vielleicht noch ein paar gefangen, aber die Bewohner des benachbarten Dorfes Mgombo, das wir aufsuchten, kamen bewaffnet und mit großem Geschrei und wollten uns diese Thierchen, welche sie vielleicht als eine Gottheit der Quelle betrachteten, nicht wegfangen lassen. Die Eintracht war übrigens bald hergestellt; der Häuptling nahm uns freundlich auf, und die übliche Abgabe war nicht übertrieben. Wir warfen unser Gepäck unter das Vordach einer Hütte und tanzten selbst dabei nieder wie Stücke Blei; nicht einmal an ein Abendessen dachten wir. Gewöhnlich schwätzten unsere Leute bis tief in die Nacht hinein; an jenem Abende aber wurde das Stillschweigen beobachtet wie in einem Karmelitessenkloster. Tags darauf stand die Sonne zur gewohnten Zeit auf; allein keiner unserer Leute

Brücke aus Lianen über den Wami. (S. 209.)

folgte ihrem Beispiele. ‚Meister,‘ sagten sie, ‚wir können heute nicht reisen; denn wir würden unsere Gliedmaßen unterwegs verlieren.‘ Wir waren in der That ebenso müde, wie sie, und benutzten den Vorwand eines leichten Regens, der am Vormittage fiel, um noch einige Stunden der Ruhe zu pflegen. Erst am Nachmittage brachen wir auf, zogen durch schöne und fruchtbare Thalgründe, natürliche Lustwäldchen und wildreiche Forste und trafen glücklich bei Mwana-Gomera ein.

„Wenn in Usigova der Ausdruck ‚Kunkelseite und Schwertseite‘ gebräuchlich wäre, so müßte man sagen, das Scepter sei gegenwärtig auf der Kunkelseite, denn Simba-Mwene ist Königin über ganz Usigova, und Mwana-Gomera ist nur ihr Gatte. Aber seitdem die Zwietracht ihren Einzug in die Welt hielt, hat sie ihr Reich sogar bis Usigova ausgedehnt und trägt die Schuld, daß auch unter dem königlichen Paare dieses Landes das Band der Eintracht keine diamantene Kette ist. Die Frau sagte: ‚Ich bin die Königin‘, und der Mann schloß: ‚Da ich also eine Königin zur Frau habe, muß ich auch selbst König sein.‘ Der Streit dauerte lange, und es läßt sich nicht berechnen, wie viele bedauerliche Reden gewechselt, wie manches schlimme Beispiel dem Volke gegeben oder wie viele Töpfe in dem königlichen Haushalte zerschlagen wurden. Schließlich wurde der Sultan von Sansibar als Schiedsrichter angerufen, und derselbe sprach die Ehescheidung aus; Simba-Mwene sollte Königin bleiben und Mwana-Gomera unter ihrer Oberhoheit einen Bezirk des Landes verwalten. So verblieb es seither, ohne daß es zu einem neuen Zusammenstoße gekommen

27 *

wäre. Man merkt Mwana-Gomera von diesen Stürmen ver=
gangener Tage nicht mehr viel an; er ist ein tagelrunder, wohl=
beleibter Fünfziger, der gerne lacht und plaudert und seine alten
Sorgen im Pombetrunke erträuft.

„Sobald unser Herannahen gemeldet war, kam uns Mwana=
Gomera entgegen, in der einen Hand einen Säbel, in der andern
eine kleine Hacke aus Ebenholz, die Abzeichen seiner Würde. Der
Empfang war herzlich; er wies uns eine prächtige Hütte und
Lebensmittel im Ueberflusse zu und plauderte mit uns bis tief
in die Nacht hinein, indem er uns wie alten Bekannten von
den Mißhelligkeiten mit seiner Ehehälfte erzählte. Er machte mir
den Eindruck eines ehrlichen Gesellen, und so fragte ich ihn, ob er
gerne eine Niederlassung von uns in seinem Lande hätte. In der
Voraussicht jedoch, diese Angelegenheit würde ihm neue Zwistig=
keiten mit seiner königlichen und sehr empfindsamen Gattin bereiten,
rieth er mir, die Sache vorerst mit der Königin oder vielmehr
mit ihrem Bruder Kingo, dem Häuptlinge von Mrogoro, zu
berathen; Simba-Mwene befindet sich nämlich augenblicklich zu
Saadani an der Küste. Während wir so zusammen redeten, ging
ein öffentlicher Ausrufer vorüber, der in ein Antilopenhorn blies
und aus voller Kehle schrie: ,Morgen und übermorgen haben
alle Leute von hier und aus der Nachbarschaft sich bei Mwana=
Gomera einzufinden, um seine Felder zu bestellen und sein Bier
zu trinken!' Wirklich sahen wir am nächsten Morgen, daß alles
dieser Aufforderung Folge geleistet hatte; wir aber zogen mit
einem Führer an unserer Spitze auf Mrogoro los."

15. Mrogoro und seine Umgebung.

„Gegen 6 Uhr abends in der Nähe der Stadt angekommen,
schickten wir den Führer voraus, um uns bei Kingo anzumelden;
dieser ließ uns, wie das Freunden gegenüber seine Gewohnheit
ist, antworten, er sei nicht zu Hause, und so wurden wir von
einem seiner Leute empfangen, der uns eine Hütte als Wohnung
anwies. Einer unserer Christen als Albondo war kannte Kingo
und seine Gepflogenheiten und ging deshalb geraden Wegs
auf dessen Wohnung los und traf ihn auch richtig zu Hause.
,Was hast du dich unterfangen?' redete er ihn an und nannte
alle seine Titel. ,Diese Männer, welche deine Stadt mit ihren
Besuche beehren, sind keine Araber; sie wissen, daß du zu Hause
bist, und wenn du dich im hintersten Winkel deiner Hütte ver=
borgen hättest, werden sie den Bruder Simba-Mwene's für eine
Kröte ansehen, welche mich aus ihrem Loche zu kriechen wagt.
Komm, ich will dir helfen, deinen Fehler wieder gutzumachen!'

„Kingo kam wirklich, aber er war an jenem Abende sehr ver=
legen und wortarm. Er ist ein junger Mensch, kaum 20 Jahre
alt; dennoch regiert er mit seiner Schwester, welcher er bald nach=
folgen wird, das ganze Land. Die Königin hat sich nach Mwyale,
östlich von Mrogoro, zurückgezogen und empfängt dort den Hango
oder Zoll von allen Karawanen, welche von der Küste kamen,
während die Karawanen aus dem Innern ihren Tribut an Kingo
bezahlen müssen. Cameron und namentlich Stanley reden mit
Begeisterung von der Stadt Mrogoro, nennen sie aber Simba=
Mwene nach dem Namen der Königin, welche damals in ihr
wohnte. Es ist die Hauptstadt von Usigova; sie wurde nach
einem Plane des Kisabengo erbaut; dieser Mensch hatte sich aus
einem Sklaven zum König aufgeworfen und ist der Vater der
gegenwärtigen Sultanin. Seinem Talente kam nur seine Schlechtig=
keit gleich. Hier und dort fängt die Stadt an, in Trümmer zu
zerfallen; gleichwohl bietet sie einen Anblick, der in Afrika den

Wanderer in Staunen setzt. Eine wohlgebaute, mehr als 4 m
hohe Steinmauer umschließt sie; diese Ringmauer bildet ein Viereck;
jede Seite hat ein Thor, das nachts durch eine schwere, mit
Schutzwerk verzierte Thüre verschlossen wird. Im Innern dieser
Festung stehen der königliche Palast, die Wohnungen der könig=
lichen Beamten und der wohlhabenderen Bürger. Um diese Bauten
schließt sich eine zweite Stadt, welche ebenfalls durch Mauern aus
Lehm vertheidigt wird. Zum Schutze gegen den Regen hat diese
äußere Ringmauer ein Dach; sie bildet ein unregelmäßiges Vieleck, hat
zahlreiche Schießscharten und mehrere Thore, welche mit verschließ=
baren Bohlen verschlossen und jeden Abend verrammelt werden.
Mrogoro hat eine bedeutende Bevölkerung; namentlich wimmelt
es von Kindern, was man von den übrigen Ortschaften des
Landes nicht sagen kann, in denen aus abergläubischen Beweg=
gründen viele Kinder ermordet werden. Auch trifft man fast alle
Tage Karawanen von der Küste oder aus dem Innern in der
Stadt, und da sie gewöhnlich Lebensmittel einkaufen, sind diese
hier viel theurer, als in der Umgebung. In der Stadt herrscht
endlich eine verhältnißmäßige Reinlichkeit, die man in den übrigen
Ortschaften vergebens sucht und die gewiß viel zur Gesundheit
dieses Ortes beiträgt; freilich besorgen auch hier das Amt der
Straßenkehrer und Abdecker die Raubgeier mit seltenem Geschicke,
weshalb ihre Tödtung streng verboten ist.

„Unsern Aufenthalt zu Mrogoro benutzten wir zur Durch=
forschung der Umgegend; ein Führer begleitete uns; wir wurden
überall gut aufgenommen und bewunderten immer mehr die
Klugheit Kisabengo's, mit welcher er gerade diesen Platz zum
Baue seiner Hauptstadt erwählte. Die Stadt liegt am Fuße des
hohen und schönen Uruguru-Gebirges; im fernen Osten dehnt sich
eine ungeheure Ebene, deren fruchtbares Erdreich einen üppigen
Pflanzenwuchs hervorbringt; fleißig bestellte Felder liefern Mais,
Sorgo, Zuckerrohr, Bohnen, Bananenfrüchte im Ueberflusse.
Früher war auch die Reisernte beträchtlich; da aber eines Tages
Löwen hereinbrachen und in der Umgegend von Mrogoro viele
Leute erwürgten, erklärten die Zauberer, diese Art von Feldbau
mißfalle den Geistern, und seit diesem Ausspruche wurde im Thale
kein Körnlein Reis mehr ausgesäet. Von den Bergen fließen der
Mrogoro, der Murhale und noch viele andere Bäche in die Ebene;
zur Regenzeit führen sie eine große Masse Wasser und ergießen
sich sämmtlich in den Gueringere, einen schönen und breiten Fluß,
der ebenfalls im Uruguru-Gebirge entspringt, dann Usami durch=
strömt und endlich in den Rufu oder Kingani mündet. Dort
liegt die Wasserscheide zwischen den genannten Flüsse und dem
Wami. Von den Höhen aus, welche Mrogoro beherrschen, konnten
wir uns an dem herrlichen Panorama kaum satt sehen. Berg und
Thal sind mit zahlreichen wohlbevölkerten und hübsch gebauten
Weilern bedeckt. Die Hitze scheint nicht übermäßig und das Klima
gesund: ich glaube, eine Missionsniederlassung würde dort alles
finden, um zu wachsen und zu gedeihen. Wir richteten unser
Augenmerk auf einen herrlich gelegenen Hügelrücken, zu dessen
Fuß ein breiter Bergbach mit klarem, frischem Wasser fließt, das
man mit leichter Mühe zur Benützung und Bewässerung herbei=
leiten könnte.

„Nach Mrogoro zurückgekehrt, theilte ich meine Absicht Kingo
mit, der inzwischen freundlicher und zutraulicher geworden war;
er zeigte sich mit allem einverstanden und schien sogar sehr froh,
da er wußte, daß wir die Freunde Mwana-Heri's seien, der im
Auftrage des Sultans von Sansibar Gouverneur von Saadani
ist und großen Einfluß besitzt. Statt seiner Gewohnheit gemäß

den „Hongo" (Tribut) von uns zu verlangen, schenkte er uns ein stattliches Schaf, mehrere Hühner, Reis und Zuckerrohr. Als Zeichen meiner Freundschaft gab ich ihm einige Stücke Zeug, und als wir schieden, wollte er uns eine weite Strecke begleiten.

„Da ich gerne mit Simba-Mwene gesprochen hätte, welche, wie man mir sagte, auf der Heimreise war, und überdies den Weg von Mrogoro nach Mendera kennen lernen wollte, schlug ich diese Richtung ein und erreichte auf der gewöhnlichen Karawanenstraße zunächst Mwhale, die neue Residenz der ‚Löwenkönigin'. Fast alle Bewohner, Männer, Weiber und Kinder, waren der Königin entgegengezogen. Ein einziger Greis bewachte den Ort und zeigte uns freundlich den Weg. Nachdem wir den Gueringere und mehrere,

meist ausgetrocknete Bäche ohne Unfall überschritten hatten, erreichten wir in strömendem Regen und bis auf die Haut durchnäßt ein kleines Dorf, dessen Häuptling Mjungulu heißt; umsonst fragten wir nach ihm. Die Leute sagten, er habe die Pocken und sei in den Wald geflüchtet, um dort entweder zu genesen oder zu sterben. In seiner Abwesenheit regierte der Oberzauberer und hatte sich seiner Macht bedient, um einen armen Greis, den er haßte, unter Beschuldigung der Hexerei, lebendig zu verbrennen. Einige Wasserträge, ein Fetzen Leinwand, halb verkohlte Scheiter und Gebeine bezeichneten die Stätten der Hinrichtung. — Das Dorf war, wie viele in dieser Gegend, von einem sogenannten ‚Tembe', einer Art Befestigung, umschlossen, die aus Lehm und Fachwerk besteht

Mrogoro, die Hauptstadt von Usigova. (S. 212.)

A Bergspitze, welche den Abschluß des Thales der Mission bildet. B Bergspitze von etwa 2000 m Höhe. C Straße der Karawanen. D Fluß Mrogoro. E Bergstamm südlich von Mrogoro, welcher die Grenze von Usigova und Usami bildet.

und eine Terrasse bildet. Der Tembe ist zugleich Fruchtspeicher, Thurmwarte zur Beobachtung der Gegend, Wall und Brustwehr gegen Feinde und wilde Thiere. Raubthiere hausen in großer Zahl um Mjungulu; so gerne wir geschlafen hätten, ließ uns doch das Brüllen der Löwen und das heisere Gebell der Hyänen lange nicht zur Ruhe kommen."

Die Gründung der Station Mrogoro kam nicht ohne Schwierigkeit zu Stande. Sobald Simba-Mwene sich derselben geneigt zeigte, widersetzte sich ihr Gemahl Mwana-Gomera. Die zwischen dem königlichen Ehepaar obwaltende Spannung hätte die Missionäre beinahe genöthigt, den Staub von ihren Füßen zu schütteln und die Gründung von Mrogoro aufzugeben. So blieb

den Missionären nichts übrig, als einen Boten nach Sansibar an den Vezier des Sultans zu schicken, damit ein eindringliches Empfehlungsschreiben desselben den Widerstand Mwana-Gomera's breche. Bis dahin hieß es sich gedulden; eine peinliche Aufgabe in der Lage der Missionäre, wo jeder Tag so werthvoll war. Endlich kam der Bote zurück und brachte das erschnte Schreiben. Es lautete wie folgt: „Im Namen Gottes. Hamed-ben-Seid, Seliman-ben-Houeb an Mwana-Gomera: Gruß! Zuvörderst erinnere ich dich daran, daß du vor langer Zeit schon an den Vezier des Sultans zu schicken, bisher aber bist du nicht gekommen. Meine Frau starb mir dahin, und du kamst nicht. Mein Kind hat mir der Tod entrissen, und du kamst wieder nicht. Du hast mir Elephantenzähne zu schiden zugesagt, aber es nicht gethan. Und nun frage ich: Wo bleibt denn Mwana-Gomera? Was ich dir sonst noch zu sagen habe, ist dieses: Die Patres von Bagamoyo sind nach Mrogoro gereist, um das Land anzusehen und ein Haus zu bauen, wenn es Gott so gefällt! Und zu verlange nun, daß du sie gut aufnimmst, ihnen in jeder Weise behülflich seiest und sie mit ausgesuchter Höflichkeit behandelst. Alles Entgegenkommen, das sie finden, sehe ich als mir erwiesen an, und alle Unbilden, die gegen sie gerichtet sind, betrachte ich als Beeinträchtigung meiner selbst. Denn ich und die Patres von Bagamoyo, wir halten uns beim Finger. So ist der Wille des Suttons Seid-Bargosch-ben-Seid-Seid, den Gott erhalten wolle, wenn es ihm gefällt. Ich schicke dir zwei Männer; sie bringen dir ein goldgesticktes Hemd und eine Mütze. Gruß! Gez.: Hamed-ben-Seid-Setiman."

Auf diesen Brief hin vollzog sich ein jäher Umschwung in den Gesinnungen Mwana-Gomera's. Er kam an ein Ende mit dem Bemühen, sich zu entschuldigen, und fand nicht Worte genug, seine tiefgefühlte Freundschaft auszudrücken. „Was wollt ihr, edle Männer? Grund und Boden?" fragte er. „Du! so viel ihr verlangt. Braucht ihr Arbeiter? Alle meine Leute stehen euch zu Diensten. Wohin gedenkt ihr eure Hütten zu bauen? Und wäre es auf steiler Berghöhe — auf meinem Rücken trag' ich euch hin." Die Missionäre hatten allen Grund, sich darüber zu freuen, daß der unverblümte Brief und das goldgestickte Hemd so trefflich gewirkt.

Längst hatte P. Baur ein passendes Plätzchen für die künftige Missionsstation ausersehen, in fruchtbarem Wiesenthal, von freundlichem Gehölz umrahmt, von einem rauschenden Wildbach durchströmt, mit herrlicher Aussicht und frischer Gebirgsluft. Die Arbeiten wurden ohne Verzug vertheilt und begonnen, unermüdlich fortgesetzt und rasch zu Ende geführt.

Bald darauf errichteten die Missionäre südlich von Mrogoro, ebenfalls noch in der Landschaft Ukami, eine neue Niederlassung, die Mission vom hl. Kreuze in Tnunngo. Msgr. Courmont selbst wählte den Ort in einer Gegend, die ihm und seinen Begleitern besonders gefiel: freundliche Nachbarn, fruchtbares Hügelland, fern von Heerstraßen und Fiebersümpfen. Dazu kam, daß ihnen der Häuptling Kusagira einen besonders guten Eindruck machte. Während die anderen zumeist durch zudringliche Gefälligkeit, die nur schlecht verhüllte Habsucht ist, lästig werden, war dieser zwar etwas zurückhaltend, aber auch völlig uneigennützig. Sein Wesen war durch Würde und Einfachheit ausgezeichnet, durchaus ehrlich und vertrauenerweckend. Darum stand er auch allenthalben in Achtung und Ansehen. Sein Rath war voll Ueberlegung, voll Reife und Weisheit. Ohne hart oder herrisch zu sein, hielt er auf strenge Zucht und gute Ordnung. Msgr. Courmont bemerkt, es fehle ihm gar nichts als das Unentbährliche: Christ zu sein. Um die öffentliche Ordnung aufrecht zu erhalten, gab es Ausrufer, die jeden Abend ihres Amtes walteten. An einem Nachmittag zeigten sich verdächtige Schleicher in der Lagernähe. Es wurde dem Häuptling angezeigt, und abends rief man schon folgende Verfügung aus: In der Nähe der Zelte der weißen Männer dürfe niemand stehen bleiben; wer dort vorbeigehe, müsse husten, damit es nicht scheine, als pioniere er. Und das war so ernst gemeint, daß nach dieser Verkündigung den Missionären bedeutet wurde, sie dürften auf jeden Dawiberhandelnden Feuer geben. Kusagira hatte dem Stammeshäuptling Mwenge-mtu vom Vorhaben der Missionäre Anzeige gemacht; denn ohne dessen Zustimmung durfte die Niederlassung nicht gegründet werden, ja vor

war es sogar, der eigentlich die Abgrenzung und Schenkung vornehmen mußte. Anfänglich etwas kühl, gab er doch einige Hoffnung. Es wurde eine große Häuptlingsversammlung berufen, in welcher die weißen Männer ihre Bitte vortragen sollten. P. Baur meinte, das sei der richtige Augenblick, um alle mögliche Großmuth an den Tag zu legen. So wurde denn ein Kaffee gebrannt und aufgetragen, carrirte Stoffe, gefranste Gewebe, hohe Mützen und dergleichen ausgepackt, aufgelegt und angeboten. Am folgenden Tage wurde den Missionären guter Bescheid, sie sollten bald zu Mwenge-mtu kommen, damit die Uebergabe Statthaben könne. An demselben Tage hatten die Missionäre eine Begegnung, die bald, wie Msgr. Courmont schreibt, die traurigsten Folgen gehabt hätte. Ein Mann, der sich Bumboma nannte, suchte die Bekanntschaft der Missionäre, war äußerst zuvorkommend und bot ihnen seine Dienste an. Er trug einen goldgestickten arabischen Kaftan, einen Turban, einen Dolch und war von einer Schaar bewaffneter Sklaven begleitet. Die Missionäre lehnten dankend ab, weil sie nicht recht wußten, wozu sie noch eines weitern Beschützers bedürften. Aberdem kam eine Bote des Bumboma und brachte Geschenke. Dieselben wurden erwiedert, und nun meinte Msgr. Courmont des dienstbeflissenen Arabers ledig zu sein. Am folgenden Morgen brach man auf, um sich zu Mwenge-mtu zu verfügen; da fand sich Bumboma wiederum ein und schloß sich ohne weiteres an. Offenbar war seine Anwesenheit dem Mwenge-mtu sehr wenig willkommen; er schien sehr einsilbig und machte eine finstere, mißtrauische Miene. Er zog das linke Ufer des Rusu entlang, bis man an einen hohen Baum kam. Dort blieb der Stammeshäuptling stehen; an das weitausgreifende Wurzelwerk gelehnt, beschrieb er mit einer Haltung, in der Ruhe und Würde sich ausprägte, den Raum, welchen Eigenthum der Weißen werden sollte. Da unterbrach ihn plötzlich die zornig kreischende Stimme Bumboma's: „Was du verschenken willst, gehört nicht dir; mein ist es und mir, es abzutreten." Wie ein gereizter Panther schnellte Mwenge-mtu in die Höhe, zitterte vor Wuth und brach in die Worte aus: „Schändliche Schlange, spei vor dein scheußliches Gift! Wie — mir gehört nicht, was meinen Vätern allezeit war und was ich eerbt habe? Von morgen an gehört Grund und Boden hier den weißen Männern, und hast du irgend etwas dagegen, dann hast du es mit mir zu thun." Die Missionäre erschraken nicht wenig ob des jähen und argen Streites; schleunigst suchten sie zu vermitteln. Msgr. Courmont versicherte, sie seien Männer des Friedens, und ehe sie gestatten würden, daß es um ihretwillen zu Kämpfen käme, würden sie sonder Verzug sich fortbegeben. Nach und nach gelang es dem hochw. Herrn, die Aufgeregten zu besänftigen. Allein es blieb doch der Schatten gestörter Eintracht; die Wetterwolke drohender Fehde hatte sich noch nicht verzogen. Die Missionäre wußten nicht, woran sie seien, ob es sich empfehle, gleich fortzugehen, oder zuzuwarten, bis die Gemüther völlig beruhigt wären. Nach zwei Tagen peinlicher Zweifel kam Kusagira und bald auch Kasebo, der Bruder Bumboma's, und versicherten die Missionäre, sie könnten in aller Ruhe ihr Eigenthum antreten. Was war geschehen?

Bumboma hatte seinen Eigensitz unbewacht gelassen. Da waren die Maffitis darüber hergefallen und hatten alles verheert und geplündert. Nun war er in so übler Lage, daß zu seinen Ansprüchen unmöglich Nachdruck geben konnte und darum klein beigab. Diese Maffitis sind ein räuberisches Nomadenvolk, das vom Annectiren lebt. Sie sollen ein Zweig der Zulus sein. Nahrbar und glatt wie Schlangen gleiten sie durch die Prairie und über-

halten friedliche Dörfer. Freilich
eine unangenehme Nachbarschaft für
die neue Missionsstation; dafür sind
die übrigen Nachbarn gut und zu=
verlässig, und gern gewillt, die Mis=
sionäre zu schützen.

So stand kein Hinderniß mehr
im Wege, und Msgr. Courmont
zog noch mit hinaus nach Tu=
nungo: so heißt die neue Grün=
dung. Nun gab man sich wieder
ans Reuten und Roden, ans Zim=
mern und Bauen. Auf Msgr. Cour=
monts Geheiß wurde zunächst ein
schlankes Kreuz verfertigt, damit es
auf einem nahen, hochragenden und
anmuthigen Berggipfel aufgerichtet
werde. Die jungen Christen trugen
es hinauf, und die Priester stimmten
den Kreuzeshymnus an:

„Des Königs Banner wallt hervor,
Hell leuchtend strahlt das Kreuz
empor,
Woran in Tod das Leben litt
Und Leben in dem Tod erstritt....“

Unter Gebet und Gesang erreichte
man den Gipfel. Eine Grube war
schon vorbereitet. Das hehre Holz
wurde in den Boden eingelassen,
Kreuzerhöhung vorgenommen. Und
schon steht es weithin sichtbar auf=
recht, das Feldzeichen der streiten=
den Kirche, das Wahrzeichen, in
dem der Sieg unser ist. Ernst und
ergreifend klang die letzte Strophe
des Liedes, vom Morgenwind über
Wälder und Wiesen getragen, bis
hinein in die wilden Berge:

„Kreuz, unsere Hoffnung allezeit,
Gruß dir in dieser Leidenszeit....!“

Tunungo wurde im Octo=
ber 1884 gegründet. Es gleicht
vielmehr einem Missionsposten in
Tongking, als einer Station im
friedlichen Ulami. Wenn man von
ferne kommt und nach der Station
anschaut, so heftet sich das Auge
nach einigem Zaudern auf einen
Hügel mit steilen Abhängen, dessen
Scheitel eine Art Fort krönt. Hat
man seinen Fuß erreicht und den
Ringaus überschritten, so betritt man
einen Pfad, der, rings um den
Hügel sich schlängelnd, zur Höhe
emporführt. Von welcher Seite
man emporklimmt, trifft man einen
ziemlich breiten Graben, um dessen
Böschung eine mit Schießscharten

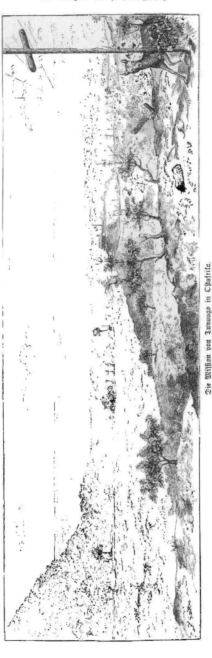

Die Mission von Tunungo in Chafrita.

versehene Mauer läuft. Eine
zweite, etwas höhere Mauer bil=
det die innere Vertheidigungslinie.
Zwei Thore, beide mit Zug=
brücken, führen in die kleine
Festung. Dieser kriegerische Auf=
wand, der mit dem Frieden eines
Missionshauses in so grellem Wi=
derstreite steht, gilt nicht den fried=
lichen Walami (Bewohnern von
Ulami), die überaus froh sind,
daß sie zu uns kommen und im
Nothfalle in der Mission einen
Zufluchtsort finden können, son=
dern dem oben erwähnten Räuber=
stamm der Massitis. Leider ist
dieses Raubgesindel nicht das ein=
zige öffentliche Unglück. In keiner
andern Landschaft stammen so zahl=
reiche Hexenbrände. Wenn jemand
stirbt, so war das die Folge eines
Zaubers: also Rache! Und zwar
wendet sich diese gegen die Schwäch=
sten und mit Vorliebe gegen arme
Weiber ohne Herren und ohne An=
gehörige.

P. Le Roy bestieg manche Berge
in der Umgegend von Wrogoro und
Tunungo. Reichlich wurde er für
die Beschwerden des Aufstieges be=
lohnt. Nicht die endlose Fernsicht
über die Hochebene von Ulami weg
nach dem Tieflande von Usigova
und zur Küste, zum Meere hin;
nicht die dunklen Grotten und
schaurigen Klüfte des in unmittel=
barer Nähe und drohender Größe
hochragenden Felsgesteins; nicht
die langgestreckte, thaldurchfurchte
Bergkette im Süden ist es, was
zunächst die Bewunderung fesselt,
sondern vorab die umliegenden
Urwaldschluchten mit dem beispiel=
losen Reichthum ihres sich aus sich
selbst immer wieder verjüngenden
Baumwuchses und der unendlichen
Fülle ihrer den Urwald durchrankan=
den und umschlingenden Pflanzen=
welt. Die Bäume schießen schnell
und schlank empor, als zöge es auch
sie zu den Bergen. Erst in be=
trächtlicher Höhe entfaltet sich das
weitausgreifende Geäst, auf dem
sich der Teppich prachtvollen Laub=
werkes so dicht verbreitet und über=
einander legt, daß die Kronen der
Bäume eine Domkuppel bilden, die
der Sonnenstrahl kaum zu durch=
dringen vermag. Die großen alten

Baumriesen wollen den Nachwuchs nicht aufkommen lassen und gönnen ihm nur ein kümmerliches Dasein. Allein der Nachwuchs kommt doch empor und entzieht den Riesen die Säfte, deren sie in Masse bedürfen. Die Zeit thut allgemach das Ihrige. Der Scheitel lichtet, der Blatt-Teppich lüftet sich, die längst in Falten und Runzeln gelegte Rinde zerbirst. Schon knarren und stöhnen die stärksten Aeste, wenn der Sturm von der Wüste her durch den Urforst braust. Es sinkt einer um den andern, und endlich kracht und fällt der Stamm. Nur ein todter Stumpf bleibt stehen, den die unsterbliche Pflanzenjugend mit ihren immergrünen Kränzen umrauscht und umwindet. So geht es im Urwald genau wie im Weltgewühl. Die afrikanischen Berge sind noch einsamer als die Scheitel der Alpen, weil sie von den Eingeborenen nie erstiegen werden. Denn diese sind der Meinung, in den nebelumhüllten Höhen trieben Geister ihren Spuk.

16. Nach Bagamoyo zurück.

„Auf unserer Rückreise von Simba-Mene nach Bagamoyo", erzählt P. Bauer, „hatten wir zweimal über den Guerinqere zu setzen, der an jener Stelle einen weiten Bogen beschreibt. Als Brücke dienten Baumstämme; der Esel wurde ins Wasser geworfen und an Striden nachgezogen. Zahlreiche Bäche münden in diesen Fluß; ihr Bett war meist trocken oder hatte nur einen dünnen Wasserfaden; manchmal füllte es auch eine faulende Schwarzloche oder hohes Schilf und dichtes Dorngesträuppe. Oft fanden wir eine erstaunliche Menge todter Fische. Solche Bäche bilden immer ein nicht geringes Hemmniß für die Karawanen. Wir folgten ruhig dem Wege, den uns der alte Zauberer gezeigt hatte, verloren ihn aber mitten im Dickicht; die Fährte wilder Thiere hatte uns weit ab in die Irre geführt. Die Karawane machte Halt. Während zwei Mann sich entfernten, um den Weg wieder zu finden, wurde unsere Aufmerksamkeit durch den kurzen und stoßweißen Schrei des Honigkuckucks (cuculus indicator) gefesselt. Das ist ein sonderbarer Vogel; sobald er uns erblickte, schrie er, flatterte von Zweig zu Zweig, flog voran und kam zurück und lud uns ein, ihm doch zu folgen. Einige unserer Träger gehorchten seinem Rufe, ganz überzeugt, zu einem Bienenstocke oder zu einem wilden Thiere geführt zu werden; denn dieser Vogel täuscht niemals. In der That fanden sie bald den Schwarm, der in einem hohlen Baume sich angesiedelt hatte. Nach kurzem Zandern stieg Peter mit einer Axt auf den Baum und holte mit kühnem Griffe eine volle Wabe heraus; aber die Bienen stürmen wüthend auf ihn ein, von dem Rechte der Selbstvertheidigung ausgiebigen Gebrauch machend. Verfolgt, gestochen, zermartert stürzt der freche Räuber vom Baume, fällt aber, seiner halben Katzennatur entsprechend, so glücklich auf Hände und Füße, daß er keinen weitern Schaden nimmt. Die Gefährten seines Unternehmens wurden natürlich ebenfalls tüchtig gestochen und vollständig in die Flucht geschlagen.

„Um 2 Uhr nachmittags kamen die beiden Leute, welche wir ausgeschickt hatten, zurück und meldeten, sie hätten den Weg gefunden. Sofort erhoben alle Träger den Ruf: ‚Safari!' d. h. ‚Voran!' und nach 1½ Stunden erreichten wir das befestigte Dorf Mgole. Der gleichnamige Häuptling saß unter der Thüre seiner Werkstatt und flocht Matten. Zahlreiche Thierfelle, namentlich Büffelhäute, hingen an den Wänden seiner Hütte. Diese Thiere waren in Fanggruben erlegt, wie wir sie öfters unterwegs fanden.

„Der Marsch des folgenden Tages wurde durch fröhlichen Vogelgesang angenehm verkürzt. P. Hacquard und ich waren darob um so mehr erfreut, da man in den tropischen Gegenden sehr selten Singvögel trifft; unser Staunen wurde aber noch größer, als wir die Stimmen von Nachtigallen zu hören meinten. Ich wage nicht zu behaupten, daß die Nachtigall dort heimisch sei; die Königin der Sängerinnen hat aber auf Sansibar eine Schwester, die ihr nahe kommt. Sonst war dieser Tagesmarsch sehr mühselig; denn wir hatten wieder schrecklichen Durst zu leiden; nur einmal trafen wir in einer Pfütze etwas übelriechendes Wasser, von welchem wir eine Antilopenheerde aufjagten und welches, wie die Spuren zeigen, die Tränke aller Thiere der Wildniß bildet.

„Endlich verkündete uns Hahnenschrei, daß wir in der Nähe von menschlichen Wohnungen seien. Es war das Dorf Mbaa, dessen Häuptling Matungira heißt. Dorf, Häuptling und Bewohner glichen sich alle; sie sind sammt und sonders unnennbar schmutzig. Am Abende und namentlich in der Nacht wurden wir von ganzen Schwärmen Moskquitos angefallen; Kakerlaken, Küchenschaben, Wanzen, ungeheure Spinnen, Skorpione, Tausendfüße und anderes Ungeziefer kroch aus den Wänden, fiel aus den Dache, wimmelte auf dem Boden, lief uns über Kleider, Hände und Gesicht. Mein Felleisen wurde zerfressen, den Stiefeln P. Hacquards ging es gerade so. Ein Auge zu schließen, war ein Ding der Unmöglichkeit; es schien,

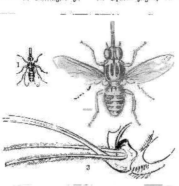

Die Tsetse-Fliege (Glossina morsitans).
1 In natürlicher Größe. 2 In dreifacher Vergrößerung.
3 Der Stechapparat in zwanzigfacher Vergrößerung.

als ob das ekelhafteste Geziefer der Schöpfung sich in unserer Hütte zu Mbaa ein Stelldichein gemacht hätte. Auch waren wir am Vorabende gerade hier mehr als irgendwo anders von der Tsetse-Fliege behelligt worden.

„Dieses berüchtigte Insect, das in der Kisuahili-Sprache ‚Tschalonom' heißt, ist eine der furchtbarsten Geißeln Afrika's. Sie findet sich von den Kapländern bis über den Aequator hinaus, doch glücklicherweise nicht überall. Ohne daß man den Grund hinreichend erklären kann, lebt sie an bestimmten Plätzen und gedeiht an anderen Orten wieder nicht; man könnte eine vollständige Karte ihrer Verbreitung über Afrika entwerfen. Sie hat ungefähr die Größe einer Stubenfliege; das Männchen ist etwas kleiner als das Weibchen; sie haben eine grünliche Färbung und ein eigenthümliches, hohes Summen, das man sofort wieder erkennt, wenn man es auch nur einmal gehört hat. Sie liebt es, im Verborgenen zu stechen; oft machte ich die Beobachtung, wie sie sich unter die Kleider, in die Aermel, unter den Schweif der Thiere verkroch. Sie bohrt dann ihren kleinen Rüssel, an dessen Wurzel, wie ein winziges Tröpfchen Silber in einem durchsichtigen kryſtallfläſchchen, ein Giftbläschen glänzt, in die Haut, schiebt zwei Sauger in die giftige Stichwunde, pumpt sich voll Blut und fliegt nach kurzer Weile von dannen. Das genügt, um bei einem Ochſen, Pferde, Hunde oder Schafe eine solche Blutvergiftung herbeizuführen, daß der Tod gewiß ist. Gewöhnlich wird das Thier immer schwächer und hinfälliger und verendet erst nach Wochen oder selbst Monaten; manchmal wird es aber auch wie toll und rennt sich den Kopf an irgend einem Baum ein. Man behauptet, dem Esel schade das Gift dieser Mücke nicht; ich bezweifle diese Angabe sehr, wenigstens für alle nicht eingeborenen; wir selbst haben schon mehrere Esel durch die schreckliche Mücke verloren; auch das arme Thier, das uns auf dieser Reise so gute Dienste leistete, verendete bald nach unserer Heimkunft. Die belgische Expedition hat für ihre Reise in das Innere drei Elephanten aus Indien kommen lassen; auch diese erlagen der Tsetse. Nur der Mensch, die Ziege und die wilden Thiere trotzen ihren Stiche, der übrigens nicht schmerzhafter ist, als ein gewöhnlicher Mückenstich. Ein Gegengift ist nicht bekannt; die Leute hier behaupten, wenn man den Schwanz der Thiere mit Löwen-

Ein Büffeljäger. (S. 216.)

von vorne an. Der Sache müde, faßte ich endlich den Häuptling am Arme, bedrohte ihn mit dem Zorne der Weißen und jagte ihn: ‚Du selbst sollst unser Führer sein, und ich werde dir zum Lohne geben, was mir gut scheint.' Der arme Malmgira war ganz erschrocken, stellte sich an die Spitze unseres Zuges, und so erreichten wir vor Abend noch den Wami, nicht weit von den Bergkegel des Pongwe. Wir mußten längere Zeit warten und hatten so Zeit, riesige Nester einiger Wasservögel zu bewundern, welche wie kleine Hütten in den Wipfeln großer Bäume angebracht waren; endlich holte uns ein Mann in einer Pirogue vom jenseitigen Ufer herüber.

„Die fernere Rückreise bot wenig Bemerkenswerthes; nach kurzer Rast in Mandera, das wir am nächsten Morgen erreichten, zogen wir in vier Tagen durch Udoe an die Ufer des Kingani und heim nach Bagamoyo, wo wir nach beinahe zweimonatlicher Abwesenheit wieder eintrafen.'

17. Die Kämpfe Wißmanns.

Wie der Aufstand im ganzen Küstengebiete von Zanzibar im September 1888 zum Ausbruche kam, haben wir oben bereits erzählt. Auch die Kämpfe um Bagamoyo, in denen sich Baron von Gravenreuth

fett einreibe, so vertreibe das die Tsetse; leider ist der Löwe nicht immer in der Laune, sein Fett dem ersten besten zur Nutznießung zu überlassen.

„Am Abende vorher hatten wir nach langem Hin- und Herreden mit den Leuten ausgemacht, daß sie uns einen Führer zur Weiterreise mitgeben würden. Am Morgen fing aber der Streit

durch Umsicht und tapfern Muth auszeichnete, sind uns bereits bekannt. Aehnliche Kämpfe mit verschiedenen Banden der Aufständischen wurden zu Anfang des Jahres 1889 bei Dar-es-Salaam geführt und folgten sich fast ununterbrochen bald hier bald dort bis Anfang Mai, da Buschiri seine erste große Niederlage erlitt. In allen diesen Gefechten bewiesen die Araber und

Neger den überlegen bewaffneten Europäern gegenüber Muth und Tapferkeit; trotz schwerer Verluste griffen sie die beiden von den Deutschen allein besetzten Hafenorte, Bagamoyo und Dar-es-Salaam, immer wieder an, und waren, wo sie von den schweren Geschossen der Schiffskanonen nicht erreicht werden konnten, lange Zeit nicht zu vertreiben.

Inzwischen war Hauptmann Wißmann als Bevollmächtigter der deutschen Regierung mit, theils aus Sudanesen angeworbenen, Kolonialtruppen in Sansibar eingetroffen und hatte sein kleines Heer durch Askaris (Neger aus Uniamwesi) und schaffern verstärkt und, so viel möglich, nach preußischem Muster eingeübt. Hermann Wißmann war mit den afrikanischen Verhältnissen wohl vertraut. Er hatte im Jahre 1881 von Loanda, an der afrikanischen Westküste, aus nach Bagamoyo eine Durchquerung Afrika's unternommen und mit großem Geschick zu Ende geführt. Die Thatkraft, die er auf dieser schwierigen Fahrt bewies, bewährte er auch in der weit schwierigeren Aufgabe, die seiner an der Sansibarküste wartete. Anfangs Mai glaubte Wißmann seine Truppe hinlänglich geübt, um das verschanzte Lager Buschiri's anzugreifen. Es lag viel daran, daß das Unternehmen nicht fehlschlug; denn die Araber waren der Meinung, daß ihnen die Deutschen nur so weit überlegen seien, als ihre Schiffskanonen trügen, und ein Sieg Buschiri's hätte die Lage sehr verschlimmert.

Am 11. Mai rückte Wißmann in der Morgenfrühe aus und sah sich gegen 10 Uhr dem von etwa 600 Mann vertheidigten Lager Buschiri's gegenüber. Dasselbe war von einer hohen und dichten Pallisadenwand umschlossen, welche aus Palmenstämmen und Buritis (einer Art harten Stangenholzes) bestand. Hinter diesen Pallisaden gewährte ein Schützengraben den Arabern Deckung gegen das feindliche Feuer. Vor dieser Festung breitete sich ein weiter, von hohem Gras bestandener Raum aus, der den Anstürmenden keinen Schutz bot. Rasch hatten aber die wenigen Geschütze in die Pallisaden Bresche gelegt, und die Granaten, welche ins Lager flogen, verbreitete daselbst Verderben und Schrecken. Schnell ordneten sich die Sturmkolonnen, und schon nach 20 Minuten war das Lager von drei Seiten genommen. Die Askaris von Bagamoyo unter der Führung von EberStein waren zuerst an den Pallisaden und überstiegen dieselben; ebenso zeigten die Suhu große Tapferkeit, während die Sudanesen wenig Muth bewiesen. Der Feind ließ 80 Todte im Lager zurück; außerdem viele Verwundete. Doch gelang es Buschiri, mit der Mehrzahl seiner Anhänger den Deutschen zu entkommen, welche keine große Verluste zu beklagen hatten, aber doch die Verfolgung der Araber, durch die tropische Hitze ermattet, nicht bewerkstelligen konnten.

Die nächste Waffenthat Wißmanns war die Erstürmung von Saadani am 6. Juni 1889. Während die Kriegsschiffe Leipzig, Pfeil, Möve und Schwalbe den Hafenort in Brand schossen, landeten die Truppen. Sie wurden dabei vom Strandgebüsch aus mit einem lebhaften Feuer empfangen. Aber die Revolvergeschütze der Dampfspinassen brachten dasselbe bald zum Schweigen, und die vom Feinde geräumte Stadt wurde fast ohne Schwertstreich eingenommen. Nur am südwestlichen Ende entspann sich ein kurzer Kampf. Zur Strafe an der regen Theilnahme am Aufstande ließ der Sieger die Stadt anzünden; um 1 Uhr mittags loderten die leichten Hütten der Neger und die nicht viel besser gebauten Wohnungen der Araber lichterloh zum Himmel und verkündeten die Rauchsäulen den Flüchtlingen das strenge Gericht des Siegers. In ähnlicher Weise wurden noch andere Hafenorte gezüchtigt. Auch Pangani wurde einen Monat später, am 8. Juli, eingenommen

und seiner wichtigen Lage wegen besetzt und durch Anlage eines Forts befestigt. Am 14. Juli wurde in ähnlicher Weise Tanga besetzt. So konnte die nördliche Hälfte der Sansibarküste als von den Aufständischen befreit betrachtet werden.

Wißmann wandte sich jetzt dem Binnenlande zu, wo Buschiri neue Kräfte gesammelt hatte. Ein Zug nach der wichtigen Station Mpuapua in Ukagara sollte zur Niederwerfung der Aufständischen unternommen werden. Der tapfere Baron von Gravenreuth hatte inzwischen Dar-es-Salaam zu vertheidigen und führte das Obercommando über die geringen Streitkräfte an der Küste. Da kam plötzlich die Kunde, Buschiri ziehe hinter dem Rücken Wißmanns mit mehreren tausend kriegerischen Wasfiti, mordend und raubend, auf Bagamoyo los. Gravenreuth konnte nur über etwa 300 Mann verfügen; dennoch beschloß er, den an Zahl überlegenen Feind aufzusuchen, und ordnete den Marsch so an, daß seine drei fast gleich starken Abtheilungen, die unter ihm, von Bülow und Reichelmann getrennt marschirten, Buschiri bei Dunda am Kingani im Rücken, in der Front und an den Flanken hätten fassen sollen. Der Plan glückte nicht vollständig, weil von Gravenreuth am 19. October bei Jambo zu früh auf das erste Lager der Feinde stieß, daß die anderen Abtheilungen noch nicht zur Stelle sein konnten. Nach kurzer Gegenwehr flohen die Wasfiti; aber bald sah sich Gravenreuth der Hauptmacht und dem eigentlichen Lager Buschiri's gegenüber. Wohl 2000 Neger machten Front und stürmten muthig, ihre Wurfspeere schleudernd, den Angreifern entgegen. Aber reihenweise sanken sie durch die Salven der Hinterlader ins hohe Gras. Nichtsdestoweniger drangen sie wiederholt vor und hätten die Handvoll Leute Gravenreuths, welchen bald der Schießbedarf auszugehen drohte, leicht erdrücken können, wenn die blutigen Verluste sie nicht rechtzeitig zur Flucht genöthigt hätten. Buschiri entkam auch dieses Mal. Und noch ein drittes Mal entzog er sich am 8. December nach einer neuen Niederlage. Dann aber wurde er das Opfer des Verraths seiner Leute, die ihn Wißmann wenige Tage später auslieferten. Nach einem kurzen Verhör, in welchem er behauptete, er habe im geheimen Einverständnisse und im Auftrage seines Herrn, des Sultans Said Chalifa von Sansibar, gegen die Deutschen gekämpft, wurde er standrechtlich zum Tode verurtheilt und aufgeknüpft. Das gleiche Schicksal traf etwas später seinen Bruder. Buschiri's Angabe ist nicht unwahrscheinlich, wenn er sie auch nicht beweisen konnte; Said Chalifa ist übrigens inzwischen am 13. Februar 1890 plötzlich gestorben; sein Bruder Said Ali folgte ihm in der Herrschaft. Sei dem aber, wie ihm wolle, Buschiri hat sich den Missionären gegenüber stets menschlich bewährt; ihm ist die Befreiung der Gefangenen von Pugu und die Erhaltung der Station Bagamoyo ganz besonders zu verdanken. Auch Tapferkeit wird ihm der Feind nicht absprechen.

Nach Buschiri's Tod übernahm Bwana Heri, der Wali von Saadani, die Führung der Aufständischen. Gegen ihn mußte Wißmann nunmehr kämpfen. Der erste Angriff fiel für die Waffen der deutschen Schutztruppen ungünstig aus. Erst am 4. Januar 1890 gelang es Wißmann nach erbitterter Gegenwehr und nicht ohne Verluste, endlich das verschanzte Lager Bwana Heri's zu erstürmen. Derselbe entkam aber und suchte nun sich mit den Häuptlingen der kriegerischen Wamassai und anderer Stämme gegen die Deutschen zu verbinden. Mit 200 Kisten Geschenke warb er um deren Bundesgenossenschaft; aber es gelang von Gravenreuth, dem Araber die Schätze wegzusagen, und als Wißmann in den Gefechten vom 8. und 9. März dessen Schaaren abermals schlug und

zersprengte, mußte er demüthig um Frieden bitten, der ihm ge=
währt wurde.

Die Uebergabe Bwana Heri's erfolgte am 4. April in Saa=
dani. Gravenreuth hatte sich als Stellvertreter Wißmanns nach
dem Hafenorte begeben, der seit der Zerstörung im Juni 1889
außer dem deutschen Fort nur mehr aus Trümmern und wenigen
Negerhütten besteht. Ein Augenzeuge entwirft von dem Vorgange
folgende Schilderung:

„Sogleich nach unserer Ankunft begab sich Omar (der Unter=
händler Bwana Heri's) ins Innere, in die Gegend von Palamata,
um Bwana Heri die Nachricht von der Annahme seiner Kapitu=
lation zu bringen. Am nächsten Tage, Charfreitag, kamen in Trupps
von 6 bis 8 Mann etwa 60 Leute, alle fast verhungert, mit Keulen,
Speeren, Pfeil und Bogen bewaffnet, nur einer hatte eine alte
Feuersteinflinte. Freitag nachmittag traf das Kanonenboot ‚Sperber‘
ein und ankerte etwa eine halbe deutsche Meile weit vom Strande.
Von Bwana Heri war nichts zu sehen, die Umgegend völlig aus=
gestorben, nicht einmal Rauch von Lagerfeuern. Am Sonnabend
früh erschienen drei Boten mit der Nachricht, Bwana Heri käme
am nächsten Tage, dem Ostersonntag, er sei krank (magenleidend)
und könne nur langsam marschiren. Am
Sonntag morgen wieder nichts — arabische
Langsamkeit. Wird er kommen oder nicht?
Inschallah! — wie Gott will! Der ‚Sper=
ber‘ muß nach Sansibar zurückkehren und
dampft um 12 Uhr ab. — Im selben Augen=
blick erschien mit zwei Begleitern der Nyumbe
von Mtondja, welcher eine Art Unterhändler=
rolle gespielt hat in der Station, ein großer,
schöner Neger, sehr gut gekleidet, von in=
telligentem Gesichtsausdruck, den deutschen
Interessen seit längerer Zeit ergeben. Er
meldet, daß Bwana Heri ihm auf dem Fuße
folgt. Unsere Gläser richten sich auf das
dichte Unterholz, welches etwa 400 Schritt
von der Station beginnt: von Norden her
erscheint eine lange Menschenreihe; eine weiße
Fahne flattert über den eben sichtbaren Köpfen;

Major von Wißmann. (S. 218.)

der dumpfe Schall großer Negertrommeln dringt herüber, eine zweite
Fahne, ein dritter Zug von Süden her: Bwana Heri kommt.

„Hinter einer Bodenwelle lagert sich die ganze Gesellschaft, eine
Gestalt löst sich von der Masse: Omar, der Schwiegersohn Bwana
Heri's. Chef Sigl und Lieutenant v. Arnim gehen hinunter, etwa
200 Schritte weit, dem Abgesandten entgegen, um ihm die Weisung
zu geben, daß die ganze Macht sich hinter dem Fort lagern soll.
Die Sudanesen haben scharf geladen, die Kanonen sind mit Kar=
tätschen versehen; aber es ist ausdrücklich verboten, daß irgend ein
Europäer oder Sudanese bei den Geschützen sehen läßt, damit
nicht im letzten Augenblicke die ganze Gesellschaft in alle Winde zer=
stiebt. Nach einer kurzen Unterredung mit Chef Sigl gibt Omar ein
Zeichen, und hinter der Bodenwelle hervor treten in endloser Reihe,
im Gänsemarsch, die drei Züge in einer Gesammtstärke von etwa
400 Mann in die freie Ebene. Voran eine seltsame Gestalt: Von
dem Kopfe stehen nach beiden Seiten zwei mächtige, aufgerichtete
Adlerflügel ab, den Rücken bedeckt mit einem Löwenfell; perlengestickte
Bänder hängen vom Körper herab. So trippelt der Zauberer und
Vortänzer, denn einen solchen haben wir vor uns, in kurzem Trabe
und in Schlangenlinien vor dem Zuge her, beschreibt Kreise, läuft
hierhin und dorthin, unermüdlich. Ihm folgen drei Trommler, auf

mächtigen Gomas (Negertrommeln) einen langen Wirbel schlagend,
dann die weißen Fahnen, ihnen nach die Krieger, Araber, Belud=
schen, Sklaven, Waniamwesi, Wassehsi, Wasegufu, alle möglichen
Stämme. Die meisten Leute sind sehr gut, viele Araber prächtig
gekleidet, einige Neger befinden sich im Kriegsschmuck, den Kopf
mit aufgerichteten Federbüscheln bedeckt (wahrscheinlich Massai's).
Fünf buntgeschirrte Esel befinden sich im Zuge. Fast alle Leute
sind mit Gewehren bewaffnet, nur etwa 30 tragen Speere oder
Bogen und Keulen. So bewegt sich der Zug auf die Station zu,
ein höchst malerisches Bild. — Da der ihnen angewiesene Platz
gerade unter der Mündung des großen Feldgeschützes liegt — für
den Neger ein höchst verdächtiger Umstand —, so finden sie, im
Grunde des oben erwähnten, trockenen Baches lagern zu dürfen.
Hier findet zunächst die unvermeidliche, unendliche Berathung statt.
Sigl und der Wali von Pangeni verhandeln mit Bwana Heri.
Bwana Heri hält Schauri (Rath) mit seinen Leuten, was mehr als
drei Viertel Stunden dauert. Endlich kommt es zu einem Resultat.
Sigl meldet Herrn von Gravenreuth: Bwana Heri ließe dem
Bwana Kuba, dem Simba Mrima (Löwe der Küste, Beiname
Gravenreuth's), seinen Salam sagen und bitte um die Erlaubniß,
ihn selbst begrüßen zu dürfen. Er sei in
ganz friedlicher Absicht gekommen; was ihn
beträfe, so sei der Krieg aus und vorbei, und
er unterwerfe sich allein. Zu bitten habe er
folgendes: Er sei heut mit seiner besten Macht
gekommen, um in möglichst feierlicher Weise
seine Unterwerfung zu erklären; nun habe er
noch 500 Mann in seinem Lager bei Pala=
mata, ebenso seien dort die Weiber und Kin=
der und das ganze Gepäck. Zu essen hätten
sie gar nichts, Munition ebensowenig. Herr
von Gravenreuth möge gestatten, daß er selbst
mit einer Abtheilung abzöge, um jenes Lager
herbeizuholen, beziehungsweise die Leute in
ihre Dörfer zu entlassen. Die anderen Ab=
theilungen sollten in der Nähe sich nieder=
lassen dürfen; es möchten ihnen Schutzbriefe
gewährt werden. — Alle Punkte wurden
zugestanden, die Nachricht davon hinabgesandt; im Nu kam das
ganze Lager auf die Beine und in feierlichem Zuge, in der
vorher beschriebenen Ordnung, näherte sich der Zug dem vorderen
Eingang zum Fort. Der Zauberer und die Fahnenträger pflanzten
sich im Hofe auf, und wir begaben uns hinunter an den äußeren
Eingang. Hier horchte Bwana Heri, sein Sohn Abdalah, Omar,
Jehasi, der Adjutant Buschiri's (früher Angestellter in Kongostaat),
andere Araber, 14 Nyumbes (Neger=Häuptlinge) und die ganze
Macht. Bwana Heri ist von kleiner Statur, etwa 54 Jahre alt,
intelligent, fast würdig aussehend, das Gesicht etwas voll, der kurze
Schnurr= und Kinnbart halb ergraut. Er trug ein gelbseidenes
Araberhemd, den Kopf von einem blauen, glatt anliegenden, hinten
zum Knoten geschürzten Tuche umwunden. Im Gürtel steckte der
prächtige Mssetatdolch. Als Herr von Gravenreuth auf ihn zutrat,
legte er die Hand zum Gruße an die Stirn, ergriff dann mit
beiden Händen Gravenreuth's Rechte und begrüßte ihn mit ‚Jambo,
jambo sana, jambo sáánáá (sei gegrüßt, sei herzlich gegrüßt,
sei auf das allerbeste gegrüßt).‘ Dann sagte er hinzu: ‚Ach, Herr,
wäre ich doch deinem Briefe gefolgt!‘ (Herr von Gravenreuth
hatte ihn früher zur Uebergabe aufgefordert.) Das Ganze machte
den Eindruck, als ob Bwana Heri außerordentlich froh sei, den Krieg

28*

Gefecht bei

mbo. (S. 218.)

zu Ende zu sehen. Mit großer Herzlichkeit schüttelte er uns allen die Hände, dann bat er selbst nochmals, sogleich abziehen zu dürfen, was ihm erlaubt wurde, zumal ein schrecklicher Regen uns im Augenblick bis auf die Haut durchnäßte. Bwana Heri versprach noch, in spätestens vier Tagen zurück zu sein, bat, sich wieder in Saadani niederzulassen und vorher nach Sansibar kommen zu dürfen, um Herrn Major Wißmann seinen Salam zu sagen. Er erhielt Reis und Mtama und nach vielen herzlichen Danksagungen und Salams zog er ab.

„Abdallah, Omar, Jehafi und die Nyumbes blieben im Fort zurück, um ihre Schutzbriefe zu erhalten. Jehafi, ein höchst intelligent aussehender Mensch, erklärte mir sehr vergnügt, nun sei aller Krieg vorbei; sie hätten absolut nichts mehr zu essen gehabt. Dann sprach er voll Bewunderung von dem Maximgeschütz, welches bei Palamala in Thätigkeit war und dessen Wirkung er auf eigenthümliche, schriftlich nicht wiederzugebende Weise mir deutlich machen wollte. ‚Das Geschütz sei ihm, obwohl er sich sehr gut auf Kanonen verstände, absolut unerklärlich.' Nach etwa zweistündigem Aufenthalte waren die Nyumbes mit ihren Briefen versehen, und alles zog ab: Der Aufstand im Norden ist erledigt. Im ganzen hat Bwana Heri noch

Der Häuptling Buschiri. (S. 218.)

(welcher mit den Deutschen gegen Bwana Heri gefochten hat) mit 10 Mann, welche einige hundert Hühner, 6 Ziegen und einen Stier zum Verkauf brachten. Da Malipoja zwischen Palamala und Mandera im Innern liegt, so muß sich eben die Nachricht von der Unterwerfung Bwana Heri's und der Beendigung des Aufstandes mit Windeseile verbreitet haben."

In der That ist mit der Unterwerfung Bwana Heri's der Aufstand im nördlichen Küstengebiete, der so viel Blut und Leben forderte, glücklich beendet — hoffentlich auch bleibend! Major Wißmann konnte nun seine Kräfte und die inzwischen eingetroffene Verstärkung auf den südlichen Küstenstrich verwenden. Nachdem er die Aufständischen in Kiloa, wo noch immer die Köpfe der beiden ermordeten Deutschen auf Stangen befestigt waren, umsonst zur Unterwerfung aufgefordert hatte, bombardirten die deutschen Kriegsschiffe Carola und Schwalbe die Stadt, welche dabei theilweise in Flammen aufging. Als die Landungstruppen Tags darauf am 4. Mai 1890 von Süden her in Kiloa eindrangen, fanden sie den Ort vom Feinde geräumt. Am 10. Mai hatte Lindi das gleiche Schicksal.

Diese Siege beendeten den Aufstand und zwar hoffentlich endgiltig. Der ritterliche Ma-

etwa 1200 Leute gehabt, nachdem sieben Gefechte, das letzte Anfang März, gegen ihn geliefert worden sind. Ein Theil der Leute hat sich nach Mkwadja, ein anderer nach Uwindji, andere nach Windi gewandt, um sich in der Nähe der deutschen Stationen niederzulassen: der Rest kommt nach Saadani, wo über sie bestimmt werden wird. — Schon am nächsten Morgen erschien in der Station der Nyumbe von Malipoja jor Wißmann wurde zur Anerkennung seiner Verdienste in den Adelstand erhoben. Mögen unter seiner Leitung dem schwer heimgesuchten Lande die Segnungen des Friedens erblühen. Den wahren Balsam kann freilich nur die Religion des Kreuzes auf die geschlagenen Wunden legen. Sie allein vermag das arme, verhetzte Volk durch christliche Liebe zur christlichen Wahrheit zu führen und ihm so Glück und Freiheit zu bringen für Zeit und Ewigkeit.

18. In das Gebiet der großen Seen.

Bevor wir Deutsch-Ostafrika verlassen, dürfen wir nicht versäumen, die großen Binnenseen zu besuchen, die wenn auch nicht ganz, so doch zum größten Theile jetzt zu Deutsch-Ostafrika gehören, d. h. zu dem Gebiete, auf welches Deutschland Anspruch erhebt und welches kein anderer Staat besetzen darf. Der große Karawanenweg dahin geht von Bagamoyo aus westlich durch das deutsche Schutzgebiet nach Mpuapua und nimmt dann eine nordwestliche Richtung bis zu der großen und wichtigen Ortschaft Tabora, die fast genau unter dem 5.° südlicher Breite liegt. Dort theilt sich der Weg: westlich führt er an den Tanganjika, nördlich an den Ukerewe oder, wie er gewöhnlich genannt wird, an den Victoria-Njansa. Der Weg von Bagamoyo nach Tabora beträgt etwa 700 km, und von Tabora an die beiden Seen sind es weitere 300 km, so daß die Reisestrecke etwa der Entfernung von Paris nach Wien gleichkommt. Allein von Paris nach Wien oder von Köln nach Königsberg führt uns der Dampf bequem binnen 48 Stunden, während wir von Bagamoyo an die Seen auch in 48 Tagen nicht gelangen. Denn der Weg muß zu Fuß oder im Schritte der Fußgänger, aus denen Träger und Krieger der Karawane bestehen, zurückgelegt werden.

Fast die Hälfte der ersten Strecke, der Weg von Bagamoyo bis an die Grenze von Usagara, ist uns bereits bekannt. Auf Usagara folg' die Landschaft Ugogo. Den Zug durch dieses Gebiet bis nach Tabora soll uns einer der Missionäre erzählen, der die beiden Missionsbischöfe Mgr. Livinhac und Mgr. Charbonnier begleitete.

„Ugogo kann von einem Reisenden in 8 bis 10 Tagen durchzogen werden, während Karawanen 25 bis 30 Tage dazu brauchen. Das verschuldet der Durchgangszoll oder „Hongo", den die kleinen Könige dieses Landes von den Karawanen, welche ihr Gebiet durchziehen, erpressen. Die Frechheit dieser Stämme, welche auf ihre Unabhängigkeit stolz sind und gegen jeden kämpfen, der sie bedroht, läßt sie oft Gewaltthaten gegen die armen Träger unternehmen. Nach Beute gierig begegnen sie einem zurückgebliebenen Träger, der seine Last mühsam schleppt oder vielleicht durch Krank-

Marsch der Karawane durch den Urwald. (S. 225.)

heit zurückgehalten wird; da kann der Mgogo seinen Geiz nicht zügeln; er greift ihn an, beraubt ihn seiner Waaren und läßt ihn oft genug als Leiche auf dem Pfade liegen. Weil wir Weiße und Missionäre sind, haben wir weniger zu fürchten; gegen ihre fabelhafte Neugierde aber konnten wir uns nicht schützen. Schaarenweise drängten sie sich unter die Zeltthüren, schauten hinein, begafften alles und staunten über alles. Unsere großen Hüte aus Aloëfasern, welche vortrefflichen Schutz gegen die Sonne bieten, erregten ganz besonders ihr Staunen; sie meinten nämlich, dieselben seien aus Eisen, und wunderten sich über ihre Leichtigkeit. Unsere Reisestiefel waren in ihren Augen Flußpferdbeine, die wir ausgehöhlt und so zur Wohnung für unsere Füße eingerichtet hätten. Wenn wir das Taschentuch gebrauchten, so wollten sie vor Lachen bersten, daß wir förmlich Angst für ihr Leben bekamen. Wenn wir aufstanden, so entflohen sie wie eine Kette aufgescheuchter Feldhühner, kehrten aber bald noch zahlreicher zurück.

„Die Verhandlungen über den „Hongo", den wir auf diesem kleinen Erdstrich fünfmal entrichten mußten, wurden mit den diesen Dudegetönigen eigenthümlichen Langsamkeit geführt. Bei einer dieser Haupt- und Staatsactionen hätte die Unklugheit eines Arabers beinahe die ganze Karawane in ein Verhängniß verwickelt. Müde, noch länger auf die Antwort des Königs zu harren, der uns offenbar am folgenden Tage noch nicht weiter ziehen lassen wollte, nahm bei diesem Unglücksmensch eine Laterne und suchte Seine Majestät zu nachtschlafender Zeit auf. Sobald man ihn von ferne kommen sah, wurde ihm energisch bedeutet, sich mit seiner Laterne schleunigst zurückzuziehen, und als Strafe für diese Unverschämtheit, seine königliche Person bei Laternenlicht betrachten zu wollen, dictirte der Fürst 40 Meter Kattun.

„P. Lombard machte den Versuch, die Gunst eines dieser Wagogo-Könige zu gewinnen und dessen königlichen Palast-Tembe zu besuchen. Er machte sich also auf den Weg nach Ikuru, der königlichen Residenz; allein in der Nähe der Pforte angelangt, baten ihn der König und sein Hofstaat — wahre Nachtvögel, die sich nicht gerne am hellen Tag zeigen, aber stolz sind wie die Hähne auf ihrem Misthausen —, er möge seines Weges fürbaß gehen, und drohten, im Weigerungsfalle sich zurückzuziehen, den Palast zu räumen und in den Wald zu fliehen. P. Lombard dachte natürlich nicht daran, eine so hohe Persönlichkeit aus dem Hause zu verjagen, und zog sich zurück, wenig erbaut von der Liebenswürdigkeit der Wagogo.

„In Ugogo ist das Klima gesund, die Luft rein und erfrischend. Der Wind bläst namentlich zur Nachtzeit oft sturmartig. Eines Nachts, während Mgr. Livinhac den festen Schlaf der Ermüdung schlief, riß ihm der Wind sein ganzes bischöfliches Palais, das aus einem Leinwandzelte bestand, über dem Kopfe weg. Er merkte es erst, als er die Augen öffnete und sich unter freiem Himmel sah; statt des Leinwanddaches hatte er den Sternendom über seinem Haupte. Und welchen herrlichern Bischofspalast könnte es geben!

„Die einzelnen Stämme werden gewöhnlich durch einen ziemlich großen und sehr dichten Wald voneinander getrennt, der als gegenseitige Befestigung dient. Da weiden die Heerden; da werden aber auch die Kämpfe geliefert, welche so häufig zwischen den Nachbarstämmen vorfallen; da verstecken sich endlich die Räuber im Dickicht, welche die Nachzügler der Karavanen überfallen und niedermachen. Eine arme Frau ging allein wenige Schritte vor uns, als ein Ruga-Ruga, wüthend, daß er nichts stehlen konnte, sich aus dem Gebüsche auf sie stürzte und mit einem Pfeile zu Boden streckte, ohne daß ihm dieser Mord einen Vortheil gebracht hätte. Denn das arme Wesen trug nur einen schlechten Fetzen auf dem Leibe. Ein Neger, der nur 200 Schritt vom Lager einen ähnlichen Pfeilschuß erhielt, war eine halbe Stunde später von den Hyänen schon zur Hälfte aufgezehrt.

„Der letzte König von Ugogo, dem wir den ‚Hango‘ bezahlen mußten, war ein Vierzüger. Wenn ihm ein Polizeibeamter einen Paß ausstellen müßte, so würde das Signalement dieses liebenswürdigsten der afrikanischen Könige, die wir trafen, etwas sonderbar ausfallen: Mund gewaltig groß; Zähne vollzählig und blendend weiß; Lippen wulstig, doch nicht unverhältnißmäßig; daraus sproßt ein kleiner, krauser Schnurrbart. Die Krone des Ganzen ist eine große, starkgebaute Stütznase. Kurz, der starkgebaute Leib wird nur durch den Kopf entstellt, der nicht recht passen will. Den Landessitten entgegen ist dieses vierzigjährige Königskind kein Freund des Krieges. Wir fanden ihn bequem auf seine Matte hingestreckt und dem Genusse der Wasserpfeife ergeben, das sprechende Bild träger und müßiger Bequemlichkeit, und seine Züge schienen uns sagen zu wollen: ‚Ich bitte euch, laßt mich ungeschoren! Wenn ich etwas bedarf, so werde ich schon selbst zu euch kommen!‘ Wirklich kam er, aber quantum mutatus ab illo (wie ganz verändert!) — gestern König, heute Schacherjude! Er kam freilich, uns zu besuchen; aber sein Hauptzweck war, zwei Esel gegen eine Flinte umzutauschen, die er gerne haben wollte. Da wir der beiden Thiere bedurften, so wurden wir handelseinig, und der König ging zufrieden nach Hause. So endete dieser Besuch, der für manche von uns die erste Gelegenheit war, einen König von Angesicht zu Angesicht zu sehen. Der Minister, seines Einflusses wegen eine ebenso angesehene Persönlichkeit wie der König selbst, wollte seinerseits einen Freundschaftsbund mit Mgr. Charbonnier schließen. Das landesübliche Mittel dazu heißt: do ut des (mit der Wurst nach dem Schinken schlagen). Er brachte also etwas Milch und Mtama (Hirsekuchen) zum Geschenke und wünschte dafür ein Veintleid zu erhalten. Mgr. Charbonnier freute sich ob seiner Freundschaftserklärungen und Bitten, bei ihnen eine Niederlassung zu gründen, und schenkte ihm das Verlangte. Nachdem der Neger die nothwendige Gebrauchsanweisung für dieses Kleidungsstück

erhalten hatte, zog er es sofort an, erhob sich dann, betrachtete sich, hob das rechte Bein und dann das linke Bein, schritt vorsichtig einher, betastete sich, bewunderte sich und öffnete seine dicken Lippen zu einem behaglichen Lachen, wobei er Zähne zeigte, die ebenso weiß waren wie sein Beinkleid. Stracks ließ er darauf nach Hause, ließ die große Trommel schlagen und versammelte alle seine Sklaven, um von ihnen die Anmuth und Zierlichkeit bewundern zu lassen, womit er sein Beinkleid trug. Am Abende vervollständigte eine alte baumwollene Zipfelmütze die Pracht seiner Kleidung.

„In unserer Karavane befanden sich manche Eingeborene aus Ugoada, dem Missionsgebiete Mgr. Livinhacs, das in kurzer Zeit eine unerwartet reiche Ernte lieferte. Einer seiner Neger, der von einer tödtlichen Krankheit befallen wurde, erhielt von der Hand des Bischofs die heilige Taufe und starb in den besten Gesinnungen.

„Ugogo war früher ein sehr fruchtbares und volkreiches Land, liegt jetzt aber infolge der Kriege größtentheils unangebaut und verwüstet. Wir haben unermeßliche Ebenen durchzogen, welche vordem von Wohnungen bedeckt waren, während sie jetzt öde liegen. Einige Pfähle, die aus der Erde hervorragen, einige verkohlte Balken zeigen die Stelle, wo die Hütten früher standen. Längs des Weges zeigen viele menschliche Gebeine, darunter von der Sonne gebleichte Schädel, die traurigen Folgen des Krieges.

„Mit Freuden entrichteten wir am 24. November den letzten ‚Hango‘ und eilten dann mit beflügelten Schritten dem Lande der Verheißung, Unyanyembe, zu. Um dorthin zu gelangen, mußten wir aber noch einen Wald durchziehen, in dem man acht Haltplätze zu machen hat, und uns deshalb gut mit Lebensmitteln versehen. Wir fanden dieselben zu Mdaburu bei Mvmie-Mtuana, aber zu sehr hohen Preisen infolge der Theuerung im Lande. Wir mußten wie jetzt 40 Tagen die schlechte Hirse oder den Sorgo theurer bezahlen, als in Frankreich den besten Weizen. Während drei Rasttagen bereiteten wir uns auf die langen Marschtage durch den Wald vor. Dieser lange Aufenthalt in einem Lande, wo Hungersnoth herrschte, wurde für einige Träger der armseligen Karavanen verderblich; es starben einige vor Ermüdung und mehr noch vor Mangel, da ihre Herren, die schmutzigen Geizhälse, ihnen nicht genug Nahrung verabreichten. Sobald einer dieser armen Menschen den letzten Athemzug gethan hatte, ließen die Führer, welche weder für Lebende noch für Todte Mitleid hatten, ihre Leichen aus dem Lager werfen, wobei sie ihnen noch die entsetzlichsten Flüche der Kiswahelisprache nachschickten. Die Sklaven, welche diesen Befehl ausführten, banden der Leiche einen Strick um den Hals und schleppten sie wie ein verendetes Thier einige Schritte vor das Lager hinaus. Mit Einbruch der Nacht kamen dann die Hyänen, von denen es im Lande wimmelt, und schleppten die Todten in das Dickicht, wo sie dieselben so gut verstecken, daß jede Nachforschung einiger Patres, welche die Todten begraben wollten, erfolglos blieb. Die Leichen lockten viele wilden Thiere herbei, welche um das Lager her lungerten. Eines Abends hatte einer unserer eigenen Träger mit seinem Bruder einen Streit und war traurig vor das Lager hinausgegangen, wo er sich hinlegte und einschlief. Eine Hyäne kam, packte seinen Kopf zwischen ihr entsetzliches Gebiß und wollte ihn nach dem Walde schleppen. Natürlich erwachte der Neger und schrie mit Händen und Füßen um sich. Die Hyäne war fast ebenso erschrocken, daß sie einen Lebenden statt eines Todten angefallen hatte, wie der Neger, der im Rachen einer wilden Bestie erwachte. Das Thier ließ ihn fallen und sah sich nach einer andern Bente um. Der Neger, der den Tod so Auge in Auge gesehen, lief ins Lager zurück, das

Gesicht voll Blut, die eine Wange halb weggerissen, die andere von den Zähnen durchlöchert, die Lippe zerfleischt und auch die Nase stark beschädigt. Wir gaben ihm ein Heilmittel, und es steht zu hoffen, daß er wieder genesen werde. Er hat sich übrigens, freilich etwas spät, hoch und theuer verschworen, er wolle sich von keiner Hyäne mehr fassen lassen.

„Die Regenzeit, Masika genannt, welche seit einigen Wochen begonnen hatte, erneuerte die Natur; aus dem dürren Grase sproßten frische Kräuter, und das gab der Waldlandschaft, in welche wir jetzt eintraten, ein wundervolles Aussehen. Vor uns lag eine unabsehbare Fläche wogenden Grüns, über welche sich ein Meer von Licht ergoß. Rechts und links stand eine ganze Welt von Riesenbäumen, unter denen sich baumartige Euphorbien auszeichneten.

Ueber unseren Häuptern schwankte ein Netzwerk kletternder Lianen, die sich an hundertjährigen Baumstämmen wie an zuverlässigen Säulen anklammerten. Durch einen solchen Wald zogen wir jetzt, die einen an der Spitze, die andern am Schlusse der Karawane. Inmitten dieser grünen Bäume war der Marsch weniger anstrengend; denn die Sonne dringt kaum durch das ununterbrochene Blätterdach, und der schwankende Schatten der Baumkronen läßt uns den qualvollen Weg durch die öden, baumlosen Ebenen vergessen, der uns so manchen Schweißtropfen gekostet hatte. Mitten in diesem Walde liegt ein herrlicher See, der Tschaiaser. Fast scheint es, die Vorsehung habe ihn eigens an den Weg der Karawanen hingebettet, um den armen, durch Durst und Müdigkeit erschöpften Wanderern einen schönen Ruheplatz zu bereiten. Wir schlugen

Missionshaus zu Tabora. (S. 226.)

unsere Zelte auf einer kleinen Anhöhe nicht weit vom Seeufer auf, räumten wie gewöhnlich unser Gepäck zusammen, spreiteten die Decke darüber und legten unsere müden Glieder zur Ruhe darauf nieder. Dann hob das eintönige Geplauder der Raucher an, nur unterbrochen von dem stoßweisen Niesen der Schnupfer. Rauchen, Schnupfen und Tabakkauen sind nämlich die allgemein üblichen Genüsse der Afrikaner, nur mit dem Unterschiede, daß bei dem Regern der Mann gewöhnlich prist, das Weib dagegen raucht.

„Während das Abendessen bereitet wurde, machten einige von uns, ganz entzückt von der üppigen Pflanzenwelt, die uns umringte, einen Spaziergang durch die grünen Urwiesen. Als wir näher kamen, zogen sich die Flußpferde, welche friedlich das Gras abweideten, in ihr nasses Element zurück, um uns außer Schußweite vom See aus vorüberwandeln zu sehen. Zebras und wilde

Esel ergriffen die Flucht, während sich Giraffen am Waldsaume zeigten. Wir folgten den Pfaden, welche das Wild getreten hatte. Raubvögel flogen vor uns auf; riesige Frösche sprangen ins Wasser und flüchteten auf die Blätter blaublühender Wasserlilien, während Libellen mit glitzernden Farben über den Wellen gaukelten und sich auf den Büschen der Papyruspflanzen niederließen. Allein es konnte ebenso gut ein Krokodil auf Beute lauern, und deshalb setzten wir unserm Spaziergang ein Ziel und zogen es vor, von einer sichern Stelle aus die Schönheit dieser großartigen Tropenlandschaft zu bewundern.

„Wie herrlich sind doch die Wunder der Schöpfung, und welches Glück, in ihnen die Größe des Schöpfers zu empfinden! Dem Gläubigen, vor allem dem Missionäre, redet die Schönheit der Natur eine bekannte, wenn auch geheimnißvolle Sprache. Alles

Spillmann, Rund um Afrika. 2. Aufl.　　　　29

erinnert ihn an den lieben Gott, für den er arbeitet, und diese Gedanken beleben aufs neue seinen Muth, seine Liebe zu dem Dreimaltheiligen, den alle Geschöpfe preisen, jedes in seiner Art und alle vereint in einem gewaltigen Einklange. Demgegenüber berührt ein trauriger Widerspruch das Herz des Missionärs schmerzlich: der Anblick der Menschen, welche in die tiefste Unwissenheit versunken und dem schmachvollsten Götzendienste ergeben sind, der Anblick dieser armen Neger, denen wir das Evangelium predigen sollen. Bei ihnen findet man freilich, wie bei allen Völkern, den Keim jener Vernunftwahrheiten, welche die Grundlage des Sittengesetzes bilden; aber diese Wahrheiten sind in ihrem Herzen mit so viel widerstreitenden Irrthümern und Aberglauben vermengt, daß alle ihre Sicherheit verloren scheint. Mit Hilfe des Evangeliums müssen wir sie wieder feststellen. Der Missionär muß Wahrheit und Lüge, Licht und Finsterniß in ihrer Brust trennen.

„Auf dem Marsche der Karawane ist das beste und fruchtbarste Apostolat, wie überall, die werkthätige Liebe. Wir übten sie durch die Krankenpflege und durch die Sorge, welche wir den armen, verlassenen und von ihren Herren gequälten Sklaven widmeten. Schon in einem unserer ersten Nachtlager haben wir einem mit vier Unglücksgefährten zusammengefesselten Neger das Leben gerettet. Der arme Mensch war vorausmarschirt, bis ihn die Kräfte verließen und er hilflos zusammenbrach. Der Aufseher hatte den Schlüssel nicht, um das Schloß zu öffnen, das den Todtwüden an die den vier Sklaven gemeinsame Kette befestigte. Er schlug also auf den Neger los, um ihn aufzujagen, und fuhr mit den Schlägern fort, obschon derselbe sich nicht erheben konnte. Mitschleppen konnte er ihn nicht, und das Schloß zu zerbrechen, wagte er nicht aus Furcht vor seinem Herrn. Es blieb nur ein Mittel übrig: dem Unglücklichen, der doch seine Last nicht mehr tragen konnte, den Kopf abzuschneiden. Schon wollte er diesen Entschluß ausführen, als ein Pater sich zwischen den Henker und sein Opfer warf und das Verbrechen verhinderte, indem er auf eigene Verantwortung das Schloß zertrümmern ließ. Ein christlicher Neger zersprengte mit einem Artikel die Kette, und der arme Sklave hatte kaum noch die Kraft, seinem Retter einen dankbaren Blick zuzuwerfen.

„Am 12. December waren unsere Träger, ganz glücklich, am Ende der Reise zu sein, und noch glücklicher, ihre Bürde ablegen zu können, lange vor Tagesanbruch marschbereit. Der Name Kipalapala war auf allen Lippen. Bald war es sichtbar, und die katholische Mission, welche, von den anderen Wohnungen getrennt, die Spitze eines kleinen Hügels krönt, zog aller Blicke auf sich. Um Mittag erreichten wir dieselbe und trafen alle Mitbrüder bei guter Gesundheit; die ganze Christengemeinde war versammelt, darunter 100 unruhige Negerkinder, alle voll Freude über die Ankunft der neuen Missionäre aber über den Segen der ersten Bischöfe von Aequatorialafrika. Der Jubel war groß auf beiden Seiten; die Missionäre von Kipalapala vergossen Freudenthränen beim Wiedersehen ihres theuren Vaters, der als Bischof in die Mission zurückkehrte, und auch wir konnten uns der Thränen nicht erwehren, da wir unsere Mitbrüder nach so langer Trennung wiederfanden, freilich gealtert unter der Sonne des Aequators. Die Freude, die aller Herzen erfüllte, fand ihren passendsten Ausdruck am Fuße des Altäres, in Gegenwart unseres göttlichen Herrn und Meisters; so zogen wir alle in die Kapelle, und das Tedeum erklang mit seinem Jubel des Glaubens und der Frömmigkeit, den keine Feder schildern kann.“

Kipalapala liegt nahe bei Tabora. Tabora selbst ist vielmehr eine Gruppe von Dörfern als eine zusammenhängende Stadt. Es

hat einen Durchmesser von mehr als 2 km. Seine Bedeutung geben ihm die Araber, die sich in diesem Mittelpunkte der Karawanenstraßen niedergelassen haben. Ihre Häuser sind aus dicken, an der Sonne getrockneten Backsteinen aufgeführt, wohlgebaut und mit Fenstern und Thüren versehen, an denen man mitunter so schöne Schnitzwerk trifft, daß man darüber nicht wenig erstaunt. Ihre Häuptlinge (vgl. das Bild Seite 227) haußten bis in die jüngste Zeit wie Könige. In ihrem Dienste hatten sie eine bedeutende Anzahl Askaris (Soldaten) zum Schutze ihrer Handelskarawanen, auch wohl zu Sklavenjagden und Wegelagerei. Ihre Gärten sind mit den verschiedenartigsten Fruchtbäumen bepflanzt: mit Mango- und Citronenbäumen, Bananen und Granatbäumen; selbst einige Kokos- und Dattelpalmen sieht man. Der Boden von Unyanyembe — so heißt die Landschaft, deren Hauptort Tabora ist — bringt ohne viele Mühe und Arbeit Maniot, Mais, Zuckerrohr, süße Kartoffeln und Weizen hervor. Jetzt weht die deutsche Flagge über Tabora.

Das Missionshaus Kipalapala wurde 1882 gegründet; das Waisenhaus machte die herrlichsten Fortschritte. Dasselbe ist nach der Beschreibung P. Schynse's nicht ohne Grund so gebaut, daß es gegen einen Ueberfall leicht vertheidigt werden kann. Es bildet ein Viereck von 70 m Seitenlänge und wird an den Ecken von Thürmen mit Schießscharten flankirt. Nur ein Eingang führt in das Innere, wo die Kapelle und die Speicher sich befinden. Der Aufstand an der Küste und die Erbitterung der Araber zwangen die Missionäre im Sommer 1889, das Haus zeitweilig zu verlassen und die Zöglinge nach Bukumbi, am Südufer des Victoria-Njansa zu flüchten. P. Schynse erhielt den Auftrag, eine Karawane von 280 Trägern, 36 kleinen und kranken Kindern, 11 Askaris und einem Laienbruder nach dem Victoriasee zu führen. Am 30. Juni brach er auf und erreichte, mitten durch die Feinde ziehend, wie durch ein Wunder beschützt, die tief nach Süden in das Land eingreifende Bucht von Ukambi. Der Weg ging zunächst durch das überbrückbare Peri, d. h. wasserloses Buschland, nach Usungo, dann durch die wellenförmige, sonnenverbrannte Ebene von Unjamwesi. Sie ist fast gänzlich baumlos, aber mit dornigem Mimosengestrüpp bewachsen, das die Beine der Wanderer peinlich verwundet. An jedem Dorfe mußten sie für ihren Durchmarsch den „Hongo“ in 60—70 Dotis Baumwollenzeug (ein Doti 2½ m) bezahlen.

19. Am Victoria-Njansa.

Der Victoria-Njansa (Njanza, d. h. See) liegt etwa 1200 m über dem Meeresspiegel. Er bedeckt, wie schon früher bemerkt, einen Flächenraum von 75.205 qkm, hat also ziemlich genau die Größe Bayerns. Die größte Breite von Südwest nach Nordost beträgt über 400 km, jene von Südost nach Nordwest über 200 km. Ueber sein Nordende spannt sich der Gleichlinie, und unter dem 1.° südlicher Breite trifft die Grenze von Deutsch-Ostafrika sein Ostufer, so daß er also zum größten Theile in ihrem Bereiche liegt. Zahlreiche und darunter bedeutende Inselgruppen, so der Sesseoarchipel im Nordwesten, ragen aus seinen meeresähnlichen Fluten empor.

Der erste Europäer, welcher diesen See erblickte, ist der Engländer Speke, der 1858 den Nil aufwärts bis an die Stelle gedrungen war, wo sich die Fluten seines Hauptquellarmes aus diesem See ergießen. Als Speke am 3. August in der Nähe des Ausflusses einen Höhenzug erstieg, schauten seine Blicke zum erstenmal die hellblauschimmernden Wasser des Njansa sich in unabsehbare Fernen hindehnen. „Von Ost bis West bildete die Wasserlinie

Die Araber-Häuptlinge von Tabora. (S. 226.)

des Sees die Gesichtsgrenze. Links drängte sich in das Bild eine Gruppe von Inseln, welche 60—100 m über den Seespiegel emporragen mochten. Jede dieser Inseln erhob sich sanft zu einer runden Kuppe; die Falten zwischen den rauhen Kanten der Granitwände waren mit Wald bekleidet, und in lieblicher Ruhe spiegelte sich ihr Bild in den Fluten des Sees, auf dem hin und wieder

29*

ein winziges Fischchen schwamm, die Rußschale eines Fischers." Obschon der See seit Speke oft besucht wurde, sind seine Ufer und Zuflüsse noch nicht genau bekannt. Im Osten erhebt sich das Mabahitagebirge bis zu 2500 m Höhe. Der Hauptzufluß des Sees soll der in Urjamwesi entspringende Simoju sein, den einige bis vor kurz für den eigentlichen Quellfluß des Nil hielten. Von anderen wird der Kagera, der dem Victoriasee den Abfluß des westlich gelegenen, noch wenig erforschten Alexandrasees bringt, für den Hauptzufluß gehalten. Auch vom Nordosten, vom Kenia-Bergstock her, erhält er einen bedeutenden Zufluß. Ueberhaupt ist die ganze Gegend sehr wasserreich; von allen Seiten bringen Bäche und Flüsse dem ungeheuren See ihre Spenden. Die Ufer sind meist von Papyrusdickicht umsäumt, in dem sich heiser brüllende Flußpferde tummeln; bewaldete Landzungen erstrecken sich oft weit in den See hinein und theilen die Küste in liebliche Buchten.

Das wichtigste Reich am Victoria ist das im Nordwesten des Sees gelegene Uganda. Nach Stanley hat es einen Flächenraum von über 80000 qkm, mit den tributpflichtigen Strichen von Unjoro und Usedi wohl 160000 qkm. Die Bevölkerung wird auf 2—5 Millionen geschätzt. Es ist ein schönes, fruchtbares Bergland. Die Waganda sind ein tapferes Volk. Von der Entstehung des Reiches Uganda erzählt die Sage: Vor acht Geschlechtern sei das Land der Garten der Walumuu von Unjoro gewesen und mußte von den Eingeborenen wie von Sklaven für jene bebaut werden. Da sei eines Tages ein Jäger, Namens Uganda, mit seinem Weibe in das Land gekommen; der habe von seiner reichen Jagd-

Am Ufer des Victoria-Njansa.

beute den armen Leuten oftmals Fleisch geschenkt. Da sagten die Sklaven zu ihm: „Was ist uns unser König, der so weit von uns entfernt wohnt, daß die Kuh, die wir ihm als Abgabe sandten, unterwegs mehrere Kälber warf und noch immer nicht zu ihm gelangt ist? Sei du unser König!" So wurde Uganda König, legte Wege im Lande an, dem er seinen Namen gab, baute große Schiffe auf dem See und errichtete sich einen Palast.

Als die ersten Europäer nach Uganda kamen, war Mtesa König, jedenfalls in seiner Art ein bedeutender Mann. Er dehnte nicht nur durch siegreiche Kriege die Grenzen seiner Macht weit aus, sondern suchte auch sein Volk sittlich zu heben, weshalb ihm die Glaubensboten als Lehrer sehr willkommen waren. Er starb nach einer langen Regierung 1884.

Mtesa nahm den Islam an; doch beschützte und beförderte er auch das Werk der Missionen. 1879 trafen die ersten katholischen Missionäre unter Leitung P. Lourdels aus der Missionsgesellschaft Cardinal Lavigerie's in Rubaga, der Residenz Mtesa's, ein, und bald erblühte neben der anglikanischen Mission eine zahlreiche und eifrige katholische Gemeinde. Sie sollte nur zu bald, und zwar in des Wortes vollster Bedeutung, die Feuerprobe bestehen. Als nach Mtesa's Tode Muanga im Jahre 1884 den Thron bestieg, trat ein großer Umschwung ein. Gerüchte von Besitzergreifungen afrikanischer Länder durch europäische Mächte und Nachrichten von den Ereignissen im Sudan waren nach Rubaga gelangt und hatten den neuen Herrscher mit Furcht erfüllt, die Europäer möchten kommen und auch sein Reich „auffressen". Als nun der anglikanische Bischof

Rubaga, die Hauptstadt von Uganda. (S. 228.)

A. SARGENT.

Hannington ohne seine Erlaubniß mit großem Gefolge von Osten her nach Uganda kam, ließ er ihn mit allen seinen Begleitern tödten. Dann verbot er in seinem Reiche die christliche Religion unter Todesstrafe. Allein die Neubekehrten in Uganda zeigten sich des Blutzeugens der ersten Kirche würdig. Nur einige Beispiele jugendlicher Martyrer wollen wir hier aus einem Briefe Bischof Livinhac's anführen:

20. Blutzeugen von Rubaga.

„Ein junger Krieger, Jakob Bazabalino, welcher sich durch seine große Herzenseinfalt und noch mehr durch den Eifer auszeichnete, mit dem er die Kinder der Hauptstadt im Glauben unterrichtete, wurde vor den König beschieden. Muanga bedrohte ihn mit dem Tode, falls er nicht aufhöre, anderen die christliche Religion zu predigen; allein der Krieger kannte keine Furcht und setzte sein Apostolat muthig fort. Nun warf der Tyrann demselben vor, er habe es gewagt, ihn selbst unterrichten und zum Christenthum bekehren zu wollen. „Henker, packt ihn,' rief er, „macht ihn auf der Stelle nieder! Mit dem wollen wir anfangen!' „Lebe wohl, König!' sagte der junge Christ ohne Zittern, „ich gehe hinauf ins Paradies, um bei Gott für dich zu beten.' — Jakob mußte an mir vorbei, als man ihn auf den Richtplatz führte, wo ihn der Henker enthaupten sollte. Ich erhob die Rechte, um ihm die letzte Lossprechung zu ertheilen. Als Antwort streckte er die gefesselten Hände empor und zeigte auf den Himmel, wo wir uns einstens wiederzusehen hoffen. Heiter lächelnd, als ginge es zu einem Feste, schien mir sein Blick sagen zu wollen: „Warum klagen wir? All diese Leiden sind ja nichts im Vergleich mit den ewigen Gütern, die du uns kennen gelehrt!"

„Karl Luanga, der Aufseher der königlichen Pagen, wurde von seinen Gefährten getrennt. Vielleicht hoffte man so, ihn leichter zum Abfalle zu bestimmen. Ein Henker erbat sich den Knaben vom Könige mit dem Versprechen, er wolle ihn schon durch Qualen mürbe machen. Der Unmensch röstete Karl bei langsamem Feuer, indem er bei den Füßen die Marter begann. „Ob Gott wohl kommt und dich aus der Glut befreit!' spottete der Henker, als er das Feuer unter den Füßen seines Opfers entfachte. Ruhig erwiederte der Blutzeuge: „Armer Unglücklicher, du weißt nicht, was du sagst. In diesem Augenblicke ist mir, als gössest du Wasser über meinen Leib; dich aber wird Gott, den du jetzt lästerst, eines

Tages in das wirkliche Feuer verstoßen.' Nach diesen Worten sammelte er sich und erduldete die langsame Qual, ohne einen Schmerzenslaut von sich zu geben.

„Die drei jüngsten Pagen, Simeon Sebuta, Dionys Kmiala und Ueloba, der noch Katechumene war, erregten das Mitleid des ersten Scharfrichters. Um sie zu retten, sagte er ihnen: „Ihr braucht nur zu erklären, nicht mehr beten zu wollen, und Muanga wird euch begnadigen.' Die Knaben jedoch gaben ihm zur Antwort: „Solange wir leben, wollen wir vom Gebete nicht ablassen.' Mbadjanga, der Henker, wollte weiter; denn er hoffte, der Anblick der Qualen ihrer Gefährten werde mehr vermögen als Bitten. Man führte daher die drei Knaben mit den übrigen Pagen auf den Hügel Namugongo in der Nähe des Missionshauses St. Maria von Rubaga. Im ganzen waren es 34 Opfer. Hohe Haufen dürren Schilfrohrs waren auf der Spitze des Hügels zubereitet. Die Henker machten daraus große Bündel und banden in jedes hinein einen der Verurtheilten. Für den kleinen Simeon Sebuta war kein Bündel hergerichtet. Das Kind fühlte sich zurückgesetzt und rief: „Wo ist mein Platz? Jeder hat den seinigen.' Man entsprach seinem Wunsche; doch band man ihn, sowie Dionys und Ueloba abseits von den anderen. Als die Vorbereitung zum Martyrtod vollendet war, wurden die Blutzeugen nebeneinander nach derselben Richtung gelegt. Unter den Opfern befand sich auch der Sohn des ersten Scharfrichters, der junge Katechumene Mboga. Der unglückliche Vater versuchte alles, um dem Kinde ein Wort des Abfalles zu entlocken. Vergeblich hatte er gehofft, der Anblick der Zurüstungen zur Vollstreckung

Christlicher Page aus Uganda.

des Urtheils werde den Sinn des Knaben ändern; das Kind ließ sich binden, ohne ein Wort zu sagen. Im letzten Augenblicke machte der Vater nochmals einen Versuch. „Mein Sohn,' sagte er, „laß dich wenigstens in ein sicheres Versteck bringen, wo dich kein Mensch entdecken kann.' „Nein, Vater, ich will nicht verborgen sein. Ich kenne den Grund meines Todes; um der Religion willen sterbe ich.' Um seinen Sohn die Feuerqual zu ersparen, ließ Mbadjanga demselben durch einen Henkersknecht einen heftigen Keulenschlag ins Genick versetzen. Todt fiel das Kind zur Erde; dann wurde es gleich den anderen in ein Schilfbündel gebunden. Nach dieser ersten Urtheilsvollstreckung wurden die Schilfbündel in Brand gesteckt, und zwar zu Füßen der Opfer, um ihre Leiden zu verlängern, und in der

Der König Mtesa von Uganda inmitten seiner Minister. (S. 228.)

243

Hoffnung, daß doch noch mancher sich schwach erweise, sobald ihn die Flamme ergreife. Eitle Hoffnung! Die Martyrer öffneten den Mund nur zu einem gemeinschaftlichen Gebet. Eine halbe Stunde später erloschen die Hansen; eine Reihe Leichname, halb verbrannt und mit Asche bedeckt, bot sich den Blicken dar.

„Der kleine Simeon und seine Gefährten betrachteten diese rauchenden Ueberreste und warteten mit Ungeduld, bis endlich die Reihe an sie käme. ‚Seid unbesorgt,‘ rief man ihnen zu. ‚Wir heben euch für das Ende des Festes auf, wenn ihr in eurem Trotze verharret; denn nur durch Abfall vom Glauben könnt ihr das Leben retten.‘ Die Pagen waren untröstlich. Der alte Mladjunga, der zum erstenmal in seinem Leben sah, daß Kinder den Tod nicht fürchteten, traute seinen Augen nicht. Er ließ die drei losbinden und in den Kerker führen. Traurig klagten die Knaben:

‚Warum tödtet ihr uns nicht? Wir sind Christen wie die, welche ihr soeben verbrannt habt; wir haben unsere Religion nicht verlassen und werden sie niemals verlassen. Es ist also unnütz, uns für später zu bewahren.‘ Der Henker blieb taub gegen alle Bitten. Vielleicht wollte es Gott nicht zulassen, daß die Einzelheiten über den heldenmüthigen Tod von 31 Pagen unbekannt bleiben sollten, und gab deshalb dem Sklaven Muanga’s ein, der drei Kinder zu schonen. Sie sind die einzigen Ueberlebenden aus der glorreichen Schaar als Zeugen des Martyrtodes ihrer Genossen. Die Todesverachtung der Christen, ihre Ruhe inmitten der Qualen, setzten Muanga, die Henker und alle Heiden in großes Staunen. Sie sagen, wir bezauberten unsere Schüler dergestalt, daß sich keiner des Baumes erwehren könne, sondern jeder mit Hintansetzung aller Freuden dieses Lebens den Tod suche, dessen ausgesuchteste Qualen

Ansicht von Ubschidschi am Tanganjika. (S. 233.)

ihm süß vorkämen. Um seine Tochter von diesem Zauberbanne zu befreien, griff ein Neger zum Messer und brachte dem Mädchen an Kopf und Körper mehrere tiefe Schnittwunden bei. ‚Daraus‘, sagte er, ‚muß sich die verwünschte Lehre entfernen, welche man dir eingepflanzt, und der Zauber weichen, der dich bestrickt.‘ Viel Blut floß freilich; aber die Lehre und der Zauber blieben.“

Die Missionäre sahen sich endlich gezwungen, Uganda zu verlassen und mit ihren getreuen Christen bei Bukumbi, am Südende des Sees, in der Mission U. L. Frau von Kamoga eine Zufluchtsstätte zu suchen. Bald nachher wurde aber auch Muanga von der mohammedanischen Partei aus seinem Reiche vertrieben und flüchtete ebenfalls nach Kamoga. Da hatten nun die katholischen Missionäre dem blutbefleckten Tyrannen Böses mit Gutem zu vergelten. Er bekehrte sich; ob aber seine Bekehrung eine ernste

war oder nur berechnete Heuchelei, muß erst die Zukunft erweisen. Inzwischen hauste sein Nachfolger Karema in Uganda noch schlimmer als er; der Wütherich suchte das ganze Geschlecht Mteja’s durch Feuer auszurotten, und seine Rokerri wurde den Bewohnern unerträglich. Sie riefen also Muanga zurück, und diesem gelang es mit Hilfe der Christen, die mohammedanische Partei zu besiegen und seine Hauptstadt zu erobern. Am 11. October 1889 zog er triumphirend ein, und tags darauf wies er das Pater Lourdel und Deniot das Haus ihres Feindes zur Wohnung an, der sie gerade auf den Tag ein Jahr früher aus Uganda vertrieben hatte.

21. Der Tanganjika- und Njassa-See.

Das östliche Ufer des Tanganjika, dem wir uns jetzt zuwenden, gehört zu Deutsch-Oftafrika, während sein Westufer einen Theil der Ostgrenze des Kongostaates bildet. Von Tabora aus führt der Karawanenweg, fast genau dem 5.° südlicher Breite folgend, westwärts zum Haupthafen des Sees, Udschidschi, nach dem er manchmal auch genannt wird. Der See hat eine Länge von rund 700 km und eine Breite von durchschnittlich 60—80 km. Sein Flächenraum wird auf mehr als 37 000 qkm angegeben; er ist also beinahe so groß wie die Schweiz. Auch diesen See entdeckte Speke und dessen Begleiter Burton 1858. 1869 kam Livingstone an seine Ufer und traf daselbst im folgenden Jahre in Udschidschi mit Stanley zusammen, der zur Aufsuchung des lange Zeit verschollenen Reisenden ausgesandt war. Als die belgische Afrikagesellschaft, aus welcher sich später der Kongostaat entwickelte, gegründet war, legte sie 1878 am Ostufer die wichtige Station Karema an, etwa 200 km südlich von Udschidschi. Im darauffolgenden Jahre kamen auch die Missionäre Cardinal Lavigerie's an den Tanganjika und errichteten verschiedene Missionsstationen. Die berühmteste ist Kibanga am Südende des Burtongolfs.

Seit der Gründung von Karema ist der See nach allen Seiten befahren und erforscht worden. Jetzt vermittelt ein Dampfer den Verkehr auf demselben. Der ungeheure See hat keinen, oder doch wenigstens keinen regelmäßigen Abfluß. Der Zufluß, den er durch Regen und Bäche erhält, scheint ungefähr geradesoviel zu betragen, als er durch Ausdünsten verliert. Treten aber eine Reihe besonders nasser Jahre ein, so steigt sein Spiegel und öffnet sich im Westen

Straße im Dorfe Kibanga.

durch den Lukuga einen zeitweiligen Abfluß in den Kongostrom oder Lualaba, wie derselbe in der Landschaft Manjema noch heißt.

Zahlreiche und verschiedene Negerstämme sind die Uferbewohner des Tanganjika. Sie alle sind noch Heiden mit Ausnahme der wenigen mohammedanischen Araber, die sich der Sklavenjagd und des Sklavenhandels wegen in ihrer Mitte niederließen und der kaum 2000 Christen, welche die Missionäre um sich gesammelt haben. Ihre Sitten und Gebräuche sind sich sehr ähnlich. Einfache Strohhütten bilden die Wohnungen; Maniok und Mais, Bataten und eine Hirsenart liefern die Nahrung.

Der Njassasee gehört eigentlich nicht zu den großen Seen der Aequatorgegend, sondern zum Stromgebiete des Sambesi, dem er durch den Schirefluß seine Wasser zusendet. Aber da sein Nord-

ende auf eine Strecke von etwa 200 km ebenfalls zu Deutsch-Ostafrika gehört, können wir demselben auf unserem Rückwege zur Küste von Sansibar einen kurzen Besuch abstatten. Er ist der drittgrößte See Afrika's und hat eine Länge von über 460 km, also etwa von Basel bis Düsseldorf. Albrecht Roscher erreichte denselben als erster Europäer 1859 und wurde daselbst am 19. März 1860 in dem Dorfe Hisongony ermordet. Schon 1875 brachte der Engländer Young einen Dampfer auf Njassa. Bald siedelten sich anglikanische Missionäre an, und man haben auch die Missionäre Cardinal Lavigerie's eine Station gegründet. Das Gebiet im Süden und Westen des Sees machen sich die Engländer und Portugiesen streitig, während die neuesten Verträge den Deutschen sein Nordende zusprechen.

VIII. Madagaskar.

1. Die Insel und ihre Bewohner.

Madagaskar ist eine der allergrößten Inseln; hat sie doch einen Flächenraum von 592 000 qkm und ist mithin noch etwas größer als das ganze Teutsche Reich. Sie hat eine Länge von mehr als 1000 km, so daß ihre Nordspitze von der Südspitze weiter entfernt ist, als Hamburg von Neapel. Vom Meere aus gewährt die Insel einen malerischen Anblick; sie gleicht einer ungeheuern Festung, die aus mehreren auseinander gethürmten Bergen erbaut ist. Im Westen steigt sie aus den sumpfigen Niederungen

Ein Missionär in der Filandschana.

terrassenförmig, im Osten fast mauerartig auf zu einer gebirgigen, fruchtbaren Hochebene. Das Tiefland und die Bergabhänge sind mit Wäldern bestanden, in denen die kostbarsten Holzarten, welche zu den feinsten Möbeln gebraucht werden, gedeihen: so Ebenholz, rothes Sandelholz, Rosenholz und Adlerholz. Auch an Arzneigewächsen und Farbhölzern ist die Insel ungemein reich und trägt viele, überaus schmackhafte Früchte. Schon lange hätten sich die Europäer in dieser auf den ersten Blick paradiesischen Insel angesiedelt, wenn nicht das gefährliche Sumpffieber sie immer wieder aus dem Küstenlande vertrieben hätte. Die Küste ist so ungesund, daß man sie mit Recht einen „Kirchhof der Europäer" genannt hat, und die Eingeborenen verlassen sich so sehr auf den Schutz, den ihnen das Fieber und der fast undurchdringliche Urwald gewährt, daß

einer ihrer Fürsten kühn sagte, seine beiden Generäle Hazo (Urwald) und Fazo (Fieber) nähmen es mit allen Generälen Europa's auf.

Wir wollen uns deshalb an der Küste nicht aufhalten, sondern sofort die Reise nach der Hochebene antreten, wo die Hauptstadt Tananarivo, d. h. „Tausend-Dörfer", liegt. Wir brauchen nicht zu Fuß zu gehen; kräftige Schultern werden uns auf dem landesüblichen Tragsessel, „der Filandschana", von Tamatave, der Hafenstadt, bis nach Tananarivo tragen.

Tananarivo bietet einen ganz merkwürdigen Anblick; die Stadt bedeckt einen Hügel, der von Südost nach Nordwest sich erstreckt und sich an den beiden Enden in die Ebene verzweigt. Von ferne gleichen Hügel und Stadt einer abgestumpften Pyramide, über welcher sich der Königspalast erhebt. Um den Palast an den steilen Abhängen liegen die zahlreichen Privathäuser, meistens mit Zozoro (einer Art Rohr) bedeckt. Die Straßen sind eng, unregelmäßig, schmutzig, oder vielmehr es gibt in Tananarivo keine eigentlichen Straßen — mit Ausnahme der zum Königspalast führenden —, sondern nur steile, elende Fußpfade. Dennoch sind manche der Privatgebäude sowohl, welche mit hübschen Verandas geschmückt sind, als auch die Gärten und das Grab Radama's I., das an ägyptische Architektur erinnernde Grabmal Reiniharo's und mehrere andere Bauwerke wohl geeignet, unsere Aufmerksamkeit auf sich zu ziehen. Der Königspalast ist ganz aus Holz erbaut; das Gebäude ist rundum von Holzsäulen umgeben, auf welchen das Dach ruht, das selbst zeltförmig noch 18 m hoch emporragt und sich in der Mitte auf eine Holzsäule von 39 m stützt. Alle diese

Säulen, auch die in der Mitte, bestehen aus einem einzigen Stamm. Wenn man bedenkt, daß die Wälder, in denen so hohe Bäume sich finden, gegen 20 Stunden entfernt sind, daß es ferner gar keine ordentlichen Wege gibt, und daß man Zugthiere und Maschinen auf Madagaskar nicht kennt, sondern alles von Menschenhand geschehen muß, so darf man die Einrichtung dieses Palastes wohl für ein halbes Wunder halten. Außer dem Palast ist auch noch der große Platz von Andohalo, weniger seiner Schönheit als seiner Bedeutung wegen, sehenswerth. Auf ihm finden die großartigen Volksversammlungen statt, zu denen bis zu 50 000 Menschen und mehr zusammenkommen. Tananarivo selbst hat etwa 80 000 Einwohner. In der Mitte des Platzes befindet sich der heilige, Vatomasina genannte Stein, welcher allein die Kraft hat, die Könige

Tananarivo und das königliche Schloß.

und Königinnen von Madagaskar rechtmäßig mit der Herrschergewalt zu belehnen. Die erwählte Person stellt sich auf den Stein, verweilt einen Augenblick und verläßt ihn als unumschränkter Herrscher aller Madegassen; die Königswürde selbst heißt bei ihnen daher Vanivato, die Blume des Steines, da sie aus diesem Steine gleichsam entsprießt.

Größere Städte gibt es auf der großen Insel außer Tananarivo keine mehr; die bedeutendste und am meisten besuchte Hafenstadt ist Tamatave an der Ostküste. Dieselbe hat nichts Merkwürdiges, und das einzige, was den Neuankommenden hier überrascht, ist der Bazar, wo neben den mannigfaltigsten Produkten der Insel in buntem Gemisch auch alle möglichen Artikel europäischer Industrie ausgestellt sind. Was die Trödler in Frankreich und

England nicht mehr absetzen können, scheint nach Tamatave auszuwandern, um hier den armen Madegassen als kostbarer Schmuck verkauft zu werden. Da gibt es Uniformen von alten Schweizerregimentern und Hofrathsfräcke aus dem vorigen Jahrhundert, die um so eifriger gekauft werden, je bunter sie sind; da gibt es Crinolinen und Damenhüte von allen denkbaren Formen, die noch immer Liebhaberinnen genug finden. Das ist die Civilisation, welche der Handel hier verbreitet.

Nun wollen wir uns mit den Bewohnern der Insel selbst vertraut machen. In Bezug auf die Abstammung der Madegassen oder Malagassen — dies ist die gemeinschaftliche Rasse der Inselbewohner — ist wohl ein doppelter Ursprung anzunehmen. Wie die Insel selbst hinsichtlich der Thier- und Pflanzenwelt mit der

30 *

gegenüberliegenden Mozambiqueküste keine Verwandtschaft zeigt, dagegen Anklänge an das Kapland und an die Sunda-Inseln aufweist, so sind auch die Bewohner mit den Negern der Mozambiqueküste durchaus nicht nahe verwandt, sondern viel näher theils mit
den Malaien der Sunda-Inseln an der Spitze Hinterindiens, theils
mit den Kaffern des Kaplandes.

Seit dem Beginn dieses Jahrhunderts ist die Oberherrschaft
über die Insel in den Händen der Howas. Merkwürdigerweise
hat gerade dieser Stamm, obgleich er im Innern der Insel auf
der Hochebene von Ankove seinen Sitz hat, die ausgesprochenste
Aehnlichkeit mit den Malaien.

Außer den Howas sind noch die Betsiléos im Süden, die
Betsimisaraken im Osten, die Sakalaven an der Westküste und die
Antsianaken im Norden der Insel zu nennen. Doch die Howas
sind gegenwärtig der bedeutendste Stamm; von ihm wollen wir
deshalb zunächst erzählen.

Die Howas sind meistens klein, aber gut gebaut, haben eine
olivenfarbige und häufig sogar fast ganz helle Haut und schwarzes,
schlichtes Haar. Als gewöhnliche Nahrung der Madegassen dienen
Reis und Rindfleisch. An Rindvieh ist die Insel außerordentlich
reich, so daß nur die Aermsten der Fleischnahrung entbehren. Beinahe das ausschließliche Getränke ist Wasser; Kaffee wird sehr
wenig getrunken, obgleich die Kaffeepflanze sehr gut gedeiht. Aus
dem Zuckerrohr wird eine Art Rum bereitet, allein die Howas
trinken sehr wenig davon. Trunkenheit kommt unter den Madegassen kaum vor.

Die Tracht der Insulaner ist sehr einfach und für beide Geschlechter die nämliche. Das gewöhnliche Costüm besteht aus einem
Salaka, d. h. einem Streifen Kattun, den man um die Hüften
schlingt, und aus einem Lamba, d. h. einem großen Tuche, einem
römischen Toga gleich, welches sie oft recht malerisch zu tragen wissen.
Außerdem tragen die Männer auch vielfach weite, dünne Beinkleider, während die Mädchen und Frauen gegenwärtig beinahe ohne
Ausnahme eine eng anliegende Weste und darüber ein langes
Gewand anziehen, über welche sie erst den noch fehlenden Lamba
werfen. Seit im Beginne dieses Jahrhunderts Engländer und
Franzosen mit Madagaskar in Handelsverbindung getreten sind,
hat auch die für das Klima jener Insel so wenig geeignete europäische Tracht vielfach Eingang gefunden.

Die Howas verehren zehn oder zwölf Götter, von denen aber
drei oder vier eine höhere Stellung einzunehmen scheinen; doch
wird wohl keinem an allen Dinge sich erstreckende Macht zugeschrieben. Den obersten Rang nimmt Ratelimalosa ein, der Schutz-
gott des Herrschers oder der Herrscherin, welcher den Sieg an
die madegassischen Waffen heftet und außerdem auch gegen Feuersgefahr und gegen die Krokodile seine Verehrer beschützt; der nächst-
hohe Gottheit, Ramahavati, heilt alle Krankheiten, eine dritte verleiht gute Ernten u. s. w. Der Götzendienst der Madegassen soll,
wenn wir manchen Reisenden Glauben schenken, nicht jenen Charakter
der Grausamkeit an sich getragen haben, der bei vielen anderen
heidnischen Nationen so abschreckend entgegentritt. Nur bei einem
Stamme in der Provinz Vangaidrano habe man in früheren Zeiten
Menschenopfer dargebracht; doch sei diese grausame Sitte bald
außer Uebung gekommen, weil sie mit dem allgemeinen Charakter
der Bevölkerung im Widerspruch gestanden habe. Wöchentlich einmal, am Freitag, sei ein Mensch geschlachtet worden, und zwar
gewöhnlich der vornehmste, den man finden konnte; dieses Opfer
aber sei nicht einem bestimmten Götzen dargebracht worden, sondern
habe am Fuße einer langen Stange, an deren Spitze die Odis,

d. h. die Amulette, hingen, stattgefunden, um diesen Amuletten eine
größere Kraft zur Abhaltung alles Unglücks zu geben.

Wenn indessen in der That der eigentliche Götzendienst der
Madegassen weniger blutig ist, als der vieler anderer Heiden, so
fielen dagegen um so mehr Menschen dem Aberglauben zum Opfer.
Die Madegassen sind geneigt, alles Unglück, das sie trifft, der
Zauberei zuzuschreiben; die Personen aber, die man als Zauberer
im Verdacht hat, wurden von Alters her dem Tanghin, einer Art
Gottesurtheil durch eine Giftprobe, unterworfen. Der Tanghin
ist ein starkes, als Brechmittel wirkendes Gift, das man von den
Früchten der nur in Madagaskar wachsenden Pflanze Tanghina
venenifiora bezieht. Beim Gottesurtheil wird er auf folgende
Weise angewendet. Steht jemand im Verdacht, ein Zauberer zu
sein oder ein anderes Verbrechen begangen zu haben, so wird ihm
ein Tag für die Giftprobe bestimmt; 24 Stunden vor der festgesetzten Zeit darf er gar keine Nahrungsmittel zu sich nehmen.
Am bestimmten Tage wird der Verdächtige von seinen Verwandten
zum Lampi-Tanghin, d. h. demjenigen, welcher die Giftprobe vornehmen läßt, geführt; dort muß er sich entkleiden und schwören,
seinen Zauber anwenden zu wollen. Dann schabt der Lampi-
Tanghin von der giftigen Frucht so viel, als ihm beliebt, wickelt
es in drei kleine Stückchen von der Haut eines Huhnes und läßt
den Verurtheilten diese drei Pillen verschlucken. Schreckliche Krämpfe
sind die Folge, während welcher der Unglückliche Verbrechen eingesteht, die er nicht begangen hat. Wirkt das Gift nun so stark,
daß er gleich die drei Hautstückchen unversehrt wieder von sich gibt,
so gilt er als unschuldig; sobald aber eines der Stückchen gar nicht
oder auch nur irgendwie beschädigt wiedergegeben wird, ist er des
angeklagten Verbrechens schuldig und wird gleich getödtet, wenn er
nicht schon infolge des Giftes selbst stirbt. Ein Missionär schreibt
über den Tanghin, wie er bis vor wenigen Jahren angewendet
wurde, folgendes:

„Bei den Howas und den ihnen unterworfenen Völkern herrscht
der Tanghin; er leitet die Untersuchung, fällt das Urtheil und
führt es aus, so daß die Häuptlinge sich keine Sorge zu machen
haben. Allein diese Giftprobe wird auch auf der ganzen Insel
als ein Mittel betrachtet, sich Reichthum zu erwerben. Da an
vielen Orten der Ankläger das Recht auf die Güter des Angeklagten erhält, wenn derselbe verurtheilt wird, so begreift man,
wie leicht ein Armer sich versucht fühlen kann, einen Reichen an-
zuklagen. Anderswo geschieht es, daß jemand bei seinem Nachbar
Geld leiht und denselben damit bezahlt, daß er ihn der Zauberei
anklagt. Ueberall erhalten die Häuptlinge eine bestimmte Summe
von denjenigen, welche den Tanghin nehmen müssen, so daß auch
sie ein Interesse daran haben, wenn möglichst viele dazu gezwungen
werden. Außerdem spielen Haß und Rachsucht noch eine große
Rolle bei der Anwendung dieses Giftes. Namentlich bei den Howas,
bei welchen die Regierung die Güter des Verurtheilten in Besitz
nimmt, wird der Tanghin unter dem geringsten Vorwand und
auch sogar ohne Vorwand angewendet, und zwar nicht nur bei
einer oder zwei Personen, sondern bei ganzen Familien oder
Dörfern.

„Einige Beispiele werden diese Behauptung rechtfertigen. Ein
Häuptling hat einen schweren Traum gehabt; er hat während
seines Schlafes eine Familie gesehen, und diese hat seinen Schlaf
gestört. Am folgenden Morgen empfängt die ganze Familie den
Befehl, den Tanghin zu nehmen, damit sie die Ruhe des Herrn
nicht mehr störe. Anfang Juni 1855 ließ ein alter Minister die
Bewohner eines ganzen Parks den Tanghin nehmen, weil man

ihm erzählt hatte, in diesem Dorfe befände sich eine Person, welche stärkere Zauberformeln als die von der Regierung approbirten besäße. Um diese eine Person zu finden, wurden 180 Menschen durch den Tanghin getödtet. Unter Radama II. wurde der Tanghin 1862 zum großen Verdruß der alten Hovas abgeschafft; nach seinem Tode wurde er zwar nicht officiell wieder eingeführt, aber er wird doch noch angewendet, indem die Regierung ein Auge zudrückt.

„Mit dem Tanghin müssen wir noch eine andere Einrichtung in Verbindung bringen, weil sie häufig denselben zur Folge hat, nämlich die ‚öffentliche Beicht‘. In bestimmten Zeiten werden einige Tage oder auch Wochen bestimmt, während welcher jeder Schuldige verpflichtet ist, sich selbst anzuzeigen; dagegen erhält er

das Versprechen, daß er nicht zum Tode verurtheilt wird, während das Todesurtheil ihn trifft, wenn ein anderer ihn anklagt; denn in dieser Zeit muß auch jeder alte Schuldigen anzeigen, die er kennt, mögen sie auch seine nächsten Verwandten sein, wenn er nicht in ihre Verurtheilung verwickelt werden will. Geschieht es nun, daß in einem Dorfe gar keine Selbstanzeige oder keine Anklage vorkommt, so setzt sich die ganze Familie oder das Dorf der Gefahr aus, zum Tanghin verurtheilt zu werden. Im Jahre 1857 wurde in der Provinz Emirne eines dieser ‚Jubiläen‘ verkündet. Es sollte einen Monat dauern; als aber nach Verlauf des Monates nur wenige Anklagen und Selbstanzeigen vorgekommen waren, verlängerte die Königin die ‚Gnadenzeit‘, indem sie zugleich drohte, die ganze Bevölkerung jenes Bezirks zum Tanghin zu verurtheilen.

Inneres eines madegaffischen Hauses.

in welchem sich nicht alle Schuldigen stellten. Das hieß also mit anderen Worten, jeder Ort muß eine gewisse Anzahl Schuldiger liefern. Die Folge war, daß alle, welche eine Anzeige fürchteten, sich selbst anklagten, um eine leichtere Strafe zu erhalten. Einige, die sich kein Verbrechen vorzuwerfen hatten, sich aber dennoch anklagen mußten, gaben das unsinnigste Zeug an; so z. B. behauptete einer, ein Amulett zu besitzen, durch welches er sich unsichtbar machen könne, wenn er auf offenem Markte stehlen wolle. Das Resultat dieser ‚Gnadenzeit‘ war, daß 14 Soldaten lebendig verbrannt und 65 Personen mit dem Messer getödtet wurden; 1237, die sich selbst angezeigt hatten, wurden in Eisen gelegt, ihre Güter in Beschlag genommen, ihre Familien, etwa 5000 Personen, in die Sklaverei verkauft.“

Man hat berechnet, daß der Tanghin, bevor er im Jahre 1862 abgeschafft wurde, jährlich ein Fünfzigstel der Bevölkerung der Provinz Imaerina (Emirne) hinwegraffte, d. h. durchschnittlich starben jährlich 3000 Personen als Opfer dieses schändlichen Aberglaubens in einer einzigen Provinz, welche an Seelenzahl die Stadt Köln nur um weniges übertrifft.

2. Die Königin Ranavalona befiehlt, alle götzendienerischen Sachen zu verbrennen.

Bis zum Jahre 1869 waren fast alle Könige und Königinnen der großen Insel Madagaskar Heiden. Sie beteten Fetische an und hatten abergläubische Opfer und benützten die Zauberei ihrer Götzenpriester, um das Volk mit Furcht und Schrecken zu regieren. Als aber die Königin Ranavalona-mandschaka, d. h. Ranavalona die Zweite, die Falschheit des Götzendienstes eingesehen hatte, nahm sie im Jahre 1869 die chriſtliche Religion an und ließ alle ihre Fetiſche, Talismane und was sonst zum Götzendienſt gehörte, ins Feuer werfen. Darauf erließ sie auch einen Befehl an das ganze Volk: es solle jedermann ihrem Beiſpiele folgen, alle Gegenſtände des Fetiſchdienſtes auf einen beſtimmten Tag im Monat September einliefern und mitſammt den anderen verbrennen laſſen. Für eine Landgemeinde bei Tananarivo war dafür der 15. September angeſetzt. Es war ein merkwürdiges Schauſpiel, als an dieſem Tage alle Einwohner des Dorfes in einem ſchönen Thälchen zuſammenſtrömten. Es waren ihrer mehrere Tauſend waffenfähige Männer, die Knaben, Frauen, Mädchen und Kinder nicht gezählt. Sie brachten alle die Gegenſtände mit, mit welchen sie bisher Götzendienſt getrieben hatten, gaben sie ab und lagerten sich dann in weitem Halbkreis an dem Abhang des Hügels. Unten in der Mitte des Thales hatte man einen freisförmigen Raum eingehegt. An dem Eingang des Raumes nahm der Abgeſandte der Königin nebſt anderen Beamten seinen Platz. Sie unterſuchten alle die abergläubiſchen Sachen, welche die Leute brachten, und warfen sie dann auf einen großen Haufen. Das war ein wunder-licher Plunder von Steinen, Holzklötzchen, Perlen, Körnern und anderen Dingen, welchen die armen Heiden zuvor göttliche Kraft und wunderbare Wirkungen zugeſchrieben hatten. Vor allem zahl-reich waren die Sitibis, d. h. die Perlen und Körner, die zum Wahrſagen dienten und bei jedem wichtigen Ereigniß befragt wurden; dann die Sampis oder Talismane, kleine und große Holzſtücke, welche je nach ihrem Umfang in kleineren Käſtchen oder in großen Kiſten aufbewahrt wurden. Auf dieſe hielten die Made-gaſſen die größten Stücke; denn nach ihrer Meinung bewahrten dieſe Klötzchen vor Feuersgefahr, machten kugelfeſt, ſchützten vor allen Krankheiten und böſen Zufällen. Von dieſen Sampis wurden in der einen Landgemeinde 300 abgeliefert. Die Beamten nahmen es mit denſelben beſonders ſtreng, weil die Heiden ſo ſehr daran hingen; sie gaben wohl Acht, ob auch alle Sampis eingeliefert worden ſeien. Als all die abergläubiſchen Sachen beiſammen waren, da wurde um der Haufen ein großes, großes Feuer angezündet, und während dieſes luſtig anfaderte, ſtieg der Geſandte der Königin auf eine Tribüne, gab Gott die Ehre und pries die Königin, die ſolches zum Heile ihrer Unterthanen verordnet. Die Sambis bewährten wenig Kraft gegen das Feuer. Sie brannten ebenſo tüchtig als das andere Holz, und die Madegaſſen ſchauten neugierig dem Feuer zu, welches die Götzen ihrer Vorfahren und ihre eigenen einſtigen Heiligthümer in einen Aſchenhaufen verwandelte.

Man ſollte glauben, die Einwohner von Madagaskar wären nun, nachdem sie ihre Götzen verlaſſen, glückliche Chriſten geworden. Doch das war nicht der Fall. Die Königin war aus einer Götzen-dienerin eine Proteſtantin geworden. Das Volk aber mußte ſelbſt nicht recht, was es that, als es ſeine Götzen verbrannte. Bald reute es die Leute, daß sie dem Befehl der Königin ſo ſchnell nach-gegeben hatten. „Wer wird uns nun vor Krankheit und Seuche bewahren?" fragten sie; „wer wird unſere Reisfelder vor Blitz, Hagel und Mißwachs beſchützen?" Sie ſchickten Abgeſandte zur Königin mit der Frage; was sie jetzt thun ſollten. Die Königin ließ ihnen ſagen, sie wolle niemand zum Beten zwingen, sie ſollten sich helfen, so gut sie könnten. Da die Madegaſſen nun keine Götzen mehr hatten, so kamen sie des Sonntags zuſammen, ſangen, ſchwatzten und ließen sich von irgend einem, der etwas leſen konnte, ein paar Sätze aus der Bibel vorleſen. An den meiſten Orten

konnten die alten Leute nicht leſen, und so geſchah es, daß da und dort Knaben von zwölf bis vierzehn Jahren den anderen etwas vorlaſen, was sie ſelber nicht verſtanden, und darin beſtand der ganze Gottesdienſt. Vom Glauben hörten sie nicht viel, wenig von den zehn Geboten, nichts von der heiligen Meſſe und von der lieben Mutter Gottes, nichts von den heiligen Sacramenten und von dem göttlichen Heiland, der im allerheiligſten Altarsſacrament auf dieſer Erde wohnt. Als aber ſpäter viele proteſtantiſche Miſ-ſionäre kamen, da wurde ihnen zwar viel vom Glauben gepredigt, aber das machte die Verwirrung noch größer. Der eine meinte das Chriſtenthum, wie es Martin Luther verſtanden; der andere die Lehre, die ſeit dem König Heinrich VIII. in England herrſcht; der dritte die Lehre, welche der berühmte Schuhmacher und Stifter der Quäler, Jakob For, erſonnen hat; der vierte wieder eine andere Lehre u. ſ. w.

So wußten die Madegaſſen gar nicht, wo sie daran waren. Der eine glaubte dies, der andere jenes; manche lehrten in ihrem Herzen zu ihrem früheren Glauben zurück, manche glaubten gar nichts mehr, obwohl sie sich bei den proteſtantiſchen Miſſionären als Proteſtanten einſchreiben ließen. Und so ſchweben Tauſende von Kindern auf Madagaskar in der großen Gefahr, ſtatt des früheren Götzendienſtes bloß Irrglauben und Unglauben zu lernen und nie in die heilige Kirche Gottes zu gelangen. Tauſend andere aber sind noch der Gefahr des Götzendienſtes preisgegeben, wenn ihnen die Kinder in Europa nicht durch ihr Gebet zu Hülfe kommen und mit ihren kleinen Almoſen die katholiſchen Miſſionäre unter-ſtützen, welche die armen Heidenkinder zu wahren Chriſten heranbilden.

3. Die Arbeit der katholiſchen Miſſionäre.

Viele Verſuche, die auf dieſer Inſel wohnenden Heiden zu be-lehren, wurden in früheren Jahrhunderten und auch in dem unſrigen gemacht, aber sie ſchlugen alle fehl. Die katholiſche Religion war unter Todesſtrafe verboten, und wenn es auch einmal einem Miſ-ſionär gelang, bis nach Tananarivo vorzudringen, so konnte er doch keine Belehrungen machen, weil die Heiden sich zu ſehr fürchteten. Am 16. Auguſt 1861 ſtarb die Königin Ranavalona I., welche durch ihre grauſamen Geſetze den Miſſionären den Aufenthalt auf der Inſel unmöglich gemacht hatte, und ihr folgte die Sohn Radama II. als König von Madagaskar. Dieſer war den Chriſten geneigt; ſchon zu Lebzeiten ſeiner Mutter hatte er mit zwei katho-liſchen Miſſionären, die sich in Tananarivo bei dem franzöſiſchen Conſul verſteckt aufhielten, heimlich verkehrt; daher geſtattete er gleich bei ſeiner Thronbeſteigung den Patres, offen in Tananarivo ihre Religion zu üben und das heilige Evangelium zu predigen. Alsbald ließen die Miſſionäre auch Schweſtern vom hl. Joſeph kommen, damit sie Schulen für die Kinder eröffneten. Zum großen Unglück wurde Radama ſchon nach zwei Jahren ermordet, die neue Regierung war aber gegen die katholiſche Religion ſehr feind-lich geſinnt und wollte die Miſſionäre vertreiben. Bis dahin hatten dieſe nur erſt Kinder und jene Neubekehrten getauft, welche in Todesgefahr waren; dagegen hatten sie alle Erwachſenen noch warten laſſen, um sie vorher noch beſſer zu unterrichten. Allein in der Stunde der Gefahr glaubten die Miſſionäre deren Taufe nicht länger aufſchieben zu dürfen, und so fand denn am 15. Auguſt 1863 in der Holzkirche, welche man bis dahin allein beſaß, die heilige Handlung unter großen Feierlichkeiten ſtatt. Die vier in Tananarivo anweſenden Patres verrichteten sie, während die Schweſtern den Geſang leiteten und viele Heiden und Proteſtanten sich als Zuſchauer eingefunden hatten.

Verbrennung von gößendienerischen Sachen bei Tananarivo. (S. 258.)

Indessen ging die Gefahr für dieses Mal vorüber; die Missionäre und die Schwestern konnten ihre Arbeiten fortsetzen, wenngleich die Regierung ihnen viele Schwierigkeiten in den Weg legte. Nach fünf Jahren hatte die katholische Religion schon so große Fortschritte gemacht, daß in Tananarivo bereits vier katholische Kirchen bestanden; die Schulen für die Knaben wurden von den Schulbrüdern, die für die Mädchen von den Schwestern vom hl. Joseph geleitet. Nachdem die Missionäre so zunächst in der Hauptstadt des Reiches einen festen Mittelpunkt gegründet hatten, begannen sie im September 1868 ihre Arbeiten auf die um Tananarivo herum liegenden Ortschaften auszudehnen. Eine der bedeutendsten ist Ambuhidova. Die erste Sorge wurde den Kindern gewidmet; schon bald nach ihrer Ankunft vermochten die Patres eine große Anzahl von Kindern zu taufen, welche sie in der Schule unterrichtet hatten. Die Kinder aber wurden zu Missionären an ihren Eltern und Verwandten, so daß am 14. September 1869 der Vorsteher von Ambuhidova selbst und viele Erwachsene die Taufe erhalten konnten. Weil die Kapelle der Missionäre für diese Feierlichkeit viel zu klein war, wurde auf dem Marktplatz vor dem Hause des Vorstehers ein Altar errichtet und mit Bildern und Kränzen und bunten Tüchern verziert. Die Musikbande, welche die Schulbrüder in Tananarivo herangebildet hatten, war eingeladen und schenkte dem siebenstündigen Weg nicht, um die Feierlichkeit zu verherrlichen. So wurde die Gemeinde von Ambuhidova mit großem Glanze gegründet; gegenwärtig ist das ganze Dorf katholisch.

Die erste feierliche Taufe in Tananarivo. (S. 238.)

Wie vorhin gesagt, fangen die Missionäre gewöhnlich damit an, daß sie eine Schule eröffnen und zuerst die Kinder unterrichten. Schulbrüder oder Schwestern sind allerdings nicht in zureichender Anzahl auf Madagaskar vorhanden, um alle diese kleinen Landschulen damit zu besetzen; im Gegentheil müssen sich die Brüder und Schwestern vorläufig noch auf ihre großen Anstalten in der Hauptstadt beschränken. Zu Lehrern und Lehrerinnen für die Landschulen haben die Missionäre daher nur eingeborene Jünglinge oder Frauen zur Verfügung, die in den Anstalten von Tananarivo etwas gelernt haben und sich nun erbieten, den Patres bei der Ausbreitung des Evangeliums nach besten Kräften an die Hand zu gehen. Uebrigens sind die in den Schulen der Schulbrüder und Schwestern gebildeten Lehrer und Lehrerinnen durchaus nicht unfähig; im Jahre 1877 wurde in Gegenwart des ersten Ministers eine Prüfung aller derjenigen Jünglinge abgehalten, die sich aus den verschiedenen Schulen der Hauptstadt, den protestantischen und den katholischen, gemeldet hatten, um Schullehrer zu werden. Bei dieser Prüfung behaupteten die Zöglinge der Schulbrüder den ersten Platz, und der erste Minister war damit so zufrieden, daß er der bald darauf folgenden allgemeinen Prüfung an der Anstalt der Brüder beiwohnte und auch dort öffentlich seine große Zufriedenheit aussprechen wollte. Aber lehren wir zu unseren Landschulen zurück; wie es in einer solchen aussieht, wollen wir uns von P. Laboncorie erzählen lassen. Derselbe schreibt in einem Briefe an seine Verwandten folgendes:

„Was die Schule in Europa ist, weißt ihr wohl; aber wenn ihr nach den europäischen Schulen über die hiesigen urtheilen wolltet, so würdet ihr euch sehr täuschen. Macht einmal mit mir einen

Besuch in der Mädchenschule, die hier in meiner Pfarrei ist. Gleich beim Eintritte ruft ihr schon aus: „Aber das ist doch keine Schule!" Und warum denn nicht? Ach, ihr habt dort die junge Frau gesehen, die ihre Lektion wiederholt, während sie auf ihrem Rücken ein kleines Kindchen trägt. Ja, das ist eben ihr Söhnchen, und die Mütter tragen hier so die Kinder in ihrem Lamba, wie sie das große Leinwandstück nennen, das ihre einzige Kleidung ausmacht und in das sie sich ganz einhüllen. Allerdings, hier kommen auch noch Mütter in die Schule; in der meinigen sind aber nur sehr wenige, alle anderen Schülerinnen sind jünger und jedenfalls nicht besser gekleidet als die junge Frau. Besonders bewundert ihr die schönen Frisuren, nicht wahr? Nun, die madegassische Mode will, daß die jungen Mädchen ihr Haar recht wild wachsen lassen,

so wild, wie das Gestrüpp im Walde. Aber treten wir ganz ein; wir werden empfangen von einem kräftigen: B'onou, mon Pera! — das soll sein: Bon jour, mon l'ère (Guten Tag, mein Vater) — und dann lassen sich die 40 Kinder nicht weiter in ihrer Beschäftigung stören. Mit untergeschlagenen Beinen sitzen sie auf der nackten Erde vor den Wandtafeln; die kleinen sind am Buchstabiren, die größeren am Lesen, noch andere lernen den Katechismus — aber alles das zugleich und jedes ganz laut. Die Kinder hier meinen, daß der Fleiß nach dem Lärm beurtheilt werde, den jedes bei der Arbeit macht; daher sucht jedes in der Schule so laut als möglich zu schreien. Man kann sein eigenes Wort nicht verstehen, und mache ich ihnen ein Zeichen, sich zu mäßigen, so schreien sie noch lauter, denn sie meinen, ich hätte sie wegen ihrer

Die Gründung der Christengemeinde von Ambohidova. (S. 246.)

Trägheit getadelt. Unterdessen geht die Lehrerin mitten zwischen diesem Spektakel von der einen Gruppe der Kinder zur anderen, läßt jedes Kind seine Lektion hersagen und scheint mit allen zufrieden zu sein. Es würde ihrer Schule schlecht gehen, wenn sie den trägen Kindern nicht ein ebenso freundliches Gesicht machte, als den fleißigen; wenn sie heute ein Kind tadelt, so kann sie sicher sein, daß es morgen nicht wieder kommt. Sie muß deshalb eine himmlische Geduld haben; sie wird auch den drei Kleinen da hinten nichts sagen, die sich ein bischen Erholung verschaffen; die eine singt, und die beiden anderen tanzen dazu. Aber wir haben doch ein ganz gutes Mittel, um die Kinder zum Fleiß und zur Jugend anzutreiben; das sind die guten oder schlechten Punkte. Jedes Kind, das fleißig und brav gewesen, erhält am Abende von

der Lehrerin einige gute Punkte, je nachdem es sie verdient hat; die faulen, geschwätzigen, leichtsinnigen u. s. w. dagegen erhalten einen oder mehrere schlechte Punkte. Nach der Zahl der guten oder schlechten Punkte richten sich aber die Preise, die jedes Kind, auch das trägste, erhält. Bei einer solchen Preisvertheilung geht es ganz feierlich her. Angefangen wird natürlich mit Gesang; denn die Madegassen lieben nichts mehr als Gesang, sie haben dafür auch viele Anlagen. Man braucht ihnen nur eine Melodie nur einmal vorzusingen, so wissen sie dieselbe schon, und auch mehrstimmige Lieder können sie sehr rasch. Kaum ist das Lied beendet, so wird ein Vorhang weggezogen, und da sollten ihr die Freude der Kinder sehen, wenn sie auf einmal alle die Preise erblicken, die ausgetheilt werden sollen. Am meisten natürlich ziehen die grellbunten Kleider die Augen der Mädchen

31

253

auf sich; welche Freude, wenn eines ein solches Kleid wählen darf! Nun beginnt die Vertheilung; das fleißigste und bravste Kind, welches die meisten guten und die wenigsten schlechten Punkte hat, wird aufgerufen und tritt vor, um sich aus der ganzen Menge von Preisen denjenigen zu wählen, den es am liebsten hat; dann kommt das zweitbeste an die Reihe, und so geht es fort, bis zuletzt die trägsten nehmen müssen, was die anderen nicht gewollt haben. Natürlich ist die Wahl nicht ganz leicht; zuerst nimmt ein Kind dieses Kleid, da sieht es ein anderes, welches ihm noch besser gefällt, oder gar ein drittes u. s. w.; endlich entscheidet es sich; aber kaum ist es an seinen Platz zurückgekehrt, so thut ihm die Wahl schon leid, und nun beginnt es mit den anderen zu tauschen und zu handeln. Unsere armen Kinder hier haben gar manche Fehler, und es ist nicht leicht, sie zum Fleiß, zur Ordnung, zur Tugend heranzubilden; aber sie haben auch ihre sehr guten Eigenschaften,

und dazu gehört vor allem ihr Eifer für das Gebet. Glaubt ihr wohl, daß diese kleinen Mädchen Sonntags, wenn ich an einem andern Orte die Messe lesen muß, sich nicht scheuen, die zwei oder drei Stunden Weges zu machen und einige ziemlich breite Flüsse, über welche hierzulande keine Brücken führen, zu durchschwimmen, bloß um der heiligen Messe beiwohnen zu können?"

Wie nothwendig es ist, daß die Missionäre mit der Gründung von Schulen beginnen, können unsere jungen Leser leicht einsehen, wenn sie erfahren, daß die Kinder von ihren Eltern so gut wie gar keine Erziehung erhalten. „Der größte Theil der madegassischen Kinder", sagt ein Missionär, „wird von den Eltern gar nicht geleitet, sondern ist ganz unabhängig. Die Kinder wählen sich selbst die Religion, welche ihnen am meisten zusagt, gehen in die Schule, welche ihnen am besten gefällt, oder auch in gar keine. Die Eltern bekümmern sich nicht darum. Wenn es den Kindern beliebt, zur

Die neue Kirche der Unbefleckten Empfängniß in Tananarivo. (S. 240.)

Schule zu gehen, so gehen sie; beliebt es ihnen nicht, so bleiben sie fort, und es fällt den Eltern nicht ein, zu fragen, ob die Kinder regelmäßig zur Schule gehen oder nicht. Ja, die Kinder sind nicht bloß ihre eigenen Herren, sondern obendrein die Herren ihrer Eltern. Die Kinder befehlen, und die Eltern gehorchen — das ist also gerade die umgekehrte Welt. Natürlich ist das recht traurig, denn es vermehrt die Schwierigkeiten, Kinder und Eltern in den einen Schafstall der einen wahren Kirche zu führen." Trotzdem nahmen die katholischen Schulen beständig zu; im Jahre 1882 gab es auf Madagaskar schon 364 katholische Knabenschulen und 184 Mädchenschulen; im Jahre 1889 wurden 7450 Knaben und 7663 Mädchen unterrichtet.

4. Die heidnische Krankenpflege und Todtenbestattung.

Ein junger Madagasse, Namens Hieronymus Rasih, beschrieb vor einigen Jahren in dem folgenden Briefe die Art und Weise,

wie die Heiden auf Madagaskar die Kranken pflegen und die Todten bestatten.

„Liebe Freunde! Ich muß euch um Nachsicht gegen meine Schreibart bitten; denn ich kann noch nicht gut schreiben. Ich will euch zuerst etwas von den Gebräuchen erzählen, mit welchen man bei uns zu Lande die Kranken und die Todten behandelt. Wird einer hier krank, so befragt man den Mpisikidi (d. h. den Zauberer) und thut dann, was dieser verordnet. Das erste, was er verordnet, das nennt man Manao Faditra: das bedeutet, daß man ein Silberstück oder einen Hahnenkopf aus dem Hofraum des Hauses hinauswirft, um den Zorn des bösen Geistes zu besäuftigen. Dann trägt man den Kranken fort, an einen Ort, den der Mpisikidi angegeben hat, und der auf dem Lande so einsam als möglich sein muß, und niemand darf den Ort wissen, außer die Familienangehörigen und einige Sklaven; darum muß der Kranke bei Nachtzeit dahin gebracht werden, oder wenn man das nicht will, ganz spät abends oder ganz früh morgens. Das nennt man „Miola rivotra", d. h. den Wind ändern. „Denn", sagt der Mpisikiti, „in der Stadt oder der Nachbarschaft ist ein böser Mpamosavy' oder Herenmeister. Nun gibt man dem Kranken die Arzneien, welche der Mpisikiti verordnet hat, und man muß oft den Arzt sehr theuer bezahlen, der das Heilmittel hat. Bei reichen Familien fordert er gewöhnlich 5 Piaster oder 20 Mark, manchmal verlangt er noch Geschenke dazu, wie einen oder zwei Teller, einen Hahn von bestimmter Farbe u. dgl. Wenn man an der Genesung des Kranken verzweifelt, so trägt man ihn in die Stadt zurück, und da kommen dann alle Brüder, Schwestern, Vettern, Basen und andere Verwandten zusammen. Geht es ans Sterben, so werden auch die noch übrigen Verwandten herbeigerufen, und diese kommen, wenn es nur immer möglich ist. Unterwegs kaufen sie auf dem Markte Lamba Mena, d. h. rothe Seidentücher, große oder kleine, viele oder wenige, je nachdem der Sterbende und seine Familie reich oder arm sind. Jeder Vetter und Anverwandte muß auch je nach seinem Vermögen sonst ein Geschenk mitbringen. Der Leichnam des Todten wird zwei bis vier Tage im Hause aufbewahrt. Die Verwandten versammeln sich um denselben. Alle Freunde, Nachbarn, Bekannte, oft das ganze Dorf statten ihnen hier ihren Besuch ab. Alle kommen in weißen Kleidern, mit weißen Hüten und die Frauen mit aufgelösten Haaren. Da weint man

Innere Ansicht der Kirche von der Unbefleckten Empfängniß zu Tananarivo. (S. 240.)

Tag und Nacht, und oft sinkt eine Mutter oder Schwester vor lauter Trauern ohnmächtig zusammen. Wenn sie sich müde geweint haben, legen sie sich zur Ruhe. Aber wenn wieder ein Besuch kommt, geht das Weinen von vorne an. Auch die Besuchenden weinen, d. h. die Frauen, die Männer weinen seltener.

Ich habe nur einmal geweint, als mein lieber Vetter starb, den ich gar gern hatte.

„Die Trauerzeit dauert sechs bis acht Monate, bisweilen das ganze Jahr. Erst dann darf man das Haar wieder flechten und salben. Was glaubt man aber von den Seelen der Verstorbenen? In einigen Gegenden glaubt man, daß der Mensch zweimal sterben muß: zuerst den Tod des Leibes und dann den Tod der Seele, welcher erst lange, lange nach dem ersten stattfindet. Nach dem zweiten Tod ist der Mensch aber für immer todt! Dieser Gedanke fiel mir so schwer, als ich noch Heide war, daß ich oft heiße Thränen darüber geweint habe, indem ich dachte, daß ich einst gar nichts mehr sein sollte. Andere glauben, daß die Seelen nach Ambondrombe gehen, d. h. auf einen ungeheuren Hügel im Lande der Betsiléos. Da thut jeder, was er während des Lebens gethan. Der König ist wieder König, der Feldherr wieder Feldherr, der Sklave wieder Sklave, der Dieb wieder Dieb, der Narr wieder Narr. Ihre Häuser stehen auf Holzpflöcken. Sie thun, was die anderen Menschen thun, nur haben sie eine andere Nahrung: nämlich die Ein-

Begräbnißstätte der Sakalaven auf Nossi-Be. (S. 244.)

geweide der Thiere, das ist ihre Lieblingsspeise. Sie behaupten, daß auf jenem Hügel eine unzählbare Menschenmenge versammelt sei: Könige, Soldaten, Musikanten u. s. w.; aber wenn man dahin komme, dann verschwinde das alles wie ein Traum, und man sehe nur den nackten, kahlen Hügel. Andere endlich, wie die Betsiléos, glauben an die Seelenwanderung. Wenn ein Vornehmer der Stadt gestorben ist, so wird seine Leiche gepreßt und an einen Pfahl befestigt. In kurzer Zeit löst sie sich auf und wimmelt von Würmern. Diese nährt man sorgfältig. Wenn sie groß geworden, wirft man sie in einen Teich, welcher der Familie

31*

gehört. Da sterben manche, aber die anderen wachsen und werden
große Fische. Diese kämpfen miteinander, und der stärkste verdrängt die übrigen, welche sich in Flüssen oder
Sümpfen einen andern Aufenthalt suchen. Der
Sieger bleibt nun allein. Er wird bald dick
und fett, da er alles Gute erhält, was die
Anverwandten des Verstorbenen in den Teich
werfen. Während er wächst, bekommt er zwei,
dann drei, dann vier, dann fünf, endlich
sieben Köpfe und Mäuler. Dann nennt
man ihn Fanampitoloha, d. i. Siebenkopf.
Wenn man ihm aber nicht zu fressen gibt,
oder nicht genug, dann geht er vor die Stadt
oder vor das Dorf, streckt seine Köpfe zu
allen Thoren hinein und frißt alles auf, was
ihm in den Weg kommt. Dann halten ihm
die Einwohner viele Ochsenopfer, und wenn
er sich satt gefressen hat, kehrt er wieder in
seinen Teich zurück."

Alle die verschiedenen
Stämme der Madegassen
haben übrigens ganz ver-
schiedene Begräbnißweisen.
Die Howas legen ihre
Todten ohne Sarg in
rothe Tücher gewickelt in
einen aus Steinplatten gebauten Grabkeller, über
den sie ein kleines vier-
eckiges Häuschen bauen.
Die Betsileös schieben die
Leichen in Erdlöcher; die
Betsimisaraken stecken sie in einen
ausgehöhlten Baumstamm, dessen
beide Enden dann mit Brettern vernagelt werden, so daß
der Sarg wie ein Faß aus-
sieht, und bauen über denselben
eine offene Holzhütte. Bei den
Sakalaven haben die Särge eine
muldenförmige Gestalt und werden dann einfach auf den Sand
der Düne gestellt, und auf Nossi-
Be baut man dem Verstorbenen
eine kleine Holzhütte. Die Be-
gräbnißstätten heißen „Felder der
Kälte". Der traurigste Aberglaube macht den heidnischen
Madegassen die Gräber ihrer
Landsleute verachtet und gehaßt;
sie haben große Angst vor den
Geistern der Verstorbenen und
trauen ihnen alles mögliche Böse
zu. Allerdings sind unsere Kirch-
höfe, auf denen alle „im Herrn
Entschlafenen" friedlich um das
Bild des gekreuzigten Heilandes

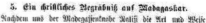

Musiker im Leichenzuge.

Leidtragende auf Madagaskar.

Ein Träger im Leichenzug.

geschaart der ewigen Auferstehung entgegenschlummern, nicht so
unheimlich, wie diese heidnischen Gräber.

5. Ein christliches Begräbniß auf Madagaskar.

Nachdem uns der Madegassenknabe Ralisi die Art und Weise
erzählt hat, wie die Heiden ihre Todten be-
trauern und bestatten, soll uns einer der Missionäre, P. Alphons Taix S. J., berichten,
wie die katholischen Madegassen begraben werden, und was die Missionäre von den alten
Sitten und Gebräuchen als erlaubt auch von
den Belehrten geschehen lassen. P. Taix erzählt uns also das Leichenbegängniß Benedikt
Rabengita's, eines seiner Pfarrkinder; dasselbe
fand in Ambohipeno statt, einem Dorfe, welches
eine starke Stunde von Tananarivo entfernt
ist und zugleich mit vier anderen Dörfern die
Pfarrei des P. Taix bildet.

„Rabengita, ein alter Häuptling von Ambohipeno, welcher im December 1871, gerade
ein Jahr nach seiner Taufe, gestorben war,
wurde auf die folgende Weise bestattet:

„An dem für die Feier
bestimmten Tage war Am-
bohipeno gleichsam über-
fluthet von den zahlreichen
Deputationen der benach-
barten Dörfer; sogar die
weit entfernten Orte Ram-
bohaua und Ilafy, sowie
Ambohimango hatten Ver-
treter gesendet. Es war am
4. Juli morgens; die
Menge verließ in unge-
ordneten Haufen, aber
ohne Tumult, das Dorf, überschritt den doppelten Graben,
welcher seit der Regierung des
kriegerischen Andrianampoinimerina den Ort umgibt, und begab sich an den Fuß des Hügels,
auf welchem Ambohipeno liegt.
Weil nach dem madegassischen Gesetz die Leiche des Häuptlings noch
nicht in dem Familiengrabe hatte
beigesetzt werden dürfen, hatte sie
dort eine vorläufige Ruhestätte
gefunden; jetzt nun wurde sie
ausgegraben, um an die eigentliche
Grabstätte übergeführt zu werden.
Nach kurzer Arbeit erhoben die
Sklaven die Leiche; sie war eingewickelt oder vielmehr eingenäht
in einen vierfachen Lamba (Mantel) von rothbrauner Seide, der
mit Stahlperlen verziert war. Die
Leiche zeigte keine Spur der Verwesung. — Die Scene, welche
sich jetzt abspielte, ist unbeschreiblich. Kaum hatten die gegen-
wärtigen Verwandten und Freunde die Leiche erblickt, da erhob sich
ein Wehegeschrei, ein Weinen und Klagen, wie man es sich kaum

Madagaſſiſcher Leichenzug. (S. 246.)

vorstellen kann. Die alte Wittwe des Verstorbenen, Magdalena, stürzte sich neben den Sarg hin; eine ihrer Sklavinnen hielt ihr den Kopf und versuchte sie zu trösten, aber vergebens; ihr Schmerz und ihre Thränen machten sich Luft mit einer Heftigkeit, die man nicht begreift, und die Sklavin, mit aufgelöstem wirren Haar, schien selbst unter der Last der Trauer zu erliegen. Sie vereinte ihr Schluchzen mit den Seufzern ihrer Herrin und rief durch ihre Trostgründe nur neue Klagen hervor. Die Verwandten und Freunde nahmen alle an dieser Traurigkeit theil; mag es nun wirklich Mitgefühl oder mag es bloß Erfüllung einer Sitte gewesen sein, alle weinten und schluchzten, daß sich ein Stein hätte erbarmen mögen. Auf einmal ertönt mitten in diese Jammerscene hinein — man sollte es nicht glauben — muntrer Gesang und lustige Musik. Drei für die Feierlichkeit gemiethete Pfeifer und ein Trommler lassen ihre Instrumente erschallen und bemühen sich aus Leibeskräften, durch ihre lustigsten Stücke den allgemeinen Schmerz zu lindern; es ist wahr, sie hatten nicht viel Auswahl in ihren Melodien, es war vielmehr stets die nämliche, welche sie unaufhörlich wiederholten.

„Wir setzten uns dann in Bewegung, um zum Dorf hinaufzusteigen. Den Zug eröffneten die Frauen, welche dem vorangetragenen Kreuze folgten; an sie schlossen sich die Verwandten an, welche theils in Sänften, theils von starken Sklaven auf dem Rücken getragen wurden; darauf kam der Sarg, hinter dem der Priester mit den beiden Akolythen schritt; den Zug schlossen die Männer und die herbeigeströmte neugierige Menge. Es war keine Möglichkeit, auf einem engen Pfad, auf dem wir zum Grabe hinabgestiegen waren, einzuschlagen; so ging es denn über die Zäune, mitten durch Maniok- und Pataten felder, und manche Stelle war schwer zu passiren, so daß der Zug oft in Unordnung gerieth. Nur die Musiker ließen sich nicht irre machen, sondern bliesen und schlugen ihre alte Melodie; die Frauen schrieen und seufzten und sangen Klagelieder, und dazwischen versuchte ich, ganz in der Menge verloren, zuweilen einen Vers des Miserere anzustimmen. So hielten wir mit der Leiche unsern feierlichen Einzug in Ambohipeno; Gruppen von Neugierigen hatten jede kleine Erhöhung des Bodens besetzt, und sogar auf die alten, die Dorfgärten überschattenden Sykomoren waren Zuschauer gestiegen. Nach alter madagassischer Sitte war eine Hütte mit feinen Matten und baumwollenen und seidenen Lambas geschmückt. Dort wurde die Leiche hingelegt, damit die Freunde, einer nach dem andern, sie besuchen und am Sarge weinen und singen könnten. So ging es denn

auch den ganzen Tag und die Nacht hindurch; die unermüdlichen Musiker ließen nicht nach, aber da wir sie bis vor die Thür der Hütte hatten drängen können, fanden wir wenigstens Ruhe genug, um mit den versammelten Christen andächtig den Rosenkranz zu beten.

„Das Dorf hatte vollständig ein festliches Aussehen angenommen; überall hörte man Geschrei, lärmende Unterhaltungen und manchmal auch Streitigkeiten. Die Kinder spielten um die Ochsen herum, welche geschlachtet wurden und von welchen sie auch ihren Antheil erhalten sollten. Die Hütten waren von fremden Besuchern angefüllt; um den Kochtopf gelagert, in dem der Reis brodelte, schwätzten oder sangen sie nach Herzenslust.

„Am Samstag, den 5. Juli, versammelte sich die Menge bei Tagesanbruch in der Kirche; der Sarg Rabengita's wurde auf einen prächtigen Katafalk, den die Freunde, Heiden und Protestanten, nicht genug bewundern konnten, gestellt und die kirchliche Leichenfeier begann. Mein unmittelbarer Vorgänger in dieser Gemeinde, P. Gauchy, hatte den alten Benedikt unterrichtet und getauft; daher hatte er es sich auch nicht nehmen lassen, selbst zur Feier zu kommen und die Trauerrede zu halten. Sein feuriges Wort bewegte alle Herzen. Das Todtenamt wurde unter Beihilfe der von Tananarivo gekommenen Schulbrüder gesungen; die katholischen Ceremonien machten augenscheinlich einen tiefen Eindruck auf die Versammelten; noch nie, hieß es, sei ein madagassisches Begräbniß so feierlich begangen worden.

„Es war 11 Uhr, als man den Sarg zum drittenmal auf die Tragbahre stellte; dieses Mal, um die Leiche zu ihrer bleibenden Ruhestätte zu bringen. In der nämlichen

Ein Mädchen von Madagaskar im Trauergewande.

Ordnung, wie am vorhergehenden Tage und wie ich sie in der beigegebenen Skizze andeute, setzte sich der Zug in Bewegung. Wir durchzogen das Dorf in seiner ganzen Länge, setzten über die Gräben, und nach vielen Umwegen und gewagten Sprüngen kamen wir endlich beim Familiengrab Rabengita's an. Es ist dieses ein roher Bau in kolossalen Granitsteinen, in welchem schon mehrere Generationen seiner Vorfahren ruhen. Die Frauen stellten sich zunächst um das Grabmal, die Männer auf eine kleine, daneben liegende Anhöhe. Dann begannen das Klagegeschrei und das Weinen und Seufzen aufs neue, und zwar mit doppelter Stärke; denn es galt jetzt nicht mehr dem verstorbenen Benedikt allein, sondern auch seinen Vorfahren, deren Ueberreste man in dem geöffneten Grabe erblickte. Allein, so heftig auch die Trauer sich äußerte, ein Wink von der Hand des P. Gauchy genügte, und alles verstummte. Der Missionär erhob jetzt seine Stimme und sprach von der Auferstehung und dem jenseitigen Leben; diese Worte trösteten die Verwandten, deren Herzen von der Gnade schon erleuchtet waren, so daß die Feier jetzt ruhiger nach dem katholischen Ritus weiter ging.

„Gleich darauf entfernte sich die Menge, und die Kinder Rabengita's kamen, um uns zu danken für die Ehre, die wir ihrem verstorbenen Vater erwiesen hatten."

6. Eine Reise der Königin in das Land der Betsiléos.

Ranavalona II., die letzte Beherrscherin Madagaskars, unternahm im Jahre 1873 eine Reise in das Land der Betsiléos. P. Delboje S. J., einer der katholischen Missionäre, hat sie auf diesem Zuge, der fast einer Völkerwanderung glich, begleitet, und nach seinen Aufzeichnungen wollen wir unsern jungen Freunden einen kurzen Bericht zusammenstellen, aus dem sie sich einen Begriff von den merkwürdigen Sitten dieses Landes bilden können.

„Es war im Juni 1873, als die Königin ihre Absicht verkündete, Fianarantsoa, die Hauptstadt der Betsiléos, zu besuchen. Alsbald wurden die Vorbereitungen getroffen; wenn ein Beherrscher Madagaskars reist, so gibt ihm ein ganzes Volk das Geleite. Man sucht aber von dieser Ehre freizukommen, und wer dem Beamten am meisten bezahlt, erhält Urlaub; für die Auserwählten muß dann die ganze Verwandtschaft zur Deckung der Reisekosten beisteuern; denn die Königin nimmt die Leute ihres Gefolges wohl mit, aber unterwegs sorgt jeder für sich und der liebe Gott für alle. Für Zelt und Küchengeräth und Lebensmittel darf man nicht auf die Regierung zählen. Der hochw. P. Cazet, unser Apostolischer Präfect, hielt es im Interesse der Mission geboten, daß einer unserer Missionäre schon bei der zahlreichen Katholiken, welche die Reise mitmachen mußten, sich im Gefolge der Königin befinde. Er wandte sich an den ersten Minister und erhielt den Bescheid: ‚Die Königin nimmt keinen Vasaha (Weißen) mit; aber wenn ein Priester sie begleiten will, so hat sie nichts dagegen.' Ich erhielt also Befehl, mich reisefertig zu machen.

„Am 31. Juli wurden auf dem großen Platze Mahamasina, dem Marksfelde Tananarivo's, die Zelte aufgeschlagen. Ich hatte mir nach keines verschaffen können, aber M. Laborde, der französische Consul in Tananarivo, ein ausgezeichneter Freund und Wohlthäter unserer Mission, stellte mir mit Freuden eines seiner Zelte zur Verfügung. Obschon nämlich die Königin erklärt hatte, ‚sie nähme keine Weißen mit', so machte M. Laborde in seiner Eigenschaft als ‚Vater der Königin und des ersten Ministers' – diesen hohen Ehrentitel führte er – doch eine Ausnahme. M. Laborde zeigte dem ersten Minister sofort meine Ankunft an; jeder von uns erhielt als Antwort von der Königin eine Portion Reis, und somit war ich als ‚Mamarata Andriana', d. h. Begleiter der Königin, anerkannt.

„Um 3 Uhr in der Morgenfrühe des folgenden Tages wirbelten die Trommeln und verkündeten, daß jeder sich zum Aufbruche bereit halte. Man kochte seinen Reis und schnürte sein Bündel. Um 5 Uhr neuer Trommelwirbel: die Zelte wurden abgebrochen und die Reise angetreten. Eine Beschreibung des Zuges, der sich jetzt Tag für Tag während drei Monaten entfaltete, ist ein Ding der Unmöglichkeit. Alles Geräthe, endlich die Herren des Gefolges selber in ihren Sänften, wurden auf den Schultern einer unzählbaren Dienerschaft getragen. Ich hatte hierfür zwölf Mann – eine überaus bescheidene Zahl –, M. Laborde hatte 50, manche Officiere 400–500; von der Königin rede ich gar nicht – jeder Holzpflock der Palissaden, welche ihre Zelte umgaben, dann die

zahlreichen Zelte selbst, die Möbel, der Mundvorrath, ja die Kanonen und eine große Masse Pulver und Kugeln wurde von unzähligen Sklaven getragen.

„Die Königin brach jeden Tag erst gegen 9 Uhr auf, um dem vorausgeschickten Trosse Zeit zu geben, den wandelnden Palast aufzurichten. Ein Kanonenschuß verkündete ihre Abreise, und alsbald setzte die ohrenbetäubende madagassische Musik ein, um den ganzen Tag auch keinen Augenblick auszuzischen. Für uns Weiße war es zum Tollwerden, aber den Madagassen gewährte diese Höllenmusik einen recht angenehmen Ohrenkitzel.

„Am ersten Tage kamen wir fünf bis sechs Stunden weit und schlugen am Ufer des Flusses Sisacua das Lager auf. In der Mitte desselben erhoben hohe Palissaden ein großes Viereck ab, den „Rowa" oder beweglichen Palast der Königin; ein geräumiger, ebenfalls viereckiger Platz umschließt ihn; da ist rundum die Doppelreihe der Wache aufgestellt. Die nächste Linie bilden die Zelte der angesehensten Officiere, denen die Soldatenzelte folgen. Vier weite, schnurgerade Lagerstraßen führen auf die Breitseiten des Rowa, vier andere, weniger bedeutende auf seine Ecken. Wie oft habe ich sie durchlaufen müssen, um meine Kranken aufzusuchen! Und welchen Anblick bot ein solches Soldatenzelt! Sie lagen zusammengedrängt, wie die Sardinen in einer Blechbüchse. Kopf an Kopf und Fuß an Fuß. Zu meiner Freude hatten sich manche Katholiken nicht geschämt, auf der Spitze ihrer Zelte ein Kreuz zu schlagen.

„Samstag abends erreichten wir den Berg Hanaudriana und richteten uns daselbst für die Rast des Sonntags ein. Ich mußte außerhalb des Lagers mein Kapellenzelt für den Gottesdienst aufschlagen: einmal, weil im Lager selbst die Nähe der Zelte für eine größere Versammlung hinderlich gewesen wäre, und dann auch, weil ich es nicht für klug hielt, unmittelbar neben den protestantischen Gebetszusammenkunft, an welcher die Königin theilnahm, die heilige Messe zu lesen. Aber mein Zelt war auch von weitem recht gut kenntlich; die Königin sah es von ihrer Estrade aus und sagte während der Predigt zu den Leuten ihrer Umgebung: ‚Ah, seht ihr dort das Bethaus des Paters!' Mein Gottesdienst war gut besucht: M. Laborde, drei Ehrendamen der Königin mit Gefolge, darunter eine Prinzessin von königlichem Blute, und etwa 300 andere Katholiken; die Zahl stieg an den folgenden Sonntagen auf 400–500. Während der Messe sangen einige Zöglinge der Schulbrüder prächtig vor, und die ganze Gemeinde stimmte voll Andacht in die Lieder und Gebete ein. Auch des Nachmittags hielt ich Gottesdienst, eine Katechese, Gesang und Rosenkranzandacht. Es hat mir übrigens keine geringe Mühe gemacht, den Madagassen unsere Gebete in Liedern beizubringen.

„Die große Karawane nahte sich nunmehr dem Berge Ankaratra, dem höchsten der Insel; er ist gefürchtet wegen der schrecklichen Gewitter, die sich daselbst zu entladen pflegen. In der banalsten Jahreszeit hatten wir unter von der bedeutender Kälte zu leiden; wirklich habe ich seit den 15 Jahren, daß ich Frankreich verließ, nie mehr so arg gefroren. Auf der Hochebene von Hajolava durchnäßten uns Regenwetter und Hagelschauer. Die Kunde davon erreichte in zweiter und bedeutend vermehrter Auflage Tananarivo; man erzählte sich, es seien Eisstücken von größerer Größe gefallen; einer habe das Zelttach Ihrer Majestät durchgeschlagen und bei einem Haare die Königin zermalmt. Die Hochebene mißt wohl 40 km in jeder Richtung; der Boden scheint nicht unfruchtbar, und ein Fluß durchschneidet sie in vielen Windungen; aber sie ist baumlos und fast ganz unbewohnt. Solche

Strecken sind auf Madagastar nicht eben selten; denn die Insel ist groß und nur schwach bevölkert.

„Am 13. August erreichten wir das Ufer des Mania; dieser Fluß und der Matsiaba sind die einzigen Gewässer, deren Ueber-gang auf der Reise von Tananarivo nach Fianarantsoa schwierig ist. Der Mania hat eine bedeutende Tiefe, zudem soll er von Krokodilen wimmeln, und so ein madegassischer Kaiman macht sich gar kein Gewissen daraus, einen Menschen wegzuschnappen. Bei meiner ersten Reise nach Tananarivo im August 1862 war ich beinahe Augenzeuge eines solchen Unglücksfalles. Gewöhnlich setzt man auf Kähnen über den Mania, allein bei unserer Menge ging das nicht an. Man schlug eine Brücke, und das geschieht also: Große und kleine Steine werden in den Fluß geworfen, bis der Steinhaufen die Wasserfläche überragt; die Zahl dieser Stein-haufen richtet sich natürlich nach der Breite des Flusses, beim Mania brauchte es drei. Dann verbindet man die einzelnen Haufen mittels roher Baumstämme, legt quer darüber ihre Aeste und Zweige und deckt dieselben mit einer Lage Erde. Auf einer solchen 2 m breiten Brücke überschritt die Königin mit ihrem Ge-folge von 50 000 Menschen am 14. August den Fluß. Bei unserer Ankunft stand die Brücke für und fertig; Soldaten bewachten ihre beiden Endpunkte, denn niemand sollte sie vor der Königin benützen. Wirklich brach Ihre Majestät an diesem Tage zuerst auf. An der Brücke angekommen, stieg alles ab, selbst die Königin, und erst nach einem Gebete setzte sich der Zug in Bewegung. Die Königin schickte eine Abtheilung Soldaten mit einer Kanone voraus; dann setzte sich der königliche Palankin in Bewegung, während die Musik schmetternd einfiel und „das Lied der Königin", die madegasische Nationalhymne, spielte. Der erste Minister ging zu Fuß neben der Sänfte, M. Laborde folgte ihr unmittelbar mit dem uralten Rainingora, dem Häuptlinge der Schwarzen, einer wandelnden Mumie, und der Leibwache. Sobald die höchsten Herrschaften den Fluß überschritten, schloß ich mich einigen Ver-wandten des ersten Ministers an und erreichte glücklich das jen-seitige Ufer. Dort setzte ich mich nieder und schaute dem impo-santen Zuge zu. Auch die Königin hatte auf einem Lehnstuhl Platz genommen und ließ während vollen 6½ Stunden das Ge-folge vorbeiziehen. Der erste Minister war an das andere Ufer zurückgekehrt und wachte, umgeben von seinem Officierstabe, darüber, daß die größte Ordnung eingehalten werde. Zuerst passirte das Gepäck der Königin und alles, was zu ihrer Hofburg gehörte, die Kanonen, die Umwallung ihres Palastzeltes, des Rova u. s. w. Dann kamen die Zelte, alle der Reihe nach, zuerst die-jenigen der Nordseite des Lagers, dann die der Westseite und Südseite, so daß die Officiere den Schluß bildete.

„Am Feste Maria Himmelfahrt konnte ich zu meiner großen Freude die heilige Messe feiern; denn man setzte die Reise nicht fort. Ich las sie zu Ehren der Himmelskönigin, daß sie von ihrem Sohne die Bekehrung dieses Volkes erflehe. Im Jahre 1869 hatte ich zu Ameriandravo, einem Dorfe wenige Stunden von Tananarivo, an diesem Feste in gleicher Meinung die heilige Messe gelesen; heute haben wir daselbst eine unserer blühendsten Gemeinden unter dem Titel Maria-Himmelfahrt.

„Am Lager empfing die Königin dieser Tag die Geschenke der Provinz Valinolcarain, 8000 und ungerade Scheffel Reis, Ochsen, Schafe und Geflügel aller Art. Schon seit mehreren Tagen folgten die Einwohner der Dörfer unserem Zuge mit diesen Gaben; aber erst jetzt fand die Königin Zeit, dieselben entgegenzunehmen. Man vertheilte sie dann unter das Gefolge, namentlich unter die

Soldaten. Das war die erste Vertheilung von Lebensmitteln seit unserem Ausmarsche; bis dahin mußten sich die guten Leute auf dem Lagermarkte ihren Mundbedarf kaufen. Denn ein ganzer Schwarm von Kaufleuten begleitete uns; in der Nacht reisten sie uns voraus, und wenn wir am Abende den Lagerplatz er-reichten, war der Markt schon eröffnet und mit allem wohl be-stellt. Die höheren Officiere spielten die großen Liefervanten und wissen sich auch hier auf Kosten des armen Mannes ihre Beutel zu füllen.

„Fast eine ganze Woche lagerten wir auf der Ebene Ambe-tama. Der Grund dieses langen Aufenthaltes war ein kleiner Unfall, der die Königin oder vielmehr den großen königlichen Sonnenschirm traf. Derselbe hat nämlich oben eine große Kugel, ich meine von Gold, es war aber nur vergoldetes Glas, und dieser Schmuck zerbrach. Ihre Majestät wollten aber ohne diese Zier nicht in ihre zweite Hauptstadt einziehen und ließen sich des-halb durch Schnelläufer einen anderen vergoldeten Glasknopf aus Tananarivo holen. In der Zwischenzeit hielt man große Manöver ab. Die Königin und alle Unbetheiligten schauten von einer kleinen Anhöhe aus zu; auch ich hatte daselbst meinen Sitz ein-genommen. Vor uns breitete sich das Lager aus, welches im Scheinkampfe angegriffen und vertheidigt werden sollte. Eine Trompete schmetterte, und urplötzlich scheint das Lager, eben noch voll Leben, wie ausgestorben; man will dem Feinde die Meinung bei-bringen, als liege alles in ruhigem Schlafe. Ein neues Trompeten-signal, und wie auf den Wink eines Zauberstabes füllen sich die Lagergassen mit einem Ameisengewimmel von Kriegern, welche in Windeseile ihre Posten einnehmen; um den Palast der Königin, wo der Generalstab sich versammelte, schließen sich die Schaaren; die Lagerzugänge sind besetzt; Plänklerketten entwickeln sich, schwärmen nach rechts und links, werfen sich zu Boden, um den nachfolgenden Kolonnen Raum zum Schusse zu gestatten. Man mußte die Schnelligkeit ihrer Bewegungen bewundern; die Königin schien ganz entzückt. Zum Schlusse des Manövers zeigte sie sich auf ihrer Estrade den Kriegern und Officieren; die letzteren traten vor und hielten nach madegassischer Sitte ihre „Reden der Tapferkeit": „Wie mächtig auch der Feind sei, der dich angreifen will; fürchte dich nicht!" sagten sie. „Und wenn er sich in den Himmel flüchtet, wir wollen ihn herunterholen, und wenn er sich in die Erde ver-kriecht, wir wollen ihn dir herausgraben!"

„Bei dem Einzug in Fianarantsoa wurde selbstverständlich der größte Prunk entfaltet; die Betsiléos sollten die ganze Ueberlegen-heit ihrer Herren, der Howas, fühlen. Die Königin hatte ihren Staatspalankin, der wie massives Gold aussah, bestiegen; auf ihrem Haupte blitzte die Krone, ein Kleid von Goldbrokat umhüllte sie; natürlich kühlte der rothe Sonnenschirm mit der bekagten Gold-kugel nicht. Um die Regentin her wogten Tänzer und Tänzerinnen, und schmetterte und dröhnte die Musik. Voraus zog ein aus Söhnen der höchsten Familien gebildetes Corps, in dessen Mitte auf den Prachtlasten einer Armstrongkanone der erste Minister saß.

„Das war eine Arbeit, diese neue Kanone von Tananarivo herzuschleppen! Während die übrigen fünf Kanonen, leichte Stücke, getragen wurden, mußte man diese auf den Rädern lassen. Die Bedeckungsmannschaft, Prinzen von königlichem Geblüte, hatten sich die Ehre, sich selbst vorzuspannen. Sie wurden von den Betsiléos nach Gebühr angestaunt. Ein wohlbeleibter Oberrichter sagte: „Bisher haben wir uns mit Stockhieben, Fußtritten und Faustschlägen die Feinde vom Leibe gehalten; wie wird das in Zukunft gehen, da die Königin diese neue Maschine erhielt?"

Festlicher Aufzug der Königin. (S. 347.)

261

„Am Thore standen natürlich die Magistratspersonen und
begrüßten die Königin mit den üblichen langen Reden. Man
nennt diesen Act der Begrüßung ‚Kabary‘."

7. Die Königin in Fianarantsoa und ihre Schulvisite.

„Im Lager von Fianarantsoa verweilten wir bis zum 9. October; jeder Tag hatte seine eigenthümlichen Zwischenfälle, aber
es ist unmöglich, sie alle anzuführen. Nur ein Wort über den
Anblick der Stadt und ihrer Umgebung, wie er sich von der Höhe
des nördlich gelegenen Kiandschasoa darbot. Fianarantsoa liegt
auf einer Erhöhung von 1208 m; am Fuße dieses Berges breitete
sich unser Lager aus und rund um dasselbe her 13 andere Lager
in bunter Unordnung. Von allen vier Weltgegenden her war

nämlich eine Menschenmenge von wohl 200 000 Seelen zusammen-
geströmt, während sonst die Stadt höchstens 20 000—25 000
Bewohner zählt. Welch ein buntes Gemenge aller möglichen Typen
und Trachten! Da sind Betsitsaos mit ihren sonderbaren und
vielgestaltigen Haarfrisuren; ihre Kleider sind aus Bast und Bananen-
fasern gewoben; man wäscht sie niemals, macht sie aber von Zeit
zu Zeit durch Oel geschmeidig. Dort gehen die Bewohner der
Wälder mit ihrem unbeschreiblichen Haarschmuck; wohl ragt eine
Art Hut auf ihrem Kopfe, deckt ihn aber nicht. Hier schreitet ein
Bare vorüber, die Flinte in der Hand, das wohlgefüllte Pulver-
horn und seine Kugeln am Gürtel. Die Flinte nennt er seine
Frau und trennt sich nie von ihr. Man sagt, wenn er sich wasche,
so nehme er die Büchse in die linke Hand, während er mit der

Haartrachten der Betsileos. I.

rechten die eine Gesichtshälfte wäscht; dann wandere die Büchse in
die rechte, dieweil die linke auch die andere Hälfte wäscht. Es
sind übrigens ganz prächtige Burschen. Ich sagte einem, P. Grand
werde zu ihnen kommen und eine Kirche bauen; er meinte, sie
hätten kein Holz und könnten also keinen so schönen Tempel bauen,
wie in Fianarantsoa. Dann sagte er zu mir: ‚Comme du zu
uns; wir verstehen dich.‘ Die Baren sind viel ehrlicher als die
Howas; aber es darf ihnen kein Howa auf einsamem Wege
begegnen: eine Kugel würde ihn sicher zu Boden strecken! Die
Baren sind wie die Salalaven Todfeinde der Howas, ihrer Unterjocher.

„Gleichwohl sind die Howas noch keineswegs die unbestrittenen
Herrscher der Insel; aber Schritt für Schritt dehnt sich ihr Reich
aus. Während wir im Lager von Fianarantsoa weilten, wurden
verschiedene neue Siege gefeiert und die Huldigung mehrerer Stämme

entgegengenommen. Am 9. September verkündeten 21 Kanonen-
schüsse die Nachricht, daß ein Neffe des ersten Ministers, Namens
Ravoninahitrarizarivo, zahlreiche Stämme unterworfen habe. Er
war mit seinem Vater Rainimaharavo an der Spitze einer Armee
gegen die Salalaven ausgezogen, welche eine Kanone der Howas
erobert hatten. Der Vater trug aber nicht gleiche Lorbeeren davon;
er wurde geschlagen, und während später sein Sohn im Triumphe
in die Hauptstadt zurückkehrte, feierte er einen sehr demüthigen
Einzug. Bei den Huldigungen erschien die Königin unter dem
Sonnenschirme auf der Estrade; dann traten die Abgesandten des
Stammes, oft 40 Mann, vor und hielten unter Kanonendonner
ihre Huldigungsrede. Tänze und eine reichliche Mahlzeit folgten.
Zum Schlusse wurden sie mit einigen Ellen Zeug und wohl auch
mit etwas Geld beschenkt; dann gingen sie schreiend und hüpfend,

tanzend und springend nach Hause. Man muß übrigens auf solche Huldigungen der Madegassen kein zu großes Gewicht legen: Versprechen und Halten sind bei ihnen himmelweit verschieden. Der erste Minister unterließ auch niemals, den Abgesandten die Armstrongkanone zu zeigen — ein deutlicher Wink, der manchmal durch nackte Worte noch deutlicher gemacht wurde.

„Die Betsiléos bauen ihre Dörfer gern auf fast unzugängliche Berggipfel. Ich besuchte ein solches Felsennest von unserm Lager aus mit M. Laborde. Es liegt zwei Stunden östlich von Fianarantsoa und heißt Ingon. Von Osten kann man den Felsen nur mit Leitern besteigen. Einmal droben, genießt man eine große Fernsicht: über die hügelige, ausgetrocknete und öde Hochebene bis nach der Felsenfeste Ikorgo, welche die Howas

noch nicht erobern konnten, und Ambudeube und weithin über Berg und Thal.

„Am 23. September war im Lager großer Kabary. Eine unübersehbare Menschenmenge strömte zusammen, die Soldaten standen alle unter Gewehr; um 1½ Uhr erschien der königliche Sonnenschirm auf der Estrade. Da brach das Volk, welches den Platz und alle Lagergassen füllte, in lautes Zurufen aus, in das sich das Schmettern der Musik und der Donner der Kanonen mischte. Als dieser Begrüßungssturm vorüber war, erhob sich die Königin von ihrem Sitze und hielt eine Art Thronrede. Drei Punkte wurden namentlich hervorgehoben: 1. Dank für den begeisterten Empfang, 2. Veränderung des Namens, welchen bis jetzt unser Lagerplatz führte, aus Vendambo in Tsaraladroa,

Haartrachten der Betsiléos. II. (S. 250.)   Locken der Baren. (S. 250.)

d. h. „er hat keine zwei Herren", und 3. die Verkündigung der neuen Betsiléogesetze.

„Nach der Verlesung des Gesetzbuches, das nicht weniger als 118 Paragraphen umfaßt, kamen die Reden. Jede Klasse, jeder Stand stellte seinen Redner. Die Vorträge hatten alle den gleichen Inhalt: „Lebe lange, o Herrscherin, frei von jeder Unannehmlichkeit und glücklich inmitten deines Volkes! Du gibst uns Gesetze, wir danken dir dafür, wir sind sehr zufrieden, zähle auf uns, wir werden sie beobachten! Und wenn auch einer sie übertreten sollte, so darf dir das keinen Kummer machen; wir übernehmen es, den Uebelthäter, der dir zu mißfallen wagen würde, zur Rede zu stellen.' Dann schrie jeder Redner, gegen das Volk gewendet: „Ist es nicht so?' und ein vieltausendstimmiges „Ja, so ist es!' schloß jeden Vortrag.

„Unter den 118 Paragraphen des Gesetzes garantirte auch einer die Gewissensfreiheit. „Die Religion', lautet er, „soll weder erzwungen noch verhindert werden.' Das galt in der Theorie schon seit der Thronbesteigung Ranavonola's II.; in Wirklichkeit aber legt man uns Katholiken überall Steine in den Weg, während die Protestanten sich im Strahlenglanze der königlichen Huld sonnen.

„Am 26. September meldete man uns, die Königin wolle unsere Schulkinder sehen. Seit der Ankunft ihrer Majestät in Fianarantsoa mußten natürlich Ferien gegeben werden. Es war also keine kleine Arbeit, die Kinder zusammenzubekommen, und als wir eine gute Zahl versammelt, kam die Weisung, die Königin wolle heute statt der Schulvisite einem öffentlichen Tanze beiwohnen. Auch wir schauten von der königlichen Estrade aus diesen durchaus anstän-

32*

digen Spielen zu. Den Vortanz mußte der Gouverneur von Fianarantsoa, seines Zeichens früher Maurermeister in Tananarivo, ausführen. Er sagte selbst, man habe ihm diesen einträglichen Posten übertragen, damit er wieder etwas zu Geld komme, und wie der Leumund meldete, ging er auf diese Intentionen der Regierung mit Eifer ein. Jetzt aber war dem armen Manne gar nicht wohl zu Muthe, wie er so vor Ihrer Majestät tanzen sollte. Man sah ihm auf den ersten Blick an, daß er besser verstehe, einen Stein zu behauen, als zierliche Sprünge und Wendungen auszuführen, zudem hatte er der Flasche etwas stark zugesprochen. Aber es half alles nichts, eine so jämmerliche Figur er auch spielte — er mußte an der Spitze der Regierungsbehörden vortreten und tanzen. Nach den Spitzen der Behörden tanzten die Officiere; dann kam die Reihe an die vornehmen Betsileos, nach diesen an ihre Frauen. Unter anderen tanzte auch eine madegassische Dame.

welcher die Howas die Verwaltung einer ganzen Provinz übertragen hatten. Sie trat im Gefolge anderer Frauen auf, und eine ländliche Musik, welche von Trommeln und Pfeifen ausgeführt wurde, begleitete ihren Tanz. Die Trommeln sind Stücke hohler Baumstämme, deren Löcher von einer Ochsenhaut überspannt sind; die Pfeife, Sodina genannt, ist die einfachste Rohrpfeife. Zum Schlusse der ganzen Feier wurde ein Kriegstanz mit wildgeschwungenen Lanzen und Schilden ausgeführt.

„Des folgenden Tages fand endlich die angekündigte Schulvisite statt. Zuerst kamen die Kinder der protestantischen Mission an die Reihe. Nachmittags 4 Uhr wurden wir mit unsern 130 Knaben und Mädchen vorgelassen. P. Lacombe, der Obere von Fianarantsoa, überreichte der Königin zuerst die übliche ‚Hasina‘, ein Geldstück als Zeichen der Unterthanenpflicht. Dasselbe that ein Knabe im Namen seiner Kameraden und leistete zugleich den

Betsileos-Dörfer. (S. 261.)

‚Toly‘, d. h. das Versprechen der Treue. Ein ganz kleines Mädchen aus der Schule der Schwestern überreichte die Hasina für ihre Mitschülerinnen und declamirte einen Spruch, der allgemein gefiel. Dann wurde gesungen, madegassisch und französisch gelesen, gerechnet und der Katechismus aufgesagt. Die Schwestern hatten den trefflichen Einfall, der Königin durch zwei Mädchen prächtige Halstücher für sie und ihren Gemahl, den ersten Minister, zu überreichen. Ihre Majestät würdigten sich dann, die zahlreichen Proben von Handarbeiten der Kinder aufmerksam zu prüfen, und sprachen sich in hohem Grade befriedigt aus.

„Noch wurde ein großer Kabary im Lager gehalten, bei welchem alle Eltern den Befehl erhielten, ihre Kinder in die Schulen zu schicken. Dann hob die Königin das Lager auf und trat die Rückreise nach ihrer Hauptstadt an. Diese Fahrt bot nichts Bemerkenswerthes; am 28. October lagerten wir wieder vor Tana-

narivo auf dem Mahamasinaplatze. Es war aber auch die höchste Zeit, daß wir zurückkehrten; die Periode der Gewitterstürme war da, und noch bevor wir den Einzug feierten, brach ein furchtbares Unwetter mit einem wolkenbruchartigen Regen über uns herein. In wenigen Minuten war das ganze Lager in einem unbeschreiblichen Zustande. Erst nachdem man am folgenden Tage seine Kleider getrocknet hatte, zog man ein. Ich kann aber diese letzte Feierlichkeit nicht beschreiben, da ich sie nicht mitmachte, sondern wegen Halsentzündung und Fieber das Bett hüten mußte.“

8. Das große Examen.

Am 15. September 1880 wurde ein großes, außerordentliches Examen im königlichen Palast zu Tananarivo abgehalten. Da erschienen der erste Minister und Gemahl der Königin, die Kron-

Kinder, welche nach dem großen Examen aus dem Palaste der Königin beschenkt heimkehren. (S. 254.)

Beamten und Generale des Reiches, die Fürsten und Häuptlinge, kurz, alle höheren Würdenträger in prächtiger europäischer Uniform mit goldgestickten Kragen und Silbertressen und Ordenssternen und was sonst zur höchsten Gala gehört. Vor dieser glänzenden Versammlung stellten sich Zöglinge der verschiedensten protestantischen Secten: der Lutheraner, Anglikaner, Methodisten, Puritaner und Quäker; aber auch eine Anzahl junger Katholiken, die bei den Schulbrüdern studirt hatten. Die Katholiken kamen glänzend durchs Examen und wurden deshalb zugelassen, der Königin feierlich den Toty abzulegen. Der erste Minister erhob sich und fragte sie: „Was wollt ihr?" Sie antworteten: „Wir wünschen dem Staate zu dienen!" Darauf rief sie der erste Minister an seine Seite, auf die Bank der zwölf Staatssecretäre der Königin. Sodann wurde dem jüngsten von den drei Schülern das Wort gegeben, und er begann:

„Heil dir, unser Herr! Mögest du lange leben mit der Königin, unserer Herrscherin! Ja, lebe lang, lebe glücklich, unser Herr! Gott schütze dich und die Königin! Wir sind Zeugen, daß das Reich im Fortschritt begriffen ist, daß es auf dem Pfade des Guten mächtig vorangeht, daß es verbessert, was zu verbessern ist, ohne die Gesetze zum Schutze der Familie und des Eigenthums zu verändern und ohne an den weisen Satzungen zu rütteln, welche uns Andrianampoinimerina, Radama, Rasoherina und unsere jetzt regierende Königin gegeben haben, die ihrem Volke gesagt hat: Dieses Land und diesen Staat, dessen Herrscherin ich bin, sollt ihr mit mir regieren! Wohlan, unser Herr! Obwohl wir noch jung sind und unser Haar noch zart ist, wie das junge Gras, so wollen wir doch voll Vertrauen deiner Aufforderung entsprechen, welche uns ermuthigt. Sag' es der Königin, sie mag uns nach Osten oder nach Westen, nach Süden oder nach Norden senden; was deinem Herzen lieb ist, ist auch lieb dem unsrigen, wir sind dir hold und gewärtig; du kannst auf unsere Treue und unseren Gehorsam zählen!"

Die Begeisterung, mit welcher der junge Katholik diese Worte sprach, entzückte den ersten Minister. „Seht!" sprach er zu den anderen Beamten, „wie dieser Kleine, der noch keinen Flaum am Kinn hat, den Toty zu geben weiß. Das muß ich der Königin sagen!" Die Königin war ebenfalls sehr entzückt und ließ den Missionären durch Randravo Roditsisera, den Sohn des ersten Ministers, danken. Die Kinder aber ließ sie beschenken; alle erhielten aus der königlichen Küche ein Stück Braten, und damit zogen sie fröhlich ans dem Palaste der Herrscherin heim.

Als darauf — am 24. October, am Feste des hl. Raphael — für die übrigen Kinder Prüfung gehalten wurde, erschien der erste Minister mit seinen vornehmsten Beamten selbst dabei und war mit den Leistungen derselben so zufrieden, daß er den Kindern eine ansehnliche Geldsumme schenkte. Da bekamen die Fleißigsten alle ihren Preis, schöne Kleider, Bücher, kleine Schmucksachen — und inzwischen war für jene Insel die Frühlingszeit angebrochen, die Maikäfer flogen, die Blumen blühten, und die Kinder machten nach den Mühen des Schuljahrs fröhliche Ferien.

9. Die Treue der madegassischen Katholiken.

In dem Jahre 1883 wurde die segensreiche Thätigkeit der katholischen Missionäre durch den Ausbruch eines Krieges unterbrochen. Anglikanische Missionäre, welche die Insel begreiflicherweise dem Einflusse Frankreichs gerne entzogen und unter britische Oberhoheit gebracht hätten, hetzten den ersten Minister der Königin Ranavalona II., daß er den Vertrag nicht halte, den Madagaskar

mit Frankreich geschlossen hatte. Die französische Regierung schickte daher Kriegsschiffe und Truppen, welche zunächst den Hafen Tamatave besetzten und entschieden die Einhaltung des früheren Vertrags forderten. So brach der Krieg aus, da Ranavalona sich dessen weigerte. Zur größten Betrübniß der Katholiken wurden infolge dessen die französischen Missionäre ausgewiesen und erst nach Abschluß des Friedens zu Anfang 1886, der ganz Madagaskar unter französische Oberhoheit brachte, konnten sie wieder in ihre Gemeinden zurückkehren.

In der Zwischenzeit hatten diese Gelegenheit genug, ihre Treue im katholischen Glauben zu bewahren. Der folgende Brief P. Chenay's wird uns mit der Geschichte der Kirche Madagaskars aus den Tagen dieser Feuerprobe bekannt machen. Derselbe ist datirt Tananarivo 25. Juni 1886:

„Sie wissen schon, daß die Missionäre seit März wieder in diese Mission zurückgekehrt sind. Wie das englische protestantische Blatt, die ‚Madagascar Times', eingesteht, wurden sie seitens der Bevölkerung mit außerordentlicher Freude und großem Jubel empfangen. Am Charsamstag hielt Mgr. Cazet mitten unter einer großen Menge Christen seinen Einzug, und am Osterfeste feierte er mit dem ganzen Glanze der Ceremonien das Pontifikalamt. Die Anwesenden sangen freudig das Alleluja und begrüßten sich gegenseitig mit den Worten, welche die Umstände jedermann eingaben: ‚Dieses Osterfest ist auch für die Kirche Madagaskars der Auferstehungstag!'

„Wir hatten die Freude, unsere treugebliebene Heerde wieder zu finden. Kaum angekommen, konnten wir unsere Arbeit fortsetzen, als wären wir nur wenige Tage fort gewesen. Ja, als wir das christliche Leben, die Gesänge, die Gebete, den Katechismusunterricht, seine Ueberlieferungen in so frischer Uebung sahen, hätten wir glauben können, gestern erst die Mission verlassen zu haben. Und doch sind es drei lange Jahre, daß unsere Heerde ohne Hirten gewesen.

„In der Provinz Imerina und in der Gemeinde Ambositra blieben die Schulen fortbestehen, und jeden Sonntag kamen die Gläubigen in gewohnter Weise zusammen, um zu beten und das Lob Gottes zu singen. Damit sei nicht gesagt, daß wir nicht den Abfall von einigen zu beklagen haben, oder zu fürchtbarer Sturm braust niemals über eine Mission hin, ohne einige Opfer zu fordern. Wir dürfen aber sagen, daß der geistliche Schaden geringer war, als der materielle an Kirchen, Schulen und Priesterwohnungen; jedenfalls sind die bedeutend geringer, als wir mit Grund fürchteten. Und schon sehen wir die Neubekehrten, welche in der Stunde der Prüfung schwach waren, zum katholischen Glauben zurückkehren; ja, man ruft uns sogar in Dörfer, in welchen wir vor unserer Vertreibung keine Niederlassung hatten.

„Um Ihnen die Art und Weise zu zeigen, wie sie sich gegenseitig im Glauben befestigten, will ich einige Auszüge aus dem Tagebuch des katholischen Vereins mittheilen.

„Als unsere Missionäre, Patres, Brüder und Schwestern vertrieben waren" — so heißt es in diesem Tagebuche —, „zerstreuten sich ihre Schäflein; Furcht und Muthlosigkeit machten sie zu einer Heerde, welche den Hirten verloren hat. Wessen Glaube nicht tiefe Wurzeln gefaßt hatte, wurde gewaltig erschüttert; wer aber einen lebendigen Glauben hatte, der zeigte jetzt Standhaftigkeit und Großmuth.

„Am ersten Sonntage, nach der Abreise der Missionäre (am 3. Juni 1883) waren die Mitglieder des katholischen Vereins, welche sich in der Kirche der Unbefleckten Empfängniß versammelt hatten, nicht ganz einer Meinung. Einige waren der Ansicht, man müffe fofort den Landlirchen zu Hilfe kommen; die Mehrzahl aber meinte, es fei beffer, vorerft in den vier Kirchen der Haupt= ftadt die Uebungen der Frömmigleit zu befeftigen und den fonn= täglichen Gottesdienft zu ordnen. Victoria (eine durch Abel und Reichthum hervorragende Frau) unterftützte diefe leßtere Anficht mit

den Worten: „Laßt uns mit unferer eigenen Heiligung beginnen und dann erft an der Heiligung der anderen arbeiten. Wir wollen zu= nächft die vier Kirchen der Hauptftadt vollftändig ordnen; fie werden dann den Landlirchen zum Vorbilde dienen!" (Ein Mitglied des Vereins fagte darauf: „Laßt uns von dem gewohnten Gottesdienfte

Der „Peter=Booth" auf der Infel Mauritius. (S. 258.)

nichts auslaffen, als was das ausfchließliche Amt des Priefters ift und was wir nicht vornehmen dürfen!" Diefer weife Vorfchlag wurde einftimmig angenommen.'

„Der latholifche Verein entwarf hierauf eine Gottesdienft= ordnung, welche an allen Sonntagen diefer drei Jahre treu ein=

gehalten wurde. Morgens 8 Uhr verfammelte man fich in der Kirche zum Gebete, fang alles, was der Sängerchor beim Amte fingt, und an Feftagen wurden die Gefänge mit Mufil begleitet. Was der Priefter fingt oder betet, fas man vor und hielt eine Unterweifung über einen Abfchnitt des Katechismus. Um 3 Uhr

nachmittags sang man die Vesper und hielt einen zweiten Katechismusunterricht. Dann wurde der Rosenkranz gebetet und mit dem
Sacramentsliede, oft unter Musikbegleitung, geschlossen. Nicht zufrieden mit der Sonntagsheiligung, wollte der katholische Verein
auch die Wochentage heiligen. Täglich versammelte man sich vor
dem Beginne der Schule morgens 7 Uhr in der Kirche, sang
fromme Lieder und betete den Rosenkranz als Ersatz für die heilige
Messe, und an allen Samstagen wurde die Lauretanische Litanei
gesungen.

„Nachdem die jungen Leute des katholischen Vereins den Gottesdienst in den Kirchen der Hauptstadt also geordnet hatten, besuchten
sie die Landgemeinden und bestimmten die katholischen Lehrer, das

Beispiel der Kirchen Tananarivo's nach Möglichkeit nachzuahmen.
Und sie fuhren mit diesen Besuchen der katholischen Dörfer fort,
eifrig bemüht, daß die festgestellte Ordnung sowohl in den Schulen
als im sonntäglichen Gottesdienste beobachtet werde.

„Wollte ich alles erzählen, so würde ich kein Ende finden.
Doch darf ich das Haus für die Aussätzigen zu Ambahivorata
nicht übergehen. Im Augenblicke unserer Verbannung waren
200 Kranke, welche bis dahin auf Kosten der Mission verpflegt
wurden, in demselben untergebracht. Sie sahen sich jetzt plötzlich
aller Existenzmittel beraubt. Am Tage unserer Vertreibung wurde
ihre Kapelle niedergebrannt. Einige Zeit später schickte sich ein
protestantischer Prediger an, sie wöchentlich zu besuchen, gab ihnen

Die Wilhelms-Ebene auf der Insel Mauritius. (S. 258.)

Almosen und predigte ihnen seine Lehre. Der katholische Verein
verließ sie jedoch nicht; ein Mitglied besuchte sie, ermunterte sie
und unterstützte sie nach dem Maße seines bescheidenen Vermögens.
Nach einiger Zeit glaubte der protestantische Prediger den Boden
hinlänglich vorbereitet und forderte die Aussätzigen zum Uebertritte
zu seinem Bekenntnisse auf, indem er ihnen gleichzeitig reichlichere
Almosen in Aussicht stellte. „Niemals!" lautete die einstimmige
Antwort der Aussätzigen. „Wenn Sie ein Almosen geben wollen,
so geben Sie es uns; denn wir haben dasselbe inmitten unseres
äußersten Elendes nothwendig. Aber wenn dasselbe der Preis
unseres Abfalls sein soll, so werden wir es nie annehmen.' Einer
solchen Festigkeit gegenüber, welcher er seine Bewunderung wohl
nicht versagen konnte, hatte der Prediger den Tact, zu antworten,

er wolle niemanden zwingen, und sobald die katholischen Missionäre
zurückgekehrt waren, stellte er seine Besuche ein. Mgr. Cazet besuchte
wenige Tage nach seiner Rückkehr die armen Aussätzigen, welche
nach 83 an der Zahl sind; der Bischof beglückwünschte sie von
Herzen ob ihrer Treue im Glauben, ermunterte sie zur Ausdauer
und hinterließ zum Andenken seines Besuches ein reichliches Almosen.
Die Aussätzigen waren zu Thränen gerührt und konnten Mgr. Cazet
nicht genug danken; dazu baten sie ihn, er möge ihnen vor allem
das Almosen der Predigt spenden, und ihnen einen Missionär
schicken, der sie zur Taufe oder zur heiligen Communion oder
zur Firmung vorbereite. Ich brauche nicht zu sagen, mit welcher
Freude der hochwürdigste Bischof die Gewährung einer solchen
Bitte versprach.

„Zum Schluſſe erübrigt mir noch, in Kürze von den Arbeiten zu reden, welche wir ſeit unſerer Rückkehr unternahmen. Neulich hielten wir in Tananarivo eine Verſammlung von 160 Lehrern und 30 Lehrerinnen. Koſtbare Gehilfen zur Neuordnung unſerer Schulen! Eine Anzahl junger Leute aus verſchiedenen proteſtan= tiſchen Schulen, namentlich aus dem großen Colleg der Indepen= denten zu Tananorivo, welche einflußreichen Familien angehören, bitten uns um franzöſiſchen Unterricht. Denn ein ſehr wichtiger Vortheil des franzöſiſch-madegaſſiſchen Friedensvertrages iſt der Umſtand, daß fürderhin die Jünglinge, welche eine höhere Lauf= bahn betreten wollen, franzöſiſch lernen müſſen. Wir haben des= halb ſofort eine franzöſiſche Schule eröffnet und unſerem Fr. Venan= tius Maniſatra, der mit Mgr. Cazet nach Madagaskar zurück=

kehrte, übergeben. Viele dieſer jungen Leute ſind Proteſtanten. Es werden jedenfalls manche Vorurtheile im Umgange mit uns fallen. Auf Pfingſten wohnten ſie zahlreich unſerem Gottesdienſte bei und waren entzückt ob unſerem Geſange und der Pracht unſerer Ceremonien. Der franzöſiſche Curs zählt ſchon 170 Schüler, und täglich melden ſich neue. Am Frohnleichnamsfeſte haben wir eine herrliche Prozeſſion durch die Alleer unſeres Landhauſes von Ambohipo gehalten. Die Theilnahme aus allen Gemeinden von Imerina war eine großartige. Der Geiſt der Sammlung und Frömmigkeit, der die große Menge beſeelte, mußte jedermann auffallen.“

Raſch erhob ſich ſeither die Miſſion zu ihrer früheren und zu noch größerer Blüte. Die zerſtörten Kirchen und Kapellen (bei

Am Ufer der Grande Rivière auf Mauritius. (S. 258.)

den Betſiléos allein waren es 56) wurden wieder aufgebaut; die Schulen füllten ſich aufs neue; die Zahl und der Eifer der Miſ= ſionäre iſt den höchſten Anforderungen gewachſen, und ſo dürfen wir hoffen, daß die große Inſel Madagaskar, die jetzt über 80 000 Katholiken zählt und in faſt 300 Schulen über 12 000 Kinder erzieht, immer größere und raſchere Fortſchritte in der Erkenntniß der wahren Religion machen werde.

10. Die Inseln Réunion und Mauritius.

Oeſtlich von Madagaskar liegen in den Fluten des Indiſchen Oceans noch zwei Inſeln, die wir auf unſerem „Afrikaner“ beſuchen wollen. Sie haben eine größere Bedeutung als die Gruppe der Seychellen (nördlich von Madagaskar) und der Comoren (weſtlich

von Madagaskar), von denen jene britiſches, dieſe franzöſiſches Eigenthum ſind. Réunion (Bourbon) wie das Eiland früher hieß, iſt ebenfalls, wie ſchon der Name vermuthen läßt, franzöſiſcher, Mauritius dagegen britiſcher Boden. Beide Inſeln gehören zur Gruppe der Maskarenen; beide ſind faſt gleich groß. Réunion 1979 und Mauritius 1914 qkm. Dagegen hat erſteres nur 183 000, letzteres aber 346 000 Einwohner.

Réunion bildet das Bisthum Saint Denis, welches zur Kirchen= provinz von Bordeaux gehört. Heftige Wirbelſtürme ſuchen die Inſel oft heim und verurſachen in den Pflanzungen, welche ſonſt Zucker, Kaffee, Indigo, Muskat, Zimmer, Mais, Reis, Tabak, Baumwolle u. ſ. w. liefern, großen Schaden. Noch mehr macht ſich der Mangel an Arbeitskräften fühlbar, indem die Einwanderung der Knäs aus Indien aufgehört hat, die Neger aber zur Arbeit viel zu träge sind. — Die Insel hat neben mehreren erloschenen einen noch thätigen Vulkan, den etwa 2500 m hohen Pilon de Fournaise, welchen einer der Missionäre, P. Labouaarie S. J., also beschreibt:

„Am 29. Februar verließ ich morgens 6 Uhr U. L. Frau von der Hilfe und erreichte in einstündiger Eisenbahnfahrt St. Benedikt. Dort nahm ich die Post, welche mich bis Mittag nach St. Rosa brachte, von wo ich an meinen Bestimmungsort St. Philipp vor Abend nicht gelangen konnte. Es war der erste Fastenfreitag, und so war es nur am Platze, daß ich das Fasten spürte; in der That hatte ich den ganzen Tag nur zwei Datteln und ein bißchen Brod genossen. Die Gegend war herrlich; der Weg führte längs des Meeres; an der andern Seite ragten bewaldete Berge auf. Nach einiger Zeit mußten wir aussteigen und zu Fuß eine Hängebrücke überschreiten, welche eine mehrere hundert Meter breite Schlucht verbindet. Sie schwankt so stark, daß man fast seekrank werden könnte, und jedenfalls möchte ich sie als Spazierweg keinem anempfehlen, der etwas über den Durst getrunken hätte; die geringe Breite des Steges, seine Schwankungen, das Tosen des Wildbaches, der tief unten dahinschäumt, das alles könnte einem auch so schwindelig machen, und ich muß sagen, daß ich nicht ohne einige Aengstlichkeit hinüberschritt. Von St. Rosa an war ich der einzige Reisende; der Weg führt noch immer durch Wald längs des Meeresufers. Diese hohen Waldberge erinnerten mich an Madagaskar; ich befand mich in Gedanken schon ganz in seinem Hochwalde und war in meinen Phantasien bereits in der Nähe von Tananarivo, als sich plötzlich ein ganz anderes Bild vor meinen Augen zeigte. Der Wald, das frische Grün, der Vogelgesang, die baumelnden Farrenkrautwedel, die Blumen, die von Ast zu Ast geschlungenen Lianenkränze sind mit einem Male verschwunden, und unvermittelt stehe ich am Fuße des Vulkans. Nur wenige Schritte vom Wege raucht die heiße Lava, welche der Berg soeben ausgeworfen hat, und 11 km weit rollte der Wagen auf erstarrter Lava, deren dunkle Rinde keinen grünen Halm hervorsprossen läßt. Der schwarze Rauch, welcher aus dem Krater des Berges aufstieg, war der passende Abschluß dieser traurigen Landschaft, welche mit Recht den Namen ‚Der große Brand‘ (Le Grand-Brulé) trägt. Ich staunte über das großartige Bild der Verwüstung, welche der Vulkan verursacht hat. Ein weißes Steindenkmal steht mitten in der 11 km breiten Lavawüste. Darauf steht geschrieben, daß ein Gouverneur Namens de l'Isle an einem angegebenen Tage mit viel Volk und zahlreicher Geistlichkeit in Procession an diese Stelle gekommen sei und daß man allda, angesichts der Esse des Berges, das heilige Meßopfer dargebracht habe.

„Am Rande des Lavafeldes beginnt der Hochwald wieder; in seinen Schatten steht die Kapelle U. L. Frau von den Flammen, ein Wallfahrtsort. Die hübsche gotische Kapelle ist noch nicht ganz vollendet; sie liegt 8 km von St. Philipp auf einem 500 m hohen Berge, der ziemlich jähe von Meere aufsteigt, ganz nahe beim Vulkane, welcher sie überragt. Der Wald, in welchen sie erbaut und fast verborgen ist, bildet einen zugleich schönen und geheimnißvollen Hintergrund. Während der Fastenzeit predigte ich in St. Philipp und den 12 km davon entfernten St. Athanasius. Zugleich gab ich mir Mühe, die vernachlässigte Kirche von St. Philipp etwas auszubessern und auszumalen. Nach Ostern machte ich meine achttägigen geistlichen Uebungen in der Einsamkeit U. L. Frau von den Flammen; ich hörte dort kaum eine andere Stimme als diejenige der Amseln. Rund um das Kirch-

lein legte ich in jenen Tagen eine Rosenpflanzung an. Eines Tages brachte mir ein zwölfjähriger Knabe mit vor Freude strahlendem Angesichte in einem Käfige eine Amsel, indem er sagte: ‚Ich meine, du langweilst dich, da du mit niemanden redest; schau, ich habe diese Amsel für dich gefangen, damit sie dich unterhalte.‘ Die Leute schenkten mir täglich so viele Orangen und andere Südfrüchte, daß ich ganze Körbchen voll wieder verschenken konnte; das Meer lieferte Fische und Hummern, der Wald Vögel und Wildbret auf meinen Tisch. Eine polnische Familie, welche das Wallfahrtskirchlein bewacht, kochte für mich. Meine Wohnung war eine kleine madagassische Hütte, in welcher mich eines Tages Schnee überraschte. Der Kegel des Vulkans war am Morgen in ein blendendes Schneekleid gehüllt. Ich hätte ihn lieber einmal in Feuer und Flammen gesehen; es soll ein prachtvolles Schauspiel sein, wenn die glühende Lava sich in die Wogen des Meeres stürzt und Wasser und Feuer miteinander kämpfen. Während meines Aufenthaltes bei U. L. F. von den Flammen hat der Berg sich nur einmal geregt; es war ein sanfter Donner wie ein Kanonenschlag; aber zu einem Ausbruch ist es nicht gekommen. Ich wollte den Krater besteigen; schon hatte man mir Sandalen zum Schutze meiner Schuhe zurechtgemacht, da kam plötzlich ein Brief meines Obern, der mich sofort nach St. Denis zurückrief, wo ich für die dort unfässige Madegassen eine Mission halten sollte. Selbstverständlich unterblieb also der Besuch des Kraters, und ich sagte U. L. Frau von den Flammen und den guten Leuten daselbst, die bei meiner Abreise helle Thränen weinten, Lebewohl.“

Hauptstadt der Insel Mauritius ist St. Louis mit 63 000 Seelen; sie wird von Indern, Negern, Kreolen, Singhalesen, Chinesen, Madegassen, Franzosen und Engländern bewohnt. Der Erzbischof ist ein Deutscher, Mgr. Leo Meurin S. J. aus Trier. Das Haupterzeugniß der Insel ist Zucker, von dem jährlich 2½ Mill. Centner ausgeführt werden. Sie ist reich an herrlichen Landschaftsbildern (vgl. Bilder S. 255, 256 u. 257) und wird nach allen Richtungen von Straßen und Bahnen durchschnitten; der Hafen ist sehr belebt.

Wir wollen zum Abschiede von diesem Eilanden den lieblichen Wallfahrtsort besuchen, den die Katholiken von Mauritius vor einigen Jahren der lieben Muttergottes errichteten, indem sie eine Nachahmung der Grotte des berühmten Wallfahrtsortes von Lourdes bauten und mit einer Statue U. L. Frau schmückten. Sie wählten zu dieser Stätte der Andacht das romantische Thal von Chamarel — ein Plätzchen, das seiner zauberischen Schönheit wegen schon früher viel besucht wurde und zu den lieblichsten Thälern des an Naturschönheiten reichen Eilandes zählt. Dort haben sie eine natürliche Berggrotte, vor deren Öffnung ein klarer Bach sprudelt, zu einer Kapelle hergerichtet, und die hochwürdigste Bischof Scarisbrick hat sie am 9. Juli 1879 eingeweiht. Da thront nun die gnadenreiche Jungfrau, und um ihr Heiligthum ranken sich zahllose Schlingpflanzen mit großen leuchtenden Blüten und tiefgrüne, zierlich gezackte Farrenkräuter, schlanke Palmen und andere herrliche Pflanzen, die in unserer kalten Heimat nicht gedeihen, zu einem wundervollen, ewig blühenden Kranze für die unbefleckt empfangene Jungfrau, und große, azurblau und atlasgrün schimmernde Schmetterlinge gaukeln um die Grotte, und fremdländische Vögel mit glänzendem Gefieder wiegen sich in dem Gezweige davor.

O wie wollen wir uns freuen, daß unsere liebe Mutter wieder ein Plätzchen mehr auf dieser Erde, und zwar ein so schönes, in Besitz genommen hat! Möge sie bald herrschen von Pol zu Pol; denn wo sie herrscht, da herrscht auch ihr Sohn, und wo ihr Sohn herrscht, da herrscht Gnade und Wahrheit und Leben; da fließt

Das Heiligthum Unserer Lieben Frau von Lourdes auf der Insel Mauritius. (S. 258.)

die Nacht der Sünde und des Irrglaubens und des Heidenthums. Wir wollen in Gedanken im Heiligthum von Chamarel niederknieen und die „Königin der Apostel" mit dem Gruße des Engels bitten, daß sie unseren Missionären auf der weiten Erde mit ihrer allmächtigen Fürbitte bei ihrem göttlichen Sohne beistehen wolle.

Ave Maria!

33*

1. Mozambique.

An das Gebiet von Deutsch=Ostafrika grenzt im Süden die portugiesische Küste Ostafrika's, welche sich vom Kap Delgado bis an die Telagcabai und die Grenze von Zululand erstreckt. Die ungeheure Uferstrecke zerfällt in zwei fast gleiche Gebiete, in die südliche Herrschaft von Zofala und in die nördliche von Mozambique. Zwischen beiden mündet der Sambesi, meshalb wir das ganze Gebiet unter der Bezeichnung „Am Sambesi" zusammenfassen können. Sein Flächenraum und die Zahl seiner Bewohner können auch nicht annähernd angegeben werden, indem die Grenzen im Innern zwischen Portugal und England zur Stunde noch streitig sind.

Fast in der Mitte des Gebietes von Mozambique liegt die gleichnamige Hauptstadt und Insel, von welcher uns P. Courtois, der im Sommer 1887 daselbst in Angelegenheiten seiner Mission fast zwei Monate verweilen mußte, die folgende Skizze entwirft. Quilimane und das Gebiet am Unter=Sambesi gehört nämlich unter dem Gouvernent von Mozambique.

„Die Insel und Stadt Mozambique liegen unter dem 15. Grade südl. Breite an der Ostküste Afrika's, oder ganz genau nach den neuesten Bestimmungen unter 15° 1' 47" südl. Breite und 40° 45' 6" östl. Länge (von Greenwich). Die Insel ist eine der kleinsten der portugiesischen Besitzungen; mißt sie doch kaum 2 bis 3 km in der Länge bei einer Breite von nur 200 bis 600 m. Sie ist niedrig und ruht auf einer etwa 9 km langen Korallenbant. Rechts und links starren röthliche, bald spitze und zackige, bald auch zu Schalen ausgewaschene Klippen aus der Flut empor. Ihre Lage in einer der schönsten Buchten Ostafrika's hat sie zum Sitze der Regierung der Provinz und zu einem strategisch überaus wichtigen Platz gemacht, und zwar von alten Zeiten her.

„Vasco da Gama erreichte die Insel am 1. März 1498; schon damals war der Ort bedeutend und wurde der Hafen von vielen Fahrzeugen besucht. Tristan da Cunha und Albuquerque eroberten sie 1506 für Portugal. Vasco Gomes de Abreu erbaute daselbst die erste portugiesische Faktorei an der Stelle, wo heute der Palast des Gouverneurs steht; João de Castro aber verlegte sie an die Nordostspitze der Insel, an den Eingang des Kanals, wo sie heute noch auf der Kuppe eines Riffes thront und von einem Kranze unnahbarer Klippen vertheidigt wird.

„Die Stadt ist klein, aber hübsch und gefällig; nach dem Urtheile eines englischen Marineofficiers gibt es wenige Städte der Welt, welche so reinlich gehalten werden. Die Häuser haben durch ihre Terrassen und Veranden ein orientalisches Aeußere. Nach Landessitte sind ihre Mauern mit oft grellen Farben getüncht: blau, gelb, rosaroth, kaffeebraun. Diese Farben sollen, wie die Einwohner meinen, den Wiederschein der Sonnenstrahlen mildern und so den Augen vortheilhaft sein. In den Straßen findet man einige schöne Magazine, welche gewöhnlich von Mohammedanern aus Indien gehalten werden, und eine Unmasse kleiner Kaufläden und Schenken, in denen sich die niedrige Klasse gewinnsüchtiger

Krämer umhertreibt. Die bedeutendsten Faetoreien sind im Besitze einiger Handlungshäuser aus Marseille. Eigentlich großartige Gebäude hat die Stadt nicht, mit Ausnahme der alten Feste St. Sebastian und des neuen Spitals, das aber noch nicht vollendet ist. Der Palast des Gouverneurs, der im alten Jesuiten-colleg wohnt, die General-Schatzkammer, die ebenfalls in einem Flügel desselben Collegs eingerichtet ist, die Kunst- und Handwerksschule, die Residenz des Prälaten, das Rathhaus sind zwar ansehnliche Gebäude, ragen aber weder durch ihre Architektur noch durch ihren Schmuck hervor. Die Stadt besitzt eine Staatsdruckerei, in welcher ein Amtsblatt und die verschiedenen Regierungserlasse erscheinen; größere Werke können aber daselbst nicht gedruckt werden, weil es sowohl an tüchtigen Arbeitern als an Typen fehlt. Das Arsenal ist zwar nur unvollständig eingerichtet, aber doch viel besser als früher.

„Der bischöfliche Palast, in welchem der Prälat wohnt, befindet sich am Meeresufer in überaus schöner Lage; von seinen Fenstern genießt man einen herrlichen Ausblick. Frische Luft und vollständige Abgeschlossenheit machen ihn zu einem angenehmen Aufenthalt. Die Wohnung steht auf dem Boden des früheren Dominikanerklosters; denn die Bischöfe von Mozambique wurden in den Zeiten, da die Missionen in der Kolonie noch blühten, und da die Söhne des hl. Dominikus, des hl. Franziskus und des hl. Ignatius sich daselbst in die Arbeit theilten, aus der berühmten Familie der Predigerbrüder gewählt. Das Haus wurde gebaut, eingerichtet und ausgestattet durch Fr. Bartholomäus von den Martyrern, Bischof von St. Thomas. Bei seinem Tode aber bemächtigte sich die Regierung desselben, „da der Bischof als Ordensmann kein rechtsgiltiges Testament habe erlassen können". Dem bischöflichen Palaste gegenüber am jenseitigen Ende des Gartens war das Dominikanerkloster, welches jetzt von dem Minister der öffentlichen Arbeiten bewohnt wird; noch erkennt man einige Mauern der alten Bogengänge und einen Theil des Kreuzgangs, und das Ganze hat trotz mancher Aenderungen ein klösterliches Ansehen bewahrt. Der bischöfliche Palast ist im Besitze der Prälaten geblieben, welche den Dominikanerbischöfen folgten. Der letzte Bischof, Mgr. Heinrich Read da Silva, hat bedeutende Umbauten und Erweiterungen vorgenommen, welche von seinem Verständniß und seinem Geschmack Zeugniß ablegen; doch hat sein kurz bemeßener Aufenthalt ihm nicht gestattet, alle seine Pläne zu verwirklichen. Seitdem Mgr. Read auf den Sitz des hl. Thomas von Meliapur in Judien versetzt wurde, ist die Prälatur von Mozambique verwaist. Ein neuer Hirte ist uns in der Person des würdigen Herrn Anton Ferreira Diaz, eines der ersten Geistlichen von Lissabon, in Aussicht gestellt. Inzwischen verwaltet ein junger Geistlicher, Sebastian d'Oliveira Braz, der mir die liebenswürdigste Gastfreundschaft gewährte, die Prälatur.

„Die Stadt Mozambique zerfällt in zwei Quartiere, das europäische und das einheimische. Das erstere beginnt beim Hospital und erstreckt sich bis zum Fort St. Sebastian; das letztere nimmt nur den Süden, die sogen. „Inselspitze", ein. Die Einwohnerschaft mag 12 000 Seelen betragen. Drei Viertel davon sind Kaffern verschiedener Stämme, dann Banianen und Parsi aus Indien und Araber. Quellwasser gibt es nicht; dafür hat man zahlreiche Cisternen, welche in der Regenzeit sich bis an den Rand füllen und ein trinkbares Wasser liefern. Aber groß ist das Elend, wenn der Regen ausbleibt; dann muß man mit bedeutendem Aufwande von Geld und Zeit das Wasser vom Festlande herholen. ‚Das Klima darf freilich nicht gut und gesund genannt werden‘, sagt Almeida da Cunha; ‚allein es verdient doch auch nicht den Namen pestilenzialisch, den ihm die Alten gaben.‘ (Bekanntlich nannte man Mozambique den Kirchhof der Portugiesen.) ‚Wer die nothwendigen Vorsichtsmaßregeln anwendet, darf mit Grund hoffen, sich ebenso gesund, wie in Europa, zu fühlen. Unmäßigkeit freilich und Ausschweifungen haben hier in kurzer Frist den Tod zur Folge.‘

„Mozambique ist reich an Erinnerungen unserer alten Missionäre. Der Palast des Generalgouvernements ist, wie schon gesagt, das alte St.-Paulus-Colleg der Gesellschaft Jesu; noch sind seine gewölbten Corridore, seine großen Säle und schattigen Gärten wohl erhalten. Es steht mitten in der Stadt, der Landungsbrücke gegenüber und nur durch eine mit Bäumen bepflanzte Anlage vom Hafen getrennt. Mitten in dieser Anlage befindet sich ein Kiosk, in welchem eine Musikkapelle wöchentlich zweimal zur Erheiterung der Spaziergänger spielt. Rechts vom Palaste erhebt sich die dem hl. Paulus geweihte Kirche; der Thurm dient jetzt als Beobachtungsposten, und ein Soldat verkündet durch Hammerschläge auf die Glocke die Zeit. Die Kirche selbst ist gänzlich verlassen und wird einstürzen, wenn die nothwendigen Ausbesserungen nicht vorgenommen werden. Wie man hört, beabsichtigt der Gouverneur, sie mit einem Zinkdach zu versehen. Neben dem Altare

Fort San Sebastian in Mozambique. (S. 260.)

des hl. Franz Xaver steht eine monumentale Kanzel aus kostbarem Holz und von vorzüglicher Arbeit.

„Die Pfarrkirche ‚Von der Barmherzigkeit‘ ist jetzt die einzige brauchbare Kirche der Stadt; denn die Kathedrale wurde vor einigen Jahren zerstört. Die drei Altäre haben keinen besonderen Kunstwerth. Der Hauptaltar trägt ein Bild des hl. Martin, der einem Armen die Hälfte seines Mantels gibt; der rechte Seitenaltar ist der seligsten Jungfrau, der linke dem hl. Franz Xaver geweiht; doch stellt das Bild dieses Altares den auferstandenen Heiland dar, welcher als Gärtner der hl. Maria Magdalena erscheint. Sowohl in der Vorhalle als in der Kirche selbst finden sich zahlreiche Grabdenkmäler von Wohlthätern und anderen hervorragenden Personen, welche ihre letzte Ruhe an dieser heiligen Stätte zu finden wünschten.

„Der hl. Franz Xaver besuchte diese Insel auf seiner Fahrt nach Indien und verweilte daselbst 6 Monate. Am 7. April 1541

hatte er Lissabon verlassen und erreichte Goa erst am 6. Mai des folgenden Jahres. Seine Thätigkeit auf Mozambique beschreibt uns der Heilige in seinen Briefen, wie folgt: ‚Wir waren gezwungen, in Mozambique zu landen, und blieben daselbst mit der zahlreichen Schiffsmannschaft der fünf großen Schiffe des Vicekönigs während sechs Monaten. Die Insel trägt zwei Städte, die portugiesische und die Stadt der mohammedanischen Bundesfreunde der Portugiesen. Während meines Aufenthaltes litt die Schiffsmannschaft an verschiedenen Krankheiten, und wie verloren nicht weniger als 80 Mann. Wir weihten uns also der Krankenpflege in den Hospitälern, die PP. Paul von Camerini und Franz Maucias als einfache Pflegebrüder und ich als Spitalgeistlicher, indem ich die Tröstungen der Religion spendete. Da ich allein war, wurde es mir schwer genug, allen beizuspringen. An den Sonntagen predigte ich; die Zuhörerschaft war recht zahlreich, und der Vicekönig machte es sich stets zur Pflicht, der Predigt beizuwohnen. Außer diesen täglichen Beschäftigungen mußte ich in den Spitälern noch die Beichten einer großen Anzahl von Fremden hören. So verbrachten wir unsere Zeit auf Mozambique derart, daß diese sechs Monate ausschließlich der Ehre Gottes und dem Heile des Nächsten geweiht waren.' Der Heilige fügt bei: ,Mozambique liegt noch etwa 900 Stunden von Indien. Da der Vicekönig die Fahrt fortsetzen wollte, und die Regenzeit sich für eine große Anzahl Kranker und Bettlägeriger schädlich erwies, wünschte er, daß einige von unseren Missionären auf der Insel zur Pflege der Kranken zurückblieben. Auf seine Bitte ließ ich also die PP. Gonzalo und Maucias auf Mozambique und segelte mit dem Vicekönig ab, um ihm die heiligen Sacramente spenden zu können, falls sich seine Krankheit verschlimmern sollte.'

,Gemäß einer frommen Sage, die man sich in Mozambique erzählt, wäre der Heilige eines Tages an der Südwestspitze der Insel längs dem Strande hingegangen und hätte das Verlangen gehegt, die gegenüberliegende Küste des Festlandes, welche man in einer geringen Entfernung erblickt, besuchen zu können. Da habe er sich an einige arabische Schiffer gewendet mit der Bitte, ihn überzusetzen; diese hätten aber einen so unverhältnißmäßigen Preis gefordert, daß der Heilige ihnen einen strengen Verweis wegen ihrer Habsucht ertheilt habe. Dann sei er am Fuße eines einsamen Felsens, wo die brausenden Wogen des Oceans zerschellten, niedergekniet und gebete, habe seinen Mantel auf das Wasser hingebreitet und sei auf demselben mit Blitzesschnelle über den Kanal von Mozambique gesetzt. Seither soll der Fels, an dem der Heilige zum Gebet niedergekniet sei, eine ganz besondere Eigenschaft erhalten haben. Wenn man ihn auch nur leise schlägt, so läut er wie eine Glocke, während die benachbarten Felsen, welche ihm doch ganz ähnlich sind, keinen solchen Ton geben. Ich selbst habe mich davon überzeugt, als ich in Gesellschaft des hochw. Herrn Braz, der mir die Stelle zeigte und mich auf diesen Umstand aufmerksam machte, die Südwestspitze besuchte. Der Platz hat ein wildes, malerisches Gepräge. Rechts Kalksteinbrüche, Haufen gebrochener Steine und mild zerwühlter Grund. Aus Trümmern ragen einige armselige Kafferhütten auf, die der nächste Sturm fortwehen muß. Links ist eine Brücke, eine Straße, welche durch einen Wald stolzer Palmen und Bananen führt. An der äußersten Spitze der Insel, wo die Anhöhe sich zum Meeresufer hinabsenkt, steht der Pulverthurm; etwas weiter entfernt liegt der katholische Friedhof des hl. Franz Xaver. Dann kommt ödes Land und die Stätte, wo die Hindu ihre Todten verbrennen oder den Sonnenstrahlen zur Verwesung aussetzen.

,Unter den vielen berühmten Missionären, welche in alter Zeit Mozambique besuchten, verdient P. Gonzalo da Silveira, der erste Apostel und Martyrer von Menomotapa, mit seinen Gefährten, P. Andreas Fernandez und Fr. Andreas da Costa, besondere Erwähnung. Sie hatten Goa am 6. Januar 1560 verlassen und erreichten Mozambique am 5. Februar, am Feste der hl. Agatha, also nach einmonatlicher Fahrt. Am darauffolgenden Morgen lasen sie in U. L. Frau auf der Bastion eine Danksesse für eine so glückliche Seereise. Am 1. Januar 1561

finden wir dann P. da Silveira am Hofe des Königs von Monomotapa, und schon am 16. März desselben Jahres besiegelte der heldenmüthige Missionär den Glauben, den er zu predigen gekommen war, mit seinem Blute. Als der junge König Don Sebastian im Jahre 1569 seine Heerführer ausschickte, um Monomotapa zu erobern und den Tod P. Gonzalo's zu rächen, begleiteten vier Jesuiten den Befehlshaber der Expedition, Franz Barreto, einen ebenso tapfern Krieger als eifrigen Christen. P. Montalao hat eine interessante Beschreibung dieser Reise hinterlassen, aus welcher wir entnehmen, daß das jetzige Fort damals gerade gebaut und mit schwerem Geschütz ausgerüstet wurde, welches die Expedition aus Portugal gebracht hatte. Die Zahl der Portugiesen, welche damals die Insel bewohnten, betrug kaum 100; die Kaffern und Indier mochten 200 Mann stark sein, und das Araberviertel war zerstört.

,Während meines Aufenthaltes besuchte ich das Fort St. Sebostian, und dank der Aufmerksamkeit des Commandanten konnte ich alle Hallen und Räume, sogar die Pulver- und Munitionskammern, die Cisternen und Vorrathshäuser, die Bastionen und die Signalwarte besichtigen. Was aber meine Neugierde am meisten in Anspruch nahm, war die Kapelle U. L. Frau von der Bastion. Dieselbe ist am Fuße des Walles auf einem Felsriffe gerade gegenüber dem Hafeneingange erbaut. Bei hoher Fluth brechen sich die Wogen an den Mauern des Heiligthums, welches der Wuth des Meeres und der Stürme Trotz zu bieten scheint. Die Kapelle ist in jetzt gutem Stande; sie ist reinlich und hübsch. Man hat sie vor einigen Jahren mit Oelfarbe ausgemalt; die Malerei stellt gelb und braun geäderten Marmor dar und erscheint recht passend. Man betritt das Heiligthum durch eine viereckige Vorhalle, welche mit großen und hohen Fenstern, die beinahe bis auf den Fußboden reichen, geschmückt ist. In dieser Vorhalle liegen manche berühmte Männer aus früherer Zeit begraben, Bischöfe, Gouverneure, Officiere und Edelleute. Das Chor hat die Gestalt einer Rotunde und ist in strengem Stile durchgeführt. Der Altar ist U. L. Frau von der Bastion geweiht. Die Statue Maria's thront auf einem mit Zinnen gekrönten Throne; zu ihrer Rechten steht die hl. Barbara, zur Linken der hl. Sebastian. An den Mauern erblickt man mehrere Marmortafeln mit Grabinschriften. Zu Füßen des Hauptaltars sind drei Grabplatten; links ruht ein Gouverneur von Mozambique, rechts ein Vicekönig von Indien und in der Mitte P. Sebastian Moraes S. J., der erste Bischof von Japan. Mit bewegten Herzen kniete ich auf das Grab dieses berühmten Missionärs und würdigen Nachfolgers des hl. Franz Xaver nieder. Die Grabschrift stellt einen doppelten Irrthum richtig, der sich in die Missionsgeschichte eingeschlichen hat. P. Moraes ist nämlich am 20. August 1588 und nicht 1589 gestorben, und sein Leib ruht nicht in der St. Paulskirche zu Goa, sondern in dieser Kapelle zu Mozambique, wo er auf der Fahrt nach Japan gestorben ist.

,Der Hauptstraße folgend, welche Stadt und Insel durchschneidet, gelangt man zum Stadthaus, einem alten, soliden Bau, der zu den größten Gebäuden Mozambique's zählt. Wie eine Inschrift bezeugt, wurde es 1781 aufgeführt. Im ersten Stock befinden sich ein großer Saal und verschiedene Kanzleiräume; das Erdgeschoß dient als Gefängniß. Leider ist der Bau so vernachlässigt, daß die Kanzleien jetzt anderswo untergebracht werden mußten. Ein anderes Baudenkmal, das eines besseren Looses würdig wäre, ist die Kirche U. L. Frau vom Heil der Kranken, die alte Spitalkirche der Brüder des hl. Johannes von Gott. Schon seit langer

Zeit wird in derselben kein Gottesdienst mehr gefeiert. Ihr Inneres ist sehr vernachlässigt; sie scheint in hohem Grade baufällig. Die Stirnseite dagegen mit ihrem schönen Treppenaufstieg, ihren Säulen und Glockenthürmchen schaut noch majestätisch hernieder. Sie ist auf einem mit Moos und Schlingpflanzen überwucherten Felshügel erbaut, der rings von Palmen umkränzt wird, welche ihr Haupt in den Lüften wiegen und die einzigen Wächter dieser dem Gebete geweihten Stätte zu sein scheinen.

„Von der Straße, die nach der Südspitze der Insel führt, links nach dem Meeresufer hin abbiegend, treffen wir im Hintergrunde der Bucht die Einsiedelei und Kapelle des hl. Antonius von Padua, den alten Sitz der Söhne des hl. Franziskus. Das Kloster hat eine wunderbar schöne Lage. Im Halbkreise umschließen es zackige Felsriffe, während zu seinen Füßen die Meereswogen rauschen. Ein anmuthiger Pfad schlängelt sich zwischen den Felsen durch und führt auf ihre Höhe. Nur die Kapelle des hl. Antonius ist ihrer Bestimmung verblieben; die Zellen der Franziskaner dagegen werden jetzt von ausgedienten Soldaten bewohnt, welche auf eine Gelegenheit harren, nach Portugal oder Indien heimkehren zu können.

„Besuchen wir noch die Promenade, das sogen. „Feld des hl. Gabriel", das sich zwischen dem Fort St. Sebastian, welches Stadt und Bucht beherrscht, und den Wohnungen ausdehnt. Da stehen prachtvolle Bäume, und obschon der Boden sandig ist, wird die Hitze dennoch durch die beständig wehende Brise gemildert. Die Promenade umfaßt wohl ein Fünftel der Insel, und am

Das alte Jesuitencolleg St. Paul, jetzt Residenz des Generalgouverneurs von Mozambique. (S. 261.)

Abend, wenn die Glut des Tages vorüber ist, trifft man daselbst zahlreiche Spaziergänger. Fast in der Mitte und nahe am Strande erhebt sich ein altes Grabdenkmal; früher enthielt dasselbe eine Opferbüchse für Seelenmessen. Das Schönste der Promenade ist aber der Blick auf die Bucht, und ich kann es mir nicht versagen, die Beschreibung, die ein englischer Reisender (Mr. Elton) von ihr und von der Stadt entwirft, hier mitzutheilen:

„Die Bucht ist in der That überaus lieblich, besonders in strahlender Morgenbeleuchtung. Vor uns liegen die drei Dampfer, ein altes Brückenschiff, einige Küstenfahrzeuge, einige Barken und eine Anzahl Pangaïe von abenteuerlicher Form vor Anker. Die blaue Linie der Küste und die leckern Umrisse des Brobberges bilden den Abschluß. Zahllose Kähne, ähnlich einem Schwarm von Wasservögeln, ziehen hierhin und dorthin, nach der Rhede, nach den Gärten des Festlandes, und kommen mit Lebensmitteln beladen zur Stadt zurück. Das Ufer der Cabeceira entlang zieht sich eine Wellenlinie von Cocosbäumen, da und dort von den Häusern mit ihren weißen Terrassen unterbrochen. Von dem glänzenden, unermeßlichen Meeresspiegel heben sich die dunkeln Korallenriffe der Insel ab mit ihren alten zerfallenen Klöstern, dem Fort St. Sebastian, dem Palaste des Gouverneurs, dem gelb und weiß getünchten Zollgebäude. Eine Reihe schadhafter Boote wartet an der Küste auf ihre Ausbesserung. Eine Schaar fast nackter Kinder treibt sich lärmend am Strande umher und läßt Rindenschiffchen in den Tümpeln der Ebbe schwimmen. Einige mäßige Neger sonnen sich auf dem Geländer der Landungsbrücke, und eine lasse-

braune Schildwache mit blauem Waffenrock und weißen Beinkleidern schreitet in gemeßner Bewegung und den schweren Säbel
nachschleifend vor dem Zollhause auf und ab. Zur Rechten liegt
das indische Viertel mit seinen unermüdlichen Parsi, die nach
Gewinn dürsten, mit seinen Arabern, Mohren, Sklaven, alle in
geißfarbige Stoffe gekleidet, die dicht unter den Armen gegürtet
sind und bis auf die Kniee herabfallen; mit seinen Mestizen aus
Goa, seinen Soldaten in Uniform, seinen Kaffern, bald in bunt-
scheckigem Aufzug, bald in wilder Nacktheit — welch farben-
prächtiges Bild setzt sich aus allen diesen Zügen zusammen!"

2. Die Mission am Sambesi.

Der Sambesi gehört zu den größten Flüssen Afrika's. Sein
Lauf beträgt etwa 500 Stunden. Er entspringt in einer Höhe
von 1500 m aus dem großen Sumpfsee Dilolo, welcher viel näher
an der Westküste als an der Ostküste Afrika's liegt, wählt aber
den weiten Weg nach Osten und führt seine Wasser in sieben
Hauptarmen dem Indischen Ocean zu. Der nördlichste dieser Arme
ist der Kilimaneßuß, der freilich nur zur Regenzeit mit dem
Sambesi selbst zusammenhängt.

Jesuiten haben daselbst schon vor 300 Jahren den Glauben
gepredigt. P. Gonçalo da Silveira, welcher zu Anxrimo in Portugal 1526 geboren war, kam von Goa in Indien im Frühjahre
1560 nach der Mündung des Sambesi, um von da in das südlich angrenzende Reich von Monomotapa zu gehen. Er segelte
acht Tage den Strom hinauf und gelangte in die Stadt Senna,
von wo er zu Faß und die zur heiligen Messe nothwendigen
Gegenstände tragend, nach der noch weit entfernten Hauptstadt
des Königs von Monomotapa pilgerte. Seine Uneigennützigkeit
und seine große apostolische Liebe gewannen in kurzer Zeit den
König, die Königin und 300 angesehene Männer am Hofe dem
christlichen Glauben. P. Silveira ertheilte ihnen nach dem nothwendigen Unterrichte die heilige Taufe, und es hatte den Anschein,
daß in kurzer Zeit das ganze große Mohrenreich Christo gewonnen werden würde. Allein der böse Feind wollte seine Herrschaft
nicht so leichten Kaufes verlieren. Ein Götzenpriester sagte dem
Könige, der fremde Missionär sei nur ein Spion der Portugiesen,
welche die Mohrensüßten an der Küste ihrer Herrschaft beraubt
hätten; bald würden diese weißen Räuber, die nur nach Gold und
Sklaven dürsteten, sich auch des Thrones und der Herrschaft über
Monomotapa bemächtigen, und die Uneigennützigkeit des Lehrers
der christlichen Religion sei nur eine Maske, um den König zu
täuschen und zu verrathen. Der Fürst, der einen mißtrauischen
Charakter hatte, glaubte diesen Einflüsterungen und gab Befehl, den Missionär zu ermorden. P. Silveira wurde also am
11. August 1561 mit des Glaubens willen erdrosselt und sein Leichnam in einen Nebenfluß des Sambesi geworfen, den der alte Geschichtschreiber Rosengeffe oder Moteies nennt. So starb der
erste Blutzeuge dieser Gegend.

Die Ordensbrüder P. Silveira's gründeten am Unterlaufe des
Sambesi eine blühende Mission und belehrten die umwohnenden
Kaffern. Jetzt noch legen die Ruinen ihrer alten Kirchen von
ihren gesegneten Arbeiten Zeugniß ab. Die Jesuitenmission wurde
aber in letzten Jahrhundert plötzlich vernichtet, und zwar nicht
durch die schwarzen Barbaren von Monomotapa, sondern durch
die sogen. „Aufgeklärten" von Portugal. Der dortige Minister
Pombal schickte plötzlich Befehl, sämmtliche Missionäre gefangen zu
nehmen und unter dem Vorgeben, sie hätten sich eines Hochverrathes schuldig gemacht, nach Portugal zu bringen. So wurden

die unschuldigen Priester, mit Ketten beladen, aus der Mitte ihrer
Gemeinden hinweggeschleppt, in dem untersten Raume eines Kriegsschiffes zusammengepfercht und nach Lissabon gebracht, wo man sie
in den feuchten unterirdischen Gewölben der Festung St. Julian,
ohne ihnen zu erlauben, daß sie sich vertheidigten, bei lebendigem
Leibe langsam vermodern ließ. Nur sehr wenige dieser frommen
Männer haben die schreckliche Gefangenschaft überlebt.

Seither ist am Sambesi die katholische Religion sehr zurück-
gegangen. Die Portugiesen, welche dort wohnen, sind sehr lau
geworden in der Erfüllung ihrer christlichen Pflichten, und die
Nachkommen der bekehrten Kaffern sind ganz oder doch zum Theil
wieder in das Heidenthum zurückgefallen. Der Heilige Vater hat
deshalb in den letzten Jahren wieder Jesuiten nach dem Sambesi
geschickt, daß sie daselbst das Werk ihrer Vorfahren wieder aufnehmen und fortsetzen möchten. Zuerst schickte er eine Schaar
nach dem obern Sambesi. Diese zogen im Frühjahr 1879 von
der Kaplcolonie im Süden Afrika's aus mit großen Ochsenwagen,
welche mit 16—18 Ochsen bespannt waren, nach dem Ober-Sam-
besi, erreichten aber erst im Sommer 1880 ihr Ziel. Unterwegs
hatten sie große Strapazen zu bestehen; einer der Missionäre,
P. Karl Fuchs, ein Landsmann aus Köln, starb und wurde in
Tati begraben. Als dann P. Anton Terörde, ebenfalls ein
Deutscher, aus Westphalen, die erste Missionsstation am Sambesi,
eben gegründet hatte, starb auch er, vielleicht an Gift, vielleicht
am Fieber; sein Gefährte wurde ebenfalls todtkrank, und seither
hat der Tod unter den Reihen der muthigen Missionäre furchtbar
aufgeräumt. Als dann 1881 auch am Unter-Sambesi die Missionäre ankamen, ging es gerade so; dort war abermals ein Deutscher,
P. Ferdinand Heep aus Hadamar in Nassau, das erste Opfer.
Die Gegend am Sambesi ist nämlich überaus ungesund. Fast
alle Europäer bekommen ein heftiges Fieber, an welchem die
meisten sterben. Schon sind von den Missionären mehr als ein
Dutzend diesem mörderischen Klima erlegen. Aber die Opfer sind
doch wenigstens nicht ganz ohne Frucht gewesen. Das wird uns
ein Besuch des Missionshauses Boroma bei Tete zeigen, welches
uns P. Stephan Czimermann S. J. also beschreibt:

„Unsere Missionsstation, die anfangs nur aus einer einfachen
Strohhütte bestand, hat sich im Laufe von zwei Jahren — seit
welcher Zeit wir uns in Boroma befinden — bedeutend vergrößert.
Der größte Fortschritt jedoch, den wir in dieser Zeit machten,
besteht darin, daß wir mehrere kleine Negerknaben ankaufen und
eine Schule einrichten konnten, wo die kleinen Schwarzen täglich
im Lesen, Schreiben und in den Wahrheiten unseres heiligen
Glaubens in ihrer Muttersprache unterrichtet werden. Da unsere
Mission hier im Innern Afrika's gleichsam erst im Beginne ist,
so verstehen sich die Söhne des Waldes für Erziehung und Wissenschaft kein Interesse haben und nicht dazu,
ihre Kinder in die Schule zu schicken. Wir müssen uns unsere
Schüler selbst verschaffen, und hierzu bietet uns der in Afrika noch
immer herrschende Sklavenhandel die beste Gelegenheit. Oft bringt
man uns arme Negerknaben, die man ihren Eltern und ihrer
Freiheit beraubt und die man mit Gewalt zu Sklaven gemacht
hat, bis vor unser Haus zum Verkauf. Der Kaufpreis ist sehr
gering. Ein Knabe von 5 bis 8 Jahren kostet gewöhnlich ein,
höchstens zwei Stück algodão (schwache, schmale Baumwollein-
wand) im Werthe von 6 bis 12 Mark. Bis jetzt haben wir
bereits 23 solcher kleinen Neger angekauft, um sie für Gott und
den Himmel frei zu erziehen. Welch Glück für die armen Kleinen,
wenn sie aus ihrer Sklaverei losgekauft werden, da selbe oft bitterer

Ochsenwagen der Missionäre. (S. 264.)

277

ist als der Tod! Solange sie sich in der Sklaverei befinden, ist der Hunger gleichsam ihr unzertrennlicher Gefährte.

„Morgens nach 5 Uhr wird das Glockenzeichen gegeben, worauf alle aufstehen und sich in der Hauskapelle zum gemeinsamen Morgengebet versammeln. Das Ankleiden geht recht schnell, da die Kleinen gleich den übrigen Negern als Kleidung nur ein Stück Leinwand um die Hüften gebunden tragen. An Sonn- und Feiertagen jedoch haben sie nebst dieser Binde, guo genannt, jeder noch ein Röckchen aus blauer Leinwand, und drei der größten tragen bereits auch Beinkleider vom selben Stoffe. Nach Beendigung des Morgengebetes folgt die heilige Messe, der alle beiwohnen und während welcher sie den Rosenkranz in ihrer Muttersprache (kaffrisch) beten. Nach der heiligen Messe erhalten die Kleinen eine ihren Kräften entsprechende Beschäftigung. Gewöhnlich lehren sie mit ganz kleinen Besen, olepho genannt, den Hofraum und die Schule, wobei sie lustig singen; freilich nur kaffrisch, nämlich beständig ein und dasselbe in Text und Melodie. Frühstück brauchen die Kleinen nicht, da die Neger überhaupt täglich nur einmal und im besten Falle zweimal essen. Um 8 Uhr beginnt die Schule, in welcher die Schüler alle auf der Erde sitzen und, so sie nicht vom Schlafe bewältigt werden, ziemlich aufmerksam den Vortrag im Katechismus anhören und Lesen und Schreiben lernen. Obgleich die Neger für Schule u. dgl. wenig Lust zeigen, so mangelt es den Knaben doch nicht an Talent. Im Verlaufe von 6 Monaten erlernten die drei kleinsten vollkommen das ABC, während die Großen schon langsam lesen und schreiben und ihren

Grab des P. Fuchs bei Tati. (S. 264.)

Katechismus nebst einigen Erzählungen aus der biblischen Geschichte recht gut wissen. Würde es so fortgehen, so könnte man aus den Negern selbst Gelehrte erziehen; doch dies wird kaum stattfinden, da die geistige Entwicklung der Neger bald ihren Höhepunkt erreicht. Bis zu dem Alter von 10—13 Jahren sind die kleinen Neger recht lebhaft, geweckt und selbst fürs Studiren tauglich. Hernach jedoch tritt gleichsam ein Wendepunkt ein, und sie eignen sich dann kaum mehr für Unterricht. Einen erwachsenen Neger auch nur in den allernothwendigsten Wahrheiten unserer heiligen Religion zu unterweisen, kostet überaus viel Mühe und Anstrengung. Auch vergessen sie die einzelnen das Erlernte sehr schnell. Doch dieser letztern Uebel wird leicht abgeholfen, wenn wir einmal christliche Gemeinden haben, in denen die einzelnen Familien täglich gemeinsam ihr Gebet verrichten und wo einer durch das gute Beispiel und durch den Eifer des andern angespornt und zur Liebe der Tugend entflammt war.

„Nach der Schule haben die kleinen Neger freie Zeit, in der sie sich recht interessant unterhalten. Die größeren machen Bogen und Pfeile und üben sich im Schießen, indem sie auf kleine Vögel zielen; die kleineren halten Jagd auf eine bestimmte Gattung von Heuschrecken, welche die Neger essen. Sobald die kleinen Schwarzen eine Heuschrecke (pombo) gefangen haben, eilen sie allsogleich zum Feuer, wo sie dieselbe braten und hernach als Leckerbissen verzehren. Um 12 Uhr ist für die Kleinen das Mittagessen, bestehend Tag für Tag aus einem Mehlbrei, cima genannt, welchen sich die kleinen Schwarzen selbst kochen, indem sie in siedendes Wasser schwarzes Mehl schütten und dasselbe hernach fleißig umrühren. Nach dem Essen ist freie Zeit bis 2 Uhr, worauf aber= mals die Schule beginnt. Um 6 Uhr haben die Kleinen ihr Nacht= essen, dieselbe Speise wie zu Mittag, und nachdem sie in der Kapelle ihr gemeinsames Abendgebet verrichtet haben, begeben sie sich zur Ruhe. Betten brauchen sie nicht. Sie schlafen alle auf dem Boden rings um ein Feuer, das selbst unsere kleinen Schwarzen in ihrer ulumpa die ganze Nacht unterhalten. Als Unterlage dient ihnen eine aus Rohr bereitete Matte, m'pasa genannt, die jedoch einem Europäer mehr zur Abtödtung als zur Erleichterung dient. Wö= chentlich gehen die kleinen Schwarzen zwei= bis drei= mal in den Sambesi baden, was für ihre Gesundheit Bedürfniß ist. Das ist nun die Tagesordnung für unser Negerconvict ain Sambesi, und wir hoffen, mit der Gnade Gottes die Kleinen zu recht guten Christen und selbst zu eif= rigen Katecheten für ihre schwarzen Mitbrüder zu erziehen.

„Am Charsamstag 1887 taufte ich die er= sten 18 von den kleinen Negern, die in den hei= ligen Glaubenswahrheiten schon hinlänglich unter= richtet sind, und 9 von denselben empfingen be= reits auch die erste heilige Communion. Das war die erste feierliche Tauf= spendung in Boroma, und wir wollen nun hoffen, daß die Freude, mit wel= cher die Kleinen die hei= ligen Sacramente em= pfingen, und der Eifer, den sie zeigen, mit der Zeit recht viele und schöne Früchte bringen werde."

Mögen die Patres Terörde, Fuchs, Heep, Gabriel und alle anderen, die ihr Leben in der Sambesimission Gott zum Opfer brachten, reichen Segen auf die Arbeit ihrer Mitbrüder herabflehen!

3. Die Victoriafälle des Sambesi. 1

Das herrlichste und großartigste Naturschauspiel, welches wir am Sambesistrom sehen können, ist der berühmte, tiefenhalte Wasserfall, den er etwa in der Mitte seines Laufes bildet. Es ist dieser Wasserfturz der größte der ganzen Welt, so daß neben ihm sogar der Niagarafall in Nordamerika verschwindet. Namentlich großartig ist er zur Regenzeit, wenn seine Wasser= masse aufs Doppelte gestiegen ist. P. Terörde, welcher diesen

Wasserfall kurz vor seinem Tode besuchte, soll uns denselben be= schreiben.

Es war am 13. Juli 1880, als er den Strom erblickte, dessen Rauschen er schon stundenlang gehört hatte; da schrieb er in sein Tagebuch: „Durch das grüne Laubwerk glänzte der Fluß wie ein Silberstrahl, ungeheure lichte Wolken von Wasserdampf stiegen empor; ein Getöse, wie des gewaltigen Sturmes Rauschen und Brausen in den Kronen des Riesenforstes, verkündete den Wasser= fall. 5—6000 Schritte vor den Fällen machten wir Halt. Gegen 1 Uhr statteten wir dem Riesenstrome unsern ersten Besuch ab.

„In meiner Beschrei= bung werde ich trachten, genau die Oertlichkeit inne zu halten, unabhängig von den Eindrücken, welche ich unter den wechselnden Ein= flüssen des Sonnenlichtes bei den verschiedenen Be= suchen gewonnen habe. Von Westen her treten wir an den Fluß, ungefähr eine halbe englische Meile oberhalb des großen eigent= lichen Falles. Aus Nord= westen wälzt sich der maje= stätische Strom in der Breite von einer halben Stunde heran. In seinem nordöstlichen Bette liegt die herrliche Garteninsel, wo einst Livingstone sich eine Zeitlang aufgehalten; hart an unser Ufer tritt eine kleine Insel, darüber hinaus ragen zahlreiche Felsstücke aus dem Wasser empor, die einen weiten Gang in den Fluß ge= statten. Die Stelle ist sicher, kein Krokodil, kein Hippopotamus zeigt sich in diesem seichten Wasser. Darum wagen wir uns eine kleine Strecke in den Fluß hinein. Wenden wir uns nach Südost; zur Linken erheben sich zahl= reiche Inseln, alle in ein tropisches Prachtgewand gekleidet, daß es schwer fällt, zu sagen, welche von ihnen die anderen übertrifft. Lassen wir den Blick durch die Kanäle schweifen, welche sich zwischen den Inseln öffnen. Da in der Ferne dehnt es sich aus wie eine stürmische See, abgeschlossen durch den geheimnißvollen Schleier des wollenaufklimmenden Wasser= dunstes. Die Hauptmasse des Wassers drängt sich mehr nach Süden zusammen, wo die Felsenmauern der Inseln den Riesenstrom in einen Engpaß von nur 400 Fuß Breite einzwängen.

„Ungefähr noch 50 Fuß weit verfolgt hier das Auge die grün= blaue, glänzende Wasserfläche, im Nu ist sie entschwunden. Nur das Ohr vernimmt ein unentwirrbares, ewig sich erneuerndes

P. Gabriel S. J., Missionär am Sambesi.

34*

Donnern und Poltern, und das Auge es sieht vor einem Schauspiel, das jeder Feder und jedes Pinsels spottet. An der düsterbraunen Ringmauer des Felsenkessels drängt sich aus dem schauerlichen Schlunde ein fortwährend sich in der Form erneuerndes, geisterhaft lichtvolles, glänzendes Farbenspiel des Regenbogens empor. Etwas Unendliches fesselt hier den Geist, bezaubert das Auge. Preiset, ihr Wasser, den Herrn! Dem Weihrauch gleich steigen hier vom Altare des Schöpfers die Wasserdämpfe empor in einem Lichtgewande, wie nur ein Allmächtiger sie kleiden kann; laut und freudig verkünden sie des Schöpfers weise Macht und Kraft. Wie winzig klein steht der Mensch vor diesem Wunderwerk! Der arme Neger hier sieht und hört des Unendlichen Gewalt, aber seine Donnerstimme will er nicht verstehen. In dieser geheimnißvollen, ewig brausenden, friedenden Tiefe erblickt er nichts anderes als eine ihm verschlossene Schatzgrube von versenkten Glasperlen und Baumwollstoffen.

„Begleiten wir das dahineilende Element und halten wir uns dem Falle gegenüber an einem Baumstamme, um nicht vom Schwindel in den Strudel gerissen zu werden. Mit Windesschnelle drängt sich die Flut auf die Kante des Felsens. Nicht über Terrassen, nein, plötzlich, im Bogen, ohne die Felswand zu berühren, stürzt es hier wenigstens 550 Fuß tief hinab in den Höllenkluft. Wie betäubt stand ich da. Groß ist der Herr und überaus hoheitsvoll in seinen Werken! Der erste Eindruck ist überwältigend. Mit Donnergepolter rollt der Strom hinab. Einer gewaltigen Meereswoge gleich stürzt er brausend und heulend in die grollende Tiefe und stürmt und tobt und heult gegen die Basaltfeste, bis er brüllend und tosend in veränderter Richtung weiterbraust durch die erstaunlich schmale, tiefe Spalte. So überwältigend groß und wild dieser Anblick ist, so lieblich sind zwei kleinere Schaumwellen, welche aus einer Schlucht der nächsten kleinen Insel am Rande des Falles an die 400 Fuß tief hinunterhüpfen und ihre Wasser wieder mit dem stürmenden Elemente vereinen.

„Gehen wir an dem Ellbogen, den das Bett 325 Fuß unterhalb des Falles beschreibt, um von einem hervortretenden Felsblocke aus eine Frontansicht der ganzen Fallinie und ihrer Tiefe zu genießen. Auf diesen hingelehnt hat man die ganze Pracht der ununterbrochen schäumenden Wasserlinie vor sich, die von der steilen Felswand hinunterschießt, in Wolken von feinem Staube zerstiebt und dann ihre Fluten durch die enge Kluft weiterpeitscht. — Hier wogt und gährt und wirbelt und kocht es, wie wenn Feuer mit Wasser sich mischt; himmelwärts steigt der Gischt und prasselt in dicken Tropfen herab. Unter uns schäumende Fluten, die mit dem Lärm, dem Donner des Himmels vergleichbar, von dannen stürzen; über uns ewiger Regen; um uns, unter uns, neben uns am Waldessaume Regenbogen, glänzend und grell, wie sie nur Afrika's Sonne malen kann.

„Wir sahen die Dunstsäulen 600—1000 Fuß hoch aufsteigen und in förmlichen Regenwolken von dannen ziehen. Windstöße trieben in der Nacht den Regen bis auf unser nächtliches Ruhelager. Die Eingeborenen nennen dieses Schauspiel recht bezeichnend: Mussi-o-tunia (Rauch, er lärmt).

„Gehen wir weiter stromabwärts durch den ‚Regenwald‘, der sich ungefähr 20 Schritte vom Flusse hinabzieht. Hier ist der Anblick weniger wild, aber, ich möchte sagen, noch imposanter. Der östlichere Arm des Stromes drängt seine Wogen in die Kanäle der Eilande und strömt über die Inseln hinweg. Zahlreiche Bäche in gebrochenem Gischt stürzen von den steilen Felswänden in die klaffende Kluft. Auf einer Längenfläche von 6000 Fuß zählte ich

elf Wogen, welche wie unter einem Schaumschleier nur hier und da das nackte Gestein der schwarzen Felsmassen zackig und jäh dem Auge des Beobachters enthüllen. Je länger das Auge auf diesen Wasserdraperien ruht, desto mehr Geheimnisse der Schöpfung entschleiert ihm das wunderbare Licht der Sonne in jedem Schaumtheile der zerstiebenden Welle. Mit solcher Schnelligkeit drängt eine Woge die andere, daß an den zackigen Kanten das scheu gewordene Element sich unter der nächstfolgenden wieder emporzuarbeiten scheint. Ein Wildbach stürzt auf den andern; Dunstsäulen und Wolken steigen empor und entfalten weithin ihren ewigen Regenschleier. Dazwischen tritt eine breite Felswand, bekleidet mit zartem Moose, auf der zahllose Moen wie Sterne im Sonnenlichte erglänzen. Dann reiht sich wieder eine Sturzwelle an die andere, wenigstens 30 an der Zahl. Immer Großartigeres glaubt das Auge zu erblicken, und wie fast kann es sich schauen an den Fluten und Wellen, und immer fragt man sich: Wo bleiben doch all diese Wassermassen?

„Hin und wieder vergönnt wohl ein Windstoß, in die geheimnißvolle Tiefe zu schauen. Ein schwacher Wasserfaden nur scheint sich durch die unterirdischen Felsenburgen durchzuwinden. Einmal wurde mir ein kurzer Einblick in die Tiefe gewährt. Mr. Westbeech, der zum dritten Male schon die Fälle besucht, hatte noch nie diese Ansicht genossen und nannte sie die großartigste von allen. In der geheimnißvollen Tiefe erhebt sich ein wildromantischer Felsen, einem schlafenden Löwen nicht unähnlich, neben ihm steht eine kolossale ästige Pyramide wie ein gigantischer Leuchtthurm. Wie Gespenster tauchten diese Riesengestalten auf einmal aus dem Reiche der Unterwelt und entzogen sich ebenso schnell wieder dem Blicke.

„Verfolgen wir noch, obgleich stets im Regen und Sumpfgras, den Strom bis zu dem Punkte, wo von West und Ost die Wassermassen der Fälle zusammenfließen. In mörderischem Kampfe prallten die grimmigen Brüder aufeinander, wenden und drehen sich im Wirbel und Strudel, bis sie durch das 80—100 Fuß weite Felsenthor den Ausgang finden. Die keilförmigen Klippen treten hier so nahe zusammen, daß man glaubt, darüber hinwegzuspringen zu können. Legen wir uns auf den Rand der steilen Felswand, und schauen wir in die 550 Fuß tiefe Schlucht hinunter. Die Felswände sind besonders hier so bestimmt umrissen, ich möchte sagen durchgeschnitten, daß der Riß, wenn man dieselben aneinander rücken könnte, kaum sichtbar sein würde. Schäumt und tobt die wilde Masse in dieser Felsengasse? Eine anscheinend ruhig dahinfließende, grünliche Wasserfläche bietet sich dem Auge dar, aber unter diesem ruhigen Schleier, wie tief muß es noch darunter sein; wie müssen da die Wasser toben und wüthen an dem engen Felsenverließ!

„Wie bedaure ich, daß meine Schilderung dieses Wunderwerkes der Schöpfung so ärmlich ausfällt! Sie müssen aber nie vergessen — der Mussi-o-tunia ist eben ein Werk der Allmacht, das man anstaunen, aber nicht beschreiben kann.

„Mein Bild der Sambesifälle würde allzu unvollständig sein, wenn ich Sie nicht auch in die nächste südliche Umgebung des Stromes führen wollte. Leider war es uns wegen der Abwesenheit des Häuptlings nicht gestattet, oberhalb der Fälle den Fluß in Booten zu passiren. Um die Scenerie der Fälle so großartig als möglich zu machen, hat sich die ganze Pracht der tropischen Vegetation hier an den Stromufern vereinigt. Oberhalb der Fälle sind die Riesen Afrika's, die gewaltigen Baobab und die Mukulawi, dornartige Palmen, gruppirt. Das Ufer gerade unterhalb

Die Victoria-Fälle des Sambesi. (S. 268.)

des Falles und die Inseln umgründ ein herrlicher Wald, der
„Regenwald“ genannt. Er strotzt in voller tropischer Üppigkeit.
In den weichen Teppichen der verschiedensten Moos- und Farren-
arten wuchern die schlanken, eichenartigen Myschiningi-Bäume.
Riesige Lianen und Schlingpflanzen jeder Art klettern wie Schlangen
an ihren Aesten auf und ab; sie schlingen sich von Stamm zu
Stamm und bilden ein unentwirrbares Geflecht von Schwung-
seilen, einen Tummelplatz der zahlreichen Affen. Gewaltige
Stämme, in die Kreuz und Quer übereinander gestürzt, nöthigen
den Wanderer zu beständigem Kriechen und Klettern, wenn er
nicht vorzieht, die muldenartigen, eingedrückten Furchen der Flußpferde zu verfolgen. In einen dieser Riesen des Urwaldes schnitt
Pr. Berveine mit großen Lettern das Siegel der Gesellschaft, den
Namen Jesu, ein mit den Namen der ersten katholischen Missio-
näre, welche je diesen Wald betraten. Dazwischen erheben die
30—40 Fuß hohen Mfuro-Dattelpalmen ihre gefiederten Wedel,
unter denen die 6—7 Pfund schweren gelben Trauben herabhängen.
Am Feste der 40 Martyrer [1], zugleich Namenstag unseres guten
P. Superior, bauten wir für unsere Messe eine Kapelle aus lauter
Palmzweigen und schmückten sie mit der goldenen Frucht dieses
Emblems der glorreichen Mitbrüder.

„Nach zweitägigem Aufenthalt, freilich allzu kurz, um die vollen
Eindrücke dieses erhabenen Schauspieles der Allmacht in uns aufzunehmen, nahmen wir Abschied von den unvergeßlichen Victoria-
fällen.“

4. Die Marutse-Mabunda und die Matabelen.

Etwa 50 Stunden oberhalb des großen Wasserfalles, den
wir soeben beschrieben haben, liegt Seschele, die Hauptstadt des
Marutse-Mabundareiches. Dort herrschte vor einigen Jahren der
König Sepopo. Ein österreichischer Reisender, Dr. Holub, stattete
demselben einen Besuch ab und verlebte einige Zeit in dessen Residenz.

König Sepopo bereitete Dr. Holub, der sein Reich bereisen
wollte, einen glänzendern Empfang als den meisten Maßgeblich-
tern, die sein königliches Antlitz geschaut hatten. Als man sich der
Residenz näherte, feuerte der Reisende einige Schüsse ab. Sofort
zeigten sich Menschengruppen unter den Bäumen; die Schüsse
wurden beantwortet, und lautes Geschrei begrüßte die Kommenden.
Als die Kähne anlegten, meldete ein Haufen Eingeborener des
Königs Ankunst. Wirklich trat derselbe alsbald, in europäische
Kleidung gehüllt, ein englisches, mit einer weißen Straußenfeder
geschmücktes Hütchen auf dem Kopfe, dem deutschen Forscher
entgegen und stellte sich mit den Worten vor: Kia Sepopo,
morena a Zambesi, d. h.: Ich Sepopo, der Herrscher von
Sambesi. Sein Gesicht war breit, dessen Ausdruck angenehm, die
Augen groß, und ihre anscheinende Gutmüthigkeit verrieth nichts
von der grausamen Gesinnung dieses ent 35 Jahre alten Wüst-
therichs. Lächelnd reichte er dem Fremden die Hand. Der König
war von einigen seiner hervorragendsten Würdenträger umgeben,
von denen nur einer ein Lendenkleid, zwei andere über den Röcken
geschnallte Wolldecken trugen; die übrigen unterschieden sich nur
durch zahlreiche Armspangen von den gewöhnlichen Unterthanen.
Das Auffallendste des Zuges war die königliche Hofmusik. Neben

dem Fürsten schritten zwei Mhyrimbaschläger. Die Mhyrimba besteht aus einer Art Trommelpiano, aus einer Reihe großer und
kleiner Kürbistrommeln, die an einem Riemen getragen und mit
zwei Schlägern tüchtig bearbeitet werden. Daneben ließen noch
andere Trommler mit verschiedenartigen röhrenförmigen Trommeln,
auf welche sie mit ihren Händen schlugen und dazu sangen, daß eine
haarsträubende Melodie hervorgebracht wurde.

An Sepopo's Hofe fehlte es durchaus nicht an Ceremoniell,
wie Dr. Holub bei der alsbald folgenden Mahlzeit sah. Von
den gebratenen Fischen, die man austrug, mußten die Häuptlinge
zuvor ein gutes Theil genießen, dann erst, nachdem der Fürst sich
so überzeugt hatte, daß das Mahl nicht vergistet sei, genoß er
und gab auch seinem Gaste. Ebenso mußte der Mundschenk erst
einen Becher Honigbier in Gegenwart des Königs leeren, der dann
von dem zweiten nippte, ihn seiner Lieblingskönigin reichte und
endlich dem Gaste einschenken ließ. Bei der königlichen Tafel bediente man sich der Gabeln und Messer, deren Gebrauch dem
Marutsehofe von den Händlern beigebracht war, welche von der
Westküste aus (von Loanda) bis in diese Gegenden kommen. Nach
beendetem Mahle trugen einige Diener in Holzschüsseln Wasser auf,
womit sich die Vornehmeren die Lippen reinigen durften; ja man
reichte sogar kleine, walnußgroße Kugeln einer Art Seife zum
Waschen der Hände; statt eines Handtuches bedienten sich aber die
Marutse eines kleinen eisernen Löffels, mit dem sie die Finger
trocken schabten. Das gleiche Instrument muß ihnen auch die
Stelle eines Taschentuches vertreten, und Dr. Holub meint, diesem
Gebrauche verdanken sie die unschönen, breitgedrückten Nasenflügel.
Die Marutse haben zwei Mahlzeiten: das Frühmahl und das
Nachtmahl. Zu dem erstern ladet der König stets einige seiner
Frauen und Kinder; diese sehen sich mit dem Angesichte gen Osten
gewendet, und die Weißen müssen dieselbe Richtung einnehmen,
während sie bei der Abendmahlzeit zur Linken des Herrschers sitzen.
Die Würdenträger lassen sich bei den im Hause genossenen Mahlzeiten rechts vom Könige, bei den im Freien eingenommenen links
von demselben, immer auf die nackte Erde nieder. So ist alles
genau geordnet. Das bei den Frühmahlzeiten stets zahlreich an-
wesende Volk gruppirt sich in einen halbkreisförmigen Knäuel vor
dem Fürsten, den Dienern und dem Mundschenk einen freien Platz
lassend. Kommnu während der Mahlzeit Abgesandte oder Boten,
so werfen sie sich nieder, berühren fünfmal mit der Stirne den
Boden, indem sie dabei „Schangwe, Schangwe!“ rufen. Dann
nehmen sie ihren Platz unter dem Volke und warten, bis der König
sein Mahl beendet. Auf seinen Wink kriechen sie endlich näher,
tragen ihre Bitte kniend vor und klatschen bei den Worten des
Königs in die Hände; leise, so lange er redet, laut, wenn er endet.

Wir haben uns zu lange mit der Mahlzeit des Königs auf-
gehalten, daß wir uns auch die königliche Hostküche ansehen wollen.
„Am Nachmittage“, erzählt Dr. Holub, „besuchte ich das königliche Küchen-Departement, das mehrere Personen zählte und unter
der Leitung einer Frau stand. Die riesigen Kochgefäße ruhten
auf Holzgestellen in eigenen und Matten und Rohr erbauten
Hütten. Im allgemeinen war alles sehr reinlich gehalten. Zur
Zeit meines Besuches wurde eben — das Feuer wird stets im
Hölchen auf einem niedrigen Heerde angemacht — von einem
Diener Nilpferdfleisch in einem riesigen Topfe gekocht. Das Fleisch
war ziemlich gar und wurde auf einer Holzschüssel servirt, dann
aus dieser in kleinere zertheilt und der Königin zugesendet.“

Sepopo ist unbeschränkter Herrscher; Land und Leute gehören
ihm; er ist auch der größte Zauberer und Heilkünstler und beging

---

[1] Des sel. Ignatius von Azevedo und seiner Gefährten aus der
Gesellschaft Jesu, die im Jahre 1570 auf der Fahrt nach Brasilien
um des Glaubens willen starben, wie im vorletzten Abschnitte unserer
Reise erzählt werden soll. Das Fest dieser Blutzeugen wird am
15. Juli gefeiert.

unter dem Deckmantel des scheußlichsten Aberglaubens die ab=
schreckendsten Grausamkeiten. Ein Beispiel wird genügen. Alt=
Seschele war ein Raab der Flammen geworden; um nun die
neue Residenz vor einem ähnlichen Schicksale zu bewahren, ver=
sammelte der Fürst seine Zauberdoctoren um sich, und die Un=
menschen beschlossen, man müsse dem Knaben eines Häuptlings
die Finger und Zehen abhacken und dieselben als kräftiges Amulett
in der Kriegstrommel aufbewahren. Die Bluthat ward wirklich
ausgeführt; unter einem Vorwande ließ der König das Söhnchen
eines seiner Unterhäuptlinge herbeirufen; dann ging die ganze
Schaar mit dem erschrockenen Kinde, das noch keine Ahnung von
seinem Loose hatte, hinab an den Zambesi.

Am Flusse angekommen, besteigt die etwa 70 Köpfe zählende
Menge sämmtliche bereitliegende Boote und fährt nach dem jen=
seitigen Ufer; die Tambours folgen. Drüben läßt sich Sepopo
auf ein Stühlchen nieder, der Scharfrichter, seine Knechte und die
Mitglieder des engeren Raths bilden einen Kreis; die Trommler
und die übrigen Musiker stellen sich rings herum, damit das Volk
von Seschele die grausame That nicht sehe. Der Knabe, durch
alle die schweigsamen Männer erschreckt, folgt nur zögernd. Nun
winkt der König, und im selben Momente wird der Knabe zu
Boden geworfen; das erschrockene Kind beginnt laut zu schreien;
aber den Tambours wurde zugleich das Zeichen gegeben, und laut
schallen die Trommeln, um das Geschrei des Kindes zu übertönen.
Der Widerstand des hilflosen Kindes ist von den Henkersknechten
bald bewältigt, und nun gehen die alten Doctoren ans Werk und
schneiden dem Opfer Finger um Finger, Zehe um Zehe vom
Körper. Trotz des lauten Trommelschlages vernimmt die Menge

Eine Partie der Victoriafälle. (S. 268.)

am diesseitigen Ufer einige Worte des sterbenden Knaben: Ra,
Ra camo, Ra, Ra! Vater, mein Vater! ... Obwohl die
Menschenmenge sich mit jedem Augenblicke mehrt und alle be=
greifen, daß Sepopo eine neue Grausamkeit begeht, wagt es nie=
mand, an die Rettung des armen Knaben zu denken. Nachdem
sich die Doctoren der genannten Gliedmaßen bemächtigt haben,
wird dem Leben des Knaben sofort ein Ende gemacht, d. h. das
Opfer wird erwürgt und mit einem Kiri (Keule) erschlagen. Nach
vollbrachtem Werke werden die Boote wieder bestiegen, ganz zu=
fällig scheinen diese in der Mitte des Flusses einen Knäuel zu
bilden, in Wirklichkeit aber um, den Körper des Knaben in
den Fluß gleiten zu lassen. Während die Boote etwas flußab=
wärts an den königlichen Gehöften anlegen, folgt ihnen eine jam=
mernde Frau am Ufer nach, watet die Krokodile und den Zorn

des Tyrannen nicht achtend, in das Wasser und fordert laut ihr
Kind, ihren „Muschemani" zurück. Der König steigt ruhig aus:
was weiß er von Mutterfreude und Mutterschmerz? Ihm folgen
die Seinen, und bald sitzt man bei einigen Töpfen Bathschuala
(Kafferbier), während die alten Doctoren die abgeschnittenen Finger
in einer der Kriegstrommeln verbergen.

Sepopo hat ein ganzes Arsenal dergleichen schrecklicher Amulette,
die in den verschiedensten Gefäßen und zu den abenteuerlichsten
Zwecken aufbewahrt werden. Durch die Furcht vor all diesem
Hexenkram hielt er jahrelang die Unterthanen im Zaume, welche
sonst seine Schreckensherrschaft nicht ertragen hätten. Denn der
Reihe nach ließ der schreckliche Mann die angesehensten und wohl=
habendsten Häuptlinge seines Reiches bald unter dem Vorwande
der Zauberei oder des Hochverrathes, bald auch ohne allen Grund

hinrichten. Kein Beſitzer einer ſchönen Viehherde war vor Maſchotu, des Königs Scharfrichter, und deſſen Geſellen ſicher. Maſchotu, die Mabunda-Hyäne, wie ihn Dr. Holub nennt, der
willige Vollſtrecker der Blutbefehle Sepopo's, iſt eine abſchreckende
Erſcheinung. Man ſtelle ſich einen mehr als ſechs Fuß hohen,
ſchwarzen Kerl mit gewaltigen Knochen und einem unförmlichen
Kopf vor, deſſen häßliche Züge ein widerliches Grinſen nach mehr
entſtellt. Bald ſpießte er im Walde die bezeichneten Opfer mit
ſeiner Aſſegai, bald ertränkte er ſie im Strome. Das letztere iſt
namentlich Sitte bei alten und kranken Perſonen, welche alſo raſch
aus der Welt befördert werden. Manchmal wurde auch öffentlich
Gericht gehalten, und wenn man den Angeklagten nicht überweiſen
konnte, ſo mußte er, um ſich von der Beſchuldigung zu reinigen,
Gift trinken. Wirkte es, ſo war ſeine Schuld bewieſen; wirkte es
nicht, ſo kam er für dieſes Mal frei, durfte aber einer zweiten Au-
ſchuldigung gewärtig ſein, und ſo fort, bis er endlich dem Wütherich
zum Opfer fiel. Und wenn auch das genoſſene Gift nicht ſofort den
Tod herbeiführt, ſo hat es eine Blutzerſetzung zur Folge, welche
Geſchwüre und Siechthum und nach vielen Leiden in einigen Jahren
die Auflöſung verurſacht. Es wird alſo ein Verſahren beobachtet
ähnlich dem Tanghin, von dem wir auf Madagaskar hörten.
Dr. Holub war Zeuge einer ſolchen Hinrichtung durch Gift.

„Ich ſah einen Zug von etwa 20 Menſchen die Richtung
nach dem Walde einſchlagen . . . Voran ſchritt ein Mann, der,
jedem Bewohner von Seſchele nur zu wohl bekannt, als Vollſtrecker der Grauſamkeiten Sepopo's ein Schrecken im Marutſe-
reiche geworden war. Es war Maſchotu, die Mabunda-Hyäne.
Er war mit einem bis an die Knöchel reichenden, bunткartirten
Wollhemd bekleidet; ihm folgte ein Mann von mittleren Jahren,
und dieſem zwei Greiſe, wahre wandelnde Mumien, die mit ihren
ſezartigen Kopfbedeckungen als des Königs Leibärzte und die Haupt-
redner im unumſchränkten engern Rathe, der dem Könige zur
Seite ſtand, allgemein bekannt waren. Hinter denſelben ſchritten
vier mit Aſſegaien bewaffnete junge Männer. Den Zug ſchloſſen
zwei Gruppen von etwa acht Perſonen; in der erſten bemerkte ich
ein Weib und zwei Kinder . . . Ein Knabe aus Seſchele, der mir
für Glasperlen Fiſche zum Verkauf brachte, flüſterte mir leiſe zu:
,Die gehen in den Wald, um jenen zu tödten.'

„Der zur Hinrichtung Geſchleppte war von einigen Nachbarn,
welche auf ſeine reiche Ernte neidiſch waren, des Hochverrathes
angeklagt und von dem Könige gegen den Ausſpruch des hohen
Rathes zum Tode verurtheilt worden. Der König war unpäßlich,
und die Krankheit wurde auf gewiſſe Zaubereien geſchoben, die
jener begangen haben ſollte. An der Hinrichtungsſtelle angekommen,
riß der Scharfrichter dem Verurtheilten ſeine Lederſchürze vom Leibe.
zerbrach die aus Eiſenbein und Holz gearbeiteten Armringe, während
ſeine vier bewaffneten Helfer nach den nahen Büſchen griffen, um dem
Armen aus grünen Buſchzweigen eine Schürze um die Hüften zu
flechten. In der Mitte der kleinen Lichtung ſtanden zwei, drei Fuß
voneinander abſtehende und fünf Fuß über den Boden ragende Pfähle,
welche im untern Drittel an ihren freien Enden mit je einem
Querholze verbunden waren. Hier und da ſehen wir einen Aſchenhaufen, aus dem einzelne halbverbrannte Menſchenknochen hervorragten.

„Maſchotu faßte den Verurtheilten bei der Hand und führte
ihn zu dem Joche, ließ ihn auf das untere Querholz niederſitzen
und hieß ihn mit den Händen die Pfähle erfaſſen. Einer ſeiner
Begleiter brachte eine kleine Kürbisflaſche, ein anderer eine hölzerne
Schale. Der Scharfrichter goß aus der erſteren eine dunkle Flüſſig-
keit, einen Abſud von giftigen Kräutern, in die Schale, welche er

ſelbſt am vorhergehenden Abende von dem Könige zu dieſem Zwecke
erhalten hatte; er reichte die Schale dem Manne hin und gebot
ihm, zu trinken. Kaum hatte der Aermſte getrunken, ſo ſtürzten
jene, welche geſenkten Hauptes und klagend dem Manne zur Hinrichtung gefolgt waren, auf dieſen zu und brachen in lautes Wehklagen aus. ,Mein Mann, mein Bruder, mein Vater, Freund,
Freund!' riefen ſie durcheinander. ,Fürchte dich nicht, du ſollſt
nicht ſterben! Du biſt ein guter Mann, du haſt nie Böſes gethan. Böſe Menſchen, die nach deinem Mabele (Korn) und nach
deinem Khomo (Vieh) trachten, haben ſchlechte Worte geſprochen,
und deshalb hat man dich hierhergeſchleppt. Du haſt nie Böſes
gegen den König im Sinne gehabt, ſo wirſt du auch nicht ſterben.
Njambe (Gott), der gute und ſchlechte Herzen kennt, ſieht auch deine
Unſchuld und wird dich das Gift brechen laſſen.' So reden die
Freunde des Verurtheilten, ſie ſtreicheln und liebkoſen ihn. Dann
traten die Ankläger heran, welche beim Zuge die Nachhut bildeten.
Mit geballten Fäuſten drohten ſie dem am Schafott Sitzenden:
,Du Verräther, du ſchlechter Menſch! Schwarz iſt dein Herz,
du wollteſt den König tödten! Schlechte Mediciner haſt du in
ſeine Behauſung geworfen, die ihm die Krankheit in dieſelbe
brachten; allein wir haben deine Schlechtigkeit geſehen, wir ſagten
es dem Könige, und nun ſollſt du dafür ſterben. Siehſt du das
Feuerchen da, was eben unſre Brüder angezündet haben? ſieh,
das wollen wir groß machen, und dann deine Gebeine, die Knochen
eines ſchlechten Hochverräthers, darin röſten und verbrennen.' Und
abermals drohen ſie mit den Fäuſten und ſpeien ihn an.

„Nachdem ſich die Ankläger müde geſcholten, traten die beiden
alten Medicinmänner heran, nahmen den Verurtheilten von dem
Geſtelle und drehten ihn mehrmals im Kreiſe herum; ſie thaten
dies, wie ſie ſagten, um das Gift beſſer im Körper wirken zu
laſſen. Kaum hatten ſie ihn wieder ſeine frühere Stellung einnehmen laſſen, näherten ſich ihm ſeine Freunde abermals: ,Freund,
entledige dich doch des ſchädlichen Stoffes, zeige dieſen böſen
Menſchen und dem Könige, daß du unſchuldig biſt.' Freunde
und Kläger wechſeln zu ab, bis das Gift betäubend oder wie ein
Brechmittel zu wirken beginnt. In unſerm Falle wirkte es betäubend; etwa eine halbe Stunde, nachdem er das Gift zu ſich genommen, fiel der Verurtheilte beſinnungslos zur Erde. Alsbald
erfaßten ihn die Diener des Scharfrichters und ſchleppten ihn zu
dem Feuer. Vergebens rangen ſeine Angehörigen die Hände;
mitleidslos ward er mit dem Kopfe in das kleine Feuer gehalten,
ſo daß er mit halbverbranntem Geſichte, bevor noch das Feuer zur
Flamme angefacht war, erſtickte. Dann erſt wurde trockenes Reiſig
herbeigetragen und eine Art Scheiterhaufen errichtet, auf welchem
der Körper gänzlich verbrannt wurde. Laut klagend und jammernd
zogen die Angehörigen des Verurtheilten heim; in der Stadt ver-
ſtummten ſie jedoch, um nicht des Königs Mißfallen zu erregen."

Mit Ekel wenden wir uns von Sepopo und ſeinen Grauſamkeiten ab, können jedoch zu unſerer Genugthuung ſagen, daß das
Regiment dieſes Tyrannen eine Ausnahme bei den Marutſe bildete
und daß dieſelben bald nach der Abreiſe Dr. Holubs das Joch
dieſes Nero abſchüttelten. Im Jahre 1876 fiel Sepopo als Opfer
einer Revolution. Ein gewiſſer Gambella ermordete ihn und ſetzte
ſeinen Neffen Manua-uni (Wanu-Wena) auf den Thron. Die
erſte That des neuen Fürſten war die Enthauptung Gambella's
und überdies die Entſetzung aller ſeiner männlichen Anverwandten.
Das hatte im Jahre 1878 neue Revolution und Bürgerkriege zur
Folge. Der junge König wurde ermordet, und ein gewiſſer de
Boß beſtieg den Thron.

De Boß, der König der Marutſe in europäiſcher Kleidung. (S. 272.)

285

Als noch geordnete Verhältnisse walteten, stand dem Marutsekönige in der Regierung des Landes nach dem alten Stammgebrauche ein engerer und der sogen. große Rath zur Seite; eine zahlreiche Schaar von Oberhäuptlingen und Unterhäuptlingen verwaltete die vielen unterworfenen Provinzen und sorgte dafür, daß die festgesetzten Abgaben nach der Residenz geliefert und die Ländereien des Königs bestellt wurden. Die Steuern bestehen in Getreideabgaben (Kleinkorn, Kaffirkorn, Mais), in bestimmten Mengen getrockneter Früchte, in Kürbissen, Tabak, Gummi elasticum, Matten, Canoes, Rudern, Waffen, Töpfen, Schüsseln, Musikinstrumenten, Thierhäuten, frischen und getrockneten Fischen und Nilpferdfleisch. Das Elfenbein, Gummi elasticum, das nahrhafte Monza und endlich der Honig sind Krongut; es ist den

Unterthanen bei Todesstrafe verboten, sich selbst Honigbier zu bereiten, und so wird dieses Getränke öffentlich wenigstens nur bei Hofe genossen.

Alle Unterthanen, welche nicht dem Marutse- und Mabunda-Stamme angehören, werden als Sklaven betrachtet. Auch die Marutse können zur Strafe zu Sklavendiensten verurtheilt werden. Die Kinder eines Sklaven sind wiederum Sklaven, auch wenn die Mutter eine Freie war. Ein Sklave gilt in Sesheke soviel als eine Kuh, oder zwei Baumwolldecken; in den nördlichen Theilen des Reiches sind sie sogar für einige Glasperlenschnüre feil.

Die Kenntniß Gottes scheint sich bei den Marutse viel reiner erhalten zu haben, als bei den übrigen Stämmen der Bantufamilie. Wie Dr. Holub uns erzählt und wie sich aus den Reden bei der

Matabelen im Kriegscostüm. (S. 275.)

oben mitgetheilten Hinrichtung ergibt, glauben sie an ein unsichtbares, allwissendes Wesen, welches genau das Thun eines jeden Menschen beobachtet.

„Man scheint sich sogar," sagt der österreichische Forscher, „seinen Namen auszusprechen, und bedient sich in der Regel eines Ersatzwortes: ‚Molemo', welches Wort jedoch einen umfangreichen Begriff in sich schließt. Molemo kann Gott, kann böse oder gute Geister, Heilmittel, Gifte, Zaubermittel bezeichnen. Das eigentliche Wort für das allwissende Wesen ist ‚Njambe'. Beim Aussprechen dieses Wortes erheben sie ihre Augen gegen das Firmament, weisen mit der Hand dahin, oder sie thun beides, ohne Njambe auszusprechen. Ich beobachtete viele, die es mit ‚Er da oben' oder ‚Er' umschrieben. Sie meinen, das mächtige Wesen lebe ‚Mochorine', d. h. im Blau des Firmaments. Stirbt jemand eines

natürlichen Todes, so heißt es: ‚Njambe rief ihn hinweg'; unterliegt ein anderer im Kampfe mit seinem Nebenmenschen, mit wilden Thieren, mit der Wuth der Elemente, so heißt es: ‚Es geschah auf Njambe's Geheiß'; wird ein Verbrecher zum Tode verurtheilt, so wird das als gerechte, von Njambe gesandte Strafe angesehen und der Schuldige, der davon überzeugt zu sein schien, ergibt sich demüthig in sein Geschick, während die unschuldig Verurtheilte (unter Sepopo gab es deren zahllose), wie die ihn begleitenden Fremde bis zum letzten Momente das größte Vertrauen in Njambe's Allwissenheit setzen, auf seine Hilfe hoffen."

Die Völker des Marutsereiches glauben außerdem an unsichtbare gute und böse Geister. Die letzteren suchen sie durch verschiedene an Pfählen aufgehängte Beschwörungsmittel zu verscheuchen. Solche Amulette sind Thier- und Menschenknochen, Nil-

pferdezähne, bestimmte Holz= und Rindenstücke u. s. w., welche in
aus Bast, Gras oder Baumblättern geflochtenen Körbchen oder
in Kürbisschalen verschlossen sind. Auch an die Fortdauer der
Seele nach dem Tode glauben sie, ja sogar an die Kraft der Für=
bitte der abgeschiedenen Seelen bei Gott. Die Masupia verzieren
das Grab ihrer Häuptlinge mit riesigen Elephantenzähnen, um
sich ihres man doppelt mächtigen Schutzes zu vergewissern. Unheil
und Krankheiten werden vielfach dem Zorne der Verstorbenen zu=
geschrieben, und man sucht dieselben durch Gebete an den Gräbern zu
heben. „Erkrankt ein Mitglied der königlichen Familie, so wird der
Kranke", wie Dr. Holub erzählt, „an das Grab des Angesehensten
gebracht, und hier verrichtet der Herrscher eine gebetartige Cere=
monie in flehender und beschwörender Form, damit sich der Ver=

storbene des armen Dulders erbarme und ihn durch seine Für=
sprache bei Njambe gesund mache."

Unterhalb des großen Sambesifalles wohnen nördlich vom
Flusse verschiedene Kaffernstämme, welche von dem eben beschriebe=
nen Marutsereich abhängig sind. Bei einem ihrer Häuptlinge,
Ranzeus Mozumba, ließ sich P. Terröde im Herbste 1880 nieder,
um den armen Negern den lieben Heiland zu predigen, und starb
daselbst schon nach wenigen Tagen, wie wir bereits oben erzählt
haben. An das südliche Stromufer grenzt das große Matabelen=
reich. Seine Hauptstadt Gubuluwayo liegt in den Matoppo=
bergen. Der König dieses Reiches, Lo Bengula, ist ebenso grau=
sam, wie der oben geschilderte Sepopo, und seine Untergebenen
sind wilder und kriegerischer als die Leute am Ober=Sambesi.

Negerhütte. (S. 276.)

Die katholischen Missionäre haben in Gubuluwayo ein Haus und
ein Kirchlein des heiligsten Herzens gebaut, aber noch wenige
Matabele bekehrt. Der König hat nämlich gedroht, er werde
den ersten, der sich taufen lasse, erstechen; auch will er nicht, daß
die Kinder lesen oder schreiben lernen; denn er selbst kann es
auch nicht, und es brauche keiner seiner Unterthanen gescheidter zu
werden als er. Zweimal des Jahres versammelt der König
seine Krieger zu dem Feste des „Großen und des Kleinen Tanzes".
Das ist eine Art Truppenschau und Feldmanöver. Geschmückt
mit Straußenfedern, mit dem Kerri (der Streitkeule) und der
Assegai bewaffnet und mit großen Schilden aus Büffelhäuten be=
wehrt, führen die Tausende vor dem Könige stampfend und heulend
den Kriegstanz auf, indem sie alle Bewegungen des Angriffs und
der Vertheidigung nachahmen. Dafür werden sie zum Schlusse

des Festes vom Könige mehrere Tage lang bewirthet, bei welcher
Gelegenheit er ganze Heerden von Ochsen schlachten läßt. Nachher
sorgt er schon dafür, daß durch Raubzüge die Lücken seines Vieh=
standes wieder ausgefüllt werden.

5. Die Moraves am Sambesi.

Die Völker, welche auf dem linken Ufer des Unter=Sambesi
wohnen, zerfallen in mehrere Stämme: die Moraves, Muzimba,
Utonga, Uachana, Uapimbi, Uarunda, Mabsisi, Uassenga, Uarenga,
Uanzua (Bewohner von Zambo), Uanhungue (Bewohner von Tete),
und mehrere andere.

Trotz dieser Stammesverschiedenheit sind die Sitten und Ge=
bräuche der einzelnen Völker sehr ähnlich; kennt man einmal die
Gewohnheiten eines Stammes, so läßt sich daraus leicht auf jene

35 *

der übrigen schließen. So will ich hier nur die Beschreibung mittheilen, welche P. Czimermann von den Gebräuchen der Mora-ves entwirft. Dieser mächtige Negerstamm, dessen Gebiet sich früher bis zum Njanzasee erstreckte, wohnt auf dem linken Ufer des Sambesi. Wie alle übrigen Stämme, sieht auch er unter einem eigenen Häuptlinge, „Unde", dem noch ein Rath zur Seite gegeben ist. Jede Gemeinde hat außerdem noch einen eigenen Vorsteher, „Fumbo", welcher dem Bezirksvorsteher, „Mambo", untersteht. Ueber alle gebietet als absoluter Herr der Unde. Die Waffen der Moraves sind der Bogen (uta), die Lanze (dipa), Pfeile (misere) und Messer (chissu). Die Kleidung besteht aus Thierfellen oder faseriger Baumrinde; andere Stoffe sind ebenso gesucht bei ihnen, doch können sie sich dieselben nicht so leicht ver-schaffen. Wie die Neger überhaupt, so sind auch die Moraves sehr abergläubisch. Keinen Tag beginnen sie ohne den Talisman (magomo) bei sich zu haben, und bei allen Ereignissen nehmen sie ihre Zuflucht sofort zu den Medicinmännern und Zauberern. Ohne Kriegsgeschrei wagt es kein Häuptling, in der Schlacht sich vor dem Feinde zu zeigen. Dieses Palladium wird von einem eigenen Zauberer aus dem Schwanze einer Antilope gefertigt und mit mancherlei Zaubermitteln versehen.

In Wohnung und Nahrung sind die Moraves sehr einfach. Gekochter Reis bildet gewöhnlich die einzige Mahlzeit vor Eintritt der Nacht. Einige Abwechslung auf dem Küchenzettel bringen kleine in Asche gebackene Brödchen. Zu ihrer Bereitung machen die Neger einen Teig (sina) aus zerstoßenem Reis oder aus an-deren Früchten. Außerdem gibt es noch rohe oder gekochte Kräuter, Fische und Wild, je nachdem Netze oder Bogen etwas einbringen. Das Fleisch genießen die Schwarzen meist in einem bereits sehr „fortgeschrittenen" Zustande, weil es da nach ihrem Geschmacke am weichsten ist. Zur Erntezeit bereiten die Neger das berauschende Bier, „Badua" oder „Porabe", dem Männer, Weiber und Kinder tüchtig zusprechen. Da die Schwarzen während des ganzen Jahres eine besondere Vorliebe für Pombe zeigen, sind die „Brauereien" in fortwährender Thätigkeit. Die Bereitung geht übrigens sehr einfach vor sich, und daher ist jeder einzelne „Brauer" für seine Hütte. Man weicht eine bestimmte Menge Mais oder Reis in in Wasser und läßt sie so zwei Tage stehen. Hierauf wird der Reis herausgenommen und abermals zwei Tage in einem Gefäß unter Laub aufbewahrt. Während dieser Zeit beginnt das Frucht-korn zu treiben, woraus es zu einem Teig zerstoßen und mit älterem Reis- oder Maismehl versetzt wird. Das ganze wird nun mit Wasser begossen, der Gährung überlassen, und das berauschende Bier, das Lieblingsgetränk der Neger, ist fertig. Die Wohnungen der Moraves sind, wie oben gesagt wurde, sehr einfach. Sie sind rund nach Art der Windmühlen in Ungarn, aber bedeutend kleiner. Beim Baue befestigen die Neger in einem Kreise Pfähle im Boden, mit Bast verbundenes Schilf bildet das Dach. Jede Hütte (nhumba) hat an zwei gegenüberliegenden Seiten eine Thüre. Dies aus einem sehr wichtigen strategischen Grunde. Im Falle einer feindlichen Ueberrumpelung nämlich ist durch den einen Ausgang die Flucht gesichert. In der Mitte der Hütte befindet sich eine Erderhöhung, die als Herd dient, auf welchem beständig ein Feuer unterhalten wird, das man nur ausnahmsweise erlöschen läßt. Eine Schilfmatte (junmba) auf dem Boden dient als Tisch, Stuhl und Bett zugleich. Ein irdener Krug, in welchem die Ne-gerinnen Wasser holen, eine Kürbisflasche, die als Trinkgefäß dient (muombo), ein hölzerner Mörser aus einem Baumkloße, zum Zerstoßen des Maises und anderer getrockneter Früchte, ferner

zwei hölzerne Schüsseln, aus denen alle gemeinsam mit den Fin-gern essen, vervollständigen den Hausrath einer Negerfamilie. An der Wand hängen die Waffen, Bogen, Pfeile und Lanze (assegai). Zu dieser einfachen Einrichtung kommt noch die große Trommel. Sie besteht aus einem ausgehöhlten Baumstamme, über dessen eines Ende ein Thierfell gespannt ist.

Die Trommel spielt bei allen freudigen und traurigen Er-eignissen eine wichtige Rolle. Sie verkündet die Geburt eines Kindes, sie dient als Trauerinstrument beim Tode eines Negers, und zwar nicht bloß einmal, sondern tage- und wochenlang, bis die Trauer über den Verstorbenen vorüber ist. Wie die Trommel im Frieden dem Neger zum Tanze aufspielt, so muß ihr Ton im Kriege Muth und Begeisterung einflößen.

Zum Baue seiner Hütte braucht der Schwarze nur 3—4 Tage. Die Leichtigkeit, mit welcher die Neger ihre Wohnungen errichten, trägt sehr viel dazu bei, daß sie dieselben auch ebenso leicht ver-lassen und nach einer andern Gegend wandern. Jedes geringe ungünstige Ereigniß genügt, um den Schwarzen zur Aenderung seines Wohnsitzes zu bewegen. Auch hierbei nehmen die Neger zum Aberglauben ihre Zuflucht. Um nämlich sicher zu wissen, ob sie wegen eines Unfalles die Hütte verlassen und wandern sollen, stellen die Neger während eines Tages und einer Nacht etwas Mehl in einer Schüssel unter dasselbe. Findet man nach Verlauf dieser Zeit das Mehl von Ameisen oder Käfern unberührt, so wird dies als ein gutes Zeichen angesehen, und der Plan kann ruhig ausgeführt werden. Ist aber das Mehl von Insecten auf-gezehrt, dann hat der Neger an dem neuen Orte nichts Gutes zu erwarten. Da die Hütten als werthlos betrachtet werden, ist von einem Kaufe oder Verkaufe natürlich keine Rede.

Sonderlich sorgsame Pflege beanspruchen die Negerkinder nicht. Nach der Geburt liegen sie still und ruhig am Boden, welcher ihre Wiege ist. Kurze Zeit nach ihrer Geburt zeigen die Kinder ein äußerst gewecktes Aussehen, das sich in den Jahren der Kind-heit immer steigert und den Kleinen bald eine gewisse Selbständig-keit im Handeln und Benehmen verleiht. Im 10.—12. Jahre jedoch kommt die geistige Entwicklung der Neger ins Stocken, es tritt plötzlich eine Aenderung ein. Das kluge, intelligente Aus-sehen macht allmählich einer gewissen geistigen Trägheit Platz, die sich im Denken und Handeln des Negers kundgibt. Mit wenigen Ausnahmen sind die Schwarzen sehr begriffsarm und langsam im Auffassen. Sehr leicht vergessen sie, was man ihnen sagt, und es bedarf vieler Ermahnungen, bis man sie zu einer Handlung be-stimmen kann. Ihr ganzes Leben lang bleiben sie eigentlich Kin-der, deren Sinnen und Trachten einzig auf die Gegenwart gerichtet ist.

Sobald die Heidenneger verschieden ist, versammeln sich alle seine Angehörigen, Verwandten, Freunde und Bekannten in der Hütte des Verstorbenen und rings um dieselbe, und nun beginnen die Vorbereitungen zur Beerdigung. Zuerst werden Hände und Füße des Verstorbenen mit Gewalt verrenkt. Hernach wird der Leichnam gewaschen, je nach Vermögen mit Glasperlen und anderen Sachen geschmückt und in einen Sarg von Schilf gelegt, der dann geöffnet in der Mitte der Hütte stehen bleibt, ein, zwei oder auch mehrere Tage. Am Tage des Begräbnisses erscheinen die Träger, matika (Hyänen) genannt, die den Sarg in das Dickicht des Waldes oder in ein schwer zugängliches Gebüsch tragen, wo das Grab bereitet ist. Dem Zuge voran geht eine Negerin, die dem Weg entlang Mehl streut, während eine andere eine ge-bratene Henne trägt, die auf den Grabhügel gelegt wird. Am Ende des Leichenzuges folgen mehrere mit großen Wasserkrügen versehene

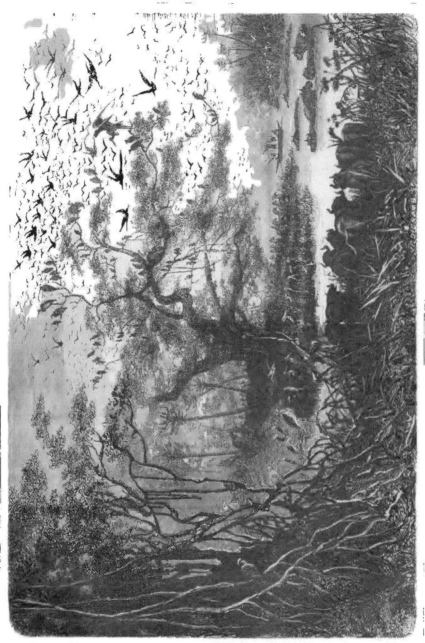

Thierleben am Sambesi. (S. 278.)

Negerinnen. Sobald der Leichnam ins Grab gelegt ist, wird die darauf geschüttete Erde mit Wasser vermengt und das Grab fest zugestampft, damit die nachts nach Beute suchenden Hyänen denselben nicht stehlen können oder wenigstens nicht so leicht. War der Verstorbene ganz arm, so ist hiermit die Leichenfeier beendigt, und die Träger eilen vom Grabe sofort zum Wasser, um sich zu reinigen und durch Einreiben mit allerlei Kräutern wie durch andere abergläubische Gebräuche sich zu befähigen, mit den übrigen wieder verkehren zu können.

Ist aber der Verstorbene etwas vermögend, oder hat er reiche Angehörige, dann folgt dem Begräbnisse alsbald eine andere Ceremonie, bona genannt, die gleichsam eine zweite Leichenfeier bildet und die von den Schwarzen sehr hoch geschätzt und sehnlichst gewünscht wird. Kurze Zeit nach dem Begräbnisse versammeln sich abermals alle Verwandten, Freunde und Bekannten des Verstorbenen in der Hütte desselben, und zwar diesmal mit einem Geschenke, welches in mapira (Kafferkorn) besteht. Aus diesem mapira wird Pombe bereitet, und sobald dasselbe fertig ist, gehen alle zum Grabe, um da die üblichen Gebräuche zu vollziehen und den Geist (munzimu) des Verstorbenen nach Hause zu bringen. Zu diesem Zwecke füllt man einen Topf mit Pombe, der in Begleitung aller Anwesenden zum Grabe des Verstorbenen getragen wird. Die Trägerin dieses Topfes ist immer die Schwester des Verstorbenen oder in Ermanglung derselben eine seiner nächsten Verwandten. Hierbei ist es erforderlich, daß dieselbe noch unverheiratet sei, oder falls sie schon einen Mann hat, vom Tode des Verstorbenen bis zu dieser Feier in gänzlicher Enthaltsamkeit gelebt habe, was auch bei den übrigen Verwandten des Verstorbenen gebräuchlich ist. Ist der Zug mit dem Pombe beim Grabe angelangt, so stellt die Trägerin den Topf auf den Grabhügel und macht in denselben ein kleines Loch, so daß der Inhalt desselben ganz ausfließen kann. Hierauf wird eine Ziege geschlachtet und von jedem Körpertheile derselben ein kleines Stückchen Fleisch abgeschnitten, neben dem Grabe gekocht und von den Angehörigen verzehrt. Der Rest des Fleisches gehört den Trägern, die bei dieser Ceremonie abermals zugegen sind.

Nach der Mahlzeit folgt alsogleich die „Uebertragung des Geistes des Verstorbenen". Es nähert sich nun Mann dem Grabe und erhascht mit Schnelligkeit ein Steinchen oder etwas Erde, das er fest in seine Hand schließt und das der Geist des Verstorbenen ist. Der Mann mit dem Geiste wird nun feierlich nach Hause getragen, und zwar auf den Rücken einer Negerin, die ihn gleich einem Kinde ganz mit einem Tuche verhüllt. Ist der Weg weit, dann betheiligen sich hieran mehrere Negerinnen, die abwechselnd tragen. Der in das Tuch verhüllte und auf dem Rücken getragene Mann hat das Recht, stets mit Pombe versehen zu sein und fleißig zu trinken, bis er bei der Hütte des Verstorbenen anlangt. Seine Trägerinnen sprechen ebenfalls fleißig dem kafferischen Biere zu, weshalb sie auch gern das Amt übernehmen. Ist der Zug zu Hause angelangt, dann wird der vermeintliche Geist auf eine Matte gelegt, die nahe bei der Hütte des Verstorbenen auf der Erde ausgebreitet liegt, und nun ebenfalls mit Pombe reichlich bewirthet. Ein Topf nach dem andern wird über das Steinchen ausgegossen, während die afrikanischen Musikanten, mit ihren Trommelschlägern besehlen, mit Anwendung all ihrer Kräfte einen mörderischen Lärm schlagen. Da der Steingeist, oder besser gesagt, Geistlein, nicht im Stande ist, all das ihm gespendete Pombe einzusaugen, und das Getränk oft in kleinen Bächlein fließt, so benützen die armen und für Pombe schwärmenden Neger diesen Umstand. Sie

legen sich auf den Boden und schlürfen begierig das mit Erde vermengte Pombe. Der Geist des Verstorbenen befindet sich auf diese Weise abermals vor seiner Hütte und verlangt nun, den übrigen Geistern der Familie beigesellt zu werden, die alle vereint in einem Korbe, musuelo genannt, in einer eigenen Hütte aufbewahrt, verehrt und gepflegt werden. Jede größere, aus mehreren Negerhütten bestehende Familie hat nämlich eine eigene Hütte, wo in einem rauhen Korbe die Geister der aus der Familie Verstorbenen wohnen und gepflegt werden. In dieser Geisterhütte befindet sich außer dem Korbe, der eigentlichen Wohnung der Geister, nur noch eine Negerin, welcher die Pflege der Geister anvertraut ist und die zugleich mit den Geistern in enger Verbindung steht und dieselben in verschiedenen Anliegen befragt. Ihr Name ist muraura. Damit der vor der Hütte weilende Geist bald den übrigen Geistern der Familie beigesellt werde, verursacht derselbe sobald als möglich eine Krankheit in der Familie des Verstorbenen. Um von dieser Krankheit geheilt zu werden, lassen die Angehörigen des Kranken die Medicinweib, die zugleich auch Wahrsagerin ist, kommen, und sie wird befragt, wie man die Krankheit entfernen käme. Diese fordert, daß der Geist des Verstorbenen eingefangen und in den Geisterkorb gelegt werde; dann werde der Kranke genesen. Zu diesem Zwecke kommen nun zwei Negerinnen vor die Hütte des Verstorbenen: die muraura, Wächterin des Geisterkorbes, und die mutambisso, Tänzerin oder Geisterbeschwörerin. Die letztere beginnt ihren Tanz in wilden Sprüngen und hascht nach allen Seiten mit den Händen, um des Geistes habhaft zu werden. Auf einmal schließt sie krampfhaft ihre Hände und ruft frohlockend aus, daß der Geist gefangen und in ihrer Gewalt sei. Alle ziehen nun zur Hütte der Geister, die muraura öffnet den Geisterkorb, und die Zahl seiner Inwohner wird um einen vermehrt.

Wie fabelhaft und lächerlich auch immer diese Gebräuche der armen Heidenneger sind, so finden wir dennoch hierin Spuren des wahren Glaubens der Fortdauer unserer Seele. Ja auch Spuren des Glaubens an die Auferstehung finden sich bei diesen Negern, den unstreitig schon der unglückliche Sohn Noe's, Cham, als tröstendes Erbtheil erhalten und seinen schwarzen Nachkommen hinterlassen hat. Woher anders hätten die in der Wildniß Afrika's lebenden Heidenneger sonst diesen ihren Glauben?

6. Die wilden Thiere am Sambesi.

Der Sambesi und seine Ufer sind an Wild überaus reich. Muthige Jägersleute, welche ihre Kunst und ihr kaltes Blut lieber im Kampfe mit Löwen und Elephanten, mit Nilpferden und Büffeln, als mit wehrlosen Rehen und furchtsamen Hasen erproben wollen, dürfen nur dorthin gehen. Der Strom selbst wimmelt von ganzen Schaaren großer Krokodile, welche auf Beute lauern. Wehe dem Unvorsichtigen, der sich von der Hitze zu einem Bade verlocken läßt! Ihre mit mehreren Reihen spitzer Zähne versehenen Kiefer, welche, was sie einmal erfaßten, nicht mehr freigeben, werden ihn, ehe er es ahnt, erschnappen und unter die Wellen ziehen. Nur selten gelingt es, eines dieser unheimlichen Ungeheuer auf den ersten Schuß zu erlegen, indem die Kugel von dem Schuppenpanzer machtlos abprallt, wenn sie nicht eine schwächere Stelle trifft, oder aus nächster Nähe abgefeuert wird.

Fast ebenso zahlreich sind die Nilpferde oder Flußpferde. Diese Thiere gehören zu den größten und nutzförmigsten Kolossen der Dickhäuter. Bei Tage tummeln sie sich gewöhnlich im Strome, bei Nacht steigen sie ans Land, um das Gras und Schilf abzuweiden. Ungereizt greifen sie nicht leicht an, sind aber fürchterliche

Gegner. In ihrer Wuth fassen sie wohl Kähne zwischen ihr fürchterliches Gebiß und zermalmen sie, ja heben mittelgroße Flußbarken mit dem ungeschlachten Rücken empor und stürzen sie um. Wenn sie sich aber gerade in gemüthlicher Laune befinden, so soll es ein heiteres Schauspiel sein, wie sich so eine Flußpferdfamilie im Wasser tummelt. Spielend tauchen sie auf und unter, jagen einander und verursachen durch ihr Schnauben, Grunzen, Brüllen und Wassergurgeln einen Höllenlärm. Die Weibchen tragen ihre Jungen auf dem Rücken, während die alten Bullen Wache halten und dräuend das ungeheure Maul aufreißen, dessen gewaltige, stumpfe Eckzähne ein Rind zermalmen können. Menschen tödtet das Flußpferd gewöhnlich mit einem Bisse, wirft sie dann vor sich hin und zertritt sie mit seinen Beinen zu Brei. Die Jagd trägt ziemlich viel ein, indem das Fleisch wie das Schmeer des Thieres genießbar ist, ja sogar von den Leuten in Südafrika als ein Leckerbissen betrachtet wird. Namentlich junge Thiere sollen sehr schmackhaft sein. Aus der dicken Haut verfertigt man kostbare Reitpeitschen; die riesigen Hauer sind fast so geschätzt wie Elfenbein. Die Kaffern am Sambesi fangen es in Fallgruben oder gehen ihm auch mit Harpunen zu Leibe. Ein ausgewachsenes Flußpferd ist mehr als 4 m lang und mag ein Gewicht von 2500 kg haben, also doppelt so schwer als der schwerste Ochse sein.

Mit dem Flußpferd nahe verwandt ist ein anderes Ungethüm, welches ebenfalls an den Ufern des Sambesi haust — das Rhinoceros oder Nashorn, und zwar das Doppelnashorn. Das afrikanische Doppelnashorn wird als das wüthendste aller Thiere Afrika's be-

Flußpferde am Sambesi.

trachtet. Die mohammedanischen Neger im Sudan meinen, diese Bestien seien keine von Gott erschaffenen Thiere, sondern Ausgeburten der Hölle. „Sie kümmern sich nicht im allermindesten um die Amulette und Schutzbriefe unserer Marabuts", pflegen die Sudanesen zu sagen. „Nicht der Herr hat sie erschaffen, sondern der Teufel, der Allverderber, hat sie hervorgebracht, und deshalb ist es den Anhängern des Propheten nicht gerathen, sich mit derartigen Wesen einzulassen, wie die Helden und die christlichen Ungläubigen zu thun pflegen."

In Gestalt und Größe gleicht das Nashorn vielfach dem Flußpferde, doch ist sein Leib nicht so unförmlich plump. Die beiden Hörner, welche auf der Nase hintereinander stehen, und wovon das vordere gewöhnlich das größere ist, verleihen ihm ein noch wilderes Aussehen. Es ist auch in jeder Hinsicht ein ungemüth- licher Geselle, überaus reizbar, und läßt seine Wuth nicht nur an dem Gegenstande aus, welcher es erzürnte, sondern an allem, was ihm in den Weg kommt, an Bäumen und Felsblöcken. In der Mittagshitze schläft es gewöhnlich, und zwar erfreut es sich eines sehr festen Schlafes. Um diese Zeit kann man die Thiere am leichtesten beschleichen und tödten, indem man ihnen die Kugelbüchse ruhig an die Ohren legt und abdrückt. Sein dröhnendes Schnarchen vernimmt man oft auf eine weite Strecke und wird so auf das Ungeheuer aufmerksam, selbst wenn man es sonst nicht sehen könnte. Gegen Abend erhebt es sich von seinem Lager, nimmt ein Schlammbad, wobei es sich wälzt und vor Behagen wohlgefällig grunzt, zieht dann mit anbrechender Nacht auf die Weide. Baumzweige, Stauden, Sträucher, Schilf und Gras verrichtet es in unglaublicher Menge; dabei ist es ihm ganz gleichgiltig, ob das Strauchwerk Dornen und Stacheln trage oder nicht; so verzehrt es z. B. die dornigen Mimosen mit großem Behagen. Wo das gefräßige Thier bebautes Land trifft, stiftet es natürlich gewaltigen Schaden. Wenn der Jäger das Ungeheuer nicht im Schlafe überrumpeln kann, so greift er es offen an, wozu aber ein gut Theil kaltes Blut nöthig ist. Durch Busch und Schilf schleicht er sich möglichst nahe heran und feuert. Trifft er nicht oder ist die Kugel nicht augenblicklich tödtlich, so stürzt das Thier wüthend auf den Ort zu, wo der Schuß fiel, und spürt nach dem Feinde. Sobald es den Schützen erblickt oder wittert, senkt es den Kopf, schließt die Augen und rennt, mit dem Horne den Boden streifend, blindwüthig vorwärts. Der Jäger, der seine Kaltblütigkeit nicht verliert, springt zur Seite, ladet rasch und feuert auf das rasende Thier, das sich umwendet und wieder eben

so blind auf den Schützen losstürmt. So kann es eine Zeitlang gehen, daß das Ungethüm an dem Jäger vorbeirast und dieser durch einen rakhen Sprung ausweicht, bis es dem letzteren gelingt, dem Thiere eine tödtliche Kugel durch seine dicke Haut zu jagen. Es läuft aber nicht immer so glimpflich ab, und schon mancher Jäger hat seine Kühnheit mit dem Leben bezahlt. Das Horn des Ungeheuers wird im Morgenlande theuer bezahlt; man verfertigt Trinkgeschirre daraus, denen man abergläubischerweise die Eigenschaft zuschreibt, daß jeder vergiftete Trank in diesen Trinkhörnern aufschäume und sich so verrathe. Auch dem Blute des Thieres schreiben die Neger geheimnißvolle Wirkung zu, sie öffnen deshalb das erlegte Nashorn rasch und füllen dessen Blase mit seinem Blute an; ebenso werden Mark und Fett als Arzneimittel gebraucht. Was sonst von dem Ungeheuer übrig bleibt, ist die willkommene

Löwe und Rhinoceros.

Beute der Raubthiere. Ganze Rudel von Hyänen und Schakalen zanken sich um sein Fleisch, wenn nicht etwa ein Löwenpaar sich des todten Nashorns bemächtigt und alle anderen Bewerber in respektvoller Entfernung hält, bis es selbst seinen Hunger gestillt hat.

Lange nicht so abstoßend, wie die beiden zuletzt beschriebenen Thiere, sind die Elephanten, welche ebenfalls in großen Heerden an den Ufern des Sambesi leben. Der afrikanische Elephant ist zwar nicht ganz so groß wie der indische und wird auch durch seine übermäßigen Ohrlappen von seinen Vettern am Ganges und auf Borneo unterschieden, ist aber doch ein wahres Riesenthier. Ein noch junges, am Sambesi erlegtes Männchen, dessen Stoßzähne erst je 15 kg wogen, maß doch vom Scheitel bis zum Schwanzansatze bereits 4,2 m und hatte von der Spitze des Rüssels bis zum Scheitel 2,75 m, während die Schulterhöhe 3,14 m

betrug. Der Elephant ist so bekannt, daß wir ihn nicht näher zu beschreiben brauchen. Er ist nur scheinbar ein plumpes Thier, und in Wirklichkeit sehr behende, geschickt und schlau. Von Natur ein friedlicher Pflanzenfresser, greift er den Menschen nicht an, stellt sich aber tapfer zur Wehr, wenn er gejagt und verwundet wird. Seiner großen Stoßzähne wegen, welche das kostbare Elfenbein liefern, wird er sowohl von Negern als von europäischen Jägern eifrig verfolgt, und wie viele jährlich erlegt werden, mag man daraus schließen, daß allein durch das Zollhaus von Quilimane an der Mündung des Sambesi in einem Jahre die Stoßzähne von 4000—5000 Elephanten passiren.

Schon die alten Römer kannten die große Gelehrigkeit der Elephanten. Die römischen Schriftsteller berichten, daß man in Rom Elephanten zeigte, welche Buchstaben mit dem Eisengriffel in die Wachstafel zeichneten, auf einem schräg gespannten Seile gingen, nach dem Tacte der Musik tanzten, an einer prächtig besetzten Tafel mit Beobachtung der feinen Sitte und des Anstandes aus Gold- und Silbergeschirr speisten, endlich zu vier einen ihrer Genossen, der sich krank stellte, auf eine Tragbahre legten und hinaustrugen. Kurz, die Kunststücke, zu welchen man sie heute noch in Menagerien und im Cirkus abrichtet, waren schon den alten Römern bekannt. Aber nicht nur zum Spiel, sondern auch zur Schlacht wurden sie im Alterthume verwendet. Darius soll sie zuerst in den Kriegen gegen Alexander den Großen gebraucht haben, und es mag schrecklich genug gewesen sein, als die geharnischten Ungeheuer mit Kampfthürmen voll erlesener Streiter auf ihrem Rücken in die Reihen der Fußsoldaten einbrachen.

Die Neger erlegen die Elephanten gerne in Fallgruben, die manchmal mit starken, spitzen Pfählen versehen sind. Die Oeffnung wird mit Strauchwerk und Gras sorgfältig verdeckt; denn der Elephant ist ein vorsichtiges Thier und geht über keine solche Falle, wenn sie nicht sehr geschickt angelegt ist. Läßt er sich täuschen und tritt darauf, so bricht er mit seiner Körperlast natürlich durch und wird so elend gepfählt. Manchmal legen die Neger in engen Thälern breite Gräben an, welche sich von Bergwand zu Bergwand erstrecken, und richten sie in der eben beschriebenen Weise zu Fallgruben ein. Dann treiben sie in weitem Umkreise eine zahlreiche Elephantenheerde zusammen und jagen dieselbe durch das mit Gräben abgesperrte Thal. Die Eile der Flucht läßt sie die Fallgruben übersehen; sie stürzen hinein, und die Neger geben ihnen mit Lanzenstößen den Tod. — Manchmal

Elephanten.

merkt sich auch ein einzelner kühner Jäger einen Pfad, den der Elephant gewöhnlich einhält, oder einen Baum, dessen Laub er ganz besonders liebt, und stellt sich auf den Anstand. Dann gilt es, dem arglos vorüberschreitenden Thiere einen scharfgeschliffenen, schweren Wurfspieß so geschickt und kräftig zwischen die Schultern zu schleudern, daß er eine tödtliche Wunde verursacht. Gewöhnlich wird zwar der Verwundete noch ins Dickicht entrinnen; aber der Wilde beobachtet nun den Flug der Aasgeier, die in der Luft kreisen; bald führen ihn diese zu der Stelle, wo der Elephant verendete. — Anderswo haben die Neger die Gewohnheit, die starken Schlingpflanzen der Wälder auf weite Strecken netzartig zusammenzuflechten. Dann jagen sie die Elephanten nach den also eingezäunten Stellen des Dickichts, verfolgen sie und schleudern den Thieren, die unschlüssig in den verschlungenen Ranken einen

Ausgang suchen, Hunderte von Lanzen in den Leib, bis sie erschöpft zusammenbrechen. Eine noch grausamere Treibjagd ist bei den Niam-Niam im Sudan gebräuchlich. Sie schonen einzelne mit hohem Grase bewachsene Stellen der Steppe, um Elephanten dahin zu locken. Zeigt sich eine Heerde, so rufen weittönende, in allen Dörfern wiederholte Schläge der Lärmtrommel alle Krieger zusammen. Tausende von Jägern umstellen nun binnen wenigen Stunden die Elephanten, treiben sie in das hohe Gras und zünden dasselbe von allen Seiten an. Wo die geängstigten Thiere durchzubrechen suchen, da werden sie durch Geschrei und Lanzenstiche und Feuerbrände zurückgejagt, bis erstickender Rauch oder lodernde Flamme oder ein wohlgezielter Lanzenstich sie niederstreckt. — Eine andere Art der Elephantenjagd, von welcher der alte Strabo schon erzählte, ist auch heute noch im Gebrauche. Während nämlich

293

ein Jäger das Thier von vorne angreift und beſchäftigt, ſucht ein zweiter Jäger ihm von hinten beizukommen und mit einem Schwert= hiebe die Achilleſehne durchzuhauen. Gelingt der Streich, ſo ſtürzt das Thier gelähmt zu Boden und kann dann ohne Mühe erlegt und ſeiner koſtbaren Stoßzähne beraubt werden. Doch alle dieſe Jagden ſind nicht ſo mörderiſch, wie die Jagd mit der Kugel= büchſe, die immer mehr auch von den Eingeborenen benützt wird und nach und nach zur Vernichtung der Elephanten Afrika's führen muß.

Auch der wilde Kafferbüffel weidet in zahlreichen Heerden an den Ufern des Sambeſi und iſt ſeines geſchätzten, ſaftigen Fleiſches wegen ein Wild, das ſowohl von Negern als Europäern eifrig gejagt wird. Er gleicht unſerm Rindvieh, hat aber ein etwas plumperes und viel wilderes Ausſehen, eine ſpärliche Be=

haarung, große Ohren und ein breites, flachgedrücktes, wulſtiges Gehörn, das die ganze Stirne bedeckt. Die Kühe ſind im all= gemeinen friedlich, vor den Stieren muß man ſich ſchon in Acht nehmen; denn ſo ein zorniger Kafferbulle, der ſchnaubend und brüllend auf den Jäger losgeht, iſt ein unheimlicher Feind, wenn er auch nicht ſo ſchrecklich ausſieht, wie der amerikaniſche Büffel oder Biſon. Am gefährlichſten ſind alte Bullen, welche ihrer Streitſüchtigkeit und Griesgrämigkeit wegen aus den Heerden ver= trieben ſind und ſo ein gezwungenes Einſiedlerleben führen. Dieſe pflegen hinter einem Baume oder Buſch zu lauern, bis ſie einen Menſchen gewittert haben, und ſtürzen ſich dann ganz un= verſehens auf den Wanderer. Sonſt leben die Büffel in Heerden zu 50, 60, 100 und oft noch mehr Stück zuſammen. Angegriffen ſollen die Kühe um ihre Kälber einen Kreis ſchließen, um ſie zu

Büffeljagd.

vertheidigen, und es werden Beiſpiele erzählt, daß auch die Stiere ihren verwundeten Kameraden beiſprangen und ſie an den Jägern rächten. Ueberhaupt iſt die Büffeljagd gefährlich genug; mancher Eingeborene und ſelbſt einige europäiſche Jäger haben ihr Leben dabei gelaſſen.

Der Büffel wird aber nicht bloß vom Menſchen verfolgt; auch der König der Thiere, der Löwe, welcher am Sambeſi zahlreich vertreten iſt, macht Jagd auf ihn. Der Kaplöwe, welcher ſich durch ſeine Größe und ſeine dunkle, buſchige Mähne aus= zeichnet, iſt eine der ſchönſten Spielarten der Löwenfamilie. Der Löwe iſt das ſtärkſte, muthigſte, gefürchtetſte aller Raubthiere. Mit einem Schlage ſeiner mächtigen Pranke kann er einen Büffel zu Boden ſtrecken. Den Menſchen greift er aber nicht leicht an, wenn nicht großer Hunger ihn quält; ja man hat viele Beiſpiele,

daß er auch vor unbewaffneten Menſchen, die ihm muthig ins Auge ſchauten, floh. Allein es bleibt doch immer ungemüthlich, wenn man nachts ſein gewaltiges Brüllen vor der Hütte hört, und daß das nicht ſelten geſchieht, geht aus den Brieſen der Miſſionäre hervor, welche faſt jedesmal von dieſen unheimlichen nächtlichen Beſuchen, denen bald ein Hund, bald eine Ziege oder ein Jungochs zum Opfer fällt, erzählen. Sein gewöhnliches Beute= wild ſind aber die zahlreichen Antilopen=, Giraffen= und Zebra= Heerden, welche die großen Grasflächen Südafrika's bevölkern.

Eine noch mordluſtigere und grauſamere Katzenart iſt der Leopard, der ebenfalls in der Sambeſigegend häufig genug vor= kommt. Den Miſſionären zu Mopea am Cuilimanefluß hat er wiederholt nächtliche Beſuche abgeſtattet. Einen Vorfall, der ſich in Tati in demſelben Hauſe zutrug, welches die Miſſionäre ſpäter

Ungemüthliches afrikanisches Ständchen. (S. 282.)

bewohnten, erzählt uns Dr. Holub. In dem Häuschen des Jägers Pit Jakob saßen eines Abends bei Einbruch der Dunkelheit mehrere Bewohner plaudernd beisammen, während in der anstoßenden Kammer Frau Jakob mit den Kindern sich schon zur Ruhe gelegt hatte. Die untere Hälfte der Thüre war geschlossen, die obere stand offen, und die Hauskatze hatte sich in die Oeffnung gesetzt. Diese gewahrte ein auf Beute heranschleichender Leopard und wollte sie sich im Sprunge holen. Allein das Kätzchen bemerkte rechtzeitig den anspringenden Feind und entwischte; das Raubthier aber schnellte, sein Ziel verfehlend, in die Hütte, wo der plötzliche Besuch gellendes Angstgeschrei verursachte. Aber auch der Leopard

war angesichts so vieler Menschen nicht wenig erschrocken und flüchtete mit einem Satze in die dunkle Kammer, in welcher Frau Jakob mit den beiden Kindern lag. Auffahrend sah die Mutter ein großes Thier sich unter ihr Lager verbergen, ergriff das neben ihr schlummernde Mädchen und sprang in die Stube. Wie erschrak die gute Frau, als man ihr sagte, es sei ein Leopard, und als sie sich erinnerte, daß ihr kleiner Knabe bei dem Raubthiere in der Kammer geblieben sei! Der Vater beschloß, das Kind womöglich zu retten, und alle wollten ihm muthig beistehen. Da die geladene Büchse des Jägers in der Kammer hing, wo der Leopard war, bildeten ein langes Messer und die Assegai eines

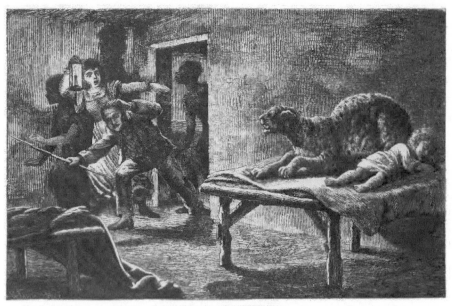

Der Leopard im Hause Pit Jakobs.

Negers die einzigen Waffen, welche man hatte. Mit hochgehaltener Laterne drang man in die Kammer. Als der erste Lichtstrahl das Raubthier traf, fauchte es und sprang auf die Bettstelle neben den Knaben, der unter dem Schutze seines Engels ruhig weiterschlief. Entsetzt ob dieser neuen Gefahr, schrieen die Weiber und stemmten sich so auf den Mann, der eben mit dem Spieße zum Stoße ausholte, daß in dem Augenblicke, da das Eisen das Raubthier verwundete, die ganze Gruppe unter der Thüre zu Boden

stürzte. Dieser Unfall war ihnen zum Heile; denn in demselben Augenblicke sprang der Leopard über ihre Köpfe und suchte durch die halbgeöffnete Thüre das Weite.

Und nun wollen wir vom Sambesi scheiden, damit uns nicht ein grimmigerer Feind als Löwen und Leoparden, Nashörner und Krokodile überfalle, das schreckliche Fieber nämlich, das schon so viele Missionäre hinweggerafft hat.

X. Um das Kap der guten Hoffnung.

1. Länder und Staaten am Kap.

Südlich vom Sambesi dehnt sich zunächst die einförmige und ungesunde Küste von Sofala und Inhambane, welche bis zur Delagoabai ebenfalls den Portugiesen gehört, und wo

wir ganz dieselben traurigen Verhältnisse treffen würden, wie am Unterlaufe des Sambesistromes. Wir wollen uns also dort nicht aufhalten und steuern weiter. Es folgen zunächst zwei oder drei kleine, von Kaffernstämmen bewohnte unabhängige Ländchen, die sich um die St.-Lucia-Bai gruppiren. Es ist das Tongaland, das Swasi-

Inhambane.

und Zululand. An der Lucia-Bai hätten sich die Deutschen vor einigen Jahren gerne festgesetzt; denn der Platz ist für den Handel wegen der nur wenige Stunden entfernten Grenze der Transvaalrepublik nicht ohne Bedeutung. Aber die Engländer haben die Ansiedelung der Deutschen so nahe an den Marken ihrer großen südafrikanischen Besitzungen und auf einem Boden, über den sie selbst Rechte beanspruchen, nicht gewünscht.

Etwa 150 km südlich von der Lucia-Bai bildet das Flüßchen Tugela die Ostgrenze des britischen Besitzes. Von da um das Kap der guten Hoffnung herum bis zur Mündung des Oranjeflusses ist die Südspitze Afrika's Eigenthum der Engländer. Sie zerfällt in Natal, das wir von Osten kommend zunächst berühren, und in das eigentliche Kapland. Der Flächeninhalt von beiden Gebieten, wobei die seit kurzem angeschlossenen Strecken jenseits des obern Oranje nicht mitgerechnet sind, ist etwa so groß wie

das Deutsche Reich (Kapland 517 819 qkm und Natal 48 565 qkm), die Zahl der Einwohner beträgt aber nur wenig über 1 Million Seelen.

Natal erhielt seinen Namen von Vasco da Gama, der die Küste 1497 auf seiner Fahrt nach Indien am Weihnachtstage — in natali Domini — entdeckte. Anfangs des 18. Jahrhunderts gründeten Holländer daselbst eine Kolonie, die aber keinen langen Bestand hatte. Engländer versuchten es 1834, und ein Kapitän Gardiner, der 1835 von den Zulu ein bedeutendes Gebiet erwarb, gründete daselbst die Republik Victoria, die jedoch bald zerfiel. Dann kamen die Boers (sprich Buhr) und gründeten eine „Batavisch-afrikanische" Kolonie. Aber die Engländer erklärten ihnen 1840 den Krieg, nahmen das Land in Besitz und zwangen sie, nach dem Oranje- und Transvaalstaat auszuwandern. Seither ist Natal britisch. Die wichtigsten Orte sind der Hafen Durban oder Port Natal und das mit diesem durch eine Bahnlinie verbundene Pietermaritzburg.

In der Nähe von Durban hat der bekannte unternehmende Trappistenabt: P. Franz, ein Vorarlberger, 1883 das große Trappistenkloster Mariannhill gegründet, von dem eine Reihe Missionsstationen für die Kaffern besorgt werden.

Von Port Natal aus südwärts steuernd, erreichen wir das eigentliche Kapland. An manchen guten Hafenplätzen, so an East London, Port Elizabeth vorüber, erreichen wir endlich beim 20.° östlicher Länge (von Greenwich) Afrika's südliche Spitze, das „Nadelkap" (Cap Agulhas), und bald darauf das „Kap der guten Hoffnung", das Vasco da Gama 1197 zuerst umschiffte, nachdem schon zehn Jahre früher Bartholomeo Diaz in seine Nähe vorgedrungen war, es aber des heftigen Seeganges wegen nicht zu umschiffen wagte und „Kap der Stürme" nannte. Die Portugiesen erkannten die hohe Bedeutung des Kaplandes nicht. Erst 1601 verlegte die holländische Regierung eine Bauernkolonie dahin und erbaute 1651, wo heute die Kapstadt steht, zum Schutze des Hafens ein Fort. Die Boers (Bauern), holländische Calvinisten, thaten nichts zur Ausbreitung des Christenthums unter den Hottentoten und Buschmännern, statt dessen führten sie mit ihnen einen Krieg aufs Messer und machten sich bis in unser Jahrhundert hinein wirklich empörender Grausamkeit schuldig. Zur Zeit der französischen Revolutionskriege besetzten die Engländer 1795 das Kapland ohne Schwertstreich und ließen es sich 1814 auf dem Pariser Frieden förmlich abtreten. Die Bevölkerung betrug damals nur 62 000 Weiße und Eingeborene.

Die Kapstadt ist der Sitz der britischen Regierung, obschon Port Elizabeth einen größern Hafen hat. Die Kapstadt hat aber eine prachtvolle Lage an der Tafelbai und am Fuße des Tafelberges (vgl. Bild S. 288). P. Teröbde, der dieselbe auf seiner Reise zum Sambesi (vgl. oben) besuchte, beschreibt dieselbe also:

„Ich muß gestehen, der Anblick ist wirklich herrlich. Der Hafen bildet eine kleine Weltstadt für sich; da ankern Schiffe aller Farben und Formen, da schreit es und commandirt es in allen Sprachen. Schwarze in weißen, europäischen Trachten, kaffeebraune Malaien mit wohlgepflegtem Spitzbart, hagere Engländer mit langen Gesichtern und behäbige Holländer drängen sich in buntem Gemische. Im Hintergrunde lauern die armen Kaffern, als Sträflinge zu den Hafenarbeiten verurtheilt. Am Ufer steht Lohnkutsche an Lohnkutsche, wie in einer englischen Großstadt, und

hätten mich nicht die flachen Dächer der Häuser an Afrika erinnert, so würden mich die zahlreichen prächtigen Kaufläden und Hotels, die vielen weißen Gesichter und die breiten Straßen glauben machen, ich wäre in Europa. Die Häuser bieten einen freundlichen Anblick; ihr Eingang ist oft von dichtem Laubwerk beschattet und mit prächtigen Oleanderblüten geziert."

P. Teröbde wohnte im Hause des katholischen Bischofs. „Die Aussicht von meinem Fenster aus", sagt er, „war herrlich. Hoch über die Stadt erhebt sich, oben abgeplattet, die Felsmasse des Tafelberges zu einer Höhe von 1000 m und schaut kahl und nackt in düsterer Großartigkeit auf das bunte Treiben der Menschen hernieder. Zu seiner Rechten liegt ‚der schlafende Löwe' mit seiner wunderlichen Felsenmähne; zu seiner Linken reckt die ‚Teufelsspitze' ihre phantastischen Formen in die Wolken hinein. Das ist der starre Felsenhintergrund der Kapstadt; nur an ihrem Fuße bilden baumartige Aloen, Wolfsmilchbäume, Akazien und Platanen einen grünen Gürtel. In ihrem Schatten hat sich der reiche Kaufmann seine reizende Villa erbaut, Schutz suchend vor den Gluten der Sonne, die übrigens hier nicht mehr so erdrückend wirkt. Das unermeßliche Meer sendet fortwährend seine wohlthuende Frische über Stadt und Land."

Das Klima des Kaplands ist trocken und gesund. Der Landbau leidet sehr durch oft langanhaltende Dürre, und es scheint, daß infolge der heißen Nordwinde, welche aus der Kalahariwüste, der südafrikanischen Sahara, wehen, die pflanzenertödtende Trockenheit noch immer mehr im Zunehmen ist und daß mancher das Land, wo nicht durch künstliche Bewässerung nachgeholfen wird, langsam verödet. An manchen Orten im Innern fällt in Regentropfen. Wo Bewässerung möglich ist, gedeihen alle europäischen Fruchtarten. Von ganz besonderer Bedeutung ist der Weinbau. Die weißen Kapweine und die rothen Constantiaweine sind berühmt; die Weinlese liefert jährlich ein Erträgniß von 7—8 Millionen Mark. Noch viel größer sind die Erfolge der Schafzucht, indem das Kapschaf und die eingeführte Angoraziege ausgezeichnete Wolle liefern. 1880 wurden nahezu 200 Millionen Ballen Wolle (ungefähr 800 Millionen Centner) nach Europa ausgeführt. Endlich ist die Straußenzucht zu nennen, die in den letzten Jahren einen bedeutenden Aufschwung genommen hat und bei geringer Arbeit großen Gewinn bietet.

Großartige Schätze birgt der Boden Südafrikas in seinen Diamantengruben. Der erste Diamant wurde 1867 auf einer

Vasco da Gama. (S. 287.)

Farm bei Hope Town am Oranjefluß gefunden. Der Straußen=
jäger O'Reilly hatte bemerkt, daß Kinder mit einem glitzernden
Steine spielten, den er an sich brachte. Es stellte sich heraus, daß
er ein Vermögen erworben hatte; denn es war ein 22½ Karat
wiegender Diamant. Man fing also an, nach diesen glitzernden
Steinchen zu suchen und fand bald ziemlich viele und darunter
den 88½karätigen „Stern von Südafrika", den der englische
Earl of Dudley für eine halbe Million Mark kaufte. 1869
fing man an, nach den „wasserhellen" Steinchen zu graben. Die
berühmtesten Gruben befinden sich in West-Griqualand und na=
mentlich zu Kimberley, das deshalb die englische Regierung 1868
dem Oranjefreistaat ohne viele Umstände einfach wegnahm. Schätze
im Werthe von vielen Millionen sind da der Erde enthoben

worden. Aber wenige von den Schatzgräbern haben ihr wahres
Glück gefunden.

Was die religiösen Verhältnisse angeht, so gehören die meisten
weißen Bewohner des Kaplandes der holländisch=reformirten Secte
an. Daneben gibt es noch viele andere Secten, namentlich Angli=
kaner und Wesleyaner. Die Zahl der Katholiken beträgt etwa
10 000 Seelen.

Noch sind die beiden Boerenrepubliken, der Oranjefluß=Freistaat
und die Transvaalrepublik zu nennen. Der erstgenannte hat einen
Flächenraum von 110 000 qkm, aber nur etwa 80 000 weiße und
70 000 eingeborene Einwohner. Seine Südgrenze ist der Oranje;
seine Nordgrenze der Vaalfluß. 1836 war das weite Gebiet
eine von Buschmännern und Betschuanen durchstreifte Wildniß.

Hafen von East London. (S. 286.)

Da kamen die Boers, welche sich mit den Engländern in der
Kapkolonie nicht gemeinschaftlich in einem Staatswesen vertragen
konnten, und gründeten den neuen Freistaat. Die Engländer
wollten ihn anfangs nicht anerkennen und erklärten 1840 das
ganze Gebiet als britischen Boden. Doch gaben sie, des ewigen
Haders müde, 1854 dasselbe den Boers heraus, die es seither
selbständig verwalten. Ein Präsident, der auf je 5 Jahre gewählt
wird, steht mit einem „ausführenden Rath" an der Spitze der
Regierung, während die gesetzgebende Gewalt vom „Volksrath"
geübt wird. Bloemfontein mit 4500 Einwohnern ist die Haupt=
stadt. Es erscheint dem Reisenden, der durch trostlose Staubwüsten
dem Städtchen naht, „wie ein entzückendes Paradies: so anmuthig
und gesund ist es zwischen Gärten und dunkelschattigen Baumgruppen
gelegen". Die Eingeborenen, etwa ein Viertel der Bevölkerung,

wohnen von den Weißen getrennt in einfachen Lehmhäusern und
Kaffernhütten unter den Kanonen der Festung.

Eine ganz ähnliche Entstehungs= und Entwicklungsgeschichte wie
der Oranjefreistaat hatte auch die Transvaalrepublik. Sie ward
von den Boers gegründet, welche von den Engländern 1840 aus
Natal verdrängt wurden. In blutigen Kämpfen mit den kriegerischen
Zulukaffern eroberten sie das Gebiet zwischen dem Vaal (oder
Gelben Fluß) im Süden und dem Limpopo oder Krokodilfluß
im Norden, einen Flächenraum von fast 300 000 qkm (genau
296 175) hat, also größer als das Königreich Italien ist. Erst
1852 wurde der Freistaat von England anerkannt. Als derselbe
aber 1876 eine Eisenbahn an die Delagoabai bauen wollte und
deshalb mit dem König von Portugal in Unterhandlungen trat,
machte das England zu einem Kriegsfall und sprach kurzer

Hand 1877 die Einverleibung Transvaals in die Kapkolonie aus. Nur mit dem höchsten Unwillen fügten sich die freiheitsliebenden Boers unter das britische Joch, und schon 1880 brach ein Aufstand aus, der siegreich war. Furchtbar geschlagen mußten die britischen Truppen aus dem Lande fliehen, und England sah sich 1881 genöthigt, Transvaal aufzugeben, worauf sofort die alte Republik wieder eingeführt wurde. Die Hauptstadt ist Pretoria mit 1500 Einwohnern.

Wie die Kapkolonie ihre Diamantengruben, so hat Transvaal seine Goldfelder. Die reichsten liegen etwa 12 Stunden von Lydenburg und sind nur auf mühsamen Bergpfaden zugänglich. Bei Pilgrims Rest findet sich das Gold in Klumpen im Werthe von 3—10 Pfd. Sterl., gewöhnlich trifft man es an anderen Orten nur als feinen Goldsand.

Westlich grenzt Transvaal an das Betschuanenreich Khama's, der in Schoschong residirt, und nördlich an das Matabelenreich Lobengula's, das uns schon bekannt ist. Beide Reiche betrachtet England als seine „Schutzgebiete". Eben plant es einen Feldzug zur Unterwerfung des Matabelenfürsten, in dessen Gebiet man gleichfalls reiche Goldfelder gefunden haben soll.

2. Die Sulukaffern.

Die Sulu oder Zulu sind der mächtigste Stamm des Kaffernvolkes. Während ihre Stammesbrüder im Kaffernlande, südlich von Natal, von den Engländern unterworfen und mit der Kapkolonie vereinigt wurden, haben sie selbst bis heute wenigstens einen Theil ihrer Unabhängigkeit bewahrt und sich in vielen blutigen Kämpfen sogar den englischen Regimentern furchtbar bewiesen. Von ihrem

Ansicht von Kapstadt.

letzten Könige Ketschwayo hat man vor einigen Jahren viel geredet. Wir wollen deshalb einiges von den Sitten und Kämpfen dieses unbändigen, kriegerischen Volkes erzählen.

Die Sulu sind ein sehr kräftig gebautes Volk von meist dunkelbrauner Farbe. Die Brust ist stark, die Glieder sind wie aus Eisen geformt und scheinen zum Kriege und zu harten Strapazen eigens geschaffen. Der Schädel ist, weil sie von Kindheit an jede Kopfbedeckung verschmähen, von Sonnenglut, Wind und Regen so abgehärtet, daß er einen wuchtigen Schlag, der jeden Europäer niederstrecken müßte, ohne Schaden ertragen kann. Das Gesicht ist nicht so häßlich, wie bei den meisten südafrikanischen Völkern, doch sind die Lippen stark aufgeworfen. Die Kopfhaare scheren sie rund um den Kopf mit Ausnahme eines Ringes, den sie mit einer Gummiart herzustellen wissen. Von Kleidung tragen sie kaum das allernothdürftigste; dagegen salben sie sich die Haut mit Fett und

Oder ein und schmücken sich bei festlichen Gelegenheiten, und wenn es zum Kampfe geht, den Kopf mit Straußenfedern, Hals und Brust, Hüften und Kniee mit Löwen= und Leoparden=, Rinder= und Affenschwänzen. Als Wohnungen dienen den Sulu bienenkorbartige runde Hütten. In der Mitte des festgestampften und geglätteten Bodens befindet sich eine Vertiefung für den Feuerherd, und die ganze übrige Einrichtung besteht in einigen Thierfellen für das Nachtlager; denn die Sulu benützen ihre Hütten fast nur zum Schlafen. Eine größere Anzahl dieser Wohnungen, welche zum Schutze der Heerden während der Nacht mit einer Dornhecke umschlossen wird, heißt „Kraal" und das Oberhaupt eines solchen Kafferndorfes „Zuloff" oder Häuptling.

Der Sulu ist, wie alle Kaffern, zunächst Rinderhirt. Die Viehzucht bildet seinen Wohlstand. Der Feldbau ist den Weibern überlassen; dazu haben diese Holz zu spalten, Kafferkorn. zwischen

zwei Steinen zu zermahlen, Mais zu stampfen, zu kochen und für
die Kinder zu sorgen. Die Kinder werden frühzeitig angewiesen,
das Feld zu bewachen, damit die Rinder und Antilopen nicht in
die Saat einbrechen. Von einem Gerüste aus müssen sie deshalb
gut aufpassen; denn bald kommen freche Affen, die schwer abzuwehren
sind, oder auch wohl Elephanten, Wildschweine, Büffel. Jedenfalls fehlt es nicht an Schaaren von Finken; deshalb überzieht man
das Feld mit Fäden, die am Gerüste zusammenlaufen und an
denen die Kinder zerren, um so die Vögel zu verscheuchen. So
werden namentlich die Mädchen frühzeitig an die Arbeit gewöhnt.
Die Männer melten die Kühe; das ist den Weibern bei schwerer
Strafe verboten. Sonst thun sie in Friedenszeiten nicht viel; sie
sitzen tagelang auf dem Berathungsplatze zusammen, plaudern und
schnitzen dabei an ihren Wurfspeeren, den Assegais, verfertigen
Schilde aus Rindsleder, Schüsseln, Tabatspfeifen, Schnupftabaks-
dosen und rauchen dazu. Für die Kornvorräthe graben sie unterirdische Höhlen, welche eine flaschenförmige Gestalt haben; der
Hals ist gerade weit genug, daß ein Mann hinabschlüpfen kann;
drunten ist Raum für 8—10 Säcke Getreide. Die Oeffnung
decken sie mit einer Steinplatte zu und legen Kuhmist darüber,
daß sie von einem Fremden nicht leicht gefunden werden kann.

Durch kriegerischen Muth und Tapferkeit haben sie sich auch
in den neueren Kämpfen wieder ausgezeichnet. Die Sulu haben
eine Kampfweise, wie sonst kein südafrikanisches Volk; während
alle anderen in aufgelösten Reihen aus einiger Entfernung ihre
Wurfspeere schleudern und ihre Kolbenstöcke, „Kiri" genannt, werfen,
fechten sie in geschlossener Schlachtordnung mit der Stoßlanze.
Das hat ihnen zu Anfang dieses Jahrhunderts der gefürchtete

Bloemfontein im Oranje-Freistaat. (S. 287.)

Häuptling Tschaka beigebracht, ein großer Feldherr in seiner Art,
welcher den Namen „afrikanischer Attila" wohl verdient, den man
ihm nach dem Hunnenkönig gab. Schon sein Vorgänger, König
Dingiswayo, schuf unter den Sulu eine stehende, in Regimenter
von 1500 Mann eingetheilte Armee. Er hatte 20 solcher Regimenter stets bereit und konnte rasch 40, also 60 000 Mann, beisammen haben. Tschaka aber lehrte sie in geschlossenen Reihen mit
der kurzen Stoßlanze fechten. Wer alle seine Assegais schleuderte
und ohne diese Lanze aus der Schlacht kam, war des Todes
schuldig. Die Schlacht ist gewöhnlich ein Ueberfall. In Eilmärschen
legt das Heer nächtlicher Weile große Strecken zurück und stürzt sich
unversehens, die jungen Krieger voran, die alten im Hintertreffen,
mit großem Geschrei auf den Feind. Gelingt der Ueberfall, so
wird weder der Weiber noch der Kinder geschont; denn die Sulu
sind im Kriege grausam. Auf diese Art hatte Tschaka in den

Jahren 1812—1828 ein großes Sulureich gegründet, das sich
von den Grenzen von Natal bis an den Sambesi erstreckte.
Später fielen die Matabelen und andere Stämme ab; doch konnte
noch Tschaka's Nachfolger, sein Neffe Ketschwayo, im letzten Kriege
mit den Engländern über ein Heer von nahezu 50 000 Mann
verfügen, welches den mit den besten Hinterladern bewaffneten,
freilich nicht so zahlreichen Briten manche blutige Schlappe bei-
brachte, schließlich aber doch besiegt wurde.

In diesem Kriege fand der einzige Sohn Kaiser Napoleons III.
seinen Tod. Er war im Februar 1879 nach dem Kaplande
gegangen, um den Sulukrieg als Freiwilliger mitzumachen. Am
1. Juni betheiligte er sich mit einer schwachen Abtheilung in der
Nähe des Itnolyosi-Flusses an einem Zuge zur Auskundschaftung
eines neuen günstigen Lagerplatzes. Um die Mittagszeit hatten
sie in einem verlassenen Kaffernkraale, der ringsum von hohem

301

Grase verdeckt war, gerastet, ohne die nöthigen Wachtposten auszustellen; denn sie meinten, es seien keine Sulu in der Nähe. Da auf einmal brachen die Feinde, welche sich in dem hohen Grase unbemerkt herbeigeschlichen hatten, mit ihrem gewohnten Geheule hervor. Die Engländer mußten ihr Heil in rascher Flucht suchen und konnten dem unglücklichen Prinzen, dessen Pferd erschossen wurde, nicht beispringen. Der Prinz versuchte zu Fuß zu entkommen, wurde aber von den Sulu eingeholt und grausam ermordet. Als die Engländer am andern Tage zurückkehrten, fanden sie nur noch seinen von 17 Assegaistichen durchbohrten Leichnam. So unglücklich endete ein Jüngling, dem bei seiner Geburt ein großes Volk zugejubelt hatte und dem eine der schönsten Kronen gewiß schien.

Nach dem großen Siege der Engländer bei Ulundi mußte der König Ketschwayo flüchten und wurde bald nachher in einem Kraale an dem Flusse, der in die Lucia-Bai mündet, gefangen genommen und nach London gebracht. Das Land wurde unter verschiedene Häuptlinge vertheilt und so seine kriegerische Macht gebrochen. Ketschwayo kehrte zwar später in seine Heimat zurück, erlangte aber sein altes Ansehen nicht mehr und ist seither gestorben. Wie es scheint, würden es manche Zululaffern gerne sehen, wenn sie unter den Schutz des Deutschen Reiches kämen; aber England wird das wohl kaum zugeben.

Herr Lüderitz aus Bremen hat zwar ein großes Landstück an der Lucia-Bai — angeblich für eine Spieluhr mit Schellenwert — käuflich erworben, England will den Privatbesitz durchaus nicht ansehen, läugnet jedoch, daß das Land unter den Schutz der deutschen Flagge gestellt werden könne, da dasselbe schon lange eine englische Besitzung sei.

Nach den letzten Verträgen bleibt das Land in britischem Besitz. Während wir uns zur Weiterfahrt anschicken, wollen wir noch etwas von den übrigen Eingeborenen reden, welche die weiten und nicht sehr fruchtbaren Gefilde der Kapländer nur schwach bevölkern. Die Bewohner von Kaffraria gleichen in ihren Sitten, mit Ausnahme der Kriegszucht und Tapferkeit, den Stammesbrüdern, den Sulu; auch sie sind vor allem Kinderhirten und wohnen in ganz ähnlichen halbkugelförmigen Hütten, wie ihre Brüder an der Lucia-Bai. Wir brauchen uns also bei ihnen nicht länger aufzuhalten. Aber jenseits der Drakenberge haust noch ein zahlreiches Volk, dem wir einen kurzen Besuch abstatten wollen, — die Betschuanen und Basuto.

3. Betschuanen und Basuto.

Dieses Volk besteht aus zahlreichen Stämmen, die meistens nach Thiernamen, ihre besondere Benennung haben: so das Löwenvolk (Batau), das Wolfsvolk (Baphiring), das Elephantenvolk (Batloung), das Fischvolk (Batlapi), das Krokodilsvolk (Batwena), das Ziselvolk (Baticlse) u. s. w. Man faßt alle die östlichen Stämme unter dem Namen Basuto und die westlichen unter dem Namen Betschuanen zusammen. Die Bahuto und Betschuanen sind kleiner und schlanker als die Kaffern und haben einen sanfteren Gesichtsausdruck. Der innerste Theil von Südafrika ist heute ihre Heimat; doch scheinen sie vor nicht sehr

langer Zeit aus dem Norden, vom Sambesi her, eingewandert. Daß die Basuto früher, und zwar bis vor kurzem, Menschenfresser waren, ist eine ausgemachte Sache, und auch heute soll dieser Greuel nicht ganz ausgerottet sein. Als ihnen im Jahre 1869 die Kapregierung durch einen gewissen Kinder liefern ließ, damit sie sich an das Essen von Rindfleisch gewöhnen möchten, sollen sie nach einigen Versuchen gesagt haben: er möge seine Kinder nur behalten, das Menschenfleisch schmecke besser.

Die runden Hütten, welche diese Afrikaner bewohnen, sind von denjenigen der Kaffern ganz verschieden. Im Gegensatze zu dem bienenkorbartigen Geflechte dieser, bauen sie Wände und darüber ein eigentliches Dach. Die Wände sind aus Lehm gebildet und mit einem Gemisch von Lehm und Kuhdünger überkleidet; das Dach ist mit Schilfgras bedeckt, welches mittels Streifen roher Haut an den Dachsparren festgebunden wird. Ein Holzpfeiler in der Mitte stützt dasselbe. Die Wände sind kaum 2 m hoch. Das Schilfdach ragt über die Mauern vor und bildet so

Betschuanenhütte.

einen schattigen Gang, eine Art Laube rings um die Hütte. Die Thüre ist oft nur ein ovales Loch, durch welches man kriechen muß; Fenster fehlen. Die Unreinlichkeit im Innern eines solchen Betschuanenhauses ist entsetzlich. Jede einzelne Wohnung wird von einem Dornzaune umschlossen, das ganze Dorf oder die Stadt, die oft mehrere tausend Einwohner hat, von einem starken Dornwalle umhegt, der gegen feindliche Angriffe und gegen die Raubthiere, welche nachts den Heerden nachstellen, Schutz gewährt.

Viehzucht und Anfänge von Ackerbau bilden ihre Beschäftigung. Das Korn bewahren sie in großen, irdenen Töpfen auf; nur so können sie es gegen die Termiten schützen. Die Kleidung beschränkt sich auf das Allernothwendigste. Doch tragen sie um die Schultern einen Pelzmantel, den sogenannten „Kaross". Beim gewöhnlichen Volke ist das Fell eines Gnu, dessen Schwanz man hinten als Zierat baumeln läßt, gilt schon als etwas Vornehmeres. Die Frauen lieben dasjenige des Silberschakals und der rothen wilden Katze; auch setzen sie aus verschiedenen Fellen mit Geschick ein teppichartiges Bild zusammen und verzieren dasselbe mit Glaskorallen und ähnlichem Schmucke. Dazu kommen noch eine Menge Schnüre mit Glaskorallen, und das kurzgeschorene, filzige Haar wird ebenfalls mit Glasperlen umwunden und mit einer Pomade aus Fett und Glimmerschiefer fleißig eingesalbt. Die Häuptlinge stolziren gerne in Leopardenfellen einher. Im Lande der Basuto, das von England annectirt ist, wird europäische Kleidung immer allgemeiner.

Von Religion haben sie, wie überhaupt fast alle Stämme Südafrika's, nur sehr unvollkommene Begriffe. Sie reden zwar von einem Wesen „Morimo", welches Regen sendet oder, in irgend einem dunkeln Loch weilend, Krankheit und Seuche austeilt. Es scheint aber eher Gespensterfurcht als Gottesverehrung zu sein, was sie beim Gedanken an dieses Wesen fühlen. Ihre Zauberer oder Regendoctoren, Nata genannt, geben vor, durch verschiedene lächerliche Ceremonien Krankheiten verscheuchen und Regen bewirken zu können. Statt uns aber länger mit diesen Gebräuchen oder mit den verkommenen Sitten der Betschuanen aufzuhalten, wollen wir lieber einige der merkwürdigen südafrikanischen Thierfabeln und Märchen erzählen, wie sie uns von Reisenden aufgezeichnet wurden.

4. Südafrikanische Fabeln und Märchen.

Der Hase spielt in den Fabeln der Südafrikaner eine große Rolle. Von ihm erzählen die Sulu folgende Geschichte: „Der kleine Hase hatte mit dem Löwen einen Bund geschlossen, wurde aber von demselben als der schwächere mißhandelt. Da beschloß er, sich zu rächen. Er sagte zum Löwen: ‚Mein Vater, wir sind dem Regen und dem Hagel ausgesetzt; laß uns daher eine Hütte bauen.‘ Der Löwe war es zufrieden, setzte sich ruhig hin und sagte: ‚Baue also eine Hütte über mich!‘ Der ‚verschmitzte Renner‘ schlug ringsum Pfähle ein und flocht Zweige dazwischen, und ohne daß der träge Löwe es merkte, verwob er geschickt die Schwanzhaare seines Feindes mit dem Fachwerk der Wände. So hatte er seinen Feind gefangen und sah mit Vergnügen, wie derselbe vor seinen Augen vor Hunger und Durst sterben mußte." Die Fabel lehrt: List geht über Stärke; aber sie zeigt auch die grausame Gesinnung der Sulu gegen ihre Feinde.

Die Hottentotten haben auch eine Fabel vom Hasen, und zwar erklärt sie, warum der Felshase keinen Schwanz hat, während der Springhase und die übrigen Thiere mit langen Schwänzen geziert sind. „Am Tage, da den Thieren die Schwänze vertheilt wurden, war der Himmel mit Wolken überzogen, und es drohte zu regnen. Daher wagte sich der Felshase nicht aus seiner Höhle heraus und bat den Nachbar, ihm doch seinen Schwanz mitzubringen. Alle Thiere kamen mit Schwänzen geziert nach Hause; aber keiner brachte dem Felshasen den seinigen mit. Und so hat der Felshase bis auf den heutigen Tag keinen Schwanz und kann nicht, wie die übrigen Thiere, mit dem Schwanze wedeln." Die Lehre dieser Fabel liegt auf der Hand.

Noch eine andere Fabel, welche einen ernsteren Hintergrund hat, haben die Hottentotten vom Hasen: „Einst sandte der Mond den Hasen zur Erde nieder, damit er den Menschen die tröstliche Versicherung bringe: ‚Wie ich sterbe und wieder lebendig werde, so sollen auch die Menschen sterben und wieder lebendig werden.‘ Der Hase aber vergaß die Botschaft und meldete nur: ‚Wie ich sterbe, so sollen auch die Menschen sterben.‘ Als nun der Hase zum Monde zurückkehrte und berichtete, wie er sich seines Auftrags entledigt habe, ward der Mond sehr zornig, ergriff ein Beil und wollte dem Hasen den Kopf spalten. Der Hase aber sprang rasch zurück; da spaltete ihm der Hieb nur die Oberlippe, und daher stammt die Hasenscharte. Der Hase aber wurde auch zornig,

sprang dem Monde ins Gesicht und zerkratzte dasselbe, und man kann heutzutage noch sehen, daß sein Gesicht voller Schrammen ist."

Eine andere Fabel erläutert, daß es schwer hält, seine schlimmen Gewohnheiten abzulegen. „Der Affe warf dem Hasen vor, daß er sich fortwährend nutsche; der Hase aber entgegnete, der Affe kratze sich beständig. Beide beschlossen, von Sonnenaufgang bis Sonnenuntergang bei einander zu sitzen, und der Affe versprach, sich nicht zu kratzen, und der Hase gelobte, nicht umzuschauen. Am festgesetzten Tage lauerten sie sich bei Sonnenaufgang gegenüber. Regungslos hielt der Hase seine Augen auf den Affen gerichtet, und unbeweglich ruhten die Hände des Affen in seinem Schoße. Es wurde Mittag. Da sagte der Hase, der es vor Pein kaum noch aushalten konnte: ‚Als ich neulich im Kriege war, trafen mich Pfeile hier und hier und hier und da und da.‘ Unter dem Vorwande, die Stellen zu zeigen, wo ihn die Pfeile getroffen haben sollten, kratzte er sich rasch dabei. Auch dem Hasen war es unerträglich, seine Augen auf denselben Fleck gerichtet zu halten, und er sagte: ‚Als ich neulich im Kriege war, verfolgten mich viele Feinde; vor Entsetzen sprang ich bald hierhin, bald dorthin, bald rechts, bald links‘, und dabei wendete er seine Augen mit Blitzesschnelle nach allen Richtungen, nach denen er mit seiner Pfote zeigte.

Doch genug der Fabeln! Schließen wir mit dem Märchen vom Zauberfelsen, welches der deutsche Reisende Dr. Theophil Hahn bei den Herero, von denen sogleich die Rede sein wird, gehört haben will. „Ein Häuptling besaß sieben Töchter, die er sehr lieb hatte. Sie wollten aber

Das Gnu oder Wildebeest. (S. 290.)

für sich leben, bauten sich eine gemeinsame Binsenhütte und wohnten stets zusammen. Es kam ein sehr heißer Sommer; das Gras verdorrte, das Wild zog fort, und die Ochsen brachten keine Weide mehr. Da beschloß der Häuptling, mit seinen Leuten neue Weideplätze aufzusuchen; den sieben Schwestern aber gefiel ihre Hütte so gut, daß sie allein zurückblieben. Sie lebten einige Zeit glücklich miteinander; da kamen feindliche Damara in das verlassenen Kraal, fanden die Schwestern und nahmen sie gefangen. Die Mädchen sollten sich nun mit Damara verheiraten; sie wollten das aber nicht. Deshalb sperrte man sie in ihre Hütte und ließ sie hungern und dursten. Eines Tages gingen die Damara auf die Jagd und ließen nur einen alten Mann zur Bewachung der Mädchen zurück. Da erschlugen die Mädchen auf den Rath der Jüngsten diesen Feind und flohen. Als aber die Damara von der Jagd zurückkehrten und sahen, was geschehen war, verfolgten sie die Flüchtigen. Die sieben Schwestern hatten zwar einen großen Vorsprung; aber die Männer, welche die Fußspur im Sande fanden, konnten besser laufen. Schon waren sie nah, und die Mädchen hielten

- 37 *

sich für verloren. Da sagte die Jüngste: ‚Hier ist ein Zauberfelsen; wenn ein Frommer die Zauberformel spricht, öffnet er sich,
daß man hineintreten kann.' ‚Du bist die Frömmste und Klügste,'
sagten die Schwestern; ‚sprich die Formel und rette uns!' Sie sprach die Formel: da öffnete sich der Zauberfelsen, ließ die Mädchen eintreten und schloß sich hinter ihnen. Erst waren sie erschrocken; aber ein Gang führte sie in eine herr- liche Landschaft voll frischer Bäche, blumiger Wiesen und grüner Bäume. Dort weide- ten Lämmer und Rinder, und auf den Mimosenbäumen hüpf- ten bunte Vögel und sangen schöne Lieder. Die Mädchen vergaßen ihre Angst und ihre Verfolger. Inzwischen waren die Tamara vor den Zauber- felsen gekommen, wo die Fuß- spuren verschwanden. Sie such- ten in Klippen und Bü- schen, konnten aber die sieben Schwestern nicht sehen. Da legte einer das Ohr an den Zauberfelsen; erstaunt fuhr er zurück; er hörte etwas wie das Blöken von Lämmern. Die anderen horchten auch; der eine sagte: ‚Es sind Men- schenstimmen'; der andere:

Springhase und Band-Iltis. (S. 291.)

‚Nein, es ist Vogelgezwitscher'; der dritte: ‚Nein, es sind die
Töne einer Trommel', und so wollte jeder etwas anderes hören.
Darüber gerieten sie in Streit, schlugen sich mit den Kirikeulen die Köpfe blutig und gingen endlich verdrießlich durch die Sandwüste nach Hause. — Die Schwestern blieben viele Tage im Zauberfelsen, wo sie ein gutes Leben hatten. Blumen pflückten und mit den Lämmern spielten. Endlich aber erwachte in ihrem Herzen die Sehn- sucht nach den Eltern und der Heimat. Sie wollten die Sonne wieder sehen und Eltern und Gespielin- nen und über den Sand und die Dornhecken springen. ‚Wenn wir doch wenigstens den Eltern sagen könnten, wo wir sind, und wie schön es hier ist', sagten sie oft. Endlich wurde die Sehn- sucht so stark, daß sie heimzugehen beschlossen. Sie traten also in den dunkeln Gang, der so enge war, daß eine hinter der andern gehen mußte. Voran schritt die Jüngste, zuletzt die Aelteste. Auf

die Zauberformel der Jüngsten öffnete sich der Felsen, und sechs
Schwestern traten ans Tageslicht; vor der Aeltesten aber schloß
sich der Felsen; denn sie hatte Böses geredet und die Feinde ver- wünscht. Sie mußte im Zau- berfelsen bleiben und weinte, und noch jetzt tropfen ihre Thränen durch den Stein. Die anderen aber fanden die Eltern wieder, und es war Freude im Kraal. Der Häuptling schlach- tete ein Rind, und beim Schmause erzählten die Mäd- chen die Wunder des Zauber- felsens. Alle waren sehr er- staunt, meinten aber wie die Mädchen, es sei am schönsten in der Heimat, und beschlossen, keinen Feind zu verwünschen, damit sie nicht im Zauberfelsen weinen müßten, wie die älteste Häuptlingstochter."

5. Das „Lüderitzland".

Und nun wenden wir den
Kiel des „Afrikaners" um
Afrika's Südwestspitze und
segeln, immer der Küste folgend, nordwärts. Unser nächstes Ziel ist das kürzlich so viel
genannte Angra Pequena.

Nördlich vom Kaplande,
vom Oranjefluß bis zum Kap
Frio, erstreckt sich zwischen
dem Meere und der Kalahariwüste in einer Länge von etwa 350
Stunden und einer durchschnittlichen Breite von vielleicht 150 Stun-
den ein ödes Wüstenland, wohl noch der Sahara und einigen ähnlichen Einöden Australiens eines der armseligsten Länder der Erde. Es hat deshalb in den vergangenen Zeiten keins der sonst ländergierigen Völker dasselbe zu eigen beansprucht. Die Engländer begnügten sich, ungefähr in der Mitte dieser langen Uferstrecke die Walfisch- bai zu besetzen, des Fischfanges und Robbenschlages wegen. In jüngster Zeit hat nun auch das Handlungshaus Lüderitz aus Bremen einen Besitz in diesem Lande erworben, und der deutsche Reichskanzler hat denselben unter den Schutz des Deutschen Reiches gestellt. So wurde bekanntlich am 7. August 1884 in Angra

Südafrika.

Pequena die deutsche Flagge aufgehißt. Noch im gleichen Jahre erwarb die Firma Lüderitz das Hoheitsrecht über das Gebiet des Häuptlings von Bethanien in Groß-Nama-Land, und bald darauf wurden

ähnliche Verträge mit mehreren anderen Häuptlingen abgeschlossen, so daß das ganze Gebiet zwischen Oranje und Kuene (mit Aus-

nahme der englischen Walfischbai) bis zum 20. Grad östl. Länge jetzt das „Deutsche Protectorat in Südwestafrika" bildet. Im

Die Bucht von Angra-Pequena.

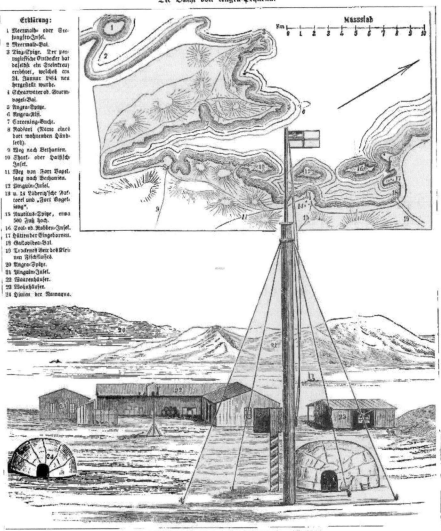

Erklärung:

1 Meerwolf- oder See-jungfern-Insel.
2 Meerwolf-Bai.
3 Diaz-Spitze. Der por-tugiesische Entdecker hat daselbst ein Steinkreuz errichtet, welches am 21. Januar 1484 neu hergestellt wurde.
4 Schwarzwater ob. Sturm-vogel-Bai.
5 Angra-Spitze.
6 Angra-Riff.
7 Correning-Bucht.
8 Radsort (Name eines dort wohnenden Händ-lers).
9 Weg nach Bethanien.
10 Shark- oder Haifisch-Insel.
11 Weg von Fort Vogel-sang nach Bethanien.
12 Pinguin-Insel.
13 u. 14 Lüderitz'sche Fac-torei und „Fort Vogel-sang".
15 Nautilus-Spitze, etwa 500 Fuß hoch.
16 Seal- ob. Robben-Insel.
17 Hütten der Eingebornen.
18 Halkovicea-Bai.
19 Trockenes Bett des Klei-nen Fischflusses.
20 Angra-Spitze.
21 Ungula-Insel.
22 Waarenhäuser.
23 Wohnhäuser.
24 Hütten der Namaqua.

Fort Vogelsang, die erste Factorei im Lüderitzlande. (S. 294.)

April 1885 verkaufte die Firma Lüderitz ihre Rechte der „Deutschen Kolonialgesellschaft für Südwestafrika", welche die erworbenen Ge-biete für industrielle und Handelsunternehmungen sowie für deutsche

Ansiedelung vorbereiten und unter Aufsicht des Kaisers verwalten will. Dr. Goehring wurde zum Reichskommissär ernannt. Derselbe schloß am 11. October 1885 einen Vertrag mit dem Häuptling der Herero, kraft dessen sein Gebiet ebenfalls unter deutschen Schutz kam. Maherero, so heißt der Häuptling, gab nun verschiedenen Unternehmern die Erlaubniß, Minen in seinem Lande aufzusuchen und anzulegen, darunter auch dem Engländer R. Lewis. Streitigkeiten waren die Folge, und als Dr. Goehring, gestützt auf eine Erklärung Maherero's von 1887, die Rechte der Deutschen forderte, hielt ihm R. Lewis eine ältere und allgemeinere Concession des Hererohäuptlings entgegen. Es zeigte sich, daß Maherero des deutschen Schutzes überdrüssig war und sich gerne unter englischen Schutz gestellt hätte. Man sagt, die Deutschen seien ihm und seinen Leuten zu barsch und „schneidig" gewesen. Der deutsche Reichskommissär und die Beamten der Gesellschaft verließen, um Schlimmerem vorzubeugen, einstweilen das Herero-

gebiet und riefen unter Hauptmann von François eine etwa 60 Mann starke „deutsche Schutztruppe" herbei. Der Streit ist noch nicht endgültig geschlichtet.

Das Land hat übrigens wenig Anziehendes. „Wenn man vom Oranjefluß herkommt," sagt ein Reisender, der sich jahrelang im Namaqualande aufhielt, „so sieht man weithin nichts als röthliche Sandberge, dazwischen hellfarbige Felsen. Hinter diesen Hügeln erhebt sich eine 20 deutsche Meilen breite Hochebene, wo kein Baum, kein Grashalm wächst, der Boden mit buntfarbigen Granitsteinen bedeckt ist. Diese einförmige, trostlose Hochebene leidet von brennender Gluthitze, welche den Boden heiß macht, die Füße versengt und das Athmen erschwert." Angra Pequena ist eine Bucht am Meeresufer dieser Wüste, die von dem Kap

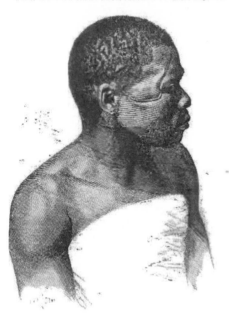

Ein Buschmann. (S. 295.)

Frau eines Buschmanns. (S. 296.)

Diaz und einigen kleinen Inseln gebildet wird. Dort hat Herr Lüderitz ein Lagerhaus gebaut für seine Waaren und einige kleine einstöckige Wohnhäuser, darüber weht die deutsche Flagge, und daneben stehen ein paar Hütten der Namaqua. Zu Ehren Heinrich Vogelsangs, der diese erste deutsche Niederlassung im Auftrage des Herrn Lüderitz gründete, trägt dieselbe den Namen Fort Vogelsang. Im Osten erheben sich kahle Sanddünen, und im Westen schweift der Blick über einige ebenfalls kahle Inseln und Landspitzen auf das endlose Meer hin. Das größte Elend ist der Mangel an Trinkwasser; dasselbe muß zu Schiff wenigstens 60 Stunden weit hergebracht werden. Später wird diesem Uebelstande vielleicht abgeholfen, wenn es nämlich gelingt, durch Bohren auf Quellen zu stoßen.

Wenn man nun von Angra Pequena aus etwa 50 Stunden weit quer durch die Wüste gerade östlich reist, so gelangt man

zwischen zwei Bergzüge, wo das Land nicht mehr ganz so unwirthlich ist wie an der Küste. Doch ist auch dort, in der Nähe der protestantischen Missionsstation Bethanien, die Gegend noch traurig genug. Es fehlt eben überall an dem befruchtenden Wasser, und über der dürren Steppe glüht am wolkenlosen Himmel die Sonne Afrika's! „Sie werden viel Sand und Steine finden," sagt ein Reisender aus mehrjähriger Erfahrung, „oder nur eine sehr dünne und zerstreute Bevölkerung, welche beständig an Wassermangel leidet, und Ebenen und Hügel, die unter den sengenden Sonnenstrahlen rösten wie verbranntes Brod." Es sind zwar Flüsse vorhanden und auf den Karten auch angezeigt; aber sie sind, wie die Wadi, welche wir in der Sahara trafen, nur während der Regenzeit mit Wasser gefüllt, sonst trockene Sandbette, in denen sich nur selten einige Tümpel salzigen und schlechten

Wassers finden. Auch Quellen gibt es; doch sind selbst diese zum großen Theile salzig und versickern bald in der öden, wellenförmigen Steppe, aus welcher das kahle Berggerippe aufragt. Um diese wenigen Wasserstellen gedeiht ein spärlicher Graswuchs, der bald abstirbt, und ab und zu ein Kameeldornbaum, dessen zähes Leben der Dürre trotzt, oder Dorngestrüpp, dem die Holländer den bezeichnenden Namen: Wacht en bitje, d. h. Wart ein bißchen! gaben, weil es den Wanderer mit seinen widerhakigen Stacheln unsanft zurückhält. Das sind die Oasen der südafrikanischen Wüste; sie lassen sich mit den Oasen der Sahara, wo nach langer Wüstenfahrt saftiges Grün, schattige Tamarinden und hohe, schlanke Palmen das Auge erfreuen, nicht vergleichen. Doch sind diese armseligen Quellen und Tümpel die Plätze, an denen die unstät umherirrenden Bewohner dieses Landes ihre Hütten aufschlagen; denn nur in ihrer unmittelbaren Nähe finden sie etwas Weide für ihre Rinder. In den versandeten Flußbetten scharren sie Löcher, um mit ein wenig schlammigem Wasser den eigenen Durst zu löschen und ihr Vieh zu tränken. Das übrige Land ist der Tummelplatz der Wüstenthiere: Giraffen, Antilopen, Schakale, Hyänen, Gnu drängen sich nächtlicherweile zu den Quellen, und Löwen und Leoparden suchen unter ihnen oder im Dickichtale der Eingeborenen ihre Beute.

Nur eine kurze Zeit im Jahre legt die Einöde ein Festgewand an: wenn der Himmel sich mit Wetterwolken bedeckt und unter rollendem Donner Regengüsse niederbrausen. Dann füllen sich die ausgetrockneten Flußbette mit Wasser, und tausend Wurzeln,

Häuptling der Oriam (Halb-Hottentotten) in europ. Kleidung.

Herero-Frau mit einer dreijährigen Lebensstütze. (S. 296.)

Knollen und Zwiebeln, die scheintodt im Wüstensande ruhten, wachen zu einem kurzen Leben auf. Da schmückt sich die Steppe mit Grün, zahllose Wassermelonen wachsen und reifen, und unter dem Boden gedeihen saftige, eßbare Knollen, ein Labsal dem verschmachtenden Wanderer zur Zeit der Dürre, die nur zu bald wieder anbricht.

Das ist also Deutsch-Südwestafrika, dessen Flächenraum auf 832 600 qkm angegeben wird. Der einzige Vortheil, den es bietet, ist sein Reichthum an Kupfererz. Man hat denn auch bereits seit mehreren Jahren an verschiedenen Orten angefangen, die Kupfergruben auszubeuten; leider bisher mit nur geringem Erfolg aus Mangel an Arbeitern und Verkehrsmitteln.

Sehen wir uns nun die Eingeborenen an. Den Hauptstamm im Süden bilden die Namaqua oder eigentlich Nama; denn die Silbe „qua" bedeutet Volk. Sie sind echte Hottentotten. Ein ganz anderer Stamm wohnt im Norden des Landes, die Herero oder Ova-Herero, was „fröhliches Volk" bedeutet. Vermischt zwischen beide hineingeschoben leben zersprengte Horden von Buschmännern und die Oriam oder Halb-Hottentotten.

6. Hottentotten, Buschmänner und Herero.

Man kann nicht sagen, daß die Hottentotten schöne Leute seien, im Gegentheil, man rechnet sie zu den häßlichsten Menschen. Die Größe ist durchschnittlich nicht viel unter der Größe der Europäer; die Haut hat eine Lederfarbe; das Gesicht wird durch die stark vortretenden Backenknochen, durch die breite, tiefliegende Nase, durch die aufgeworfenen, rüsselartig weiter als die Nase vorragenden Lippen entstellt. Die Haare sind eigenthümlich verfilzt und bilden kleine, erbsengroße Knollen, welche die Holländer „Pfefferkörner" nannten und zwischen welchen durch man die Kopfhaut sehen kann. Andere Mißbildungen des Leibes brauchen wir nicht anzugeben, doch sei noch der unausstehliche Geruch erwähnt, den sie verbreiten. Sie wohnen in halbkugelförmigen Hütten von etwa 4 m Durchmesser und 1,30 m Höhe. Das Gerippe dieser Mausfalle besteht aus krummgebogenen Baumstämmen; darüber werden Matten gebreitet, welche sie recht geschickt aus dem Baste einer Mimosenart herstellen. Der Bast wird in heißem Wasser biegsam gemacht, dann gekaut und zu Fäden gedreht, welche nebeneinander auf den Boden gelegt und mit einem Querfaden mittels eines Knochensplitters verwoben werden. Dieses lockere Gewebe läßt im Sommer die Luft durchstreichen, quillt aber zur Regenzeit so stark an, daß es gegen Sturm und Regen hinlänglichen

Schutz gewährt. Von den Sitten oder vielmehr von den Lastern dieses Volkes wollen wir lieber nicht reden. Sie haben kein gemeinsames Oberhaupt, sondern jeder Clan hat seinen Vorsteher, dessen Ansehen aber nicht viel gilt; höchstens ist seine Hütte etwas größer, und bei gemeinsamen Mahlzeiten erhält er das größte Stück Fleisch; auch bestimmt er, wohin der Stamm ziehen soll, und beruft die Volksversammlung.

Früher haben die Hottentotten im Kaplande gewohnt, wie die Buschmänner; sie wurden aber von den Holländern und später von den Engländern in ihre jetzige wüste Heimat verdrängt; ja die europäischen Ansiedler führten sogar einen himmelschreienden Vernichtungskrieg gegen die armen Wilden und mordeten sie kaltblütig zu Tausenden hin.

Die Buschmänner sind heute kein Volk mehr; sie leben nur noch in kleinen, zersprengten Horden in der Kalahariwüste

San Paolo de Loanda. (S. 293.)

und in den ödesten Steppen des Namaqualandes. Der Name Buschmann kommt von den Holländern her; sie selbst nennen sich Saan. Es sind kleine Leute, häßlich abgemagert, aber zäh; das Gesicht bei den nicht ganz Jungen von zahllosen Falten durchzogen, wie eingeschrumpft; die Hautfarbe ist eigentlich kupferbraun, aber gewöhnlich durch eine aschfarbene Staubkruste bedeckt. Der Buschmann reibt sich, und zwar im Maßstabe seines Reichthums, mit Fett ein; er hat kein Haus, keinen Hof, keinen Häuptling, keine Heimat; er hat weder Kuh noch Ziege; nur Hunde und Ungeziefer leben mit ihm. Er ist ein gehetztes Wild und wird von den anderen Stämmen für vogelfrei gehalten; er ist der unstäte Zigeuner Südafrika's. Unter einem Felsen, in einem ausgehöhlten Termitenbau haust er. Von Kleidung ist kaum eine Spur vorhanden, nur die Frauen sind etwas besser bedeckt und haben sogar

einigen Schmuck. Der Buschmann ist ein geschickter Jäger und vortrefflicher Pfeilschütz. Dem Gnu und selbst dem Büffel gräbt er Fallgruben, wagt sich sogar an den Löwen und versteht den vorsichtigen Strauß zu übertölpeln. Dazu bedient er sich eines Straußenbalges und spielt darin täuschend ähnlich den schnellen Wüstenvogel. Hat er so seine Beute nahe genug herbeigelockt, so jagt er dem Strauße einen vergifteten Pfeil ins Herz, rupft ihn, verzehrt das Fleisch und benützt die leeren Eier als Wassergefäße. Die Federn vertauscht er später gegen Branntwein, Glaskorallen und ähnliche Dinge.

Die Herero endlich, auch Damaro genannt, sind von Norden her in das Wüstenland von Namaqua eingedrungen; sie gehören zur großen Familie der Bantuneger, doch haben sie in ihrer Lebensweise viel mit den Nama gemein. Sie sind größer, ebenmäßiger gebaut als die Hottentotten, aber nicht so muskulös wie die Kaffern. Die Backenknochen sind weniger hervortretend, die Lippen jedoch dick. Als Kleidung tragen sie neben der Schürze bei rauhem Wetter einen Pelzmantel. Ihre Frauen sind sehr putzsüchtig; dieselben tragen eine eigenthümliche Lederhaube, welche

sie vor keinem Fremden abnehmen und welche mit zwei oder drei steif aufstehenden, großen Ohren verziert ist. Ueber der Stirne ist ein weiches Fell angebracht, das aufgerollt oder wie ein Schleier herabgelassen werden kann; auch über den Rücken hängt ein solches Fell herab. Ueberdies ist die Haube mit Glaskorallen, Perl=

Die rothen Uferfelsen bei Ambris an der Grenze von Angola und Kongo. (S. 298.)

mutterstücken oder Blechstreifen geschmückt. Aus Stückchen von Straußeneiern, welche auf Bänder genäht werden, verfertigen sie eine Art Mieder, verzieren den Pelzmantel mit Glaskorallen, tragen an Halsriemen verschiedene Pomadebüchsen mit Hammeltalg und rotem Ocker und schleppen an den Füßen einige Pfund Kupferdraht und Kupferkugeln. Diese Last zwingt sie zu einem schlep=

penden Gang; aber das gilt unter den Herero für nobel und gebildet, und sie bringen der Mode gerne dieses Opfer.

Im Lande der Herero haben sich seit längerer Zeit einige lutherische Sendboten niedergelassen. Als nun vor einigen Jahren auch katholische Missionäre sich dort ansiedeln wollten, zunächst um einen Stützpunkt der Mission in dem nordöstlich angrenzenden

Spillmann, Rund um Afrika. 2. Aufl.

38

Lande von Ovampo zu haben, dann aber auch, um einer Anzahl katholischer Händler Gelegenheit zum Empfange der heiligen Sacramente zu bieten, wurden sie zwar anfangs von dem Hererohäuptling freundlich aufgenommen und erhielten die bestimmte Zusage, sich bleibend niederlassen zu dürfen. Aber die lutherischen Prediger hetzten die Herero so lange gegen die katholischen Glaubensboten auf, bis diese im September 1881 gewaltsam verjagt wurden. Dieser Handlung protestantischer Toleranz oder Duldsamkeit wurde im Laufe des Jahres 1884 dadurch noch die Krone aufgesetzt, daß die lutherischen Diener am Worte dem Herrn Lüderitz das Versprechen abnahmen, keine katholischen Missionäre im Lande, das seinen Namen trägt, zu dulden.

7. Weiterfahrt längs der Küste von Angola.

Lassen wir das ungastliche Land und steuern wir nordwärts, der Heimat zu. Weit links im Meere, über 500 Stunden von Afrika's Küste und nahezu 1000 Stunden von Brasiliens Gestade, erheben sich steil aus dem Weltmeere die zerklüfteten Felswände der kleinen Insel St. Helena, auf welcher der Kaiser Napoleon Bonaparte, der blutige Sieger in hundert Schlachten, seinen letzten Kerker und sein Grab fand. Rechts dehnt sich von der Mündung des Kuene bis zur Mündung des Kongo das portugiesische Westafrika, ein Gebiet von über 800,000 qkm mit etwa 9 Millionen Einwohnern. Das Gebiet zerfällt in vier Bezirke. Von Süden kommend treffen wir zuerst Mossamedes mit der gleichnamigen Hafenstadt, die erst 1848 angelegt wurde und in deren Umgebung sich reiche Pflanzungen finden. Das Königreich Benguela, das wir nach Norden segelnd zunächst erreichen, liegt zwischen den Mündungen der Flüsse Katumbela und Kwanza (Quanza). Die Hauptstadt San Felipe di Benguela hat eine überaus male-

rische, aber ebenso ungesunde Lage in einem Thalkessel. Es wird von etwa 2000 Seelen bewohnt. Im Jahre 1838 wurde die Stadt von den wilden Jaggas zerstört und hat sich seither nie mehr völlig erholt. Nördlich von der Kwansamündung beginnt das Königreich Angola. Seine Hauptstadt San Paolo de Loanda (vgl. das Bild S. 296) hat vielleicht 20 000 Einwohner, darunter 14 000 Neger, und ist der Sitz des portugiesischen Gouverneurs. Zwei Citadellen dienen ihm zum Schutze gegen die Angriffe der Eingeborenen. Die Rhede ist nicht sehr besucht. Doch rühmt sich die Stadt einer Bank, einer Münze und eines Theaters. Der letzte Bezirk endlich, der Bezirk von Ambris, erstreckt sich von der Dande- bis zur Kongomündung. Die Ufer bestehen meist aus rothen Sandsteinfelsen, an denen die Brandung aufspritzt (vgl. das Bild S. 297). Ambris selbst zählt nur wenige Häuser, ist aber ein wichtiger Punkt für den Elfenbeinhandel.

Die Küste von Angola wurde schon 1486 von Diego Cão entdeckt, und im Jahre 1578 gründeten die Portugiesen San Paolo de Loanda. Das Gebiet ist eine Art Verbrecherkolonie für Portugal. Alle Monate bringen die Dampfer 30 bis 40 Verbrecher aus dem Mutterlande; diese müssen eine Reihe von Jahren oder auch lebenslänglich in Angola bleiben. Manchmal haben sie zuerst an der Küste als Soldaten zu dienen und dürfen erst dann in das Innere des Landes gehen, wo sie auf eigene Faust sich ihren Lebensunterhalt suchen müssen. Manchem gelingt es, ein Vermögen zu erwerben, und solche kehren oft als wohlhabende Leute nach Portugal zurück. Aber gewöhnlich leben sie in Verbrechen und Verfunkenheit dahin, und man kann sich denken, wie unerquicklich die Verhältnisse in Angola sind, wie verderblich solche Menschen auf die Eingeborenen wirken und wie auf diese Weise die Anstrengungen der Missionäre scheitern müssen.

XI. Am Kongo.

1. Der Strom.

Von den drei Meeren, welche Afrika umschließen, führen drei gewaltige Ströme in das an Quellen und Seen reiche Herz des dunkeln Erdtheils: vom Mittelmeere der Nil, vom Indischen Ocean der Sambesi und vom Atlantischen der Kongo. An Länge des Laufes ist der Nil der Fürst, an Menge des Wassers der Kongo; die Länge des Nillaufes beträgt in runder Zahl 5600 km, die des Kongo etwa 4800 km; aber während der Nil dem Mittelmeere in der Sekunde nur 8500 cbm Wasser zuführt, ergießt der Kongo jede Sekunde 54000 cbm in den Atlantischen Ocean, also in einer Stunde in runder Zahl 200 Millionen cbm (200 Milliarden Liter) Wasser. Er übertrifft dadurch den Mississippi (24000 cbm) um mehr als das Doppelte und wird

Faktorei in Banane an der Kongomündung. (S. 321.)

überhaupt von nur zwei Strömen unserer Erde, vom Jang-tse-kiang in China und vom Amazonenstrome in Brasilien, welcher in der Stunde nahezu 300 Millionen cbm ergießt, an Wasserreichthum übertroffen. An seiner Mündung mißt der Kongo 300—400 m Tiefe; 100 km weit in den Ocean hinaus ist sein Wasser mit dem Seewasser noch unvermischt.

Die Quelle dieses Riesenstromes haben wir in den Bergen zu suchen, welche den Bangweolosee (oder Bembasee) halbmondförmig im Süden und Osten umschließen und die Wasserscheide des Sambesi und Kongo bilden. Im Süden und Osten fließen die Bäche dem Sambesi zu, im Norden und Westen dem Kongo. Als der Hauptquellfluß des letztern wird der Tschambesi genannt; er nimmt eine Menge wasserreicher Bäche auf, strömt in südwestlicher Richtung durch mehrere kleinere Seen und ergießt sich in das erste große Sammelbecken des Bangweolosees, an dessen sumpfigen Ufern Livingstone am 1. Mai 1873 den Tod fand. Der Spiegel dieses Sees liegt noch immer 1124 m über dem Meere; er hat eine Oberfläche von etwa 22000 qkm. Nach dem Austritte aus diesem gewaltigen Becken strömt der Fluß unter dem Namen Luapula etwa 400 km in nördlicher Richtung und erreicht einen zweiten See, den Moero-Oder (oder Mwero), welcher eine Oberfläche von 2000 qkm einnimmt (der Bodensee hat nur 540 qkm). Wenn der Fluß diesen See verläßt, ist er schon zum Strome geworden und wird nun von den Uferbewohnern Lualaba genannt. Er durchströmt jetzt in vorherrschend nördlichem, denn allmählich nordwestlichem Laufe etwa 1000 km, bis er unter dem Aequator in einem weiten Bogen über Norden nach Westen und wiederum über die Gleicher-

38*

311

linie zurück nach Südwesten biegt und so, nachdem er vom Austritte aus dem Mwern-See bis zu seiner Mündung einen riesigen Halbkreis beschrieb, endlich den Atlantischen Ocean findet. Etwa in der Hälfte seines Laufes vom Mwern bis zur ersten Aequatorkreuzung erreicht der Strom den wichtigen Marktplatz Nyangwe, den Hauptort von Manjuema, wo Stanley seine berühmte Flußfahrt antrat. Dort, etwa 2000 km von seiner Quelle, mißt der Lualaba bereits 1½ km Breite. Kurz bevor er den Aequator erreicht, bildet er eine Reihe von gefährlichen Stromschnellen, jetzt die Stanleyfälle genannt, und beginnt dann, ein majestätischer Strom, ruhig dahinwogend, seinen Mittellauf. Von rechts und links bringen ihm gewaltige Seitenflüsse ihre Wasser; von Norden namentlich der Mbura, der Uruwimi, Itere, Baugala und Kunja, von Süden neben vielen anderen der Kassai, dieser ausgedehntes, durch zahllose Nebenflüsse gebildetes Wassernetz in den letzten Jahren von deutschen Forschern durchstreift und theilweise festgestellt wurde. In diesem etwa 2000 km langen Mittellaufe durchströmt der Kongo eine mit üppiger Urwald bestandene Hochebene. Die Glut der tropischen Sonne, reichlicher Regen in jedem Monate des Jahres und Hunderte von Bächen und Flüssen, die den Boden bewässern, versprechen eine Fruchtbarkeit, die mit jedem Lande der Erde vergleichen werden darf. Stanley meint, es sei „das reichste Land der Erde". Der tropische Pflanzenwuchs entfaltet sich in seiner ganzen Pracht und Fülle; er soll sogar kräftiger sein als im tropischen Amerika. Um jedes Dorf ziehe sich eine Waldung von Cocos-, Oel- und Weinpalmen. Stanley fand große, fleißig angebaute Gärten von Bananen, Pisang, Limonen und Orangen, weite Aecker von Maniok und Yamswurzeln, Hirse, Mais, Reis. Zuckerrohr und Ananas, beide ursprünglich aus Amerika eingeführt, wachsen wild. Kaffee ist hier einheimisch. Auch das Land am Kassai und dessen Nebenflüssen wird von den neuesten Forschern als dicht bewaldet, äußerst fruchtbar und sehr bevölkert geschildert.

Bevor der Strom diese weite Waldregion verläßt und in brausenden Abstürzen und Stromschnellen von der Hochebene sich durch das Gebirge schäumend und tosend seinen Weg zum Tieflande und zum Atlantischen Ocean sucht, ruht er noch einen Augenblick und namentlich seine Wasser in der jeeartigen Ausbuchtung des Stanley-Pools. Ueber nicht weniger als 57 Schnellen und Fälle setzt der Strom hinweg. Endlich hat er die letzten, die Jellalafälle, zurückgelegt und setzt nun den Rest seines weiten Weges, etwa 200 km in ruhigem Laufe fort, bis er seine kolossale Wassermasse ins Meer ergießt. An seinem Unterlaufe sind die Ufer des Stromes dicht mit Mangrowebäumen besetzt, sumpfig und sehr ungesund. Dieser Waldmorast erstreckt sich bis oberhalb Boma, etwa 150 km landeinwärts. Die Berghöhen, welche sich über diesen Uferwald erheben, sind kahl und dürr, nur zur Regenzeit mit magerem Graswuchse bekleidet. Ueberhaupt ist auch an der Kongomündung die afrikanische Küstenstrecke ein trauriges, ödes Land; nur in den Thalsohlen, an den Rinnsalen der Bäche entwickelt sich einiger Pflanzenwuchs. Da stehen Akazien, Euphorbien, verkrüppelte Brodfruchtbäume, in geschützter Lage auch einige Palmen, während die Höhenzüge steinig und sonnenverbrannt fast wie in der Sahara daliegen. Erst am Stanleyfee beginnt der Pflanzenwuchs sich in seiner tropischen Ueppigkeit zu entfalten.

So haben wir den Lauf des Stromes in flüchtigen Umrissen entworfen. Was seine Uferbewohner angeht, finden wir am Unterlaufe stark gemischte Negervölker, am Mittellaufe, vom Stanley-Pool an, reine Bantustämme, am Oberlaufe haben sich Araber festgesetzt, welche durch ihre Sklavenjagden die eingeborenen Stämme der Manjuema u. s. w. Jahr für Jahr der Vernichtung näher bringen. Die Bantu unterscheiden sich vortheilhaft von den eigentlichen Negern. Während diese eine plumpe Gestalt, ein zurücktretendes Kinn, eine breite, platte Nase, wulstige Lippen, keinen Bart, eng anliegendes Wollhaar und eine schwarze Hautfarbe haben, ist der Bantu schlank und groß von Wuchs, hat regelmäßige Gesichtszüge, eine hohe, schmale Nase, langes Kraushaar und eine hellere, schokoladeartige Färbung.

Von den Negern, welche an der Kongomündung leben und mit denen wir uns später eingehender zu beschäftigen haben, nennen wir die Batongo und Muschikongo, die Nachkommen jenes Volkes, das im 16. Jahrhundert theilweise zum Christenthume bekehrt wurde. Sein Fürst, Dom Pedro V., ist auch heute noch mit einem großen Theile seines Volkes katholisch. Er residirt als portugiesischer Vasall in San Salvador, wo immer noch katholische Missionäre thätig sind. Wie Dr. Chwanune, der San Salvador im August 1885 besuchte, in Petermanns Mittheilungen berichtet, wurden daselbst in den letzten vier Jahren 2000 Taufen gespendet.

In der Nähe des Stanleyfees kommen namentlich die Bantustämme der Batele und Wobuma in Betracht. Wir werden dieselben aus den Berichten der Missionäre kennen lernen. Weiter stromaufwärts wohnen die Baiansi oder Njansi, ein nicht unschöner Menschenschlag; sie sind aber leidenschaftliche Schnupfer und Raucher. Stanley erzählt, ihr König habe bei seinem Besuche aus dem Schnupftabakskürbis in einem fort unmäßig große Prisen auf die innere Handfläche geschüttet und dieselben so gewaltsam in seine Nase hineingerieben, daß es schien, er wolle diese zerquetschen. Zwischen ihnen that er dann einige Züge aus einer 2 m langen Riesenpfeife, deren eiserner Kopf 15 Gramm Tabak fassen kann. Die Bomande, ein mächtiger Volksstamm auf dem linken Ufer, theilten mit den soeben genannten die Leidenschaft des Schnupfens und Rauchens, sollen aber sehr wohlgestaltete Menschen sein. Die Kongovölker nördlich vom Aequator scheinen wild und kriegerisch; durch ihr Gebiet mußte sich Stanley den Durchzug erkämpfen; auch Kannibalen traf er daselbst.

Am Oberlaufe des Stromes endlich wohnen neben vielen stammverwandten Sippen die Manjuema. Livingstone rühmt ihnen nach, daß sie sich durch ihr Aeußeres vortheilhaft von den Eingeborenen an der West- wie an der Ostküste unterscheiden, und sagt, sie würden noch schöner sein, wenn sie sich nicht durch das Spitzfeilen der Zähne und die Durchbohrung des Nasenknorpels entstellten. Sie sollen fleißig sein, viel Feldbau treiben, zu bestimmten Zeiten Märkte halten, doch kein gemeinschaftliches Staatswesen bilden. Den guten Geist nennen sie „Ngulu" oder den Großen, den Geist des Bösen, der wohnt, „Mulambo". Eine heiße Quelle bei Bambarre gehört ihrer Meinung nach diesem Wesen, das auch den Tod durch Ertrinken und sonstige Unglücksfälle verursacht. Sie verzehren ihre im Kriege getödteten Feinde.

Die Seelenzahl der Uferbewohner des Kongo und seiner Nebenflüsse kann gegenwärtig auch nicht annähernd angegeben werden. Jedenfalls scheint die Bevölkerung stellenweise dicht zu sein, und wenn auch die ersten Angaben vielfach als übertrieben erweisen, ist doch der Missionsthätigkeit unter diesen armen Völkern, die noch nie von Christus und seiner Gnade hörten, ein neues, weites und, wie wir hoffen wollen, reiches Arbeits- und Erntefeld eröffnet.

2. Die Entdeckung des Kongo.

In der ersten Hälfte des 15. Jahrhunderts legte der kühne Prinz Heinrich der Seefahrer durch seine Unternehmungen längs der Westküste Afrika's den Grund zu Portugal's Größe. Unter ihm umsegelte im Jahre 1434 Gil Eannes das gefürchtete Kap Bojador, vor dessen Brandung alle früheren Schiffer erschrocken zurückgewichen waren. Schon zwei Jahre später umschiffte man das Weiße und 1444 das Grüne Vorgebirge, im Jahre darauf das Palmenvorgebirg und hatte somit den Golf von Guinea erreicht. Das Ueberschreiten der Aequatorlinie erlebte Prinz Heinrich nicht mehr; aber die portugiesischen Könige setzten das glorreich begonnene Unternehmen fort, bis dasselbe am Ende des Jahrhunderts durch die Umschiffung der Südspitze Afrika's, die Entdeckung des Seeweges nach Indien, die Begründung ihrer Herrschaft in

Ostasien und die Ausbreitung des Christenthums daselbst gekrönt wurde. Man muß es zum Lobe der portugiesischen Fürsten sagen, daß sie bei der Ausrüstung ihrer Schiffe sich nicht einzig und selbst nicht an erster Stelle durch die Hoffnung auf irdischen Gewinn leiten ließen. Die Sage von einem afrikanischen Goldlande und bald auch der einträgliche Tauschhandel mit den Bewohnern am Senegal, Gambia, Rio Grande, an der Elfenbein- und Goldküste wirkte natürlich mit; mehr noch aber trieb den Glaube an ein fernes christliches, von Heiden bedrängtes Land, an das Reich des Priesterkönigs Johannes, von dem mittelalterliche Erzählungen melden und das irgendwo in Afrika verborgen lag, zu diesen kühnen Fahrten. Dieses geheimnißvolle Reich wollte man aufsuchen, diesem Fürsten zu Hilfe kommen und sich mit ihm zur Eroberung der Heidenländer verbinden. Es lag also den portugiesischen Afrikafahrten etwas von der religiösen Begeisterung der Kreuzzüge zu Grunde.

Am Kongo oberhalb Vivi. (S. 321.)

Unter Alphons V. wurde der Aequator überschritten. 1472 drangen portugiesische Seehelden bis zum Vorgebirge Santa Katharina, etwa 40 geographische Meilen südlich vom Aequator, vor. Als dann Johann II. den Thron bestieg, schickte er schon 1481, im ersten Jahre seiner Regierung, 12 Schiffe auf neue Entdeckungen. 1484 richtete er einen Aufruf an alle Fürsten Europa's, ihn mit Mannschaft zur Eroberung der heidnischen Länder zu unterstützen; nach dem Maße ihrer Theilnahme an diesem Werke sollten sie belohnt werden. Der Aufruf blieb an den Höfen Europa's als ein abenteuerlicher unbeachtet. Nur der Papst hatte ein Verständniß für das Unternehmen des Königs; er bestätigte nicht nur das Eigenthumsrecht der Portugiesen über alle bereits entdeckten Länder, sondern sprach ihnen auch alle folgenden Entdeckungen zu, welche sie oder andere auf der Fahrt nach dem Oriente längs der Westküste Afrika's machen würden. Johann II. nahm nun auch den Titel eines Herrn von Guinea an.

Im gleichen Jahre 1484 drang Diego Cão (Cam) über das Vorgebirge Santa Katharina, die letzte Entdeckung unter König Alphons V., hinaus vor und erreichte die Mündung des Kongo. Weit im Meere draußen bemerkten die Schiffer an der Färbung und dem Geschmacke des Wassers, daß sie der Mündung eines gewaltigen Stromes nahe seien. Man segelte also der Strömung entgegen, welche Segelschiffe nur mit günstigem Winde besiegen können, und lief in den Kongo oder Zaire ein. Die Tiefe und Breite des Strombettes ermöglichte es den Portugiesen, ziemlich weit stromaufwärts vorzudringen. Bald zeigten sich an den Ufern zahlreiche Neger, welche staunend das große Fahrzeug und die weißen, bärtigen Männer betrachteten. Ihre Sprache konnten die Neger von Guinea, welche Cão an Bord hatte, nicht verstehen. Durch Zeichen erfuhr er aber, daß der Strom Zaire heiße und daß sie einen König hätten, dessen Wohnstätte weit entfernt sei. Er schickte

Boten und Geschenke an denselben; da sich aber ihre Rückkehr verzögerte, sah er sich gezwungen, ohne dieselben die Fahrt fortzusetzen, indem er als Geiseln einige Eingeborene mit sich nahm. Er segelte bis an die Nordgrenzen des Kapgebietes. Auf seiner Rückfahrt wechselte er die Geiseln aus und sand den König von Kongo so wohl gesinnt, daß er leicht zu bestimmen war, einige seiner Unterthanen mit den fremden Männern in ihr fernes Land zu senden, damit sie dort in der Sprache und Religion der Portugiesen unterrichtet würden und dereinst mit Missionären in ihre Heimat zurückkehrten. Sie erhielten wirklich in Portugal die Taufe; der König und die Königin selbst vertraten bei dem Vornehmsten, Namens Zakuta, Pathenstelle und gaben ihm den Namen Dom Johann.

An Bord des Schiffes, welches die Kongomündung entdeckte, befand sich der berühmte deutsche Ritter Martin Behaim der Jüngere, geboren in Nürnberg um 1459. Er hatte bei dem großen Astronomen Regiomontanus (Johannes Müller aus Königsberg in Franken) in den Jahren 1471—1475 Studien gemacht. Um 1480 kam er nach Portugal und wurde als ein Schüler des berühmten deutschen Astronomen, dessen Berechnungen die portugiesischen Schifffahrer benützten, von Johann II. in einen Rath berufen, den dieser König zur Verbesserung der nautischen Instrumente eingesetzt hatte, mittelst deren man die geographische Breite damals nur sehr unvollkommen bestimmen konnte. Er soll nun statt der alten, auf Holzblöcken befestigten Astrolabien (Instrument, womit man z. B. die Mittagshöhe der Sonne und daraus die geographische Breite, unter der man sich befand, bestimmte) neue, sein gearbeitete, aus Messing vorgeschlagen haben, welche man am Maste aufhängen und welche vermöge

Ritter Martin Behaim.

ihrer Schwere die senkrechte Lage auch bei den Schiffsschwankungen beibehielten. Behaim wurde, damit er selbst seinen Vorschlag erprobe, dem Diego Cão als Astronom und Kosmograph beigegeben und machte so die denkwürdige Fahrt mit, welche zur Entdeckung des Kongo führte. Und auch weit über seine Mündung hinaus drangen die kühnen Entdecker vor bis an die öden Küsten Deutsch-Südwestafrika's und an die Nordgrenzen des Kapgebietes, mehr als 2000 km jenseits des Aequators. Das Kap selbst wurde im darauffolgenden Jahre von Bartholomäus Diaz entdeckt, aber, wie bekannt, erst im Jahre 1498 von Vasco da Gama umschifft. Nach 19monatlicher Fahrt trafen Cão und Behaim glücklich wieder in Lissabon ein und wurden mit großen Ehren und Auszeichnungen überhäuft. Behaim erhielt von König Johann II. in Gegenwart der Königin und des ganzen Hofes den Ritterschlag und die Insignien des Christusordens.

3. Stanley's Stromfahrt.

So war der Kongo entdeckt; aber er blieb trotzdem noch fast vier Jahrhunderte ein unbekannter Strom. Nur das Tiefland an seiner Mündung wurde durchforscht; jedes weitere Vordringen in das Innere hemmten auf dem Strome die brausenden Strudel und Wasserfälle, zu Lande die Wildheit kriegerischer Völkerschaften. Nicht von der Küste, sondern von Osten her, tief aus dem Herzen des dunkeln Erdtheils, sollte der Lauf des Stromes entdeckt werden.

Der Amerikaner Henry Stanley hat dieses Räthsel im Jahre 1876—1877 mit einem kühnen, ja tollkühnen Wagniß und um den Preis von vielen Menschenleben gelöst. Er hatte im Sommer 1876 in 51 Tagen die Rundfahrt auf dem mehr als 700 km langen und 70 km breiten Tanganjikasee, dessen Spiegel 37 000 qkm bedeckt, zum ersten Male vollendet und im October westlich von diesem Riesensee den schon von Livingstone entdeckten großen Lualabastrom gefunden. Was war das für ein Strom? War es der Niger? der Kongo? ein Arm des Nil? ein ganz unbekanntes Gewässer, das sich vielleicht in einem großen Binnenmeere, wie die Wolga im Kaspischen Meere, verlor? Die Leute von Nyangwe konnten es ihm nicht sagen, widerriethen ihm aber lebhaft den Plan, dem Laufe des Stromes zu folgen, und redeten viel von undurchdringlichen Wäldern, von reißenden Thieren, von wilden Uferbewohnern mit vergifteten Pfeilen.

Stanley faßte dennoch den Entschluß, dem Strome zu folgen, führe er, wohin er wolle. Seine Schaar betrug damals 154 Köpfe; als Waffen hatte er 65 Gewehre, 10 Revolver und 68 Aexte. Dem Araberhäuptling Tippu-Tib bot er 5000 Dollars, wenn er ihn mit einer Kriegerschaar begleite, und dieser brachte nicht weniger als 700 Mann zusammen. Zu dem zerlegbaren Boote „Lady Alice", welches Stanley mit sich gebracht hatte, wurden noch 17 Flußboote gebaut, und am 5. November 1876 trat Stanley seine denkwürdige Fahrt an.

Während Stanley die Flotte führte, zog der größte Theil seiner Schaar dem Ufer entlang. Beide Abtheilungen wurden alsbald von den kriegerischen Waregas angegriffen und mit vergifteten Pfeilen beschossen. Es waren das die ersten der 48 Gefechte, welche Stanley auf seiner Fahrt bestehen mußte. Dann kamen die Schrecken der Ukasse-Stromschnellen, welche unter beständigen Feindseligkeiten seitens der Uferbewohner zurückgelegt wurden. In Vinja-Ndshara, 900 km nördlich von Nyangwe, trafen die Reisenden auf schauerliche Trophäen des Kannibalenthums: Schädel und Menschengebein schmückten die Hütten und Gassen. Kaum hatte Stanley seine 72 Blatternkranken gelandet, als die Unmenschen ihn angriffen. Tippu-Tib war nun um keinen Preis mehr zu bewegen, mit seinen Kriegern Stanley weiter zu folgen. Lieber wollte er die 5000 Dollars verlieren, als ferner dieses tolle Abenteuer mitbestehen. Nach Abzug des Arabers zählte Stanley am 28. December noch 146 Köpfe, Männer und Weiber. „Laßt jene von Nyangwe ziehen“, rief er den Seinigen zu, „und erzählen, welch muthige Männer den weißen Mann auf dem großen Flusse hinab zum Meere begleitet haben.“

Am 4. Januar 1877 traf der Amerikaner den ersten der nach ihm benannten Stanleyfälle; es sind sieben, und sie vertheilten sich auf 340 km. Am 27. Januar war diese Strecke zurückgelegt und der Aequator überschritten. Nun erweiterte sich der Strom zu einer Breite von mehreren Meilen und spaltete sich durch ein Wirrsal großer und kleiner Inseln in viele Arme.

Aber so schön und herrlich der Strom wurde, welcher jetzt nach Westen bog, so üppig der Pflanzenwuchs seiner Ufer und Inseln, so feindselig blieben seine Nachbarn. Es begann jetzt eine Reihe von Flußkämpfen. Einer der bedeutendsten derselben wurde bei der Mündung des Aruwimi, der von Norden her dem Congo zuströmt, bestanden. (Siehe das Bild S. 304.) Kaum befand sich Stanley vor der breiten Mündung dieses Nebenflusses, so stürzte sich eine feindliche Flotte von 54 Kanoes mit unbeschreiblicher Wuth auf ihn. Er legte sich in geschlossener Reihe vor Anker und erwartete die Angreifer. Die Schiffe der Wilden waren von gewaltiger Größe: das vorderste hatte nicht weniger als 80 Ruderer, 40 auf jeder Seite, welche fast 3 m lange Ruder mit eisernen, zugespitzten Schaufeln führten, die im Kampfe als Waffen dienten.

Stanley. (S. 302.)

Das Ende der Ruderstange war mit einer Elfenbeinkugel geziert. Auf einem Gangbrette, das vom Buge des Schiffes bis zum Steuer lief, führten die Häuptlinge den Kriegstanz aus, und vorne auf der Platform drohten zehn der besten Krieger mit geschwungener Lanze; hinten standen acht Steuerleute und lenkten diese Kriegspirogue auf Stanley's Schiff zu. Die Gesammtzahl der Feinde wurde auf 1500—2000 Krieger geschätzt. Umsonst suchte man durch Zeichen und Geberden den Feind friedlicher Absicht zu versichern. Bald flog als Zeichen des entbrennenden Kampfes der erste Speer aus dem feindlichen Hauptschiffe, und zehn Minuten lang fiel unter dem betäubenden Lärm der Kriegshörner eine Wolke von Wurfspeeren auf die kleine, fast ganz umzingelte Flotte Stanley's. Aber diese antwortete mit Flinten- und Revolverschüssen, und fast jede Kugel war von tödtlicher Wirkung, so daß die Wilden bald heulend die Flucht ergriffen. Stanley

ließ sie verfolgen; seine Leute veranstalteten einen wahren Rache- und Beutezug, wobei sie eine Masse Elfenbein im Werthe von mehr als 70 000 Mark mit fortschleppten. Die Feuerwaffen hatten Sieg über die feindliche Uebermacht davongetragen; aber wie sollte es werden, wenn in täglichen Kämpfen sich Pulver und Blei erschöpften? wenn die Lebensmittel verzehrt waren? Denn von den feindseligen Uferbewohnern war nichts zu erhandeln.

Diese Flußkämpfe folgten sich längere Zeit fast Tag für Tag. „Wir hatten uns tapfer und muthig durch immer neue Schaaren von Wilden durchgeschlagen“, sagt Stanley; „wir hatten mehr als ein Dutzend Flotten zerstört und uns die Durchfahrt durch dieselben erzwungen; wir hatten Tag und Nacht Angriffe bestanden und zu aller Art Verschanzungen unsere Zuflucht genommen — und doch gellte uns bei jeder Krümmung dieses furchtbaren Stromes das Kampfgeschrei der Wilden in die Ohren, und schossen ihre schlangenähnlichen Kanoes zum Angriffe hervor, während Trommeln und Hörner und Schlachtgeschrei die Lüfte erfüllten. Wir fingen an, zu erlahmen, und doch waren wir erst in der Mitte unserer Fahrt. Mehr und mehr lichteten sich unsere Reihen. Es waren keine 30 Mann von uns, welche nicht irgend eine Wunde aufzuweisen hatten. Ein solches Leben konnte nicht lange geführt werden, und der Tag, der uns wie eine Heerde Lämmer dem Messer der Kannibalen überliefern mußte, schien nicht fern zu sein.“

Glücklicherweise trafen die Gehetzten an dem Uferstriche Nganja ein friedliches Völkchen, bei dem sie etwas Ruhe genossen und die erschöpften Vorräthe an Lebensmitteln wieder ergänzen konnten. Dort hörte Stanley auch zum ersten Male den Strom Kongo nennen. Er hatte bis dorthin von Nyangwe 1450 km zurückgelegt, und fast die gleiche Strecke trennte ihn noch vom Meere.

Schon die nächsten Tage brachten neue Kämpfe mit den wilden Bangala, und so ging es stromabwärts unter stets neuen Fährnissen, bis man endlich in der Nähe des Stanleyse's friedlichere Völkerschaften traf.

Jetzt folgte der letzte und gefährlichste Theil der Stromfahrt, eine doppelte Reihe von im ganzen 57 Stromschnellen und Wasserfällen, von denen Stanley keine Ahnung hatte, da die alten Karten östlich vom Jellalafalle einen breiten, ruhigen, inselreichen Strom anmerkten. Nur ein Beispiel aus diesen Tagen der Gefahren sei noch erwähnt. Am 3. Juni versuchte Stanley, zwei kleinere Fälle zurückzulegen. Fast eine Meile hatte man die „Lady Alice“ vorsichtig längs des Ufers hingerudert; da trieben sie die Wogen eines gefährlichen Strudels zurück. Umsonst suchte man die Mitte des Stromes zu erreichen, der mit schäumenden Fluten dahinsauste. Es gelang nicht; das leere Boot füllte sich zusehens mit

Wasser, und schon bedrohte sie im Rücken eine neue Gefahr. Das Wasser brauste zu einem Hügel auf, der aber alsbald verschwand und ringsum die Flut in eine drohende Bewegung versetzte, so daß sich ein tiefer, schäumender Strudel öffnete. Stanley rief seinen Leuten zu, mit dem Ausschöpfen des eindringenden Wassers aufzuhören und zu rudern, so lieb ihnen das Leben sei; denn sie waren alle verloren, wenn der Strudel sie hinabriß. Schon sahen sie seinen Schlund kaum einen Meter von sich entfernt gähnen; einen Augenblick schwankte das Boot am Rande des Abgrundes, da unterstützte eine barmherzige Woge ihre verzweifelte Anstrengung, und Stanley war gerettet. Am gleichen Tage aber verlor er seinen Freund und Reisegefährten Francis Pocock in den Wellen des Stromes. Stanley begleitete ausnahmsweise den Theil seiner Leute, der das Gepäck zu Lande voranbrachte, und hatte seinem Freunde auf dessen Wunsch den Auftrag gegeben, an Tauen die Kähne vorsichtig über die nächsten Schnellen zu bringen. Da erblickte er von einer Felswand aus, welche einen Blick auf den vorbeibrausenden Strom eröffnete, plötzlich einen dunkeln Gegenstand in den Wellen des Majaiiafalles. Es war ein umgeworfenes Boot, an welches sich mehrere Menschen klammerten. Sofort sandte er den Verunglückten nach einer Stelle, wo sie vorbeitreiben mußten, Leute zu Hilfe. Er sah, wie sich die Schiffbrüchigen bemühten, das Boot wieder aufzurichten; wie sie, als das nicht glückte, auf den Kiel kletterten und mit den Händen zu rudern versuchten; denn eine kleine halbe Stunde weiter stromabwärts brüllte der Singafall. Als sie sich dem Ufer etwas genähert hatten, suchten sie es schwimmend zu erreichen. Gleich darauf sah Stanley den Kahn pfeilschnell an sich vorbei und über den Singafall hinab-

Flußkampf bei der Mündung des Aruwimi. (S. 303.)

schießen, wo er in den zischenden Wogen spurlos verschwand. Acht von elf hatten sich gerettet; unter den Ertrunkenen war Stanley's Gefährte Pocock (siehe das Bild S. 303).

Nach namenlosen Anstrengungen erreichte Stanley am 9. August 1877 endlich bei Banane den Atlantischen Ocean. Seine Schaar, welche am 17. November 1874 beim Ausmarsche von Bagamoyo 356 Seelen betragen hatte, war auf 115 Köpfe zusammengeschmolzen, und auch unter diesen befanden sich 60 kranke. Die Stromfahrt von Nyangwe bis zum Meere hatte 278 Tage gebraucht. Groß war das Staunen, als die Nachricht dieser tollkühnen Fahrt nach Europa drang; sie zeigte dem Unternehmungsgeiste des Forschers, des Kaufmannes und des Missionärs neue Wege.

4. Stanley's Zug vom Kongo zu den Nilquellen.

Der berühmten Stromfahrt Stanley's den Kongo abwärts fügen wir hier seine ebenso berühmte Fahrt vom Aruwimi zum Albertsee bei, welche er im Jahre 1887 unternahm. Wie man verkündete, galt es die Befreiung Emin Pascha's, der seit mehr als 13 Jahren in Wadelai aushielt und die südlichste Provinz des ägyptischen Sudan für den Khedive auch dann noch vertheidigte, als Chartum schon lange gefallen, Gordon ermordet war und die ägyptische Regierung auf die Zurückeroberung der Länder am obern Nil thatsächlich verzichtet hatte. Von der europäischen Welt vollständig abgeschnitten und ohne Schießbedarf und Hilfsmittel schien Emin Pascha verloren. Deutsche und englische Gesellschaften bildeten sich zu seiner Rettung; aber nebenbei hatte man auch noch andere Zwecke im Auge.

Stanley unterzog sich der Aufgabe und wählte den Weg über den Kongo. Am 21. Januar 1887 verließ Stanley London, traf am 27. in Alexandrien ein und reiste nach einer Unterredung mit dem Khedive Mehemet Tewfik, der 200000 Mark und reiche Vorräthe an Waffen und Schießbedarf zur Rettung seiner Officiere

Francis Pocock verunglückt in den Singafällen. (S. 304.)

in Wadelai berfteuerte, fofort nach Sanfibar, das er am 22. Februar erreichte. Bereits waren von feinem Agenten 706 Träger (und Krieger) angeworben und zufammt 160 Tonnen Laft (Proviant, Waffen, Tanfchgegenftände u. f. w.) auf dem Dampfer „Madura" eingefchifft, fo daß die Weiterreife nach dem Kongo fofort angetreten werden konnte. Borher aber fchloß Stanley mit dem Sklaven- und Elfenbeinhändler Tippu-Tib, den er in Sanfibar traf, einen Vertrag, kraft deffen diefer ihm 600 weitere Träger, den Mann für 120 Mark, ftellen follte. Diefe 600 Träger follten die 75 Tonnen Elfenbein, die, das Pfund zu 8 Mark berechnet, einen Werth von 1 200 000 Mark darftellten und die man im Befitze von Emin Pafcha wußte, an den Kongo zurückbringen. Man hoffte, mit diefem Elfenbein die Koften des Zuges, für den 400 000 Mark beigefteuert waren, um mehr als das Doppelte zu

decken; in Wirklichkeit aber koftete diefe Speculation, weil Tippu-Tib feine Zufage nicht hielt oder nicht halten konnte, mehreren hundert Menfchen das Leben und hätte beinahe die ganze Expedition vernichtet.

Am 18. März erreichte Stanley mit feinen Leuten die Kongomündung, am 21. April Leopoldville am Stanley-Pool, und vom 1. Mai bis 23. Juni dauerte die Kongofahrt bis Jambuja, das am Aruwimi, etwas über 200 km oberhalb feiner Mündung in den Kongo, liegt. Dafelbft wurde ein befeftigtes Lager errichtet, in welchem Major Barttelot die Ankunft der Nachhut und der von Tippu-Tib verfprochenen 600 Elfenbeinträger erwarten follte; doch hatte er die Weifung, wenn diefe binnen einer beftimmten Frift nicht geftellt würden, mit feinen Leuten (260 Mann) und dem Gepäck Stanley zu folgen, der mit der Hauptfchaar (389 Mann)

Zufammentreffen Stanley's mit Emin Pafcha. (S. 312.)

fchon am 28. Juni den berühmten Marfch durch den Urwald antrat. Wie eine finftere Mauer ftand derfelbe vor Stanley und feiner Schaar, und erft nach einem Marfche von 160 Tagen follte die kleinere Hälfte, 175 Mann von 389, und auch diefe zu Skeletten abgemagert, fein fchauerliches Dunkel verlaffen.

„Wie marfchirten, eine Compagnie nach der andern, im Gänfemarfch", erzählt Stanley. „Jede Compagnie hatte ihre Fahne, ihren Trompeter oder Trommler, fowie eine beftimmte Zahl von Ueberzähligen, während 50 ausgefuchte Leute als Vorhut vorausmarfchirten, um Haumeffer und Art zu handhaben, die jungen Bäume zu fällen, von den Stämmen einen handbreiten Streifen Rinde abzufchälen (als Merkzeichen für die Nachhut unter Barttelot), die Blätter und Sproffen des Rotangs zu durchhauen, alle den freien Durchzug der Hunderte von beladenen Trägern hindernden Zweige zu entfernen, Bäume für den Uebergang über

Flüffe zu fällen und nach Beendigung des Tagemarfches aus Bufchwerk und Zweigen Seribas oder Bomas (Schutzzäune) um das Hüttenlager zu bauen. Die Vorhut muß den Pfad auffuchen oder, wenn keiner zu finden ift, die fchmalfte Stelle des Dickichts wählen und fich fofort durchbohren, da es außerordentlich ermüdend ift, mit einer fchweren Laft auf dem Kopfe in der erhitzten Atmofphäre ftillzuftehen. Findet fich keine lichtere Stelle im Dickicht, dann geht es irgendwo hindurch, fo undurchdringlich die Stelle auch erfcheinen mag; die Leute müffen tüchtig darauf losbacken, fonft entfteht unter den ungeduldigen Trägern hinter ihnen ein unheilverheißendes Murren. Sie müffen bei folcher Waldarbeit auch gefchickt und intelligent fein; ein Neuling oder „Goi-Goi" hat das Haumeffer wieder abzugeben und die Kifte oder den Ballen aufzunehmen. Dreihundert ermüdete Burfchen laffen nicht mit fich fpaßen. Die Leute von der Vorhut follen auch tapfer

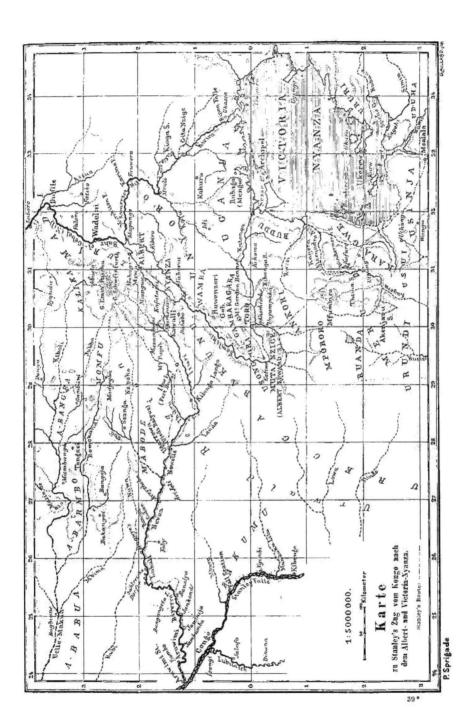

Karte

zu Stanley's Zug vom Kongo nach
dem Albert- und Victoria-Nyanza.

1 : 5000000.

Kilometer

Stanley's Route:

P. Sprigade

319

sein, rasch einen Angriff zurückzuschlagen und, da die Pfeile vergiftet, die Speerstiche tödtlich sind, gute Augen haben, um die Dunkelheit und den Schatten zu durchdringen, sowie Beobachtungsgabe besitzen und jeden Augenblick bereit zum Handeln sein . . . ‚Welches ist der Weg, Führer?‘ fragte ich den stolzesten Mann der ganzen Kolonne; denn es ist ein höchst erhebendes Gefühl, an der Spitze des Zuges zu schreiten. — ‚Dieser hier, der nach Sonnenaufgang führt‘, erwiederte er. — ‚Wie viele Stunden sind es bis zum nächsten Dorfe?‘ ‚Das weiß nur Gott allein‘, antwortete er. — ‚Kennst du kein Dorf oder Land in jener Richtung?‘ — ‚Nicht ein einziges! Wie sollte ich auch?‘ war die Entgegnung. Das war also alles, was der Klügste von uns wußte. — ‚Nun denn, vorwärts in Gottes Namen! Möge Gott stets mit

uns sein! Halte dich an jeden Pfad, der am Flusse entlang führt, bis wir eine Straße finden!‘“

So ging es also längs des Aruwimi durch den Wald. Im Anfang leistete ihnen das zerlegbare Stahlboot und eine Anzahl erbeuteter Kanoes, auf welche wenigstens ein Theil der Lasten geladen werden konnte, vortreffliche Dienste. Aber bald sperrte eine Reihe von Stromschnellen und Wasserfällen die Flußfahrt und nöthigte zu lästigem Umladen und beschwerlichen Umwegen. Die Uferbewohner zeigten sich durchweg feindselig. Heimtückisch steckten sie spitze, manchmal vergiftete Holzsplitter in den Pfad und bedeckten dieselben mit scheinbar zufällig hingestreuten Blättern. Wehe dem Unvorsichtigen, der sich einen solchen Splitter in den nackten Fuß trat! Eiternde, kaum mehr heilende Wunden machten ihn

Pagazis (Träger). (S. 306.)

zum Krüppel. Nicht weniger gefährlich waren die vergifteten Pfeile, die oft binnen wenigen Minuten den Tod zur Folge hatten. Furchtbare Tropenstürme, strömender, endloser Regen erschwerten den Marsch. Die Insektenwelt bereitete den Leuten entsetzliche Qualen. Da waren unermeßliche Heere verschiedenartiger, überaus giftiger Ameisen, die am Boden, an den Baumstämmen krochen, von den Aesten auf die Träger niederfielen, die Müden bei Nacht von den Lagerstätten vertrieben; kleine Bienen, die mit Vorliebe in die Nasenlöcher und Augen stachen; bösartige Wespen, die wiederholt die ganze Karawane in die Flucht trieben; Zecken, welche den armen Leuten das Blut abzapften und schmerzliche Entzündungen hervorriefen. Zu diesen kleinen, aber lästigen Feinden des Urwaldes gesellte sich bald ein viel schlimmerer — der Hunger, und in seinem Gefolge Krankheiten aller Art. Anfangs fanden sich

am Flusse Dörfer und Pflanzungen, und wenn die Bewohner nicht gutwillig Nahrungsmittel gegen Tauschwerthe lieferten, so ließ Stanley die Pflanzungen einfach plündern. Dann aber trafen sie auf Dörfer, die von den arabischen Räuberhorden ausgemordet und verheert waren.

Am 30. August hatten sie erst nahezu die Hälfte des Weges, etwas über 300 km in der Luftlinie, nach 64tägigem Marsche zurückgelegt, durften aber nicht hoffen, die zweite Hälfte in der gleichen Zeit zu überwinden. „Die Leute befanden sich in einer jämmerlichen Körperbeschaffenheit und waren moralisch gedrückt“, sagt Stanley. „Geschwüre wüttheten epidemisch unter ihnen; Blutarmuth hatte ihre Lebenskraft zerstört. Wir sagten ihnen, wir hätten die Hälfte des Weges erreicht; aber sie antworteten ungläubig mit Murren. Sie fragten: ‚Wie kann der Herr das wissen? Zeigt jenes Instrument ihm den Weg? Sagt es ihm, welches der richtige Pfad ist? ... Bah, der Herr spricht zu uns, als ob wir Kinder wären!" Am folgenden Tage stießen sie mit einer Streifpartie von Arabern (Manyema) zusammen! Nun begann unter der entmuthigten Schaar das Desertiren, so daß Stanley sich gezwungen sah, einen der Entlaufenen zum abschreckenden Beispiel aufzuknüpfen. Bald trafen sie dann das erste von den Manyema verheerte Dorf. „Navabi muß früher ein bemerkenswerthes Beispiel von dem Gedeihen der Niederlassungen der Eingeborenen gewesen sein. Es besaß Haine von Oelpalmen und Bananenbäumen, große mit Tabak und Mais bebaute Strecken; die Hütten hatten ein fast idyllisches Aeußere, wie wir wenigstens aus zweien derselben schlossen, die stehengeblieben waren und uns einen kleinen Begriff des schönen, heitern Glückes der Tropen gaben. Im übrigen war alles öde. Streifpartien, welche nach unserer Ansicht von Ugarrowwa (einem Anführer der arabischen Räuberbanden) geschickt waren, hatten die Ansiedelung niedergebrannt, viele von den Palmen umgehauen, die Bananenpflanzungen dem Erdboden gleichgemacht und den Boden mit den Gebeinen der Vertheidiger besäet. Innerhalb unseres Lagers bei Navabi fanden wir die Schädel von fünf kleinen Kindern."

Am 12. September hatte die Karawane auf dem Marsche bereits 46 Mann eingebüßt; es waren allein vom 23. August bis 12. September 14 Mann desertirt, 16 gestorben, und 58 Kranke schleppten sich mühsam nach oder mußten gar getragen werden. Jetzt begann das Elend erst recht. Da fast alle Pflanzungen zerstört waren und der Lärm der Karawane das

Wild verscheuchte, lange bevor die Jäger ihm nahen konnten, sahen sich die Hunderte auf die kärgliche Nahrung angewiesen, welche Waldbeeren und Schwämme boten. Wenn nicht glücklicherweise die Lager der räuberischen Manyema, welche die Gegend verheert hatten, in erreichbarer Nähe gewesen wären, so hätte der ganze Zug elend vor Hunger sterben müssen.

Auch so ging es hart genug. Am 5. October hatte man die Stelle erreicht, wo von Nordosten der Ihuru aus einer Schlucht hervorbrausend in den Ituri mündet, dessen Wasser ebenfalls so wild dahin schossen, daß es unmöglich war, sich fürderhin der Kähne zur Beförderung der Kranken zu bedienen. Stanley mußte also den Entschluß fassen, den kranken Capitän Nelson mit 56 Kranken zurückzulassen, um mit den noch 211 marschfähigen Leuten das Lager der Manyema zu erreichen und dann von dort aus die Zurückgelassenen mit Nahrungsmitteln zu versorgen und sie nachholen zu lassen. Es war das einzige Mittel, um nicht alle, Gesunde und Kranke, dem Tode zu weihen, und wenn Stanley's Schätzung, das Manyemalager binnen fünf Tagen zu erreichen, richtig gewesen wäre, so hätte er wohl die meisten Kranken noch retten können. Aber erst am dreizehnten Tage erreichten sie todtmatt und halbverhungert die Manyema, und abermals vergingen zehn Tage, bevor er einen seiner Officiere mit 70 Mann und einem Vorrath von Lebensmitteln Nelson zu Hülfe schicken konnte. Von den 56 Kranken waren nur mehr 5 am Leben, und von diesen lagen noch 2 am Sterben. Alle anderen waren durch Hunger und Elend umgekommen!

Im ostafrikanischen Urwald. (S. 310.)

Von den Manyema erfuhr Stanley auch, daß der unermeßliche Urwald sich ununterbrochen nach Süden bis an den Oberlongo (Lualaba) erstrecke. In neunmonatlichem Marsche waren dieselben von Kibonge an den Ituri gekommen, „ohne auch nur so viel Gras zu finden, als die Fläche einer Hand bedecken würde". Sie hatten auf diesem Zuge durch Hunger und Giftpfeile über 200 Mann verloren. Ganz ähnlich lautete die Erzählung einer andern Schaar, die auf 7½monatlichem Marsche nichts als Bäume und Büsche und auch nicht den kleinsten Grasfleck getroffen hatte; auch diese Schaar hatte 110 von 200 Mann eingebüßt, und sie war noch glücklich; andere Expeditionen der Sklaven- und Elfenbeinjäger waren in diesem Walde spurlos verschwunden, ein Schicksal, dem Stanley's Schaar nur mit genauer Noth entronnen ist. Stanley schätzt den Urwald auf 224 Millionen Acres (1 Acre = 1,584 preuß. Morgen = 0,404 ha), nahezu 1 Million qkm. Suchen wir uns durch einige Stellen aus Stanley's Beschreibung ein Bild dieses Urwaldes zu vermitteln:

„Man denke sich ganz Frankreich und die Iberische Halbinsel dicht besetzt mit Bäumen von 6—60 m Höhe, glatten Stämmen, deren Blattkronen sich so nahe befinden, daß sie sich untereinander verwickeln und den Anblick des Himmels und der Sonne verhindern, und jeden Baum von wenigen Centimetern bis über einen Meter dick. Alsdann laufen von einem Baum zum andern Taue von 5—10 cm Durchmesser, welche die Form von Schlingen und Festons haben und sich in großen, dichten Kränzen um die Stämme ringeln, bis sie die höchste Spitze erreicht haben. Laß sie üppig blühen und Blätter treiben und sich mit dem Blattwerk der Bäume vereinigen, um die Sonne zu verbergen; laß von den höchsten Zweigen die Taue zu Hunderten bis nahe auf den Erdboden herabfallen, mit ausgesaatesten Luftwurzeln der Schmarotzer bilden, und schlanke Ranken herabhängen mit offenem Faserwerk an den Enden wie Troddeln. Wirf alles bunt durcheinander, so wirr und kunterbunt wie möglich, und pflanze an jeder gabelförmigen Stelle der Bäume oder jeden wagerechten Ast lohhöhnliche Baumflechten von der größten Art, Pflanzen mit breiten speerförmigen Blättern, Elephantenohrpflanzen, Orchideen, Gruppen von Wundern der Blumenwelt, einen reichen Schmuck zarter Farne. Nunmehr bedecke Baum, Ast, Zweig und Schlinggewächs mit dichtem Moos wie mit einem grünen Pelz. Wo der Wald fast verwachsen ist, braucht man nur noch den Boden mit dichtem Phryniumgesträuch, Amomum und Zwerggebüsch zu bepflanzen. Wenn aber, wie so häufig vorkommt, der Blitz die Krone eines stolzen Baumes zerschmettert und das Sonnenlicht hereingelassen, wenn er einen Waldriesen bis zu den Wurzeln hinab zersplittert und der Stamm verdorrt, wenn ein Wirbelsturm einige Bäume entwurzelt hat, dann schießen eine Menge junger Stämme im Wettlauf um Licht und Luft in die Höhe, drängen sich, brechen sich, pressen sich und ersticken sich gegenseitig, bis das Ganze ein undurchdringliches Dickicht bildet... Um das Bild des unbarmherzigen Waldes zu vollenden, muß der Erdboden noch dick mit halbfertigem Humus aus vermoderten Blättern, Stielen und Zweigen bedeckt sein; alle paar Meter sollte ein gestürzter Riese liegen, eine Durchmischung von verwesenden Fibern, abgestorbenen Generationen von Insekten und lebenden Ameisenkolonien. . . Jeden Kilometer müßte ein schlammiger Fluß, ein sumpfiger Bach, ein seichter Tümpel kommen, bedeckt mit Wasserlinsen, Lotos- und Lilienblättern und einem seifigen grünen Schlamm, der aus Millionen von Pflanzenteilchen besteht. Bevölkere dann diese ungeheure Waldwüste mit zahllosen Bruchstücken von Völkerstämmen,

die sich gegenseitig befehden, 15 bis 80 km voneinander getrennt inmitten der zu Boden gestürzten Bäume leben, zwischen denen sie Paradiesfeigen, Bananen, Maniok, Bohnen, Tabak, Colocasien, Kürbisse, Melonen u. s. w. pflanzen. Um ihre Dörfer unzugänglich zu machen, haben sie jedes Vertheidigungsmittel angewandt, welches die Natur und das Leben im Walde der Wilden an die Hand giebt. Sie haben Holzspließer eingegraben und schlau unter scheinbar zufällig dort liegenden Blättern verborgen, nicht nur auf ihren Pfaden, sondern auch an der Seite der Baumstämme, so daß der Eindringling, wenn er mit dem nackten Fuße darauf tritt, sich denselben durchbohrt und entweder an dem auf die Holzspieße geschmierten Gift stirbt oder monatelang lahm bleibt. Sie haben die Aeste angethürmt und aus den großen Bäumen Verhaue hergestellt, hinter denen sie mit Köchern voll vergifteter Pfeile und mit im Feuer gehärteten und mit Gift bestrichenen hölzernen Speeren im Hinterhalte liegen."

Unter diesen Waldbewohnern waren es vor allem die Stämme der „Zwerge", welche Stanley viel zu schaffen machten. Ihre Größe schwankte von 90 cm bis 1,4 m. Das erste Dorf derselben traf er Anfang November bald nach dem Weitermarsche aus dem Lager der Manyema, wo er eine Anzahl Kranker, viele Kisten und sein Stahlboot zurückgelassen hatte. Da Stanley durch Boten von Sansibar aus an Emin Pascha Briefe geschickt hatte, glaubte er auch des Stahlboots nicht mehr zu bedürfen, indem er die Dampfer des Pascha's am Südende des Albert-Njanza erwartete. Am 10. November erreichte er Ibwiri und sah sich gezwungen, mit seinen erschöpften Leuten abermals eine längere Rast zu halten. Den 24. November brach Stanley von Ibwiri auf und erreichte endlich den 4. December das Ende des fürchterlichen Waldes. Von den 389 Mann, mit denen er denselben betreten hatte, waren nur mehr 175 bei ihm. Wir begreifen seine Gefühle:

„Zu unserer herzlichen Freude traten wir aus einer weite Ebene, so grün wie englischer Rasen, in das hellste, angenehmste Tageslicht, den warmen, herrlichen Sonnenschein hinaus, wo wir mit unwiderstehlicher Lust die reine Luft einathmeten. Wenn ich nach meinem Gefühl auf das der anderen schließen darf, so kam es uns vor, als wir den jungen grünen Rasen betraten, wir hätten das Alter und ein Dutzend Jahre von uns geworfen. Mit ganz ungewöhnlichen Schritten eilten wir vorwärts, und als unsere Bewegung sich nicht mehr meistern ließ, setzte sich schließlich die ganze Karawane in Laufschritt. Das Herz eines jeden schien sich zu erweitern und vor kindlicher Freude zu schwellen. Der blaue Himmel über uns hatte uns noch nie so groß und hoch, so rein und heiter geschienen, wie in diesem Augenblicke. Wir blickten sogar in die Sonne, ohne von ihrer glühenden Helle geblendet zu werden. Das junge Gras, das nach der Verbrennung des alten erst einen Monat alt war, wurde von der sanften Weise schmeichelnd geliebkost und bewegte sich hin und her, als ob es uns die schönen Schattierungen seines zarten Grüns zeigen wollte. Vögel, die uns so lange fremd gewesen waren, segelten und schwirrten durch die klare Luft; kleinere und größere Elenantilopen standen auf einer graswachsenen Anhöhe und betrachteten uns verwundert, um dann aufwärts zu springen, wieder stehen zu bleiben und ihrem Erstaunen, das nicht geringer war als das unsrige, durch Schnauben Luft zu machen; Büffel hoben den Kopf, von Verwunderung über die Eindringlinge in ihre stille Domäne erfaßt, wogen die schwerfälligen Körper herum und trabten in sichere Entfernung. 250 qkm herrliches Land lagen offen vor unserm Blicke."

Ueberfall im Urwalde. (S. 308.)

Bald trafen sie Hirtenstämme, mit denen sie später gute Freunde wurden; aber das erste Mal traten dieselben den Fremdlingen feindselig gegenüber, und nur durch blutige Kämpfe erzwang sich Stanley den Durchzug. Man befand sich nun zwischen dem Walde und dem Albert-Njansa auf einer etwa 80 km breiten Hochebene, durchschnittlich 1300 m über dem Meere; der höchste Punkt wird auf 1610 m angegeben. Endlich am 13. December kam der ersehnte See in Sicht. Höchst anschaulich schildert uns Stanley den denkwürdigen Augenblick:

„Als wir den höchsten Punkt des Sattels oder vielmehr den Rand der Hochebene, wie es sich herausstellte, erreicht hatten, erblickten wir in der Entfernung von etwa 40 km die blaue gleichmäßige Linie eines Tafellandes, das sich bis in die Wolken erhob und von ungeheurer Höhe zu sein schien. Beim Anblicke derselben gaben unsere Leute ihrer Ueberraschung und Unzufriedenheit durch Murren Ausdruck; ich wußte aber, daß es Unjoro war und daß zwischen uns und jenem großen blauen Tafellande eine ungeheure tiefe Schlucht sich befand, auf deren Grund der Albertsee lag. . . Als unsere Leute das Plateau von Unjoro in der Ferne erblickten, riefen sie ärgerlich aus: ‚Maschallah, dieser Njansa geht aber noch immer weiter von uns weg.‘ Doch tröstete ich sie und sagte: ‚Haltet die Augen offen, Jungens, ihr könnt den Njansa jetzt jeden Augenblick zu sehen bekommen‘, eine Bemerkung, die, wie so viele andere, welche sie ermuthigen sollten, mit ungläubigem Knurren aufgenommen wurde. Allein jeder Schritt, den wir weiter machten, bewies, daß wir einem ungewöhnlich tiefen Thale oder dem Njansa nahten. Das Plateau von Unjoro stieg immer höher vor unseren Blicken empor, während die Abhänge zu beiden Seiten von uns beständig niedriger wurden, und schließlich ruhten aller Augen auf einer grauen Wolke. Was ist das? Nebel? Nein, es ist der in leichtem Nebel schlummernde Njansa! Dort im Nordosten hat er die Farbe des Oceans. Die Leute blickten mehrere Minuten auf den See, ehe sie zu begreifen vermochten, daß das, was sie sahen, wirklich Wasser war, und gaben dann ihrem Gefühl mit Jubelgeschrei und enthusiastischem Rufen Ausdruck. . . Obwohl die Leute jauchzten und tanzten und sich um mich drängten, um mir Glück zu wünschen, daß ich die Stelle so genau getroffen hätte, überkam mich doch ein freudeloses Gefühl, als ich daran dachte, wie wenig Aussicht vorhanden war, in einem Lande wie dieses ein Kanoe zu finden, das zum Befahren der unruhigen Gewässer des Albertsees hätte dienen können. Aengstlich untersuchte ich mit dem Glase genau die ferne Küste des Sees; doch vermochte ich weder ein Kanoe zu entdecken, noch auf der ganzen Länge der Abhänge und der ausgedehnten Ebene einen einzigen zur Herstellung eines Kanoe geeigneten Baum zu erblicken, und zum erstenmal kam mir, während noch auf aller Lippen der fromme Ausruf: ‚Gott sei Dank!‘ schwebte, der Gedanke, daß unser forcirter Marsch, der beständige Kampf und die Opfer an Menschenleben am Ende doch umsonst seien.“

Unter Kämpfen mit den nachdrängenden Eingeborenen bewerkstelligte Stanley am 13. December 1887 binnen drei Stunden den Abstieg über die steilen Hänge der Hochebene nach der etwa 750 m tiefer liegenden See-Ebene und erreichte am folgenden Tage das 8 km vom Fuße des Berges entfernte Ufer. Allein der Pascha war nicht da und kein Kahn aufzutreiben, mittelst dessen man eine Botschaft nach dem 200 km entfernten Wadelai hätte schicken können. Stanley befand sich wirklich in einer mißlichen Lage. Sollte er sich verschanzen und auf gut Glück abwarten, ob der Pascha seine Ankunft erfahren werde, oder sollte er rasch 18 Tage-

reisen weit in den Wald zurückkehren und sein Stahlboot herbeiholen? Er entschloß sich für das letztere, und schon am 16. December finden wir ihn wieder auf dem Rückmarsch. Glücklicherweise gelingt es ihm diesmal, mit den Hirtenstämmen auf einen freundschaftlichern Fuß zu kommen. Am 7. Januar 1888 erreichten sie die fruchtbare Gegend von Ibwiri, und während Lieutenant Stairs, einer von Stanley's Officieren, mit 97 Mann nach Ipota ging, um die zurückgelassenen Kranken, das Stahlboot und die vielen vergrabenen Kisten abzuholen, blieb Stanley selbst mit 70 Mann in Ibwiri und baute als Stützpunkt seiner künftigen Unternehmungen das Fort Bodo, um welches er reiche Mais- und Bananenpflanzungen anlegte. Eine Erkrankung Stanley's verhinderte den Aufbruch mit dem Stahlboot, das schon am 8. Februar eingetroffen war, bis zum 2. April. Dann trat er mit 126 Mann abermals den Marsch nach dem Albertsee an, 49 Mann als Besatzung im Fort Bodo zurücklassend. Schon unterwegs erhielt er einen Brief Emin Pascha's, der inzwischen vom Herannahen der Ersatztruppen Kunde erhalten hatte, und am 21. April fand endlich die Zusammenkunft der beiden Männer am Ufer des Sees statt.

Die Freude der Begegnung wurde bald dadurch etwas vermindert, daß Emin Pascha sich nicht entschließen konnte, auf die Vorschläge Stanley's einzugehen. Seine Stellung in der Aequatorprovinz, an der er zäh festhielt, kam ihm noch nicht so unhaltbar vor. Ebenso wenig war er gewillt, mit dem Range eines Generals und dem Jahresgehalte von 1500 Pfd. Sterling in die Dienste des Kongostaates zu treten und seine Provinz, auf welche Aegypten verzichtete, im Namen Leopolds II. von Belgien zu verwalten, oder endlich mit Stanley nach der Nordostecke des Victoria-Njansa zu ziehen und dort im Auftrage der Englisch-Ostafrikanischen Gesellschaft eine Art Kolonie zu gründen. Doch die Entscheidung drängte nicht; zunächst mußte Stanley daran denken, seine Nachhut aufzusuchen, von der er seit dem 28. Juni 1887, dem Tage, da er Jambuja verließ und den großen Wald betrat, keine Kunde mehr erhalten hatte.

Man wird sich erinnern, daß Stanley den Major Barttelot mit 260 Mann und einem großen Theil des Gepäcks dort zurückgelassen hatte, mit dem Befehl, nicht länger als bis Mitte August auf die von Tippu-Tib versprochenen 600 Träger zu warten. Sollte der Araber sein Wort nicht halten, was Stanley gar nicht unwahrscheinlich war, so mußte Barttelot sich mit seinen eigenen Trägern behelfen und konnte dann der Vorhut nur langsam folgen, da er die 500—600 Lasten nicht auf einmal befördern konnte. Barttelot war aber dieser Vorschrift nicht nachgekommen; wiederholt hatte er selbst den Weg zu den Stanleyfällen gemacht, um Tippu-Tib aufzusuchen, und war von diesem durch eitle Versprechungen immer wieder hingehalten worden. So mußte Stanley fast den ganzen Weg durch den ungeheuern Wald wieder zurückmachen, um endlich die Trümmer der Vorhut in Banalja, kaum 100 km östlich von Jambuja, am 17. August 1888 zu treffen. Welch ein Wiederfinden! Major Barttelot war von einem Manyema meuchlerisch erschossen, 78 von der Mannschaft todt, 26 desertirt, 34 krank, meist in Jambuja, zurückgeblieben, nur mehr 75 am Leben, und auch von diesen war die Mehrzahl krank! Es gelang Stanley, den gebrochenen Muth der Leute wieder aufzurichten, und schon nach wenigen Tagen Rast, am 1. September, trat er den dritten Marsch durch den schrecklichen Urwald an. Seine Schaar, die Trümmer der Nachhut und eine Abtheilung Manyema (darunter 61 Träger, statt der versprochenen 600), betrug zusammen 465. Wir können uns bei den Einzelheiten dieses Marsches, wobei natürlich die Erfahrungen der früheren benützt wurden, nicht aufhalten. Am 20. December erreichte man Fort Bodo, wo die angelegten Pflanzungen die Karawane reichlich mit Lebensmitteln versahen. Der Marsch von Banalya bis Fort Bodo hatte Stanley abermals 106 Menschenleben gekostet. Am 23. December brach er mit dem Rest seiner kleinen Schaar auf und erreichte am 18. Januar 1889 das Dorf Kawalli, etwa 40 km vom Ufer des Albertsees, am Rande der Hochebene, wo er für die folgenden zwei Monate sein Hauptquartier aufschlug.

Schon am 16. Januar hatte er Briefe Emin Paschas und Jephsons, den Stanley bei ihm gelassen hatte, erhalten, welche ihm mittheilten, daß am 18. August eine Meuterei unter den Officieren des Pascha ausgebrochen sei, und daß der Pascha und Jephson jetzt von ihnen in Gefangenschaft gehalten werden. Inzwischen waren Anhänger des Mahdi von Norden her in die Provinz eingebrochen und hatten die meuterischen Officiere geschlagen; alles war in der größten Verwirrung. Was sollte nun Stanley thun? Sich mit seiner Handvoll Leute nach Wadelai begeben, wäre mehr als tollkühn gewesen. Wenn es dem Pascha nicht glückte, zu ihm zu kommen, so mußte er die Munition, die er ihm zum Entsatze mit so großer Mühe gebracht hatte, zerstören und ohne den Pascha und dessen Leute den Weg an die Küste antreten. In diesem Sinne berichtete er nach Wadelai.

Am 17. Februar kam der Pascha mit 65 Mann nach Kawalli, und nun begann eine Zeit endloser Verhandlungen und Ränke seitens der ägyptischen Officiere, welche die Waffen und Vorräthe in ihren Besitz bringen wollten. Als äußerste Frist für den Aufbruch nach der Küste hatte Stanley schließlich den 10. April festgesetzt. Wer bis dahin nicht mitzuziehen bereit war, mußte zurückbleiben.

Emin Pascha. (S. 312.)

Inzwischen hatte Stanley Muße, die Hochebene und ihre Bewohner sich genauer anzusehen, und wir wollen einige Züge seiner Schilderung aufnehmen, da gerade dieses Land zur Gründung einer Mission geeignet sein dürfte.

„Diese Berge (der Hochebene bei Kawalli) haben eine Höhe von 1600—1700 m über dem Meere. Die Vertiefungen und Thäler zwischen den Anhöhen sehen hier und dort ganz malerisch aus, obwohl sie wegen des jüngst erfolgten Grasbrandes sich augenblicklich nicht in ihrem besten Kleide zeigen. Die Gebirgsspalte hat ihren eigenen klaren Wasserlauf, an dessen Ufern Bananarne, kleine Palmen und theilweise jetzt blühendes Gebüsch stehen. Nach dem lebhaften Vogelgesang, den ich gestern hörte, hielt ich

Spillmann, Rund um Afrika. 2. Aufl.

es für wahrscheinlich, daß unter unersättlicher Sammler (Emin Pascha) seinen Vorrath von Riesenlerchen, Drosseln u. s. w. noch mehr vermehren werde . . . In einem kesselförmigen, ringsherum von zertlüfteten, nackten Felsen umgebenen Becken sah ich eine ebene Terrasse von 2½ km Länge und 1½ km Breite, so grün wie ein Rasenspielplatz. Um den Fuß derselben lief ein klarer Bach durch einen dichten Waldgürtel, dessen Baumwipfel gerade bis zur Oberfläche der Terrasse erreichten. Es ist der hübscheste Platz für eine Missionsstation oder Gemeinde von Weißen, den ich seit langer Zeit gesehen habe. Die Höhe beträgt 1675 m (nahezu Rigihöhe) über dem Meeresspiegel. Von dem Scheitel der umliegenden Felsenhügel hat man einen Blick auf fast 8000 qkm eines der herrlichsten und schönsten Länder der West. In der Richtung des Waldes beherrscht der etwa 95 km nach Westen gelegene Berg Pisgah alle Spitzen und Ketten; im Süden begrenzt der 130 km entfernte und 5500—5800 m hohe Runwenzori mit seinem ewigen Schnee den Blick; im Osten schaut das Auge weit über das Land Unyoro hinweg, und im Nordosten dehnt sich der Albert-Njansa in seiner ganzen Länge aus.

„Wie können jetzt den Eingeborenen jedes Eigenthum anvertrauen, ohne für ja bewachen. Insgesammt haben sich 15 Häuptlinge unserer Bestimmung, die Kämpfe untereinander aufzugeben, alle Beschwerden uns vorzulegen und sich mit unserer Entscheidung einverstanden zu erklären, unterworfen. Die Folge davon ist, daß die Bavira jetzt den Wasiri, Balegga und den Wahuma die Hand reichen. Oft sind die Streitfälle von nur geringer Bedeutung; doch haben unsere Entscheidungen bis jetzt befriedigt.

„Die Wahuma sind das gerade Gegentheil der Zwerge. Letztere sind Nomaden von geringerer als gewöhnlicher Größe und haben sich durch ihre Gewohnheiten dem Leben im Walde angepaßt; erstere sind große, schön geformte Menschen mit fast europäischen Gesichtszügen und eignen sich wegen ihrer seit undenklichen Zeiten angenommenen und ihnen zur zweiten Natur gewordenen Sitten nur für das Leben auf den Weidegebieten... Die Wahuma sind die echten Abkömmlinge der semitischen Stämme oder Gemeinden, welche von Asien über das Rothe Meer auswanderten und sich an der Küste und die einst unter dem Namen Aethiopien bekannten Hochlanden von Abessinien niederlassen haben. Von diesem großen Mittelpunkt leitet mehr als ein Drittel der Bewohner von Innerafrika seinen Ursprung ab...

„Die Ebene, welche sich von den Bergen bis Kawalli ausdehnt, heißt Usanja und wird von den Ackerbau treibenden Bavira bewohnt...

40

„Die Zahl der sämmtlichen Kinder, welche sich in dem von Kawalli aus sichtbaren Gebiete befinden, kann meiner Schätzung nach nicht über 4000 betragen. Die Thiere sind ungefähr von der Größe der englischen Kinder und von einer buckellosen Rasse, ganz verschieden von den südlich und östlich vom Victoriasee anzutreffenden Thieren. . . In einer in der Nähe meines Zeltes gelegenen Hütte hörte man den ganzen Tag das Geräusch des Butterns, das in ähnlicher Weise geschieht, wie das Schwenken eines indischen Fächers, wobei die mit Milch gefüllte Kalebasse an einem der Dachsparren des Hauses hängt. . .

„Als ich neulich Wilkinsons ‚Ancient Egyptians‘ (ein Werk über die alten Aegypter) durchblätterte, fiel mir der conservative Charakter der Afrikaner auf, da ich unter den Bildern der Tafel 459 die Kleidung wiedererkannte, welche bei den Wahuma, Watusi u. s. w. sehr gebräuchlich ist und schon vor 35 Jahrhunderten bei den Pharaonen Tribut zahlenden schwarzen Völkern Sitte war. Auch die Musikinstrumente, welche auf den Tafeln 135 und 136 abgebildet sind und von denen ein Exemplar sich im Britischen Museum befindet, entdeckten wir bei den Balegga und Wahuma und 1876 bei den Basoga. Aus den Messerheften, den Verzierungen auf den Schwertern und deren Form, den dreieckigen Verzierungen auf den getünchten Wänden der Häuser und der Schilde, aus der Kleidung von Birkenrinde, den Kästen, Kochgeräthen, ihren Waffen, Speeren, Bogen und Knitteln, ihren ‚Mundus‘, welche in der Form Aehnlichkeit mit der Streitart der alten Aegypter haben, den gebogenen Kopfstützen, den Elfenbein- und Holzlöffeln, den mit Ohren versehenen Sandalen, ohne welche kein Mhuma marschiren würde, ihrer Vorliebe für gewisse Farben, wie Roth, Schwarz und Gelb, ihren Körben, in denen die Kinder getragen werden, den aus Rohr hergestellten Flöten, den langen Wanderstäben, aus der Art und Weise, wie sie durch Jammern, Schlagen auf die Brust und Geberden ihren untröstlichen Kummer ausdrücken, den traurigen, melancholischen Gesängen und hundert anderen Sitten und Gebräuchen ersehe ich, daß die alten ägyptischen und äthiopischen Eigenthümlichkeiten von den Stämmen des Graslandes getreulich bewahrt werden.“

Sonderbarerweise sagt Stanley: „Eine Spur von Religion findet sich unter den Wahuma nicht.“ Er meint offenbar eine ausgebildete Religion, denn er sagt sofort bei: „Sie glauben sehr fest an die Existenz eines bösen Einflusses in der Gestalt eines Mannes, der an unbewohnten Orten, wie eine bewaldete dunkle Schlucht oder ein ausgedehnter, mit Röhricht bewachsener Sumpf, lebt, aber durch Geschenke versöhnt werden kann. Der glückliche Jäger überläßt ihm daher ein Stück Fleisch, das er jedoch fortschleudert, als ob er es einem Hunde zuwürfe; oder man legt ein Ei, eine Banane oder ein Ziegenfell vor die Thüre der Miniaturwohnung, die man am Eingange einer jeden Seriba findet. Jeder trägt ein Zaubermittel um den Hals, Arm oder Leib. Sie glauben an den ‚bösen Blick‘ und Vorbedeutungen, sind aber nicht so abergläubisch wie die Waganda, wahrscheinlich weil sie so weit zerstreut sind. Sie fürchten die Bezauberung, und wer im Verdacht des Zauberns steht, wird rasch der Strafe unterworfen.“

Hoffen wir, daß es bald katholischen Missionären gelinge, in diese neuentdeckten Länder vorzudringen, die bei ihrer hohen Lage, obschon sie nur 1—2 Grad nördlich vom Aequator liegen, ein erträgliches und, wie es scheint, gesundes Klima haben sollen.

Am 10. April trat Stanley, wie er es vorherbestimmt hatte, trotz aller Schwierigkeiten und Emin Pascha gewissermaßen nöthi-

gend, den Rückmarsch mit einer Karawane von 1510 Köpfen an. Seine eigenen Leute bildeten dabei die Minderzahl (230); Emins Gefolge wird auf rund 600 Seelen angegeben; die übrigen waren Manyema (130) und Träger von der Hochebene (550). Als die Nachhut das Lager verlassen hatte, steckte sie die aus Strohhütten bestehende Lagerstadt an. „Das Feuer war großartig; die Flammen schienen, von unserem Standpunkt gesehen, bis zum Himmel emporzulodern, und die große schwarze Wolke kündigte dem zurückgehenden Lande bis zum Berge Wizagh hin an, daß die Expedition die Heimreise angetreten habe.“ Gleich die ersten Tage wurde Stanley an einer Magenentzündung ernstlich krank, die ihn fast einen Monat lang an die Hängematte fesselte, in welcher er sich tragen ließ. Der Marsch folgte dem Semliktthale, das den Albert-Eduard-See (oder Muta-Nzige, wie er auf den deutschen Karten genannt wird) mit dem Albertsee verbindet, überschritt dann diesen Quellfluß des Nils und nahte sich dem großartigen Gletscherstocke des Ruwenzorigebirges, das Stanley schon im Jahre 1887, beim ersten Zug nach dem Albertsee, staunend in den Wolken gesehen hatte.

Es läßt sich nicht zweifeln, daß dieses mehr als 50 km breite Hochgebirge, dessen Gipfel Stanley zu 5800 m, also 1000 m höher als der Montblanc schätzt, das „Mondgebirge“ der Alten ist, an dem sie ganz richtig den Nil entspringen ließen. In ungezählten Wasserläufen eilen die flüssig gewordenen Dunstmassen, die dieser Bergriese um sich sammelt, nach den drei Seiten, die Stanley berührte, in das Bett des Semliti und des Albert-Eduard-Sees und nach Osten, wahrscheinlich dem Victoria-Nyanza zu, hernieder. Mit Recht nennen ihn daher die umwohnenden Völker „Ruwenzori“, d. h. Wolkenkönig. „Am Morgen dieses Tages“ (9. Mai), beschreibt Stanley den Anblick des Gebirges, „trat der Ruwenzori aus seinem Wolken- und Dunstmantel hervor und zeigte uns seine Gruppen von in glänzend weißem Schnee strahlenden Spitzen und scharfen Graten; das Blau jenseits des Gebirges war von des Oceans von vollständiger, ungetrübter Durchsichtigkeit. Fern im Westen stieg wie mit ungeheuern Schultern die Doppelspitze auf, den ich schon im December 1887 beobachtet hatte, und von den eingesunkenen Kamme unterhalb der östlichen beiden Spitzen hoben sich scharf die dominirenden und alles überragenden Höhen des eigentlichen Ruwenzori ab, eine Versammlung ehrwürdiger, uralter Häupter im weißen, strahlenden Gewande, während sich weit nach Osten wie ein großes Rückgrat eine zerklüftete Kette mit Spitzen und Sätteln, zu einzelnen Gipfeln und Thälern ausdehnte, bis sie hinter den fernsten Ausläufern der Berge, an denen wir entlang marschirten, aus Sicht verschwand. Im beständigen Anblick der Berge skizzirte ich, aufrecht in meiner von zwei Männern getragenen Hängematte und Sattel sitzend, den Plan unserer weitern Route. (Vgl. das Bild S. 57.)

Der Weg führte auf einer Strecke von fast 200 km westlich, südlich und östlich um den ungeheuern Gebirgsstock des Semliltifluß aufwärts und längs des Nordrandes des Albert-Eduard-Sees. Als man dessen nordöstliche Spitze erreicht hatte, wandte sich die Karawane nach Süden und Südosten dem Alexandra-Nil und dem Südende des Victoria-Nyanza zu. Es ging durch die Landschaft Anlori. Uganda war verschieden, obgleich Christen aus diesem Reiche herbeieilten und Stanley flehentlich baten, er möge mit seinen Schwarzen dem christlich gewordenen König Mwanga gegen den Wütherich Karema zu Hülfe kommen. Allerdings macht Mwanga's Vorleben, der noch vor kurzem die Christen ebenfalls grausam verfolgt hatte und dessen Bekehrung immerhin eine zweifelhafte scheinen konnte, Stanley's Weigerung begreiflich. Es waren damals wohl 2500 aus Uganda vertriebene Christen in der Hauptstadt von Antori und weitere 2000 zerstreut in Uddu; mit ihnen hätte Stanley zweifelsohne Uganda erobern und beliebig unter englische Schutzherrschaft bringen können. Er setzte aber seinen Marsch nach der Küste fort.

Einen Zug, der uns von dem bildungsfähigen Herzen der Bewohner Antori's ein schönes Zeugniß ablegt, wollen wir nicht übergehen. Stanley soll ihn uns so erzählen, wie er ihn einem seiner Officiere vorhielt, der seiner schlechten Laune gegen die Eingeborenen freien Lauf ließ.

„Zu Ihrer äußersten Beschämung, Sie Unglücklicher, lassen Sie mich Ihnen ein Ereigniß erzählen, das gestern einem Ihrer persönlichen Freunde passirt ist. Der Mann, von dem die Geschichte handelt, war vielleicht ein Bruder oder Vetter desselben Individuums, das Ihr allerhöchstes Mißfallen erregt hat. Ihr Freund bekam einen bösen Fieberanfall; er wurde vom Schwindel ergriffen, taumelte und sank am Wege ins Gras nieder. Der Befehlshaber der Nachhut bemerkte ihn nicht und schritt an ihm vorbei ohne alle Ahnung, daß ein kranker Kamerad von einer Ohnmacht nahe und fast bewußtlos am Wege lag. Bald darauf kam ein eingeborener Krieger, bewaffnet mit Speer, Bogen und Pfeilen, vorbei und sah, daß etwas im Grase sich bewegte; er ging hin und fand einen unserer Officiere hilflos im Grase liegen. Wenn er ein Thier gewesen wäre, hätte er ihm den scharfen Speer durch die Brust treiben können, und wir würden einen der Unsrigen verloren haben. Aber dieser Mann — merken Sie wohl — that nichts dergleichen, sondern ging, obwohl er niemals die Geschichte vom barmherzigen Samariter gehört hat, hin und kehrte nach einer halben Stunde mit einer einen halben Liter fassenden Kalebasse voll frischer, kühler Milch zurück und gab ihm zu trinken, so daß unser Freund nach einiger Zeit sich gestärkt erheben und ins Lager marschiren konnte, wo er uns die Geschichte von der Freundlichkeit des Eingeborenen erzählt hat. Dieser gehört nicht zur Gesellschaft vom Rothen Kreuz, und alle die freundlichen Lehren von Barmherzigkeit und Wohlthun, welche man den Ohren der englischen Rasse seit 16 Jahrhunderten gepredigt hat, waren ihm völlig fremd. Er war nicht wie jener englische Missionär, von dem erzählt wird, daß er einem holländischen Capitän einen Trunk Wasser verweigert, und deshalb verdient auch der Menschenstamm, der nur ein Beispiel solcher humanen Freundlichkeit aufweisen kann, den Namen einer guten Rasse. Bezweifeln Sie die Geschichte? Dort steht Ihr Freund, fragen Sie ihn selbst."

In der That verpflegten die Eingeborenen der anderthalbtausend Mann starke Karavane unentgeltlich mit dem Ertrage ihrer Felder und verlangten für den Weg keinerlei Steuer. Ohne irgendwelchen bedeutenderen Unfall gelangte Stanley an das Südende des Victoria-Njanja. Am 27. August erreichte er die Station der Missionäre des Cardinals Lavigerie in Usambiro. „Im Mittelpunkt der runden Pallisadenumzäunung", sagt Stanley, „befand sich eine nette Kirche, auf deren Dach ein einfaches Kreuz stand, dessen Worte und Gedanken sofort mich auf Christus und die Civilisation lenkte, mit denen, wie ich fürchte, die meisten von uns sich schon seit Monaten nicht mehr beschäftigt hatten. Man muß gestehen, daß die französischen Missionäre unübertrefflich sind in der Kunst, Stationen zu bauen und aus dem Allerwenigste versprechenden Materialien etwas behaglich und sauber Aussehendes zu schaffen. Wer die letzten 400 bis 600 km in unserer Gesellschaft gewandert ist, wird bemerkt haben, daß ich

mich um den Anblick des Landes fast gar nicht kümmerte. Wir hatten es während der trockenen Jahreszeit passirt, in welcher es schwer hält, aus einer Million Hektar nur einen einzigen herauszufinden, der Anbezug werth ist, und doch war die alleranmuthigste Stelle diejenige, welche von der hübschen Missionsstation eingenommen wurde. Letztere bestand aus drei Reihen niedriger, mit Erde bedeckter Gebäude, welche drei Seiten eines geräumigen Hofes einnahmen je vier oder fünf Zimmer besaßen, die an der Innen- und Außenseite nett mit grauem Ton übertüncht waren. Mitten zwischen den Häusern standen die Kirche, welche aus den von der Nachbarschaft gebotenen Materialien vorzüglich gebaut war, und eine runde innere Pallisadenumzäunung, welche die Wohnungen der Civilisirten umgab, während ein äußerer Kreis das von den Neubekehrten bewohnte Dorf schützte. In Anbetracht, daß der nahe Miombowald und der Erdboden in der Nachbarschaft allein das Material lieferten, hätten Plan und Ausführung nicht besser sein können; man sah, mit welcher Geduld und Liebe daran gearbeitet sein mußte." Leider war es nöthig, die Station wegen Mangels an gesundem Trinkwasser kaum vollendet auf eine andere Stelle zu verlegen.

Der Weitermarsch nach der Küste bietet wenig Interesse, da er durch Länder führt, welche wir bereits kennen lernten.

5. Erinnerungen an die alte Kongomission.

Wie wir bereits erzählten, wurden die Kongoneger, welche Diego Cão von seiner Entdeckungsreise mit sich nach Lissabon zurückgebracht hatte, im Christenthume unterrichtet und feierlich getauft. König Johann II. schickte sie schon im Jahre 1489 nach ihrer fernen Heimat zurück, damit sie daselbst als Dolmetscher dem P. Johannes von St. Maria und mehreren anderen Dominikanermissionären behülflich seien, welche sich sofort aufmachten, dem neuentdeckten Reiche das Licht des Evangeliums zu bringen. Die kleine Flotte von drei Schiffen erreichte glücklich die Mündung des Kongo; am südlichen Ufer im Gebiete von Songo betrat man das apostolische Arbeitsfeld.

Man kann sich denken, daß die Erzählung der Kongoneger, welche die weite Seereise mitgemacht hatten, auf ihre Landsleute einen gewaltigen Eindruck hervorbringen mußte. Was ihnen von Lissabon und seiner Königspracht berichtet und durch sie gesehene Geschenke glaublich gemacht hatte, diente auch dazu, ihr Herz zur Annahme des neuen Glaubens an die Erlösung durch Jesus Christus und die Herrlichkeit des Himmels vorzubereiten, und so ist es nicht überraschend, daß die Predigt anfangs auf keinerlei Hinderniß stieß. Der Mani oder Häuptling von Songo, ein Greis Namens Mani-Sons, bat um die Taufe und erhielt in derselben den Namen Manuel; sein Sohn folgte diesem Beispiele und wurde Antonio getauft. 25000 Neger sollen dieser feierlichen Taufe beigewohnt haben. Nizinga-Cuu, das Oberhaupt des Kongoreiches, in der Bauze oder Ambasse-Kongo, „etwa 50 Stunden vom Meere", sagt der alte Bericht, herrschte, nahm die Bekehrung seines Neffen von Songo gut auf. Als Ruy de Sousa, der Befehlshaber der kleinen portugiesischen Flotte, ihm keinen Besuch abstattete, empfing er die weißen Fremdlinge auf einem elfenbeinernen, kunstreich gearbeiteten Stuhle wie auf einem Throne sitzend. Vom Gürtel abwärts war er in ein Stück himmelblauen Damast gehüllt, vielleicht ein Geschenk der Portugiesen; der Oberleib war bloß, am linken Arme trug er einen kupfernen, über die Schultern flatterte ein Roßschweif, das Abzeichen seiner Würde, und auf dem Haupte trug er eine hohe, so geschickt aus Palmblättern ge-

40*

flochtene Mütze, daß das Geflecht zierliche Muster zeigte. Er erlaubte nicht nur den Missionären, eine Kirche zu bauen, sondern nahm auch selbst das Christenthum an, ließ im ganzen Reiche die Zerstörung der Fetischbilder befehlen und bat um die Taufe. Mehr als 100 000 Neger sollen im Jahre 1491 der feierlichen Handlung beigewohnt haben. (Vgl. Abbildung S. 317.) Er erhielt den Namen Johann, seine Frau den Namen Eleonora zu Ehren des Königs und der Königin von Portugal. Gleich nach der Taufe zog er an der Spitze eines Heeres, dessen Stärke auf 80 000 Mann angegeben wird, gegen einen Nachbarstaat und kehrte als Sieger zurück. Beim Kirchenbau ging er sowohl als die Königin dem Volke mit dem guten Beispiele voran, indem sie Steine und Sand auf ihren Schultern zum Bauplatze trugen. Auch sein ältester Sohn wurde getauft und erhielt den Namen Alphons; der zweite Sohn aber, Panso-Aquitimo, wollte von dem Glauben der Fremdlinge nichts wissen, und einer Nachricht zufolge wäre auch der König selbst später wieder vom Christenthume abgefallen, weil dasselbe ihm die Vielweiberei nicht gestattete. Zwischen den beiden Brüdern kam es nach des Vaters Tode zum Erbfolgekriege. Der Heide unterlag, obgleich er die Mehrheit der Unterthanen für sich hatte im Kampfe gegen die christlichen Neger und die Portugiesen, und verlor sein Leben. Alphons trat nun mit Eifer für die Ausbreitung der katholischen Religion und die Ausrottung des Fetischdienstes auf. Seine zwei Söhne, einige seiner Enkel und mehrere Kinder der Häuptlinge sandte er nach Portugal, damit sie daselbst in der katholischen Religion gründlich unterrichtet würden. Die jungen Neger wurden am Hofe zu Lissabon aufs freundlichste empfangen; sie zeigten sich so bildungsfähig, daß zwei derselben später nicht nur die Priester-, sondern sogar die Bischofsweihe erhielten.

König Emanuel von Portugal ließ sich die Kongomission ganz besonders angelegen sein. Von 1505—1512 gingen fast jährlich Schiffe nach dem Kongo und brachten Missionäre, meist muthige Söhne des heiligen Franziskus. Eine besonders zahlreiche Schaar verließ 1521 Portugal: fünf Dominikaner, fünf Franziskaner,

fünf Augustiner und mehrere Weltpriester. Der König stattete die Mission mit mehreren Meßgewändern und Kirchengeräthen aus. Die Sendboten vertheilten sich über das ganze Land und spendeten in verhältnißmäßig kurzer Zeit so vielen die hl. Taufe, daß beim Tode des guten Königs Alphons im Jahre 1525 ein großer Theil seiner Unterthanen die christliche Religion angenommen hatte. Die katholische Kirche schien nun so weit begründet, daß der Bischof der Insel St. Thomas (im Golfe von Guinea), dessen Sprengel das Kongoreich zugetheilt war, unter dem Nachfolger Alphons', Dom Pedro, den Titel eines Bischofs von Kongo annahm und seinen Sitz nach San Salvador verlegte. Er nahm Besitz von seiner Kathedrale, errichtete ein Kapitel von 28 Domherren, mehreren Vikarien u. s. w., stattete die Kirche mit Glocken und einer Orgel aus, gründete einen Sängerchor und that überhaupt viel für die Würde und den Glanz des Gottesdienstes. Leider wurde dieser erste Bischof viel zu früh seiner Heerde durch den Tod entrissen. Zu seinem Nachfolger war einer jener Prinzen von Kongo ausersehen, welche in Portugal erzogen worden waren. Derselbe war nach Rom gekommen, und der Papst selbst hatte ihn geprüft und würdig befunden. Er weihte ihn also zum Bischof und sandte ihn nach seiner fernen Heimat. Der junge Negerbischof starb aber, sehr zum Nachtheile der Kirche am Kongo, auf der Reise. Denn nun blieb der bischöfliche Stuhl längere Zeit verwaist, und als derselbe endlich mit einem sittenstrengen und heiligmäßigen Bischofe wieder besetzt

Audienz der Holländer 1642 beim König von Kongo. (S. 820.)

wurde, hatten sich leider große Mißbräuche selbst unter einem Theile des Clerus gebildet, so daß es nöthig war, einige Widerspänstige nach Portugal zurückzusenden. Diese Wirren schädigten natürlich die Mission in trauriger Weise. Dennoch wuchs die Zahl der Getauften mit jedem Jahre, so daß Johann III. von Portugal 1533 dem Papste Clemens VII. melden konnte, ganz Kongo sei katholisch.

Die Zahl der Missionäre wurde aber jetzt mit jedem Jahre unzureichender. So sah sich der König von Portugal um neue Kräfte um, und auf seine Bitten wurden im Jahre 1557 einige

Mitglieder der Gesellschaft Jesu an den Kongo gesandt. P. Vaz war der Obere der kleinen Schaar; die PP. Ribera, Diaz und Soveral begleiteten ihn. Eine Schule wurde in San Salvador gegründet; in kurzer Zeit konnten die Patres melden, daß sie über 5000 Taufen gespendet hatten. P. Vaz baute drei Kirchen. Allein derselbe erlag seinen Anstrengungen, und zwei seiner Gefährten, die PP. Diaz und Ribera, wurden von den Obern abberufen, weil sie dem neuen Kongokönige. Alvaro 1. (1542—1587), nicht genehm waren. Dieselben sollen die Macht der Portugiesen zu sehr befördert haben, auf welche Alvaro immer eifersüchtiger wurde. Aber auch ihre Nachfolger konnten das Vertrauen des Negerkönigs nicht gewinnen, da sie sich seinen bösen Lüsten widersetzten, und sahen sich im Jahre 1555 gezwungen, den Staub von ihren Füßen zu schütteln und zeitweilig das Kongoreich zu verlassen. In dem benachbarten Angola fanden sie bald ein dankbareres Arbeitsfeld. Von 1554—1592 finden sich acht Bischöfe von San Salvador. 1594 wurde Angola mit dem Bisthum Kongo vereinigt und der Sitz des Bischofs von San Salvador nach St. Paul von Loanda verlegt. Der portugiesische Handel wandte sich zu Ende des 16. Jahrhunderts anderen Gegenden zu; infolge davon wurde die Verbindung mit Portugal immer lockerer. Auch war es gerade damals, wo die katholischen Missionen in Vorder- und Hinterindien, auf den Molukken, in Japan und China und ganz Südamerika, Westindien und Mexiko aufblühten, unmöglich, dem Kongoreiche die genügende Zahl von

Die Taufe des Königs von Kongo. (S. 316.)

Missionären zuzusenden. Schon 1587 befanden sich im ganzen Kongoreiche nur zwölf Priester, denen die Seelsorge in mehreren tausend Ortschaften oblag. Strapazen und Fieber rissen jedes Jahr klaffende Lücken in die Schaar der Missionäre. Umsonst bat Alvaro II. im Jahre 1608 in Rom um Missionäre. Erst 1640 fand der Papst die gesuchte Hilfe, indem er dem Kapuzinerorden die Mission am Kongo übertrug. Von der Thätigkeit der ehrwürdigen Väter liegen uns ausführlichere Berichte vor[1], denen wir folgende Züge entnehmen.

[1] Geist des hl. Franziskus Seraphicus, vorgestellt in Lebensbildern aus der Geschichte des Kap.-Ord. von P. A. M. Ilg. Bd. I. S. 266 ff.

Die ersten Kapuziner, welche nach dem fernen Kongo aufbrachen, waren sechs Italiener, vier Priester und zwei Laienbrüder. Einer der Laienbrüder, Bruder Franz von Pompejona, hatte früher als General in den spanischen Armeeen gedient. Erst im Jahre 1645 fanden die Missionäre in Lissabon eine Fahrgelegenheit nach der Kongomündung. Glücklich erreichten sie ihr Ziel. Nach kurzem Aufenthalte in Songo fuhren sie den Strom aufwärts und landeten in dem ziemlich volkreichen Städtchen Pinda. Daselbst wurden die bärtigen Missionäre mit dem rauhen Ordensgewande von den Negern mit Staunen und Freude aufgenommen. Auch sie freuten sich und zogen nach der Missionskirche, die schon lange verwaist gestanden haben mochte; sie fanden in derselben Bilder der hl. Jungfrau und des hl. Franziskus, welche von den alten Franziskanermissionären herstammten, deren Erbe die Kapuziner jetzt übernahmen. P. Bonaventura von Alesso, der Obere der kleinen Schaar, stimmte feierlich das Te Deum an und eröffnete damit die Missionsthätigkeit. Vieles fanden die Patres verwildert durch Kriege, durch innere Spaltungen, durch den immer mehr um sich greifenden Sklavenhandel, durch den traurigen Priestermangel, infolge dessen zahlreiche Gemeinden seit Menschengedenken verlassen waren; aber ganz war selbst in diesen Orten das Christenthum nicht erstickt. Die Missionäre hätten sonst unmöglich kaum einen Monat nach ihrer Ankunft, am 4. Juni 1645, das Pfingstfest also feiern können, wie es uns P. Ilg nach einem alten Berichte beschreibt:

„Als sich die Väter (am Tage vor Pfingsten) in die Kirche begaben, da fanden sie die Räume bereits gedrängt voll, und immer noch strömten die Mohren von allen Seiten in großer Menge herbei. Deshalb ließen die Väter in aller Eile die heiligen Bilder, die Kirchengeräthe und den Altar hinaustragen ins Freie und in der Nähe eines frischen Brunnquells aufrichten, und als nun alles fertig war, zogen sie in ihren priesterlichen Gewändern in feierlichem Zuge zu dem Brunnen, wo P. Bonaventura von Alesso, der Superior der Mission, die feierliche Wasserweihe mit Absingung der heiligen Prophetien und der Allerheiligen-Litanei

vornahm. Sodann wandte er sich an das zahlreich versammelte
Volk und erklärte ihm in portugiesischer Sprache, welche in dieser
am Meere gelegenen und von vielen Handelsleuten besuchten Gegend
ziemlich bekannt war, die Bedeutung der heiligen Ceremonien und
die Geheimnisse des Taufsacramentes. Und wie einstens am ersten
Pfingstfeste die schlichten Worte des Apostelfürsten so wunderbaren
Erfolg hatten, so machten auch jetzt durch die nämliche Kraft des
heiligen Geistes die von einem Dolmetsch wiederholten Worte des
Kapuziners einen ergreifenden Eindruck auf die schwarzen Zuhörer.
Begierig nach dem Heilswasser, von dessen wunderbarer Wirkung
sie so Erstaunliches gehört hatten, drängten sie sich zu dem Tauf-
brunnen, und die Väter hatten die unbeschreibliche Freude, viele
noch am selben Tage, im Laufe der heiligen Woche an 1500
Mohren taufen zu können. Doch nicht bloß die heilige Taufe
spendeten sie. Es erwachte beim Anblick der frommen Brüder und
unter der Feier der gnadenreichen Geheimnisse in den zahlreichen
bereits getauften, aber leider in den heidnischen Aberglauben oder
doch in die heidnischen Laster zurückgefallenen Negern die Reue;
das göttliche Feuer des vom Himmel herabsteigenden heiligen Geistes
entzündete in den Herzen der armen Sünder mächtig die Sehnsucht
nach den verlorenen Seelenfrieden, und zahlreicher als zum Tauf-
brunnen drängten sie sich jetzt zum heiligen Bußgerichte. Es war
rührend, wie diese Neger in portugiesischer Sprache oder mit Hülfe
eines Dolmetschers unter starkem Brustklopfen, ja unter Thränen
und Seufzern ihre Verirrungen bekannten. Die Väter konnten
der großen Zahl kaum Genüge leisten; denn es wollten alle noch
gereinigt werden für das hochheilige Pfingstfest. Am Feste selbst
hörten die Patres vom frühesten Morgen an noch die Beichte der
Christen, und wie nun endlich das heilige Amt begann und in
feierlicher Weise der Pater Superior, umgeben von seinen Mitbrüdern, die heiligen Geheimnisse vollbrachte, o wer beschreibt da
das Erhebende, das Großartige dieser ersten Pfingstfeier, welche
die Kapuziner auf afrikanischem Boden begingen! In lautloser
Stille umstanden Tausende von Negern den Altar. Es zählten
selbst die noch heidnischen Naturmenschen den großen, unbegreiflichen und doch geahnten Unterschied zwischen dieser heiligen Opfer-
feier und ihrem lasterhaften Götzendienste. Von unwiderstehlicher
Macht ergriffen, beugten auch sie das Knie, als sie ihre christlichen
Genossen bei der heiligen Wandlung sich auf den Boden werfen
sahen, und wie nun der feierliche Act der heiligen Communion begann und die Neger zu Hunderten vortraten, aus den Händen des
Priesters das reinste Lamm Gottes zu empfangen, und ihr Antlitz
wiederstrahlte von einer Freude, die gar seltsam abstach gegen
die wilde Sinnenlust beim heidnischen Opfermahl — da ward so
manches götzendienerische Herz ergriffen von Sehnsucht nach diesem
himmlischen Mahle, und nicht wenige eilten noch demnächst Feuer
hin, die Lehre des Heils von den Missionären zu empfangen, um
auch recht bald an den seligen Freuden ihrer christlichen Mitbrüder
theilnehmen zu können."

So feierten die Kapuziner das Pfingstfest und nicht minder
glänzend gleich darauf das Frohnleichnamsfest, „wobei sie die
Kirche, einen schlichten Bau aus Lehmwänden, mit lieblichem Grün
und buntfarbigen Blumen schmückten und den Hochaltar mit Laubwerk und Kränzen in einen herrlichen Thron umwandelten, auf
welchem im Glanze zahlreicher Wachskerzen das Allerheiligste strahlte."

Auf diese Feste, welche die Neger gewaltig anzogen, folgte er-
müdende Missionsarbeit, und bald forderte das gefährliche Klima
seine Opfer. Schon am 1. Juli 1645 starb P. Joseph von
Antiquera, und alle ohne Ausnahme waren todtkrank, so daß sie

nicht einmal selbst den hingeschiedenen Mitbruder zur Erde bestatten
konnten. Sie lagen, von heftigem Fieber geschüttelt, in einer kleinen,
schwülen Negerhütte und wurden überdies noch von Ameisen gequält, deren sie sich nicht zu erwehren wußten.

Trotz aller Aufopferung konnten die eifrigen Missionäre schon
deshalb in der ersten Zeit wenig erzielen, weil sie, der Landessprache
unkundig, nur mittels Dolmetscher Unterricht ertheilen. Auch
waren diese Dolmetscher nicht immer zuverlässig; ja dieselben er-
preßten oftmals Geschenke vom Volke und machten so die Religion
verhaßt. Bevor die Väter die Negersprache erlernten, raffte das
mörderische Klima und die Strapazen die meisten hinweg. Auch
unter den Eingeborenen, welche getauft waren, hatten sie einen harten
Kampf gegen die alten, eingerosteten Laster zu führen, namentlich
gegen die Vielweiberei, welche bei den Negern kaum auszurotten
werden kann.

Den meisten Erfolg scheinen die Kapuziner in der Provinz
Bemba gehabt zu haben. Dort lebte das Volk in wahrhaft patriar-
cher Weise, sandte die Kinder in die von den Kapuzinern geleiteten
Schulen und bewies in jeder Beziehung, daß auch diese Neger
das Joch Christi tragen können, wenn sie nur mit der Gnade
Gottes mitwirken wollen. Aber das Missionsreich blieb immerhin
ein dornenvolles Arbeitsfeld. Die Missionäre retteten zwar viele
Seelen, besonders Kinder, söhnten manchen Sterbenden mit Gott
und der Kirche aus, bewirkten da und dort Besserung der Sitten:
im ganzen und großen jedoch war es nicht gelungen, das Volk
als solches an das christliche Sittengesetz zu gewöhnen. Immer
wieder haben sich die Missionäre trotz der hingebendsten Arbeit
über Rückfälle zum alten Fetischdienste und noch mehr zur Vielweiberei zu beklagen. Doch wird die Zahl der in den ersten fünf
Jahren Getauften auf 600 000 angegeben; 100 000 soll allein
P. Hieronymus von Monte Sacchio getauft haben — sehr viele
von dieser hohen Zahl werden wohl sterbende Kinder gewesen sein.

Von Zeit zu Zeit kamen neue Hülfskräfte aus Europa; so
schifften sich im Jahre 1666 abermals 16 Kapuziner nach dem
Kongo ein. Leider raffte auch diese das mörderische Klima in
verhältnißmäßig kurzer Zeit hinweg. P. Philipp von Galesio
wurde von den Negern der Provinz Sundo ermordet und aufgezehrt. Die Kriege um die Provinz Sonzo verjagten 1680
zeitweilig die Kapuziner aus diesem Theile ihres Arbeitsfeldes;
sie kehrten aber schon 1683 wieder zurück und dehnten nun ihre
Mühen auch auf das nördlich vom Kongo gelegene Makongo aus.
Sie trafen überall diese hohe Mißhelle, aber auch manchen Trost,
und ihre Arbeiten sind ausgezeichnet im Buche des Lebens, wenn
auch die Frucht ihrer Mühen durch die Schuld späterer Jahre
vielfach verloren ging.

Es ging der Mission am Kongo ganz ähnlich wie der benachbarten Mission unter den wilden Jagas, einem Volksstamme, der
heute noch der Schrecken der Bevölkerung von Angola ist. Der
Sklavenhandel, den holländische, englische und portugiesische Schiffe
zur Schmach des Christenthums trieben, entvölkerte die Länder am
untern Kongo immer mehr und vernichtete das Werk der Missionäre
fast gänzlich. Andere Theile der Erde, wo die Saat des Glaubens
reichere Früchte brachte, veranlaßten überdies die Missionäre, sich
nach jenen Gegenden zu wenden. Vor der Mitte des letzten Jahrhunderts ab konnte die Kirche den Ueberresten des alten Kongoreiches nur mehr wenige Glaubensboten senden. Und so kamen
die Gemeinden am Kongo immer mehr in einen traurigen Verfall.

Ganz wurden sie aber nicht verlassen. Dr. Chavanne, der San
Salvador im Jahre 1885 sah, sagt, es seien dort binnen 4 Jahren

Stanley's Fahrt durch die Stromschnellen des Kongo. (S. 304.)

2000 Taufen gespendet worden. Von den alten Kirchen aber, deren Trümmer Bastian noch 1857 sah, sind kaum noch Spuren vorhanden. Nur die Ruinen der dreischiffigen ehemaligen Kathedrale sind noch ziemlich erhalten. San Salvador selbst hat nur mehr eine Bevölkerung von 700 Seelen.

Auch die Pracht des königlichen Hofhalts, von der uns die alten Reisebeschreibungen so viel zu erzählen wissen, ist verblichen. Dr. Richard Büttner, der San Salvador 1885 besuchte, entwirft uns folgende Schilderung von dem jetzigen Herrscher und seiner „Hofburg": „Der Weg führte über einen mit großen, schattigen Bäumen bestandenen Platz zum Eingang in die königliche Luamba (Hofraum), um sich hier in wunderlichen Windungen zwischen hohen Ricinus- und Bignonienhecken bis zur Wohnung Dom Pedro's V. fortzuschlängeln. Ich sage ‚Wohnung', da ich nicht ‚Palast' sagen kann und doch auch eigentlich nicht von der ‚Hütte' eines Monarchen sprechen darf. Die Wohnung des Königs unterscheidet sich nämlich von den anderen Hütten der Stadt nur durch das Vorhandensein von zwei aus Steinen zusammengesetzten Vorstufen und einer grün angestrichenen Plankenthür; im übrigen ist sie wie jene von Papyrusstengeln und Palmblattrippen erbaut und mit Oelpalmblättern bedeckt, ohne Fenster oder andere bei uns für nützlich gehaltene Oeffnungen. — Eintretend sahen wir uns unmittelbar der schwarzen Kongomajestät gegenüber, die in einem mit rothem Tuch ausgeschlagenen Lehnsessel ruhte. Ich ging auf den König zu und begrüßte ihn mit: mbote, mbote mwene mkumu (guter Tag, großer König) und drückte ihm, da ich wenig von dem hier üblichen Hofceremoniell wußte, freundlich die gewaltige fleischige Rechte. Lieutenant Schulze machte der Majestät eine tiefe Reverenz, welche huldvoll durch leichte Bewegung der Finger der rechten Hand erwidert wurde; Malewo und die nachdringenden Männer knieten alle nieder und klatschten im Tact dreimal in die Hände, welche ehrerbietige Begrüßung wiederum durch unmerkliche Fingerbewegung angenommen wurde, worauf die getreuen Unterthanen (es waren aber nur die Großen der Stadt und des Staates) eine möglichst bequeme hockende Stellung einnahmen. Wir hatten uns unterdessen gesetzt; denn seitlich vom Stuhl des Königs gab es noch drei andere, mit schwarzem Tuch beschlagene Stühle, die für uns bestimmt waren. Während der Unterhaltung, die durch Malewo's Vermittlung geführt wurde, welcher ziemlich gut englisch verstand und sprach, hatte ich vollauf Zeit, den König und den Staatsmann zu betrachten. Dom Petro V, ist ein Mann von mittlerer Größe, außerordentlich dick — man schätzt sein Gewicht auf 400 Pfund — und etwa 60 Jahre alt. Ein runder Kopf krönt ohne sichtbare Halsverbindung den gewaltigen Rumpf; das Gesicht ist blatter- oder pockennarbig, bartlos, sehr in die Breite gegangen; die Nase ein wenig eingedrückt und eingestülpt, die Augen schwarz und lebendig, die Stirne hoch genug; das Gesicht trägt den Stempel der Gutmüthigkeit, aber nicht zu gleicher Zeit der Einfachheit. Der König war bekleidet mit einem sehr weiten rothseidenen, mit Goldfranzen besetzten Gewand; die Unterkleider waren von grüner und dunkelrother Seide; auf dem Kopfe thronte ein Dreimaster mit hohen rothen Federn.

„Was das Innere der königlichen Wohnung anbetrifft, so besteht dieselbe aus zwei Räumen, einem hintern Schlafgemach, in dem ich ein gewaltiges Bett mit Moskitovorhang entdecken konnte, und dem vordern Raum, in dem die Audienz stattfand. Die Ausstattung gleicht verzweifelt der einer Tagelöhnerwohnung auf unsern heimischen Dörfern. Der Erdboden ist ziemlich eben gestampft, und an den Wänden hangen einige zerbrochene

kleine Spiegel und eine Menge Bilder von gar verschiedener Herkunft. Einige sind aus englischen illustrirten Journalen ausgeschnitten, andere führen uns (auf, glaube ich, Ruppiner Bilderbogen) die Vertreter mehrerer europäischer Armeeen vor, die meisten aber sind Marien- und Heiligenbilder, so wie sie bei uns für einen Groschen oder zwei zu kaufen sind. Es war ferner ein Kisten und Koffern eine ganze Sammlung billiger Glas- und Porzellansachen ausgestellt, wie Gläser, Tassen, Vasen, eierlegende Hennen, aber auch einige Lampen und ein silberglänzendes Trinkgeschirr, dieses letztere ein Geschenk des Gouverneurs von Loanda."

Es versteht sich von selbst, daß Dom Pedro diesmal in all seinem Schmucke prangte. Als Dr. Büttner ihm einige Tage später einen Besuch machen wollte, mußte er erst einige Minuten vor dem Hause warten und fand ihn auch dann noch nur mit einem schmutzigen Hemd und lousen Hüfttuch bekleidet und einen Strohhut auf dem Kopf.

6. Die Vorgeschichte des Kongostaates.

Am 12. September 1876 versammelte sich im königlichen Schlosse zu Brüssel eine beträchtliche Zahl von Entdeckern und Gelehrten. Im Dienste der Wissenschaften hatten die einen ihr Leben jahrelang häufig tropischer Sonne und äquatorialem Stürmen des Meeres, den Schrecken des Urwaldes, den Gefahren der Wüste ausgesetzt; im Dienste derselben Wissenschaft waren die anderen zu hohen Würden gelangt und versahen friedlichere Aemter. Einem große gehegten, wahrhaft königlichen Plane sollten die Gäste Leopolds II. ihre Erfahrungen leihen und mit vereinten Kräften sich an eine Aufgabe wagen, für die jeder einzelne der Anwesenden schon gestritten und gelitten hatte: die Civilisation Mittelafrika's.

Drei Tage verhandelte man. Die Fragen, welche den König vorgelegt hatte, wurden in lebhaftem Meinungsaustausch erörtert. Dazwischen theilten in kurzen Vorträgen die Eroberer Innerafrika's knappe Skizzen ihrer glorreichen Feldzüge mit. Das Ergebniß des ganzen Congresses kam in einem Programm zum Ausdruck, das, einstimmig angenommen, der erstehenden Internationalen Afrikanischen Gesellschaft eine Stiftungsurkunde gab und die Grundlinien ihrer Thätigkeit zeichnete.

Anfang September folgte bereits die erste Expedition der belgischen Gesellschaft; man war im Juni zu Brüssel darüber einig geworden. Zwei Generalstabsoffiziere, ein Arzt und ein Naturforscher und der österreichische Afrikareisende E. Marno kamen als erste Vertreter der Gesellschaft auf afrikanischem Boden. Am Tanganjika gedachte man die erste Station zu errichten und hiermit den Grundstein zur Verwirklichung großartiger Pläne zu legen. Im Schoße der Internationalen Gesellschaft waltete damals noch die Meinung vor, von der Ostküste aus sei vorzudringen. Allein eben damals beendete Stanley die oben erzählte Durchquerung Afrika's, im August 1877.

Ihm war das dichteste Dunkel, das auf Centralafrika lagerte, plötzlich wie vom Sturme verweht.

Stanley wurde nach Brüssel berufen, wo am 25. November 1878 unter dem Vorsitz des Königs sich das Comité zur Erforschung des Kongo-Oberlaufes gebildet hatte. Man begann mit einem Kapital von einer Million Francs. Anfang 1879 tagte ebendaselbst eine Conferenz der Internationalen Commission statt, und in der Sitzung vom 5. Februar wurde dem anwesenden Stanley der Oberbefehl über eine neue Expedition angeboten, worauf er einging. Ebenso schnell als still traf er seine Vorbereitungen, und schon am 13. März langte er wieder in Sansibar an. In Europa

aber wußte man nichts von seinen Absichten und Plänen. Meh=
rere Jahre lang blieb Stanley's Thätigkeit, wie auch die der
Internationalen Gesellschaft und ihre Beziehungen zu einander,
in tiefes Dunkel gehüllt.

In Sansibar organisirte Stanley mittlerweile ein neues Träger=
heer, machte auf dem Ringani eine längere Probefahrt, schiffte sich
abermals ein und fuhr durch Suez und Gibraltar zur Kongo=
mündung. Am Nordufer derselben, bei Banane (Bild S. 299), traf
er Anfang September 1879 ein und fand daselbst den Dampfer
„Barga" vor Anker liegen, welcher im Auftrag der Internationalen
Gesellschaft im Juni Antwerpen verlassen, Waaren, Vorräthe, kurz
alle Ausrüstung für Stanley's weitere Arbeiten hergebracht hatte.
Derselbe führte auch die Flottille mit, welche zum Befahren des Kongo
bestimmt war: einen kleinen Dampfer mit zwei Cajüten für 30
Personen, 3 kleine Dampfkähne ohne Verdeck, 3 Lastboote von je
50 Tonnen Größe. Das
Personal der Expedition
war zahlreich: mehrere
hundert Neger aus San=
sibar, Sierra Leone und
vom Kongo, als Last=
träger; dazu 20 Euro=
päer, unter ihnen Zimmer=
leute und Segelmacher.
Schmiede und Matrosen,
Maschinisten und Mecha=
niker. Ferner begleiteten
Stanley Capitän Löschwitz
als Befehlshaber der Flot=
tille und ein belgischer
Oberingenieur für den
Straßenbau und die Sta=
tionsanlage.

Der Beginn von
Stanley's Thätigkeit zur
Erschließung des Kongo=
beckens fällt, wie gesagt,
in den September 1879.
Im December desselben
Jahres ging sein Rivale,
der französische Marine=
offizier Savorgnan de
Brazza, von dem franzö=
sischen Comité der Inter=
nationalen Gesellschaft ausgerüstet und entsendet, ebenfalls nach der
Westküste, der Ogowemündung, ab. Beide Reisenden ließen nicht
eben viel von sich hören und trafen gegen Ende des Jahres
1882 zu kurzem Aufenthalt in Europa ein, bei welcher Gelegen=
heit sie sich ausführlicher über ihre Leistungen verbreiteten. In
das Jahr 1884 fällt der Beginn der diplomatischen Unterhandlungen,
deren Ergebniß die Berliner Conferenz und die Begründung des
Kongostaates war. Wir müssen daher zunächst einen kurzen Ueber=
blick über die vierjährige Arbeit dieser Pioniere der Cultur zu
geben suchen (1880—1884), ehe wir dem Verlauf der diploma=
tischen Auseinandersetzungen (1884—1885) folgen.

Nach Stanley's Angaben mußte die Ueberzeugung herrschend
werden, daß der Stanley=Pool der Schlüssel zu den fabelhaften
Schätzen Innerafrica's sei. Da aber der Kongo bekanntlich von
Stanley=Pool an abwärts nach dem Ocean hin durchaus unschiff=

bar ist, vielmehr in 25 Kataralten oder kleineren Fällen abstürzt,
bis er die letzten, die Jellalafälle erreicht, kam es darauf an, einen
Landweg, welcher er sei, für den Verkehr zwischen dem Stanley=
Pool und dem Ocean herzustellen. Von den Jellalafällen bis
zur Mündung in den Ocean (32 deutsche Meilen) kann man mit
Dampfern fahren; es galt also nur, die Strecke der Wasserfälle
(40 Meilen) zu umgehen, beziehungsweise dort eine Straße her=
zustellen. Hierauf richteten sich zunächst Stanley's Pläne. Sa=
vorgnan de Brazza, welcher während Stanley's Kongofahrt den
Oberlauf des Ogowe durchforschte, war auf dieser Reise, ohne es
zu wissen, über die Wasserscheide gekommen, von der aus die Wasser
hier nach dem Ocean, dort nach dem Mittellauf des Kongo ab=
fließen. Am Flusse Alima angelangt, sah er diesen nach Osten
strömen. Doch konnten ihm die Umwohner nur sagen, er wälze
seine Fluten ruhig und ohne Schnellen noch Strudel einem andern
weiten Wasser in ziem=
licher Ferne zu. Sobald
Brazza Stanley's Ent=
deckung kund ward, zwei=
felte er nicht mehr daran,
daß sein Alima ein Neben=
fluß des Kongo sei. Ge=
lang es nun, die Stelle,
wo der Ogowe aufhört,
schiffbar zu sein, mit jener,
wo der Alima bereits
Schiffe trägt, durch eine
Straße zu verbinden, so
war der Verkehrsweg zwi=
schen dem Stanley=Pool,
d. h. dem Kongomittel=
lauf und dem Ocean,
offen. Während die
Strecke, welche Stanley
zum Straßenbau zwang,
40 deutsche Meilen lang
ist und von schwierigstem
Terrain, mißt die Ent=
fernung vom Ogowe zum
Alima bloß 15 deutsche
Meilen, auf welcher weder
besonders feindselige Völ=
ker wohnen, noch Urwald
und Vegetationsfülle die

Bahn versperren. Allein Brazza's ursprüngliches Project fand seine
Schwierigkeit im Osten, wie das Stanley's an den Kataralten im
Westen. Der Alima mündet nämlich keineswegs nahe am Stanley=
Pool, sondern 55 deutsche Meilen höher, daher beim Brazza selbst
abermals eine neue Verbindung ausfindig machte und auf dem
Geographentag zu Paris am 22. Juni 1882 eine Eisenbahn durch
das Thal des Kuilu und Niari zum Stanley=Pool hin vorschlug.
Doch wenden wir uns nun zu Stanley's Arbeiten. Im Herbst
1879 begann er dieselben. Für drei Jahre hatte er sich verpflichtet,
für drei Jahre waren die meisten seiner Leute in Dienst genommen.
Zunächst brauchte er, als sicheren Stützpunkt seiner weiteren kühnen
Unternehmungen, eine vom Meere aus leicht erreichbare Station,
wo die mitgebrachten und weiterhin noch erwarteten Vorräthe
an Lebensmitteln und Werkzeugen sicher untergebracht und nahe
zur Hand wären. Dies sollte Vivi (Bild S. 301) ihm bieten.

Dr. Brazza und seine Träger.

Es liegt 184 km vom Meere entfernt, als der äußerste Punkt, der landeinwärts zu Schiff erreichbar ist, weil in nächster Nähe die Jellalafälle der handelsbegierigen Fremden den Weg versperren. Gegen monatliche Zahlungen erhielt Stanley von den Häuptlingen der umwohnenden Stämme die Erlaubniß zu gedachter Gründung und weiteren Straßenanlagen, Brückenbauten u. s. f. Vivi erhebt sich 300 Fuß über den Fluß und bestand anfänglich aus einem Wohnhaus, sieben Holzhütten und zwei eisernen Magazinen. Die Herstellung der Straße vom Landungsplatz zur Station nahm fünf ganze Monate in Anspruch. Nun begann erst die Riesenaufgabe des Straßenbaues von Vivi bis dahin, wo der Kongo wieder schiffbar wird. Zwischen den Jellalafällen und dem Stanley-Pool liegt eine Strecke von 118 km (Jsandschila und Manjanga heißen ihre Endpunkte), auf der zwar ein paar Stromschnellen drohen, dennoch aber der Strom mit Dampfern wohl befahren werden kann. Demnach mußten zwei Landstraßen durch den Urwald gebrochen werden, von Vivi bis Jsandschila (83 km) und von Manjanga zum Stanley-Pool (152 km). Ein einzelner Reisender vermag in einer Woche den Weg von Vivi nach Manjanga zurückzulegen; Stanley's straßenbauende Karowane wurde hier elf Monate festgehalten. Manchen Tag konnte man bis gegen 800 m fertigstellen, der Durchschnitt mochte etwa 400 sein, aber eine einzige Strecke von nicht ganz 400 m wurde 26 Tage lang gearbeitet. Da war eben nicht bloß Urwaldunterwuchs zu reuten und zu roden, es galt vielmehr auch, schroff abstürzende Gehänge zu überwinden, Schluchten zu überbrücken, Felsblöcke wegzusprengen. Ungeheure Terrainschwierigkeiten prüften die ausdauernde Zähigkeit der wackeren Colonne, die, durch den Tod stark gelichtet, bald eines Zuzugs bedurfte. So wurden auch 50 Leute aus Vivi angenommen, die sich sehr gut hielten. Im Frühjahr kamen mit dem deutschen Mechaniker Lindner 60 Arbeiter, großentheils aus Sansibar; im Herbste, geführt vom Belgier Roger, 136 weitere. Auf der Schritt für Schritt hergestellten Straße mußten 2225 Lasten aufwärts geschleppt werden; und zwar nicht Schultornäster, sondern beispielsweise die sämmtlichen Bestandtheile zweier Dampfschiffe; dazu noch aller Proviant für Menschen und Thiere, da die Gegend irgend genügende Nahrung nach keiner Seite hin bot. Ende December erreichte man Jsandschila und hatte das größte Hinderniß nun überwunden; denn von da ab war die nächste Strecke schiffbar. Die andere Straße jedoch bot bedeutend geringere Schwierigkeiten, sowohl von Seiten des Bodens wie der Bewohner. Dreißigmal mußte der Weg Jsandschila-Manjanga zurückgelegt werden, bis alle Vorräthe dahin gebracht waren. Die Gründung von Jsandschila beschließt das Jahr 1880; schon Anfang Mai des folgenden Jahres war die dritte Station unter Dach.

In Jsandschila fand jene Begegnung Brazza's und Stanley's statt, die letzterer wiederholt mit einem Aufwand von Spott geschildert hat, der nicht nach dem Geschmack gut erzogener Leute ist. Brazza kam vom Stanley-Pool und besuchte den kühnen Amerikaner. Stanley erzählte 1½ Jahre später: „Als ich ihn am Kongo zum erstenmal erblickte, stand ein bettelarmer, barfüßiger Mann vor mir, an dem mir zunächst nichts auffiel, als ein überaus unförmlicher Hut und die verlumpte Uniform. Ihm folgte eine geringe Escorte mit unbedeutendem Gepäck. Er sah nicht einmal wie ein als Vagabund verkleideter Herr aus; tläglich war seine Erscheinung, und nicht geträumt hätte ich, daß ich einen Feldherrn und Staatsmann und Apostel vor mir sah."

Freilich ward Stanley von seinem Nebenbuhler am Stanley-Pool eine Ueberraschung bereitet, die für ihn äußerst empfind-

liche Unannehmlichkeiten zur Folge hatte, nämlich die vertragsmäßige Besitzergreifung des nördlichen Seeufers für Frankreich und die Aufrichtung der Tricolore, nicht des goldenen Sternes im blauen Felde, des Banners der Internationalen Gesellschaft. Wir sagen „Ueberraschung"; denn Brazza hatte bei seinem Besuche den Vertrag in der Tasche, meinte aber, Stanley darüber keine Mittheilung schuldig zu sein. Erst als Stanley, nachdem die dritte Station stand (Manjanga), Anfang Juli seinen Leuten vorauseilend, am Stanley-Pool anlangte, vertrat ihm der Senegalese Malamine, der sich hier einen französischen Sergeanten ausgab, den Weg — ihm, den ganz Centralafrika nicht anhalten konnte! Allein es war nichts mehr zu ändern; Malamine hielt ihm den Vertrag entgegen, durch welchen Makoko, der Häuptling des mächtigen Batekéstammes, sich unter die Schutzherrschaft der französischen Republik gestellt hatte.

Der Streit drohte heftig zu werden; denn die Stämme schienen selbst nicht recht zu wissen, was sie von den zweierlei Weißen halten sollten. Stanley wendete sich schließlich an das südliche Ufer. Am nördlichen liegt Brazza's Station, nach ihm benannt: Brazzaville; gegenüber Stanley's vierte Gründung: Leopoldville. Mittlerweile war Verstärkung an Arbeitern gekommen, und so gelang es, mit allen Frachten und dem zerlegten Dampfer am 3. December 1881 Leopoldville zu erreichen. Am 1. Februar 1882 war daselbst das Stationshaus vollendet, 24 m lang, 8 m breit, zwei Stockwerke hoch. Auf der Fläche des Sees aber galt das Dampfboot dahin, vor ihm eine ununterbrochene Fahrstraße von 1700 km nach dem Osten mitten ins Herz des Welttheiles, bis zu den Stanleyfällen nächst dem Tanganjikasee — nicht umsonst trug der Dampfer den Namen: „En avant" (Vorwärts). Wirklich drang Stanley Anfang 1882 noch weiter vor, bog in den Nebenfluß Kuango ein, den er schiffbar fand und bis zu dem See verfolgte, welchen er nach Leopold II. nannte. Nun gründete er am Jbari Nkutu, 160 km von Stanley-Pool entfernt, die fünfte Station.

Die drei Jahre, wofür er sich zunächst gebunden, neigten dem Ende zu. Er fand auf der Rückreise die gegründeten Niederlassungen in gutem Zustand und so weit fortgeschritten, daß sie, dank ihren gut besorgten Pflanzungen, bald unabhängig bestehen konnten. Dann ging er abermals zu See und traf im September in Europa ein. Während seines Aufenthaltes in Brüssel verwandelte sich das Comité zur Erforschung des Kongo-Oberlaufes in die „Internationale Gesellschaft vom Kongo". Oben wurde daran erinnert, daß Savorgnan de Brazza auf dem Pariser Geographentag für den projectirten Eisenbahnbau das Thal Kuilu und Niari, nördlich von der Kongomündung, empfohlen hatte. Ehe noch die französischen Kammern die zu Brazza's Plänen nothwendigen Mittel genehmigen konnten, war Stanley, hierdurch auf die Bedeutung der zwei Thäler erst recht aufmerksam geworden, wieder an Ort und Stelle, und schon durchzogen seine Leute diese Landstriche, um Stationsanlagen vorzubereiten und Besitzergreifungen vorzunehmen. Während Stanley's Anwesenheit in Europa war an den begonnenen und in Rohen vollendeten Niederlassungen rüstig weiter gearbeitet und der Transport von drei weiteren Dampfern nach dem Stanley-Pool besorgt worden. Bald, es war in den ersten Monaten des Jahres 1883, unternahm Stanley eine kleinere Fahrt stromaufwärts, um an der Mündung des Urikí die Aequator-Station zu gründen. Endlich trat er am 23. August genannten Jahres die längst geplante Fahrt bis zu den Stanleyfällen an. Drei Dampfer und ein größeres Boot gewährten freilich sicherern Schutz als die schwache „Lady Alice", welche sieben Jahre früher von den Wassern des Kongo oceanwärts getragen wurde. Die Fahrt verlief ohne Unfall, aber auch ohne bedeutende wissenschaftliche Ergebnisse. Am 15. November kam man in das Land Koruru, wo die wilden Kannibalen hausten, mit denen Stanley auf seiner denkwürdigen ersten Reise förmliche Seeschlachten zu bestehen hatte. Nun war es freilich anders. Als die Kannibalen der gewaltigen Schiffe ansichtig wurden, welche pustend und pfeifend von selbst gegen den Strom hinauffuhren, das Wasser peitschten und mit rastlos bewegtem Rade weithin schäumende Wellen spritzten, da mochten freilich manche denken, solch ein unglaubliches Flußpferd sei noch nicht dagewesen. Bald entsank ihnen daher aller Muth. Sie waren zu allem bereit und erbötig. Die Expedition konnte ihr Nachtquartier mitten im Dorf aufschlagen. Am 1. December erreichte man den untersten der Stanleyfälle, das Endziel der Reise. Hier wurde nun die weitest entlegene Station gegründet, durch Boten ein Gruß nach Korema an den Tanganjika entsendet und bald die Rückreise angetreten. Ingenieur Bennie blieb mit 30 Leuten aus Sausibar auf der Station zurück; sie liegt auf der Insel Wema Rusani, einem fruchtbaren Eiland mit etwa 1500 Bewohnern. Am 20. Januar 1884 war Stanley, nach seiner Abwesenheit von 4 Monaten und 26 Tagen, wieder in Leopoldville, und nun war alles für die Gründung des Kongostaates vorbereitet.

7. Die Gründung des Kongostaates.

Schon am 13. Januar 1885 hatte die französische Kammer Brazza's Vertrag mit Makoko gutgeheißen; das officielle Regierungsjournal veröffentlichte den Wortlaut. Bald darauf bewilligte die Kammer für Brazza's nächste Expedition 1¼ Mill. Francs, sowie zahlreiches Material an Waffen, Munition, Fahrzeugen. Nun aber beanspruchten die Franzosen, auf eine angebliche Oberhoheit Makoko's sich berufend, auch dem linken Fluß- und den südlichen Seeufer in dessen Rechte einzutreten. Da nun alle Welt für den Kongo schwärmte, kam auch in Portugal der Gedanke zur Geltung, daß man vor allen Mächten dort mitsprechen dürfe, seit 400 Jahren portugiesische Kaufleute ansässig seien und Seefahrer die portugiesische Flagge mehr als einmal aufgepflanzt hätten. Diese Strömung kam in einer vielbesprochenen Flugschrift zur Geltung, in der bewiesen werden sollte, die Kongomündung liege innerhalb jenes Bereiches, auf welches die Krone Portugals ein historisches Recht besäße. So wurde die Internationale Gesellschaft von zwei Seiten bedroht und der freie Handel in Frage gestellt: am Mittellauf durch die französischen, an der Mündung durch die portugiesischen Ansprüche. Da erschien England als „Retter" Portugals und überraschte Europa mit einem Anfang März 1884 veröffentlichten Vertrag, durch den es die portugiesischen Ansprüche anerkannte. In der Handelswelt erhob sich aber ein allgemeiner Sturm dagegen. Zumeist wurde in England selbst Opposition gemacht. Die Tagesblätter sprachen sich mehr als abfällig über die Vereinbarung aus. Nicht so fast die Höhe der portugiesischen Zölle fürchtete man, als das Zollunwesen. Auch die holländischen Kaufherren und Hamburger Handelshäuser sprachen sich sehr entschieden dagegen aus. So zeigte sich, wie es wahrhaft ein internationales Interesse war, daß der Kongo frei bleibe. Mit unangbar gewandtem Griff erfaßte der Kanzler des Deutschen Reiches diesen Umstand. Ende April 1884 hatte die Kongogesellschaft mit der französischen Republik „Frieden" geschlossen, d. h. für den Fall der Veräußerung der erworbenen Ländereien Frankreich ein gewisses Vorrecht zu-

gesagt. Auch die Vereinigten Staaten von Nordamerika anerkannten die Gesellschaft förmlich als unabhängig. Jetzt wurde auf Anregung Bismarcks eine „Kongoconferenz" nach Berlin berufen. Das Programm der Conferenz umfaßte zwei Hauptpunkte: vollständige Handelsfreiheit im Flußgebiet des Kongo, Entscheidung der völkerrechtlichen Frage, an welche Bedingungen oder Formalitäten rechtskräftige Besitzergreifung afrikanischen Landes gebunden sein solle. Am 8. November folgte das Deutsche Reich dem Beispiel der nordamerikanischen Staaten und schloß mit der Internationalen Kongogesellschaft einen Anerkennungsvertrag in aller Form. Am 15. November versammelten sich die Bevollmächtigten von vierzehn Mächten zu Berlin, und Fürst Bismarck eröffnete in längerer Rede die westafrikanische Conferenz. Stanley war als Vertreter der Vereinigten Staaten anwesend.

Vertreten waren: Deutschland, Oesterreich-Ungarn, Rußland, Türkei, Italien, Spanien, Portugal, Frankreich, England, Schweden, Dänemark, Vereinigte Staaten, Holland, Belgien. In der neunten Plenarsitzung am 23. Februar 1885 wurde die endliche Uebereinkunft genehmigt und zugleich ein Schreiben verlesen, worin Oberst Strauch im Namen des Königs der Belgier mittheilte, daß die Internationale Kongogesellschaft von allen Staaten mit Ausnahme der Türkei als Staat anerkannt sei. Am 26. Februar fand die Schlußsitzung statt.

So war der neue Staat gegründet. Es handelte sich darum, ihn einzurichten, seine Verwaltung zu organisiren. An die Spitze der Verwaltung trat Oberst Strauch. Für die Finanzen, die auswärtigen Angelegenheiten, die Justiz wurden je ein Generaladministrator ernannt. Die Finanzen des Staates mußten durchaus selbständig sein; denn weder Zölle noch Abgaben sollten erhoben werden, und doch veranschlagte man die laufenden Verwaltungskosten auf eine Million Mark jährlich. Leopold II. hat an das von ihm gebrachte Kapital geschaffen und es als „Schatz des Kongostaates" bezeichnet. In einem aus Brüssel vom 16. April 1885 datirten und an das Ministerium gerichteten Schreiben forderte der König die Minister auf, die Zustimmung der Kammern dafür zu erlangen, daß er die Würde eines Souveräns des Kongostaates übernehme. Finanziell und militärisch, mit einem Worte, in jeder Beziehung solle der neue Kongostaat auf sich angewiesen sein, zwischen ihm und Belgien eine bloße Personalunion bestehen. Die vom Ministerium vor das Haus gebrachte Vorlage bezieht sich nur auf den König, nicht auf dessen Nachfolger. Am 28. April 1885 wurde sie mit 124 Stimmen gegen 1 Stimme angenommen. Seither hat der König den Kongostaat testamentarisch Belgien übermacht.

Doch genug von Forschung und Politik; wenden wir uns zur stillen Arbeit der Missionäre im neuen Kongostaate.

8. Die Mission am untern Kongo.

Nachdem wir so ausführlich die Gründung des Kongostaates erzählt haben, müssen wir auch einige Worte über die neue Mission sagen. Ein deutscher Missionär, P. Koller, soll uns das Nöthige mittheilen. „Unsere Mission", schreibt er, „hat fünf Hauptstationen und umfaßt die Königreiche Kakongo, Loango, Goio, Conde, und im Innern noch mehrere Negerreiche, die aber bis jetzt vollkommen unbekannt sind. Unmöglich ist es, die Bevölkerungsziffer anzugeben: unser Apostolischer Präfekt schätzt sie auf mindestens 40 Millionen Neger. Das ganze Missionspersonal für diese 40 Millionen Heiden besteht gegenwärtig aus zwölf Priestern und sieben Klosterbrüdern, welche auf die fünf Stationen vertheilt sind, so daß in jeder der-

41*

selben zwei Priester und ein Bruder sich befinden. Landana ist die Hauptstation und zugleich Sitz des Apostolischen Präfecten. Dieser erwartet gegenwärtig mit Sehnsucht aus Frankreich neue Missionäre und hegt die Absicht, womöglich in nächster Zukunft wieder neue Stationen zu gründen und die Vorposten noch um etliche 50 Stunden über den Stanleysee hinaus, gegen das Herz Afrika's zu, vorzuschieben.

„Unsere Missionsstation Landana besitzt ein schönes Thal, das, von drei Seiten von mäßigen Bergen umrahmt, im Westen gegen das Meer zu offen ist; sie liegt im Königreiche Kakongo, in dem nun schon acht Jahre, seit dem Tode des letzten Negerkönigs, die ausgebildetste Anarchie herrscht. Vor zwei Jahren zählte unsere Mission 140 Negerkinder, vor einigen Monaten nur 95, gegenwärtig wieder 115; auf treffen Rechnung diese Minderung und der jetzige Zuwachs zu schreiben ist, wird später ersichtlich sein. Von diesen 115 Kindern sind 92 bereits getauft. Sie sind wirklich von einem vortrefflichen Geiste der Frömmigkeit und Ge-

lehrigkeit beseelt, zeigen eine kindliche Dankbarkeit, eine rührende Anhänglichkeit und vergelten dadurch reichlich alle auf sie verwendeten Mühen und Opfer, und gewiß auch das Almosen, welches die europäischen Katholiken für diese jetzt glücklichen Geschöpfe aus Liebe zu Gott gespendet haben. Auch ein fröhlicher Geist herrscht unter ihnen, der sich manchmal in den Abendstunden so laut kundgibt, daß die wilden Thiere in der Umgegend die Flucht ergreifen möchten; die Kinder fühlen sich ja jetzt so glücklich hier. Viele sprechen schon drei Sprachen, nämlich außer ihrer Muttersprache auch noch die französische und portugiesische; mehrere zeigen wirklich hervorragende Talente. Der Geburt nach sind von unsern 115 Negerknaben 47 Kinder von freien Negern, darunter der ‚Prinz‘ des Königs von Conde (ungefähr zwei Tagemärsche von hier) und mehrere Söhne von ‚Prinzen‘; die übrigen, 68 an der Zahl, sind losgekaufte Sklavenkinder.

„Am 8. September 1884 waren es elf Jahre, daß unser jetziger Superior und Apostolischer Präfect P. Carrie sammt dem Kloster-

Ansicht von Landana.

bruder F. Fortunat — einem Elsäßer — ¾ Stunde von Landana aus ihrer kleinen Pirogue ans Land stiegen, um den Negern im Kongogebiet das Evangelium zu predigen. Sie hatten ein Missionsland vor sich, das an Ausdehnung nochmal so groß ist als ganz Deutschland. Ihnen gesellte sich bald ein zweiter Pater der Congregation vom Heiligen Geiste und heiligen Herzen Mariä hinzu, der vor etlichen Jahren am Kongo am Fieber gestorben, und nun ging's ans Werk. Sie besuchten ein Negerdorf, wurden aber aus diesem vertrieben; sie besuchten ein zweites, drittes, auch aus diesem wurden sie unter Todesdrohungen verjagt. Sie verloren den Muth nicht und richteten ihr Augenmerk auf Heranziehung einer christlichen Jugend, womöglich eines einheimischen Clerus — das beste Mittel zur nachhaltigen Bekehrung eines Volkes. Mit Hilfe der aus Europa gekommenen Almosen kauften sie Negerkinder, wo immer sie solche antreiben konnten, und gründeten so ein Institut für schwarze Sklavenkinder. Als aus Frankreich in der folgenden Zeit noch einige Missionäre ihnen zu Hilfe

kamen, ging P. Carrie mit obengenanntem Bruder hinunter an den Strom (etwa 20 Stunden südlich von Landana), um dort eine Missionsstation zu gründen; aber durch die Ränke einiger europäischen Freimaurer wurden sie auch dort vertrieben und entgingen nur mit Noth dem Tode.

„Von entscheidendem Erfolge für die Mission war es, daß der angesehene Häuptling von Molemba, 2½ Stunden von Landana, seinen ältesten Sohn in die Mission schickte, um ‚ihn von den bärtigen Weißen die große Kunst des Lesens und Schreibens lehren zu lassen‘. Die Neger sehen es nämlich für ein wahres Wunder an, daß die Weißen vermittelst der Schrift unter sich ihre Gedanken austauschen können. ‚Es ist doch sehr curiös,‘ sagen sie, ‚daß die Weißen durch das winzige Papier (Brief) mit ihren Angehörigen in Europa sprechen können, die doch so weit entfernt sind.‘ Der Sohn des Negerhäuptlings lernte lesen und schreiben; er lernte aber noch eine höhere Kunst, nämlich Gott erkennen und lieben, und jetzt ist der etwa 20jährige Häuptlingssohn zu Hause bei seinem Vater und kommt alle Sonn- und Feiertage 2½ Stunden weit hierher in den Gottesdienst und empfängt öfters im Jahre die heiligen Sacramente. Vor vielleicht 14 Tagen brachte er seine kleine Schwester mit noch zwei anderen Negermädchen in das ‚schwarze Institut' der Josephs-Schwestern, ¼ Stunde von Landana. ‚Ich muß doch sorgen,' sagte er mir acht Tage vorher, ‚daß meine Geschwister katholisch werden; denn wenn ich einmal gestorben und im Fegfeuer bin, habe ich ja gar niemand, der für mich betet.' Als ich ihm dann ordentlich auf den schwarzen Pudel schlug, so daß es laut patschte — die Neger lieben dieses, wenn sie gut aufgelegt sind —, und ihm meine Zufriedenheit zu erkennen gab, sagte er: ‚Wart nur, ich bring' dir schon noch mehrere.' — Das Beispiel des Häuptlings von Malemba zog auch bei vielen Negern der Umgegend, welche ihre Kinder ebenfalls ‚lesen und schreiben' lernen lassen wollten. So wuchs die Zahl der schwarzen Zöglinge der Mission von Jahr zu Jahr, wozu auch immer —

soweit die Geldmittel es erlaubten — kleine Negersklaven angekauft wurden.

„Das erfreuliche Aufblühen der jungen Missionsanstalt mußte natürlich auch den Neid und die Rache des bösen Feindes erregen, der es nicht ruhig ansehen konnte, daß ihm immer mehr Opfer entrissen wurden. Jedes Werk Gottes muß ja durch Verfolgung und Kampf erprobt werden; wir dürfen nur das Mißtrauen auf uns selbst und das Vertrauen auf Gott nicht verlieren. Bald beschuldigten die Neger, aufgereizt durch ihre Ganga oder Götzenpriester, die Missionäre, sie hätten den amerikanischen Sandfloh eingeschleppt, was durch ein amerikanisches Schiff geschehen ist; bald, sie hätten das Land verzaubert, und sie seien schuld, daß der Regen ausbliebe und eine Hungersnoth hereinbreche. Als Folge der letzten Beschuldigung, etwa vor mehreren Jahren, die Aufregung der Neger immer größer wurde und alle Tage ein feindlicher Ueberfall zu befürchten war, versammelte P. Carrie die Kinder

Boot der Mission, von Missionskindern gerudert. (S. 326.)

in der Kapelle und betete mit ihnen mehrere Stunden lang um Regen, und noch in derselben Nacht kam ein heftiges Gewitter, welches ihnen den ersehnten Regen brachte. Zwei Jahre darauf machten die Neger wirklich einen Angriff auf die Mission; sie beschossen die ohnedies wenig widerstandsfähigen Bretterhäuser, eine Kugel fiel P. Carrie vor die Füße.

„Die Ruhe, die nun eintrat, wurde benützt, um am Kongostrom die beiden Stationen Mboma und St. Antonius zu gründen und hier die Zahl der Negerkinder zu vermehren. Zu diesen Stationen kamen Loango und St. Joseph unweit des Stanleypools. Die belgischen Missionäre der Mission am Unter-Kongo sind aber noch weiter vorgedrungen und haben bei der Aequatorstation eine Niederlassung gegründet.

Die Kinder der Mission sind zum größten Theile freigekaufte Sklaven. Unser deutscher Missionär erzählt von ihrem Schicksale manchen herzzerreißenden Zug. Wir wollen nur einige derselben

mittheilen, damit die jungen Leser Gott für die Gnade danken, daß er sie in einem katholischen Lande und nicht unter den Negern in Afrika auf die Welt kommen ließ:

„Auch hier am Kongo besteht die Sklaverei! Wir haben vor einigen Wochen um Stoffe im Werthe von 45 Mark einen Sklaven gekauft, welcher infolge schlechter Behandlung so heruntergekommen war, daß er selbst mit Hilfe eines Stockes sich kaum weiterschleppen konnte, obwohl er im blühenden Alter von etwa 17 Jahren steht; er war so abgezehrt, daß er wortwörtlich nur aus Haut und Knochen bestand — das reinste Skelett! Dabei war er schrecklich furchtsam und schien die Begegnung mit uns vermeiden zu wollen. Aber bereits nach einigen Tagen, als er die gute Behandlung sah, welche wir ihm angedeihen ließen, kam er zu uns, schon von weitem lächelnd, mit seinem bocka Tat'ami (guten Tag, mein Vater!) entgegen. — Vater! O, sie haben keinen Vater, keine Mutter mehr, diese armen Geschöpfe; oder vielmehr, sie haben Vater und Mutter, wissen aber nicht, wo Vater und Mutter jetzt sind; denn sie wurden ihnen einfach geraubt und fortgeschleppt.

„Sehr viele unserer gekauften Kinder kamen aus dem Innern Afrika's und wurden dort ihren Eltern entweder als Lösegeld abgedrungen oder ihnen einfach geraubt. Da verlor z. B. einer unserer jetzigen Theologen den Vater durch den Tod; die Mutter konnte dem Götzenpriester die Beerdigungskosten nicht bezahlen, sie gab dafür ihren Sohn als Sklaven hin. — Der Vater eines andern Knaben wurde vom Götzenpriester angegeben, er sei schuld an dem Tode eines Negers, als habe er „seine Seele gegessen"; er hat die Probe des Giftbechers nicht bestanden; er wurde niedergestochen, sein Weib und seine beiden Söhne wurden ergriffen und als Sklaven verkauft; nach langen Irrfahrten kam einer der letzteren glücklich in die Mission und fand da wiederum eine liebe Heimat und an den Missionären einen Vater. — Die Mutter eines dritten hatte vom Baume eines Negers gestohlen; sie wurde von diesem auf frischer That ertappt und als Sklavin fortgeführt; ihr Mann mu, um wieder eine Arbeiterin zu haben, gab zu ihrer Befreiung seinen Sohn hin, der dann von den Missionären aus dritter oder vierter Hand gekauft wurde. — Ein anderer Knabe war, um Früchte zu sammeln, in den Wald gegangen; ein Neger begegnete ihm, band ihm mit Stricken, verstopfte ihm den Mund, um ihn am Schreien zu hindern, und schleppte ihn auf den Sklavenmarkt. — Die meisten waren schon in mehreren Händen und hatten Hiebe und Schläge in Unzahl bekommen. Vier Negerkinder sind in unserer Mission, welche von einem Neger aus ihrem Heimatdorfe gestohlen wurden; ihr Herr nun stahl einem Weißen an der Küste Kautschul und wurde von diesem wegen seiner Frevelthat selbst zum Sklaven gemacht; um sich nun zu befreien, gab er seine vier kleinen Sklaven als Lösegeld dem Europäer, der sie wieder an die Mission verkaufte. — Mein kleiner Diener war ungefähr zehn Jahre alt, als sein Vater auf Befehl des Häuplings in den Krieg zog; sie wurden vom Feinde geschlagen, sengend und brennend durchzog der Sieger das Land des Gegners. Als auch die Hütte des armen Negerknaben angezündet wurde, flüchteten er und seine Mutter in den Wald; er wurde aber auf der Flucht von einem feindlichen Soldaten aufgegriffen und direct auf den Sklavenmarkt geschleppt; was aus seiner Mutter geworden oder aus seinem Vater, weiß er nicht. Der Missionär kaufte ihn nun einige alte Steinschloßgewehre im Werthe von 40 Mark; er war schrecklich abgemagert — erzählte mein Oberer — und zitterte an allen Gliedern; denn er fürchtete, er werde nun von den Weißen gemästet und dann geschlachtet.

„Ein anderer Negerknabe, welcher im nächsten Jahre Bruder der Congregation wird, weiß von seinen Lebensschicksalen nur, daß er sein heimatliches Dorf weit im Innern hatte. Eines Tages kamen Neger in dasselbe, raubten ihn und schleppten ihn mit noch einigen anderen Kindern volle 90 Tage lang unter den glühenden Sonne heran, bis er endlich halbtodt an die Weißen verkauft wurde. Wahrlich, welche Summe von Elende und Qualen, welche eine Kette von Schrecknissen ist nicht das kurze Leben so manches unserer Negerkinder!

„Der Anlauf und die Erziehung von Negermädchen bildet besonders seit drei Jahren eine Hauptsorge der jetzigen Apostolischen Präfecten. Er gründete ¼ Stunde von Landana auf einem mäßigen Berge, dem „St.-Peters-Berge", eine Anstalt und erbaute sich von den St.-Josephs-Schwestern in Frankreich „Negerlehrerinnen". Vier Schwestern kamen, welche nun das freilich noch kleine Institut leiten; es war bisher nicht möglich, mehr als neun Mädchen, im

Alter von 5—21 Jahren, ungefähr 25 Stunden von hier zu taufen. Auch diese getauften Negermädchen haben schon zur Genüge die Bitterkeiten und Schrecknisse des afrikanischen Negerlebens gekostet; aber auch sie berechtigen zu den schönsten Hoffnungen."

So bemühen sich also auch am Kongo die Missionäre, freigekaufte Sklavenkinder im Christenthume zu erziehen; sie thun das in der Absicht, mit denselben nach und nach christliche Dörfer zu gründen, ganz wie wir es in Bagamoyo (S. 179) gesehen haben.

9. Weihnachten am Kongo.

P. Koller soll uns auch erzählen, wie die bekehrten Neger am Kongo Weihnachten feiern. Wir folgen ihm auf dem von Knaben der Mission gerauderten Boot nach der Missionsstation San Antonio, das sich unsern der Kongomündung auf dessen südlichem Ufer befindet.

„Auf einem mäßigen Hügel bilden einige Häuser, besser Hütten genannt, ein rechtwinkliges Viereck. Das Material der Häuser ist das nämliche, aus dem die Schwarzen der Gegend ihre Hütten bauen: aus Bambusrohr bestehen die Wände, aus Palmblättern die Dächer. Ein kleines hölzernes Kreuz auf dem längsten Strohdache verkündet uns, daß hier in dieser einsamen Gegend der wahre Gott eine Stätte gefunden; die weiße Missionsfahne mit dem rothen Kreuze, die vor der Kapelle aufgehißt ist, sagt dem Negern ringsum, daß man hier dem Allerhöchsten zu Ehren ein Fest begeht; es ist der schönste, der lieblichste Abend in Europa: der heilige Abend.

„Aber wie ist er doch so verschieden hier in Afrika von den weihevollen Stunden der christlichen Länder! Dort eine fröhliche Geschäftigkeit, die selbst im kleinsten christlichen Dorfe zu Tage tritt; die hohe Festesfreude, die sich auf den Gesichtern der himmlische Friede, der einzieht in die Herzen jener, welche gutes Willens sind; dort das sehnsuchtsvolle Warten der lieben Kleinen und ihr Entzücken beim Anblicke der Christbescheerung, — hier die Tausende und Millionen armer Neger, die noch tief in ihren Greueln verkauten sind und die nicht wissen, daß auch ihnen der Stern des Heiles aufgegangen, daß auch für sie der Welterlöser geboren ist.

„In dieser Missionsstation sind drei Missionäre (zwei Priester und ein Laienbruder — die einzigen Weißen im Umkreise von drei Stunden) beschäftigt, das schönste Fest des Jahres mitten unter den Heiden einigermaßen würdig zu begehen. Mit den 25 Negerkindern, welche sie in der Mission erziehen und unterrichten, zieren sie die Kapelle mit Blumen und afrikanischen Gewächsen; alles, was ihnen der Wohlthätigkeitssinn der europäischen Katholiken Schönes zur Verfügung gestellt hat, findet dort einen Platz. Was aber die Augen der kleinen Schwarzen besonders auf sich zieht, das sind die schönen Figuren, die in der Krippe das Geheimniß der Menschwerdung darstellen. Aber auch der geistige Tempel des Herrn wird nicht vergessen: alle, welche die heilige Taufe bereits erhalten haben, bereiten sich durch Empfang des Bußsacramentes vor, nun in der heiligen Communion während der Christmette das Herz zur wohlgefälligen Krippe des göttlichen Kindes umzuschaffen. Eine große Freude war es für uns, daß auch einige erwachsene bekehrte Neger kamen, um die heiligen Sacramente zu empfangen. Auch an die Christbescheerung für unsere Kinder dachten wir; aber diese bestand nur aus einigen Bildchen und einem neuen Hüttuch aus Leinen — fast die einzige Kleidung der meisten unserer Kinder —; das alte mußte ja schon längst ausgebessert werden. Doch sie waren zufrieden; sie kennen nicht den Ueberfluß, mit dem man in so manchen Familien Europa's die Kinder umgibt, gewiß nicht immer zu deren Nutzen. Wer zum erstenmal Weihnachten in Afrika durchlebt, muß sich förmlich Gewalt anthun, sich in die Weihnachtsstimmung zu versetzen; in Deutschland, soweit das Auge reicht, das weiße Winterkleid der Erde, eisüberzogene Flüsse, schneebehangene Bäume; hier in Afrika ein heißer Sandboden, ein wolkenloser Himmel, eine brennende Sonne.

„Als die weite Gegend in Abenddunkel gehüllt war, leuchteten auf verschiedenen Seiten Feuer auf; bald tönte ein wüster Lärm herüber; immer stärker und stärker wird das Gejohl; Kinder, Weiber und Männer schreien um die Wette, man schlägt den Tamtam, tanzt um das Feuer. Aber es sind keine Lobgesänge, welche gleich jenen auf Bethlehems Fluren dem neugeborenen Erlöser erschallen; es sind keine Freudenfeuer, zur Verherrlichung des Festes unserer Erlösung angezündet. Um das Feuer stehen fratzenhafte Figuren, alte, bemalt Pulverhörner, zerbrochene Töpfe, schmutzige Fetzen an wurmzerfressenen Stäben, und das sind die Fetische, die Götzen, um welche die armen Heiden ihre Orgien feiern. Seit sieben Monaten ist der Regen nicht gefallen, und man weiß, was dieses sagen will bei Völkern, welche das Wort des Evangeliums: ‚Sorget nicht für den morgigen Tag', nur zu buchstäblich befolgen. Schon fangen sie an zu hungern, und noch ist die Saat nicht begonnen.

„In der Ferne leuchten einige Blitze auf; man singt und schreit und tanzt und brüllt, man beschwört die Wolken, sich zu erbarmen; man will den Himmel nöthigen, Regen fallen zu lassen. Die armen Heiden! ‚Er kam in sein Eigenthum, aber die Seinigen nahmen ihn nicht auf.'

Der hochw. Herr Koller, Missionär am Kongo, mit einigen seiner Neubekehrten. (S. 326.)

„Gegen Mitternacht waren die Feuer erloschen, der Lärm verstummt. Eine starke Gewehrsalve unserer Kinder verkündet den Beginn der Christmette; zu mehreren Malen tragen die lieblichen Töne unseres Glöckleins die frohe Botschaft der Erlösung hinaus in die weite, düstere Wildniß. Eine Anzahl Neger, welche unserer Einladung gefolgt sind, hatte sich schon seit einigen Stunden vor der kleinen Kapelle im Sande gelagert, darunter unser Häuptling. Mehrere Monate war er der Mission ferne geblieben: er ließ durch den Götzenpriester seiner eigenen Schwester den Giftbecher reichen; sie war angeklagt, ‚Seele seines verstorbenen Bruders gegessen zu haben'. Sein Verbrechen wendete seine Seele ab von der Wahrheit. Möchte jetzt in dieser gnadenvollen Nacht der Stern des Heiles und der Wahrheit aufgehen in seinem Herzen!

„Die Christmette wurde um so feierlich als möglich gehalten: ein Missionär spielte das Harmonium und begleitete den eintönigen Gesang unserer Negerkinder, der andere brachte das heilige Opfer dar — ärmlicher freilich als in der kleinsten Dorfkirche Deutschlands.

„Am andern Tage kam ein großer Haufen Neger an unserer Mission vorbei; sie kehrten von einem ‚Regen-Palawer' zurück, einer großen Versammlung, welche sie in der Nähe gehalten haben, um den Uebelthäter zu finden, welcher an dem Ausbleiben des Regens schuld wäre. Noch hatten sie ihn nicht gefunden. Wir luden sie ein, in unsere Kapelle einzutreten. Wie von einer überirdischen Macht überwältigt, fielen diese ungeschlachten Gesellen auf ihre Kniee und benahmen sich aufs ehrerbietigste. Was ihre Augen besonders fesselte, war der Mohrenkönig, den wir jetzt schon in die Krippe gestellt hatten. ‚Nkuluntu fiote!' (ein Negerkönig!) riefen sie einander zu, als sie desselben ansichtig wurden. Für den Augenblick hätte man ihnen wohl kein größeres Geschenk machen können.

„Biel feierlicher wurde im folgenden Jahre das Weihnachtsfest hier in Landana begangen: aber leider hatte es eine schreckliche Schattenseite bei den wilden Negern.

„Einige Tage vorher hatte ein französisches Kriegsschiff eine Stunde von hier Anker geworfen; dessen Commandant, sowie der größere Theil der Seeofficiere — gläubige Katholiken — wollten dieses Friedensfest nicht inmitten der Kanonen begehen, sondern in einer katholischen Mission. Für die Gastfreundschaft, die wir ihnen bestmöglich gewährten, stand uns deren Magazin offen, — kein schlechter Tausch, und gerade zu rechter Zeit, da unsere Vorrathskammer infolge des bisherigen Regenmangels fast einer leeren Scheune glich.

„Ich brauche nicht zu erwähnen, daß unsere Negerkinder unter Anleitung unseres Laienbruders unsere Kapelle in einen förmlichen Garten umwandelten; alle Bäume wurden geplündert, um das Haus Gottes zu schmücken. Kurz vor Mitternacht sammelten sich unsere 130 Knaben in einiger Entfernung von der Kapelle; fast jeder hatte eine selbstfabricirte Fackel oder ein Lampion von farbigem Papier in der Hand. Einen feenhaften Anblick gewährte es, als sie in finsterer Nacht mit brennenden Fackeln paarweise unter Absingung eines Weihnachtsliedes in die Kirche zogen, ein Anblick, der einen Officier zum Ausdruck der Ueberraschung zwang: ‚Ah, das ist herrlich! so etwas sieht man nicht leicht in Afrika.‘ Aber noch wohlthuender für das katholische Herz war es, während der Christmette den Schiffscommandanten mit reich decorirter Brust nebst einem seiner Officiere mitten unter den Negerkindern am Tische des Herrn knieen und die heilige Communion empfangen zu sehen.

„Eine halbe Stunde von hier wurde an diesem Tage tüchtig geschossen. Aber wiederum waren es nicht Freudenschüsse zur Verherrlichung des Erlösungsfestes. ‚Das Licht leuchtete in die Finsterniß; aber die Finsterniß hat es nicht begriffen.‘ Der Häuptling eines nahen Negerdorfes lag seit einigen Tagen schwer krank darnieder. Ein Missionär hört es und will ihn besuchen. Der Häuptling aber ist von Götzenpriestern und Zauberern umlagert, von Götzen aller Art umgeben; es wird dem Missionär der Eintritt in die Hütte des Kranken verweigert. Nun starb der Unglückliche. Sein Tod wird durch Flintenschüsse verkündet. Auf dieses Signal hin kommen die Verwandten und Freunde, ja die Bewohner des ganzen Dorfes zusammen. Da wird gejammert und geweint. Es ertönen herzzerreißende Rufe, man verwünscht die Grausamkeit der bösen Geister; man seufzt über die Wechselfälle des Lebens, und man hat keine zu starken Ausdrücke, um den Schauder zu bezeichnen, womit der Tod sie erfüllt. Natürlich vergißt man nicht die Galebasse mit Palmenwein oder die Flasche mit Schnaps. Die Thränen fließen in Strömen, besonders da hinlänglich Schnaps vorhanden ist, und die Seufzer werden zu schrecklichem Geheul. Der Tanz organisirt sich um die Hütte des Häuptlings; man erzählt in Gesängen sein ganzes Leben, seine Reisen, seine Jagdstücke, sein Glück, seine Tugenden, seine schlimmen Streiche. Diejenigen, welche die Hütte umgeben, rufen in stetem Refrain: ‚O mein Vater, er ist todt! O meine Mutter, wer hat ihn getödtet?‘ Diejenigen, welche in der Hütte um den Leichnam beschäftigt sind, antworten in gleichem Wechsel: ‚O mein Vater, er ist todt! O meine Mutter, wer hat ihn getödtet!‘

„Während dieser Gesänge macht man dem Todten seine letzte Toilette: man rasirt ihm den Kopf und schneidet ihm die Nägel der Hände und Zehen ab; er wird nun mit heißem Wasser übergossen und von Kopf und Armen die Haut abgezogen; über einem

schwachen Kohlenfeuer wird alsdann der Leichnam einige Zeit geräuchert, hierauf in Stoffe gewickelt und mit allen seinen Schätzen, die er im Leben besessen, als zerrissenen Bildern, zerbrochenen Flaschen, alten Kleidern, ettliche Tage lang ausgestellt. Nach Verfluß derselben fand die erste Beerdigung statt, bie des Leichnams, natürlich mit obligatem Geschrei, Weinen, Tanzen und Flintenschüssen. Die Fingernägel und Kopfhaare warten noch ihrer feierlichen Beerdigung, die erst nach Jahren mit viel größerem Pomp und Zulauf einer ungeheuren Menge Neger stattfindet.

„Etliche Tage nach Weihnachten kamen die Ngangas oder Götzenpriester und Zauberer zu ihrer schrecklichen Rolle. Nach Ansicht der Neger stirbt man nicht eines natürlichen Todes; wer aus diesem Leben geht, ist das Opfer eines geheimen Feindes, der mit den bösen Geistern in Verbindung steht; dieser hat ‚seine Seele gegessen‘. Es ist sehr schwer, den Negern diesen thörichten Wahn zu nehmen. Man muß um den Todten nicht nur beweinen, sondern auch rächen.

„Mehrere Götzenpriester, auch aus entfernten Gegenden, kamen nun zusammen und beriethen sich, um jene ausfindig zu machen, welche die Seele unseres Häuptlings gegessen haben. Sie gaben neun Neger und eine Negerin an als verdächtig dieses schrecklichen Verbrechens; denn nur mehrere können die Seele eines Vornehmen bezwingen. Die angegebene Negerin war eines der Weiber des Verstorbenen. Zwei der Verdächtigten konnten sich noch rechtzeitig flüchten; sie eilten nach Loango und suchten und fanden Schutz beim dortigen französischen Militärposten. Da wir die schrecklichen Mordscenen voraussahen, aber auch unsere Ohnmacht gegenüber dem teuflischen Einflusse der Götzenpriester, so wandten wir uns an die Portugiesen an der Küste, unter deren Oberhoheit unser Territorium gestellt ist, um mit Gewalt die bevorstehende Bluthat zu verhindern; diese aber erklärten sich ihm gegenüber als machtlos.

„Ein Götzenpriester bereitet den sogen. Casque oder Gifttrank, welcher die Schuld oder Unschuld der Angeklagten darthun soll. Erbricht der Angeklagte in kurzer Zeit das Gift, so ist er unschuldig; behält er es aber und hat dieses seine Wirkung, so wird er auf grausame Weise getödtet.

„Zur Nachtzeit — immer werden diese Greuel während der Nacht ausgeführt — bemächtigt man sich der beschuldigten Opfer. Das ganze Dorf hat sich versammelt. Unter Gebrüll und Tamtamschlag werden die Bedauernswerthen vorgeführt. Der erste nimmt das Gift; man wartet kurze Zeit; er bricht das Gift nicht aus, sondern taumelt; folglich ist er schuldig. Sogleich werden dem Unglücklichen mit einem langen Messer langsam die Hände abgeschnitten; er sinkt unter den schrecklichen Qualen in Ohnmacht; man sticht ihn nieder. Nun kommt die Frau des Verstorbenen an die Reihe; auch sie besteht nicht die Giftprobe. Auch ihr werden die Hände abgeschnitten und sie dann gleichfalls niedergestochen. Das dritte Opfer hatte das Gift genommen und es nicht erbrochen; man ergreift den Armen und nagelt ihn an einen nahen Baum. Noch zwei der Angeklagten sterben auf so schauerliche Weise. Die Leiber der Getödteten werden auf einen Scheiterhaufen geworfen und verbrannt. Während der ganzen gräßlichen Scene wird getanzt und gejohlt und der unvermeidliche Tamtam geschlagen. Niemand hat Mitleid mit den Unglücklichen; man verwünscht und verflucht sie als die größten Verbrecher. Ihre Hütten werden verbrannt, ihre Felder verwüstet.

„Das ist Weihnachten bei den armen Negern. ‚Wer von Gott sich abwendet, verfällt den Leidenschaften seines Herzens‘, der Sinnlichkeit und der Grausamkeit.“

10. Etwas über die Neger und ihre Moden.

Das Wort Neger kommt von einem lateinischen Worte niger her, welches schwarz bedeutet; mit diesem Namen also werden die schwarzen Menschen bezeichnet. Nach der Farbe nämlich unterscheidet man gewöhnlich fünf Menschenrassen: die weiße, wozu wir Europäer gehören; die gelbe, zu welcher die meisten Bewohner Ostasiens, und die braune, zu welcher die Bewohner Polynesiens rechnen; die rothe, welche die Ureinwohner Amerika's umfaßt, und endlich die schwarze, welche ihren Hauptsitz in Afrika hat. Allerdings ist nicht ganz Afrika von Negern eingenommen; denn im Norden dieses Welttheils wohnen, wie wir gesehen haben, verschiedene Volks- stämme (Aegypter oder Kopten, Araber, Abessinier), die zur weißen Menschenrasse gehören, und in der Südspitze sitzen Hottentotten und Kaffern, die keine eigentlichen Neger sind. Aber der ganze ungeheure Länderstrich, welcher von der Sahara und von Abessinien her sich über den südlichen Wendekreis hinaus erstreckt, ist so ausschließlich von Volksstämmen bewohnt, die wir zu den Negern rechnen dürfen. Da wir nun vom Kongo an längs der Westküste bis zum Senegal mit Negerstämmen zusammentreffen, wollen wir hier etwas über die Neger im allgemeinen erzählen.

Wie viele Neger es gibt, wissen wir nicht; denn Volkszählungen, wie sie bei uns häufig vorkommen, kennt man dort nicht. Als man den Sultan von Zanzibar einmal fragte, wie viele Unter- thanen er in seinem Reiche habe, antwortete er ganz verwundert: „Wie könnte ich das wissen, da ich ja nicht einmal sagen kann, wieviel Leute in meinem Palaste wohnen!" Daß es aber der Neger eine ganz ungeheure Menge gebe, das unterliegt keinem Zweifel. Seit drei Jahrhunderten wenigstens hat man Jahr für Jahr Tausende und abermals Tausende von Negern als Sklaven nach Amerika gebracht, wie noch jetzt immer Tausende als Sklaven nach den muhamedanischen Reichen von Nordafrika verkauft werden. Man sagt wohl nicht zu viel, wenn man behauptet, daß in den letzten drei Jahrhunderten 50 Millionen Neger als Sklaven aus ihrem Vaterlande fortgeschafft wurden. Und doch sieht man nicht, daß die schwarze Bevölkerung Afrika's abgenommen hätte; sie muß also wohl sehr groß sein. Ohne alle Uebertreibung glauben neuere Reisende die Zahl der Neger auf etwa 150 Millionen schätzen zu können (also fast viermal so viel, als das ganze Deutsche Reich Bewohner zählt); einige nehmen sogar an, daß es ihrer 200 Mil- lionen seien. Und von dieser ungeheuren Zahl sind noch nicht einmal 100000 Christen, alle übrigen sind noch Heiden.

Wie oben gesagt, bedeutet Neger soviel als Schwarzer, und schwarz in der That sind die Neger. Wir würden uns aber sehr täuschen, wenn wir alle Neger für kohlrabenschwarz halten wollten. Wie es unter uns Weißen solche gibt, die eine hellere, und solche, die eine dunklere Hautfarbe besitzen, so gibt es unter den Negern solche, die schwarz sind wie poliertes Ebenholz, andere die bloß dunkelbraun sind, und noch andere, deren Farbe ein schmutziges Gelb ist; an allen aber tritt eine dunkle Haut als gemeinsames Kennzeichen auf, und daher ist der Name im allgemeinen ganz passend. Früher meinte man, die Neger seien so schwarz, weil sie von der Sonne ganz schwarz verbrannt seien; denn sie wohnen ja im heißesten Erdtheil und haben meistens die Sonne senkrecht oder fast senkrecht über ihrem Kopfe. Gewiß wird auch das heiße Klima die dunkle Färbung begünstigen — auch die Nachkommen der Portugiesen, die sich dort vor ein paar Jahr- hunderten niedergelassen haben, sind dunkel geworden —, aber die einzige Ursache dieser Färbung liegt keineswegs in der Sonnenhitze.

Am schwärzesten sogar sind z. B. die Jolofs, welche am Senegal, also am weitesten gegen Norden vom Aequator entfernt, an der Grenze der zur weißen Rasse gehörenden Araber wohnen, und die Maputos, welche gegen Süden am weitesten vom Aequator entfernt sind. Dagegen haben die näher am Aequator sitzenden Aschanti und Ibu meistens eine rothbraune Farbe. Wenn die Negerkinder auf die Welt kommen, sind sie gelblichweiß und haben nur um die Augen und an der Wurzel der Fingernägel einen schwarzen Rand; aber schon vor dem sechsten Tage, also bevor noch die Sonne hat wirken können, werden sie schwarz.

Nicht nur durch die Farbe unterscheiden sich die Neger, auch sonst haben sie eine schmale, etwas zurücktretende Stirne; die Nase ist breit und aufgestülpt und sieht aus, als wenn sie etwas nach oben gequetscht wäre; kaum ragt sie über die dicken, wulstigen Lippen hervor, und diese bedecken nur unvollständig die oft schiefstehenden Zähne in dem breiten Munde: der große Hinterkopf ist mit dichtem aber kurzem wolligen Haar besetzt. Natürlich herrscht aber unter den Schwarzen eine ebenso große Mannigfaltigkeit in der Gesichts- bildung, wie unter den Weißen, und nicht bei allen Negern treten die eben angegebenen Eigenthümlichkeiten gleich stark hervor. Bei den Mandingo in Senegambien und bei den Aschanti an der Goldküste, sowie bei den südlich an der Sahara angrenzenden Haussanern kann man oft Gesichter finden, die, von der Farbe abgesehen, gar nichts Auffallendes für uns haben. Uebrigens zeichnet sich die Neger durch einen kräftigen Körperbau aus, und das ist wohl eine der Hauptursachen, wegen welcher sie seit so vielen Jahrhunderten als Sklaven gesucht wurden.

Nun etwas über die Moden bei den Negern!

„Die Moden der Neger" — das klingt ja merkwürdig, denkt vielleicht mancher junge Leser oder wohl noch eher manche junge Leserin. Die Neger tragen ja kaum Kleider, wie können die denn Moden kennen? Ja, es ist wahr, in Bezug auf die Kleider ist es bei den Negern schwach bestellt; auch beziehen sie weder von Paris noch von Berlin oder von Wien ihre Moden, und in den Modejournalen werden diese dieselben, wie ich glaube, wohl nicht verzeichnet sein, aber trotzdem herrscht die Mode ebenso stark unter den Negerdamen und Negerstutzern, wie sie es in Europa thut, und wenn die Mode in Europa ihre Herrschaft leider über jedes, auch das kleinste noch abgelegenste Dörfchen auszudehnen beginnt, warum sollte sie denn nicht auch in ganz Afrika herrschen wollen? Also die Mode herrscht auch unter den Negern, und zwar lassen es sich die Neger nicht weniger kosten, um die gerade vorherrschende Mode mitzumachen, als manche europäische Dame, und auch darin stimmen die Negermoden mit den europäischen Moden überein, daß viele den vernünftigen Menschen recht unvernünftig und komisch erscheinen, und daß sie den Körper viel eher entstellen als zieren. Ich will nur ein paar dieser ebenso häßlichen als komischen Moden hier anführen.

Gemäß der Schilderung, die wir soeben von den Eigenschaften der Neger entworfen haben, sind die Neger nach unserem Begriffen eben nicht schön, aber das, was uns als häßlich an den Negern erscheint, scheinen diese schön zu finden. So z. B. halten wir die wulstigen, dicken Lippen nicht gerade für schön; viele Negerstämme müssen aber wohl glauben, ihre Lippen seien noch nicht groß genug, und sie müßten nachhelfen. Wie fangen es denn die Negerdamen an, ihre dicken Lippen noch dicker zu machen? Sie haben zu diesem Zweck einen besonderen „Schmuck" erfunden, das „Pelele", d. h. einen großen Ring, durch den sie ihre Oberlippe so ausweiten, daß dieselbe wie eine kleine Schüssel im Gesichte hervorsteht. Der berühmte Reisende Livingstone erzählt von den Mangandscha, einem Negerstamme, welcher in Ostafrika, am Schire, dem größten linken Nebenflusse des Sambesi, seine Wohnsitze hat:

„Schon dem kleinen Mädchen wird die Oberlippe mit einer Nadel dicht unter der Nase durchstochen; nachdem die Wunde verharscht ist, wird die Nadel herausgezogen und durch eine dickere ersetzt, auf die wieder eine dickere folgt, und so fort, monate- und jahrelang, bis schließlich das Loch so groß geworden, daß ein Ring von etwa 5 cm (1 bis 2 Zoll) Durchmesser mit Leichtigkeit hineingesteckt werden kann. Das Pelele besteht bei den Aermeren aus Holz, bei den Reicheren aus Elfenbein oder Zinn. Kein Frauenzimmer erscheint öffentlich ohne diesen Schmuck, ausgenommen, wenn sie in Trauer ist. Das Gesicht wird dadurch ganz entstellt, namentlich wird das Lachen ganz abscheulich, weil die Wangenmuskeln das Pelele bis über die Augenbrauen aufwärtsziehen, während zu gleicher Zeit die Nasenspitze durch das Loch des Ringes schaut und die spitz abgefeilten Zähne des großen Mundes sichtbar werden, der nun dem Rachen eines Krokodils gleicht. Natürlich können infolge dieser Verunstaltung die Lippenlaute nicht ordentlich ausgesprochen werden; allein sie ist Modesache und gilt daher für schön."

Also die Mode macht auch bei den Negern schön, was an sich häßlich ist; gerade wie wir über das Pelele der Mangandscha lachen, ebenso herzlich würden die Mangandscha über manche europäische Dame lachen, wenn sie deren Putz sähen. Wie Livingstone uns berichtet, wird das Pelele bei allen Negerstämmen am ganzen unteren und oberen Schire und

Wapopo in Ostafrika. (S. 331.)

Waguhha und andere Stämme am Westufer des Tanganjika. (S. 331.)

Manyuema westlich von Tanganjika. (S. 331.)

in dem sich daranschließenden Hochland getragen, ja, weiter im Innern tragen es auch die Mösmer. Ein anderer Reisender, Cameron, der in den Jahren 1873 und 1874 eine Reise „quer durch Afrika" machte, fand die nämliche Mode bei den Ubudscha am Westufer des Tanganjikasees, und Schweinfurth, der längere Zeit „im Herzen Afrika's" verweilte, berichtet das nämliche von den Dinka und den Nuer. Auch die Unterlippe muß sich einen solchen Schmuck gefallen lassen.

„Sobald bei den Bongo (am obern Nil) ein Mädchen heiratet," sagt er, „beginnt es die anfänglich nur eng durchlöcherte Unterlippe durch Einführung an Umfang immer mehr zunehmender Holzpflöcke nach und nach zu erweitern, so daß sie schließlich das fünf- bis sechsfache ihrer ursprünglichen Größe erreicht. Ganz ähnlich sind die Holzklötze und Knochenstücke, welche die Frauen der Mušgu in die Unterlippe einfügen; sie sind im Durchmesser nicht unter einem Zoll dick. Durch die aus solche Art erzeugte Spannung wird die Unterlippe breit aufgetrieben und ragt weit über die obere hinaus. In der gleichfalls durchlöcherte Oberlippe wird ein kupferner Nagel oder ein freisrundes kleines Plättchen, hin und wieder auch Ringelchen und Strohhalme von der Dicke eines Schwefelholzes gesteckt. Ebenso wenig läßt man die Nasenflügel unberührt; gleichfalls durchlöchert, erscheinen sie mit eben solchen Strohhälmchen, je eins bis drei in jedem Nasenflügel, bespickt. Kupferringe werden mit besonderer Vorliebe durch den Knorpel der Nasenscheidewand gezogen. Zum Ueberfluß fügen die gefallsüchtigen Bongofrauen noch kupferne Klammern in die Mundwinkel ein, als handle es sich darum, ihre Mundfertigkeiten im Zaum zu halten.

Ueberall, wo nur ein Hautstückchen hervorragt, da wird ein Loch durchgestoßen; so erfordert es die Sitte dieses Volkes. Am meisten Löcher haben die Ohränder, sowohl die inneren, als auch die äußeren der Ohrmuschel; das Ohrläppchen allein ist im Stande, ein halbes Dutzend kleiner Kupferringe zu tragen. So gibt es wohl Frauen im Lande, die an mehr als hundert Stellen ihres Leibes durchlöchert erscheinen."

Allein so verbreitet über ganz Afrika das Pelele in der Ober- und Unterlippe ist, so ist doch die Mode, die Zähne zu verun- stalten, noch viel verbreiteter. Die Neger haben im allgemeinen eine sehr starke Zahnbildung, aber in fast allen Stämmen werden die Zähne auf die eine oder die andere Weise miß- handelt. Während man in Europa jeden fehlenden Zahn gern durch einen falschen zu ersetzen sucht, scheinen die Neger zu meinen, sie hätten der Zähne zu viel. Daher brechen die Dinka und andere Stämme im Gebiete des oberen Nil sich die unteren, die Batoka und deren Nachbarn im Gebiete des obern Sambesi dagegen die oberen Schneidezähne aus. Fast durch

Manganbscha-Frauen mit dem Pelele. (S. 330.)

ganz Afrika finden sich Stämme, welche entweder alle Zähne, wie die Manganbscha und die Einwohner von Uhidscha, oder wenig- stens die beiden oberen Schneidezähne, wie die Batuto, spitz zu feilen pflegen. Bei den Mandingo in Westafrika lassen Bräu- tigam und Braut, wenn sie heiraten wollen, den Schmied kommen, welcher mit einem scharfen Instrument — denn Feilen haben sie nicht — ihnen alle Zähne zuspitzen muß. Das ist schmerzhaft, aber die Mode will es einmal so.

Eine ganz besondere Sorgfalt verwenden die Neger auf die Frisur ihres Wollhaares, und wenn man die zahlreichen Neger- frisuren sieht, wie die Reisenden sie uns abgezeichnet haben, könnte man fast auf den Gedanken kommen, die euro- päischen Haarkünstler müßten alle eine Reise ins Herz von Afrika machen, um sich dort neue Muster zu holen.

„Mit Thon, Gummi oder Mist", sagt Schweinfurth von den Schilluk- negern am obern Nil, „wird das Haar so lange in die gewünschte Form zusammengefilzt, bis es bald helm- oder turmartige, bald eine schirmartige Gestalt annimmt. Die größte Mehr-

Ubudscha-Frauen. (S. 330.)

zahl der Schilluk trägt quer über den Scheitel einen hand- breiten Haarkamm, der, gleich einem massiven Heiligenschein von Blech, von einem Ohr zum andern festredt und nach hinten unter den Ohren in zwei runde Lappen ausläuft. Am seltsamsten nehmen sich solche Köpfe aus, die nicht genug an einem Haar- kamm haben, sondern deren zahlreiche aufweisen, welche parallel und in gewissen Abständen den Kopf verlaufen. (Ganz ähn- liche Frisuren fand Livingstone am Tanganjikasee.) Sehr drollig erscheint eine dritte, nicht seltene Form, die man am passendsten mit dem Helm des Perlhuhns vergleichen kann, von welchem sie

eine Nachahmung zu sein scheint, wie manche Haarmoden sich selbst bei uns sehr oft thierische Ideale zum Vorbild zu nehmen pflegen."

Von den Niam-Niam sagt der nämliche Reisende, „es wäre schwie- rig, eine neue Form ausfindig zu machen, das Haar in Flechten zu legen und diese zu Zöpfen und Knäueln aufzuhäufen oder wieder in Büschel aufzulösen, welche nicht bereits von ihnen er- sonnen worden wäre". — Aeußerst beliebt durch ganz Afrika ist die Gestaltung von Hörnern, und da muß das Haar sich bald zu einem gerade aufragenden Horn, bald zu zwei seitlich stehenden gewundenen Hörnern, bald zu mehreren kleinen, über den ganzen Scheitel vertheilten zusammen- tuten lassen. Die abenteuer- lichsten Haartrachten fand Li- vingstone bei den Balunda im Gebiet des obern Sambesi. Die Balunda sind überhaupt, wie es scheint, ein eigenthümliches Volk; bei der Beschreibung, die Livingstone uns von ihnen gibt, sollte man beinahe mei- nen, der berühmte Reisende habe „stichela" wollen.

„Die Balunda", sagt er, „arbeiten nicht gern und finden Zeit genug, sich allerhand Lieb- habereien hinzugeben. Es gibt da Stutzer, die den ganzen Tag gesalbt und geputzt einherspazieren; andere quälen Tag und Nacht irgend ein musikalisches Instrument; manche können nicht ausgehen, ohne ihren Singvogel im Käfig bei sich zu führen. Die Damen pflegen mit großer Vorliebe eine Sorte Schoßhunde, die aber, sobald sie fett genug sind, verspeist werden. Namentlich ist ihnen die Frisur ihres überfriedenen Woll- haares ein Gegenstand großer Aufmerksamkeit, und sie lassen dabei ihrer Erfindungskraft vollen Spielraum. Einige tragen aus Büffel- haut und Glasperlen geformte Aufsätze, die bald Kronen ähnlich sind, bald zwei Hörner auf der Seite oder eines gerade auf der Stirne bilden, zu denen noch eine ganze Menge gerade herabhängender Haarrollen kommt."

Am auffallendsten erschien ihm eine andere Form, die Schweinfurth auch am obern Nil bei einigen Leuten aus dem Gebiete von Kifa gefunden hat. Die Köpfe sind da von einem strahlen- artigen Gebilde, gleich dem Glorien- schein eines Heiligen, umgeben. Dieser Strahlenkranz wird aus dem eigenen Haare der betreffenden Person her- gestellt. Ganz feine Flechten gehen ringsum vom Kopfe aus und werden, an einem Blecheisen be- festigt, ausgespannt; die kunstvolle Frisur erfordert große Schonung und viele Stunden mühsamer Arbeit.

Aus den Bildern, die wir geben, können sich unsere jungen Leser einen Begriff davon machen, was die Neger alles aus ihren Wollhaaren herzustellen wissen; ebenso ersehen sie aus den Bildern, daß die Neger mit Muscheln, Elfenbeinstücken und allerlei anderen Zieraten ihre Frisur noch mehr zu verschönern suchen. Dann aber müssen wir noch hinzufügen, daß natürlich das eigene Haar für diesen Schmuck nicht immer hinreicht. Wie viele weiße Damen

42*

durch Büste und Flechten fremder Haare sich verunstalten, so verstehen die schwarzen Damen auch, fremde Haare in ihre eigenen hineinzuflechten. Sie bedienen sich dazu aber nicht immer gerade der Menschenhaare; die Balunda im Gegentheile benutzen mit Vorliebe die Haare der Büffelschwänze — jüngst war in einer Zeitung zu lesen, eine junge europäische Dame habe dem Pferde ihres Vaters die Schwanzhaare ausgerissen, um sich damit zu zieren. So stimmt in Bezug auf die Mode der Geschmack in Europa und Afrika überein.

Wir könnten das noch weiter ausführen, aber es ist unmöglich, alle Veranstaltungen aufzuzählen, zu welchen die Putzsucht die Schwarzen in Bezug auf die Ohren, die Nase u. s. w. zwingt; an eine wollen wir nur erinnern, die einen mehr praktischen Zweck hat. Wie schon gesagt, ist es mit der Kleidung der Neger durchgehends sehr elend bestellt; bei den meisten Stämmen findet man nur eine Binde um den Unterleib, und bei vielen schrumpft dieser Gürtel so sehr zusammen, daß man kaum noch davon reden kann; einige endlich begnügen sich mit Baumblättern. Die fehlende Kleidung nun suchen manche Stämme dadurch zu ersetzen, daß sie ihren Leib bemalen. Sehr geschickt in dieser Beziehung sind die Monbuttufrauen, welche nach Schweinfurths Bericht eine unerschöpfliche Mannigfaltigkeit der verschiedensten Muster

Haartrachten der Balunda-Frauen am obern Zambesi. (S. 331.)

Haartrachten der Bewohner am Ufer des Tanganjika. (S. 331.)

über den ganzen Körper vertheilt, bald Tigerstreifen und gefleckte Muster von unregelmäßiger Form, marmorirte Adern, schachbrettartige Carrirung u. s. w. Jede Monbuttufrau sucht bei festlichen Zusammenkünften die andere durch eine neue Erfindung auszustechen. Die ausgeführten Muster besitzen eine Haltbarkeit von zwei Tagen, dann werden sie sorgfältig abgerieben und durch neue ersetzt. Indessen nicht diese Bemalung hatte ich im Sinne, sondern ich wollte von den Einschnitten reden, die alle Neger, sei es im Gesichte oder auch an anderen Körpertheilen, anbringen. Jeder Stamm, ja manchmal jede Familie, hat eine bestimmte Zahl von Einschnitten an einer bestimmten Körperstelle, an denen man sofort erkennen kann, zu welchem Stamme oder auch wohl zu welcher Familie er gehört. Wie uns P. Courdioux erzählt, werden an der Beninküste diese Einschnitte den Kindern im achten oder neunten Jahre gemacht und bleiben dann das ganze Leben hindurch. Es gibt eigene Leute, um diese Einschnitte anzubringen; mit einem kleinen Eiseninstrument, fast wie ein Federmesser, schneiden sie die betreffende Zeichnung und reiben sie dann gleich ein mit einer Salbe, die hauptsächlich aus Ruß und Palmöl besteht; nach vier bis fünf Tagen wird die Wunde ausgewaschen und die Zeichnung ist fertig. Bald sind es gerade Striche, bald kleine

zu ersinnen wissen. Bald sind es Sternchen und Malteserkreuze, bald Blumen und Bienen, welche sie mit dem Saft einer bestimmten Pflanze malen; bald sind es schlangenförmige Zeichnungen, Kreise oder Kreuze in verschiedener Zahl, bald auf der Stirn, bald auf den Wangen, bald einer, bald mehrere; die einen bezeichnen den Stamm, andere gibt es, die den Stand oder das Gewerbe angeben.

Hauſſa.   Vornehmer von Porto-novo.   Dahome.
Naga.   Laga.   Egba.
Tſchedſchi (Porto-novo).   Jabu.

Neger von der Benin-Küſte mit ihren Stammeszeichen. (S. 332.)

345

So hat also der Neger auf seinem Gesichte gleich seine Abkunft geschrieben, und sie thun sich darauf etwas zu gut. Wie diese Stammeszeichen dienen, erzählt uns P. Courdioux in folgender Weise:

„P. Verdelet und ich wollten vor einigen Jahren in Okeadan,
einer großen, etwa zehn Stunden nordwestlich von Porto-novo
gelegenen Stadt, eine Mission gründen. Nach einem mühsamen
Marsch kamen wir beim Einbruch der Nacht vor den Thoren an.
Unser Begleiter, ein Officier des Königs von Porto-novo, ging
voraus, um uns dem König von Okeadan anzumelden. Derselbe
war uns gut gesinnt, und wir hofften bald eingelassen zu werden.
Aber gerade damals hatte er einen Streit mit den englischen
Agenten gehabt, und es war der Beschluß gefaßt worden, keinen
Engländer mehr in die Stadt zu lassen. Umsonst machten wir
nun geltend, daß wir keine Engländer, sondern Franzosen seien,
das Verbot also nicht für uns gelte; das nutzte nichts. ‚Weiße!‘

so redete uns ein Abgesandter des Königs an, ‚was ihr sagt, kann
wahr sein; aber wir wissen nicht, ob es wahr ist. Bei uns trägt
jeder den Namen seines Landes auf seinem Gesicht; dieser ist ein
Houssa, jener von Dahome, ein dritter ein Egba — darin täuschen
wir uns nicht. Aber wo ist das Zeichen, das euch Weiße als
Franzose, als Engländer oder als Aguda (Portugiese) kenntlich
macht? Weil wir uns täuschen könnten, deßhalb lassen wir lieber
gar keinen Weißen in die Stadt.‘ So mußten wir abziehen;
zwar ließ der König uns sagen, später, wenn mehr Ruhe im
Land sei, wolle er uns den Einlaß gewähren; aber unser Plan
war für den Augenblick verunglückt.“ Das Gesagte mag über
die Neger und ihre Moden vorläufig genügen; wir werden im
Verlaufe unserer Fahrt über einzelne Stämme am Kamerun, Niger,
an der Sklavenküste und in Senegambien noch manches zu ergänzen haben.

XII. Gabun und Kamerun.

1. Das Land am Ogowe.

Wir verlassen die Rhede von Banana an der Kongomündung und steuern, dem Ufer folgend, nordwärts. Auf die kurze Strecke von 40 km ist der Strand Eigenthum des Kongo-staates, der sich so einen zollfreien Ausgang gewahrt hat. Dann folgt von Jaba bis Massabi, etwa 80 km, noch ein Stück portu-giesischen Besitzes, in dessen Mitte die uns bekannte katholische Missionsanstalt Landana liegt. Bei Massabi, mit dem 5. Grad südlicher Breite, beginnt der „französische Kongo" oder das Reich

Die Stromschnellen des Ogowe aufwärts. (S. 336.)

Gabun, das sich bis zum 2. Grad nördlicher Breite erstreckt, wo es an den deutschen Besitz von Kamerun grenzt.

Der erste wichtige Punkt, den wir an der französischen Küste treffen, ist die Mündung des Ogowe in der Nähe des Kap Lopez. Wie wir oben (S. 321) erzählten, ist es de Brazza auf diesem Flusse gelungen, in die Nähe des ebenfalls schiffbaren Alima vorzudringen, der oberhalb des Stanley-Pools in den Kongo mündet. Seither haben die Franzosen in dem, wie es scheint, vielversprechenden Lande eine Reihe Stationen gegründet. Etwa 150 km landein-wärts von der Hauptmündung des Ogowe in die Nazarethbai haben sie unfern der Mündung des Ngunie in den Hauptstrom die Station Lambarene angelegt. Oberhalb derselben durchbricht der Ogowe in vielgewundenem Lauf das westafrikanische Schiefer-gebirge und fließt auf einer Strecke von fast 200 km ziemlich genau parallel mit der Gleicherlinie und kaum einige Stunden von dieser entfernt. Dann wendet man sich, den Fluß aufwärts steuernd, in weitem Bogen nach Süden und erreicht in der Gegend der Station Franceville die Wasserscheide des Kongo, der von etwa 100 km unterhalb des Stanleysees bis zur Mündung des Mo-bangi nahe am Aequator die Süd- und Ostgrenze des französischen Kongo bildet.

Das Land der Adumas liegt zwischen dem 11. und 12. Grad östlicher Länge, nur wenige Minuten südlich vom Aequator. Bei einer Durchschnittserhebung von 200—250 m über dem Meer ist es eines der schönsten und fruchtbarsten Länder des französischen Kongo. Niemals verliert dort die Natur ihr grünes Gewand;

beständig ist der äußerst ergiebige Boden mit üppigem Pflanzenwuchs bedeckt und bietet seinen glücklichen Bewohnern die köstlichsten Früchte. Die freigebige Hand des Schöpfers scheint ihre Gaben in wirklich verschwenderischer Weise über diesen noch jüngst unbekannten Erdwinkel ausgestreut zu haben. Schattige Thäler, wasserreiche, tiefe Ströme, ewig grüne Berghöhen verleihen dem Lande einen eigenthümlichen Reiz. Wenn man an einem der sonnigen Tropentagen von den Bergen den Blick über die Thäler und die lichtstrahlenden Ebenen schweifen läßt, wo hundertjährige Baumriesen emporragen, dann möchte man entzückt ob der Schönheit ausrufen: „Ihr Berge und Hügel, preiset den Ewigen!" Der dunkle, geheimnißvolle Wald birgt tausend Reize für den Wanderer, der in seinen Schatten flieht, zahllose Freuden für den Waidmann, der dort Wild nach Herzenslust antrifft. An die Hügel, die sich gegen die Ufer des Ogowe hin abdachen, lehnen sich schmucke Dörfer zwischen wohlbestellten Feldern. Den Mittelpunkt bilden stets die Versammlungshütte und der Ort, wo sich die Ceremonien des gröbsten Fetischismus vollziehen. Fast jedes Dorf ist zum Schutze mit einem Palizadenwalle umgeben, der in Kriegszeiten geschlossen wird und selbst im Frieden nur einen engen Durchgang gewährt.

„Zahlreiche klare Bäche bewässern die Pflanzungen in den Lichtungen der Forste und eilen dann dem Ogowe zu", schreibt ein Missionär. „Die bedeutendste dieser Wasseradern ist die Lipopa, welcher die Ostgrenze des Missionsgebietes bildet. Dieselbe befruchtet unsere Gärten und liefert uns reichlich köstliches Trinkwasser. Bösartige Fieber und Krankheiten, welche sonst nur zu häufig die Kolonien verwüsten, sind hier unbekannt. Lasturville wird nie in den üblen Ruf kommen, in dem der Gabun nicht mit Unrecht steht. Unter den Adumas ist kaum eine andere Todesursache als die Altersschwäche bekannt. Brustkrankheiten kommen zuweilen, doch nur infolge von Unvorsichtigkeit vor. Diese Bemerkung dürfte genügen, um von dem gesunden Klima zu überzeugen. Die Europäer gewöhnen sich bald, und Erkrankungen gehören bei den Missionären zu den Seltenheiten. Das Thermometer steigt fast nie über 32° und sinkt in der trockenen Jahreszeit wohl bis auf 15°. Durchschnittlich schwankt es zwischen 20 und 30°. Morgens und abends fällt eine Brise die erfrischt Luft ab, ja die Nächte sind gewöhnlich sogar frisch. Das Jahr zerfällt in zwei Perioden, in die trockene und die Regenzeit; zwischen beiden liegt die sogenannte kurze Dürre, welche etwa 3 Wochen dauert. Die eigentliche trockene Zeit, der Winter für die Schwarzen, erstreckt sich über die Monate Juni, Juli, August und September. Während dieses Zeitraumes scheint die Sonne fast nie, der Himmel ist beständig grau, die Erde dörrt infolge des Wassermangels aus und spaltet sich, überall welkt die Pflanzenwelt ab. Auch der Fluß ist in dieser Periode nicht schiffbar, die Barken liegen verlassen am Ufer, und aus Schiffern werden die Adumas Bauern. Dann werden die Baumriesen gefällt, die Frauen mähen das Gras, und das Feuer beginnt zu wüthen. Die Gärten werden umgearbeitet, und man kann in Muße die Zeit der Aussaat abwarten.

„Da ich gerade die Schifffahrt erwähnte, sei bemerkt, daß bis jetzt der Fluß die einzige Verkehrsstraße nach der Küste ist. Nachrichten und Lebensmittel kommen uns auf diesem 200 Stunden langen Wege zu. Zwei Avisoboote und Handelsbarken unterhalten die Verbindung zwischen Gabun und N'Djole. Im Lande der Adumas ist der Ogowe mit zahllosen Klippen übersäet und reich an gefährlichen Stellen. Einzig unsere Leute sind im Stande, mit ihren Pirognen die Stromschnellen von Olonde zu trotzen

und den Fall von Boue zu überwinden. Indes benöthigen auch sie zu einer solchen Fahrt gemeiniglich zwischen 25 und 40 Tagen. Gott sei Dank, hatten wir bis jetzt trotz der Fährlichkeiten des Weges nicht über allzu große Verluste zu klagen. Zudem tröstete uns der Gedanke, was Gott mit der einen Hand wegnimmt, erstattet er wiederum hundertfach mit der andern. Unter den Bodenerzeugnissen nimmt die Banane wegen ihres Nutzens die erste Stelle ein. Die Adumas kennen nur die dicke Banane; dieselbe ist gebogen und 15—20 cm lang. Die krautartige Pflanze lebt nur in den Schößlingen fort; ist die Frucht eingesammelt, dann wird der Stengel als unnütz abgeschnitten. Die Bananenfelder befinden sich meistens auf Lichtungen im Schatten großer Bäume. Eine Pflanzung von 100 m im Geviert vermag durchschnittlich 20000 kg Bananen zu tragen. Zuweilen sieht man Fruchtstücke mit 250—300 Früchten. Die Pflanze ist eine wirkliche Gabe der Vorsehung; denn ihre Frucht bildet die Hauptspeise, man könnte sagen das Nationalgericht der Adumas. Selten wird sie roh genossen, zuweilen gekocht, meistens jedoch in der Asche geröstet oder gestampft und mit Palmöl gewürzt.

„Der Banane zunächst an Wichtigkeit kommt der Maniok, dessen Stamm zuweilen eine Höhe von 3 m erreicht, während die Wurzel manchmal 15 kg wiegt. Nachdem das in derselben enthaltene Gift entfernt ist, gewinnt man für den Handel die sogenannte Tabiola (Manioktalg). Die Eingeborenen zerstampfen die Wurzel zu einem Mehl, woraus unter der Asche Brod gebacken wird, das uns auch in der Mission oft gute Dienste thut. Wir selbst gewinnen aus der Tabiola Stärke zum Steifen der Kirchenwäsche.

„Der Anbau der Erdpistazie, die man wohl auch unterirdische Erdnuß nennt, wird gleichfalls in ausgedehntem Maße betrieben. Nach der Blüte bohren sich die Schoten in die Erde ein und bringen ölige, sehr nahrhafte Kerne hervor. Die europäische Industrie gewinnt eine große Menge Oel aus denselben. Die Adumas säen sie jedoch ausschließlich für ihren Bedarf in der Küche. Die Pistazie wird geröstet oder zerstoßen genossen; im letztern Falle kommt meistens ein Hühnchen dazu, und man kann nicht sagen, daß das Mahl dann zu verachten wäre. Auch der Igname begegnet man hierzulande oft genug, häufiger jedoch einem äußerst schmackhaften Pilzriste. Ferner findet sich die Palme, die man am Lambarene nicht antrifft, hier wieder vor; jedoch haben die Eingeborenen für die Schönheit des Baumes durchaus keinen Sinn; die röthliche Frucht ist ihnen bedeutend lieber. Das Palmöl, welches die Adumas als ihren größten Schatz betrachten, wird auf sehr einfache Weise gewonnen. Man kocht zu diesem Zwecke die Nässe und befreit sie von den saftigen Fleisch. Letzteres wird zerkleinert und in einem mit Wasser gefüllten Behälter zerstampft, das Oel, welches alsdann obenauf schwimmt, sammelt man in Gefäßen ein. Dasselbe ist dunkelroth und von ziemlich fadem Geschmacke. Uebrigens wissen die Leute vom Palmbaume alles zu verwerthen: das Geäst dient zum Decken der Hütten, die Frucht nährt deren Insassen; Zecher gewinnen den Palmwein und Feinschmecker bereiten sich aus dem Palmkohl einen vorzüglichen Salat."

Andere Obstbäume wurden durch die Missionäre eingeführt und den Neophyten unentgeltlich überlassen. Nach einigen Jahren werden die Adumas schon die köstlichsten Früchte einheimsen können.

2. Die Adumas.

Die Eingeborenen haben einen besonderen Typus. Ihre Größe überschreitet meistens das Mittelmaß; ihr Körper ist gut entwickelt und wohlgestaltet, die Arme sind kräftig, die Nase ist stumpf und die Stirne zurücktretend; ihr offenes Gesicht läßt auf geistige Begabung schließen, während ihre große natürliche Redegewandtheit selbst einen Advocaten von Fach in Erstaunen setzen müßte.

Die Kleidung der Leute ist höchst einfach und ursprünglich: ein Lendenschurz, ein Hemd und bei den Männern ein Hut oder gar eine rothe Mütze. Die Frauen halten viel auf Schmucksachen. Das Haar wird zu beiden Seiten des Kopfes aufgebauscht und mit irgend einem Lappen bedeckt, der sich neben anderen Eigenschaften noch fast am wenigsten unvortheilhaft dadurch auszeichnet, daß er kein Wasser mehr gesehen hat, seit er die Fabrik von Liverpool oder Manchester verließ. Zuweilen wird das Haar auch in zwei Zöpfe geflochten, in deren Enden eine blaue Glaskugel glänzt. Das reichliche Palmöl, womit die Frisur über und über gesalbt ist, verbreitet einen echt afrikanischen Duft. Den Hals schmückt eine große Kette, und in den weiten Ohrlöchern wird ein Stück Holz getragen. An dem weithin vernehmbaren Gellinge der Arm- und Fußringe hört man selbst auf große Entfernungen das Nahen der Adumafrauen. Außerdem tatowiren sie sich häufig nicht nur die Wangen, sondern den ganzen Leib und schwärzen sich bei besonders feierlichen Wendepunkten ihres Lebens dergestalt, daß die Ebenholzfarbe ihrer Haut unter den grellen Farben ganz verschwindet. Das Leben in einem Adumadorfe bietet ein sehr interessantes Bild. Die Beschäftigung der Männer ist übrigens einfach; denn sie thun eigentlich den lieben langen Tag gar nichts. Während die Weiber das Hauswesen besorgen, sitzen ihre Eheherren in öffentlichen Hütten um ein

Adumasdorf.

Feuer herum, schwätzen, rauchen, lachen, erzählen ihre Jagd- und Kriegsabenteuer; daneben dreht sich ihre Unterhaltung zumeist um den Weißen und seine Freigebigkeit, um Regen und Sonnenschein; manchmal wissen sie aber auch nicht, wie sie ihre Langeweile vertreiben sollen. Unterdessen wälzen sich die Kinder im Sande herum, während der alte Großvater an der Thüre seiner Hütte gelehnt dem bunten Treiben der Kleinen zuschaut. Die größeren Knaben tummeln sich auf der Vogeljagd oder sind am Flusse beim Fischfange, indes ihre Schwestern der Mutter zur Hand gehen müssen.

Die viereckigen Wohnungen der Adumas sind aus Baumrinde gefertigt: das Dach derselben, welches aus breiten Blättern besteht, ruht auf vier Pfosten. Um durch die niedrige Thüre in das dunkle Innere zu gelangen, wohin kaum ein paar schwache Lichtstrahlen dringen, muß man sich tief bücken, will man nicht mit dem Kopfe anstoßen. Ein entsetzlicher Duft treibt einen fast augenblicklich aus dem Raume zurück, in dem Hühner, Schafe, Männer, Weiber und Kinder einträchtig zusammenhausen. Meistens ist die Hütte in zwei Gelasse getheilt. Den ganzen Hausrath bilden etliche Lagerstätten aus Bambusstreu, ein oder zwei Schemel, eine Kiste, ein Topf und die Fetischbilder. Eine Flinte, mehrere Lanzen, Messer, Haken und eine alte Familienpfeife, aus der schon mehrere Geschlechter den köstlichen Rauch gesogen, schmücken die Wände. Nennt jemand einen kleinen Garten, mehrere Schafe, ein Dutzend Hühner und ein paar Sklaven sein eigen, so gilt er als Gutsbesitzer; gehören ihm daneben noch zwei Pirognen, auf denen er Handel treiben kann, dann ist er der Rothschild des Ortes. Der Aduma ist von Natur aus so wenig arbeitsam, daß ihn nur die zwingende Noth dazu vermag, ein Jahr in der Mission oder bei einem französischen Posten zu arbeiten. Selbst in diesem Falle ist er stets darauf aus, so wenig als möglich zu thun, und wiederholt dabei in einem fort, man wolle ihn mit der Arbeit tödten. Sonst so träge, ist er beweglich wie der Flugsand der Wüste. Heute ist seine Stimmung die beste, und morgen plagen ihn Schwermuth und Kummer. Gefällt ihm der Platz, wo seine Hütte steht, nicht mehr, so bricht er dieselbe ab und zieht anderswohin.

Obwohl der Gemeingeist, der sonst das Glück der Familien mit ausmacht, hier fast gänzlich unbekannt ist, sind die Eingeborenen unter sich doch auch wieder großmüthig und theilen sogar gerne mit dem Fremden ihre Mahlzeit. Für diesen bedarf es übrigens keiner Einladung; er nimmt einfach Platz, und niemand denkt daran, ihn gehen zu heißen. Besonders gern bezeigen sie einem Weißen gegenüber ihre Gastfreundschaft; denn sie wissen, daß der geringste Dienst, den sie ihm leisten, nicht unbelohnt bleibt. Zuweilen machen sie ihm wohl auch ein Schaf, ein Huhn oder etliche Bananen zum Geschenk; doch muß diese Ehrengabe zehnfach ersetzt werden, und selbst dann stehen die Leutchen nicht an, noch endlos weiter zu betteln.

Ueber den Handel der Eingeborenen läßt sich fast nur Trauriges berichten; dreht er sich doch beinahe ausschließlich um Menschenwaare; denn der Verkauf von Matten, Palmöl und Kautschuk ist daneben nur sehr unbedeutend. Als gangbare Münze gelten hier Salz, Schießpulver, Glassachen, Perlen, Stoffe, Flinten, Messer, sodann jegliches Stück Hausrath vom Kochtopfe an, um den sich die hungrige Familie lagert, bis zu den Löffel, dessen man sich hierzulande zum erstenmal bedient, wenn man in Begriffe steht, sich zu verheirathen. Salz, Pulver und Stoffe sind jedoch stets am meisten gesucht.

Obwohl die Industrie bei den Adumas noch auf einer sehr niedrigen Stufe steht, wissen die Leute doch z. B. das Eisen zu ihren Zwecken zu bearbeiten; so schmieden sie neben ihren Lanzen Hacken und Messer von verschiedenen Formen. Nicht weniger als die gefälligen Boote und die leichten Ruder zeugen der selbstgewobene Schurz, die Mokamionetze, sowie Matten und geflochtene Körbe von einer gewissen Geschicklichkeit. Die Eingeborenen sind ein recht musikalischer Menschenschlag, der von der Natur mit einer schönen, kräftigen Stimme begabt wurde. Den ganzen Tag schallen ihre tactmäßigen Lieder über den Fluß. Keine Arbeit wird ohne Gesang unternommen. Man kann sagen, die Leute thun wirklich nicht das Geringste, ohne sich durch Singen dazu zu ermuthigen. Trotz dieser Begabung kommen eigentliche Musikinstrumente kaum vor. Neben dem über ganz Afrika verbreiteten Tamtam, das bei Trauerfeierlichkeiten gebraucht wird, ist den Adumas nur noch eine Art sehr unvollkommener Guitarre bekannt, der sie bei ihren Festen, öffentlichen Vergnügungen und in den häufigen Mußestunden einige wenig klangvolle Accorde zu entlocken wissen.

3. Religiöse Anschauungen und politische Einrichtungen der Adumas.

Die Adumas haben an ihrer Religion nicht sehr schwer zu tragen. Der Glaube an ein über dem Menschen stehendes Wesen ist sehr unbestimmt; weil es ein gutes Wesen ist, kümmert man sich nicht weiter um dasselbe. Die Sittenlehre ist gleichfalls sehr

verschwommen, obgleich eine Unterscheidung zwischen gut und bös gemacht wird. Auf den Glauben an eine Fortdauer der Seele nach dem Ableben des Leibes deuten die geschilderten Todtenopfer. Weiteres über den Gegenstand erfahren zu wollen, wäre vergebliche Mühe.

Nicht so gleichgiltig wie gegen das höchste Wesen, das ja ohnehin wohlwollend ist, verhalten sich die Adumas ihren Fetischen gegenüber. Allen böswilligen Göttern, deren Zorn es zu besänftigen gilt, zollen sie eine eifrige Verehrung, obgleich sie im Grunde auch in diesen Götzen nicht mehr sehen als ein geeignetes Mittel, die Kinder zu schrecken und die Frauen innerhalb der Grenzen ihrer Pflicht zu halten. Dieser bösen Geister gibt es unzählige. Im nachstehenden will ich nur die drei wichtigsten herausgreifen. Da begegnet uns vor allem der N'gol, ein Geheimcult, von dem die Frauen und Sclaven nichts wissen dürfen. Ein Weib, das sich von der Neugierde verleiten ließe, den Schleier des Geheimnisses lüften zu wollen, würde mit dem Tode bestraft. — Bezahlen ist die Hauptbedingung, unter der man in den Bund aufgenommen wird. Hat der Candidat es nicht an reichlich gespendeten Waaren, die statt des Geldes dienen, fehlen lassen, so darf er sich den Leichenzügen anschließen und an dem darauf folgenden Festmahle theilnehmen. Es wird ihm dabei unter Androhung der schwersten Strafen unverbrüchliches Stillschweigen über alles auferlegt. Die ganze Verehrung des Fetischs besteht in Auswüchsen des schrecklichsten Cannibalismus; die scheußlichen Orgien enden gewöhnlich mit einem aus Schafen, Hühnern u. s. w. bestehenden Mahle, von dem man den Weibern sagt, N'gol habe es aufgezehrt. Wahrscheinlich essen die Frauen aus keinem Grunde nie Schaffleisch. Sie dürfen nicht einmal den Namen N'gol's nennen, und wird derselbe in ihrer Gegenwart ausgesprochen, so verstopfen sie sich die Ohren und suchen davon, so schnell ihre Beine sie zu tragen vermögen. Im Augenblicke, da der Fetisch das Dorf betritt, sperrt sich der weibliche Theil der Bevölkerung in die Hütte ein und kommt aus dem dunkelsten Winkel nicht eher wieder ans Tageslicht, als bis es heißt, daß der Götze weit genug fort ist. — Ein anderes Wesen, Mangongo, wird gleichfalls ausschließlich von den Männern, und zwar als Flußgeist, verehrt. Unter seinen Schutz stellen die Eingeborenen ihre häufigen Fahrten auf dem Ogowe. Beim Passiren einer gefährlichen Stelle, wenn die Pirogue von einer feindlichen Woge erfaßt und verschlagen wird und unterzugehen oder an einem Felsen zu zerschellen droht, schreien die Neger zu ihrem Götzen auf. Haben sie die schlimmsten Stromschnellen glücklich überwunden, so glauben die Leute, der Fetisch habe ihre Kräfte verdreifacht, ihr Boot erhalten und sie selbst aus der Gefahr errettet. Bei Mangongo leistet der Aduma seine heiligsten Schwüre; hat er einmal dessen Namen genannt, so wird sein Wort unverbrüchlich; er kann sich von demselben nicht mehr entbinden. Leider wird unter Mangongo's Namen ebenso oft gelogen, als die Wahrheit behauptet. Die Verehrung dieses Fetisches ist ebenso wenig allgemein wie die N'gor's. Die Aufnahmefeierlichkeiten bestehen kurz in folgendem. Zunächst muß sich der Candidat das Recht der Theilnahme an den Geheimnissen von dem Fetischpriester erkaufen; dann ergeht an ihn die Einladung, sich vor der Hütte Mangongo's einzufinden. Dieses Heiligthum unterscheidet sich hauptsächlich durch seine geringere Größe von den übrigen Wohnungen. Vor dem Eingange ist eine hohe Stange aufgerichtet, die an ihrer Spitze durch eine Liane mit dem Tempelchen in Verbindung gehalten wird. Eine Frau darf niemals darunter hindurchschreiten; es ist heiliger Boden, dessen Betreten Uneingeweihten versagt bleibt.

Zur bestimmten Stunde beginnen die Anrufungen Mangongo's. Dieser verläßt sein feuchtes Element, fährt mit Getöse durch das Dorf, nimmt zahlreiche Spuren hinter sich zurücklassend, von seinem Heiligthume Besitz. Nach ihm tritt der Aufzunehmende mit verbundenen Augen ein. Nun wird in einem Loche ein dicker Brei, eine Art Mörtel, angerührt. Ein Eingeweihter packt den Candidaten und reibt ihn mit der erwähnten Masse, die mit Pfeffer durchsetzt ist, die Augen. Während dieses Vorganges erhebt Mangongo ein furchtbares Geheul, dessen man eine menschliche Kehle nicht fähig halten sollte. Draußen klatschen die Anwesenden in die Hände und singen das Lob ihrer erhabenen Gottheit. Mit einem Male entsührt der Fetisch; der Neuaufgenommene reißt die Binde von den Augen; doch Mangongo hat bereits das Ufer wieder gewonnen. Noch für kurze Zeit sieht man eine schwere Masse in den Wogen tummeln, denn ist alles verschwunden. — Natürlich ist das Ganze der reinste Schwindel; denn Mangongo ist niemand anders als ein Fetischpriester, der, in der Hütte verborgen, das unmenschliche Geheul ausgestoßen hat. Sofort wird dem Eingeweihten das Versprechen abgenommen, den Weibern niemals etwas zu offenbaren und vor allem ja den Weißen gegenüber nichts auszuplaudern. Handle er dagegen, so werde der Fetisch ihn tödten. Zu verschiedenen Malen sollen Frauen zerstückelt worden sein, weil sie unvorsichtig genug waren, den verhängnißvollen Namen des Gottes auf ihre Zunge zu nehmen.

Auch die Frauen haben ihren Götzen; Lisimbu; doch dürfen sich auch die Männer an seiner Verehrung betheiligen. Am Feste dieser Gottheit eilt das ganze Dorf in den Wald. An einem bestimmten Platze fertigt man aus einem Bananenstrunke ein rohes Bildniß.

Fetischpriester der Adumas.

Augen- und Mundhöhle werden ausgebohrt, während ein Holzstückchen die Stelle der Nase vertritt. Die Arme werden aus Erde gebildet, und ein paar Klöße dienen der Gottheit als Beine. Das Ganze gewährt einen scheußlichen Anblick und könnte sogar einem Beherzten Furcht einjagen. Um diesen Götzen herum tanzt nun das Volk, singt und bedeckt sich mit Erde.

Eine mit Palmöl eingeriebene Stange wird alsbald neben einem hohen Baume, in dessen Zweigen der Fetischpriester sitzt, in den Boden gepflanzt. Der Zauberer ruft einen der Umstehenden schmeichelnd auf und ladet ihn ein, an der Stange in die Höhe zu klettern. Der Gerufene ist zuerst erstaunt, dann macht er sich daran, der erhaltenen Weihung zu folgen. Zwei-, dreimal versucht er umsonst, in die Höhe zu kommen; er beginnt von neuem, gleitet aus und bleibt

trotz aller Anstrengung immer am Boden. Das sonderbare Treiben findet immer in der Nähe des Wassers statt. Ermüdet vom Tanze, bedeckt mit Schweiß und Erde, begibt sich die ganze Menge, die einen widerlichen Anblick gewährt, zu dem Flusse und wirft sich in wildem Durcheinander in die Fluten, und es folgt eine wahrhaft teuflische Scene. Hier liegt das Haupthinderniß für die Bekehrung. Dennoch haben die Missionäre im Lande der Adumas, welches wir nun verlassen, das Werk der Belehrung muthig begonnen und sind bereits mit einigen Erfolgen belohnt worden.

4. Ste. Marie am Gabun.

Kaum haben wir Kap Lopez umschifft und die Mündung des Ogowe verlassen, so befinden wir uns auch schon unter dem Aequator, welchen die Portugiesen vor 400 Jahren mit Furcht und Grauen zum ersten Male überschritten; denn manche Fabeln meldeten die alten Schriftsteller über die Schrecken der Gleichertinie. Einige meinten, entsetzliche Seeungeheuer hausten daselbst, fürchterliche Stürme und tödtliche Windstillen drohten dem Schiffer; andere waren gar der Ansicht, das Wasser müsse unter der scheitelrechten Sonne siedend heiß werden; oder sie meinten, wenigstens die Magnetnadel, die treue Führerin des Schiffers, werde jenseits des Aequators nicht mehr nach Norden weisen und so den Steuermann verwirren. Es gehörte also schon etwas Muth dazu, zum ersten Male die gefürchtete Gleicherlinie zu passiren. Aber es ging mit dieser Schwierigkeit wie mit mancher andern: wenn man sie nur ernsthaft anfaßt, zerfließt sie in nichts.

Sobald wir den Aequator zurückgelegt haben, biegt die Küste zu einer großen, 15 deutsche Meilen tiefen Bucht ein, welche man früher für die Mündung des Niger oder eines andern großen Stromes hielt; es ergießen sich aber nur einige unbedeutende Flüsse in dieselbe. Diese Bucht heißt der Gabun. An ihren Ufern hört die Oede auf, welche uns bisher an der westafrikanischen Küste ermüdete. „Da grünt der herrlichste tropische Pflanzenwuchs bis an den Strand, und aus den Palmenwäldern und aus wucherndem Dickicht schauen die Dörfer wie Vögel aus ihren Nestern hervor." Aber so schön der Anblick des Landes ist, so gefährlich wird sein Klima dem Europäer. Eine Menge kleiner Negerstämme bilden die Uferbewohner, unter denen die Mpongwe die zahlreichsten sind. Es ist ein überaus träges, schlaffes Volk; ein Lendentuch bildet die einzige Kleidung. Metallringe um Hals und Knöchel den Schmuck; dabei sind sie dummstolz über alle Maßen.

43*

Die Mpongwe glauben an höhere Wesen und böse Geister, gegen welche sie sich durch Amulette sichern wollen. Als das kräftigste Zaubermittel gilt ihnen Asche vom Fleische oder Gebeine eines Weißen. Als die erste Nonne am Gabun starb, gruben sie die Leiche aus und schnitten ihr den Kopf ab, um aus ihren Haaren und Zähnen Amulette zu machen. Ihre Götzen sind verzerrte Menschengestalten, denen sie gern die Züge von Weißen geben. Auch Menschenopfer werden dargebracht. Als ein Verwandter des „Königs" Denis starb, ergriff man einen jungen Sklaven des Verstorbenen. Der Unglückliche wurde, nachdem sie ihm die Zunge ausgerissen hatten, lebendig mit dem Todten begraben. In jedem Dorfe haben sie ein Fetischheiligthum; der Häuptling ist zugleich Fetischpriester, und neben ihm gibt es noch manche Zauberer und Zauberinnen, die viel abgöttischen und aberglänbischen Greuel treiben.

Dieselben Missionäre, welche wir in Landana am Kongo antrafen, die ehrwürdigen Väter vom Heiligen Geiste und heiligen Herzen Mariä nämlich, haben sich auch in diesem mörderischen Klima niedergelassen und daselbst die blühende Missionsstation „Ste. Marie am Gabun" gegründet. Auf einem kleinen in einen Garten verwandelten Hügel mit Aussicht auf der einen Seite über das Meer, auf der andern nach dem Urwalde steht die geräumige Kirche und das solide Missionshaus. Wenige Minuten davon beherbergen zahlreiche Nebengebäude mehr als 200 junge Neger, welche von den Missionären in der katholischen Religion erzogen und zur Arbeitsamkeit gewöhnt werden.

Die katholische Missionsanstalt für die Negerknaben am Gabun.

Granaten, Orangen, Citronen, Bananen, mehr als tausend Kokospalmen, Pflanzungen von Kaffeestauden, Ananas, Cacaobäume, Baumwollstauden, Maniolfelder bezeugen den Fleiß, den die Missionäre in diesen trägsten Negern zu wecken verstanden. Wie schwer das hielt, läßt sich kaum beschreiben. Als die trägen Eingeborenen sahen, daß die Missionäre ihre Kinder zur Arbeit anhielten, brach ein wahrer Sturm los. „Hältst du unsere Kinder für Sklaven, daß du sie arbeiten läßt?" fragten die Eltern den Bischof Bessieur, welcher die Gabunmission gegründet hat. Umsonst suchte er den Wilden mit Worten klarzumachen, daß Arbeit keine Schande sei; erst als der Bischof selbst die Hacke in die Hand nahm und an der Spitze seiner Brüder drei Jahre lang arbeitete, gaben sie sich zufrieden. Aber bis jetzt hat der Fleiß außerhalb der Missionsanstalt unter den Wilden noch wenig Freunde gewonnen. Umsonst stellten ihnen die Missionäre Sämereien und Pflanzen zur Verfügung und sind gerne bereit, ihnen zu helfen. Nur Brodfruchtbäume, Kokospalmen und ähnliche Bäume, die einmal gepflanzt ohne weitere Sorge wachsen und Früchte tragen, haben sie sich schenken lassen.

Noch weit größere Sorgfalt, als auf Fleiß und Arbeitsamkeit der Neger, verwenden die Missionäre selbstverständlich auf den Unterricht und die Bekehrung derselben. Alle Patres haben mit großer Mühe die Mpongwesprache gelernt, so daß sie in derselben predigen und den Katechismus erklären können. Sie haben sehr viele Schüler aus den benachbarten Stämmen der Buluks und Fans. Die Fortschritte sind im ganzen befriedigend; schon im

Die Missionsanstalt Ste. Marie am Gabun.   (S. 340.)

Jahre 1869 zählte die Gemeinde etwa 1000 Seelen; jetzt hat die Mission über 5000 Katholiken.

Diese trostreichen Erfolge sind vielfach auch der opferwilligen Thätigkeit zu danken, welche französische Schwestern von der Unbefleckten Empfängniß in wahrhaft heldenmüthiger Weise am Gabun ausüben. Das mörderische Klima raffte viele hinweg; so kamen z. B. im Januar 1871 drei neue Schwestern an; schon im Februar starb die eine, und im April mußten die beiden anderen zu Grabe getragen werden. Als diese traurige Nachricht in das Mutterhaus der Schwestern zu Castres gelangte, baten sofort viele Nonnen um die Gunst, nach dem Gabun geschickt zu werden, weil entfernt, daß das furchtbare Klima sie abgeschreckt hätte. Die Schwestern haben in der Gabunmission ein Spital für kranke und altersschwache Negerinnen und daneben eine Anstalt für Negermädchen, in welcher sie über 100 Kinder in verschiedenen Handarbeiten unterrichten und zu braven Christinnen erziehen. Die schönen Früchte, welche die vereinte Thätigkeit der Patres und Schwestern schon erzielte und welche in der Zukunft noch reichlicher zu reifen versprechen, trösten uns über die zahlreichen Gräber, in denen schon so mancher eifrige Missionär und so manche heldenmüthige Nonne fern von ihrer Heimat dem Tage einer glorreichen Auferstehung entgegenschlummern.

P. Buléon schildert uns das Leben am Gabun sehr anschaulich, und es ist wohl der Mühe werth, bevor wir weiterfahren, in seiner Begleitung die Missionsanstalten und deren Umgebung zu durchwandern:

„Wenn die Schiffe die hohe See verlassen und die Kette von Felsriffen glücklich vermieden haben, welche den Eingang des Gabun wie eine Schutzmauer versperren, kann der Fremdling mit Muße das bezaubernde Landschaftsbild genießen, das sich seinen Blicken erschließt. Rechts liegt das Land des Häuptlings Denis, wo eine Anzahl gabunischer Familien, abgeschlossen vom Verkehre mit Europäern, lebt. Im Hintergrunde breitet sich ein tiefer und geheimnißvoller Wald aus, an dessen Saum sich füglich zahlreiche Pahuins versammeln, die von allen Seiten aus dem Innern herbeieilen und namentlich den Remboëfluß abwärts kommen, um mit den Uferbewohnern Tauschhandel zu treiben. Sie warten nur auf ein Zeichen und kommen dann eilends aus dem Waldesdunkel, um lärmend und schreiend ihre Waaren feilzubieten. Links erblickt man bald auf einem Grunde von Grün große, in Stein aufgeführte Bauten, geräumige Häuser, welche das Kreuz überragt, das Zeichen des Heiles und der christlichen Liebe. An welcher Stelle landete vor 43 Jahren der erste Apostel von Gabun. Das ist die Station Ste. Marie am Gabun.

„Zuerst war die Missionsanstalt eine armselige Hütte aus Bambusrohr, welche verloren im hochwuchernden Gebüsch und Grase stand. Dann wurde ein Bretterhäuschen gebaut, das ein wenig größer, ein wenig luftiger und gesunder, aber kaum etwas bequemer war. Einige Schritte davon stand ein Flaggenmast mit der französischen Fahne, um die sich eine Handvoll Franzosen niedergelassen hatte, welche den ersten Kern der Kolonie am Gabun bildeten. Gemeinsam entwickelte sich die Mission und die Kolonie; aber unter welchen Leiden und Mühsalen, ist kaum zu beschreiben. Diese Leidensgeschichte füllt ein schmerzenreiches und zugleich glorreiches Blatt in der Geschichte der Congregation vom Heiligen Geist und vom heiligen Herzen Mariä. Bald schlossen sich um die arme Hütte die Missionäre eine Reihe von Gräbern; Patres, Brüder und Schwestern raffte das Klima hinweg. Die Schwestern, welche die christliche Großmuth an diese Küste geführt hatte, bewohnten

in einem benachbarten Dörfchen eine ebenso elende Hütte. Andere waren genöthigt, von Krankheit und Entbehrungen erschöpft, eine Zeitlang nach Frankreich zurückzukehren, um dann mit neuen Kräften wiederum nach Gabun zu eilen und da aufs neue Antheil an den Arbeiten ihrer Brüder zu nehmen. Unter den Augen und der thatkräftigen Leitung Mgr. Bessieux', des Begründers der Mission an der Küste von Ober- und Unter-Guinea, der zweiunddreißig Jahre als ein Zeuge der Opfer der Gründungszeit in der Mission verweilte, bis er endlich von seinem Todesbette († 30. April 1876) aus sein Werk fest begründet sah, wuchs und gedieh die Mission. Eigenhändig hatte er Hacke und Grabscheit geführt; er war ein Mann, der durch sein Beispiel predigte, und so pflanzte er grabend und jätend Allert von Kokospalmen und Mangobäumen, die heute noch der schönste Schmuck der Mission sind. Gleichzeitig hatte P. Duprat am Ufer Kalksteine brechen lassen, Kalköfen angelegt, und so sah man in diesem verlassenen und wilden Erdwinkel sich langsam eine Kapelle erheben, welche die gerechte Bewunderung aller Besucher ist.

„Dieses Kirchlein wurde im Jahre 1864 vollendet. Heute ist es von geräumigen Steinbauten umringt, welche die zahlreichen Schüler und Lehrlinge beherbergen die in Ste. Marie Erziehung und Unterricht empfangen. Von den frühesten Stunden des Tages an schwärmt und summt ein fröhliches Völkchen durch die Räume der Mission. Da eilen die Lehrlinge in die Schreinerwerkstätten, in die Schmieden, in die Kempnçen-, Schneider- und Schusterbuden, zu den Maurern u. s. w.; andere nehmen den Weg in den Garten oder nach der Palmöl-Presse; wieder andere eilen in die Schulen, in den Musiksaal — kurz, jeder hat seinen Posten, alle arbeiten, und alle sind zufrieden. Dabei dürfen wir das Seminaristen nicht vergessen, begabterer Knaben der Eingeborenen, welche unter dem Schutze der hl. Anna sich dem Studium des Latein und den übrigen wissenschaftlichen Fächern widmen, die den Weg zum Priesterthum eröffnen, wenn es dem lieben Gott gefällt, aus diesen Knaben einige zu seinen Priestern zu erwählen. So erhält die Mission von Ste. Marie, dank der Unterstützung des Vereins der Glaubensverbreitung, jährlich 150—200 Zöglinge. Dieselben werden später weithin über das Küstengebiet sich zerstreuen und überall verkünden, was sie gesehen und gehört, und so in der Hand Gottes Werkzeuge werden, um die Kenntniß unserer Religion weithin auszubreiten und uns Stämme zuzuführen, die bisher das Licht des Evangeliums noch nicht empfangen haben.

„Wenn man die Mission verläßt, so geht man an drei großen Hütten vorüber, welche bestimmt sind, Afrika's Elend in allen Formen aufzunehmen: Siechende, Lahme, Aussätzige, Blinde, Fieberkranke, Schwindsüchtige, Wassersüchtige u. s. w. — alles ist vertreten, was das Mitleid erwecken kann. Gräßliche Wunden, verstümmelte Gliedmaßen, Arme ohne Hände, Hände ohne Finger, von Krebsgeschwüren zerfressene wandelnde Leichen sind da zu sehen, deren Anblick selbst der christlichen Liebe schwer wird. Inmitten dieser Welt von Leiden trifft man beständig den guten Bruder Heinrich, der die Wunden reinigt und verbindet, der die armen Unglücklichen tröstet, welche auf ihrem Schmerzenspfade noch nie einem mitfühlenden Herzen begegnet waren und welche es staunend nicht begreifen können, weshalb man ihnen so viel Liebe und Sorge zuwenden könne. Bald lehrt sie die Religion dieses Räthsel verstehen, und während sie ihre Wunden vom Mitleid verbinden lassen, öffnen sich ihre Herzen der ewigen Wahrheit. Gerne bleiben sie bis zum Tode unter unserer Sorge, und so wurde das Spital schon für Hunderte von Seelen eine Himmelspforte."

5. Libreville.

„Libreville liegt nur 2 km von Ste. Marie entfernt; es ist ein ganz europäisches Städtchen. Wenn man seine Landungsbrücke und seinen in Stein aufgeführten Uferdamm, der jetzt schon seit 30 Jahren den Wogen trotzt, die Wohnung des Gouverneurs, das Militärspital und die vielen anderen Häuser sieht, die täglich aus dem Boden herauswachsen und sich um die älteren Bauten schaaren, so könnte man versucht sein, es mit einem jener hübschen Städtchen Frankreichs zu verwechseln, welche sich auf der Höhe eines Hügels ausbreiten und an seinen Hängen bis ans Meeresufer herabsteigen, wo die Flut zu ihren Füßen spielt. Libreville mit seinen langen Alleen von Kokos- und Mangobäumen, mit seinen hübschen, blank geweißten Faktoreien, die längs dem Ufer hin und auf den nahen Hügeln zerstreut sind, mit seiner ruhigen Rhede, auf welcher stets Kriegsdampfer und Segelschiffe aller Länder, von Schaluppen und Pirogen umschwärmt, vor Anker liegen — Libreville ist in der That ein reizendes Städtchen, und wenn man gegen 7 Uhr morgens, wann die Sonne des Aequators noch nicht zu glühend am Himmel strahlt, einen Spaziergang durch die afrikanische Stadt macht, so genießt man ein wirklich überaus malerisches Bild. Da sieht man Pahuins mit ihren Weibern, gebeugt unter einer Last von Maniok, Kupferringe um Arme und Beine, die Haare in langen, mattenähnlichen Geflechten, welche mit Muscheln verziert sind, mit ihrer schmutzigen ‚Dichremba‘ bekleidet, allerorts in den Straßen; man kennt sie an ihrem ruckweisen Gang und an ihrer Sprache voll rauher Kehllaute. Dazwischen trifft man Bulus mit zersetzten Kleidern, Bengas, ein Schiffervolk, mit den unvermeidlichen Netzen auf den Schultern; sie lauern auf eine günstige Gelegenheit, ein Gläschen Schnaps zu verdienen. Die Gabunesen dagegen sind schmuck und nach der europäischen Mode gekleidet. Auch sie machen um diese Stunde ihren Spaziergang und lassen ihre Kleider bewundern. Erst wenn sie überzeugt sind, daß man ihren Putz genügend bemerkt habe, ziehen sie sich zurück, und wenn sie im Besitze eines zweiten schönen Anzuges sind, erblickt man sie bald darauf auch in diesem. Haben sie dann alle ihre Feierkleider auf diese Art gelüftet, so legen sie dieselben in die Schränke zurück und ziehen die alten Werktagskleider an, und gehen den gewöhnlichen Verrichtungen nach; oder überlassen sich noch lieber dem süßen Nichtsthun. Man besucht die Freunde, man trinkt ein Gläschen ‚Allugu‘ (Schnaps), man ißt, wenn etwas zum Essen da ist, wenn nicht, so wartet man — kurz, die Gabunesen sind ein leichtes Völkchen, das in den Tag hinein lebt und sich um das Morgen wenig kümmert. Bei jedem Schritte begegnet man Schaaren von Weißen und Farbigen in allen Abstufungen und aus allen Nationen; die einen gehen zur Arbeit, die anderen auf den Markt. Alle Sprachen schwirren durcheinander, aber Französisch herrscht vor. Auch unsere alten Zöglinge, deren wir ziemlich vielen begegnen, sprechen französisch und schreiben es ziemlich richtig. Man trifft sie überall in der Kolonie, auch in den Bureaus der Regierung, und sie machen der Erziehung, welche sie in der Mission empfangen haben, alle Ehre.

„St. Peter ist der Schutzpatron von Libreville, und mit vollem Recht. Um 1844 gelang es einem wackern Bretagner, dem Ab-

Ansicht von Libreville.

miral Bouet-Guillaume, eine große Anzahl Sklaven, Kongoneger, die an der Küste verkauft werden sollten, zu befreien; er brachte sie nach Gabun und siedelte sie daselbst im Schutze der französischen Flagge an. Bald erhoben sich einige Hütten, und die Befreiten gaben dem Dörfchen zum Andenken an ihre Befreiung den Namen Libreville. Das freute den wackern Katholiken, der ihr Beschützer war; aber Msgr. Bessieur sann darauf, den befreiten Sklaven eine noch vollkommenere Freiheit, die Freiheit der Kinder Gottes, zu vermitteln. Er sagte deshalb oft zum Admiral: ‚Das Werk ist nur halb vollendet. Wir müssen diese Leute demnächst unter den Schutz des Fürsten aller wahrhaft Freien, unter den Schutz des hl. Petrus stellen. Unter der Leitung des hl. Petrus wurde die Welt erneuert; er wird sich mit Freuden auch der Wohlfahrt dieser

Neger annehmen.' Der heiligmäßige Bischof lächelte, als er diese Worte sprach; er hat vielleicht in die Zukunft gesehen und das heutige Libreville geschaut mit seiner hübschen, dem hl. Petrus geweihten Kirche, deren Glockenthurm in weiter Ferne das Zeichen unserer Erlösung erkennen läßt. Leider war es ihm nicht mehr vergönnt, das schöne Gotteshaus mit seinen leiblichen Augen zu sehen. Erst am 24. Mai 1882 wurde unter Mitwirkung des Admirals Moltez und des Commandanten Dumont der Grundstein des für diese Gegend großartigen Baues gelegt. Jetzt kann man sich Libreville nahen, von welcher Seite man will, stets erblickt man den Thurm von St. Peter, der die Stadt beherrscht. An den hohen Festtagen versammeln sich die Christen der Kolonie mit Vorliebe in dieser Kirche, wo sie den Gottesdienst in seinem Glanze

St. Peter in Libreville.

und in der ganzen Pracht seiner Ceremonien vollziehen sehen. In den frühesten Morgenstunden schon hört man dem Ufer entlang die fröhlichen Klänge der Blechmusik; denn von Ste. Marie steigt die zahlreiche Schaar der Zöglinge und Lehrlinge der Missionsanstalt nach Libreville hinauf. Zu zwei und zwei ziehen sie processionsweise einher. Und wenn man während des heiligen Meßopfers die Menge der Gläubigen sieht, welche die Hallen von St. Peter andächtig erfüllen, so glaubt man sich unter einen andern Himmelsstrich versetzt, in eines jener Gotteshäuser, das seit Jahrhunderten Zeuge der Andacht und des Eifers einer durch und durch katholischen Gemeinde ist. Freilich, es fehlt hier leider noch manches; aber Glaube und Gesittung haben, dank der ausdauernden Arbeit apostolischer Männer, doch schon große Fortschritte gemacht.

„Einige Schritte von der Kirche steht die Anstalt der Schwestern von der Unbefleckten Empfängniß. Nachdem sie an verschiedenen Stellen der Kolonie eine Niederlassung gegründet hatten, haben sie sich endlich hier, im Schatten des Heiligthums, bleibend angesiedelt. Ihre Oberin, die ehrwürdige Mutter Louise, trägt ungebeugt ihre 70 Jahre des Alters und 39 Jahre des Apostolates unter der Sonne Afrika's. Unter ihrer Leitung widmen sich 14 Schwestern mit unermüdlichem Eifer der Erziehung von 120 Mädchen vom 8. bis zum 17. Altersjahre. Sie werden in allem unterrichtet, was ihnen später für das häusliche Leben von Nutzen sein kann, an erster Stelle natürlich in der Religion. Wie Ste. Marie ein Männerspital, so besitzt Libreville ein Spital für kranke und altersschwache Frauen. Das ist das Arbeitsfeld der Schwestern vom hl. Karl; aber die Insassen des Spitals nehmen die Zeit ihrer

Die Blechmusik der Negerknaben. (S. 344.)

Pflegerinnen nicht so in Anspruch, daß sie keine Muße mehr fänden, die armen Kranken in ihren Hütten aufzusuchen, und auf diesen Ausflügen haben sie schon manchem sterbenden Kinde oder Greise in der Todesstunde durch die heilige Taufe den Himmel geöffnet.

In jener Hütte, welche Sie dort am Meeresufer erblicken, wohnen die beiden Missionäre, welche die Gemeinde Libreville versehen. Es sind dies die PP. Gachon und Breidel, unermüdliche Arbeiter, die man öfter am Krankenlager und auf apostolischen Ausflügen als zu Hause trifft. Das Pfarrhaus ist freilich kein Palast. Die Zierde des Gotteshauses liegt ihnen mehr am Herzen als die Bequemlichkeit ihrer Wohnung, und wenn sie auch in ihrer Lebensweise manches entbehren, so muß man eingestehen, daß es in der Kirche an nichts mangelt, was den Glanz des Gottesdienstes erhöhen kann.

„Die 43 Jahre apostolischer Arbeiten und Leiden, die seit der Gründung der katholischen Mission von Gabun verflossen sind, blieben also nicht ohne Frucht. Man sehe nur, wie diese Stämme, welche früher mit Europäern keinen Verkehr hatten, Schritt für Schritt ihre barbarischen Sitten ablegen und die unserigen annehmen, sogar unsere Sprache; man sehe, wie diese trägen Leute, die von Betriebsamkeit keine Ahnung hatten, jetzt Handel treiben und die Ausfuhr ihrer Landeserzeugnisse befördern; man sehe, wie die Jugend sich in unsere Schulen drängt und Erfolge erzielt, welche man bei einer so tief stehenden Menschenrasse für unmöglich halten sollte. Am meisten setzt das Talent der Gabunesen für Musik, sowohl für Vocal- als Instrumentalmusik, in Staunen. Man benützt das, nur den Gottesdienst feierlich zu gestalten, und an allen hohen Festen nehmen die alten Zöglinge an den Aufführungen unserer Musikkapelle theil. Dann zählt dieselbe 30—40 Köpfe, und am Frohnleichnamsfeste oder am Feste Maria Himmel-

DAS
MÜNDUNGSDELTA
IM KAMERUN-GEBIET.

fahrt sagen die Eingeborenen außer sich vor Freude, wenn sie unter den Klängen der Musik und frommer Lieder die Procession vorbeiziehen sehen: ‚O diese Weißen! Diese Weißen, die wissen Feste zu feiern!'

„Aber es ist nicht genug, die jungen Leute zu erziehen; der Missionär muß es verstehen, die der Schule entwachsenen Jünglinge unter seiner väterlichen Leitung zu bewahren, und Gott sei Dank, unsere Christen bleiben ihm willig während ihres ganzen Lebens verpflichtet. Nach und nach erhebt sich ein Kranz von christlichen Dörfern rings um die Mission, oft auf Grund und Boden, welchen die Mission zu diesem Zwecke schenkte. So entsteht das große Dorf St. Anna. Es liegt zwischen Libreville und St. Marie; die Bevölkerung ist aus Familien zusammengesetzt, die von allen Seiten zusammenströmten, um unter der Leitung der Patres ein christliches Leben zu führen. Da finden sich Bulus, Pahuins, Urungus, und selbst Portugiesen sind von der nahen Insel St. Thomas herübergekommen. An Sitten und Bräuchen sind mithin die Einwohner von St. Anne sehr ver-

schieden; ,aber wir lieben uns dennoch,' sagen sie, ,denn wir wohnen hier zusammen als Kinder Gottes'. In einiger Entfernung wurde vor längerer Zeit schon auf einem Hügel ein Denkmal der hl. Anna errichtet; von dort herab schaut die erhabene Patronin der christlichen Familien segnend auf Afrika und beschirmt diese aufblühende Christengemeinde.

„Hier und dort begegnet man noch anderen Dörfchen, deren fromme Namen verkünden, daß sie christlich sind, so Nazareth, Heiligenberg (Montaigne-Sainte), St. Johann u. s. w. Außer diesen größeren Dörfern haben die Gabunesen mitten in den Wäldern und oft in großer Entfernung noch kleinere Weiler. Wenn nämlich die schöne Jahreszeit eintritt, sucht sich jeder mit Nahrungsmitteln für die Regenzeit zu versorgen. Der Boden gehört aber dem ersten besten, der ihn bebaut; so wählt sich jeder ein fruchtbares Plätzchen zu seinem Garten, und wäre es auch 5 oder 6 Stunden entfernt. Da pflanzt er dann seinen Maniok und seinen Mais; eine Hütte ist bald gebaut, und man richtet sich häuslich ein, bis die Regenzeit zur Rückkehr in das Dorf nöthigt, das während der sonnigen Tage ziemlich verlassen lag.

Diese Weiler im Walde sind aber die Schlupfwinkel des Fetischdienstes und der landesüblichen Zauberei. Der Aberglaube hat in der Brust des Negers tiefe Wurzeln geschlagen, und der Missionär muß seine Neubekehrten unter sorgsamer Pflege hüten, wenn sie nicht rückfällig werden sollen. Er muß deshalb fleißig die Leute im Walde besuchen, bald zu Fuß und bald zu Pirogue; denn der Tod rafft sie oft mitten in der Arbeit weg. Der liebe Gott, der seine Schritte lenkt und seine Arbeit segnet, steht ihm auf diesen apostolischen Ausflügen bei, und selten kehrt der Missionär heim ohne das tröstliche Bewußtsein, irgend eine Seele gerettet zu haben."

6. Die Dörfer am Flusse Kamerun.

Wenige Stunden nördlich vom Gabun unterbrechen einige Quadratkilometer spanischer Besitz am Kap S. Juan die französische Kolonie, wie auch die gegenüberliegenden kleinen Corisco- und Eloby-Inseln spanisch sind. Dann beginnt am Kap Campo, wo der 1040 m hohe Aleucette sich erhebt, das deutsche Gebiet am Kamerun und erstreckt sich längs der Küste bis zum Rio del Rey in der Nähe von Old Calabar nördlich vom Kamerungebirge, wo die Küste Afrika's plötzlich nach Westen ausbiegt. Die Südgrenze des deutschen Besitzes ist der 2. Grad nördlicher Breite; die Nordwestgrenze wird ungefähr durch eine Linie angegeben, die man von der Mündung des Rio del Rey (5. Grad nördlicher Breite) auf die Stadt Jola am oberen Benue bis an das Südwestende des Tsadsee zieht. Die Ostgrenze bildet eine vom Südostende des Tsadsee senkrecht auf den 2. Grad nördlicher Breite gefällte Linie. (Vgl. die Karte.)

Vorläufig ist nur die Umgebung des eigentlichen Kamerun von Bedeutung, dessen Gebiet auf 319 500 qkm angegeben wird.

Bei Ausdehnung der Grenzen bis an den Tjadsee würden noch etwa 1 200 000 qkm wenig erforschter Länder dazu kommen. Also nach dem eigentlichen Kamerun wenden wir uns.

An der Stelle, wo die Westküste Afrika's sich am tiefsten einbuchtet, erhebt sich der Insel Fernando Po gegenüber das Gebirge von Kamerun, ein gewaltiger, fast 4000 m hoch aufragender, jetzt erloschener Vulkan, der „Mongo-ma-Loba", Berg des Donners, wie er von den unwohnenden Eingeborenen genannt wird. Steil fällt er in die Bai von Biafra ab, während er sich nordwärts nach dem Innern des Landes zu in einer Reihe von Bergen und Hügeln fortsetzt. Am südöstlichen Fuße dieses Berges dehnt sich um die Bucht von Kamerun ein flaches, dichtbewaldetes Sumpfland, welches drei Flüsse, der Bimbia, Kamerun und Cuaqua, in vielen Armen durchstießen. Sie lagern ungeheure Schlamm-Massen an ihrer Mündung ab und bilden unter sich ein ganzes Netz von Bächen und Sümpfen. Das ist der eigentliche Boden der Mangrove oder des Manglebaumes, dessen starke Stelzenwurzeln weithin in verworrenen Rankungen den Schlammboden bedecken, auf welchem das salzige Wasser des mit Flut und Ebbe bald steigenden, bald fallenden Meeres keinen andern Pflanzenwuchs aufkommen läßt. Die Mangrove ist eine bizarre, aber keineswegs schöne Pflanzenform; es ist ein Gewirre von übereinander verschlungenen Stelzen, welche den Stamm hoch über den Boden heben, während

Mangrovebaum.

lichen Klimas ist. In der That ist die ganze Westküste Afrika's, vom Senegal bis zum steinigen Lüderitzland, den Europäern sehr verderblich; nur wenige vermögen ihrem vergiftenden Einflusse längere Zeit ungestraft zu widerstehen, und vielleicht die schlimmste Stelle dieser Fieberküste soll gerade der Ufersumpf von Kamerun sein. Die Eintönigkeit des Mangrovewaldes wird hier und dort von einer Palmenart unterbrochen, deren schilfähnliche, mit starken Dornen besetzte Blätter eine frischere Färbung haben. Auf den Schlammbänken sonnen sich Pelikane, rothgefiederte Flamingos und Reiher; der weiße Seeadler schwebt nach Beute spähend über den Wellen, und große Krokodile liegen auf umgestürzten Baumstämmen im Wasser. Der weiche Boden der Bucht wimmelt von kleinen bunten Krabben, und diesen Thieren hat die ganze Bucht und der mittlere Fluß wahrscheinlich den Namen zu danken. Camerão heißt nämlich im Portugiesischen Krabbe, und es ist nicht unglaublich, daß die ersten portugiesischen Seefahrer den Fluß nach den vielen Krabben, welche sie hier fanden, Rio dos camerões, d. h. Krabbenfluß, nannten.

Fahren wir also den Krabbenfluß hinauf. Er hat zuerst eine Breite von 10–15 km und gleicht einem Meerbusen. Dann verengt er sich, ist aber immer noch ein stattlicher Fluß, den große Seeschiffe, wenigstens zur Flutzeit, befahren können. Das nördliche Ufer bleibt sumpfig; aber das südliche bildet sanft ansteigende Höhen, auf denen von Pisangpflanzungen

von den Aesten und Zweigen eine Menge Luftwurzeln niederhängen, von denen manche im Schlamme aufs neue festhaften und weiterwachsen. Die Belaubung ist hart, pergamentartig, von dunkler, bräunlichgrauer Farbe, wenig dicht. In den Wurzelvergitterungen bleiben allerorts thierische und Pflanzenstoffe zurück, welche unter den heißen Sonnenstrahlen in Fäulniß übergehen und die Luft mit Fiebermiasmen schwängern. So kommt es, daß dieser tranrige Sumpfwald überall, wo er sich findet, das Zeichen eines gefähr-

und Palmbäumen umgeben eine Reihe kleiner Negerdörfer liegen, unter denen „König" Bell's „Stadt" deshalb für uns die bedeutendste ist, weil dieser „Fürst", wie die „Könige" Aqua und Deido und die „Städte" Williams-Town, Money-Town und Dukulu-Town am Bimbia-Flusse, sich unter den Schutz des Deutschen Reiches gestellt haben. Am Fuße der Hügelkette stehen einige in europäischem Stile gebaute Holzhäuser; davor liegen ein paar abgetakelte Seeschiffe, sogenannte Hulks (vgl. Bild S. 348),

44*

im Flusse verankert. Das ist die Handelsstation Kamerun, über welche seit dem 21. Juli 1884 die deutsche Flagge weht.

Werfen wir nun zunächst einen Blick auf die Niederlassungen am Kamerunflusse. Dr. Reichenow, der an Ort und Stelle war, soll uns als Gewährsmann dienen. „Die Negerdörfer auf dem Hügel bieten einen recht freundlichen Anblick. Ueberall herrscht die größte Reinlichkeit und Sauberkeit. Die niedrigen Hütten stehen zerstreut, umgeben von üppigen Bananenpflanzungen. Hin und wieder erhebt sich eine schlanke Kokos- oder Fächerpalme, welche mit ihren langen Fiederblättern die Strohdächer behattet, belebt von goldgelben Webervögeln, deren künstliche Beutelnester an den Blattspitzen hängen. Haus- und Maniokfelder schließen sich an die Ortschaften an, soweit das Hügelland reicht; dann aber hemmt dichte, dunkle Oelpalmenwaldung die Schritte. In ihrer ganzen Großartigkeit entwickelt sich hier die formen- und farbenreiche Pflanzenwelt der Tropen. Zwischen den Oelpalmen, welche strauchartig sind und deren rauher, faseriger Stamm nur 10—15 Fuß Höhe erreicht, während die Blattstiele freilich eine Länge von 20—30 Fuß haben, erheben sich einzeln, wie Riesen aus dem Heere der Zwerge, die kolossalen Bombax- oder Wollbäume, aus welchen die Neger ihre Kähne anfertigen, zu 80 Fuß Höhe und darüber anstrebend. Auch einzelne Weinpalmen heben hin und wieder ihr Haupt empor; versteckt unter den dichten Palmendache bleiben die Brodfruchtbäume mit ihren melonenförmigen, kopfgroßen Früchten, die Limonen-, Apfelsinen- und viele andere Bäume, welche die Palmenwaldung durchsetzen. Zahllos ferner an Arten, über alle Vorstellung

Ein Hull im Kamerunflusse.

reich an Gestaltung und Üppigkeit ist das Unterholz, aus Büschen, Stauden und Gräsern gebildet; saftige, breitblätterige Canna-Arten, Farne mit ihren zarten, mehrfach und mannigfach gefiederten Blättern; Orchideen, welche die modernden Reste alter Baumstämme bedecken; hohes Gras, welches den Unterwuchs durchschließt, und endlich ein Heer von Lianen, von Schlingpflanzen, welche bald dünn wie Zwirnfäden, bald starken Tauen gleich in phantastischen Windungen die Stämme umschlingen. Bäume und Zweige verbinden und alles wie mit einem dichten Netzwerk umspannen.

„Uebereinstimmend mit der Großartigkeit des Pflanzenwuchses entwickelt sich auch die Thierwelt in höchster Mannigfaltigkeit. Auf Lichtungen im Walde, auf den schmalen Pfaden, wo die Sonne das Laubwerk durchdringt und die duftenden Blüten der Pflanzen und Sträucher öffnet, schwärmen farbenprächtige Schmetterlinge.

Wespen mit metallisch schimmernden Flügeln und bunte Käfer in reicher Zahl. Große Fledermäuse hängen in den Zweigen; gewandt knispen Eichhörnchen die schwankenden Blattstiele der Oelpalme entlang. Die kleinen Honigsänger, die Vertreter der Kolibris in der alten Welt, schaukeln sich in den Schlingpflanzen. Auf Insekten lauernd, sitzen an den Baumstämmen rothköpfige Eidechsen und das bedächtige, die Augen unabhängig voneinander gleichzeitig nach verschiedenen Richtungen drehende Chamäleon, während große Nashornvögel auf den trockenen Aesten der Wollbäume sich niederlassen und Schaaren von unseren Graupapageien, welche hier in der Kamerungegend ihre Heimat haben, über die Baumwipfel streichen. Durch das Dickicht der Waldung schleicht die Zibethkatze; grunzend sucht das Pinselohrschwein die öligen Palmkerne, und auf die zierliche, weißgefleckte Buschantilope lauert

im Gestrüpp das größte Raubthier der Kamerngegend, der ge=
schmeidige Leopard. Zu argen Plagen für die Eingeborenen so=
wohl wie für die Europäer werden die Mosquitos, die alles zer=
störenden Termiten, die Sandfliegen, mikroskopisch kleine Insecten,
welche zu Tausenden
ihr Opfer überfallen,
Gesicht und Hände
plötzlich schwarz be=
decken und ein uner=
trägliches Jucken auf
der Haut erzeugen;
endlich die Wander=
ameisen, welche in
Schaaren von Mil=
lionen das Land durch=
ziehen, auf Stellen,
welche ihnen Beute
bieten, sich ausbreiten
und alles thierische
Leben vernichten.
Eiligst müssen die Re=
ger aus den Hütten
fliehen, wenn diese
kleinen schwarzen Un=
holde auf ihren ruhe=
losen Wanderzügen
die Ortschaften be=
rühren. An freieren
Stellen, in Pflan=
zungen, trifft man
die giftigste aller
Schlangen, die Puff=
otter, sowie die kaum
weniger gefährliche,
in Kamerun sehr häu=
fige Brillenschlange.
Im Wuri (Crußfluß
des Kamerun) leben
außerdem zahlreiche
Flußpferde, welche
aus dem Kamerun
durch die Schußwaf=
fen bereits verdrängt
wurden, und in den
Vorbergen des Ka=
merungebirges treten
Elephanten in unge=
meiner Häufigkeit
auf. Nicht gar selten
werden von den Ein=
geborenen zahlreiche
Elephan=
tenzähne gebracht,
welche ein Gewicht
von 120—150 Pfd.
haben."

Die Banane. (S. 348.)

7. Das Kamerungebirge.

Der riesige Bergstock, der sich jenseits des Bimbia und des
unbewohnten, von zahllosen Wasserarmen durchzogenen Sumpf=
gebietes erhebt, ist
ein noch thätiger Bul=
kan mit zahlreichen
Kratern und aus=
gedehnten Lava= und
Schlackenfeldern. Die
schönsten Spitzen bil=
den der schon er=
wähnte Mongo=ma=
Loba mit 3991 m
und der sogen. Pico
grande mit 3860 m
Höhe. Nur etwa
1500 m aufwärts
sind die Flanken des
noch wenig erforsch=
ten Gebirges mit
Wäldern bestanden;
prachtvolle Wein= und
Oelpalmen, Bana=
nen, Akazien und
riesige Baumfarne
bilden ein kaum durch=
dringbares Dickicht.
Höher hinauf folgen
Grassteppen und eine
öde, schauerliche Lava=
wüste. Wir werden
von der Eigenart die=
ser afrikanischen Berg=
welt uns am leich=
testen einen zutreffen=
den Begriff bilden,
wenn wir aus den
Tagebüchern des deut=
schen Forschers Edu=
ard Robert Flegel, der
den Pico grande im
Febr. 1879 in Beglei=
tung zweier Engländer
bestieg, einige Schil=
derungen mittheilen.
Die erste Halte=
stelle wurde in dem
538 m hoch gelegenen
Bergdorfe Boando
gemacht. „Der Weg
führte durch einen
schönen, düstern
Wald, dessen Bäume
im Lavageröll ihre

So wird uns nun das Tiefland von Kamerun geschildert;
wenden wir unsern Blick jetzt auch nach dem Gebirge, das sich
aus der fieberschwangern Sumpfregion hoch über die Wolken auf=
thürmt.

Wurzeln geschlagen", erzählt Flegel. „Abends 5 Uhr erreichte ich den
Ort, wo ich die übrigen Glieder der Expedition zu erwarten hatte.
In der Hütte des sogen. ,King', des Ortsvorstehers, wurde mir eine
Ecke eingeräumt, dann eine Planke hingelegt, unter deren eines Ende

das Kopfkissen, ein ästiges Stück Holz, geschoben; sodann wurde ich mit süßem, frischem Palmwein bewirthet, den ich mir zum mitgebrachten Abendbrode schmecken ließ, während meine völlig durchnäßten Kleider — es hatte geregnet — am Feuer trockneten. Eine halbe Stunde nach Sonnenuntergang trafen dann auch die Häupter unserer Expedition ein (zwei protestantische Missionäre). Feldstühle und -Tische wurden ausgepackt, Feldbetten aufgeschlagen, genießbare Gegenstände aller Art herbeigeschafft, ein guter Toddy (Punsch) aus Highlandwhisky gebraut, und die edle Familie des King' zog sich in die seimsten Eden ihrer Hütte staunend und schweigend zurück... Ueber den Ort Boando ist nicht viel zu sagen. Die Hütten, etwa 50—60, liegen sehr zerstreut in Gruppen von 4—8 Stück; ihre Wände sind aus kreuzweise übereinander gelegten Stangen gebildet und diese mit Bauxrinde bekleidet. Das Dach ist mit Palmblättern gedeckt, für den Rauch gibt es keinen andern Abzug als die Thüre oder vielmehr die mannshohe oblonge Oeffnung, welche der Bubizimmermann gelassen und die nachts mit einem Palmblättergeflecht verstellt wird.. An Geräthschaften sind die Räume sehr arm, so wie die Leiber der Bewohner an Bekleidungsgegenständen.

Es gibt aber niedrige, schemelartige Sitze aus einem Stück Holz und recht kunstvoll geschnitzt. Körbe, die sich besonders zum Lasttragen in Gebirgsgegenden eignen, besitzt jedes Haus eine Anzahl. Wie weit die Bubis es in der Musik gebracht, dafür spricht ihr Instrument: ein etwa fußlanges und halb so breites Brett, woran am untern Ende, über einen Steg befestigt, fünf

Ein Baobab. (S. 348.)

Holzstäbchen von verschiedener Länge und verschiedenem Tone sich befinden... Wieh gedeiht vortrefflich in den Bergen, Schafe und Ziegen, besonders auch Rindvieh von jener kleinen, kurzbeinigen, der Küstengegend des westlichen Afrika eigenthümlichen Rasse."

Von dem also geschilderten Bergdorfe der Bubineger ging nun der Weg in meist nördlicher Richtung aufwärts. Eine Abtheilung Eingeborener mußte vorausgehen, um mit der Art durch das Dickicht des Urwaldes Bahn zu brechen. Da trafen die Reisenden herrliche Riesenbäume, unter deren Aesten sich schlanke Palmen wiegten. Je höher sie kamen, desto mehr schwand das Unterholz, desto mehr Moos bedeckte die Stämme, desto größer ward der Reichthum an Farnkräutern. Farnbäume, diese Essenkinder der tropischen Pflanzenwelt, wie sie Stegel nennt, übertrafen die schönsten Palmen durch die Zierlichkeit ihrer Formen. Eine Elephantenfährte erleichterte mitunter die Arbeit der Bahnbrecher. Da fanden sich in einer Breite von mehr als 2 m alle Pflanzen zu einer ebenen, grünen Straße zusammengestampft, während zu beiden Seiten gebrochene Aeste und geknickte Zweige von den Bäumen herabhingen. Herrlich gefärbte, aber scheue Vögel ließen sich wohl sehen, aber nicht leicht schießen.

Schöne grüne Waldtauben mit rothen Füßen, dann metallisch blaugrün schillernde Vögel mit rothem Kopf und rother Brust, welche aber statt frohen Gesanges ein froschähnliches Gequat erschallen ließen, wiegten sich in den Zweigen. Herrliche Falter, deren Flügeldecken häufig ganz harmonisch mit der umgebenden Natur blaugrün oder gelbbraun schillerten und mit sonnenhellen Flecken und Augen gezeichnet waren, gaukelten in der Luft. Dagegen konnte Herr Flegel mit der Laterne während zwei Nächten keine Nachtfalter herbeiloden. Als man höher kam, traf der deutsche Forscher unter den Pflanzen auch einige alte Bekannte aus der Heimat: „Brombeersträucher und bald auch Müdigkeit und Durst" verscheuchende reife Früchte daran und auch mitten im tropischen Urwald in der Nähe des Aequators — ein duftig Veilchen! Wie von einem Zauber berührt, flogen meine Gedanken zurück um Jahre — über viele Meilen Meer und Land hin zurück in die Heimat. Noch mehr alte Bekannte aus der Heimat sollten wir hier gewohnt werden. Als ich mich bückte, das Veilchen zu pflücken, stach mich eine Nessel. Das Veilchen blieb ungepflückt. Ich eilte den anderen weit voraus, allein zu sein in dem majestätischen Urwald, dessen Größe und Pracht und ehrfurchterweckendes Rauschen und geheimnißvolles Dunkel ich voll zu genießen in der rechten Stimmung war. Das Scheffellied klang mir in den Ohren: ‚O Heimat, alte Heimat, was machst du das Herz mir schwer!'

Als der Waldgürtel überwunden war, erreichten die Bergsteiger eine mit Büschen, Farnkräutern und dürrem Grase bestandene Hochebene; auch Krauseminze. Strohblumen und blaue Glockenblumen gab es da. Endlich fanden sie die nach

dem deutschen Forscher Mann, der 1860 den Berg bestiegen hatte, benannte Mannsquelle, welche in einer Höhe von 2480 m (nach Dr. Zöller 2332 m) frisch und klar aus dem Lavagerölle am Fuße des Molundokraters hervorsickert. Da konnten Flegel und seine Gefährten ihren brennenden Durst löschen. Den Ausblick vom Krater des Molundo beschreibt uns Flegel also:

„Ich bestieg den braunen, kahlen Kraterkegel des Molundo, der, über unserem Lager sich erhebend, eine schöne Aussicht versprach, und wurde reich belohnt für die kleine Mühe. Ein Bild, wie ich es noch nie gesehen, entfaltete sich hier vor meinen Augen: ich befand mich auf dem Rande eines mächtigen, trichterförmigen Kraters, dessen schöner, regelmäßiger Kreis nur nach Südwesten nicht vollkommen geschlossen war. Im Norden vor mir lag eine herrliche Gruppe von hohen, kahlen Bergen (Mount Helen u. s. w.), von rothbrauner und strohgelber Färbung mit hie und da dunkleren Streifen, Lavawogen, durchzogen. Im Osten begrenzte ein hoher, nach Südosten sich senkender Kamm, gebildet von einem mächtigen Lavastrom, den Horizont; im Süden erfreute der schöne, von lichten Wolken umflatterte Kegel des kleinen Kamerun (Mengama-Etin-beb) das Auge, während im Westen dichtbewaldete grüne Hügel den Kreis schlossen, und wo das Auge in der Tiefe einen Ruhepunkt suchte, war nichts als Lavageröll und Kraterschlünde, ringsumher großartiges Schweigen, nur zuweilen durch den Schrei eines hoch über mir schwebenden Abters unterbrochen. Ich schaute und schaute bald hinauf, bald um mich her, bald hinab in die Tiefen, bis ein dichter Nebelschleier alle Herrlichkeit meinen Blicken verbarg."

Die fünf Neger, welche als Träger und Führer die Expedition begleiteten, mußten jetzt in wollene Kleider gesteckt und mit warmen Mützen und dicken wollenen Schuhen ausgerüstet werden, um der ungewohnten Kälte dieser hohen Bergregion widerstehen zu können. So ging es durch die Lavawüste dem Kegel des Großen Kamerun zu: „Wir wanderten nun etwa 9000 Fuß hoch (2750 m) ohne besondere Steigung über den

Fächerpalme. (S. 348.)

Rücken des Lavastroms, dessen eigene Erscheinung wohl am besten mit einer Mondlandschaft verglichen wird. Nichts als Lavageröll und Kraterhöhlen, tiefe Spalten und Risse im Gestein, bedeckt mit Asche und den Wurzelresten der Büschelgräser, hin und wieder gelbe, sternförmige Blümchen, an kurzen Stengeln dicht über dem Boden blühend, sind zu sehen... Die Landschaft wird wilder; an Lavasäulen, an mächtigen Blöcken von den wunderlichsten Formen vorüber führt unser Weg... Vor uns liegt wieder ein rother, hoher, vielgezackter Bergrücken, doch dahinter, hoch über den Wolken, der Pico grande!... Wieder sind wir von Lavageröll, soweit das Auge reicht, umgeben und von einer Natur, deren Ernst und Schweigen fast beklemmend wirkt. Zwei Adler jagten einander mit heiserem Schreien hoch über uns in der Luft... Ein scharfer Ostwind umwehte uns auf den Höhen, und wo wir zwischen denselben in den Mulden hinschritten, war eine Gluthitze, die dem Boden ebenso sehr entstrahlte, als sie auf der Höhe kam. Ich habe nie zuvor so bedeutende Temperaturunterschiede auf etwa 20—30 Schritte Entfernung wahrgenommen... Nordisches Moos überzog immer reichlicher weite Lavastrecken; das Gras verschwand mehr und mehr; die Büsche und Bäume wurden niedriger und ihr Stamm und die Zweige krummer und mehr dem Boden zugeneigt...

dem Ansehen der Ueberreste aus einem Kohlenofen) überzogene Zacken, in denen der Fuß tief einsank.

„Endlich nach hartem, andauerndem Steigen erreichte ich den Rücken vom Pit. Ich strengte alle Kräfte an; denn die Steigung war hart, und sehr viele und große Strecken mit losem Zinder lagen auf unserem Wege, welche zu überwinden große Vorsicht verlangte. Immer wieder glaubte ich den höchsten Punkt erstiegen zu haben, worauf sich nach Ueberwindung des einen ein höherer zeigte. Die Lava war hier von ziegelrother Färbung. Ich schleppte mich eifrig, wenn auch sehr ermüdet, weiter. ‚Endlich!' seufzte ich laut und froh auf, und dann schallte auch gleich ein ‚Juhnheihu!' über die Berge hin. Ich war oben 3 Uhr 20 Minuten (14. Februar 1879).

„Es war ein Bild von mächtig die Seele packender Großartigkeit, das ich da überschaute. Im Westen ein tiefer, steiler Abgrund, die Wand roth. Gegenüber, mehr nach Nordnordwesten, zwei gewaltige Kraterschlünde, schwarz und gähnend, eine grauenvolle schweigende Tiefe; der zur Linken fast kreisrund, sein Nachbar nach oben kreisförmig, nach unten die Oeffnung in Zacken auslaufend. Im Norden lag eine Kuppe, die dem Anscheine nach noch höher war als der Punkt, auf dem ich mich befand, wahrscheinlich die Albertspitze. Nach Nordosten und Osten senkten sich

Oelpalme. (S. 348.)

Die Schotenträger, die einzige Pflanze mit Stamm, wurden immer kleiner und krüppelhafter. Viele Moose, dunkelbraun überzogen, bildeten ein viele Zoll hohes weiches Polster, und die Lavadecke erschien desto zerrissener, je höher wir kamen. Die dunkeln Schattirungen an dem Kegel erwiesen sich als mit Zinder (ganz von erstarrte Lavaströme zu Thal. Im Südwesten hoben sich wieder mächtige Kämme, und im Westen und Nordwesten tief unter uns lag eine Welt von Kraterschlünden und Lavageröll, begrenzt durch sehr viele und schön gezackte Bergrücken. Die beiden großen Kraterschlünde mit ihrer nächsten Umgebung würden unter künstlerhand

Die Besitzergreifung Kameruns. (S. 356.)

ein Gemälde geben, wie es trüber und großartiger nicht ersonnen
werden könnte.

„Ich forderte den Mann der Mission (Mr. Kiel), der ein schönes
Organ hat und gute Worte braucht, auf, hier ein Gebet zu sprechen
und dem Allgütigen zu danken für diesen köstlichen Augenblick, und
wir knieten nieder, während er betete. Bevor der Absteig angetreten
wurde, leerten wir noch den letzten Tropfen des in Glasgow gebrannten
schottischen Hochlandwassers, grüßten die vier Weltgegenden mit
Revolverschüssen und freuten uns am Wiederhall, steckten die leeren
Hüllen und einen Zettel mit genauer Angabe von Datum und
Stunde und unserer Namen in die leere Flasche, welche wir alsdann wohl verlötet zwischen Lavageröll bargen. Das Aneroid
zeigte 13 000 Fuß" (nach Dr. Zöller 3860 m).

In einer Höhe von 11 000 Fuß mußten die Bergsteiger übernachten. Eine Bodenvertiefung und Feuer gab Schutz gegen die
Kälte. Tief unter ihnen grollte ein Gewitter, während über ihnen
freundlich die Sterne schienen und der Mond, bis die Sonne
wieder aufstieg. Der Absteig wurde auf einem mehr östlichen,
zwar kürzern, aber beschwerlichern Pfade bewerkstelligt, welcher durch
das große Dorf Mapanja führte. Dort besuchten sie den alten
„König" und gaben ihm ein Geschenk. Am Abende des 17. Februar
erreichten unsere Bergsteiger wieder das protestantische Missionshaus von Victoria und hatten, wie Herr Flegel seinen Bericht
schließt, „bald alle Mühen vergessen bei gutem Thee und Kuchen
der Frau Missionärin".

8. Die Duallaneger.

Die heutigen Eingeborenen Kameruns sind die Dualla, ein
Negerstamm, der vom Gebirge her eingewandert ist und die
ursprünglichen Bewohner des Tieslandes, die Duaqua, verdrängt
hat. Der Stamm der Dualla ist nicht sehr zahlreich; man schätzt
ihn auf etwa 20 000 Köpfe. Sie haben einen starken, wohlgebauten
Körper, aber häßliche Gesichtszüge. Geistig sind sie auffallend
stumpf und der Bildung wenig zugänglich, dabei ungemein träge,
spitzbübisch, hinterlistig. Die Haut hat eine hellbraune Farbe; auf
der Brust tragen sie manchmal Pfeile und Kreise eintätowirt,
Erkennungszeichen für die Mitglieder gewisser Sippen. Die Kleidung
besteht aus einem um die Hüften geschlungenen Streifen Baum-
wollenzeuges, das sie von Europäern einhandeln, oder aus einem
Gürtel trockener Bananenblätter. Die Weiber durchbohren die
Ohrlappen, manchmal auch die Nasenwand, und stecken Holzstücke,
Gras oder Bananenblätter in die Löcher, so daß die Ohrlappen
schließlich zu einem großen Ringe erweitert werden. Den Kindern
pflegen sie die Augenwimpern auszureißen, wodurch sie noch häßlicher
werden. Eitel sind sie aber dennoch, und die Weiber verwenden
viel Mühe auf ihre Frisuren, indem sie das Haar von Wirbel
aus spiralförmig in drei Kreisen scheiteln, in zahlreiche, kurze
Flechten knüpfen und schließlich durch das ganze Haargerüst einen
oft recht künstlich aus Elfenbein geschnitzten Pfeil stecken. Die
Weiber nehmen übrigens auch hier eine äußerst niedrige Stellung ein.

Die Wohnungen der Dualla sind schon viel besser gebaut, als
die bienenkorbartigen Hütten der Kaffern oder die mäusefallen-
ähnlichen Käfige der Hottentotten. Sie bilden länglige Rechtecke
mit schrägen Firstdächern nach europäischer Art. Die Wände haben
über dem Boden einen drei Fuß hohen Lehmsockel; auf diesem
steht ein Flechtwerk aus Baumrippen der Oelpalme, welches von
den Hülsen der Bananenstämme bekleidet ist. Die Thüre befindet
sich in der Mitte der Längswand und kann durch ein Matten-
geflecht geschlossen werden. Fenster fehlen; denn die Hütte wird

nur zum Schlafen gebraucht. Die Dächer sind mit Palmblättern
bedeckt, und gewöhnlich stehen mehrere solcher Hütten in einer Reihe
zusammengebaut. Als Hausthiere halten die Dualla Ziegen, Schafe,
Hühner und kleine, glatthaarige Spitze. Die letzteren werden zum
Schlachten gemästet; denn Hundefleisch gilt als Leckerbissen. Der
Kamerun liefert schmackhafte Fische; sonst besteht die Nahrung aus
Yams, Maniok, Erdnüssen, Bananen. Die Speisen werden mit
Palmöl zubereitet. Man sagt, eine Palmölsuppe mit Schaum-
klößen aus geschlagenem Yams würde auch dem verwöhntesten
europäischen Feinschmecker munden. Der Palmwein, Mimbo genannt, der von der Frucht der Weinpalme gewonnen wird, ist ein
recht angenehmes, erfrischendes Getränk und ähnelt dem Birken-
wasser, wirkt aber sehr berauschend, wenn er gegohren hat. Man
kocht ihn auch, und dann schmeckt er wie Warmbier und ist zwar
nicht mehr so süß, aber gesünder.

Die einzelnen Dörfer haben ihre Häuptlinge oder „Könige", und
diese liegen miteinander in beständigem Hader. Der Mord eines
freien Mannes fordert nämlich nach den Begriffen der Blutrache, und zu nehmen die Kämpfe kein Ende. Die „Könige"
Bell und Aqua stritten in endlosen Fehden um die Oberherrschaft.
Die frühern Negerwaffen, Lanzen und Pfeile, sind kaum mehr gebräuchlich; statt ihrer treten meist elende Schießwaffen. Dazu kommt
ein kurzes Schwert in einer Scheide von Ziegenfell, eine Kürbisflasche
für das Pulver, ein Beutel für das Blei und ein halbkugelförmiger
Helm aus Flechtwerk, über welches ein Fell gezogen wird. Beim
Schießen ist das Knallen die Hauptsache; deshalb stopfen sie so viel
Pulver hinein, daß die Flinte oft genug platzt. An ein Treffen ist
schon darum nicht leicht zu denken, weil der Schütze beim Losdrücken,
das Aufblitzen des Pulvers fürchtend, den Kopf abwendet. Auch
kommt es selten zum Handgemenge, sondern die Feinde beschießen
sich, hinter Bäumen und Verschanzungen liegend, oft wochenlang, bis
der einen Partei das Pulver ausgeht oder eine Ueberrumpelung
gelingt. Auch Seeschlachten werden in großen, mit phantastischen
Thiergestalten geschmückten Kriegskähnen geliefert, die ein halbes
Hundert Mann fassen können. Allein sie halten sich zu Wasser ebenfalls in gemessener Entfernung, und sobald ein Schuß fällt, wirft
sich die ganze Bemannung platt auf den Leib oder springt sogar über
Bord, wenn die Kugel ausnahmsweise nahe vorbeifiel. Können
sie aber hinterlistig einen Gegner wegfangen, so wird ihm uner-
bittlich der Kopf abgeschnitten.

Was endlich die Religion dieser Neger betrifft, so fröhnen die
meisten dem gröbsten Fetischdienst. Englische Baptisten suchten seit
seit einer Reihe von Jahren für ihre Secte zu gewinnen und
gründeten vier Missionsstationen, welche um die Mitte der sechziger
Jahre 150 Christen und 90 Gemeindemitglieder zählten. Die
evangelische Missionsgeschichte von Burkhardt sagt: „Große Erfolge
des Evangeliums sprangen weniger in die Augen. Dennoch bewährte sich sein stillwirkender Einfluß. Es zeigte sich deutlich, wie
das Gewissen des Volkes geweckt wurde. Offenbarer noch waren
die Fortschritte in der Civilisation, im Bau der Häuser mit Thüren
und Fensterläden anstatt der alten ungefunden Hütten. Bei einigen
fand sich ein reges Verlangen nach Tischen und Stühlen und
anderen Hausgeräthen. Ja, einige hatten sich sogar daran gewöhnt,
Sonntags ein Hemd und einen Hut zu tragen oder einen langen
Rock und einen Hut, doch in vielen Fällen bei Abwesenheit von
Beinkleidern. Diejenigen aber aus der kleinen Christengemeinde,
welche einen Hausstand gründeten, nahmen fast ganz die Formen
des englischen Lebens an. Unter den mit der Mission verbundenen
jungen Leuten regte sich mehr und mehr das Verlangen nach der

Beschießung von Hickory-Town in Kamerun durch die deutsche Corvette „Olga". (S. 356.)

Taufe. Der Besuch der Gottesdienste, die auch an mehreren Außenplätzen gehalten wurden, war verschieden. Oft mußten erst Zuhörer herbeigerufen werden. Dann hörten manche aufmerksam zu, erklärten aber am Schlusse, daß sie nicht wiederkommen würden, wenn man nicht Reis und Fleisch für sie koche. Andere verlangten geradezu Bezahlung, und hier und dort wurde behauptet, daß die Vorräte, die für die Mission eintrafen, von der Königin von England für die Eingeborenen gesandt würden." Den englischen Baptisten sind in jüngster Zeit Sendboten der Baseler-Missions-Gesellschaft gefolgt.

Der hochverdiente deutsche Forscher Dr. Nachtigal wollte die katholischen Missionäre vom benachbarten Gabun, deren erfolgreiche Thätigkeit er mit Augen gesehen hatte, für Kamerun gewinnen. Die Patres vom Heiligen Geiste waren gerne bereit, deutsche Mitglieder ihrer Congregation nach dieser deutschen Kolonie zu senden. Ihre verstorbene Majestät die deutsche Kaiserin und der damalige Kronprinz Friedrich interessirten sich lebhaft für diesen Plan; allein die beiden Missionäre wurden an maßgebender Stelle in Berlin abgewiesen. Am 1. October 1890 sind endlich auch katholische Missionäre aus der Congregation der Palloiner nach Kamerun gegangen. Möge ihre Arbeit reich gesegnet sein!

9. Die Deutschen in Kamerun.

Der Kamerun gehört zu den sogenannten "Oelflüssen", d. h. zu denjenigen Flüssen, an deren Mündung europäische Kaufleute gegen Tauschwaaren Palmöl von den Eingeborenen einhandeln und zu diesem Zwecke ständige Handelsniederlassungen, Faktoreien, errichteten. Die Oelpalme trägt jährlich mehrere Büschel gelbrother, ungefähr wallnußgroßer Früchte, die aus einer äußern fleischigen Masse und dem innern harten Kern bestehen. Aus diesen Früchten gewinnen die Neger in primitivster Weise durch Stampfen und Zertreten in Gruben und Auspressen das Palmöl, eine dickklebrige, gelbe Masse. Außer dem Palmöl, das der wichtigste Ausfuhrartikel ist, bringen die Neger noch Elfenbein, Palmkerne, Rothholz. Ebenholz und wollen dafür Zeuge, Rum, Tabak, Gewehre, Pulver, Salz, Glasperlen, Bandeisen, Beile, Messer und ähnliche Dinge eintauschen. Der Tauschhandel ist sehr einträglich, aber entsetzlich langweilig. Hat der Neger nach langer Zeit und vielem Feilschen sich auf den Preis geeinigt, so geht erst das Wählen an; bald will er dieses, bald jenes Muster in seinem Baumwollenzeug, und hat er zuerst Kattun gewählt, so wirft er ihn wieder hin und verlangt ein Gewehr dafür, und schließlich läßt er auch das Gewehr stehen und nimmt Schnaps. Dabei muß der Händler gut aufpassen; denn die Neger sind Erzdiebe. Das ist auch der Grund, daß man für die Faktoreien lieber im Flusse verankerte abgetakelte Seeschiffe, "Hulk", benützt, weil sich diese besser bewachen und gegen Diebe schützen lassen, als Gebäude am Ufer.

Unter den Faktoreien waren schon längere Zeit einige deutsche Handelshäuser, namentlich die Firma Woermann und die Firma Jantzen und Thormählen aus Hamburg. Beide Firmen haben am Bimbia die drei Orte King-Williams-Town, Money-Town und Dukullu-Town käuflich erworben, ebenso am Kamerun die "Städte" der "Könige" Bell, Aqua und Deido. Hierauf wurde im Einvernehmen mit dem deutschen Reichskanzler am 21. Juli 1884 die deutsche Flagge aufgehißt. Das machte unter den anwesenden englischen Händlern böses Blut, und es ist nicht unwahrscheinlich, daß sie die Einwohner der "Städte", welche sich nicht unter den Schutz Deutschlands stellten, gegen die Leute des Königs Bell und seiner Genossen aufgereizt haben. Von Reibungen kam es bald

zum Kriege zwischen diesen Ortschaften, und dieser wurde viel blutiger, als sonst die oben beschriebenen Fehden es gewöhnlich waren.

Den Nachrichten eines Hamburgers zufolge sollen sich die Ereignisse also zugetragen haben: Am 14. December häuten die Leute von Joß-Town und Hilory-Town einen Angriff auf die Leute des Königs Bell gemacht, wobei zwei Mann getödtet wurden. Am darauffolgenden Tage wäre der Angriff erneuert, aber mit Verlust eines Todten zurückgeschlagen worden. Darauf sollen die "Heere" von Joß- und Hilory-Town die Stadt des Königs Bell eingeäschert haben. Dann machten die Joß-Leute noch einen Versuch, den König Aqua durch Bestechung von seinem Vertrage mit den Hamburgern abzubringen. Damit hatte der Krieg unter den Eingeborenen vorläufig ein Ende. Aber nun lag es Admiral Knorr für seine Pflicht an, einzugreifen und den Feinden des verbündeten Königs Bell zu zeigen, wie die anwesenden deutschen Kriegsschiffe das deutsche Protectorat verständen.

Am 20. December landete die Mannschaft der "Olga" unbehelligt; Joß-Town hatte sogar eine weiße Flagge aufgezogen; von deutscher Seite fiel der erste Schuß. Dann krachte es bald hüben und drüben, und als die Mannschaft des "Bismarck" landete, empfingen die Hilory-Leute dieselben mit Gewehrschüssen, jedoch ohne daß jemand verwundet wurde; einige Granatschüsse reichten hin, die Neger zu verjagen. Die Corvette "Olga" schoß alsdann die Hütten der "Stadt" Hilory in Brand. Als König Bell das sah, bekam er Muth und eilte mit seinen Leuten herbei, um das Werk der Zerstörung zu vollenden. Die Hilory-Leute verloren auf der Flucht zwölf Todte, eine Anzahl, wie sie sonst viele Jahre in ihren Schlachten nicht gefallen war. Aber das bildete nur den Anfang der Metzelei. Es war nämlich inzwischen den feindlichen Negern gelungen, einen gewissen Pankämis, einen Agenten der Hamburger Firma Woermann, gefangen zu nehmen. Umsonst forderten die Deutschen dessen Auslieferung; die Neger behandelten ihn als Geisel und schnitten dem Unglücklichen den Kopf ab, sobald auf ihrer Seite der erste Mann fiel. Das erbitterte natürlich die Marinesoldaten, welche jetzt eine zweite "Stadt" der Neger, "die Altstadt Bell", die von Hilory durch ein Mangrovendickicht und einen Sumpf getrennt war, angriffen. Es mußte ein etwa 100 Fuß hoher Hügel erstürmt werden, wobei viele Neger erschossen und auch einige Marinesoldaten verwundet wurden. Diese Stadt zündeten die Sieger ebenfalls an; das Feuer verbreitete sich rasch und ergriff selbst die Pflanzungen und große Flächen trockenen Grases. Als sich kein Feind mehr sehen ließ, zogen die deutschen Truppen aufs Ufer zurück; da erblickten sie plötzlich einen großen Haufen bewaffneter Neger und hätten beinahe Feuer auf dieselben gegeben, als sie noch rechtzeitig in deren Mitte die deutsche Fahne gewahrten. Es war König Bell mit den Seinigen, alle in kriegerischem Aufzuge. Der König trug den landesüblichen geflochtenen Helm, der mit einem Affenfelle überzogen ist; andere Neger hatten sich mit französischen Küraissierhelmen und dreispitzigen Hüten geschmückt; einer trug auch einen deutschen Landwehrhelm mit der Aufschrift: "Mit Gott für König und Vaterland". Diese verbündeten Krieger zeichneten sich namentlich beim Brennen und Plündern sowie beim Niederschießen der umherirrenden Hausthiere aus. Sogar das Dach des protestantischen Missionskirchleins brannte ab, und das Missionshaus selbst wäre beinahe ein Raub der Flammen geworden.

Inzwischen war auch der Kampf mit den Leuten von Joß-Town entbrannt. Die Mannschaft der "Olga" wurde mit heftigem Feuer empfangen, und das Schießen dauerte 1½ Stunden. Schon ging der Mannschaft der „Olga" die Munition aus; da kamen die Soldaten des „Bismarck", welche inzwischen mit der Altstadt Bell fertig geworden waren, zu Hilfe. Bald war nun der Feind vertrieben, Joß=Town erstürmt und wie Hikory und Alt=Bell eingeäschert. Die Mannschaft der „Olga" zählt neun Verwundete, wovon einer starb; diejenige des „Bismarck" hatte nicht gelitten. Wie groß der Verlust der Neger an Todten und Verwundeten gewesen ist, wird nicht genau mitgetheilt; er muß aber sehr beträchtlich sein. Jedenfalls werden sie sich künftig bedenken, bevor sie sich gegen die Deutschen widerspänstig zeigen.

So ist also mit Feuer und Blut der neue deutsche Besitz in den letzten Tagen vor dem Weihnachtsfeste im Jahre 1884 eingeweiht worden. Inzwischen hat das Deutsche Reich eine große Summe für einen Gouverneur und Kanzler dieser Kolonie ausgeworfen und daselbst ein Regierungsgebäude und ein Gefängniß bauen lassen. Die Dualla, welche ja nur ihre armseligen Hütten kennen, werden ob der Herrlichkeit dieses Palastes staunen. Das Gefängniß soll ihnen etwas mehr Respect vor fremdem Eigenthum einpflanzen. Wir wünschen, daß alles gut gehe, sind aber der Ueberzeugung, daß Polizei und Gewalt wenig hilft, wenn es nicht gelingt, die armen Leute zu wahren Christen zu machen.

Der Nutzen endlich, den sich Deutschland von dieser Kolonie versprechen darf, ist ein sehr fraglicher. Zunächst steht fest, daß man niemals eine Aderbaukolonie in diesen Fiebergegenden wird gründen können; auch keine Kaffee=, Cacao= oder ähnliche Plantagen mit deutschen Arbeitern. Das können nur die Neger aushalten; selbst

Europäer, die nicht angestrengt zu arbeiten brauchen, wie die Handelsagenten und Gouverneure, fallen dem mörderischen Klima massenhaft zum Opfer. In England ist es sprichwörtlich, für seine westafrikanischen Kolonien seien stets zwei Gouverneure unterwegs, einer, den man todt zurückbringe, und einer, der hinfahre, um des Verstorbenen Stelle zu übernehmen. Die Sterblichkeit unter den in Kamerun weilenden Kaufleuten ist eine erschreckende. Man kann sagen, für den nach Kamerun Segelnden sei die Wahrscheinlichkeit, innerhalb weniger Jahre in fremder Erde gebettet zu liegen, viel größer, als die Aussicht auf eine glückliche Heimkehr. „Nochmals sei davor gewarnt," sagt Dr. Oskar Lenz, „diese tropischen Theile Afrika's als ein Auswanderungsziel für mittellose, europamüde Arbeiter hinzustellen; nie werden sich dieselben in einem solchen Klima mit schwerer Ackerbau= oder Plantagenarbeit beschäftigen können." Ganz ähnlich und ebenso scharf urtheilt Dr. A. Reichenow, der das Land aus Erfahrung kennt und dessen Darstellung wir in unserer Schilderung gefolgt sind. Wenn aber Kamerun für die Auswanderung auch keine Bedeutung hat, so ist doch seine Wichtigkeit als Handelsstation nicht zu unterschätzen. Es wird daselbst viel Palmöl und Elfenbein eingehandelt. Der Vortheil für die Hamburger Faktoreien und Rheder wird also kein geringer sein. Auch ist nicht ausgeschlossen, daß der noch wenig erforschte Duaquafluß vielleicht tiefer ins Innere hinein eine Handelsstraße eröffnen kann, und endlich mag die Kamerunbucht in der Mitte Westafrika's für die deutsche Flotte ein günstig gelegener Hafenplatz sein.

XIII. Am Niger und an der Sklavenküste.

1. An der Nigermündung.

Zwischen der Insel Fernando Po, welche Spanien gehört, und dem Kamerungebirge hindurchsteuernd, müssen wir dem „Afrikaner" bald eine westliche Richtung geben; denn von hier bis zum Palmencap zwischen der Elfenbeinküste und dem Freistaate Liberia springt der dunkle Erdtheil in fast gerader Linie über 500 Stunden westlich in den Atlantischen Ocean vor. Wir fahren an Old-Calabar vorüber, wo der Croßriver, einer der „Ölflüsse", mündet, welcher den Kamerunfluß an Größe und Ausdehnung seines Gebietes weit übertrifft, und nahern uns nach kurzer Fahrt auch der Mündung des Niger oder Nigir, eines der Stromriesen Afrika's. Mit diesem Strome müssen wir uns etwas näher bekannt machen; denn er und sein gewaltiger Nebenfluß, der Benue, versprechen eine der größten Handelsstraßen in das Innere des dunklen Erdtheils zu werden.

Der Strom wird an Wasserreichthum unter den afrikanischen Gewässern nur vom Kongo übertroffen; die Länge seines Laufes schätzt man auf nahezu 5000 km; die Größe seines Gebietes läßt sich bis jetzt auch nicht annähernd bestimmen. In 22 Mündungen stößt seine gewaltige Wassermasse zwischen zahllosen mit Mangrovenwald bestandenen Inseln in den Atlantischen Ocean. Der westlichste dieser Delta-Arme, der Wari, mündet etwa 800 km vom Bonny, dem östlichsten Ausflusse, den am Kamerun kommend, zunächst begegnen, und das ganze dazwischen liegende Gebiet steht zur Regenzeit vollständig unter Wasser, während es im Sommer von einer tödtlichen Fieberluft verpestet wird. Da die einzelnen Ausflüsse eng sind und der Schiffsfahrt keinen günstigen Zugang bieten, entdeckte man erst im Jahre 1830 die viel verästelte Mündung des Riesenstromes, nachdem ein großer Theil seines obern Laufes schon lange vorher bekannt war. Bis dahin hatten die Geographen gemeint, der Niger ergieße sich irgendwo im nahekannten Innern des Landes in den Kongo. Im Jahre 1832 fuhren Laird, Allen und Oldfield in einem Dampfboote zuerst den Niger hinauf; seither wurden der Strom und sein größter Nebenfluß, der Benue, nahezu in ihrem ganzen Lauf erforscht, und es stellte sich heraus, daß beide nach Ueberwindung der schwierigen Mündung bis tief in das Innere seines ungeheuren Gebietes schiffbar seien, während sowohl der Kongo als der Sambesi durch Wasserfälle und Stromschnellen den Schiffen verschlossen sind.

Mit jedem Jahre wagen sich die europäischen Kaufleute den Niger weiter stromaufwärts, und so entstehen immer tiefer im Innern Handelsniederlassungen. Da dürfen die Missionäre der katholischen Kirche nicht zurückbleiben; daher errichtete Leo XIII. 1884 die neue Apostolische Präfectur am Niger, deren südliche Grenzen der Lauf des genannten Flusses und des Benue bilden soll, und übergab dieses frische Arbeitsfeld den Lyoner Missionären für Afrika, welche seit Jahren schon in dem angrenzenden Missionsgebiete der Beninlüste und Dahomeys unter großen Opfern segensreich thätig sind. Dieses neue apostolische Unternehmen gab die Veranlassung zu einer Reise, welche die beiden Obern der Missionen von Lagos und Abeokuta, die PP. Chaussse und Holley, zusammen unternahmen. Letzterer soll uns etwas über den Strom und seine Uferbewohner erzählen:

„Am 5. October 1883 lichteten wir die Anker zur Fahrt nach Bonny und sahen uns nach Umschiffung des Kap Formoso den Hauptmündungen des Niger gegenüber. Der Reihe nach erblickten wir seine zahlreichen Ausflüsse, den Nun, den Braß, den Calabar, um nur die größten zu nennen; jeder dieser Mündungsarme ist ein gewaltiger Fluß. Endlich ließen wir in den letzten, den Bonny, ein, an dessen Ufern mehrere bedeutende Dörfer stehen. Der Bonny, wie alle Ausflüsse des Stromes, zweigt sich erst weit landeinwärts von dem Niger ob; durch ihn fuhr Lander im Jahre 1830 vom Oberlaufe des Stromes abwärts, erreichte das Meer und entdeckte so die lange unbekannte Nigermündung. An der Stelle, wo die Factoreien stehen, ist der Bonny mehr als 1 km breit; er hat das Ansehen eines bedeutenden Sees, dessen Wasser unter den starken Ebbe und Flut des Meeres sinken und steigen. Es wäre keine leichte Aufgabe, in einem solchen Lande an niedrigen und sumpfigen Flußufern Wohnungen für die Kaufleute zu bauen; man dachte auch gar nicht daran, sondern man nahm alte Schiffe, kappte ihre Masten, entfernte das Takelwerk und verwandelte sie so in Wohnungen, deren Schiffsraum die Waarengewölbe, deren Zwischendeck das ‚Erdgeschoß' für die Dienerschaft und deren Kajüten die Wohnräume der europäischen Kaufleute sind. Jedes dieser ‚Hulls' liegt mitten im Flusse verankert; es sind wahre schwimmende Gefängnisse, in welche die Gewinnsucht Weiße und Schwarze auf lange Monate einkerkert. Zu allem anderen ist auch noch das Wasser des Flusses so ungesund, daß selbst die Eingeborenen es nur nothgezwungen genießen. Das Hull der englischen Kauffahrteigesellschaft ist ein monumentaler Bau; es ist eine mehrstöckige Festung, die von einem Capitäne beschirgt wird, dessen Cabine das riesige Gebäude krönt. Dieser Schiffsrumpf ist der Versammlungsplatz aller Einwohner des neuen Venedig, und auf ihm können sie für einige Stunden vergessen, daß sie eigentlich ein Leben wie auf den Galeeren führen. Was thut man mit allem? aus Liebe zum Gelde!

„Am ersten Sonntage nach unserer Abreise besuchten wir die Dörfer am Ufer des Bonny. Die Leute haben ein wildes Ansehen, und man nennt sie sogar Kannibalen. Die Weiber rasiren den Kopf; ihre Gesichtszüge gleichen kennen der Volksstämme, welche ich bis dahin sah. Männer wie Frauen haben dieselbe höchst mangelhafte Bekleidung: ein buntschecktes Lenden- und Schultertuch; fast niemand trägt das ‚Tscholoto', die bei den Eingeborenen sonst übliche Mütze, wahrscheinlich aus irgend einem abergläubischen Vorurtheile; ich könnte mir sonst nicht erklären, weshalb sie keine Kopfbedeckung tragen wollen.

„Inzwischen nahm das Schiff, das uns nach Braß bringen sollte, seine Ladung ein. Am Montag lag unser Fahrzeug neben dem großen Hull. Da sahen wir gegen 8 Uhr morgens am Horizonte ein Dutzend Piroguen auftauchen, welche mit 10, 20, 50 Sklaven bemannt waren. Sie kamen mit fliegenden Fahnen näher. Bald hörte man das schrille Pfeifen der Ruderer, welche im Tacte die Ruder einsetzten und die Kähne mit schwindelerregender Schnelligkeit vorantrieben. Im Nu stiegen die Häuptlinge von Neu-Calabar und Bonny an Bord des Hulks, wo sie eine Zusammenkunft hatten. Eine Besprechung sollte stattfinden; trotz der Verträge mit dem englischen Consul waren zur Schädigung des Handels aufs neue Feindseligkeiten ausgebrochen. Der englische Consul sollte man entscheiden. Während die kriegführenden Häuptlinge zusammen verhandelten, übten sich ihre Piroguen in einem sehenswerthen Kampfspiele. Kahn um Kahn fuhren um die Wette miteinander von unserem Schiffe bis ans Ufer. Wie sie sich anstrengten, den Gegner zu überholen! Wie sie Kraft und List aufboten! Das Schauspiel gab uns eine Idee von der Gewandt-

heit dieser afrikanischen Krieger; jede dieser Kriegspiroguen hatte ein oder zwei Verdecke, auf denen Kanonen und selbst englische Mitrailleusen aufgepflanzt waren. Diese hadernden Brüder können sich also eigentliche Seeschlachten liefern. — Inzwischen hatte der englische Consul den Frieden hergestellt; als praktischer Mann verpflichtete er die eine der beiden Parteien zu einer Abgabe von 200 und die andere von 70 Tonnen Palmöl an seine Regierung und verurtheilte auch noch einen abwesenden Häuptling zu einer ähnlichen Strafe. Der also abgeschlossene Friede mußte noch befiegelt werden, und die Häuptlinge beschlossen, daß gleich nach der Landung in Gegenwart der versöhnten Feinde ein Thier geschlachtet werde, in dessen Blut jeder der Reihe nach sein Stück Ignamenwurzel eintauchen und nach den üblichen Schwüren genießen solle.

Braß.

Auf diese Weise wird „ewiger‘ Friede geschlossen, bis sich die Gelegenheit zu einem neuen Feldzuge bietet. Ganz ähnlich erfolgt die Besiegelung einer Privatfreundschaft; Opferblut ist dabei eine unerläßliche Ceremonie. Jedes Negerdorf hat zwei Parteien: diejenige des Häuptlings und diejenige seines Nebenbuhlers. Daraus entstehen zahllose Streitigkeiten. Der Häuptling hat manchmal Unterthanen, welche durch die Zahl ihrer Weiber und Sklaven und durch die Verbindung mit dem Nebenbuhler mächtiger sind als er selbst; wenn er dann einem solchen Manne einen Befehl ertheilt, so kann er leicht zur Antwort bekommen: „Was willst du von mir, und was kannst du mir anhaben? Ist dir die Zahl meiner Weiber unbekannt? Hast du meine Piroguen gezählt?‘‘

„Wir verließen Bonny an Bord des ‚Dodo‘ und liefen nach einer Tagereise in den Braß ein, wo wir angesichts der zahl-

reichen europäischen Niederlassungen, welche längs des linken Flußufers liegen, vor Anker gingen. Wir hatten darauf gerechnet, sofort nach dem obern Niger abreisen zu können; aber zu unserm Glücke war der ‚Adamawa‘ schon abgedampft. Zu unserm Glücke, sage ich; denn dieses Schiff stieß, wie wir später hörten, vier Tagereisen oberhalb Braß mit einem andern Dampfer zusammen, und zwar so gewaltig, daß beide Schiffe sofort sanken und die Passagiere nur das nackte Leben retten konnten. Alle unsere Reisevorräthe wären in den Wogen des Niger begraben, wenn wir nicht glücklicherweise dieses Schiff verfehlt hätten. Freilich mußten wir nun vom 10. bis zum 22. October in Braß liegen bleiben. Während dieser Zeit regnete es fast ununterbrochen vom Morgen bis zum Abend, so daß wir wenig Gelegenheit hatten, die Gegend zu durchstreifen. Das Land ist flach und sumpfig; man kann keine hundert Schritte gehen, ohne in irgend einem Pfuhle zu versinken; auch für die europäischen Faktoreien am linken Ufer bildet der Strom selbst die einzige Verbindungsstraße. Die Faktoreien führen Tauschwaaren aller Art ein; der Verkehr ist ziemlich lebhaft; unter anderem ist Salz ein gesuchter Artikel. Noch vor einem Dutzend Jahren war Salz unter den Leuten am Niger ein Luxusartikel: ein Mann, der Salz brauchte, galt für eine Art Rothschild. Die meisten Faktoreien treiben nur in Braß selbst Handel; es lohnt sich auch nicht der Mühe, die benachbarten Dörfer aufzusuchen. Die mächtigeren Häuptlinge von Braß, welche auf ihren Einfluß und Gewinn eifersüchtig sind, haben sich den Handel mit der Umgegend vorbehalten; ihre Kähne streifen zwei bis drei Tagereisen weit in allen Richtungen und bringen das Palmöl nach Braß zum Verkaufe. In den letzten Wochen hatte es ein Händler trotz aller Warnungen und trotz der ausdrücklichen abschlägigen Antwort, welche ihm die Eingeborenen gaben, gewagt, an einer Stelle der Warimündung eine Faktorei zu bauen. Das ist ihm schlimm bekommen. Am 15. October kam nach Braß die Kunde, das Gebäude sei eingeäschert und seine Bewohner seien erschlagen. Das kann einen Begriff davon geben, wie wild die Stämme sind, welche hier und dort am Unterlaufe des Niger zerstreut hausen.

"Unser gezwungener Aufenthalt war sehr eintönig. Wir brachten die Zeit mit Studium und Gebet zu, forschten nach den Verhältnissen der Gegend und ließen von unserer Veranda aus den Blick nach den vielen Waldschnepfen schweifen, welche wir in einiger Entfernung erblickten. Endlich kam der „Cape", ein Dampfer der französischen Gesellschaft. Seine Flanken waren mit einer schweren Ladung von Elfenbein und Palmöl gefüllt. Er löschte seine Ladung und nahm dafür eine neue ein: Salz, Zeuge, Pulver, Flinten, Glasperlen, Kupferdraht, und endlich, nachdem noch einige Ausbesserungen, deren das Schiff bedurfte, unsere Geduld auf eine neue Probe gestellt hatten, trat der „Cape" seine Fahrt den Niger aufwärts an. Schiffskapitän ist ein Mr. Palmer aus Sierra Leone, der uns freundlich aufnahm. Rasch durchschnitt der Dampfer den Braßfluß, steuerte bald in den Niwora, einen andern Hauptarm des Niger, und erreichte in einigen Stunden Akassa, wo die wichtige Handelsstation der englischen Gesellschaft steht. Dort hat der Nun, der mittlere Abfluß des Stromes, eine Breite von 1800 m; seine Wasser fließen majestätisch einher und ergießen sich mit dem dumpfen Donner eines fernen Gewitters in den Ocean."

2. Flußfahrt auf dem Niger.

„Wir durchfuhren einen ausgedehnten Wasserspiegel, aus welchem die Wipfel der Mangrovebäume zahlloser überschwemmter Inseln hervorschauten. Der Mangrowe- oder Mauglebaum erreicht hier eine riesige Größe und bereitet der Schiffsfahrt große Hindernisse; nur mit der äußersten Vorsicht fanden wir unsern Weg durch das Wirrsal dieser überfluteten Eilande und gewannen einen Stromarm, dessen Breite uns mit Staunen erfüllte. Man sagte uns aber, das würde in einigen Tagen ganz anders werden. Inzwischen übernahmen die Moskitos die Aufgabe, unsere Begeisterung herabzustimmen; diese Stechmücken ließen uns bei Tag und bei Nacht keine Ruhe. Die Flußufer wurden bald seicht und einförmig. Einige Pirogen begegneten uns, welche mit dem Strome der Mündung zutrieben; die Schiffer hatten ein wenig Vertrauen erweckendes Aussehen. Auf dem rechten Ufer erblickten wir einige Dörfer, deren Einwohner ängstlich alle unsere Bewegungen beobachteten. „Ein gebranntes Kind scheut das Feuer", sagt das

Sprichwort; sie denken offenbar an die Züchtigung, welche sie sich früher einmal durch ihre Feindseligkeit zugezogen. Im Jahre 1876 brannten ihnen die Engländer zur Strafe für verschiedene Grausamkeiten, welche sich diese Neger gegen englische Händler zu Schulden kommen ließen, mehrere Dörfer nieder. Die Eingeborenen sehen eben höchst ungern die Weißen sich in ihrer Mitte niederlassen und den Handel, den ihre Häuptlinge vorher allein betrieben, an sich reißen.

„Der Dampfer hielt zuerst beim Dorfe Abo, wo eine französische Faktorei ist, befuchte dann die Faktorei Odagiri und ging am Abend bei Ogu, einem unbedeutenden Weiler, für die Nacht vor Anker. Ein Beamter der dortigen Faktorei hatte die Rechnungsbücher gefälscht und wurde nun seines Postens enthoben und als Gefangener an Bord gebracht. Am nächsten Tage erblickten wir der Reihe nach die Faktoreien von N'Doni, Abragada, Tschaland und Athany. Die Ufer sind zu seicht, als daß der Dampfer landen könnte. Waaren wurden ein- und ausgeladen, und als die Sonne hinter dem Horizonte verschwand, erblickten wir Ontischa, das erste bemerkenswerthe Dorf am linken Ufer des Niger.

„Ontischa (Onitcha) liegt einige Meter über dem Wasserspiegel des Flusses und zählt mehrere bedeutende französische Faktoreien. Hier trafen wir einen ‚Königssohn‘ von Sierra Leone, dessen Bekanntschaft wir nach ‚Loando‘ gemacht hatten. Er lud uns in seine Wohnung ein, und wir wohnten einem Feste bei. Eine Schaar Frauen und Mädchen führten zu Ehren unseres Gastgebers einen einfachen Tanz auf, während die Männer, getrennt von ihnen, rauchten, tranken und sich unterhielten. Der Herr ließ sogar uns zu Ehren einen Kanonenschuß abfeuern und nöthigte uns beim Abschiede als königliches Geschenk ein Schaf auf.

„In der Frühe des nächsten Morgens stiegen wir ans Land, um uns die ‚Stadt‘ anzusehen. Es ist aber nicht leicht, sich eine richtige Vorstellung von ihr zu machen. Man müßte eine Woche oder noch länger bleiben können. Jedes größere Haus, jeder Stadttheil liegt in Mais- und Bananenpflanzungen verborgen. Der ganze bedeutende Ort ist eine weite, hochgelegene, mit zahlreichen Bauerngehöften besäete Ebene, die in dem üppigen Wachsthum wie begraben liegen. Man hält die Eingeborenen — ob mit Recht oder Unrecht, lasse ich dahingestellt — für sehr gewaltthätige und blutdürstige Menschen und erzählt von ihnen schauderhafte Beispiele von Menschenfresserei; nach ihrem rohen, thierischen Aussehen zu urtheilen, ist man nicht zu geneigt, solchen Berichten Glauben zu schenken.

„Am Abende besuchten wir das Dorf Allan, welches mit seiner schönen Faktorei von hohen Bäumen beschattet wird, und gingen dann bei Hikitu vor Anker, einem ziemlich bedeutenden Orte, dessen Hütten in riesigem Graswuchse versteckt liegen. In der Ferne leuchtete eine Hügelkette auf, welche wir am Mittag des folgenden Tages erreichten. Hin und wieder unterbrachen Berghügel von verschiedener Höhe die einförmige Landschaft, welche wir fünf Tage lang durchreisten. Stellenweise laufen die Höhenzüge dem Strome parallel und treten näher heran, von ihnen zweigen sich höhere Bergketten ab, welche sich von Nordwest nach Südost ziehen. Es ist das Kong-Gebirge, welches die Wasserscheide zwischen dem Niger und den zahlreichen Flüssen bildet, die sich an der Sklaven-, Gold- und Elfenbeinküste in den Ocean stürzen. Das Gebirge senkt sich gegen Süden, setzt aber auch jenseits des Niger seine Kette fort und hat bei Old-Calabar seine letzten Ausläufer. Der Strom hat sich quer durch diese Berge sein Bett gesprengt und braust in einer engen, tiefen Schlucht auch zur Zeit der Dürre an den steilen Ufern vorüber. Der Anblick dieser Berge, deren Fuß von üppigem Pflanzenwuchse umkränzt ist, bietet unserem Auge ein erwünschtes Schauspiel. Auf den Höhen stehen nur wenige Bäume; aber hin und wieder ein Busch tauscht den Blick über ihre Kahlheit und bringt eine malerische Wirkung hervor. Am Fuße der Berge breitet sich eine von niedern Hügeln durchzogene Ebene mit volkreichen Dörfern aus, die sich manchmal hinter einer Bodenwelle halb verstecken; ihre runden, mit zuckerhutförmigem Dache bedeckten Hütten geben ihnen das Ansehen eines Zeltlagers. Im ganzen ist die Landschaft doch etwas zu kahl: selten ein schöner Baum, selbst die Büsche oft verkrüppelt, dazwischen dunkle Felspartien, entblößte Höhen, spitze Bergzacken und steile Felswände: das sind die Hauptzüge des ernsten Bildes. An mehr

als einer Stelle hat sich der Niger durch die Felsen einen Weg gebahnt, der aussieht, als ob er von Menschenhand gemeißelt wäre. Diese Engpässe machen den Flußlauf reißend und die Schifffahrt gefährlich. Obschon bei der gegenwärtigen heißen Jahreszeit der Wasserstand bedeutend gefallen ist, so war die Strömung doch immer noch sehr reißend. Wehe dem unkundigen Schiffer, der sich in diesen Strudel hineinwagte! Sein Kahn würde bald an einer Klippe scheitern oder auf einer Sandbank festsitzen. Aber hier ist jedermann ein geborener Schiffer, und das ist nicht zu verwundern, wenn man weiß, wie die Negerinnen ihre Kinder erziehen. Noch ist der Säugling kaum drei Tage alt, und schon trägt ihn die Mutter in den Strom, taucht ihn bis an den Hals unter, legt ihn auf den Rücken und läßt ihn einigemal Flußwasser

Das Dorf Latobscha am Niger. (S. 362.)

schlucken. Dank dieser rauhen Erziehung werden alle Uferbewohner des Niger frühzeitig gewandte Schwimmer und Ruderer und später, wenn die Gelegenheit sich bietet, kühne Flußpiraten. Die Weiber und jungen Mädchen stehen dabei den Männern in nichts nach. So oft uns eine Pirogue begegnet, die ein junges Mädchen an Bord hat, so führt immer dieses das Steuerruder; überhaupt überlassen die Männer den Weibern sehr gerne die Mühe des Ruderns. Dafür dürfen die Weiber sich manches herausnehmen, was wir den Frauen nicht erlauben, so z. B. rauchen sie wie die Türken. Ihnen fällt aber auch die beschwerlichste Arbeit beim Feldbau, der nicht minder anstrengende Transport des Palmöls und der Pflanzenbutter, das Stromaufwärtsrudern zur Last, und diese harte Arbeit hat sie zu halben Mannsleuten gemacht und jede

Weiblichkeit in ihnen erstickt. Statt der schönen Gewebe, mit denen sich die reichen Frauen von Lagos und Abeokuta bekleiden, bedecken sie sich mit einigen schmutzigen und schlecht zusammengenähten Fetzen. Doch haben hochgestellte Damen auch hier am Niger ihren Schmuck. An verschiedenen Orten trafen wir vornehme Negerinnen, welche man zur Kettenstrafe verurtheilt nennen könnte. Sie tragen an den Füßen glänzende Ringe von Elfenbein; jeder dieser Ringe hat ein Gewicht von 6—7 Pfund. Nur mühsam können sie gehen: die Beine sind angeschwollen, die Knöchel wundgerieben und schmerzen bei jedem Schritte; aber trotzdem trennen sie sich nicht von diesem lästigen Gewichte und prunken mit diesem Staate.

„Am 28. October erreichten wir das große Dorf Igbebe, welches am linken Ufer des Niger steht. Die französische Faktorei daselbst

Spillmann, Rund um Afrika. 2. Aufl.

46

hat eine prächtige Lage auf der Höhe eines Felsens, welcher den Strom beherrscht. Wir trafen daselbst freundliche Leute und, Gott sei Dank, fanden wir an, ihre Sprache zu verstehen. Das sind nicht mehr die Barbaren von der Nigermündung mit ihren rohen und gemeinen Gesichtszügen. Ab und zu erblicken wir auch einige Mohammedaner, doch sind sie glücklicherweise noch nicht zahlreich. Auch hier sind die Hütten rund, die Gassen kaum einen Schritt breit, und wenn Feuer ausbricht, ist an kein Löschen zu denken.

„In dunkler Nacht erst trafen wir in Lakodscha ein, einem durch seine Lage bedeutenden Dorfe am Zusammenflusse des Benue mit dem Niger. Der Ort liegt auf dem nordöstlichen Hange eines Hügels und ist von einem reichen Pflanzenwuchse umringt. Dattela, Palmen, Orangen- und Feigenbäume giebt es viele und sonst noch eine Menge Obstbäume voll saftiger Früchte. Weinreben wachsen

wild und würden unter der Pflege geschickter Winzer wahrscheinlich köstliche Trauben reifen. Lakodscha hat eine ebenso malerische als vortheilhafte Lage; es ist der Mittelpunkt des Nigerhandels, ein Stapelplatz für Waaren sowohl als Kohlen und Holz zur Heizung der Dampfer; es bietet einen freundlichen und belebten Anblick. Da aber die Mehrzahl der Einwohner Mohammedaner sind, so hätte eine Missionsstation daselbst wenig Aussicht auf Erfolg. Die Leute haben sich nur der Faktoreien wegen angesiedelt; der Missionär müßte sich auf der andern Seite des Flusses in dem starkbevölkerten heidnischen Dorfe niederlassen. Die Einwohner lieben den Handel und betreiben die Ausfuhr von Palmöl und Elfenbein. Auch verstehen sie die Weberei, arbeiten aber mit ganz plumpen und unvollkommenen Webstühlen, und schmieden das Eisen. Ferner wird Schafzucht und Geflügelzucht im Lande betrieben.“

Kano. (S. 368.)

3. Fahrt auf dem Benue und Ueberblick über die Haussaftaaten.

„Wir verließen Lakodscha am Abend des 29. October, um weiter nach Osten vorzudringen, und schifften den Benue (oder Binue) aufwärts. Trotz der vorgeschritteneren Jahreszeit war der Wasserstand noch ziemlich hoch und die Strömung reißend. Die Ufer sind im allgemeinen ziemlich niedrig; in der Ferne sieht man Höhenzüge, von denen das Auge aber nur die Umrisse erkennt. Das Land ist ziemlich waldig; doch ist die Palme selten; erst in der Nähe von Lolo tritt sie häufiger auf. Je mehr wir vorandringen, desto zahlreicher werden die Sandbänke und die mit hohem Grasmwuchse bestandenen Inseln, welche zahlosen Vögeln zur Wohnung dienen. Bei unserm Nahen fliegen Schwäne, Enten und Pelikane auf, welche sich auf den Wellen des Stromes tummelten.

„Am Nachmittage des 1. November erreichten wir Lolo, welches etwa 100 km von Lakodscha auf dem rechten Ufer des Benue liegt. Die ganze Einwohnerschaft strömte am Ufer zusammen; denn seit Monatsfrist war kein so reich beladenes Schiff in diesem Hauptmarkte für den Elfenbeinhandel mehr eingetroffen. So drängten sich die Leute förmlich herbei, um die zahlreichen und schweren Zeugballen, welche als Tauschgeld dienen, in die Faktorei zu schaffen. Man müßte mehr als schmeicheln, wenn man sagen wollte, die Einwohner hätten ein gewinnendes Aeußere. Die Leute starren vor Schmutz und sind trotz ihrer vielfachen Waschungen — sie sind der Mehrzahl nach Mohammedaner — wahre Musterbilder von Schmierfinken. Ihre Kleider duften nach einer Art Moschus, und dieser Duft zusammen mit der ganz eigenartigen Ausdünstung der Neger giebt einen Geruch, den europäische Nasen kaum erträglich finden. Die arabischen Kapuzengewänder dieser treuen Söhne des Propheten werden höchst selten gewechselt, wie man auf den ersten Blick an den zahlreichen Rissen und Flecken sieht. Mit langen Stöcken, einer Art Schäferstäben, schritten die Greise ernst auf uns zu, grüßten uns im Namen Allahs und schmückten ihre Litanei von Begrüßungsformeln mit manchem Lobspruche des Propheten.

„Die Stadt Loto mag 5000—6000 Einwohner zählen. Der König ist ein Vasall des Sultans von Sokoto; augenblicklich befand er sich in Loto, um Rekruten auszuheben. Er ist ein junger Mann mit einem tollen, aber klugen Gesichtsausdruck; man rühmt ihm prompte Bestrafung des Diebstahls nach. Diebstahl mit erschwerenden Umständen wird, wie in Abeokuta, mit dem Tode bestraft;

für einfachen Diebstahl büßt der Schuldige das erste Mal mit dem Verluste der rechten Hand, beim Rückfalle verliert er auch die Linke, und wenn er nochmals ertappt wird, den Kopf.

„Auf unserm Gange durch die Stadt trafen wir ziemlich geräumige Plätze. Dort saßen viele mohammedanische Müßiggänger auf ihren Schaffellen und drehten ohne Ende die Betschnüre zwischen ihren Fingern. Die französische Faktorei ist meines Erachtens der bedeutendste Bau in Loto. Ueber der Thüre ragt ein großes Kreuz. Beim Markte erblickten wir auf einem Pfahl den noch blutenden Kopf eines Bandenführers, den der König enthaupten ließ, nachdem er ihn zuvor in Ketten nach allen Orten hatte führen lassen, wo derselbe seine Helden-

Eine Fähre über den Niger.

thaten verübt. Als wir den Kopf des berühmten oder berüchtigten Führers anschauten, trat der Henker des Königs auf uns zu und redete uns an. Er ist ein schöner, schlanker Neger und hat durchaus nichts Grausames oder Wildes in seinem Wesen, ohne daß man sich sonst einen afrikanischen Henker nicht leicht vorstellt. Er lachte sogar, bat uns denn aber, wie alle seine Landsleute, um eine Gabe, indem er versprach, er wolle gelegentlich mit Erlaubniß des Königs die Diebe unserer Nachbarschaft hinrichten."

Wir sind auf unserer Flußfahrt auf dem Niger und Benue in die Länder des westlichen Sudan eingedrungen und wollen uns eine gedrängte Uebersicht über dieselben zu verschaffen suchen, bevor wir den beiden Missionären weiter folgen.

Die Stadt Loto am Benue, wo wir uns befinden, gehört, wie oben erwähnt, zum Reiche Sokoto, das einen Flächenraum von über 500 000 qkm und etwa 17 Millionen Einwohner hat. Es grenzt im Osten an das Reich Bornu am Tsadsee, das wir bereits besucht haben, im Süden an den Benue und an das kleinere Reich Nupe, in welchem der Zusammenfluß von Niger und Benue stattfinden, im Westen endlich an die Fellatareiche, die wir vom Senegal aus besuchen werden. Die jetzige Hauptstadt ist Wurno an der Nordgrenze mit etwa 30 000 Einwohnern, in der Nähe der alten Hauptstadt Sokoto. Sie wird aber an Größe und Bedeutung für den Handel von vielen anderen Städten übertroffen. So hat z. B. Jakuba 150 000 Einwohner, Gando 70 000 Einwohner, und Kano ist der Mittelpunkt des Handels der Länder am mittlern Niger.

46*

Wenn wir von Lolo noch etwa 600 km den Benue strom= aufwärts fahren, so treffen wir Jola, die Hauptstadt des Reiches Adamaua, das im Norden und Osten an die uns schon bekannten Länder Bornu und Bagirmi grenzt. Seine übrigen Grenzen sind noch nicht bekannt; doch wird sein Flächenraum auf 130 000 qkm angegeben. Sokoto und Adamaua bilden die sogenannten Haussa= staaten. Ein bedeutender Theil von Adamaua und den Nachbar= ländern wird nach den neuesten Verträgen als zu Kamerun gehörendes deutsches Schutzgebiet betrachtet, während England fast ganz So= koto beansprucht. (Vgl. die Karte.)

Die Haussaneger haben die eigentlichen Merkmale der Neger am reinsten beibehalten von allen Stämmen, welche die Länder des mittlern Niger bewohnen; auch durch ihre geistigen Fähig= keiten sind sie den Nachbarvölkern überlegen. Etwa ein Drittel

der Bevölkerung hat den Islam angenommen. Der herrschende Stamm aber sind die Fellata, welche den Islam auch hier mit der Schärfe des Schwertes ausbreiteten und mehr nach Westen, südlich von der Stadt Timbuktu am obern Niger, das Reich Massina oder Moossina gegründet haben.

Wir folgen nun den beiden Missionären in das Reich Nupe (Nufe), welches ebenfalls zu den Haussastaaten gehört. Nupe mag 60 000 qkm Flächenraum haben. Bida, seine Hauptstadt, wollen wir besuchen. Sie liegt etwa 30 deutsche Meilen stromaufwärts von der Stelle, wo der Niger den Benue aufnimmt, nicht sehr weit nördlich von dem großen Strome.

Bis zum Dorfe Wanagi an einem nördlichen Nebenflusse des Niger legten die zwei Missionäre ihre Reise zu Schiff zurück. Dort erwarteten sie Träger und Pferde, welche ihnen der König oder

Timbuktu.

Sultan von Bida entgegenschickte. Lassen wir um P. Holley den Empfang, der ihnen zu theil wurde, und die Erlebnisse der Mis= sionäre daselbst erzählen:

4. Die Stadt Bida.

„Die Sonne stieg am Horizonte empor. Bald mußte die Hitze auf der kahlen Ebene, welche wir zu durchziehen hatten, unerträglich werden. Nur selten spendet ein einsamer Baum etwas Schatten. Zu beiden Seiten des Piades, der als Fußweg und Reitweg dient, befinden sich Pflanzungen von Sorgo, der eine fabelhafte Höhe erreicht, und von einer Hirseart, die von den Ein= geborenen Gero genannt wird. Von Wanangi nach Bida geht eine ununterbrochene Procession von Trägern beständig hin und her. Wir begegneten langen Reihen von Sklaven, welche Potasche,

schöne Thierfelle und unglaubliche Massen von Pflanzenbutter trugen. Als wir in Sicht der Stadt kamen, erblickten wir zahl= reiche Heerden von Hornvieh und meistens weißen Schafen. Die Kühe und Stiere haben das Eigenthümliche, daß sie auf dem Rückgrate einen mit einem stark riechenden Fette angefüllten Höcker tragen: mit diesem Fette parfümiren sich die Eingeborenen in einer Weise, daß es europäischen Nasen ein Greuel ist. Da lag nun also die große Hauptstadt Bida auf dem Abhange eines Hügels vor uns. Sie bildet einen scharfen Gegensatz zu der kahlen Ebene. Sie macht aus der Ferne mit ihren Bäumen den Eindruck eines großen Gartens, in dem hier und dort zerstreut die Hütten der Einwohner liegen. Das Ganze ist von einer hohen Mauer und weitläufigen Bollwerken umschlossen, die wahrscheinlich zu ihrer Zeit sehr fest waren, deren schlecht angebrachte Zinnen aber jetzt dem Einsturz drohen.

„Es war 10 Uhr, als wir am Ostthore eintrafen. Nahe bei diesem Thore ist der lärmende Markt, wo die Sklaven, welche nach Wanangi gehen oder von dort kommen, Lebensmittel erhalten. Jeder Krämer schreit die Waaren in seiner eigenen Melodie aus; aber im allgemeinen herrscht ein näselnder Ton vor. Während wir unseres Weges zogen, beobachteten wir die Bevölkerung; Gestalt und Gesichtszüge waren ganz verschieden von den Eingeborenen, welche wir bisher getroffen hatten. Nach 20 Minuten ließ uns der Führer in ein großes Haus eintreten; wir hatten mehrere Räume zu durchschreiten und standen endlich vor einem hochgewachsenen Mohammedaner, dessen milder Gesichtsausdruck und honigfließende Worte auffallen. Man sagte uns, das sei der Großceremonienmeister und Oberhofmeister des Königs Maliki. Er empfing uns sehr freundlich, bot uns den herzlichsten Willkomm von seiten des Fürsten und versicherte uns, wir würden mit der Gastfreundschaft, die man uns bereite, zufrieden sein. Dann beurlaubte er sich, um für unsere Wohnung und Verpflegung zu sorgen; denn auch dieses Amt liegt ihm ob, weil er als Großalmosengeber für die Pilger und Reisenden zu sorgen hat.

„Bald begaben wir uns zum Könige. Beim Eintritte in den Palast kamen wir in eine sehr große runde Halle, in welcher Höflinge und Frauen auf Matten gelagert ruhten, wahrscheinlich das Dienstpersonal des Hofstaates. Dann durchschritten wir einen geräumigen, sehr reinlichen Hofraum, dessen Boden Versuche von Mosaikbildern zeigte, welche mit einheimischen und europäischen Topfscherben hergestellt waren. Nach einer zweiten runden Halle

Der König Maliki und seine Minister.

erreichten wir den Hof der Leibwache und endlich den sogenannten Ehrenhof, in welchem sich der König befand. Maliki lag vor der Thüre seines Zimmers auf einer landesüblichen Matte nachlässig hingestreckt; die Hand ruhte auf einem mit Arabesken reich gestickten Kissen, den Fuß hatte er auf einen Schemel gesetzt, welchen ihm die französische Faktorei geschenkt hatte. Sonderbare Stellung eines Herrschers! aber ein arabischer Fürst sieht in derselben durchaus nichts Ungeziemendes. Maliki mag 40—45 Jahre alt sein; er ist wohlbeleibt, hat einen kahlgeschorenen Kopf und nur am Kinne eine spärliche Bartlocke. Bei unserm Eintritt erhob sich eine herkulische Gestalt, ich glaube der Kriegsminister, und räumte uns seinen Platz ein. Wir berührten leicht die Hand des Königs, wie es die Sitte will; dann ließ sein Mund alle Segenssprüche der Haussasprache über uns regnen; es wollte gar kein Ende nehmen, und wir mußten bei all diesen Anrufungen des Himmels unzählige Male ‚Amen‘ antworten. Nun übergab man während der Audienz unseren arabischen Empfehlungsbrief; er las ihn wieder und wieder; wenigstens schien er so zu thun, denn er heftete zwanzig lange Minuten sein Auge auf das Schriftstück. Endlich ließ er den Hofschreiber kommen, und dieser las den Inhalt desselben dem Könige, den Räthen und Räthinnen mit halblauter Stimme vor. Der König schien sehr befriedigt; er versicherte uns wiederholt seines Wohlwollens, und als wir uns entfernten, erhielten wir einen Korb voll Hühner und zwei ungeheure Platten Brei mit einer landesüblichen Brühe. Um 1 Uhr entließ uns der König. Einige seiner Hofleute gaben uns das Geleit und halfen uns bei der Einrichtung des uns zugewiesenen Hauses. 20 Sklaven des Königs arbeiteten eine Stunde lang an einem Mattendache, das uns wohl gegen die Strahlen der Sonne, nicht aber gegen ihre Glut beschützen konnte. Bei Tage erstickte man fast, während man bei Nacht fror. Abends ließ sich der König durch einen Abgesandten nach unserm Befinden erkundigen. P. Chausse erwiederte diese Höflichkeit durch ein Geschenk, wie unsere Armuth es erlaubte; es wurde sehr gut aufgenommen, und die französischen „Marabuts" fanden Gnade in den Augen Seiner königlichen Majestät.

„Am nächsten Morgen erstatteten wir den Besuch der Hofleute, welche uns der Reihe nach begrüßten. Wir ließen es an Höflichkeit nicht fehlen; das ist die wohlfeilste Art, sie zufriedenzustellen. Alle tragen hochtrabende Titel, alle sind von Adel, Söhne des Königs oder zum mindesten General. Diese Mohammedaner halten sich für eine ganz besondere Rasse unter den Negern; sie behaupten, sie seien ich weiß nicht aus welchem Himmel herabgestiegen, und wollen mit den gewöhnlichen Menschenkindern nichts gemein haben. Jeden Augenblick drängten sich neue Besuche ein, groß und klein, die ganze Stadt. Die Häuptlinge schmeichelten uns, die Armen bettelten, Musikkünstler spielten in allen Tönen, Tänzer verdrehten ihre Beine, gefallsüchtige Mädchen umschwärmten uns. Die eine bat um einen Ring, die andere um einen Fetzen rothes Zeug zu einer Stirnbinde. Die Weiber zeigten uns ihre Kinder, um so unser Wohlwollen zu gewinnen u. s. w.: mit allen Schätzen der Welt hätten wir diese Bettler kaum zufriedenstellen können.

„Am Abende machte P. Chausse dem Könige einen Besuch; er wurde sehr höflich empfangen. Auf die Entschuldigung, daß wir ihm kein besseres Geschenk anbieten könnten, erwiederte der Fürst, er sei vollständig befriedigt, und wir müßten ja unsere Habe sparsam verwalten, da es unseres Berufes sei, jedermann zu unterstützen. Das war für einen geizigen Sohn des Propheten alles Lobes werth.

„Er war uns auch beim Ankaufe zweier guter Reitpferde behülflich; die Sirte nannten wir Biba, den stolzen Renner Krumir. Wir stiegen am Abende noch zu Pferde, um uns die Stadt anzusehen; aber der entsetzliche Staub in den Straßen trieb uns aufs offene Feld hinaus. Während der Nacht sank die Temperatur so stark, daß P. Chausse einen tüchtigen Schnupfen, ich selbst Fieber und heftige Ohrenschmerzen bekam. Doch konnte ich mich nicht entschließen, zu Hause zu bleiben. Schon mit den ersten Sonnenstrahlen waren wir auf und wollten uns zu Pferde die Stadt ansehen. Vor den Moscheen lauerten einige fromme Muselmänner und sangen das Morgengebet. Die Blinden, deren es eine unglaubliche Zahl gibt, bildeten in langer Reihe in der Hauptstraße vom Markte bis zum königlichen Palaste Spalier; die Kranken, die Lahmen, die Aussätzigen hatten ihre gewohnten Plätze ein, an denen sie die reichen Mohammedaner im Namen Allahs um eine milde Gabe bitten. Wie viel Gutes könnte die christliche Liebe inmitten so großen Elendes thun! Die ersten Marktweiber zündeten da und dort ihre kleinen Oefen an, auf denen bald in Oel oder Pflanzenbutter Reiskugeln und Sorgohkuchen schmoren werden. Auf Ochsenhäute und zierliche Hausmatten nachlässig hingestreckt, zogen die mohammedanischen „Frommen" an ihren Gebetschnüren, während sie gleichzeitig den neuesten Stadtklatsch und das Wohl und Wehe der Mitmenschen eingehend verhandelten. Namentlich um die kleinen Bäche, welche die Stadtviertel trennen, drängten sich trotz der frühen Stunde Schaaren; es war die Zeit der ersten Waschung, und alles eilte lärmend und schreiend zu dem Wasser, das man während der Nacht etwas zurückgestaut hatte. Sänger und Trommler, welche hier den Morgenruf zum Gebete besorgen,

zogen in Banden durch die Stadt, um den Reichen, die noch im Schlummer lagen, den Segen des Himmels und namentlich der Erde anzuwünschen. Als sie an uns vorüberkamen, begrüßten sie auch uns mit ihrem näselnden Gesang und mit Trommelschlag. Die Weber begaben sich in ihre Werkstatt, die Feldarbeiter auf die Aecker. Im königlichen Palaste gingen die Hofleute schon geschäftig aus und ein; der große Platz davor stand voll reich geschirrter Pferde, welche feurig umhertanzten und doch jedem Winke der kühnen Reiter in ihrem Sattel gehorchten. Eine Truppenschau sollte stattfinden. Wir beeilten uns, um den Vorbeizug der Streitkräfte des Königs Maliki nicht zu versäumen.

„Während die übrigen Märkte ziemlich leer waren, stand der Viehmarkt voll Hornvieh und Schafe, und rings um die Thiere drängten sich die mohammedanischen Metzger. Mit wachsendem Eifer stritten sie sich um die Preise und zeigten dabei mit ihren Stöcken auf das Thier, um welches sie feilschten. War man handelseinig, so fesselte der Metzger mit einer wilden Geberde die weiten Aermel seines Kleides zurück, acht oder zehn Sklaven faßten den Stier, banden ihm einen Strick um die Hörner und die Hinterbeine, schleppten ihn ein wenig zur Seite und warfen ihn in den Staub; dann drehte ihm der Obermetzger den Kopf nach Osten und schnitt ihm unter genauer Beobachtung sehr eingehender Vorschriften die Kehle ab. Das Freudengeschrei von Weibern und Kindern und das ängstliche Brüllen der Stiere begleitete diese Handlung.

„Einige Schritte von den Thieren entfernt erblickten wir drei oder vier Reihen ziemlich gut gekleideter junger Neger, dazwischen Mädchen und alle Weiber, denen die Last der Jahre den Rücken gekrümmt hatte. Es mochten wohl 300 Sklaven in diesem Theile des Marktes zusammengepfercht sein. Wenn man diese Unglücklichen lachen und plaudern hörte, so hätte man nicht meinen sollen, daß dieselben wie unvernünftige Thiere eines Käufers harrten. P. Chausse wollte einen dieser unglücklichen Knaben freikaufen und ließ sich mit dem Sklavenhändler in's Gespräch ein. Seine Wahl fiel auf einen jungen Menschen, der eine gar traurige Miene machte. Aber der Knabe erhob beim Anblicke des weißen Mannes ein solches Angstgeschrei, daß wir unsere Absicht aufgaben. Einige Monate früher hatte P. Chausse in Dahome einen Negerknaben gekauft. Als der Preis bezahlt war, brach der Kleine in erbärmliches Weinen aus; gerne wollte er zwar mit dem freundlichen Weißen gehen, aber die Trennung von einem Bruder fiel ihm entsetzlich schwer. Es blieb P. Chausse nichts anderes übrig, als ein zweites Opfer zu bringen und den Bruder freizukaufen.

„Von dem Sklavenmarkte eilten wir nach dem Felde, auf welchem die Truppen, sowohl Fußvolk als Reiterei, vor König Maliki vorüberziehen mußten. Der Fürst saß auf einem stolzen Pferde, welches mit reichen Schabracken bedeckt war. Die mit Arabesken verzierten Steigbügel waren aus Kupfer und der Kopf des Pferdes war von zahlreichen, sorgfältig gearbeiteten Kupferplättchen fast bedeckt, und all das Metall glänzte wie Gold. An der Mähne hingen in kleinen Lederbeuteln zahllose Amulete. Der König selbst war von einem grünen, mit reichen Goldborten verzierten Gewande fast ganz verhüllt. Einige ebenfalls kostbar gekleidete Officiere auf prächtigen Rennern bildeten die Umgebung des Fürsten. Vor diesem Stabe ließ ein Fähnrich mit Roß wahre Kunststücke zierlicher Bewegungen ausführen. Nach dem Stabe schritt das Amazonencorps kühn einher, die Weiberarmee des Königs von Biba. In der Mitte derselben ragte die tapfere Generalin Mitha hervor, welche sich bei der Eroberung von Lasfiaui großen Ruhm erwarb. Schon wollten bei der unerwartet hartnätigen Vertheidigung die Soldaten Maliti's und waren auf dem Punkte, Reißaus zu nehmen, da stand inmitten der Kugeln und vergifteten Pfeile Milßa unbeweglich, feuerte ihre wilden Gefährtinnen zum Kampfe an, und das Beispiel der Weiber belebte auch den Muth der Krieger auf's neue. Die Stadt wurde mit Sturm genommen und geplündert. Diese Waffenthat erwarb dem Amazonencorps die Ehre, unmittelbar hinter dem Generalstab marschiren zu dürfen, und die Kriegerinnen scheinen darauf nicht wenig stolz zu sein.

„Man kann sich nur schwer einen Begriff von der Truppenschau bilden, deren Zeugen wir waren. Fußvolk und Reiterei marschirt durcheinander. Alle sind bis an die Zähne bewaffnet; die Bogenschützen sind weit zahlreicher als die mit Flinten Bewaffneten; fast alle tragen ovale Schilde von 3—4 Fuß Höhe; dieselben sind aus Leder so geschickt gearbeitet, daß man sie je nach Bedürfniß öffnen oder zusammenklappen kann. Die vornehmeren Häuptlinge umgeben sich mit einer Art Leibwache aus jungen Leuten, welche sich durch bunte Kleidung auszeichnen. Da läuft und springt eine Ehrenwache von Soldatenkindern vor einem einflußreichen Anführer her; dann kommen wieder in bestimmten Zwischenräumen berittene Militärmusikbanden — Pfeifer, Trommler, Sänger, alles auf feurigen Rennen. Auch sonst ziehen viele Trommler mit und beflügeln durch ihr rasches Tempo den Vorbeimarsch des Heeres.

„3000 Mann, davon zwei Drittheile Reiter, mochten an uns vorübergezogen sein. Die Nachhut war noch weit entfernt. Aber wir konnten unsere an die wilden Marschweisen gewöhnten Pferde nicht länger zügeln. Wir mochten wollen oder nicht, sie schlossen sich dem Zuge an, und so sahen wir uns bald einmal in die schwarze Staubwolke, welche er aufwirbelte, eingehüllt. Dreiviertel Stunden folgten wir dem Heere; der König führte es an das Nordthor und ritt dann in die Stadt zurück, während die Truppen nach einem einige Tagereisen entfernten Dorfe zogen."

Von Abeba aus reisten die beiden Missionäre durch die Landschaft Yoruba dem Meere zu; das würde uns aber zu lange aufhalten, wenn wir ihnen auf diesem weiten und beschwerlichen Landwege folgen wollten. Wir wählen also wiederum die Wasserstraße des Niger und finden an seiner Mündung den „Afrikaner", der uns in kurzer Fahrt an die angrenzende Sklavenküste bringt.

5. Die Zöglinge von Puerto-real, Porto-novo und die Negerschule des hl. Ludwig.

Man nennt die Küste, an welcher wir nunmehr vor Anker gehen, die Sklavenküste, weil früher, als der Sklavenhandel noch mehr im Gebrauche war, die Sklavenhändler gerade hier am allermeisten die unglücklichen Neger kauften oder raubten und auf ihren Schiffen zusammengepfercht nach Amerika auf den Sklavenmarkt schleppten.

Wenn nun aber auch der Sklavenhandel nach außen nicht mehr so betrieben wird, wie früher, so steht er doch in Afrika selbst noch in voller Blüte. Denn die dortigen Könige und Fürsten brauchen ganze Schaaren von Sklaven und pflegen sich dieselben unter ihren eigenen Unterthanen oder manchmal auch unter den angrenzenden Volksstämmen gewaltsam zu rauben. Ich will ein Beispiel erzählen, das mir zugleich Gelegenheit giebt, von einigen Anstalten zu reden, welche die christliche Liebe für die armen Kinder jenes Landes gegründet hat.

Es war in einer dunkeln Märznacht des Jahres 1862. In dem kleinen Dorfe Ischagga, nordöstlich von der großen Stadt Abeokuta, die wir später miteinander besuchen wollen, lagen alle Leute in tiefem Schlafe. Da nahten sich im Schatten der Nacht und verborgen durch das üppig wuchernde Buschwerk die Soldaten des grausamen Königs von Dahomeh, allen voran das Weiberbataillon, die Amazonen, dem friedlichen Dorfe; auch der König von Dahomeh hat nämlich unter seinen Truppen eine Schaar von Weibern, und diese sind die wildesten und blutdürstigsten von allen. Die Feinde umzingelten das Dorf von allen Seiten und besetzten mit großer Vorsicht die Ausgänge; dann war alles still bis zum zweiten Hahnenschrei. Als der Hahn krähte, erhob sich rundum wildes Kriegsgeschrei und Büchsengeknatter; Feuer ergriff die Hütten und weckte die überraschten Bewohner. Greise, Weiber und Kinder suchten

Waffen der Neger an der Sklavenküste. (S. 368.)

zu fliehen; aber sie fielen dem Feinde in die Hand und wurden gefangen. Die Männer griffen zu ihren Waffen und setzten sich zur Wehre. Allein überrascht, von Rauch und Flammen umringt, stürzen sie unter den Streichen der feindlichen Keulen; auch sie werden mit Ketten beladen und mit den anderen Gefangenen zusammengekoppelt.

Inzwischen bricht der Morgen herein, und das siegreiche Heer setzt sich mit seiner Beute in Marsch nach der Hafenstadt Waidah, dem berüchtigten Sklavenmarkte. Voraus ziehen die Führer auf etenden Kleppern, an deren Hals die Köpfe der besiegten Häuptlinge baumeln. Ihnen folgt ein wahrhaft höllisches Musikcorps mit gellenden Hörnern aus Elephantenzähnen, dumpfen Trommeln, klirrenden Eisenstäben und Schellen. Dann der lange Zug der

Gefangenen, die in ohnmächtiger Wuth unter der Last ihrer Ketten und unter den Püffen ihrer Herren knirschen. Von Zeit zu Zeit macht der Zug Halt. Dann verdoppelt sich das wilde Geheul; denn es gilt, irgend einem vorüberziehenden europäischen Kaufmann zu Ehren die Heldenthaten Dahomehs zu besingen, und die abscheulichen Krieger bringen dem Fremden einen Flaschenkürbis voll feindlichen Blutes, das sie mit sich tragen, entgegen, damit er nach ihrem Beispiele seine Hände in dasselbe eintauche.

So feiern sie mehrere Tage lang ihren Sieg; dann stellt man die Gefangenen zu Waidah auf dem Markte aus. Diejenigen, welche daselbst keinen Käufer finden, werden später nach der Stadt Abomeh geschleppt, um dort bei den jährlichen großen Menschenopfern abgeschlachtet zu werden. So will es der grausame König

Die Kirche von Lagos. (S. 369.)

von Abomeh, ein ebenso geiziger als blutdürstiger Tyrann. Wir werden später von diesen schrecklichen Menschenopfern zu erzählen haben, jetzt wollen wir uns mit dem Schicksale einiger der zu Tschagga gefangenen Negerkinder befassen.

Nach Waidah waren bereits einige eifrige Missionäre gekommen und hatten daselbst ein Haus gegründet. Sobald nun dieselben hörten, daß die Raubsoldaten des Königs von Dahomeh wieder eine Schaar Gefangener eingebracht: hätten, ging der eine von ihnen, Borghero mit Namen, auf den Markt, um aus der unglücklichen Schaar wenigstens einige von den schwarzen Kindern zu kaufen. Er hätte sie gerne alle gekauft; aber leider reichte das Geld, welches ihm der Verein der heiligen Kindheit geschickt hatte, dem wohl alle unsere jungen Leser angehören, hierzu nicht aus: so mußte er sich, wiewohl blutenden Herzens, mit einigen davon

begnügen, welche ihm die hoffnungsvollsten zu sein schienen. Die armen Kinder meinten, es gehe ihnen ans Leben, und folgten ihrem Befreier laut weinend und jammernd. Etwa ein Jahr später eröffneten die Missionäre zu Puerto-real in Spanien, nahe bei dem großen Seehafen Cadix, ein Waisenhaus. Die Missionäre aus Europa werden nämlich an der Sklavenküste bald krank und sterben; denn das dortige Land ist für die Fremden sehr ungesund: sie kamen daher auf den Gedanken, ihr Waisenhaus lieber in Spanien zu bauen und die schwarzen Kinder in der Fremde zu erziehen. Vielleicht, dachten sie, gelingt es mit der Hilfe Gottes, dieselben zu Missionären heranzubilden; dann können diese ihren Landsleuten das Evangelium predigen. Im Mai 1863 wurde die erste Schaar dahin gebracht und die Anstalt eröffnet. Zwei Jahre später brachte P. Borghero eine zweite Abtheilung nach Puerto-real.

In der Hafenstadt Lagos, etwas östlich von Waidah, bestieg er den Dreimaster „Franklin" und trat mit einem Dutzend Knaben von 9—12 Jahren die Reise nach Spanien an. Die Kinder waren unterwegs recht traurig; wie auf dem Sklavenmarkte lauerten sie auf dem Verdecke zusammen.

Ein Sturm verschlug das Schiff nach Lissabon; daselbst kaufte der Missionär seinen schwarzen Knäblein europäische Kleider, denn bis dahin hatten sie nichts getragen als ein Stück Leinwand um die Lenden. Da hätte man aber die Verlegenheit der Kleinen sehen sollen; sie wußten, wie weiland David in der Rüstung des Goliath, nicht zu gehen. Namentlich waren ihnen die Schuhe sehr unbequem, und sie zauderten euch gar nicht, sich derselben zu entledigen. Da liefen nun die einen mit ganz nackten Füßen da-her, die Schuhe unter dem Arme tragend, während andere mit einem bekleideten und einem unbekleideten Fuße erschienen und noch andere sich mühsam in ihrer Fußbekleidung ihres Weges schleppten. Die Leute liefen zusammen, um das sonderbare Schauspiel zu sehen. Als dann der Missionär mit ihnen in ein Gasthaus trat, fing die Verlegenheit erst recht an. Mit Messern und Gabeln wußten sie nicht umzugehen, noch viel weniger hatten sie eine Ahnung, wozu man Stühle gebrauche; sie legten ihre Schuhe darauf und fingen vor lauter Angst und Bangigkeit laut zu weinen an, daß es einen Stein hätte erbarmen mögen. Wie sie später erzählten, waren sie nämlich der Meinung, man habe sie in das Land der Weißen geführt, um sie daselbst zu verspeisen, und glaubten nun den letzten Augenblick gekommen.

Missionäre und Zöglinge der Schule von Porto-novo.

Zu Puerto-real trafen sie ihre Landsleute, die Kinder vom Dorfe Ischagga; nun war alles gut. Die Missionäre unterrich-teten sie in der christlichen Religion; später lehrten die meisten wieder in ihre Heimat zurück, wo sie den Missionären gute Dienste leisteten und fast alle ihrer Erziehung Ehre machten.

Es stellte sich übrigens bald heraus, daß, wie der Gesund-heit der Missionäre die afrikanische Küste nicht zuträglich war, so andererseits unsere europäische Sonne den afrikanischen Kindern nicht zusagen wollte. Auch schien es vortheilhafter, die Knaben in ihrer eigenen Heimat zu erziehen; so beschlossen denn die Missionäre, das Opfer zu bringen, und errichteten an der Sklaven-küste selber Waisenhäuser. Eines der größten befindet sich in der schon erwähnten Hafenstadt Lagos; es zählte 1872 über 250 Zöglinge, und wir wollen eine Abbildung der dortigen Kirche unseren jungen Freunden beilegen (S. 368). Eine andere berühmte Schule errichteten die Missionäre in Porto-novo; aus ihr sind schon recht gut unterrichtete Kinder hervorgegangen. Die Lehrer rühmen vor allem die Liebe und die brüderliche Gesinnung, die unter allen herrsche, ob sie nun ganz arm seien oder etwas wohlhabendere Eltern besäßen. In die Schule gehen zu dürfen, halten sie für eine große Ehre; deshalb legen sie immer ihre besten Kleider an, und wenn sie einmal aus der Schule weg bleiben, so geschieht es, weil sie nicht die Mittel haben, sich anständig zu kleiden. — Auch Cardinal Lavigerie läßt durch seine Missionäre auf den Sklavenmärkten Negerknaben kaufen, um sie zu erziehen und zu Gehülfen für seine Missionäre heranzubilden. Jeder dieser Knaben kostet ihn auf dem Markte durchschnittlich 120 Mark; da die Märkte aber weit im Innern des Landes

381

liegen, kosten sie ihn mehr als noch einmal so viel, bevor sie in Algier ankommen.

Für die losgekauften kleinen Neger hat er aber eine eigene Schule gegründet, und zwar nicht in Algier selbst, sondern in dem weiter östlich gelegenen Tunis. Wie wir früher erzählten, liegen rechter Hand, wenn man vom Mittelmeer aus durch den engen Kanal nach Tunis fährt, die Ruinen Carthago's, und aus diesen mit Sand bedeckten Schutthaufen ragt die Kapelle des hl. Ludwig hervor. Dort unter dem Schutze dieses heiligen Königs hat der Erzbischof von Algier seine Negerschule gegründet.

In letzter Zeit hat der Cardinal Lavigerie diese Schule nach der Insel Malta verlegt. Jetzt sind schon manche Zöglinge dieser Anstalt als Aerzte in den Missionen im Innern Afrika's thätig.

6. Spiele, Geld und Ceremonien.

Wenn die Schule in Porto-novo, wohin wir jetzt zurückkehren, vorbei ist, fangen die Spiele an, und unter ihnen nimmt der Tanz die erste Stelle ein; denn wie alle Neger lieben auch die Bewohner der Sklavenküste den Tanz leidenschaftlich. Gewöhnlich versammelt man sich dazu unter einem schattigen Baume, nicht selten stellen sich herumziehende Musikanten und Tanzmeister ein, die mit viel Geschick ihre Künste ausführen. Die Tanzmeister tragen leichte, bunte Kleider, Schnüre von Muscheln und allerhand kleinen Knöchelchen um Schulter, Brust und Leib, an den Ellenbogen ein Stück Pferdeschweif und auf dem Kopfe bunte Federn. Das alles klirrt und klappert, wenn

Musik-Instrumente der Neger an der Sklavenküste.

sie sich mit sonderbaren Grimassen winden und wenden und immer rascher und rascher beim Schalle des Tamtam und dem Klatschen der Menge wie ein Kreisel drehen. In den größeren Ortschaften und an den Höfen der Fürsten sind große Musikbanden, die zum Tanze aufspielen. Wir haben ihre Instrumente abbilden lassen (s. oben); die Töne, welche dieselben hervorbringen, spotten aber jeder Beschreibung: das Gebrüll der Trompeten aus Elephantenzahn, das dumpfe und stoßweise Dröhnen der Tamtam, das Rasseln der mit Knochen und Scherben gefüllten Kürbisse, die schrillen Töne der Triangel und alter zerbrochener Schellen machen einen Lärm,

der für unsere Ohren entsetzlich klingt, den Negern aber ebenso schön vorkommt, wie uns das prächtige Spiel einer Regimentsmusik.

Neben dem Tanze lieben die Negerkinder auch noch manche andere Spiele. Eines hat Aehnlichkeit mit unserm Damenspiele, am meisten verbreitet ist aber das Uarispiel. In demselben braucht man ein Brett, in welches zwei Reihen von je sechs Löchern eingeschnitten sind. In jede dieser Vertiefungen werden vier bunte Bohnen oder Kugeln gelegt. Dann fängt der eine Spieler an, die vier Kugeln der letzten Vertiefung links je eine nach der andern, angefangen mit der zweiten Vertiefung, in die folgenden Löcher zu vertheilen. Ebenso macht es der andere Spieler mit den vier Kugeln der letzten Vertiefung auf seiner Seite. Gelingt es einem der Spieler, seine Kugeln in ein Loch zu bringen, das nur eine feindliche Kugel enthält, so gehört diese ihm, und so geht es weiter, bis einer von beiden alle Kugeln des Feindes erobert hat; die Kunst besteht also darin, seine Vertiefungen möglichst gut besetzt zu haben und seine Kugeln in die schwach besetzten Löcher des Feindes zu bringen. Dieses Spiel ist sehr verbreitet, und man macht selbst den Vornehmen im Lande eine große Freude, wenn man ihnen vier Dutzend schöner Glas- oder Marmorkügelchen schenkt, um damit ein Uarispiel besetzen zu können.

Natürlich spielt man auch oft um Geld; man hat aber dort zulande keine Mark und Pfennige, wie bei uns, überhaupt keine Münzen. Statt derselben sind bunte Muscheln im Gebrauche, die man Cauris nennt. Diese finden sich nur in sehr geringer Anzahl an der Westküste von Afrika; meistens bringt man sie in Schiffen von dem weitentlegenen Sansibar oder von Mozambique her; sonst könnte ja jeder an das Meeresufer hinunterlaufen und sich sein Geld zusammensuchen. Da wir miteinander nach der Hauptstadt Abeokuta reisen wollen, müssen wir uns etwas mit den Münzfuße des Landes vertraut machen. 40 solcher Cauris gelten gleich einem Toki, und dieser hat etwa zwei Pfennige an Werth: 5 Toki sind dann eine Gallin oder etwa 10 Pfennige, 10 Gallin gleich einem Piaster oder einer Mark, und 10 Piaster sind ein Sack oder 10 Mark. Man braucht daher nicht sehr reich zu sein, um an seinen Schätzen schwer genug schleppen zu müssen. Ein Stock Cauris (10 Mark) wiegt 50—60 Pfund. Der Preis eines Huhues ist 500—1000 Cauris, eines Schafes 8000—12000 Cauris, eines Pferdes 700 000—800 000 Cauris u. s. w.

Bis man nur eine solche Zahl abgezählt hat, dauert es eine gute Weile; die europäischen Kaufleute haben dafür einheimische Weiber angestellt, welche im Abzählen der Cauris eine große Geschicklichkeit haben. Der König von Dahomeh läßt dieses Geschäft durch seine weiblichen Soldaten besorgen; diese nähen 30—35 Stück in Palmblätter ein, welche dann für einen Tofi (40 Stück) gelten müssen; denn das König beansprucht das Vorrecht, bei jedem Tofi um 5—10 Stück betrügen zu dürfen. Wenn wir ihn besuchen, so wird er uns das eine oder das andere dieser Cauispäckchen zum Geschenke machen; seinen Soldaten oder gibt es für jeden Feind, den sie lebendig oder todt ihm einliefern, 20 Pasfer in Cauris.

Wenn uns übrigens auf der Reise die Geldmuscheln ausgehen, so können wir uns durch Tauschhandel voranhelfen; eine leere Flasche, ein Stück Spiegel, ein Taschenmesser, irgend ein Stück Flitter wird gerne an Geldes Statt angenommen.

Bevor wir irgend einen Besuch bei einem Eingeborenen, sei er König oder Unterthan, machen können, müssen wir uns einen Ceremonienstab verschaffen. Glücklicherweise ist das keine Hexerei; wir brauchen nur den ersten besten Stock aus einer Hecke zu schneiden, oder irgend ein Bambusrohr aufzuraffen und zu erklären, das sei unser Ceremonienstab, so ist uns schon geholfen, und jeder Neger wird unn diesem Stocke die gleiche Ehre erwiesen, wie uns selbst. Der Ceremonienstab der Mission ist mit einer Elfenbeinkugel geschmückt, welche ein Kreuz trägt. Die Ceremonienstäbe des Königs von Dahomeh gleichen Tambourmajor=Stöcken und sind mit Löwen geziert; denn der Löwe ist das Abzeichen der königlichen Macht, und man nennt den König „Kini= Kini", d. h. Löwe, wie man bei uns zu Lande „Ew. Majestät" sagt.

Es gibt nun drei Arten von Ceremonienstäben: der große, den man nur bei den allerfeierlichsten Anlässen, wie bei einer königlichen Audienz, braucht; der mittlere, dessen man sich bei den Besuchen der Ortsvorsteher bedient; und der sogenannte freundschaftliche, der zum Privatverkehre dient. Niemals besucht nämlich ein Neger einen Weißen oder umgekehrt, ohne daß man sich durch den Dolmetscher dieser drei Stöcke vortragen läßt, und wenn man nicht selber hingehen will, so schickt man seinen Stock, und das wird angenommen, als ob man persönlich die Visite abgestattet hätte. Wenn ein solcher Stock gebracht wird, faßt man ihn in seine Hand und gibt ihn dem Dolmetscher erst zurück, nachdem man die Frage oder Bitte beantworten kann.

Hat man die Ehre, einen Stock des Königs von Dahomeh zu erhalten, so ist das Ceremoniell viel zu einfach. Der Stab wird von einem Hofherrn feierlich getragen und von den „Apoligons", von der Leibwache, die der König selbst begleitet. Sobald der Zug ankommt, steht alles auf und entblößt sein Haupt; dann

Cauri-Muscheln. (S. 370.)

entfernt man mit großer Ehrfurcht die zwei oder drei Tuchhüllen, welche den Stock verschleiern. Sobald er entblößt ist, wirft sich der Häuptling und sein ganzes Gefolge in den Staub; in dieser Lage verharrt die Zuhörerschaft, bis die Botschaft verkündet ist. Dann erhebt man sich, und die Person, welche die Ehre hat, so vom Könige gegrüßt zu werden, und welche die ganze Zeit über die Hand auf dem Stabe ruhen ließ, nimmt denselben an sich und bewahrt ihn bis zu dem festgesetzten Tage, wo sie dem Häuptlinge Antwort geben will.

7. Die Obrigkeit an der Sklavenküste.

Die höchste Obrigkeit ist der König. Der mächtigste unter den vielen kleinen Fürsten, die sich so nennen lassen, ist der grausame König von Dahomeh, welcher in seiner Hauptstadt Abomeh, drei Tagereisen von dem Seehafen Waidah, im Innern des Landes herrscht. Er schreibt sich nicht nur die Gewalt zu, das Land zu regieren, sondern betrachtet alle Unterthanen mit Gut und Blut als sein unbeschränktes Eigenthum, mit dem er nach Lust und Laune umspringen kann. Er verkauft sie oder schlachtet sie ab, wie es ihm gut scheint. Von seiner Blutherrschaft werden wir bald noch mehr hören. Frankreich betrachtet gegenwärtig sein Gebiet als unter seiner Schutzherrschaft stehendes Land.

Glücklicherweise sind nicht alle Könige des Landes so mächtig, noch auch so grausam wie der Beherrscher von Abomeh. Der König von Porto=novo zum Beispiel, mit dem die Missionäre viel zu thun hatten, ist viel harmloserer Natur. Sein „Palast" ist nichts als eine Gruppe elender Hütten, die etwa einen Raum von 300—400 qm einnehmen und von einer mit Palmblättern bedeckten Lehnmauer umgeben sind. Nur zwei Bauten sind etwas „königlicher": die eine, errichtet von König Sodschi, ist mit einem Strohdache gekrönt; die andere, von dessen Nachfolger Melpon aufgeführt, wurde mit Zinkeisenblech bedeckt. Den ersten dieser Paläste haben wir, nach einer Photographie gezeichnet, zur Bewunderung beigelegt. Uebrigens kümmerten sich die Könige wenig um diese von ihnen errichteten „Burgen"; sie wollten sich in denselben nur ein Denkmal setzen und wohnten alle Tage ihres Lebens in ebenso elenden Hütten wie ihre Unterthanen.

Zwei Haupttore führen in diese Königsburg. Sie sind mit einer kleinen Fetischlette den bösen Geistern gesperrt, und die Neger entblüßen, so oft sie vorbeigehen, Haupt und linke Schulter aus Ehrfurcht vor dem Heiligthume. Nahe bei dem Palaste ist noch ein anderes Thor, ganz mit den Bildern der Ortsgötzen bedeckt; man nennt es das Fetischthor (s. S. 373).

Treten wir nun durch das Thor der von König Melpon erbauten Burg ein, so erreichen wir durch einen schmutzigen Gang einen kleinen, viereckigen Hof. Ein von Holzsäulen getragenes Schirmdach geht rundum. In dem Theile, welcher dem Audienzhofe zunächst liegt, ist der Thron festgestampft und mit Kuhmist geboten. So warten, auf ihre Matten gelauert, die Großen des Hofes auf die Stunde der Audienz. Der König läßt sie oft Tage lang warten; auch die Europäer müssen daselbst auf ihn

47*

harren, und da der König ihnen keinen Stuhl anzubieten hat, läßt man sich einen Sessel mitbringen. Auf dem Hofe gackern die Hühner und schnattern die Enten und tummeln sich ungenirt die Schweine Sr. Majestät; namentlich die letzteren Thiere haben überall freien Zutritt. Oft trifft man auch Unterthanen des Königs, welche ihre Steuern in Person einliefern. Der eine trägt einen Bündel Holz, ein anderer einen Sack Mais, Ignamen oder Pataten, wieder andere ein paar Hennen, und wenn es hoch kommt, ein Schaf oder eine Ziege.

Der Hof, in welchem der König thront, ist ziemlich geräumig, dreieckig und nur zur Hälfte von einem Schutzdache umgeben. Rechts sieht man drei riesige Trommeln, welche nur bei außerordentlich feierlichen Audienzen geschlagen werden. Wenige Schritte von ihnen erblicken wir in einer Art Nische unter dem Schutzdache einen Neger; er sitzt mit einem Seidenschurze bekleidet, eine griechische Mütze auf seinem Kopfe und aus einer langen Pfeife rauchend auf einer Matte: das ist Se. Majestät der König Toffa, der augenblickliche Beherrscher des Königreiches Porto-novo. Rund um ihn kauern einige seiner Diener, jedes Winkes seiner Hand gewärtig. Wir haben seine Photographie nicht bekommen können und müssen uns daher mit den Porträts seines Haushofmeisters begnügen. Wir gehören zu den Freunden Sr. Majestät und dürfen daher zu ihm hintreten, ihm die Hand geben und uns nach seinem Wohlergehen erkundigen. Dann treten wir etwas zurück und setzen uns. Zum Abschlusse der Audienz bietet man uns ein Glas Wasser, dann einen Schluck Schnaps, beides in Gefäßen, die von

Palast des Königs Toffa. (S. 371.)

Schmutz starren; glücklicherweise genügen wir vollständig durch das bloße Eintauchen unserer Lippen. Jetzt erst dürfen wir uns erheben und nach wiederholtem Händedrucke uns von Sr. Majestät beurlauben.

Mit so einfachen Ehrenbezeigungen begnügt sich aber der König seinen eigenen Unterthanen gegenüber keineswegs. Vor allem legen Minister und Häuptlinge sämmtliche Kleidungsstücke bis auf die Leibbinde ab, dann treten sie in gebückter Haltung, die Hände auf den Knieen, in den Audienzsaal. Vor dem Könige aber werfen sie sich der Länge nach auf den Boden, küssen dreimal die Erde, schmatzen nach jedem Kusse mit den Fingern und bleiben so lange liegen, bis Se. Majestät ihnen gnädigst sich aufzurichten gestattet.

Nach den Königen kommen in der obrigkeitlichen Rangordnung an der Sklavenküste die verschiedenen „Häuptlinge", cabeceira

nennt sie der Portugiese. Diese entsprechen bald unseren Ministern (so ist z. B. der berühmte Häuptling Kenu, dessen Porträt wir beifügen, der Handelsminister von Whidah, ein gar reicher und einflußreicher Mann), bald aber haben sie auch nur den Rang einfacher Dorfschulzen. Die Häuptlinge werden stets vom Könige ernannt, als Zeichen ihrer Würde erhalten sie von ihm drei Stücke: 1. Einen Sonnenschirm, ein gewaltig großes, flaches Ding von buntem Stoff und mit Franzen verziert, welches mehreren Personen Schutz bietet. Nur die Häuptlinge haben das Vorrecht, ein solches Geräthe zu tragen, und wehe jedem andern Sterblichen, der es wagen würde, mit einem Schirme sich zu zeigen! Dagegen erscheint auch kein einziger Häuptling ohne dieses Zeichen seiner Würde. — 2. Den Thronsessel (s. das Bild S. 374). Derselbe ist aus einem einzigen Stücke des Huntibaumes gefertigt. Nur die Hauptstadt Abomeh besitzt das Vorrecht, solche Stühle machen zu dürfen; natürlich ändert Schmuck und Größe je nach der Stellung des Häuptlings. — 3. Die lange Pfeife und den großen Tabaksbeutel. Die Pfeife wird von einem Holzetui umschlossen. Der Häuptling darf ohne Schirm und Thronsessel ausgehen und selbst reisen — ersteres thut er fast nie —, aber niemals ohne seine Pfeife und ohne seinen riesigen Tabaksbeutel; eines solchen Fehlers gegen Sitte und standesgemäßes Betragen wird sich ein schwarzer Beamter nicht schuldig machen.

Zu diesen drei Insignien der Macht fügt der König bei den höheren Beamten silberne Armspangen, Schnüre von Glasperlen und Korallen, einen Säbel, und die allerhöchsten Würdenträger erhalten sogar zwei kleine Hörner aus purem Golde.

In einem geordneten Staate ist auch die Polizei ein nothwendiges Uebel, und obschon die Königreiche an der Sklavenküste mit unseren geordneten Staaten keineswegs verglichen werden können, halten sie doch etwas auf Ordnung und Sicherheit und haben daher bei Tage ihre Laris (Gensdarmen) und bei Nacht ihre Sangbletos (Nachtwächter) auf den Beinen.

Die Laris sind an dem sonderbaren Schnitte ihres Haupthaares kenntlich: sie rasiren nämlich den Kopf zu beiden Seiten und lassen nur in der Mitte einen Streifen wie einen Hahnenkamm stehen. Ihre Person ist unantastbar; wer sich an einem Lari vergreift, muß des Todes sterben. Ihnen zur Seite stehen die Mocas, die Knechte der Häuptlinge; sie dienen zugleich als Gerichtsboten, Gefängnißwärter, Schergen und Henker.

Fetischthor in Porto-novo. (S. 371.)

Sonderbar benehmen sich aber dortzulande die Nachtwächter (Sangbletos). Sie vertheilen sich in Gruppen von sechs bis acht Mann in die verschiedenen Stadttheile. Einer von ihnen ist ganz in einen großen Strohmantel gehüllt, der ihn zuckerhutähnlich vom Scheitel bis zu den Füßen deckt und an dessen Außenseite große Schneckengehäuse, anstatt Schellen, hängen. Der so vermummte Sangbleto hält sich von seinen übrigen Gefährten fern, und während jene hinter einer Mauer versteckt eine wahre Katzenmusik aufführen, läuft er unter seinem Strohdache hin und her, dreht sich im Kreise, geht und kommt und begleitet sein Geberdenspiel mit kläglichem Stöhnen und Schreien. Daher glauben auch die einfältigeren Leute und namentlich die Negerkinder, die Sangbletos seien Gespenster, die allnächtlich aus dem Meere emporstiegen, um die Stadt zu bewachen.

Die Nachtwächter haben die Befugniß, alle, welche nach 8 oder 9 Uhr des Abends auf der Straße betroffen werden, festzunehmen. Sie sollen Dieben und Brandstiftern das Handwerk legen, haben aber leider selbst nicht den allerbesten Ruf und erinnern viel an jene Diebesbanden, die König Gelele von Dahomey stiftete und die stets irgendwo am Rauben sind. Diese königliche Einrichtung soll die Unterthanen zwingen, stets auf ihrer Hut zu sein und alles wohl in Ordnung zu halten — so erklärte Se. Majestät bei der Einführung der sonderbaren königlichen Diebesbande seinen überaus väterlichen und fürsichtigen Willen.

8. Die Todtenopfer für die Könige.

Die schreckliche Tyrannei, in welcher die armen Neger an der Sklavenküste schmachten, zeigt sich niemals so deutlich, als beim

Tode eines Königs. Wenn der König von Abomeh stirbt, errichtet man ihm in der Todtenhöhle einen Sarg aus einer Art Gyps, den man mit dem Blute von 100 Gefangenen anmacht; diese sollen ihm als Sklaven in die andere Welt folgen. Unter das Haupt der Leiche legt man die Schädel der überwundenen Fürsten und ihm zu Füßen so viele Schädel und Todtenbeine, als Platz haben. Dann werden acht Tänzerinnen und 50 Soldaten in die Höhle geführt, die ebenfalls den Auftrag haben, den todten König in die andere Welt zu begleiten. Drei Tage bleibt die Höhle offen, und wer sich freiwillig anschließen will, kann es thun; man sollte nicht glauben, daß auch nur einer so thöricht wäre, und dennoch melden sich oft Schaaren von Männern und Weibern zu diesem freiwilligen Hunger= und Erstickungstode.

Doch diese Feierlichkeiten unmittelbar nach dem Tode des Königs sind ein Kinderspiel im Vergleiche mit den gräßlichen Schlächtereien, welche bei den großen öffentlichen Gedächtnißfeiern, und namentlich 1½ Jahre nach dem Sterbetage bei dem Regierungsantritt des neuen Königs stattfinden. Der König Bahadu von Dahomey ließ seinem Vater Gezo mehr als 3000 Menschen auf die schrecklichste Weise abschlachten; ganze Berge von Schädeln schichtete er ihm zu Ehren auf, und ganze Ströme von Blut flossen.

Bis auf den heutigen Tag werden diese Grenel in der Königsstadt Abomeh fortgesetzt. Noch von der letzten Zeit haben wir Nachrichten über die Metzeleien, welche zu Ehren der verstorbenen Könige veranstaltet wurden. Im Juli 1889 verbluteten 500 Menschenopfer; im August täglich, oft 70, im October 700—800 Sklaven und Kriegsgefangene am Grabe des Königs Ghezo. Ob Deutschland, das jetzt durch seine Besitzung an der Togo=Lagune der nächste Nachbar der königlichen Henker von Dahomey geworden ist, künftig ein Wort mitzusprechen und die Abschaffung dieser Grenel verlangen wird? — Ein Missionär schreibt: „Niemals würde man die Erzählungen von den grausamen Mordscenen für möglich halten, wenn nicht mehrere glaubwürdige Augenzeugen uns dieselben übereinstimmend schilderten. Noch im

Haushofmeister des Königs von Porto=novo. (S. 372.)

Thronsessel eines Häuptlings. (S. 372.)

Jahre 1880 wollte sich ein Schiffsofficier von der Richtigkeit der Erzählungen überzeugen. Er bat also den König um die Erlaubniß, nach Abomeh kommen zu dürfen; denn ohne königliche Genehmigung darf unter Todesstrafe niemand die Stadt betreten oder verlassen. Während des Aufenthaltes daselbst ist man Gefangener und kann ohne den Willen des Königs keinen Schritt thun. Die Zeit der blutigen öffentlichen Feste, die Gedächtnißfeier der verstorbenen Könige, nahte heran; täglich bluteten einige Menschenopfer. Der Officier bezeigte sein Mißfallen; man bemerkte ihm aber, wenn er noch ein Wort sage, so falle auch sein Kopf. Vereinzelt Opfer werden beständig dargebracht. Der Officier hatte genug und bat um die Erlaubniß der Abreise; sie wurde ihm nicht zu Theil; erst nach den großen Todtenfesten würde man sie ihm gewähren. Nach zwei Monaten endlich wurde die Feier eröffnet. Auf einer unabsehbaren Ebene standen 6000 Sklaven und ebensoviele Ochsen in zwei Reihen aufgestellt, immer abwechselnd ein Mensch und ein Thier. Rundum schaute die zahllose Menge zu. Der König mit dem Gefolge seiner Würdenträger (auch unser Schiffsofficier begleitete ihn gezwungen) schritt durch diese lebende Allee. Dann gab er einen leichten Wink mit seinem Scepter, und im Nu fielen die 6000 Köpfe der Menschen und der Thiere. Jetzt stürzten sich die Krieger von Dahomey über die Opfer her und verschlangen das blutige Fleisch der Thiere. Das sind keine Erfindungen, das ist reine Wahrheit und das wiederholt sich jedes Jahr! Der französische Officier verlor bei diesem Anblicke seinen Verstand; immer glaubt er die Tausende von Köpfen vor seinen Augen fallen zu sehen und stößt Rufe des Schreckens aus.

„Jährlich führt der König von Dahomey ohne allen Grund während sechs Monaten Krieg mit seinen Nachbarn, einzig um Sklaven für diese blutigen Orgien herbeizuschaffen. Die Krieger tragen als Kopfputz zahlreiche Holzstacheln im Haare; das einzige Kleidungsstück ist ein Lappen um die Lenden; sie tätowiren sich und bringen sich große Narben bei, um ein schrecklicheres Aussehen zu haben. Das gelingt ihnen so ziemlich.

und ich versichere Sie, diejenigen, welche ich sah, schauten nicht sehr liebenswürdig aus. Das grausamste Corps aber bilden die Amazonen. Diese Weiber reiten im gestreckten Galopp und senden ihre vergifteten Pfeile mit wunderbarem Geschick; ebenso verstehen sie trefflich den Lasso (die Fangschlinge) zu werfen, und bedienen sich desselben gewöhnlich, um Gefangene zu machen. Wenn die Truppen von Dahomeh geschlagen sind und keine Gefangenen heimbringen, so nimmt der König für seine Opfer einfach 3000 Unterthanen, und sie rechnen es sich noch zur Ehre an, zu den Opfern verwendet zu werden — so stumpf sind sie!

„Wer dem Könige eine schlimme Nachricht überbringt, kann überzeugt sein, daß er den Kopf verliert; so weiß jedermann im Reiche, wie die Sachen stehen, nur der König nicht. Für eine mißfällige Bewegung, für ein unangenehmes Wort augenblicklicher Tod! Einer der ersten Generale des Königs kam, um eine größere Anzahl Stricke zum Fesseln der Gefangenen zu verlangen. ‚Wir sind,‘ sagte er, ‚die muthigsten deiner Krieger.‘ Das hörte die Anführerin der Amazonen und schrie wüthend, sie allein dürften sich rühmen, die muthigsten zu sein. Der Krieger begriff seinen Fehler, warf sich dem Könige zu Füßen, streute Staub auf seinen Scheitel und bat um Verzeihung. Aber auf einen Wink des Herrschers fiel sein Haupt unter dem Beifallrufen der schrecklichen Amazonen.

„Das sind einige Beispiele der Greuelthaten von Dahomeh, wie sie auch jetzt noch geschehen. Man könnte tausend ähnliche anführen, doch mögen diese genügen für den Beweis, wie tief ein Volk ohne das Licht unserer heiligen Religion sinken kann."

Aehnliche feierliche Todtenopfer wurden noch im Jahre 1875 zu Porto-novo an der Küste unter den Augen der Missionäre und der übrigen Europäer begangen, ohne daß diese im Stande waren, der schrecklichen Schlächterei Einhalt zu thun. Vier Könige von Porto-novo waren gestorben, ohne daß man ihnen die feierlichen Todtenopfer gewidmet hatte; da beschloß König Toffa, seinen Vorgängern den gewohnten Zins von Blut und Leben nachzubezahlen. Ein Missionär schildert uns die Schreckensscenen also:

„Der Gongon (eine eiserne Glocke) ertönt. Er verbietet den Negern, das Land zu bebauen, obschon es gerade die Zeit der Aussaat ist; er gebietet allen Handelsleuten, die fälligen Abgaben und die Gebühren für das nächste halbe Jahr zum voraus zu entrichten. Die Häuptlinge erhalten ihre Weisungen und verkünden,

wer immer des Nachts sein Haus verlasse, sei des Todes. Dann werden die Agauuigan einberufen, d. h. jene Krieger, die sich durch Stärke und Mordlust auszeichnen. Sie werden vom Könige ernannt und haben im Kriege in der ersten Linie zu marschiren, im Frieden aber bilden sie eine Art geheimer Leibwache und Henkerschaar des Fürsten. Damit hat die Schreckenszeit begonnen; wer den Soldaten in die Hände fällt, ist ein Opfer für den todten König. Wenn jetzt ein Mensch bei Seite geschafft wird, kräht kein Hahn danach; Mord und Raub sind während dieser Zeit daher etwas Alltägliches. Sobald der König mit Schlachtopfern sich hinlänglich versorgt sieht, läßt er den Beginn der Feier verkünden, welche neun Tage dauern soll.

„Jetzt fließen Ströme von Branntwein im Königspalaste. Die Häuptlinge von Stadt und Land bringen dem Tode geweihte Sklaven; selbst die Prinzessinen schenkten den Verstorbenen irgend eine junge schöne Tänzerin. Der Abadasan (der Truchseß), der Sogan (der Marschall) und der Watagan (der Sklavenaufseher) stellen Sklaven, welche an ihrer Statt zu dem todten Könige gehen und bei ihm ihres Amtes walten sollen. Am Vorabende des neuntägigen Festes wird in der Mitte des Fetischhofes eine mit Stroh gedeckte Bambushütte errichtet, welche die „Ago-oba‘, d. h. alle den verstorbenen Königen bestimmten Geschenke, aufnehmen soll. Im Fetischhofe sind nämlich die Königsgräber; in einem kleinen Hütten finden sich daselbst ebenso viele irdene Töpfe mit je zwei Todtenschädeln früherer Herrscher; daneben stehen die Sonnenschirme und der andere Königsschmuck, den sie bei Lebzeiten brauchten.

„Um Mitternacht beginnt das Morden. Henker ist der Häuptling von Davi mit seinen Söhnen und Sklaven. Das erste Opfer fällt im Fetischhofe; sein Blut wird in Flaschenkürbissen aufgefangen; eine Hand hängt man über den Eingang des Hofes, und die Lendenhaut des Unglücklichen wird abgezogen, getrocknet und in der Folge zu einem Trommelfell verarbeitet, das bei den nächsten Festlichkeiten dienen soll. Das geronnene Blut wird mit Kuhmist vermengt zum Pflaster der Fetischhütte verarbeitet; zu solchen Greueln verleitet der böse Feind die armen Götzendiener!"

So folgt nun Opfer um Opfer. Die verstümmelten Leichen liegen am folgenden Tage auf dem öffentlichen Platze, und der Missionär, der uns das beschreibt, hat mit eigenen Augen gesehen, wie die Soldaten des Königs um dieselben herum wahrhaft teuflische Tänze aufführten. Inzwischen wird das scheußliche Blut-

Kenu, Handelsminister von Waidah. (S. 372.)

pflaster der Bambushütte vollendet, und man trägt Stühle, Hute, Schuhe, Schirme, Messer, Schürzen, Matten, Schnaps und Säcke voll Cauris, alles besprengt mit dem Blute der Opfer, hinein. Dazu legt man die Köpfe der Hingeschlachteten. König Mai kann nun zufrieden sein; die folgenden Tage sind dem Andenken der drei anderen Könige gewidmet.

Der neunte Tag kommt, der dem Gemetzel die Krone auf= setzen soll. Am Vorabende läßt der König allen Weißen sagen, sie sollten weder bei Tag noch bei Nacht ihre Häuser verlassen, sonst könne er für ihr Leben nicht gutstehen. Die Morgenstunden hindurch gibt man den Opfern, die nichts von ihrem traurigen Schicksale wissen, ein Zechgelage. Nachmittags 2 Uhr endlich schickt man sich an, die Bambushütte zu verbrennen. Von dem

Missionshause aus konnten die Missionare das schreckliche Schau= spiel mitansehen; die Opferstätte ist kaum fünfzig Schritte davon entfernt. „Der Sklave, der an Stelle des Marschalls (Sogan) zu den verstorbenen Königen zu reisen hat, ist der erste, der ge= opfert wird. Am Vorabende hatte ihm der Marschall gesagt: ‚Willst du nicht ein Pferd, das ich den verstorbenen Königen schenken will, zum Opfer führen?‘ Argios hatte der junge Mensch zugesagt. ‚Gut, so bade dich, iß und trink nach Herzenslust; du wirst das Roß zur Bambushütte führen, und merke dir die Auf= träge, welche man dir daselbst geben wird.‘ Nun naht sich ihm eine Ahnung seines schrecklichen Looses der Sklave in Festkleidern, das Pferd am Zügel führend; gleich nach ihm betritt der Stell= vertreter des Truchseß (Acbadasan), die Platte in seiner Hand

Die Nachtwächter von Porto=novo.   (S. 373.)

und das Leopardenfell unter seinem Arme, den Kreis, den die Bewaffneten rund um die Opferhütte schließen. Er breitet das Fell auf dem Boden aus und deckt für den König; Sklaven um= ringen ihn, seines Winkes gewärtig, und man hält den Ehren= schirm des Häuptlings über sein Haupt. Auch der Watagan, oder vielmehr der stellvertretende Sklave des Aufsehers, ist gegenwärtig.

„Inzwischen schleppt man geschäftig Stroh, Holz und Reisig herbei; andere tragen Geldmuscheln, geschlachtete Thiere und end= lich die in Palmblätter eingewickelten Köpfe der im Palaste des Königs Enthaupteten zur Stelle. All das wird vor der Hütte niedergelegt; zwei Männer und vier Weiber schaffen es ins In= nere — sie wissen nicht, daß sie ihren eigenen Holzstoß schichten.

„Endlich wird Feuer angelegt, die Henker entblößen ihre Waffen und stürzen sich auf die Opfer. Umsonst versuchen diese unter

kläglichem Geschrei zu entspringen; sie werden eingefangen, ab= geschlachtet und zusammt dem Pferde in den brennenden Schuppen geworfen, daß sie den verstorbenen Königen ihre Geschenke bringen und ihnen in der andern Welt dienstbar seien — die unglücklichen Opfer des scheußlichsten Aberwahnes!"

9. Andere Menschenopfer.

Nicht nur die verstorbenen Könige, sondern auch die Götzen des Landes, die Fetische, fordern jährlich den blutigen Tribut zahlreicher Menschenopfer, und zwar ist der Teufel mit der ein= fachen Ermordung seiner Opfer keineswegs zufriedengestellt; nein, sie müssen auch in der allergräßlichsten Weise, wie sie nur die Hölle erfinden kann, unter den schrecklichsten Qualen langsam hin= gewürgt werden.

Am zahlreichsten sind die Opfer, welche dem Kriegsgotte Ogun zu Ehren verbluten. Er hat nahe bei Porto-novo einen „Tempel", eine elende Strohhütte mit einer Binsenmatte statt einer Thüre. Rundum stehen die Hütten seiner Priester. Im Heiligthume liegt ein Stück altes Eisen — das Eisen ist dem Kriegsgotte geweiht —, welches die Priester von Zeit zu Zeit mit Palmöl besprengen. Manchmal hat Ogun auch Hunger; dann will er Fleisch haben, und vorzüglich liebt er Menschenfleisch; in Kriegszeiten hat das keine Schwierigkeit, aber im Frieden ist es theuer, denn die Sklaven sind nicht wohlfeil. Gleichwohl versagt man dem Götzen seinen Wunsch nicht. Die Leiche des Opfers oder doch wenigstens der Schädel wird an einem dem Kriegsgotte heiligen Baume befestigt, an dessen Fuß man Todtengebeine aufhängt. Die von der Hölle verblendeten Menschen haben übrigens noch eine ganze Reihe der schrecklichsten Todesarten den bösen Geistern zur Lust erfunden. Manchmal wird das Opfer in einer Art riesigen Mausfalle zerquetscht und den Geiern zum Fraße festgehalten oder lebendig begraben; ein anderes Mal beugen die Neger einen Baumstamm zur Erde, befestigen an seiner Spitze den Unglücklichen bald in einem Korbe mit dem Kopfe nach unten, bald in aufrechter Stellung und lassen dann den

10. Der Schlangentempel.

Der Schlangentempel heißt in der Landessprache „Dagbehue"; „Da" heißt nämlich Schlange, „gbe" heilig und „hue" Haus. Dieses „heilige Schlangenhaus" und seine Einwohner beschreibt uns ein französischer Reisender also: „Mein erster Besuch galt dem Schlangentempel; derselbe steht nicht weit vom Fort unter einer Gruppe riesiger Bäume. Es ist eine runde Hütte, welche etwa 10 oder 12 m im Durchmesser und 7—8 m Höhe hat. Die Lehmwände des Baues sind von zwei gegenüberstehenden Thüren durchbrochen; das Dachwerk besteht aus Aesten und Sparren und ist mit Stroh bedeckt. Um diese Aeste und Sparren ringeln sich eine Unzahl von Schlangen, welche zwar einer giftlosen Art angehören, aber dennoch durch ihre Größe — sie haben eine Länge von 1—3 m — und ihre Zahl schrecken. Bei meiner Anwesenheit waren wenigstens 100 dieser Kriechthiere im Tempel. Die einen wanden sich an den Pfosten auf und ab, andere ließen sich vom Dachstuhl herabhängen, schauten mich mit ihren funkelnden Augen an und züngelten gegen mich; wieder andere waren in große Knäuel zusammengerollt. Es wurde mir bald unheimlich in der Gesellschaft dieser ekelhaften „Gottheiten", und ich athmete

Ein dem Kriegsgotte Ogun heiliger Baum.

Baum seine Bürde mit sich in die Höhe schnellen u. s. w. Es ist unmöglich, alle Qualen aufzuzählen, welche die Fetischpriester ersonnen haben.

Ein trauriges Denkmal der zahlreichen Menschenopfer, welche namentlich vor der Ankunft der Europäer an der Sklavenküste den Fetischen abgeschlachtet wurden, ist der Todtentempel von Porto-novo. Zahllose Schädel sind in den Pfeilern eingeschlossen, oder an den Mauern festgenagelt.

auf wie nach einem schweren Traume, als ich den Schlangentempel verließ."

In der Schlangenverehrung haben übrigens die armen Neger eine dunkle Erinnerung an das Paradies und den Sündenfall bewahrt. Wie uns ein Missionär erzählt, hat ihnen zufolge Mau (Gott) die ersten Menschen geschaffen. Der erste Mann hieß „Otilischi" und die erste Frau „Ige"; beide waren blind und wohnten in zwei weit auseinander liegenden Ländern. Zufällig trafen sie sich aber; da legte sich „Dagbe" (die heilige Schlange) zwischen beide und öffnete zuerst die Augen des Weibes und dann die Augen des Mannes. Zur Erinnerung an diese Wohlthat verehren die Neger die Schlange und rufen sie namentlich gegen alle Augenübel an; auch meinen die Neger, der Regenbogen sei nichts als eine riesige bunte Schlange.

Die Schlangen, welche sie in dem denselben errichteten Tempel reichlich nähren, können ganz nach Lust und Laune ihr Heiligthum verlassen und wiederum in dasselbe zurückkehren. Oft trifft man sie in den Straßen von Woidah. Die Neger fallen vor ihnen nieder, beten sie an, indem sie sich lebhaft die Hände reiben; dann fassen sie die Gottheit mit aller möglichen Vorsicht und Ehrfurcht an und tragen sie in den Tempel zurück, damit derselben nicht etwa ein Unfall zustoße. Wehe demjenigen, der eines dieser Thiere mißhandeln würde; er müßte es theuer bezahlen! Aber auch nur zufällig eine Schlange mit seinem Fuße streift, wird als ein Verbrecher betrachtet; man meint, er müsse sterben, wenn er sich nicht dem Fetischpriester des „Dagbe" stelle und sich wenigstens eine Stunde lang den Fuß mit einem Besen abreiben lasse.

Bis auf den König Gezo, den Vater des gegenwärtigen Königs von Dahomeh, wurde, wer eine Schlange getödtet, lebendig verbrannt; heute ist man nicht mehr ganz so strenge. Der Schuldige wird zwar in eine Strohhütte gesperrt, und man zündet dieselbe auch an, läßt ihn aber entspringen; er muß jedoch durch die Menge Spießruthen laufen, bis es ihm gelingt, ein Wasser zu erreichen.

Der Todtentempel in Porto-novo. (S. 377.)

Es gibt eine große Zahl Schlangenpriester und -priesterinnen; sie gelten für Aerzte und Zauberer und führen ein bequemes und üppiges Leben; denn die Neger tragen ihnen viele Geschenke zu. Dreimal im Jahre sind große Opfer zu Ehren des Dagbe; man trinkt viel „Taffia" (Zauberbranntwein), opfert einen Ochsen, zwei Schafe und 40 Hühner, und führt schändliche Tänze auf. Die Priesterinnen behaupten, kurz vor ihrem Opfer fahre „die Schlange" in ihren Leib und sie seien nun „besessen". Wirklich führen sie sich derart auf, daß diese ihre Aussage nicht ganz unwahrscheinlich lautet. Alle drei Jahre tragen die Fetischpriester eine Schlange in einer Säule in den Städten und Dörfern umher; vorher lassen sie ausrufen, man solle das Haus nicht verlassen und nicht einmal aus den Fenstern hinausschauen. Auf ihrem Zuge tödten sie alle Hunde, Hühner und Schweine, denen sie begegnen; denn das sind, wie sie sagen, die Feinde des Dagbe. Der Hund erzürne nämlich die Schlangen durch sein Bellen; das Huhn picke ihnen die Augen aus, und das Schwein fresse sie. Der feierliche Umzug soll alle Krankheiten und Uebel aus der Ortschaft verbannen. Die ganze Zeit über halten sich die Neger verstecht, „denn", sagen sie, „wenn wir den Fetisch erblickten, würde sich unser Leib mit Würmern bedecken, und wir müßten lebendigen Leibes verfaulen"!

11. Von den Fetischen und Fetischhainen.

Wenn ein armes, kleines Kind in einer großen Stadt sich verlaufen hat, den Heimweg nicht mehr finden kann und sich allein unter den tausend fremden Leuten sieht, von denen niemand seinen

Namen kennt, da fällt es in große Angst und bebt und zittert
wie Espenlaub und schaut weinend umher, ob sich niemand seiner
erbarmen und es zu seinen Eltern heimbringen werde. So ist
es auch den Negern in Afrika ergangen, seitdem sie sich durch
Thorheit und Sünde von Gott, ihrem himmlischen Vater, verirrt
haben. Sie wissen nicht mehr, wo er wohnt und wer er ist.
Alle die Dinge, welche Gott geschaffen hat, damit sie ihn daraus
erkennen könnten, sind ihnen fremd und unverständlich geworden.
Sie bangen davor und erwarten nur Uebles von ihnen. Denn sie
sehen böse Geister darin, welche sie Grigri oder Juju nennen
und welchen sie alle erdenklichen Zauberkräfte zuschreiben. Diese
Grigri oder Juju sitzen in den Wolken und in den Sternen und
machen das Wetter; sie reiten auf den Winden herum und donnern

vom Himmel herab. In jeder Höhle, in jeder Grotte, in jedem
hohlen Baum, in jedem Fluß und Brunnen, im See wie im
Meer, im Wald wie auf den Feldern ist alles voll von diesen
Grigri oder Juju. Auch in den Hufen der Antilopen, in den
Hörnern der Ziegen, ja in den einfachsten platten Steinen sitzen
solche Schreckgespenster, welche Tod, Krankheit, Unwetter, Pest,
Feindschaft und alle Uebel über den Menschen bringen können.
Als die Engländer und andere Reisende an die Westküste Afrika's
kamen, da fürchteten die Neger sich nicht nur vor ihren Flinten
und Pistolen, sondern fast noch mehr vor den Stöpseln ihrer
Champagnerflaschen und vor ihren Pomadetöpfchen. Die Pomadetöpfchen verbreiteten einen so starken angenehmen Geruch; da mußte
nothwendig ein Juju darin sein. Wenn aber der Stöpsel einer

Der Schlangentempel. (S. 377.)

Champagnerflasche knallend emporflog, so mußte offenbar ein Grigri
thätig sein. So ist es mit der ganzen lebendigen oder leblosen
Natur: alles, was eine Kraft äußert oder ein Lebenszeichen von
sich gibt, alles, was neu, sonderbar, wunderlich oder schreckhaft
aussieht, schreiben die Neger einem Grigri oder Juju zu.

Ein verirrtes Kind wird, bei allem Schrecken, doch nicht so
thöricht sein, wildfremde und gar böse Menschen für Vater und
Mutter zu halten, oder sie zu lieben und zu verehren und zu ihnen
seine Zuflucht zu nehmen, wie zu seinen Eltern. So thöricht aber
handeln diese armen Neger in ihrer göhendienerischen Blindheit.
Alles, was ihnen fremd oder sonderbar ist, alles, was sie fürchten,
suchen sie dadurch zu gewinnen, daß sie es als Gott anbeten.
Da es nun fast nichts gibt, von dem sie nicht Zauber oder

Beherung fürchten, so beten sie fast alle Dinge als Gott an. Affen
und Krokodile, Elephanten und Leoparden, Hyänen und Eidechsen,
Vögel und Schlangen, Bäume und Steine wurden ihnen zu Göttern.
Damit gaben sie sich aber noch nicht zufrieden. Um sich gegen die
Nachstellungen der Grigri und Juju zu schützen oder um sie zu
versöhnen und zu gewinnen, schnitzen und formen sie die wunderlichsten Bilder aus Holz, Metall, Lehm und Thon, hängen sich
solche Klötzchen und allerlei Lappen um, und setzen diesen Firlefanz
auch auf Altäre und sagen Gebete und Zaubersprüche davor her.
Ja, obwohl sie diesen Trödel sich selbst zurechtgeschnitzt oder
zusammengeschmiert haben, messen sie demselben schließlich auch
noch göttliches Ansehen bei und beten das an, was sie selbst
fabricirt haben. Diese Klötze, Lappen, Amulette, Fetischen, Zeichen,

48*

Ringe und all den Schnickschnack, welchen die Neger in solcher Weise anbeten, nennt man Fetische, und diese Art von Religion, diesen traurigen Tempeldienst, nennt man Fetischdienst oder Fetischismus.

Wie jede Stadt und jedes Dorf seinem geschützten Götzen (Schefede) einen Tempel baut, so hat auch jedes Haus sein Winkelchen oder Kapellchen, in dem die Grigri oder Juju des Hauses aufgestellt werden. Doch selbst das ist den Negern nicht genug. Auch in Feld und Wald, auf einsamen Ackerplätzen oder wo sich ein paar Wege kreuzen, stellen sie ihre Götzen auf. In dem Lande Dahomey und an der Sklavenküste kann man kaum ein paar Schritte gehen, ohne solchen Götzenfraßen oder abergläubischen Götzenzeichen zu begegnen. Am meisten Liebe aber hegen die Neger für kleine

Götzenwäldchen oder Fetischhaine, welche sie in dichtem Gebüsche einrichten, oder sie legen sich auch einen Fetischplatz an, bald in der Ecke eines Feldes, bald an einem Ameisenhaufen, bald um einen alten hohlen Baum, bald an der Kreuzung zweier Wege.

Den Mittelpunkt eines solchen Platzes bildet gewöhnlich ein Palmbaum; an demselben wird das häßliche Bild des Götzen befestigt, welcher an diesem Orte verehrt wird. Es sind das gewöhnlich wahre Vogelscheuchen; die Neger nennen sie Gbo oder auch Legba. Hart neben dem Gbo wird auf einem Bambusrohr der Schädel eines todten Vogels aufgepflanzt; daran hat der Götze seine Freude; je häßlicher der Schädel ist, desto besser. Ein Affenkopf oder der Schädel eines Raubthieres ist dem Götzen ebenso angenehm. Ein Missionär, welcher dieses Land durchreiste, fand

Fetischgebüsch.

um einen solchen Gbo einen ganzen Kreis von Krokodilsschädeln aufgestellt, die alle mit der Spitze nach dem Palmbaum standen und ihn angrinsten wie Höllendrachen. Außer diesen grausigen Schädeln wird aber noch alles Mögliche um den Gbo herum aufgestellt und aufgesteckt. Vor allem ist da ein großer, fester, gabelförmiger Stecken (Palola genannt), mit welchem die Sklaven das Opferthier festhalten; dann eine kurze, kräftige Keule, mit welcher man das Opferthier todtschlägt; ferner ein Krug, damit der Götze trinken kann, so er Durst hat. Rund herum aber stehen die Fetischteller und Fetischplatten mit Maiskorn, Wurzeln, Bananen, Palmöl und den übrigen Lieblingsgötzenspeisen. Davon soll die Götze essen, d. h. wie es ehedem von den Baalspfaffen in Babylon geschah, kommen insgeheim die Götzenpriester und nehmen fort, was man den Götzen

hinstellt, und sagen dann den Leuten, der Götze habe guten Appetit und sei ihnen gnädig.

Andere Dinge, welche in dem Götzenhain herum stehen oder liegen, bedeuten die verschiedenen anderen Götter, welche mit dem Gbo zusammenwohnen, namentlich Ere oder die Schlange der Lagune, welche durch einen schlangenförmigen Stecken versinnbildet wird. Daneben ist ein Stecken mit einem Trichter darauf, welcher die Schlangengöttin Dagbe bedeutet. Da sieht man, daß der Teufel noch immer an der Schlange sein Gefallen hat, und noch mehr daran, daß die Menschen ihn unter der Gestalt dieses häßlichen Thieres anbeten. Den Regenbogen halten die Neger für eine göttliche Schlange, die aus den Sümpfen empor gen Himmel kriecht. Ein Eisenstab mit vier rückwärts gekrümmten Anhängseln

ist das Sinnbild des Götzen Osu, welcher beständig den Glücks=
gott Ifa begleitet. Wenn der Götzenpriester den Glücksgott Ifa
über die Zukunft befragen will, stellt er den Eisenstab des Osu
vor ihn hin, läutet mit dem heiligen Glöcklein Aja, damit der
Gott wach werde und höre, und stellt dann seine Fragen. Darum
steht auch dieses Glöcklein allzeit bereit und daneben ein Dek=
tel, um die Opfer=
gaben, welche der
Schlangengöttin
Dagbe gebracht wer=
den, zu bedecken.

12. Von einigen anderen Amuletten.

Die Grigri oder
Geister sind nach der
Meinung der Neger
nicht bloß in Tem=
peln, Häusern und
Götzenhainen zu tref=
fen; sie sind überall;
auf jedem Schritt
und Tritt glaubt der
Neger von ihnen be=
droht zu sein oder
ihrer Hilfe zu be=
dürfen. Darum be=
gnügt er sich nicht,
die Grigri an be=
stimmten Orten zu
verehren, sondern
trägt allezeit ein
Amulet bei sich, das
den Zorn der Gei=
ster besänftigen und
ihre Gunst erwerben
kann. Auch wenn
sie sonst nichts am
Leibe tragen als et=
wa ein Tüchlein um
die Lenden, so haben
sie doch ganz gewiß
etwas bei sich zum
Schutze gegen die
Grigri. Ein Reisen=
der, der vor etlichen
Jahren mit drei sol=
chen Negern in einem
Boot den Fluß hin=
abfuhr, erzählt, daß
der eine gar keine

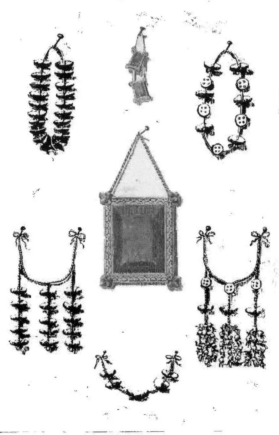

Verschiedene Amulette.

Krankheit, vor Haifisch, vor böse Mensch, vor böse Geist, vor alle böse
Ding." — „Aber Jack," sagte der Reisende, „wie kann ein Stückchen
Leder solche Kraft haben? Das ist ja nicht möglich." Da antwortete
der Neger: „Drin sein lauter Ding, kräftig gar sehr." Der Rei=
sende wollte nun die kräftigen Dinge sehen, aber der Neger wollte sie
um keinen Preis sehen lassen; gab jedoch allmählich zu verstehen,
daß er das Leder=
täschchen, welches
ebenfalls Grigri ge=
nannt wird, wohl
verkaufen möchte,
wenn ihm der Rei=
sende zwei Thaler
dafür gäbe. Nach
langem Hin= und
Herreden ließ er sich
endlich herbei, es
auch für einen hal=
ben Thaler zu ver=
kaufen, aber erst in
der Stadt, wenn er
sich zuvor ein an=
deres Grigri ver=
schafft habe, da ihm
sonst, wie meinte er,
unfehlbar ein Un=
glück zustoßen würde.
Sobald sie in die
Stadt zurückgekehrt
waren, gab er das
Ledertäschchen her,
und was fand der
Reisende darin? Ein
Stück von einem Zie=
genhorn, zwei Glas=
perlen und einen
Lappen, auf dem
einige wunderliche
arabische Sprüche
geschrieben waren.
Das also sollte ihn
vor Raubthieren und
Krankheiten, vor bö=
sen Menschen und
Geistern, kurz vor
allem Bösen be=
schützen! Andere Ne=
ger tragen in diesen
Ledertäschchen ver=
schiedene Knochen,
Leoparden=und Kro=
kodilszähne, bunte

Kleidung hatte, die anderen nur ein Stück Baumwolle um den
Leib, alle aber trugen an einer Schnur ein Ledertäschchen um den
Hals. „Jack!" fragte er den einen, „was ist das für ein Ding,
welches du da um den Hals trägst?" Der Neger that mit wich=
tiger Miene einen langen Zug aus seiner schwarzen Pfeife,
wirbelte feierlich eine große Rauchwolke zum linken Mundwinkel
hinaus und sagte: „Das setz gut Ding sein. Schützen mich vor

Lappen und kleine Götzenbildchen; die Vornehmsten aber unter
ihnen, die sich Könige nennen, tragen darin nicht selten Asche von
Menschen, welche den Göttern geschlachtet und dann verbrannt wurden.

13. Ein Ausflug nach Abeokuta.

Schon oben sprachen wir unsere Absicht aus, Abeokuta zu be=
suchen, und diesen Vorsatz wollen wir nunmehr ausführen. Zu=

nächst geht der Weg über die große Lagune von Osa; wir müssen sie natürlich in Kähnen übersetzen, und zwar höchst mühsam. Stellenweise können die Ruderer in dem von dichten Wasserpflanzen bestandenen, sumpfigen Becken kaum vorankommen; der Reisende sieht sich oft Tage und Nächte lang in dem Gewirre von Schilf und riesigem Röhricht festgehalten, den giftigen Stichen zahlloser Mücken (Moskitos) und dem noch viel giftigeren Einflusse der Sumpfluft, welche gefährliche Fieber erzeugt, preisgegeben.

Nachdem wir uns endlich durch das sumpfige Ufer hinausgearbeitet haben, schaukeln wir uns in dem rasch hingleitenden Kahn auf der offenen Wasserfläche der Lagune, welche sich fast unabsehbar vor uns ausdehnt. Schwimmende Inseln, aus verwachsenen Wasserpflanzen gebildet, wiegen sich, dem Spiele von Wind und Wellen folgend, hierhin und dorthin, und zahlreiche leichte Fischerkähne steuern nach allen Richtungen. Bald erblickt unser überraschtes Auge zur Linken eine große Anzahl von Wohnungen über den Wellen. Jedes einzelne Haus steht auf hohen Pfählen; die Wände sind aus Bambusrohr, das Dach aus Palmblättern geflochten; außer ihrer eigenen Wohnung haben die Leute auch Stallungen für Kühe, Ziegen, Schweine und Schafe. Das Dorf hat seine Straßen und öffentlichen Plätze, ja sogar seinen Kramladen. Jedes Haus besitzt natürlich seinen Kahn oder wenigstens seinen ausgehöhlten Baumstamm, auf welchem die Einwohner durch die Straßen dieses Pfahldorfes gleiten, ihre Besuche machen und den Verkehr mit dem Festlande, von dem sie das Futter

Pfahlbauten bei den Negern.

für ihr Vieh beziehen, aufrecht halten. Der Name dieses sonderbaren Pfahldorfes ist Ketonu.

Aber weshalb ist denn diesen Negern beigefallen, ihr Dorf über dem Wasser der Lagune zu bauen? Warum haben sie sich nicht auf dem Ufer angesiedelt? sie sind ja so reizend und dort haben sie ihre Maispflanzungen! Wenn wir diese Fragen an die Einwohner von Ketonu richten, so zeigen sie mit ihrer Hand nach Norden und rufen statt aller Antwort: „Dahomeh! Dahomeh!"

In der That, das eine Wort erklärt alles. Auch ist Ketonu weder das einzige noch das größte Dorf dieser Art; es gibt noch neun ähnliche; ihre Einwohner bebauen den Tag über ihre Gärten und Pflanzungen auf dem Lande, aber während der Nacht flüchten alle in ihre Wasserfestungen, „Todschis" (Hütten über Wasser) genannt, um vor dem König von Dahomeh und seinen Menschenjägern sicher zu sein; denn sie wissen wohl, welches Loos ihrer harret, wenn sie in die Krallen des blutdürstigen „Löwen" von Dahomeh fallen.

Jenseits der großen Lagune setzen wir unsere Reise zu Land fort. Wir haben uns, wie das dort gebräuchlich ist, eine gute Anzahl Neger gemiethet, welche nicht nur unser Gepäck, sondern auch uns selbst auf dem ganzen Wege tragen. Wir liegen dabei ganz bequem in einer Art Hängematte, die an einem Tragbaume befestigt ist, und können uns die Wunder der tropischen Vegetation betrachten, riesige Palmen=, Kokos=, Bananen=, Brodfrucht=, Gummibäume, dazwischen die vielen farbigen Blumen und Schlingpflanzen, die goldglänzenden Käfer und bunten großen Schmetterlinge. Die Wipfel sind von zahllosen herrlich gefiederten Vögeln bevölkert, namentlich gibt es viele graue, rothgeschwänzte Papageien.

Sehr interessant ist der sogenannte afrikanische „Webervogel"; er hat den Namen des künstlichen Nestes wegen, das er aus Grashalmen flicht und, um seine Brut vor Schlangen zu schützen, an den Baumästen aufhängt. Aber die riesigen Baumkronen des Waldes sind auch der Tummelplatz zahlreicher Affen, die sich schreiend und lärmend von Ast zu Ast schwingen. — Uebrigens hausen in dem Waldesdickicht von Dahomeh noch viel gefährlichere Feinde, der Löwe und der wilde Elephant; in den Sümpfen lauert das Krokodil, und überall finden sich verschiedene, zum Theil sehr giftige Schlangenarten, mit Recht der Schrecken der Wanderer.

Solange wir in den Wäldern reisen, fehlt es nicht an erquickenden Früchten und an trinkbarem Wasser. Allein bald führt uns der Weg über steinige, wüste Flächen; da müßten wir nun oftmals darben, wenn nicht die Eingeborenen an einen Einfall gekommen wären, den man bei einem so wilden Volke niemals gesucht hätte. Denn derselbe setzt eine Ehrlichkeit voraus, welche man leider nicht überall findet. Wir treffen nämlich von Zeit zu Zeit am Wege, weit von den Dörfern und von jeder menschlichen Wohnung entfernt, eine Art Kramladen, da stehen Krüge voll frischen Wassers und die verschiedensten Fruchtarten, Kolosnüsse, Bananen, Bataten u. s. w. zum Kaufe ausgelegt. Daneben liegt auch Geld (Cauris) zum Wechseln; wir sehen uns um, wo denn die Händler seien, aber es ist keine Seele in der Nähe. Erstaunt fragen wir nun die Sänftenträger: „Weshalb hat man das alles dahin gelegt?" — „Damit man es kaufe", antworten die Neger.

Reise in einer Sänfte in Dahomeh. (S. 382.)

verwundert über eine solche Frage. — „Aber wo sind denn die Kaufleute?" forschen wir weiter. — „Wir wissen es nicht, Fremdling. Vielleicht eine Stunde von hier." — „Und die Reisenden, welche des Weges ziehen, stehlen nichts von diesen Früchten oder von diesem Gelde?" — „Oh, oh, Fremdling!" rufen jetzt die Neger und machen große Augen über unsere Bemerkung. „Sie sind ja viel zu froh, auf ihrer Reise an so entlegenen Stellen Früchte und Erquickungen zu finden, als daß sie es über sich bringen könnten, den Mann, der sie hierhin trug, zu bestehlen. Jeder wird sich wohl hüten, etwas anzurühren, bevor er nicht den Preis hinlegte, wie es alle früheren Reisenden thaten." Diese Sitte findet sich in ganz Guinea, und so sittlich verkommen die Neger sonst auch sind, sie würden es nicht über sich bringen, dem Manne ein Unrecht zuzufügen, der diese Früchte tagtäglich zum Nutzen der Reisenden in die Wüste trägt.

Diebstahl gilt also auch diesen Leuten für Sünde, trotzdem ihre Könige eigene Diebesbanden auf Raub ausschicken. Um einen Dieb herauszufinden und zur Strafe zu ziehen, besteht in Dahomeh eine sonderbare Sitte. Jedes Stadtquartier muß den Fetischpriestern einen Hahn bringen, und diese lassen die Hähne von einem heiligen, d. h. den Götzen geweihten, Zaubertranke trinken. Der Hahn, welcher verendet, verräth das Stadtquartier, welchem der Dieb angehört. Jetzt muß jede Familie dieses Quartieres ihren Hahn zu stellen, damit durch das gleiche Vorgehen die schuldige Familie gefunden werde. Hat man die Familie gefunden, so bringt jedes Glied derselben den Fetischpriestern seinen Hahn, und nun muß sich bald herausstellen, wer der Uebelthäter ist: wessen Hahn stirbt, der ist der Dieb, und er bezieht sofort seine Prügelstrafe.

Wenn wir des Tages über an ein Dorf kommen, so dürfen wir dasselbe nicht ohne weiteres betreten. Erst muß der Dorfschulze um die Erlaubniß angegangen werden, und nicht selten wird sie verweigert, oder man sagt uns, wir hätten bis zum Einbruche der Nacht zu warten. Die Neger trauen nämlich den Europäern nichts Gutes zu, namentlich meinen sie, die bösen Geister reisten mit den Weißen und könnten von der denselben gegebenen Erlaubniß gleichfalls Gebrauch machen und Krankheit und Pest in ihr Dorf hineinschleppen. Bei der Nacht aber, meinen sie, sei das nicht so gefährlich; denn sie halten dafür, die bösen Geister zögen sich mit Einbruch der Dunkelheit in den Ocean zurück.

Endlich liegt Abeokuta vor uns — den Beschreibungen und Begriffen der Eingeborenen zufolge eine der größten Städte der Welt. Es ist am linken Ufer des Ogunflusses auf wellenförmigem Boden rund um einen gewaltigen, 80 m hohen Granitblock erbaut; daher hat es auch seinen Namen, denn „Abeokuta" bedeutet „Am Fuße des Felsens".

Die Stadt ist noch keineswegs alt; mit ihrer Gründung hat es folgende Bewandtniß. Die Egbas, ein Zweig des großen Volksstammes der Nagos, waren viele Jahre lang das Opfer der Raubzüge aller benachbarten Völker; schaarenweise wurden sie in die Sklaverei verkauft oder zu den blutigen Festen nach Dahomey geschleppt. Da kam einem Theile der Egbas im Jahre 1825 der Gedanke, ihre Heimatdörfer zu verlassen und sich zu vereinigen,

Bewohner von Abeokuta.

um gemeinsam künftigen Ueberfällen ihrer Feinde zu widerstehen. Zu ihrem Sammelplatze wählten sie den riesigen Felsblock am Ufer des Ogunflusses. Bald folgten andere Volksstämme in großer Zahl diesem Beispiel; da sie aber doch auch das Andenken an die verlassenen Wohnsitze aufrecht halten wollten, bauten sie ihre alten Dörfer gewissermaßen nur an dem neuen Wohnplatze, welcher sie des gemeinschaftlichen Schutzes halber vereinigte, wieder auf, und so besteht Abeokuta aus einer großen Zahl von Stadtquartieren oder eigentlich von Dörfern, welche ihre alten Namen beibehalten haben, und jedes dieser Stadtquartiere hat seine eigenen Sitten, Rechte und Gewohnheiten, ja sogar seinen eigenen Dialekt.

Das einzige Vertheidigungswerk, welches diese Ansammlung von Dörfern umgibt, ist ein 3 m breiter und ebenso tiefer Wasser-

graben und eine 2—3 m hohe Erdmauer, in welcher runde Oeffnungen als Schießscharten angebracht sind. Dichtes Buschwerk ist ringsum längs der gewundenen, engen Pfade gepflanzt, welche zu den Thoren führen; hinter diesem Gestrüpp legen sie sich in den Hinterhalt und eröffnen unversehens ein mörderisches Feuer auf die Angreifer. Diese Kampfesweise ist sogar den europäischen Truppen mehr als einmal verderblich geworden.

Der Kreis, welchen Wall und Graben rund um Abeokuta beschreiben, hat die gewaltige Ausdehnung von 35—40 km. Man glaubt, daß die 25—30 Dörfer oder Stadtquartiere zusammen eine Einwohnerschaft von wenigstens 100 000 Seelen besitzen, und wirklich, wenn man von den Granitfelsen mitten in der Stadt auf das Menschengewühl der Straßen herabsieht, ist man geneigt, die Zahl keineswegs für zu hoch gegriffen zu halten.

Ein König herrscht über alle diese verbündeten Volksstämme; er hat die höchste Gerichtsbarkeit, und ihm kommt die Entscheidung zu, wenn die Häuptlinge der einzelnen Quartiere die Streitigkeiten nicht schlichten konnten. Die andere Regierung, und namentlich der Oberbefehl über das Heer, steht nicht dem Könige zu, sondern einem auf Lebenszeit gewählten Häuptlinge. Diesem Häuptlinge, der den Titel „Bascheron" führt, fällt auch nach dem Tode des Königs bis zur Wahl des neuen Herrschers die Verwaltung der königlichen Würde zu. Die Häuptlinge sehen sich übrigens wohl vor, daß sie einen gutmüthigen Mann zum Könige wählen, der ihnen gegebenen Falles etwas durch die Finger sieht und mit der Prügelstrafe, welche er über sie verhängen kann, nicht gar zu freigebig ist.

Seit einigen Jahren hat das Christenthum in dieser großen Stadt Fuß gefaßt.

14. Tiko, der kleine Negerknabe von Dahomeh.

Bevor wir die Sklavenküste verlassen, besuchen wir noch einmal Porto=novo. Wir finden den Missionär inmitten seiner Zöglinge in der Nähe des grausigen Todtentempels im Schatten einer Platane gelagert. Wegen der sehr großen Sonnenhitze tragen dortzulande die Missionäre ein leichtes weißes Linnenkleid und müssen zudem stets noch einen großen Sonnenschirm brauchen, sonst würden sie alle bald am Sonnenstiche sterben.

Die kleinen Neger aber brauchen sich nicht so in Acht zu nehmen; ihnen ist die Sonne nicht so gefährlich, und sie können auch nicht schwärzer werden.

Von einem seiner kleinen Schüler, von dem Negerknaben Tiko, soll uns der Missionär etwas erzählen. Nun paßt auf! Die Geschichte lautet also:

„Stellt euch einmal den kleinen Negerknaben Tiko vor mit seiner Farbe, so schwarz und glänzend wie Ebenholz, mit seinen weißen Zähnen, seinen dicken Lippen, seinem breiten, platten Näschen

Ogudige, Obergeneral von Abeotan.

und seinen großen, funkelnden Augen! „Ist er artig?" werdet ihr fragen. O, manchmal wie ein Heiliger, manchmal geberdet er sich aber auch wie ein kleiner Affe — seht nur seine Grimassen und wie er die Augen rollt! Ich behaupte nicht, daß der kleine Tiko ein Weltwunder sei, aber er hat ein bischen Verstand und, was mehr ist, er hat ein gutes Herz; er zeigt sich sehr liebreich und sehr dankbar. Die Buchstaben des A=B=C lernt er nur mit großer Mühe und hat die schlechte Gewohnheit, sie immer und immer wieder zu vergessen; dafür besitzt er ein seltenes Verständniß für den Religionsunterricht. Nach drei Monaten Katechismus weiß er so viel, wie mehr als ein träger Knabe, der in Deutschland seine drei Jahre auf den Schulbänken abrutschte. Manchmal setzt er die Missionäre durch seine ebenso originellen und naiven als richtigen Antworten in Staunen.

„Was ist die lässliche Sünde?" fragte ich ihn eines Tages.

„Die lässliche Sün=de ist eine Sünde, die etwa so groß ist, wie der kleine Tiko.'

„Gibt es auch läßliche Sünden, die größer sind, als der kleine Tiko?' — „Gewiß, es gibt läßliche Sünden, die sind so groß wie der Vater, oder so groß wie der Orangenbaum, und einige sind noch größer.'

„Und wie groß ist denn eine Todsünde?'

— „O, eine Todsünde! die ist so groß, wie von der Erde zum Himmel.'

„Wohin kommen diejenigen, welche Todsünden begehen?' — „In die Hölle.'

„Werden sie in der Hölle viel leiden?' — „Ja, viel, viel, weil dort ein großes Feuer ist. Weißt du, Pater, wie groß das Feuer war, als Waidah abbrannte? Das Feuer der Hölle ist noch viel größer. Dann gibt es dort große Stechmücken. Tödtet man eine, schlägt sie mit der Hand kräftig auf seinen Arm, als ob er eine Mücke erschlüge, tödtet man eine, so stirbt sie nicht, sondern es kommen ihrer tausend.' In Dahomeh bilden nämlich die Moskitos eine der schlimmsten Plagen.

Eines Tages war Tito wie die Affen seiner Heimat auf einen Orangenbaum geklettert. Das that er schwerlich bloß als Turnübung: die Orangen waren reif, und er warf uns die Schalen zu. Er hatte mir beim A-B-C so oft gesagt, die Neger hätten einen härteren Schädel als die Weißen, daß ich ihm jetzt scherzend zurief:

‚Geschwind mache einmal den Aufschwung an dem Afte da! zeig uns deine Künste!‘

‚Nein, Tito will nicht fallen.‘

‚Ach was — und wenn Tito auch fällt! Du sagst ja immer, die Neger hätten einen harten Schädel.‘

‚Ja wohl; aber wenn Tito fällt und sich den Schädel zerbricht, so fällt er noch viel tiefer, als bloß auf den Boden.‘

‚Wohin denn?‘

‚In die Hölle.‘

‚Warum das?‘

‚Tito ist noch nicht getauft.‘

Bald nach dem Gespräche über die Größe der Todsünde und nachdem der kleine Tito nicht vom Baume in die Hölle fallen wollte, feierten wir das Fest Mariä Himmelfahrt. Man hatte dem Knaben gesagt, es sei ein Fest der seligsten Jungfrau. Da er den Schmuck des Altars und der ganzen Kapelle sah, begriff er, daß müsse ein sehr großes Fest sein, und so hatte er auch allen heiligen Messen beigewohnt, anstatt im Freien umherzuschweifen. Als ich am Abend von einem Ausgange nach Hause kam, lief mir der kleine Tito entgegen.

Ein Missionär und eine Gruppe Schulkinder beim Todtentempel in Porto-novo. (S. 385.)

‚Vater,‘ sagte er, ‚heute ist das Fest der Hi . . . Mariä.‘

‚Wie nennt man das heutige Fest?‘ fragte ich und legte meine Hand auf seinen Krauskopf.

‚Ich hab' es vergessen‘, und dazu schnitt er eine gar zu drollige Grimasse.

‚Es ist das Fest der Himmelfahrt,‘ sagte ich. ‚Weißt du, was das zu bedeuten hat?‘

‚Nein; bitte, Vater, erzähl' es mir.‘

Ich nahm ihn an der Hand und lustwandelte mit ihm durch eine Allee von Orangen- und Mimosenbäumen. Am Himmel erschienen langsam die Sterne, während die Nacht das grelle Tageslicht verscheuchte, welches unsere Sonne ausstrahlt.

‚Nun wohlan,‘ sagte ich, ‚aber du mußt recht aufmerksam sein. Siehe, als Jesus Christus gestorben, war das Leben für die seligste Jungfrau eine große Qual. Täglich betete sie zu ihrem Sohne: Mein Sohn, nimm deine Mutter zu dir. Eines Tages erhörte Gott ihr Gebet, und die heilige Jungfrau starb. Die Apostel nahmen den Leichnam Maria's und legten ihn in ein großes Grabmal und weinten bitterlich. Nach drei Tagen sagte Jesus Christus: Ich will den Leib meiner Mutter nicht im Schoße der Erde lassen. Ihr Engel, macht euch auf und holet eure Königin. — Die Engel schwebten hernieder und erweckten Maria von den Todten und trugen sie singend und jubelnd zum Himmel hinauf. Es war aber ein Apostel nicht zugegen, als die Mutter Jesu Christi starb. Als er kam, sagten ihm die übrigen Apostel: Die heilige Jungfrau ist todt. — Dieser aber sagte: O, ich muß sie noch einmal sehen, auch wenn sie todt und begraben ist. — Da gingen sie alle zum Grabe, das Grab aber war leer. Allein sie hörten die Gesänge, erhoben ihre Blicke und schauten die heilige Jungfrau inmitten der Engel, welche sie in den Himmel hinaufstiegen. ‚An der Pforte des Himmels sagte Gott der Vater: Du bist meine Tochter, komme! Gott der Sohn sagte: Du bist meine Mutter, komme! Und Gott der Heilige Geist sagte: Du bist meine Braut, komme! — Und die seligste Jungfrau schwebte empor, immer höher und höher, viel höher als alle Engel. Und Jesus Christus sagte zu ihr: Setze dich zu meiner Rechten. Sie strahlte wie die Sonne, und alle Engel, Millionen und Millionen, sangen: Du bist unsere Königin! Ich grüßen wie, dich lieben wir! Maria sagte lächelnd: Auch ich liebe euch; ich liebe aber ebenso meine Kinder auf Erden, und ihr sollt mir helfen, daß ich auch sie zu Engeln mache!'

Schon lange ging Tito nicht mehr an meiner Seite. Er hatte sich vor mich hingestellt und lief rückwärts vor mir her, damit ihm kein Laut meiner Lippen entgehe. Seine Augen leuchteten vor Freude. Als ich ihm den Einzug Maria's in den Himmel erzählte, blickte er zu den Sternen hinauf, klatschte mit seinen Händen und jubelte laut, als ob er alle Trommeln und Trompeten von Dahomey zu Ehren der Königin der Engel rasseln und schmettern hörte.

Ich wurde natürlich beim Schlusse meiner Erzählung mit einem Schwarm von Fragen überschüttet. ‚Nun gut, Tito,' sagte ich endlich, ‚willst du auch in den Himmel gehen?'

‚Aber Vater! versteht sich.'

‚Ja, wenn du in den Himmel willst, mußt du ein Christ werden und als Christ leben.'

‚Das will ich, das will ich!'

‚Wenn du aber zu deinem Vater Kuenu zurückkehrst, so wird er dir sagen: Tito, bete diesen Fetisch an.'

‚Ich werde Kuenu antworten: Nein, Tito ist Christ, Tito betet keinen Fetisch an.'

‚Ganz gut. Aber Kuenu wird sagen: Wenn Tito den Fetisch nicht anbetet, so werde ich Tito den Kopf abschneiden.'

‚Nur zu, schneide Tito den Kopf ab. Ich bin's zufrieden. Dann geht Tito in den Himmel.'

Der kleine schwarze Schelm dachte nicht daran, daß seine Antwort der Märtyrer der ersten christlichen Zeiten würdig war. Tito ist ein wahrer Trost für das Herz eines Missionärs. Man vergißt die Schwärze der Haut, wenn man diese Kinderseelen ebenso allem Guten zugänglich findet, wie jene in Europa. Sie sind aber auch unser einziger Trost hierzulande; wenn wir nur mit den Erwachsenen zu thun hätten, bei denen die bösen Gewohnheiten schon tiefe Wurzeln faßten, würde der Muth uns bald zur Neige gehen. Der Fluch lastet noch schwer auf dem Boden Afrika's. Wir würden den Staub von unseren Füßen schütteln, die Schiffe besteigen und an eine andere Küste segeln, wo eine reichere Ernte unsere Mühen belohnen würde. Aber die Kinder sind unsere Hoffnung. Wir taufen sehr viele in der Todesstunde. Manche erziehen wir auch in unseren Schulen und Waisenhäusern. Sie werden, wie wir hoffen, den Kern eines christlichen Volkes in Dahomey bilden.'

So erzählt der Missionär. Meine jungen Freunde werden aber für den kleinen Tito und seine schwarzen Spielkameraden von der West-

Elmina an der Goldküste. (S. 389.)

küste Afrika's beten, daß sie recht brave Christen werden und daß die Lehren und Mühen der Missionäre an ihnen nicht verloren seien.

49*

15. Deutsch-Togoland und Weiterfahrt.

Die Küste von Dahomeh ist von Frankreich besetzt; aber gleich westlich von Groß-Popo beginnt der deutsche Besitz von Togoland mit den Hafenorten Klein-Popo (Klein-Povo wird es jetzt auch geschrieben), Porto Seguro, Bagida und Lome. Der Küstenstrich hat nur eine Länge von etwa 50 km und ist infolge der sumpfigen Lagunen ein wahres Nest tödlicher Fieber. Aber die Häfen sind für den Handel nicht ohne Bedeutung. Trotz seines Namens ist Klein-Popo, wie uns der Luxemburger Missionär P. Sand versichert, eine große Ortschaft, die mehr als eine Stunde Ausdehnung an der Meeresküste hat. Schon bei seinem Besuche im December 1884 zählte es sieben große Fakto-

reien deutscher, englischer und französischer Kaufleute. Drei Segelschiffe lagen in der Bucht, Waaren ein- und ausladend. Leider erschwert eine überaus heftige Brandung das Landen und macht es oft geradezu unmöglich. (Vgl. das Kärtchen S. 387.)

Die Grenzen im Innern sind noch offen; doch wird der deutsche Besitz auf 61 000 qkm angegeben. So ungesund das Land an der Küste in der Nähe der Lagunen ist, so schön und gesund soll es im Innern sein. Es ist nach Dr. Henrici ein immer höher ansteigendes, fruchtbares, reichbewässertes Gebirgsland. Hinter der Togolagune erhebt sich der Boden rasch in mehreren Stufen zu einer Meereshöhe von 200—400 m; einzelne Berghäupter sollen über 2000 m emporragen. Das Agomegebirge, ein Theil des großen Gebirgszuges, der von der Voltamündung in weitem

Monrovia. Hauptstadt von Liberia. (S. 389.)

Bogen sich nach Lutobscho, an der Vereinigung des Niger und Benue, hinzieht, schließt vorläufig das deutsche Gebiet nach Nordwesten ab. Da ist auch in einer Höhe von 710 m eine deutsche Station Bismarcksburg gegründet worden. Die Hauptflüsse eilen dem Volta zu, der auf englischem Gebiete mündet; doch hat auch das Togogebiet einige kleinere, wenigstens in der Regenzeit ziemlich weit landeinwärts schiffbare Flüßchen. Die bedeutendsten heißen Haho und Sio.

Die große Regenzeit dauert von Anfang April bis Ende Juli; darauf folgt August und September die kleine Trockenzeit, October und November die kleine Regenzeit und von da bis April die große Trockenzeit. Die Hitze steigt über 43° C. und sinkt nicht unter 17° C. Der Boden scheint durchweg fruchtbar. Die Eingeborenen, die sich recht gut auf Ackerbau verstehen, ziehen Mais,

Yams, Bananen, Ananas, Ricinus, Baumwolle und pflegen namentlich die Oelpalme. Man findet ganze, sauber gehaltene Oelpalmenwälder. Sie treiben auch etwas Viehzucht, halten Milchkühe, kleine, schwarze Schweine, Ziegen, Schafe und Hühner. Die Schafe haben aber keine Wolle, sondern Haare, und auch eingeführte Wollschafe sollen in dem heißen Lande sehr bald ihre Wolle durch Haare ersetzen.

Die Eingeborenen machen nach Dr. Wolf mehr den Eindruck von „Wilden", als die Bewohner des untern Kongo. Die Gegend von Adeti ist ein verschrieenes Fetischland. Der einflußreichste Adelihäuptling, Kontu, war zur Zeit, da Dr. Wolf dahinkam, von einem sehr schmerzlichen Augenleiden befallen; er wandte sich um Hilfe an den fremden Arzt. Bevor derselbe aber mit ihm sprechen durfte, wurden von Kontu's Sohn und einem Fetischpriester in

Gegenwart einer großen Volksmenge die Götter Adeli's befragt, ob der Fremde als Freund oder Feind komme. Um sich darüber zu vergewissern, wurde einem Huhn die Kehle fast durchgeschnitten; dann warfen sie es weit weg, daß es zappelnd und mit den Flügeln schlagend zu Boden fiel. Glücklicherweise fiel es auf den Rücken und verendete in dieser Lage; wäre es auf die Brust gefallen und so verendet, so hätte Dr. Wolf als Feind Adeli's gegolten und wäre als solcher behandelt worden. Ehe das Huhn geopfert wurde, hatte der Fetischpriester mit demselben den Dolmetscher und Führer Dr. Wolf's bestrichen. Dann mußten dieselben dem Huhn in den geöffneten Schnabel speien und demselben so „ihre inneren Gedanken über den Fremden mittheilen". Da nun das Huhn auf dem Rücken, also mit freier Brust verendete, zeigte es an, daß der

Fremde frei sei von feindseligen Hintergedanken. Als dann Dr. Wolf in der That den Häuptling von seinen Augenschmerzen befreite und sonst noch mehrere Heilungen bewirkte, wurde er freundlich behandelt und erhielt die Erlaubniß, eine Versuchsplantage zu gründen, in welcher die meisten europäischen Gemüse gedeihen. Man hofft also, im gebirgigen Hinterlande von Togo ein Land für Auswanderer gefunden zu haben; doch muß sich das alles noch mehr bestätigen, bevor wir unseren Freunden rathen können, ihre Heimat in diesen Erdstrich, „wo der Pfeffer wächst", zu verlegen.

Besteigen wir wieder unsern „Afrikaner" und fahren wir weiter, zunächst in westlicher Richtung. Vom Verdecke aus sehen wir die Küste von Aschanti, mit dessen kriegerischen Negerstämmen die

Ansicht von Freetown in Sierra-Leone.

Engländer wiederholt blutige Fehden hatten; dann die sogenannte Goldküste, welche die Engländer besetzt haben, und die Elfenbein-küste, wo aber gegenwärtig mehr Palmöl als Elfenbein verkauft wird. Elmina mit seiner alten Festung ist ein Haupthafenort der Goldküste und überhaupt eine der ältesten Städte an der Westküste Afrika's. Schon im 14. Jahrhundert sollen sich Schiffer aus Dieppe daselbst niedergelassen haben. 1637 kam die Stadt und Veste in den Besitz der Holländer. Sie war der Hauptsitz der niederländischen Kolonien an der Goldküste. Erst 1871 traten es die Holländer an England ab.

Am Palmentap können wir einen nordwestlichen Kurs ein-schlagen und fahren nun längs der Pfefferküste, an welcher frei-gelassene Neger aus Amerika im Jahre 1826 verschiedene Kolonieen gründeten, aus denen 1847 der Freistaat Liberia entstand. Vom Palmentap bis zum Kap Verde, der westlichsten Spitze Afrika's, ist die Küste gleichmäßig eben mit hügeligem Hintergrunde; der Strand besteht theils aus Sanddünen, theils aus Mangrovedickicht. Das Landen ist wegen der starken Brandung, welche sich über den Sanddünen bricht, überaus gefahrvoll, ja nur an wenigen Stellen durchführbar. Monrovia ist die Hauptstadt dieser Republik. Sierra Leone, das nun folgt, ist eine englische Besitzung; doch haben auch in seiner Hauptstadt Freetown katholische Missionäre eine blühende Niederlassung. Weiter dampft der „Afrikaner" und erreicht, immer mehr nordwärts steuernd, bald die Küste Senegambiens, an welcher Frankreich zahlreiche und ausgedehnte Kolonien besitzt. Die erste, der wir begegnen, ist diejenige am Flusse Malleovry; dann folgt die Besitzung am Rio Pongo mit der Station Boffa. Den (englischen) Loßinseln gegenüber liegt zwischen den Flüssen Bramiah und Dubreca ein auf etwa 30 deutsche Quadratmeilen angegebenes Stück Land, auf welchem am 2. Januar 1885 der Capitän des deutschen Kriegsschiffes „Ariadne" die deutsche Flagge aufhißte. Das Land wurde jedoch wieder an Frankreich zurückgegeben. Der „König" heißt Alimani Bangali und wohnt am Bramiahfluß. Was von dem mörderischen Klima am Kamerun gesagt wurde, gilt auch von demjenigen zwischen Rio Pongo und Mallecory, während die Loßinseln einen herrlichen tropischen Pflanzenwuchs tragen und gesund sein sollen. Für größere Seeschiffe sind die Flüsse Bramiah und Dubreca, die allerdings an manchen Stellen eine Breite von fast einer Seemeile haben, der zahlreichen Klippen wegen nicht weit ins Innere fahrbar.

Die Eingeborenen dieses Küstengebietes heißen Susu. Sie sind echte Neger, tiefschwarz, mit starken, aufgeworfenen Lippen, breiter, platter Nase und krausem Haar. Sie haben ihre eigene Sprache; die Männer sind von hohem, kräftigem Körperbau; die reicheren tragen einen großen grauen Filzhut, die ärmeren eine rothe Zipfelmütze oder eine aus Gras geflochtene Kopfbedeckung. Um die Schultern schlagen sie ein weißes, faltiges Wollenzeug. Dazu kommen weite Beinkleider, und kein Mann geht ohne Säbel, der in einer selbstgefertigten Lederscheide steckt und an einem weißen, blauen oder rothen Gürtel getragen wird. Manche sind auch mit alten Steinschloßgewehren bewaffnet. Das alles beweist, daß die Susu schon länger mit europäischen Kaufleuten verkehren und sich einen gewissen Grad von Gesittung angeeignet haben. Sie sind geschickte Schmiede, verstehen hübsche Schnitzereien und Holzarbeiten

zu machen und bauen prächtige Kanoes, welche 8—9 Tonnen tragen können und mit Mattensegeln oder Rudern bewegt werden. Die Wände ihrer Häuser bestehen aus einer doppelten Lage Flechtwerk, das innen und außen mit geknetetem Lehm bestrichen und durch eine Veranda geschützt wird. Die Dörfer sind regelmäßig gebaut, reinlich und liegen gewöhnlich an fließendem Wasser. Reis, der viel gepflanzt wird und prächtig gedeiht, und Fische, an denen es in den Flüssen nicht mangelt, sind die Hauptnahrungsmittel der Susu. Die Felder müssen von den Weibern bestellt werden, während die Männer dem Fischfange obliegen. Die Affen sind so zahlreich, daß sie eine wahre Landplage bilden und in den Reisfeldern und anderen Pflanzungen großen Schaden anrichten.

Die Susu sind Mohammedaner, doch feiern sie den Ramadan nicht durch Fasten, sondern begnügen sich damit, während dieser Zeit keinen Krieg zu führen. Sonst ziehen sie oft auf Sklavenraub aus. Sie behandeln übrigens die Sklaven nicht schlecht und betrachten dieselben als zur Familie gehörend. Die katholischen Missionäre haben für dieselben ausgewirkt, daß sie an Sonntagen nicht zu arbeiten brauchen, und außerdem haben sie noch einen Tag in der Woche frei, an dem sie ein kleines Stück Land für sich selbst bestellen dürfen.

Von den Loßinseln hat der „Afrikaner" noch etwa 350 Seemeilen längs der Küste zu steuern, bevor er das „Grüne Vorgebirg" (Kap Verde) erreicht. Auf dieser Fahrt begegnen wir den großen Strömen Senegambiens, die wir soeben genannt haben, dem Rio Grande, dem Gambia und nach einer Fahrt von weitern 100 Seemeilen endlich dem Senegal, an dessen Mündung wir abermals vor Anker gehen wollen.

1. Das Land.

Der Senegal wird von den Eingeborenen Bafing, d. h. schwarzer Fluß, genannt. Am Nordufer schweift auf seinem Wüstenroß der nomadische Araber und Berber, am Süd-

ufer wohnt in ständigen Hütten und Dörfern der viehzüchtende oder ackerbautreibende Neger. Schon dem alten Sebastian Münster fiel dieser grelle Gegensatz auf, und er erzählt uns seine Beobachtungen in folgender naiver Weise: „Zwischen den Azenagen und Nigriten oder schwarzen Moren fleußt ein groß Wasser mit Namen

Felu-Wasserfall des Senegal. (S. 392.)

Senega; das scheidet das unfruchtbar erdtreich von dem guten Land der Nigriten. Und wird da ein wunderlich Ding gesehen, da hie jenet dem wasser ein sandecht unfruchtbar Land ist, und sind die Men-

schen aschensarb, nicht gar schwarz, und kurzer Personen, aber über dem Wasser sind die Leute ganz schwarz, langer Person, das Land ist gar grün und fruchtbar. Es sind etlich der meynung, daß das Wasser kommt von dem Nilo, der durch Egypten fleußt. Denn wie der Nilus Egyptenland fruchtbar macht, also auch Senega der Moren Land ganz fruchtbar." Bis an die Cuellen des Nil gehen nun freilich die Aufänge des Senegal nicht, denn er sowohl, wie die übrigen Flüsse Senegambiens: der Gambia, Rio Grande u. s. w., entspringen in dem östlichen Kong-Gebirge und durchbrechen in westlicher Richtung, in wilden Katarakten, zahlreichen Wasserstürzen und Stromschnellen das tafelförmige, oft seltsame, romantisch groteske Randgebirge. Auf dem breiten Küstensaume angelangt, schleichen sie dann mit geringem Gefälle, in weiten Strombetten um zahlreiche Inseln, ruhig und majestätisch durch die wald- und wiesengrüne Ebene dem Meere zu, dessen Ebbe und Flut sie bis auf 40 Meilen landeinwärts unterworfen sind. Mit

der andern Aehnlichkeit, die Sebastian Münster zwischen Senegal und Nil findet, hat es indessen seine volle Richtigkeit. Wenn im Juni die furchtbaren Wirbelstürme wehen, Blitze vom grellsten Licht den Himmel in ein Feuermeer verwandeln, erschütternde Donnerschläge das plötzliche Abbrennen von tausend Geschützen übertäuben würden — dann weiß der Senegambier, daß die Regenzeit beginnt. Das Wasser strömt viel mehr in einem Gusse, als es in Tropfen niederfällt. Die Ströme und Bäche schwellen an und treten aus, und es findet sogar in der höhern Gebirgsgegend eine zeitweilige Verbindung zwischen dem Senegal und dem Gambia statt, die wellenförmige Ebene schaut nur noch mit ihren höchsten Punkten aus dem unruhigen See und gleicht mehr einem Insellabyrinth, als einem bewohnten Festland. Im November verkünden

Papyruspflanzen. (S. 394.)

wieder Gewitter das Aufhören der schlechten Jahreszeit; aus der Wüste von Nordosten weht der Harmattan. Dann ist die Sonne blaß wie der Mond, die Luft mit erstickendem Staube gefüllt. Der Glutwind fegt sengend und trocknend über die halbverschlammten Niederungen, und da er die Luft von dem schleichenden Gifte der Sumpffieber reinigt, athmet der Fremde wieder frisch auf. Der Neger geht an seine Arbeit und zündet das während der Ueberschwemmung hochaufgeschossene Riedgras an. Schaaren wilder Raubvögel umkreisen die Feuerstellen, aus denen ihnen in den halbversengten Schlangen und Eidechsen eine reiche Beute entgegenwinkt. In kurzer Zeit hat dann ein angenehmes frisches Grün die schwarzen Brandstätten überzogen, und liegt das Land nicht gerade an der Grenze zweier Staaten und treibt der es bewohnende

Stamm Ackerbau, so wird es umgearbeitet und eingesät. Viel Mühe brauchen sich übrigens die Neger für ihren Lebensunterhalt nicht zu geben. Er wächst ihnen meistens wild auf den Bäumen.

Die Pflanzenwelt Senegambiens ist bisher noch wenig bekannt, weil dem Sammler die außerordentlichsten Schwierigkeiten entgegentreten. Er muß seine Forschungen meistens auf die Meeresküste und die Stromufer beschränken. Doch auch diese Versuche scheitern häufig an den verschiedensten Anfällen.

Die hohen Brandungen, die steilen Felsenküsten, die wie eine Riesenmauer senkrecht aus den brandenden Wogen emporsteigen, vor allem aber die gefährlichen Springfluten, von denen jene am Kap Rufisque (östlich vom Kap Verde) am meisten gefürchtet werden, erschweren oder vereiteln jeden Landungsversuch. Selbst

Springflut am Kap Rufisque. (S. 392.)

auf den zahlreichen Strömen ist an ein regelrechtes Eindringen in das Land nur selten zu denken. Der breite, oft tiefe Schlammsaum zwischen dem Flußwasser und dem Festland hält den Kahn zurück und erlaubt auch dem Reisenden keinen sichern Schritt. Mit dem Hackmesser muß oft der Weg durch die wuchernde Schlingpflanzenhecke gebahnt werden. Dabei senden prächtig blühende Dolichosranken ihre schwanken Breunhaarbüschel auf den Eindringling oder schneidige Rohrblätter zerreißen ihm Gesicht und Hände. Und glücklich, wenn im Versteck keine Schlange oder kein Krokodil lauert, oder kein Panther sein Mittagsschläfchen hält.

Der Meeresstrand zeigt übrigens eine Menge Pflanzenformen, die den meisten Tropenküsten gemeinsam sind. Wo in den Flußmündungen durch die hochrollende Fluth Brackwasser entsteht und Schlammbänke sich bilden, wuchern die gefürchteten Mangrovewälder; auf den meist trockenen Hügeln des Nordens wachsen Akazien und Mimosen, welche Gummi für den Handel liefern. Die Wälder des Innern sind, wie bemerkt, noch wenig erforscht. Die großen Wiesen oder Savannen gegen die Küste hin sind aus hohen Gräsern und besonders an fruchtbaren Stellen aus Cyper- und Riedgräsern gebildet, selbst den Papyrus (Bild S. 392) finden wir auf ihnen. Commelinen, Prachtlilien, besonders aber hohe Pandangs mit ihren Stelzenwurzeln unterbrechen durch ihren buntfarbigen Blütenschmuck das einförmige Grün.

Unter den Waldbäumen ist der bekannteste und allseitig wohlthätigste der Baobab oder Affenbrodbaum. Trotz einer gewaltigen Dicke, die oft bis zu 33 m Umfang erreicht, besitzt der Stamm dieses Riesenbaumes nur eine Höhe von 4—5 m, dann beginnt die Laubkrone. Wagrecht laufen von ihm drei, vier oder fünf ungeheure Aeste aus, die sich gegen die Erde hinneigen, dann wieder emporstreben und ihrer ganzen Länge nach eine große Anzahl starker Verzweigungen aussenden, welche fast alle ihre Richtung nach oben nehmen. Das Holz des Baumes ist so zart und schwammig, daß schon dein schwächsten Windstoß die Zweige in Bewegung gerathen. Die Rinde ist dünn und der Stamm glatt. Die sehr entwickelten, aus der Erde empordringenden Wurzeln erstrecken sich bis in eine weite Entfernung und gewähren dem Reisenden schattige Sitzbänke. Sobald der Baum ein gewisses Alter erreicht hat, beginnt der Gipfel des Stammes auf der Stelle, wo die Aeste sich abzweigen, zu verderben und wird im Mark von oben nach unten zu hohl, während die Rinde gesund und lebendig bleibt. Dasselbe ist mit den Zweigstämmen der Fall. Diese Höhlungen füllen sich während der Regenzeit mit Wasser, das sich wie in einem verschlossenen Becken erhält. So wird dann der Baobab zu einer Cisterne, die von vielen afrikanischen Stämmen während der trockenen Jahreszeit als einziger Brunnen benutzt wird.

Der Durchmesser der Laubkrone eines Baobab beträgt nicht selten 50 und noch mehr Meter, so daß oft ein einziger Baum einem ganzen Walde gleich sieht. Im Schatten dieses Pflanzenriesen, dessen Heimat das tropische Afrika ist, siedelt sich der Mensch gerne an. Die Blätter dienen als Gemüse und Würze, das röthliche mehlige Mark der Frucht von weinsäuerlichem Geschmack zur erfrischenden Nahrung, und selbst die Asche der Fruchtschalen weiß er mit Palmöl zur Seife zu verwerthen. Es kommt wohl vor, z. B. bei den Baobab von Grand Galargues, daß selbst das ausgehöhlte Innere des Baumes zum Fetischtempel oder Gemeindehause dienen muß. Dieses einzig in seiner Art dastehende Pflanzendenkmal der Erde hat 11½ m im Durchmesser und soll ein Alter von mehreren tausend Jahren haben. Der Baobab kommt überall, auch im schlechtesten Boden, fort und ist darum eine wahre

Wohlthat für die tropischen, oft von der Sonne ausgedörrten Steppen innerhalb der Wendekreise Afrika's.

Neben dem Baobab ragen die Riesenfächer der Palmen in die blauen Dämmerlüfte. Kokos und Datteln sind nach der Oel- und Weinpalme die wichtigsten unter ihnen für den Nahrungsbedarf des Negers. In Senegambien wächst ebenfalls die Schlingpalme, welche das sogenannte spanische Rohr liefert. Im Handel hat ferner außer dem bekannten Rothholz die afrikanische Eiche und das Ebenholz einen besondern Ruf. Nützlicher für den Haushedarf der Eingeborenen ist dagegen der Kolamußbaum, aus dessen Früchten man ein dem Kaffee ähnliches Getränk bereitet, und dann vor allem der Schibutterbaum. Wenn man irgendwo Rodungen unternimmt und alle anderen Bäume fällt, läßt man den Schibaum doch immer stehen. Er gleicht im Aeußeren der ameritanischen Eiche, die Frucht aber ähnelt der spanischen Olive. Sie wird in der Sonne getrocknet, im Wasser gekocht und dann zu einer Art Brei verarbeitet, der, weiß und fest, im Geschmack der Butter ähnelt und sich ein ganzes Jahr lang ohne Salz frisch erhält. Diese Pflanzenbutter ist einer der Hauptartikel afrikanischen Binnenhandels. Auch Citronen, Orangen, Feigen, Tamarinden u. s. w., ebenso Körnerfrüchte, Mais, Sorgo, der Bier liefernde Holcus gedeihen am Senegal. Das beliebteste Gewürz der Negerküche ist der Pfeffer, der denn auch in mehreren Sorten vertreten ist, von denen die eine noch mehr brennt als die andere. Die eigentlichen Arzneigewächse sind noch wenig bekannt; will man aber die verschiedenartigsten mit Aberglauben vermischten Anwendungen der Priester und Zauberer als Fingerzeige benutzen, so müssen gegen die hierzulande häufigen Vergiftungen und Fieber treffliche Heilmittel in der Pflanzenwelt Senegambiens zu finden sein. Da oft durch Ausbleiben des Regens oder wegen der Heuschreckenplage die Ernte der Körnerfrüchte nicht sicher ist, haben die meisten Negerstämme sich auch die Cultur von Erdfrüchten angeeignet. Unter diesen spielen die wichtigste Rolle der Maniok, die Bataten und die Erdnüsse, welche letztere den Mehl auch ein treffliches Oel liefern.

Zur Kleidung, die sich bei den heidnischen und mohammedanischen Negern auf das Nothwendigste beschränkt, liefert die oft wild wachsende, meistens aber cultivirte Baumwolle das Material. Einige besonders rührige Stämme geben sich noch die Mühe, einheimische Färbestoffe zu verwenden; besonders ist das Blau beliebt, und blaue Kattune sind der gesuchteste Tauschartikel. Eine Art Aloe, sowie eine Palmengattung liefern ebenfalls hübsche Faserstoffe zu Geweben.

Unter der Thierwelt sind in Senegambien besonders die Affen in den verschiedenartigsten Gattungen vertreten, von den großen Schimpansen und Gorillas bis herab zu den zierlichen, kleinen Kletteräffchen. Der bekannte Afrikaforscher Mage erzählt in seiner Reisebeschreibung, wie er am oberen Senegal eine Anhöhe gesehen, welche in einer Menge von Terrassen bis ins Wasser reichte. Sowohl das schwarze und röthliche Gestein wie jeder Baum war mit Affen buchstäblich und in solcher Menge bedeckt, daß diese Thiere einander förmlich drängten. "Ob das ein Brüllen und Springen war, als unser Fahrzeug sich ihrem Tummelplatze näherte! Es liegt nicht die mindeste Uebertreibung darin, wenn ich behaupte, daß auf jenem Tafelberge, dem Hauptquartier der Affen — wo sie vielleicht einen Nationallandtag anberaumt halten —, mindestens 6000 Hundsköpfe beisammen waren."

Ein anderer Thiergast jener Gegenden, besonders in den Savannen, ist der Elephant, den die Eingeborenen des Innern in der trockenen Jahreszeit zu jagen pflegen. Das Fleisch wird gegessen, die Haut zu Sandalen verwendet, das Elfenbein an die

Europäer verkauft. Die Westküste Afrika's liefert jährlich gegen 20 Tonnen Elfenbein. Man findet wohl auch in den Thälern des Senegal nicht selten Elephantenzähne, welche dem Thiere beim Umwühlen des Bodens oder Aushieben der Sträuche abgebrochen sind, und so erklärt sich die Menge des in Handel kommenden zerbrochenen Elfenbeins. Nichts setzt die Schwarzen der Küste mehr in Erstaunen, als der Eifer, mit dem europäische Kaufleute Elfenbein suchen. Sie hegen den Argwohn, daß man die kostbaren Zähne in Europa in viel wichtigere Waare verwandle, als zu Messerheften, Kämmen, Einbänden u. dgl. Sie können sich nicht überzeugen, daß man Schiffe baue und Reisen unternehme, um nur eine Waare zu verschaffen, aus der man Messerhefte macht, da das viel billigere Holz dazu ebenso gut diene.

Pferde und Esel sind ein Luxusartikel für den Neger, wie für uns sein Elfenbein; statt der Lastthiere hat er Sklaven. In einigen Gegenden sind als Hausthiere nur das Rindvieh und die Schafe bekannt. „Hübsche Hammel das, sehr groß!" meinte eine Fulahfrau, als sie die Packesel eines Reisenden sah, und eine andere, auf die Pferde zeigend, war der Ansicht, daß diese Art Ochsen doch sehr mager sei.

2. Die Einwohner.

Die Einwohner Senegambiens zerfallen in drei Hauptstämme: die Malinke-Soninke, die Serere-Woloffen und die Peul. Die Woloffen sind die schwärzesten und zugleich die schönsten Neger, wollen aber selbst durchaus nicht für solche gehalten werden. Und in der That fehlen ihnen manche charakteristische Züge des Negertypus. Namentlich sind die Gesichtszüge der Männer vollkommen regelmäßig und Muster männlicher Schönheit, das Haar ist nicht wollig, sondern in kleine, cylindrische Locken gedreht. Die Gestalt ist hoch und ebenmäßig gebaut, einzelne Männer erreichen die Höhe von beinahe 2 m.

Der Woloff hat einen sanften, geselligen, heiteren Charakter, ist dabei aber habsüchtig, diebisch und träge, und steht an Kriegstüchtigkeit den übrigen Stämmen Senegambiens nach. Dennoch gibt oft der leichteste Anlaß den Grund zu einem Kriegszug, besonders wenn der Feind weniger zahlreich ist. Dann ziehen sie mit Reiterei und Fußvolk ohne eigentliche militärische Ordnung unter einziger Leitung des Giriots oder Musikanten, der die Reichstrommel rührt, in buntem Gemenge zum Kampfe. In der ersten Schlachtlinie stehen immer die Feigsten, die Sklaven und andere verachtete Leute, hinter diesen kommen die Freien oder edle Kriegsgefangene, deren Amt darin besteht, mit Peitschenhieben ihre Vordermänner in den Kampf zu treiben. Wenn es gilt, ein Dorf anzugreifen, so werfen sich die ersten Reihen auf die befestigte Ein-

Blätter und Frucht des Butterbaumes. (S. 394.)

friedigung (Tatas), um mit Äxten und Holzkeilen die Mauern zu brechen. Haben sie dann, oft mit bedeutendem Menschenverlust, eine Bresche zu Stande gebracht, so beginnen die eigentlichen Krieger mit frischen Kräften die Erstürmung. Da die Feuerwaffen noch höchst selten sind, bedienen sie sich der Sagaie (einer langen Wurfpike), des Palasches und eines maurischen Messers von 40 cm Länge; besonders gefürchtet sind aber ihre vergifteten Pfeile. Im ganzen suchen jene Völker im Kriege so wenig Menschen als möglich zu tödten; denn ein Kriegsgefangener kann entweder als Sklave verkauft oder gegen hohen Preis wieder ausgelöst werden, ein Leichnam aber ist werthlos. Auf Erbeutung von Sklaven sind besonders die Könige der Woloffen, deren es eine gute Anzahl gibt, im Frieden wie im Kriege erpicht. Ihre eigenen Unterthanen sind in dieser Hinsicht ebenso wenig sicher, als die Feinde. Ein Ungehorsam gegen den Willen des Despoten zieht den Verlust der Freiheit nach sich, und zur Blütezeit des Sklavenhandels war diese Strafart eine der ergiebigsten Erwerbsquellen für die Dameels (Könige) und ein treffliches Tauschmittel, um von den Weißen das Sangara (Branntwein) in möglichst reichem Maße zu erwerben. Das hindert den Woloffen jedoch keineswegs, sich der Freiheit und des Lebens so lange zu freuen, als sie ihm gestattet sind. Statt sich mühsam abzuquälen und dem Boden eine sichere Nahrung abzuringen, läßt er Gottes liebe Pflanzen und Früchte wachsen, bis sie zum Gebrauche reif sind; gedeihen sie reichlich, dann ist Jubel im Lande, Tanz und Mahl haben kein Ende, und der schwarze Barde ist ein willkommener Gast in den Dörfern und auf dem Bentang (Versammlungsplatz). Mißräth aber die gehoffte Ernte, so ist die Noth nicht klein; der Hausstand des Woloffen ist nicht bedeutend, und selbst wenn die Reichsten all ihre Habe verkauften, so würden sie kaum 50 Mark dafür einlösen. Um also den Hunger zu stillen, wird alles versucht, besonders die Diebsfertigkeit geübt, und wenn nichts mehr hilft, so schickt der Woloff auch nicht davor zurück, seine Eltern, Frau und Kinder und zuletzt sich selbst um eine Portion Kuskus zu verkaufen.

Seit längerer Zeit haben sich die Woloffen unter die Schutzherrschaft der Franzosen begeben. Der jetzige Hauptkönig wohnt in Gorée, und von ihm sind die einzelnen Könige im Innern des Landes ganz lose abhängig, während sie ihren Unterthanen gegenüber als wahre Despoten dastehen. Die eigentlichen Woloffen haben meistentheils den Mohamedanismus angenommen, und so ist denn auch bei ihnen die königliche Würde nach dem Koran in der Weise erblich, daß vor dem Sohne des Bruder des verstorbenen Herrschers zur Krone gelangt. Die Krönung des neuen Königs

50 *

ist mit besonderen Gebräuchen verbunden, die nicht ohne Interesse für die Kunde des Landes sind. Nachdem der alte Brak gestorben, versammeln sich die Häuptlinge, um den Erben der Krone zu prüfen. Sie haben festzustellen, ob derselbe wirklich von königlichem Stamme, im nächsten Gliede verwandt, ob er frei von körperlichen Gebrechen und nicht zu jung sei, ob er ein Pferd besteigen, einen Bogen oder ein Gewehr führen könne u. s. w. Ist er als des Thrones würdig erkannt, so wird der Tag seiner Krönung bestimmt und alles Volk zur Feier an einen Bach beschieden. Dort muß der junge König, durch vielerlei Ceremonien aufgehalten, sich sozusagen mit den einzelnen Klassen und Ständen seines künftigen Volkes in Verbindung setzen. Schließlich gelangt er zu der verachteten Kaste der Fischer, in deren Mitte er in das Wasser des Baches tritt und dort so lange verweilt, bis er einen Fisch gefangen hat. Nun sind seine Prüfungen beendet; mit dem Fisch in der Hand tritt er an das Ufer, und dann naht das Volk zur Huldigung. Alle legen ihre Sandalen ab, beugen das Knie vor ihm und berühren unter einer tiefen Verneigung ihre Stirne mit der Hand. Die Feier beschließen ein frohes Mahl und lustige Tänze.

Der Brak und seine Familie ist einzig zur Eiszeit unsichtbar; da wird niemand vorgelassen. Das Gefolge eines Königs besteht gewöhnlich aus den Kriegern, welche wie er und seine Familie auf Kosten jenes Dorfes ernährt werden, in dem er eben Hof hält. Der königliche Hausmeier ist auch zugleich Staatsminister (Bulanet). Unter dem Brak stehen die Dorfhäuptlinge und die Marabuts, welche den intelligenten und gesittelten Theil der Bevölkerung ausmachen.

Die Serere unterscheiden sich bloß dadurch von den Woloffen, daß sie den angestammten Fetischismus bisher noch nicht gegen den Koran umgetauscht und darum auch die Erblichkeit des Königthums nicht angenommen haben, sondern durch drei oder vier der einflußreichsten Männer den jedesmaligen Herrscher wählen lassen. Entspricht nach einiger Zeit die erkorene Persönlichkeit ihren Wünschen nicht mehr, so wird sie als abgesetzt erklärt, und

eine unversiegbare Quelle der traurigsten Kriege ist auf diese Weise eröffnet.

Wie schon angedeutet wurde, sind die Woloffen von Natur heiter und redselig. Sie lieben es besonders, die Ueberlieferungen ihres Landes, die Geschichte ihrer Väter zu erzählen, über die Heldenthaten der Ahnen endlose Geschichten oder Lieder zu machen, und entwickeln eine unläugbare Gewandtheit in Erfindung und Ausschmückung der Fabeln.

Die Kunst der Musik und des Liedes wird von den Griots (Griots) als eigentlicher Beruf geübt, aber was ganz eigenthümlich dabei bleibt und sozusagen mit der Anschauungsweise anderer Völker im Widerspruch steht, ist dieses, daß diese Griots bei den Negern in tiefster Verachtung stehen. Man betrachtet sie als eine Art Narren und Hanswurste, die nur zum Spaß der übrigen Menschen da seien, besonders aber glaubt man auch, sie ständen mit dem bösen Geiste im Bunde, der sie in ihrer Kunst unterweise und auch noch manche andere Zauberei lehre. Außer den Gesängen der Griots gibt es jedoch eine mehr volksthümliche Sangweise. So erzählt Mungo Park, wie er eines Abends der Nachtwache, oder besser gesagt einer Spinnstube der Schwarzen beigewohnt habe. Nach dem Abendessen rief die Wirthin des Reisenden ihre Frauen zusammen, und sie begannen während eines großen Theiles der Nacht Baumwolle zu spinnen. Um die Langweile zu verscheuchen, stimmten sie Lieder an, von denen eines auf der Stelle entstanden sein mußte, da es den fremden Reisenden zum Gegenstand hatte. Eine der Frauen sang es, die übrigen fielen in Zwischenräumen als Chor ein. Die Melodie war sanft und klagend, die Worte lauteten in buchstäblicher Uebersetzung: „Die Winde heulten und der Regen rauschte nieder, der arme weiße Mann kam schwach und erschöpft und setzte sich unter unseren Baum. Er hat keine Mutter, die ihm Milch brächte, er hat keine Frau, die ihm sein Mehl mahlte" u. s. w.

In den Versammlungen der Woloffen beim Mondenschein wechseln Erzählung, Gesang und geistreiches Spiel, das theils in

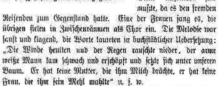

Ein Griot oder schwarzer Musikant mit seiner fünfzehnsaitigen Mandingoguitarre.

Frauen vom Senegal. (S. 398.)

Räthseln, mehr aber noch in gewissen Nedekämpfen besteht. In dieser Beziehung erinnern die Woloffen an ihre Nachbarn, die Beduinen der Wüste, welche die Abendraft auf den Oasen oder im Zeltlager ebenfalls durch Märchen zu würzen suchen. Es ist daher aber auch nicht zu verwundern, daß bei einem sonst niedrig stehenden Volke, wie die Woloffen sind, die Sprache zu einer ungewöhnlichen Ausbildung gediehen ist.

Die Malinke-Soninke-Familie, auch kurzweg Mandingos genannt, sind die intelligentesten und fleißigsten Neger, und als Fetischpriester, Künstler und Handwerker weit durch alle Nachbarländer verbreitet. Daher ist auch ihre Sprache zur Verkehrssprache geworden.

Die Mandingos sind stark, wohlgebildet und fleißig. Ihre Sitten sind in manchen Stücken eigenthümlich. Sie verheiraten sich in frühem Alter. Sobald ein junger Mann eine Frau nehmen will, so geht er zu den Eltern der Braut und hinterlegt den Kaufpreis, der nicht über fünf Kälber hinausgeht. Dieser Preis verbleibt in den Händen der Eltern, damit die Tochter, für den Fall des Ablebens ihres Mannes, sich dafür einen neuen Mann kaufen könne. Ist der Tag der Hochzeit da, so rufen die Brautleute den Schmied herbei, nicht um sie aneinander zu schmieden, sondern damit er ihnen vermittels eines scharfen Instrumentes die Zähne schärfe und spitze. Dann führt der Mann die junge Frau in seine oder vielmehr in ihre Hütte; denn wie jeder freie Mann mehrere Frauen hat, so hat jede davon ihre eigene Hütte, welche innerhalb eines Zaunes liegt, der das ganze Familiengehöft (Suru) umschließt. In der Behausung angekommen, erhält die Braut den Auftrag, sofort die gewöhnlichste Hausarbeit zu verrichten, und mit diesem symbolischen Zeichen ihrer künftigen Bestimmung ist die Trauung vollzogen. Es folgen nun die unvermeidlichen Gastereien und Tänze (Folgar), die oft bei dem schrillenden Tone der Rohrpfeife, dem dumpfen Wirbel des Tongtong (Trommel), den melancholischen Klängen der Balafo (Guitarre) bis spät in die Nacht hinein dauern.

Die Männer tragen einen Lendenschurz, der gewöhnlich mit gelben Knöpfen, Perlenschnüren und Stücken Korallen, verziert oder auch Kupfer besetzt ist. Arme und Beine beschweren sie sich mit Manillen, d. h. Ringen aus Kupfer, die von den einheimischen Schmieden angefertigt werden. Auf den Kopfputz verwenden sie besondere Sorgfalt; selbst der Aermste trägt das Haar auf die eine oder die andere Art phantastisch aufgewühlt und hängt so viel Kupferstückchen daran, als er nur auftreiben kann. Die Sklaven müssen kurzes Haar tragen. Noch mehr Sorgfalt verwenden die Frauen auf ihre im übrigen einfache Toilette. Nach der Menge von Perlen, welche die Frau am Hals trägt, und der Anzahl Manillen am Arme berechnet man ebenso sicher das Wohlstand des Mannes, als nach der Zahl seiner Sklaven. Dieser Schmuck der Ringe ist oft lästig und schmerzvoll, namentlich bei der Hauptbeschäftigung der Frauen, der Zubereitung des Reises; aber die Mode will diese Ringe ebenso, wie das Durchbohren des Nasenknorpels, um recht viel schillernde Perlen und Korallen hineinzuhängen.

Die Wohnungen der Mandingos sind 1½ m hohe, runde Lehmhütten mit einem kegelförmigen Dach aus Bambusrohr und Gras; im Innern derselben steht eine erhöhte Lagerstatt aus Rohr und einer Matte oder Thierhaut, ein paar niedrige Sitze und das Kochgeräth. Die Matten, welche in dem Leben der Neger eine so große Rolle spielen, dienen in Senegambien nicht selten auch als Münze. Eine andere Münze ist die Caurimuschel, die wie schon an der Sklavenküste trafen die auch in südasiatischen Ländern Kurs hat, aber nirgends so hoch steht, als in Senegambien, wo schon 122 Stück den Werth eines Franken (80 Pfennig) haben.

Gewöhnlich sind die Cauris zu Hunderten an Schnüre gereiht, um das Zahlgeschäft zu verkürzen; mancherorts aber ist dieses nicht Mode, und die Tausende müssen einzeln abgezählt werden.

Nur ein Theil der Mandingos hat den Koran angenommen, die anderen huldigen noch immer dem einheimischen Schlangendienst, und gerade sie haben bis nach Dahomeh hinab den Schlangencult sozusagen sich eigen gemacht. Im Tempel von Massanale thront Abhula-Dhajanor, die oberste der Schlangen, und wehe, wer sie zu beleidigen oder eines der Speiseopfer zu stehlen wagte, das ihr vorgesetzt wurde; noch bevor er in seiner Hütte angelangt wäre, würde ihm der Hals umgedreht sein. Bei Nachtzeit erscheint die Gottheit ihren Anbetern unter den verschiedensten Gestalten und hält ihnen ihre Begehren vor oder verordnet zur Sühne derselben die schwersten Opfer. Dank der Verehrung, welche den Schlangen zu theil wird, haben diese sich selbstverständlich äußerst zahlreich vermehrt und nahen sich den Hütten der Neger nicht anders, denn als gewöhnliche Hausthiere. Wenn aber eine ausnehmend große Schlange einzieht, so verläßt der Eingeborene seine Hütte und wartet draußen, bis die Gottheit sich zurückgezogen hat. Ferner spielen die Onatys, eine Art Vampyre, die sich in Menschengestalt zeigen sollen, eine bedeutende Rolle in dem Negerglauben. Diese Onatys ernähren sich von der Lebenskraft der Menschen und werden deshalb mit der größten Sorgfalt gemieden; wenn aber jemand im Verdacht steht, ein Onaty zu sein, so rostet das ganze Dorf nicht eher, bis es dem Unglücklichen ein schmerzvolles Ende bereitet hat. Der Glaube an die Seelenwanderung ist allgemein verbreitet. Die Neger sind überzeugt, daß sie nach ihrem Tod in einem andern Lande geboren werden. So glaubten denn auch einzelne Stämme, die Europäer auf ihren stolzen Schiffen seien ihre Vorfahren und kämen gerades Weges aus ihrer angeblichen Heimat. Auf diesem Glauben beruht die große Ehrfurcht, welche sie ihren Todten erzeigen. Diese werden in ihren Hütten begraben, so daß nach einiger Zeit ein ganzes Dorf sich zur Todtenstadt gestaltet, in der kein Lebender mehr zu finden ist.

Ganz verschieden von den seither genannten Stämmen und in mehr als einer Hinsicht wichtig ist der dritte Hauptstamm Senegambiens, das mächtige und zahlreiche Volk der Peul. Sie haben eine rothe Haut, sind hoch und schlank gewachsen, haben weit schönere Gesichtsformen als die Neger, auch nicht so wolliges Haar, und sind für die Civilisation am leichtesten zugänglich; sie bilden gleichsam den Uebergang zwischen dem Araber und dem eigentlichen Neger.

Die Peul sind in Ackerbau nicht unerfahren, schmieden Silber und Eisen, arbeiten sehr zierlich in Holz und Leder und weben sehr dichte Zeuge. Ihre Wohnungen sind hübsch eingerichtet. Die sittliche Natur des Peul ist fein und geweckt; in ihr liegt viel von dem Edelsinn des freien Mannen und dem religiösen Enthusiasmus des Moslim. Die größte Beleidigung, welche man einem Peul anthun kann, ist, ohne Achtung von seiner Mutter zu reden.

Wahrscheinlich wanderten die Peul aus Oberägypten ein und setzten sich im 16. Jahrhundert in Futa-Toro am obern Senegal fest. So kam in das bisherige Hirtenvolk eine gewisse Anhänglichkeit an Boden und Ackerbau, und sie wurden nach und nach befähigt, große Reiche zu stiften. Als sie nun auch im vorigen Jahrhundert den Islam angenommen hatten, fuhr der Geist des religiösen und kriegerischen Fanatismus in die friedlichen Hirten, und sie wurden in Senegambien die eifrigsten und stärksten Vorkämpfer des Koran. Die bedeutendste Ausbreitung der Peul fällt in das Ende des letzten Jahrhunderts. Um jene Zeit hatte der Scheich der Fellatah, Osman Dan Fodio, eine Vision. Das ganze schöne Land, soweit sein Auge über die saftigen Weiden Flach-judans streifte und noch weiter gegen Untergang, all die zahlreichen Dörfer und reichen Städte in den Thälern, an den Wasserstraßen der goldführenden Ströme, alles wollte Allah und den Gläubigen des Propheten geben, alles sollte den Fellatah zu eigen sein, wenn sie Dan Fodio folgen wollten gegen die Kafir, die Ungläubigen. Nach dieser Vision verließ Osman die Wälder von Tadela, trat vor die Aeltesten seines Volkes und forderte sie zum heiligen Kampfe auf. Seine Begeisterung entflammte die Menge, die Zelte wurden ab-gebrochen, und die Fellatah fielen plötzlich über die unvorbereiteten Nachbarn her, schlugen sie in die Flucht und verfolgten muthig ihren Siegeszug. Der Schrecken ging vor ihnen her; Verwüstung und Trümmer zeichneten ihren Weg. Zwischen dem Niger und dem Tsadsee entstand aus den Ruinen von Haussa und den um-liegenden Reichen das große östliche Fulbe= oder Beutreich. An der Stelle, wo Osman sein Gesicht geschaut, gründete er die Haupt-stadt Sokoto.

Durch einen ähnlichen heiligen Kriegszug sollte dann auch in diesem Jahrhundert das westliche Fulbenreich im eigentlichen Sene-gambien gestiftet werden.

3. Etwas aus der Landesgeschichte.

Bis zur Mitte des 16. Jahrhunderts trieben die Portugiesen allein an dieser Küste Handel, und ihr Verkehr mit den Negern war so rege, daß mehrere Negersprachen bis auf den heutigen Tag portugiesische Worte bewahrt haben. Das Erbe Portugals fiel nach einem Jahrhundert an die französische Krone. Diese grün-dete drei Niederlassungen an der Küste, St. Louis, Gorée und Rufisque am Kap Verde, aber in dem Zeitraum von 1626—1758 konnte von den acht nacheinander errichteten und gesunkenen Fakto-

Ein großer Marabut und seine Diener. (S. 400)

reien keine einzige dauernden Einfluß auf die Bevölkerung oder einen regelmäßigen Handelsverkehr erringen. Auch als die Kolonie, nachdem sie seit 1758 verschiedenemal ihre Herren gewechselt hatte, im Jahre 1817 endgiltig an Frankreich zurückfiel, schien sie keine rechten Fortschritte machen zu wollen. 15 Gouverneure versuchten umsonst, Leben und Sicherheit in die wenigen Ansiedlungen und in den Handel zu bringen. Die Europäer, höchstens 100 an der Zahl, saßen zusammengedrängt auf einer Sandinsel, ohne Ackerland, ohne Bäume und Rasengrund. Sie waren nicht die Eigenthümer des Bodens und wollten und konnten es nicht einmal werden. Ihr ganzes Sinnen ging nur darauf, unter Entbehrungen aller Art, durch einen immer spärlichern Handel ein kleines Vermögen zu gewinnen und dann baldmöglichst das unselige Land auf immer zu verlassen. Die Stationen im Innern des Landes, welche man mit den Waffen in der Hand den Mannen der Wüste oder einem fanatischen Fellatah-Häuptling gegenüber vertheidigen mußte, waren ebenfalls nichts weiter als Märkte an den Wasserstraßen, ehemalige Sklavenbazars, auf denen man jetzt Gummi, gegerbte Häute oder einige Gramm Flußgold einhandelte. Für jeden Fleck, auf dem die Europäer und selbst die Franzosen wohnten, mußte dem ein-geborenen Häuptling eine Abgabe gezahlt werden, und selbst für den Boden, auf dem die Hauptstadt der Kolonie, St. Louis, stand, erhob der Häuptling eines nahegelegenen Dorfes einen jährlichen Tribut. Steinhäuser durften aber darum noch nicht auf dem gepachteten Boden aufgeführt werden; das hätte zu sehr einer end-giltigen Besitzergreifung gleichgesehen, als daß die Eingeborenen es zugelassen hätten. Wollte man Handel treiben, so ging es an ein neues Bezahlen. Noch bevor man wußte, ob man auch Geschäfte machen werde, mußte man schon gleichsam eine Gewerbesteuer an den Häuptling der Gegend entrichten. Auf den Gummimärkten z. B. zahlte man für eine Schiffsladung Gummi 480 Mark, dann entrichtete man weitern Zoll, um diese Waare ausführen zu dürfen,

411

und wenn es unterwegs einem Häuptling einfiel, auch noch Durchgangszoll zu erheben, so mußte der Kaufmann sich auch dazu bequemen. Die französische Flagge hinderte nicht, daß von den Mauren das erhandelte Gummi gestohlen oder ein gestrandetes Schiff als Fiskalgut des Königs von Cayor weggenommen wurde.

Die „Räuber der Wüste", die Mauren, waren seit einiger Zeit die Gebieter des Landes, und wenn sie sich so, wie erzählt wurde, gegen die Franzosen benahmen, so kann man sich leicht ihre Annoßung den eingeborenen Stämmen gegenüber denken. Die Woloffen, Peuls, Serers und Malinkes wurden denn auch wirklich wie ein gehetztes Wild, wie eine zur Schlachtbank geführte Heerde betrachtet. Seit dem Tage, als die Trarzasmauren das südliche Ufer des untern Senegal erobert hatten, theilten sie das Land förmlich in Raublehen zu regelrechter Ausbeutung. Der Druck und die Erpressungen waren so stark, daß in kurzer Zeit 150 bevölkerte Dörfer der Woloffen allein auf der Strecke zwischen dem See Cayor und dem Meere verschwanden. Um sich wenigstens einen Schein von Macht zu erhalten, begaben sich mehrere eingeborene Häuptlinge unter die Schutzherrschaft der Trarzas, nahmen den Islam an und wurden bald ebenso grausam und fanatisch, als ihre maurischen Schirmherren. Und anstatt die armen Schwarzen zu vertheidigen, lieferten die Franzosen jenen Tyrannen und deren Helfershelfern auch noch Pulver und Blei und europäische Schußwaffen, liehen den Räuberbanden sogar ihre eigenen Fahrzeuge, um sie aus der Wüste zum Plündern über den Fluß oder mit ihrer Beute und den Kriegsgefangenen in die Schlupfwinkel der Gebirge wollten. Es galt das alles gleichsam als Trinkgeld, welches die Kaufleute dem Herrn der Sahara schuldeten. Jeder suchte sich für seine Person auf die glimpflichste Weise aus den mißlichen Verhältnissen zu ziehen. Welche Stütze der Missionär unter solchen Umständen an seinen Landsleuten oder an seiner Regierung fand, ist leicht zu denken, und lieber wäre es ihm oft gewesen, wildfremd und allein unter den Wilden zu leben, als jeden Tag seine Lehre durch das Beispiel der Weißen Lügen gestraft zu sehen.

Diesem traurigen Zustande der Dinge wurde wenigstens für eine kurze Zeit ein Ende gemacht, als der aus dem letzten deutschfranzösischen Kriege bekannte General Faidherbe im Jahre 1852 an den Senegal kam. Obgleich er anfangs nur die untergeordnete Stelle eines Vice-Directors des Geniewesens einnahm, war sein Einfluß doch von großer Bedeutung. Kaum hatte er durch eigene Anschauung die ganze Tiefe und den wahren Grund des Elends kennen gelernt, so ging seine erste Sorge dahin, um jeden Preis dem Unfuge der Mauren ein Ende zu machen, sie vom linken Ufer des Stromes zu verdrängen und so den Eingeborenen einige Ruhe und Sicherheit, den französischen Kaufleuten und Ansiedlern die gebührende Achtung und Freiheit zu verschaffen. Er griff mit Entschiedenheit ein, rasch und kräftig führte er seine Streiche. Die Trarzasmauren, welche unter Anführung des berüchtigten Hadsch (Pilger) Omar ein großes Reich bis zum untern Senegal gegründet hatten, bezwang er im Jahre 1857 nach meh-

reren glänzenden Waffenthaten; im folgenden Jahre griff er die rebellischen Schwarzen von Ndiampur, 1859 jene von Gima und Sine an, und durchzog siegreich das ganze Land vom Meere bis zu den Felulakatarakten und dem Gambia — das hatte genützt. Die oben erwähnten Abgaben an die Häuptlinge wurden abgeschafft; Walo und Dimar kamen unter die französische Kolonialverwaltung; die Oberherrlichkeit der Franzosen, welche an Stelle jener der Mauren trat und sich tief ins Innere bis zu den Landschaften Futa-Toro, Bondo, Kasson und Bambuk erstreckte, war vom günstigsten Einfluß, und die Bevölkerung einzelner Distrikte hatte sich bald um das Doppelte vermehrt! Ueberall hat Faidherbe französische Schulen für Knaben und Mädchen errichten lassen und auch anderweitig bemüht, die Civilisation zu verbreiten. Unter diesen Umständen konnten auch die Missionäre einen neuen Anlauf nehmen und trotz der erlangten Freiheiten dauernde Niederlassungen und Steinkirchen gründen. Auch ihres Lebens wurden nun die Patres sicher. Im Jahre 1858 waren in Joal zwei Missionäre von dem Tiedos des Königs von Sin mißhandelt worden. Der Tiedo ist das gerade Gegentheil des Marabut; buchstäblich heißt es ein Gottloser, ein Mensch ohne Glauben und Gesetz. Diese Krieger sind die ärgsten Völlerei ergeben und fast immer berauscht. Zu Joal war eine Rotte von ihnen mit anderm Gesindel in die Kirche eingedrungen, hatte einen Missionär verwundet und in den scheußlichsten Orgien geschwelgt. Der Großfistor (der Steuereinnehmer) des Königs von Sin war nach Joal gekommen, hatte das Missionshaus überfallen, dort alles auf den Kopf gestellt, geplündert und die Missionäre verwundet. Diese und ähnliche Vergehen an französischen Unterthanen sollten nicht ungestraft bleiben. Faidherbe unternahm einen neuen Kriegszug und ordnete auch in diesen Gegenden alle Verhältnisse. Das Reich, welches Frankreich auf diese Weise bis zum Jahre 1863 zusammen erobert hatte, umfaßte 4540 deutsche Quadratmeilen (250500 qkm) mit 600000 bis

Frau und Kind von Dakar am Kap Verde.

700000 Einwohnern, worunter nur etwa 3000 Weiße waren. Der Besitz dieses Landes ist aber durchaus nicht dauerhaft. Nur ein so energischer Mann wie Faidherbe hätte ihn gegen die alljährlichen Versuche seitens der Mauren aufrecht halten können. Schon im Jahre 1869 fand ein maurischer Eroberungszug unter Amadu-Sechu statt; dann kam der deutsch-französische Krieg von 1870—1871 mit seinen Rückwirkungen auf die außereuropäischen Einfluß Frankreichs. Die Marabus erhoben wieder keck das Haupt, und es war nur der Ausdruck ihrer allgemeinen Gesinnung, wenn einer von ihnen sich erdreistete, auf der Straße von St. Maria von Gambia laut zu sagen: „Mit dem Christenthum ist es nun aus; Frankenland ist besiegt, ist todt; das Christenthum ist mit ihm gestorben."

Glücklicherweise war diese Zusammengehörigkeit Frankreichs und des Christenthums nicht richtig; aber etwas Wahres lag doch in dem Satze. Frankreich hätte nie so schnell den Einfluß nicht bloß in Senegambien, sondern auch in den übrigen Kolonien verloren, wenn es in glücklicheren Tagen die Einführung des Christenthums mehr begünstigt und den fanatisirenden Revolutionsgeist des Islam mit mehr Thatkraft unterdrückt hätte. Da aber die Marabuts ziemlich freie Hand behalten hatten, so war das Gift ihrer Lehre und der Haß gegen die weißen Giaurs immer tiefer ins Volk gedrungen; man duldete die französischen Eroberer, solange ihre Kanonen drohten, und als eines Tages die am Senegal zurückgelassene Heeresmacht nicht mehr so bedeutend war, einem ganzen Lande zu trotzen, da erhoben überall die Mauren die Standarte des heiligen Krieges gegen die Eindringlinge. Ein ungünstiger Vertrag nach dem andern mußte abgeschlossen werden mit den Dorfhäuptlingen und den Räubern der Wüste. Von der frühern großartigen Besitzung blieb der französischen Regierung im Jahre 1871 nur noch der Senegal bis nach Medine (250 Meilen Flußlänge), die kleine Provinz Diander, mit den Städten Rufisque, Dakar und der Insel Gorée; die kleinen Posten von Joal und Portudal; endlich die Flüsse Saloum, Cazamanze, Rio-Nunnez, Rio-Pongo und Mallecory. Alles übrige fiel wieder in die Gewalt der Mauren oder einiger schwarzen Tyrannen. Seither haben glückliche Unternehmungen nicht nur das alte Gebiet zurückerobert, sondern die Grenzen der französischen Kolonie bis an den obern Niger aus-

Der ehrw. P. Libermann auf dem Sterbelager.

gedehnt (vgl. die Karte). Das Gebiet wird jetzt beiläufig eine halbe Million qkm betragen und mehrere Millionen Einwohner zählen.

4. Der ehrwürdige P. Libermann und sein Werk.

Bevor wir Senegambien Lebewohl sagen, müssen wir etwas von dem ehrwürdigen P. Libermann erzählen; denn er ist der Gründer der Congregation vom heiligsten Herzen Mariä, welche sich namentlich der Bekehrung der Neger in Afrika widmet. — P. Franz Maria Paul Libermann war der zweite Sohn eines sehr gelehrten jüdischen Rabbiners zu Zabern im Elsaß. Er wurde am 12. April 1804 geboren und erhielt bei der Beschneidung den Namen Lazarus. Bis zu seinem zwanzigsten Jahre befolgte er streng alle jüdischen Gebräuche und zeichnete sich, wie sein älterer Bruder, in der Wissenschaft des Talmud aus. Der alte Rabbiner glaubte schon, an seinen beiden Knaben berühmte Gesetzeslehrer und Schrift-

gelehrte zu haben; da trat zuerst der ältere Salomon und bald auch Lazarus zur katholischen Kirche über. Sie hatten nämlich durch eifriges Studium und frommes Gebet erkannt, daß der Messias, den die Juden immer noch erwarten, längst im Stalle zu Bethlehem geboren worden sei. So ließ sich Lazarus am Vorabende vor Weih-

Dakar am Kap Verde. (S. 402.)
1 Haus der Missionäre. 2 Die ältere Missionsniederlassung. 3 Spital der Schwestern. 4 Faktorei. 5 Vorrathshaus. 6 Hafen.

nachten 1826 in Paris taufen und entschloß sich, Priester zu werden. Aber der liebe Gott hatte ihm eine harte Probe vorbehalten. Er litt an der sogenannten „fallenden Sucht" und konnte deshalb viele Jahre nicht zum Priester geweiht werden. Das entmuthigte ihn nicht; er strebte nur um so eifriger nach Tugend und Heiligkeit, indem er sich ganz der liebevollen Leitung Gottes überließ.

Da geschah es, daß zwei seiner Mitschüler den großherzigen Plan faßten, ihr Leben dem Seelenheile der verlassenen Neger zu widmen. Der junge Libermann hörte mit Freuden von diesem schönen Plane, ermuthigte seine frommen Freunde, und fühlte sich bald angetrieben, an ihrem Unternehmen sich zu betheiligen. Im Jahre 1839 ging er nach Rom, um vom Heiligen Vater die Bestätigung der neuen

Spillmann, Rund um Afrika. 2. Aufl.

51

Missionsgenossenschaft zu erlangen. Schwere Prüfungen und peinliche Verdemüthigungen erprobten auf dieser Reise seine Tugend; aber endlich wurden seine Wünsche erfüllt. Er erhielt die Erlaubniß, eine solche Missionsgesellschaft zu gründen und zugleich gestattete man ihm den Empfang der heiligen Priesterweihe, da seine Krankheit nachgelassen hatte. Zum Dank dafür, und um sein Unternehmen unter den besonderen Schutz der lieben Mutter Gottes zu stellen, machte er von Rom aus in Bettlerkleidern eine Wallfahrt nach Loreto.

Das Noviziat der Missionäre vom heiligsten Herzen Mariä wurde ihm im Herbste 1841 eröffnet. Schon im folgenden Jahre 1842 ging einer der Missionäre nach Ost-Afrika und segelten drei nach Haïti; im Jahre 1843 kamen endlich die ersten nach West-Afrika. Aber das schreckliche Fieber raffte sie in kurzer Zeit fast alle weg. Der neue Obere, P. Tisserant, der als Apostolischer Präfect gesandt wurde, verlor bei einem Schiffbruche das Leben. Es war am Feste des hl. Nicolaus 1845. Noch in den letzten Augenblicken dachte er nur an die Rettung der Seelen; er ertheilte den Mitreisenden die heilige Lossprechung, unterrichtete und taufte einen Juden; dann erst riß eine ungeheure Sturzwelle den Missionär, den Neugetauften und 75 Schiffsgenossen in die Tiefe des Meeres. Bei diesen Unglücksnachrichten verlor aber P. Libermann den Muth nicht, sondern übernahm mit Freude die Mission an der ungesunden Küste von West-Afrika, obschon seine Genossenschaft erst wenige Mitglieder zählte. Der liebe Gott belohnte ihn dafür dadurch, daß eine andere Missionsgesellschaft, die Väter vom Heiligen Geiste, sich mit der seinigen vereinte. Nun konnte er mehr Missionäre nach West-Afrika schicken, und er erlebte es noch, daß bessere Nachrichten aus dem Negerlande kamen, bevor er am 2. Februar 1852 im Rufe der Heiligkeit starb.

Die von ihm gesandten Missionäre hatten inzwischen in Senegambien den Grund zu mehreren Christengemeinden gelegt, namentlich auf der Insel Gorée und in Dakar am Kap Verde und in St. Louis an der Mündung des Senegal. Sein geistlicher Sohn, Bischof Aloysius Kobes, der fast 20 Jahre in Senegambien arbeitete, ist der eigentliche Begründer der katholischen Kirche in diesem Lande. Es wurde sogar eine Anstalt errichtet, in welcher begabte Negerknaben zu Priestern herangebildet werden, und im Jahre 1864 hatte Bischof Kobes die Freude, den ersten schwarzen Priester, einen Neger aus Gorée, und bald nachher vier andere zu weihen, während mehrere die niederen Weihen empfingen und im ganzen 27 Theologie studirten. So hat man große Hoffnung, daß unsere heilige Religion in Senegambien immer mehr Herzen dem göttlichen

Heilande gewinnen werde. Gegenwärtig zählt das apostolische Vikariat Senegambien 12 500 Katholiten. In 34 Schulen werden 1500 Kinder in unserm heiligen Glauben unterrichtet.

Zum Schluße noch etwas von der Blechmusik von Dakar. Die Negerknaben, welche die Missionsschule von Dakar besuchen, haben nämlich eine Musikbande, ähnlich derjenigen, die wir am Gabun getroffen haben (vgl. oben S. 345). Als nun eines Tages der Bischof in Joal eine Kapelle einweihte, ließ er zur Erhöhung des Festes die Blechmusik von Dakar kommen. Wie staunten die Tausende von Negern, als sie diese neue Art von Musik zum ersten Male hörten! Mit Augen, Mund und Ohren verschlangen sie die Töne und wurden fast toll vor Freuden. Als die letzten Klänge verhallten, drängte alles zu den Musikanten hin, um die glänzenden Instrumente anzustaunen und, was sie aber anfangs nicht wagten, mit den Händen zu belasten. Am meisten bewunderten sie die dicke Trommel, deren kräftiges Dröhnen und Brummen ihren Ohren den angenehmsten Schmaus bereitete. „Ja,“ sagten sie, auf den Schläger der großen Trommel zeigend, „der da ist der König der Musik; die anderen können ihn nur begleiten; sie sind gewissermaßen seine Kinder und sein Hofgesinde. Schlag noch einmal! Schlag noch einmal! Bum-bum!“ Und als der Knabe ihre Bitte erfüllte, brachten sie „dem Könige der Musik“ ein Lebehoch aus.

Die Götzendiener in der Nähe von Joal waren sehr ärgerlich über die Freude ihrer Landsleute an der christlichen Musik. Sie holten deshalb ihre Tamtams hervor und wollten nach Einbruch der Nacht das Volk zu ihren Teufelstänzen verlocken. Allein kaum hatte dieses wüste Fest begonnen, da ließ der Bischof vor dem Hause die Musik sich aufstellen, und sobald die ersten Schläge der großen Trommel ertönten, strömte auch das Volk von allen Seiten zu der Blechmusik zu und nach wenigen Minuten sahen

Ganges oder Zauberer.

sich die Gangas zu ihrem großen Aerger vollständig verlassen. Sie packten also ihre Tamtams und Schellen zusammen und schlichen sich beschämt davon.

5. Die Canarischen Inseln.

Nördlich vom Senegal grenzt auf eine Strecke von mehr als 300 Stunden die Sahara an den Atlantischen Ocean. Es ist wohl die traurigste Küste auf der ganzen Erde, öde Sand- und Felssteppe, keine Stadt, nicht einmal ein Dorf von Bedeutung. Der Strand wird von weißem Sande gebildet und macht von Zeit zu Zeit einen Vorsprung ins Meer hinaus, der wiederum nichts anderes ist als eine kahle Sanddüne. Und so öde diese lange Uferstraße ist, so gefährlich ist sie auch für die Schiffer.

Das weit hinaus seichte Meer wimmelt von verborgenen Klippen und trügerischen Sandbänken. So ist der Anblick gescheiterter Schiffe gerade an dieser unwirthlichen Küste etwas ganz Gewöhnliches. Und wehe den armen Schiffbrüchigen! Wenn sie den Wogen entronnen sind, erwartet sie ein noch grimmigerer Tod in der glühenden Sandwüste; oder Räuber morden sie, bevor Hunger und Durst ihrem Leben ein Ende machten.

Wir wollen deshalb diese ungastliche Küste meiden, indem wir auf hoher See nordwärts steuern und so nach glücklicher Fahrt die herrliche Gruppe der Canarischen Inseln aus den Wogen auftauchen sehen. Von weitem schon erblickt man den spitzen, zuckerhutförmigen Gipfel des Pic von Teyde, des stolzen Berges der Insel Teneriffa. Er ist ein immerfort dampfender Vulkan, der sich zu einer Höhe von fast 4000 m erhebt und dessen Spitze vom November bis April mit Schnee bedeckt ist. Wenn man ihn besteigt, so durchwandert man der Reihe nach alle Pflanzengürtel der Erde, von den Palmen der Tropen bis zu den letzten Moosen und Flechten der Polargegend. Am Fuße des Berges stehen Dattel- und Kokospalmen und Trachenbäume. Noch im Jahre 1868 wurde ein uralter Trachenbaum gezeigt, dessen Alter man auf mehrere tausend Jahre schätzte; seither hat ein Orkan diesen Riesen gefällt. Durch Kastanienwälder steigt man dann stundenlang hinauf, bis der Reihe nach die verschiedenen Baumarten der gemäßigten Gegenden zurückbleiben und man endlich in der Höhe von 2600 m eine Ginsterhaide trifft. Jetzt wird es immer öder und wilder bis an die Grenze des Schnees. Aber die Aussicht belohnt die Mühe des Steigens; denn bei der überaus reinen und durchsichtigen Luft sieht man ganz Teneriffa und das Meer und andere Inseln vor sich, und zwar so klar und bestimmt, daß man nicht nur die Dörfer und Gärten, sondern die einzelnen Häuser und die Masten der vor Anker liegenden Schiffe erkennen kann. Humboldt gesteht, er habe zwar die Ufer des Orinoco, die Berge von Peru und die schönsten Thäler Mexiko's durchwandert, und wohl majestätischere, aber nirgends mannigfaltigere und anziehendere Naturbilder getroffen. Die Hauptstadt der Insel heißt Santa Cruz und hat 10 000 Einwohner; die ganze Inselgruppe hat etwa 250 000 Bewohner, meist von spanischer Abkunft, alle katholisch. Das Bisthum San Cristofero de Laguna, welches die Canarischen Inseln umfaßt, untersteht dem spanischen Erzbisthum Sevilla. Das Volk der Guanches, welches die Spanier trafen, als sie diese Insel zu Ende des 15. Jahrhunderts eroberten, ist längst ausgestorben.

Der erste schwarze Priester. (S. 402.)

Sie waren mit den Berbern verwandt und pflegten ihre Todten, ähnlich wie die alten Aegypter, einzubalsamiren.

Die westlichste der Canarischen Inseln ist die Insel Palma. In der Nähe dieses Eilandes erlitt am 15. Juli 1570 der selige Ignaz Azevedo, Missionär aus der Gesellschaft Jesu, mit 39 Gefährten den Martertod. Sie waren auf der Fahrt von Lissabon nach Brasilien, um dort den Wilden den Glauben zu predigen. Da wurden sie angesichts des Hafens von Palma von dem calvinistischen Seeräuber Jakob Sourie überfallen. Der „St. Jakob", welcher die Missionäre trug, war nur ein Kauffahrteischiff; gleichwohl wollte der Capitän sich nicht ohne Kampf dem Räuber ergeben. Der Ausgang des Gefechtes konnte aber nicht zweifelhaft sein, und so bereitete der selige Azevedo sich und seine jungen Ordensgefährten auf den Tod vor.

Mit einem Bilde der seligsten Jungfrau, welches der heilige Papst Pius V. ihm geschenkt hatte, trat er vor seine Brüder hin und sagte: „Nun ist der glückliche Augenblick gekommen, wo wir unsere Liebe zu Gott und unsern Eifer für den Glauben zeigen können. Unser Blut soll heute davon Zeugniß ablegen. Fürchten wir nicht diejenigen, welche nur den Leib tödten können! Richten wir unsern Blick unverwandt gen Himmel. Die Leiden werden nur einige Augenblicke dauern, der Lohn wird ewig sein!" Sie beteten dann miteinander die Lauretanische Litanei und empfingen noch einmal das heilige Bußsacrament. Der Capitän staunte über den großen Muth, mit dem die jungen Ordensleute dem Tode entgegensahen. Gerne hätte er es gesehen, wenn sie sich bewaffnet in die Reihe der Kämpfer gestellt hätten; aber das erlaubte ihr heiliger Beruf nicht, doch boten sie sich zur Pflege der Verwundeten und Sterbenden an.

Inzwischen war der Seeräuber mit dem größten seiner fünf Schiffe auf Schußweite herangekommen und forderte den „St. Jakob" zur Uebergabe auf. Eine volle Kanonenlage war die Antwort der Portugiesen, und der Kampf entbrannte. Sourie versuchte das Schiff zu entern; dreimal wurde er zurückgeschlagen; da sich er auch seine vier übrigen Schiffe angreifen und zu gleicher Zeit die Enterhaken werfen. Ein furchtbarer Kampf folgte nun auf dem Verdecke des Schiffes, und in blutigem Handgemenge wurden die Portugiesen von der Uebermacht der Calvinisten erdrückt. P. Azevedo stand während desselben mit hocherhobenem Bilde der seligsten Jungfrau am Hauptmaste des Schiffes, laut den heiligen Glauben verkündend. Als das Schiff genommen war, begnadigte der Seeräuber die noch lebenden Matrosen und Reisenden. „Was aber

61*

die Jesuiten betrifft," schrie er seinen Leuten zu, „so tödtet sie, bringt sie um, diese abscheulichen Papisten, die nur deswegen nach Brasilien wollen, um das Reich des Antichrist dort anzurichten!"

Und nun begann die grausame Ermordung des seligen Ignaz und seiner Gefährten. Der selige Azevedo war das erste Opfer. Ein Säbelhieb spaltete sein Haupt, Lanzenstiche durchwühlten seine Brust; doch hielten seine Hände das Bild der seligsten Jungfrau im Tode noch fest. Die Calvinisten konnten es ihm nicht entreißen und warfen ihn mitsamt demselben über Bord. Neun seiner Gefährten, welche die Verwundeten pflegten, folgten ihrem glorreichen Anführer in die Ewigkeit. Dann drangen die Mörder in den Schiffsraum hinab, wo sie die 30 übrigen Gefährten fanden. Fast alle standen noch im Jünglingsalter, und die heilige Unschuld leuchtete von ihrer Stirne. Sie wurden ergriffen und auf das blutbefleckte Verdeck hinaufgeschleppt. Man will ihnen das Leben schenken, wenn sie nur den katholischen Glauben abschwören. Eine ganze Stunde wurden die edeln jungen Missionäre also versucht; aber tausendmal lieber wollten sie sterben, als ihren heiligen Glauben verläugnen. Da schritten die rasenden Calvinisten von der Drohung zur That. Mit ihren Musketen zerschmetterten sie einem, dem seligen Emanuel Alvarez, Arme und Beine, und als auch dieses die muthigen Jünglinge nicht schreckte, wütheten sie mit Dolchen und Säbeln und Lanzen und schleuderten die Verwundeten ins Meer. Einen Blutzeugen banden sie vor die Oeffnung einer Kanoue und ließen so die Kugel dessen Leib zermalmen. Den seligen Simon Acosta, einen Jüngling von 18 Jahren, von überaus liebenswürdigem und einnehmendem Wesen, wollte Sourie zuerst, in der Hoffnung auf ein reiches Lösegeld, verschonen. Aber der Muth, mit dem auch dieser Missionär seinen Glauben bekannte, reizte den Calvinisten; auf seinen Wink wurde auch Simon erwürgt und über Bord geworfen.

Nur einen einzigen von den 39 Gefährten des seligen Azevedo verschonten die Calvinisten, den Laienbruder Johann Sanchez, den sie als Koch auf ihrem Schiffe brauchen wollten. Und doch sollte, wie bei den 40 Martyrern von Sebaste, die geheimnißvolle Zahl 40

ausgefüllt werden. Johann von San Juan, der junge Neffe des Capitäns, der schon vorher den seligen Azevedo um Aufnahme in seine heilige Schaar gefleht hatte, wollte nun im Tode wenigstens zu ihr zählen. Azevedo hatte ihn wirklich als Novizen angenommen, wenn er ihm auch das Ordenskleid erst in Brasilien geben konnte; so stellte er sich kühn in die Reihe der Schlachtopfer, und als die Calvinisten den Jüngling, da er noch kein geistliches Gewand trug, verschonten, bekleidete er sich auf Antrieb des Heiligen Geistes mit dem blutigen Ordenskleide eines der Opfer und empfing so, wie seine Mitbrüder, den Todesstreich als der vierzigste der glorreichen Schaar. Azevedo und Jakob Andrada, 12 befanden sich in den Studien, 10 im Noviziate und 16 waren Laienbrüder; unter den Novizen war Anton Correa erst 15 und Alexius Delgado kaum 14 Jahre alt. Pius IX. hat diese 40 Martyrer in die Zahl der Seligen aufgenommen und ihre öffentliche Verehrung gestattet.

So schiffen wir denn in frommer Erinnerung an den blutigen Opfertod dieser heldenmüthigen Martyrer an Palma vorüber. Nach und nach entschwinden die Canarischen Inseln unsern Blicken, und endlich versinkt auch der Pic von Teyde in die Fluten. Eine neue schöne Insel, Madeira, berühmt durch ihren köstlichen Wein, taucht aus dem Meere auf. Wir lassen sie links liegen und steuern nordöstlich auf die Meerenge von Gibraltar zu, durch welche der Atlantische Ocean mit dem Mittelländischen Meere zusammenhängt. Von der äußersten Spitze der europäischen Seite schaut die stolze Felsenfeste Gibraltar, welche den Engländern gehört, drohend auf den schmalen Meeresarm, während von afrikanischer Seite das maurische Tanger mit seinen zerfallenen Wällen und das spanische Ceuta, um welches Spanier und Mauren in alten Zeiten so heiße Kämpfe führten, kein sehr kriegerisches Aussehen haben. Tanger ist aber dennoch der wichtigste Hafen von Marocco, dem letzten selbständigen Maurenreiche Afrikas, das wir noch zu besuchen haben. In seinem Hafen soll also der „Afrikaner" noch einmal vor Anker gehen.

1. Ein Blick auf das Land und seine Geschichte.

Unter den mohammedanischen Staaten Nordafrita's hat sich das Sultanat Marocco am eifersüchtigsten und leider bis jetzt am erfolgreichsten gegen das Christenthum und gegen die chriftliche Gesittung abgeschlossen. Obschon nur durch die schmale Meerenge von Gibraltar von Europa getrennt, ist es eine ganz neue Welt, viel verschiedener von unserer Heimat als Amerita, das doch der weite Ocean von uns scheidet. „Drei Stunden von dem fieber= haften, lärmenden, glänzenden Leben einer unserer europäischen Städte," sagt ein italienischer Reisender, „nur drei Stunden von Gibraltar klingt der Name unseres Erdtheils fast wie eine Fabel, heißt christlich soviel wie feindlich, ist unsere Civilisation unbekannt oder wird gefürchtet und verhöhnt. Alles ist da anders, von den Grundzügen des öffentlichen Lebens bis hinein in die unbedeutendsten Gewohnheiten des häuslichen Verkehrs; nichts erinnert mehr an das benachbarte Europa. Man findet sich plötzlich in ein unbekanntes Land versetzt, mit welchem uns tein Band verknüpft, wo uns alles fremd und ungewohnt ist. Vom Ufer aus kann man die europäische Küste nach erblicken; aber das Herz fühlt sich von ihr in unendliche Ferne gerückt, als ob der enge Meeresarm ein Ocean und jene Berge nur das trügerische Bild einer Luftspiegelung, eine „Fata Morgana" wären."

Eine solche Trennung hat der Islam, dem Marocco fanatisch ergeben ist, zu Stande gebracht, und bis jetzt ist es weder dem Schwerte in der Faust der Eroberer, noch dem Kreuze in der Hand der Missionäre gelungen, in das Innere dieses Reiches vorzudringen, dessen Sultane einst fast ganz Spanien erobert hatten und von den Pyrenäen her das christliche Abendland mit völliger Vernichtung bedrohten. Dennoch dürfte die Zeit nicht ferne sein, da auch dieses Land seine ängstlich gehüteten Thore dem antlopfenden Christenthume etwas mehr öffnen wird. Ein überaus erfreuliches Anzeichen bildet die Gesandtschaft, welche der Sultan von Ma= rocco 1888 mit Glückwünschen und reichen Geschenken dem Heiligen Vater zu dessen Jubelfeste schickte. Im gleichen Jahre ist es zwei Missionären der Kartause von Lyon, den hochw. Herren A. Beguin und B. Peigneaur, geglückt, einen bedeutenden Theil Marocco's zu durchwandern; auch das ist ein glückliches Vorzeichen einer bessern Zukunft, obschon diese Reise noch keineswegs zur Gründung von Missionsstationen führte. Aus dem Berichte der beiden Missionäre wollen wir daher einige Schilderungen für unsere Leser ausheben und dieselben durch die Nachrichten anderer Reisenden zu einem möglichst vollständigen Bilde dieses abgeschlossenen Reiches erweitern. Zunächst einige allgemeine geographische Angaben über Grenzen, Klima, Bevölkerung und Geschichte des Landes.

Marocco bildet die Nordwestecke Afrita's und grenzt somit im Westen an den Atlantischen Ocean und im Norden an das Mittel= ländische Meer. Im Osten stößt das Reich an Algier, und zwar zunächst an den Bezirk von Oran; die Grenze bildet eine ziemlich gerade von Kasr Malai nach Süden verlaufende Linie. Im Süden endlich ist die große afritanische Wüste vielfach ohne bestimmte Grenze

das öde Nachbarland. Das also umschlossene Land würde einen Flächeninhalt von mehr als 12 000 deutschen Quadratmeilen (670 000 qkm) betragen, also um rund 120 000 qkm größer als das Deutsche Reiche sein; doch erkennen keineswegs alle Stämme, welche dasselbe bewohnen, die Oberhoheit des Sultans an. Die Einwohnerzahl wird auf sechs Millionen geschätzt. Im Norden er= streckt sich längs des Mittelmeeres ein etwa 8 Meilen breites Berg= land, das maroccanische Riff oder Er=Rif. Ohne einen flachen Küstensaum zu lassen, steigen seine Wände in schroffen Klippen aus dem Meere empor; doch überragen seine höchsten Spitzen nicht viel die Höhe von 2000 m. Südlich von diesem Küstengebirge dehnt sich vom Atlantischen Meere rasch terraffenförmig ansteigend bis an die Hänge des Atlasgebirges hin eine mehr als 400 km breite Hochebene aus, welche den reichsten Landstrich Marocco's bildet. Da liegen im Nordwesten zwischen den Flüssen El Koß und Sebu schöne, graereiche Strecken und das quellenreiche Gebiet Abherssu an den Westhängen des Atlas. Nur wenige Theile dieser viele tausend Quadratkilometer messenden Ebene sind infolge von Wassermangel unfruchtbar. In diesen gesegneten Landstrich liegen auch die volkreichsten Städte, so namentlich Fes oder Fez, Metines und Marocco, die drei berühmten Hauptstädte des Reiches. Fes, der Mittelpunkt mohammedanischer Gelehrsamkeit, liegt in einer muldenförmigen Einsenkung des Hochebene, südlich vom Sebusluß, fast in gleicher Entfernung (etwa 150 km) vom Mittelmeere und vom Atlantischen Ocean. Es ist bei weitem die volkreichste Stadt des Landes, und ihre Einwohnerschaft wird auf 100 000 Seelen an= gegeben. Nur halb so volkreich ist die Stadt Marocco, nach welcher wir das ganze Reich benennen; ihr eigentlicher Name ist Maråteich, d. h. die Geschmückte, und ihre Heimat nennen die Maroccaner Maghrib=el=Atsa, d. h. der äußerste Westen. Die Stadt Marocco verdankt ihren Namen der herrlichen Lage, welche am Tensiftslusse, zu Füßen des Atlasgebirges, liegt. Das Atlasgebirge zieht sich in einer etwa 30 km breiten Hauptkette und mehreren Nebenketten vom Ocean über die Grenze von Algier hinaus quer durch das ganze Land. Steil steigt es aus dem Meere empor; schon das Vorgebirge Aferni erreicht eine Höhe von fast 1000 m und erhebt sich rasch zu einer mittlern Höhe von 3000 m. Etwa 100 km vom Meere entfernt öffnet sich der Bibanaupaß, durch welchen von der Stadt Marocco die Karawanenstraße nach Timbuttu am obern Niger und nach den Hansfa= und Senegal=Ländern führt. Oestlich von diesem Passe erreicht der Atlas mit fast 4000 m seine höchste Höhe. Auch da führen noch Bergsteige, welche die höchsten Saumpfade unserer Alpen überbieten, in die südlichen Oasen hinab. Der Hauptkette parallel läuft die südliche Neben= kette des Antiatlas. Von seinen Höhen und Schluchten sammelt der Draastuß, der größte des Landes, seine Wasser und führt sie am Rande der maroccanischen Sahara dem Ocean zu. Südlich vom Atlas, den die Umwohner Idrar Nderen nennen, sind nur einige Oasen, so das Gebiet von Sus an den Süd= westhängen des Gebirges, die Oase Tafilet mit etwa 150 Dörfern und endlich die große Oase Tuat mit vielleicht 300 000 Bewohnern, bemerkenswerth. Kohlß durchzog diese Länder. Außer den genannten Flüssen haben nur noch der Bu Regreg, der Umer Rebia und der Wuluja Bedeutung; die beiden ersteren münden in den Atlantischen Ocean, der letztere fällt nicht weit von der Grenze Algiers ins Mittelmeer. Der Umer Rebia namentlich, welcher an den Nordhängen des Atlas entspringt, ist ein herrlicher Fluß, der in seinem 50 geographische Meilen langen Laufe durch künstliche Leitungen weithin den fruchtbaren Boden bewässert.

Das Klima des also gestalteten Landes gilt für noch gesünder als dasjenige von Algier und Aegypten; an der Meeresküste ist es gemäßigt, südlich vom Atlas aber heiß und trocken. Einen eigentlichen Winter kennt Marocco nicht; nie sinkt das Thermometer auf der Ebene unter den Gefrierpunkt. Nur im Hochgebirge fällt Schnee und deckt während einiger Monate die kahlen Scheitel des Atlas. Statt des Winters herrscht vom October bis März die Regenzeit; dann füllen sich auch die Wüstenbäche, die sonst trocken liegen, und führen dem Salzseen der Sahara ihre Wasser zu. Der Boden zwischen dem Mittelmeer und dem Atlas ist überaus fruchtbar. Im Gebirge finden sich noch Urwälder von Fichten, Lärchen und Eichen. Nur seine höchsten Partien und das Wüstengebiet im Süden sind kahl und ohne Pflanzenwuchs. Der gänzliche Mangel an schiffbaren Flüssen, fahrbaren Straßen und Brücken macht den Verkehr im Lande und die Ausfuhr der reichen Landeserzeugnisse fast unmöglich. Nur wenige Karawanenstraßen, so die bereits erwähnte von Fes und Marocco durch den Bidanaupaß nach den Nigerländern, eine zweite über die Oase Tafilet nach Tuat und den Sudanländern am Isabar, endlich der Karawanenweg von Fes nach Tlemsen in Algier, bilden eine unbequeme und vielfach mißliche Verbindung mit den Nachbarländern. So kann Marocco seine reichen Ernten an Getreide und Hülsenfrüchten, an Reis, Tabak, Mandeln, Oel, Oliven, Wein, Datteln nicht genügend ausnützen. Auch die Erzeugnisse des Gewerbfleißes müssen zumeist im Lande selbst abgesetzt werden; nur ein geringer Theil, darunter namentlich sehr gesuchte Lederwaaren, Maroquins und Saffiane, findet seinen Weg nach Europa.

Werfen wir noch einen raschen Blick auf die Geschichte des Landes, bevor wir an der Hand der beiden Missionäre seinen Boden betreten. Marocco ist das alte Mauretania Tingitana der Römer, so genannt nach der Stadt Tingis, dem heutigen Tanger. Es theilte das Schicksal der übrigen afrikanischen Provinzen des großen alten Römerreiches. Bei seinem Zusammenbruche kam es zunächst unter die Herrschaft der Vandalen, welche es während eines Jahrhunderts, von 429—533, von Grund aus zerrütteten. Dann bemächtigten sich die eingeborenen Stämme der Berber und Numidier des einst blühenden Küstenstriches, über welchen die griechisch-römischen Kaiser nur mehr die Scheinherrschaft besaßen, bis ihnen auch diese von den anstürmenden Arabern entrissen wurde. 648 besiegte Othmans Feldherr Abdallah Gregorius den Beherrscher von Carthago. Der Nachfolger des Siegers, Okba, unterwarf Algier und Marocco, das von nun an ein Jahrhundert unter das Kalifat Bagdad gehörte. Seither zählt das Land nicht mehr unter die Reihe der Culturstaaten; die Einwohner, schon längst durch traurige Irrlehren im christlichen Glauben erschüttert, ließen sich zur Annahme des Jslâm zwingen und verschmolzen allmählich mit ihren Besiegern zu einem neuen Volke. Jetzt kam die Zeit, da die Mauren in siegreichen Kämpfen fast ganz Spanien eroberten. Im Jahre 711 setzten ihre ersten Horden unter dem Emir von Tanger, Tarik-ben-Malet, nach der Uferstelle über, wo heute noch die spanische Stadt Tarifa den Namen dieses Maurenfürsten trägt,

und begann Tharic-ben-Zgad den zueinnehmbaren Felsen zu befestigen, der heute noch nach ihm benannt ist: denn Gibraltar heißt Gebel-al-Tharic, d. i. Berg des Tharic. Dann verbrannte er, wie Cortez in Mexiko, seine Schiffe und entriß den Westgoten in der Schlacht von Xeres de la Frontera die Herrschaft über Spanien. Unaufhaltsam drangen die Maurenheere vor, überschritten die Pyrenäen und wurden erst 732 von Karl Martell zwischen Tours und Poitiers zurückgeworfen. Aber den größten Theil von Spanien behaupteten sie mehr als ein halbes Jahrtausend. Sie gründeten das Kalifat von Cordova, und in jahrhundertelanger Kämpfen rang das Kreuz mit dem Halbmonde, bis endlich christlicher Heldenmuth Königreich um Königreich wieder eroberte und die Mauren über die Meerenge nach Marocco zurückwarf. 1085 eroberte Alfons VI. Toledo; unter ihm vollbrachte der Cid, Don Rodrigo von Bivar, seine vielbesungenen Heldenthaten; 1212 erlitten die Mauren an der Sierra Morena eine Hauptniederlage; 1250 hatte der heilige König Ferdinand alle spanischen Provinzen bis auf Granada dem Halbmonde entrissen; aber erst 1492 wurde auch dieses Königreich zurückerobert und das Kreuz auf die Alhambra gepflanzt, fast 800 Jahre nach der Eroberung Spaniens durch die Mauren.

Auf spanischem Boden hatten die Mauren in Literatur und Kunst eine Zeit der Blüte, welche sie in ihrem eigenen Heimat niemals erreichten. Zeugen davon sind heute noch eine große Zahl maurischer Baudenkmale, deren Pracht und Formenfülle von dem Geschmack und Reichthum der Maurenfürsten reden, die sie einst erschufen. Das herrlichste von allen ist wohl die eben erwähnte Alhambra, die Königsburg der Sultane von Granada. Jbn-al-Hamar begann ihren Bau, Jusuf I. brachte ihn um die Mitte des 14. Jahrhunderts zur Vollendung. Er besteht aus einer Menge von Thürmen, Palästen, Säulengängen, Höfen und Gärten. Der herrlichste Theil dieses Prachtbaues ist der berühmte Löwenhof, von dem unser Bild S. 407 einen schwachen Begriff zu geben vermag. Der Hof mißt 40 m in der Länge, 20 m in der Breite und wird von einem aus 168 schlanken, spiegelglatten Marmorsäulen gebildeten Säulengang umschlossen. Aus den Schmalseiten springen zierliche Pavillons in den Hofraum vor. Die Säulen werden durch Bogen von überaus geschmackvoller Arbeit verbunden, und jedes dieser Kapitäler, die auf den ersten Blick alle gleich scheinen, ist durch Zeichnung und Inschrift verschieden. Dazu kommt der Farbenglanz und die wundervolle Musterung der Wände, die alle mit den herrlichsten Lasuren bedeckt sind. In der Mitte erhebt sich der Löwenbrunnen, von dem er seinen Namen gab, eine große, zwölfseckige Schale aus weißem Marmor, aus welcher eine kleinere, runde emporragt. Zwölf Löwen tragen das riesige Becken, auch aus weißem Marmor gehauen, aber nur unvollkommen der Natur nachgebildet. Als einst mächtige Wasserfäulen aus der Mitte des Brunnens anstiegen und plätschernd über den Rand der Schalen niederwallten, während alle diese Ungeheuer ebenfalls Wasserstrahlen in das Brunnenbecken spieen, war dieser Hof, der heute todt und veödet dasteht, der Zeuge des üppigsten Hoflebens, das die Maurenkönige in Spanien führten.

Während der Maurenherrschaft in Spanien hatte Marocco, das schon um das Jahr 790 unter den Edrisiden ein von Bagdad unabhängiges Reich geworden war, in vielfachen inneren Kämpfen seine Herrscherfamilie oft geändert. Als nun Spanier und Portugiesen ihre Angreifer auf den Boden Afrika's hinüber verfolgten und ihnen zu Beginn des 16. Jahrhunderts mehrere Hafenplätze und einen Theil Marocco's entrissen, riefen die Mauren türkische Seeräuber zur Hülfe und kamen, wie die benachbarten Staaten der

Der Löwenhof der Alhambra. (S. 406.)

Berberei, zeitweilig unter der Oberhoheit der Pforte. Um das Jahr 1546 bestiegen die Scherifs von Tafilet den Thron Marocco's und erklärten sich, als vorgebliche Nachfolger des Propheten, vom türkischen Sultan unabhängig. Unter ihnen hatte Marocco seine größte Ausdehnung, indem es im Süden bis in den Sudan hineinreichte und im Osten einen großen Theil Algiers zu seinem Besitze zählte. In der Schlacht von Alkazar verlor Portugal 1578 seine maroccanischen Besitzungen. Seither war das Reich wie Tunis und Algier ein Seeräuberstaat, der auf dem Mittelmeer und an den Küsten des Atlantischen Oceans mit den christlichen Staaten Europa's einen beständigen Kleinkrieg führte und ihnen zur Schmach des christlichen Namens jährliche Piratengelder abpreßte. Die innere Geschichte Marocco's bildet eine Kette von Bürgerkriegen, Thronstreitigkeiten und Grausamkeiten. Ganz besonders berüchtigt ist die Herrschaft Mulei Ismaels (1672—1727), der eigenhändig und zum Theil unter den grausamsten Martern 5000 Menschen hingerichtet haben soll. Erst zu Anfang unseres Jahrhunderts schaffte Mulei Soliman die Christensklaven ab und verbot die Seeräuberei. Zur Zeit der Kämpfe Frankreichs in Algier zwang die fanatische moslemische Bevölkerung ihren Beherrscher zur Unterstützung Abd-el-Kaders; aber die Niederlage des maroccanischen Heeres am Flusse Isly am 14. August 1844 nöthigte zum Friedensschluß mit Frankreich. Ebenso unglücklich endigte für Marocco im Jahre 1860 ein Krieg mit Spanien. Der jetzige Kaiser von Marocco, Mulei Hassan (vgl. das Titelbild), der im Jahre 1876 den Thron bestieg, sucht mit den abendländischen Mächten im Frieden zu leben und hat im Innern seines Reiches mit den vielen unbotmäßigen Stämmen genug zu schaffen.

Wie schon bemerkt, ist in keinem Lande des Islam der Christenhaß so glühend wie in Marocco. Es ist das eine Folge der blutigen Niederlagen, welche es in einem tausendjährigen Kampfe durch die christlichen Waffen erlitt. Daß dieser Haß lebendig bleibe, dafür wirken aber die mohammedanischen Derwische, welche von den „Gläubigen" um so mehr als „Heilige" bei Lebzeiten verehrt werden, je wahnsinniger sie sich geberden. Ganz besonders zeichnen sich durch ihre Wuthanfälle die Derwische des Jemdudscha- und Aissaua-Ordens aus. Man weiß wirklich nicht, ob man in diesen fast nackten, von Schmutz und Aussatz bedeckten Wesen, welche vor den Augen der Menge ganze Schüsseln voll lebendiger Kröten, Scorpione und Schlangen verzehren, Wahnsinnige oder vom Teufel Besessene vor sich hat. Welch ein Abstand zwischen dem Christenthum, das Feindesliebe predigt, und diesen „Heiligen" des Islam, deren Religion der Haß ist!

Unter den Mohammedanern leben in Marocco zahlreiche Juden. Ihren Ueberlieferungen nach sollen unter dem römischen Kaiser Hadrian mehr als 100 000 Familien der beiden Stämme Juda und Benjamin nach Spanien gekommen sein. Dort wurden sie von den Westgoten und später von den Arabern und Mauren geduldet. Nach dem Siege des Christenthums über den Halbmond wurde ihnen die Wahl zwischen der katholischen Religion und der Auswanderung gelassen; mehr als 50 000 Familien sollen die letztere vorgezogen haben und nach Afrika ausgewandert sein. So kam es, daß wohl kein Land der Welt so mit Juden bevölkert ist wie Marocco. Ihre Sitten fand Rohlfs höchst eigenthümlich; Sprache und Tracht haben sie so beibehalten wie zur Zeit der Maurenherrschaft in Spanien. Auch ihre Gebetbücher sind spanisch, aber mit hebräischen Buchstaben geschrieben oder gedruckt.

Die ursprüngliche Bevölkerung Marocco's bildeten die Berber, deren Sprache jetzt noch von einigen Stämmen, so von den Schellöchen und Amazirghen, gesprochen wird und mit keiner andern afrikanischen Sprache Verwandtschaft zeigt. Rohlfs schildert diesen Theil der Einwohner Marocco's, bei dem das Christenthum noch am ehesten Eingang finden dürfte, wie folgt: „Die Berber wohnen in Zeltdörfern (Duars). Die Frau ist, wie bei fast allen Anhängern des Islam, ein Besitz wie jedes andere Eigenthum des Mannes. Scheidungen finden bei den Berbern statt, aber nie auf so leichte und grundlose Weise, wie bei den Arabern oder sonstigen Mohammedanern, die dann überhaupt alle Berber entschiedene Feinde der Vielweiberei sind. Die Tochter ist manchmal dazu bestimmt, das Leben ihres Vaters oder Bruders mittelst ihrer Sklaverei zu erkaufen; aber nie würde sie für einen Oheim, Großvater, Vetter oder sonstigen Verwandten mit ihrer Person eintreten können. Die größten und heiligsten Pflichten glaubt der Berber für sein Gemeinwesen, für seinen Stamm zu haben. Ist dem Araber zuerst die Religion die Hauptsache, so hat der Berber, trotzdem er auch den Islam angenommen hat, das mit begreifen können. Wenn der Berber sich auch vorzugsweise gern mit seinem Schwerte gegen die Christen wendet, so ist's ihm im nächsten Augenblicke auch ganz gleich, dasselbe gegen jedweden Mohammedaner zu ziehen, sobald sich dieser gegen ihn oder seinen Stamm vergangen hat. Die Ehre der Familie und des eigenen Stammes gilt dem Berber als das Höchste; doch ist dieses so zu verstehen, daß sie z. B. denjenigen ihrer Leute keineswegs für ehrlos halten, der einen Fremden bestiehlt; aber ehrlos würde es sein, wollte jemand einen von einem andern Stamme, der einmal Zutritt erhalten hat oder gar die Anya (den Sicherheitsbrief) des Stammes besitzt, bestehlen oder gar ermorden. Auch in der Gesetzgebung der Berber sind die weltlichen Angelegenheiten den kirchlichen übergeordnet. Die Berber haben eine eigene Tracht, die Schmucksachen und schöne Kleidung. Sie treiben mit Ausnahme der Tuaregs alle Ackerbau und Viehzucht. Ihre Nahrung und Lebensweise ist sehr einfach. Was ihre Fähigkeit betrifft, so stehen sie mindestens auf derselben Stufe wie die Araber, wenn nicht höher. Für die Civilisation sind sie bedeutend empfänglicher als die Araber Nordafrika's."

Das ist das Urtheil eines der besten Kenner von Marocco über dessen Urbevölkerung, und es wäre gewiß zum Heile des Landes, wenn sie wieder zur Herrschaft käme anstatt des Araber und Mauren, dem Mischvolke aus Berbern und Arabern. Der Zahl nach sind die Berber die Mauren weit überlegen, indem sie etwa zwei Drittel der Bevölkerung, und zwar das eigentliche Land- und Bergvolk, den Ackerbau und Viehzucht treibenden Stamm der Einwohner bilden, während ihre Beherrscher die Städte bewohnen, Handel und Gewerbe pflegen und in inneren Kämpfen das Mark des Landes aufreiben. „Wie lange wird es noch dauern," ruft deßhalb Rohlfs aus, „bis sich irgend ein Volk dieses schönen Landes ebenso günstig gelegen ist wie Spanien und ebenso fruchtbar?"

Begleiten wir nun die beiden Patres der Kartause von Lyon auf ihrer Reise durch Marocco!

2. Tanger.

„Unser Schiff machte Halt", erzählen die beiden Kartäuser (vgl. oben S. 405). „Es konnte in den Hafen, der eng und versandet und für Fahrzeuge von beträchtlichem Tiefgange unbrauchbar ist, nicht einlaufen. Die freundliche Stadt, welche vor unseren Augen sich in den Wassern spiegelt, ist Tanger. Eine kleine Barke führte uns zum Landungsplatz, den wir mühsam erklommen. Dann gaben wir einem Knaben ein Geldstück und ließen uns zu den

Franziskanern führen. Diese guten Patres nahmen uns mit einer Einfalt und Güte auf, welche rührend war. Es sind Spanier; aber sie radebrechen ein wenig Französisch, so daß wir uns mehr als genügend verständigen konnten. Während der Bruder Koch ein Mahl zu unserm Empfange bereitete, zeigte uns der ehrwürdige Guardian das Kloster. Wäre es nicht das hochheilige Altarsacrament gewesen, das wir in der Kapelle eine Weile anbeten konnten, so hätte dieser Rundgang allerdings kein Interesse gehabt, da bei den Söhnen des hl. Franz von Assisi, wie jedermann weiß, alles einfach und der ursprünglichen Armuth gemäß eingerichtet ist.

Ansicht von Tanger. (S. 410.)

Während wir dann zusammen bei dem frugalen, aber freudigen Liebesmahle saßen, redeten wir über unsern Plan einer Reise durch Marocco und eines Besuches in Fes, das doch immerhin 200 Meilen von Tanger entfernt ist. Die guten Patres betrachteten uns mit Verwunderung und verhehlten uns keineswegs, daß eine solche Reise nicht nur mit Strapazen, sondern auch mit Gefahren verbunden sei. Was die Strapazen angeht, so machten wir uns wenig daraus, da wir kräftig und an dieselben gewöhnt sind; die Gefahren aber lassen sich mit einiger Vorsicht beschwören. Wir baten also die Franziskaner, uns einen geeigneten Führer zu nennen, und sie empfahlen uns einen Spanier Namens Fernandez, einen eifrigen Christen, der außer seiner Muttersprache französisch,

arabisch, englisch und etwas italienisch spricht und ein ganz zuver=
lässiger Mann ist. Bald wurde er uns vorgestellt; wir verständigten
uns rasch über den Preis, und es wurde beschlossen, daß wir am
folgenden Morgen, alle beritten, nach Fes aufbrechen sollten. Ein
junger maurischer Diener Namens Mehemei, dessen Brauchbarkeit
Fernandez auf seinen vielen Reisen erprobt hat, wird uns begleiten.
Der heutige Tag sollte dem Besuche Tangers und dessen Umgebung
geweiht sein.

„Tanger oder Tandscha, d. h. Lagune, wie es die Eingeborenen
nennen, soll von den Phöniziern erbaut worden sein, welche, von den
Hebräern ans Meer gedrängt, in Schiffen von Tyrus bis an
dieses äußerste Ende des Mittelmeeres gekommen seien. Wie der
Geschichtschreiber Prokop erzählt, hätten hier vormals zwei Säulen
mit der folgenden phönizischen Inschrift gestanden: ‚Wir sind die=
jenigen, welche vor Josue, dem Sohne Nave's, geflüchtet sind.'
Zur Zeit der Römer hieß die Stadt Tingis und war die Haupt=
stadt von Mauritania Tingitana. Die Spanier, die Portugiesen,
die Engländer, haben sie vorübergehend besetzt; allein sie ist wieder
in der Gewalt Marocco's. Amphitheatralisch erhebt sie sich auf
dem östlichen Abhange eines Hügels, der im Halbkreis eine Bucht
umschließt. Mit ihren weißen, viereckigen Häusern, zwischen denen
da und dort Minarets und Palmen aufragen, mit ihrem Kranze
von Mauern und Thürmen und mit der Kasbah oder dem festen
Schlosse, das sie krönt, gewährt die Stadt einen überaus malerischen
Anblick. (Vgl. das Bild S. 409.) Sie ist jedoch keineswegs die
volkreichste Marocco's, da sie nur etwa 20 000 Einwohner, Euro=
päer, Mauren und Juden, zählt; aber ihre Lage am Eingange
der Straße von Gibraltar und ihr Handel mit Europa macht sie
zu einer der bedeutendsten Städte des Reiches.

„Unter der Führung des Fernandez, der sein Amt sofort an=
trat, durcheilten wir die engen und winkligen Gassen und erreichten
die Hauptstraße, die Meerthorstraße oder Bab=el=Balar. Sie ist
bemerkenswerth wegen ihrer Länge, da sie die ganze Stadt von
unten nach oben durchschneidet, und namentlich wegen ihrer Doppel=
reihe von Kaufläden oder vielmehr düsteren Höhlen, welche Waaren
aller Art enthalten. (Vgl. das Bild S. 411.) Sie durchschneidet
den einzigen Platz der Stadt, den Marktplatz. Gerne glaubten
wir der Versicherung unseres Führers, daß die übrigen Gassen
nichts Sehenswerthes bieten, und folgten ihm nach die Kasbah,
um von ihrer Höhe aus einen wechselvollen und wahrhaft feen=
haften Ausblick zu genießen. So kamen wir dem mitten durch
eine wogende, schreiende, lärmende Menge, an Kameelen vorbei,
deren Ladung uns zu zermalmen drohte, und zwischen Wasser=
trägern hindurch, die uns mit ihren getheerten Schläuchen hin und
her stießen, eine steile Gasse empor. Aber unsere Mühe wurde
reichlich belohnt durch das Panorama, welches sich vor unseren
Blicken erschloß. Die ganze Stadt lag zu unseren Füßen aus=
gebreitet. Nichts Freundlicheres als manche dieser maurischen
Wohnungen, welche so sehr gegen die Paläste der Consuln
abstechen; nichts Poetischeres als diese Meerenge, wo das fried=
liche Mittelmeer seine azurblauen Wasser mit den dunkeln Wogen
des brausenden Oceans vermählt. Jenseits des Meeresarmes erblickt
man die weiße, duftumwobene Küste Europa's; landeinwärts breitet
sich der grüne Schmelz des Küstenstriches, aus dem da und dort ein
weißes Landhaus hervorschimmert, während sich rechts und links der
Blick in der unermeßlichen Wasserfläche verliert. Gerne wären wir
noch lange auf dieser Hochwarte verweilt; aber wer sich nicht zu be=
schränken weiß, versteht nicht zu reisen. So schieden wir entzückt von der
Kasbah und verließen die Stadt durch das Marktthor, Bab=el=Sut.

„Der Platz, welcher sich außerhalb dieses Thores eröffnet, ist
von Kellern unterwölbt, die als Getreidekammern dienen; deshalb
hallten unsere Schritte, als wir über denselben gingen. Auf diesem
Platze wird der große Markt gehalten; sehr Kostbares wird daselbst
nicht feilgeboten, aber man findet von allem etwas. Die Waaren
sind nach ihrer verschiedenen Art geordnet, was den Verkehr sehr
erleichtert. Mitten auf dem Markte erblickten wir einen Soldaten,
welcher einem armen Krämer eine Tracht Hiebe auf die Fußsohlen
verabreichte. Der Bursche hatte seine Kunden durch falsches Ge=
wicht betrogen und erhielt nun, ohne erst vor den Richter geführt
zu werden, seinen Lohn. Das ist die Gerechtigkeitspflege, welche
ein Thierbändiger seinen vernunftlosen Zöglingen angedeihen läßt;
aber so ursprünglich und roh sie auch sein mag, so ist sie doch
allein im Stande, dieses milde Volk in Zaum zu halten. Mit
Bezug auf die Gerechtigkeitspflege machte uns Fernandez auf einige
Eisenhaken aufmerksam, welche in der Mauer oberhalb des Thores
angebracht sind. ‚An diesen Haken‘, sagte er uns, ‚hängt man
die Köpfe der Verbrecher auf, welche auf diesem Platze hin=
gerichtet werden.‘

„Wir schritten dann rings um die Mauern. Da und dort
erheben sich Zelte fremder heranziehender Krämer, ähnlich den
Zigeunerlagern vor den Städten unserer Heimat. Seit einiger
Zeit schon hatten wir Geschrei und Händeklatschen, Pfeifen und
Trommeln und den Lärm eines wilden Tanzes gehört, der näher
zu kommen schien. ‚Ihr werdet eine ,Kaffila‘ sehen‘, sagte Fer=
nandez. Wirklich zog eine Art Procession, Männer, Weiber und
Kinder, etwa 200 an Zahl, mit fliegenden Fahnen und einem
wahren Höllenlärm an uns vorüber. Alle diese Pilger sind beritten;
die einen sitzen auf Kameelen oder Rossen, die anderen auf Maul=
thieren oder Eseln. Sie ziehen zum Berge Beni=Hassan, welcher
die Stadt Tetuan beherrscht, um daselbst das Saviat oder das
Grabmal des Mulei=abd=Selam zu besuchen, eines Derwisch, der
in diesen Gegenden hoch verehrt wird. Unglaublichen Strapazen
unterziehen sich diese Pilger; aber wenn der tollkühne Moslim im
Sprunge den ‚Sprungstein‘ glücklich erreicht, der nahe bei dem
Grabmal über einem Abgrunde hängt, so wird er als ein Heiliger
und ein vom Himmel gesegneter angesehen.“

3. Umgebung Tangers.

Der Aufenthalt der beiden Missionäre, deren Schilderung
Tangers wir im letzten Kapitel mittheilten, dauerte nur einen Tag;
so konnten sie keine Zeit, Ausflüge in die Umgebung der Haupt=
stadt zu machen oder das Volksleben näher kennen zu lernen.
Wir entnehmen deshalb zur Ergänzung des entworfenen Bildes
noch einige Züge dem Reiseberichte des Italieners de Amicis, wel=
cher Marocco im Jahre 1875 im Gefolge einer italienischen Ge=
sandtschaft bereiste. Vorerst eine Schilderung der nächsten Um=
gebung der Stadt:

„Rings um die Stadt schlingt sich ein Kranz von Gärten und
Grün. Die meisten dieser Gärten gehören den Ministern und den
fremden Consuln. Fast alle erdbeeren sorgsamer Pflege, sind aber
von einem wunderbaren Pflanzenwuchse überwuchert. Man geht
an langen Aloehecken hin, deren Blütenstengel riesigen Lanzen
gleich aus dem Kelche ihrer breiten Fäuste festgeschlossenen Blätterbüschen
aufragen. Mit den Stacheln und den Fibern dieser Blätter nähen
die Araber ihre Wunden zu. Da stehen indische Feigenbäume
— Kermuß nennt sie der Maure —, hoch und mit dichten, zoll=
breiten Blättern. Diese Bäume sind so groß, daß sie den Pfad
versperren; auch gewöhnliche Feigenbäume, in deren Schatten man

Die Marktstraße in Tanger. (S. 410.)

zehn Zelte aufschlagen könnte, breiten ihre Aeste aus. Daneben wiegen Eichen und Akazien ihre Kronen und verstickt Buschwerk aller Art seine Zweige mit den Aesten großer Bäume, so im Bunde mit dem Epheu, den Weinranken, den wilden Rosen und Gesträuch ein undurchdringliches Dickicht bildend, unter dessen grüner Decke Gräben und Wege verschwinden. An vielen Stellen muß man sich durchtappen; man schlüpft von Garten zu Garten durch die Hecken oder klettert über die eingestürzten Mauern durch Gras und Blumen, die einem bis zum Gürtel reichen, und begegnet keiner Seele. Ein weißes Gartenhaus, halb im Grün versteckt, ein Brunnen, aus dem sich das Wasser durch ein Netz von Wasserrinnen vertheilt, sind die einzigen Dinge, welche an die Arbeit eines Eigenthümers erinnern. Jenseits dieses Kranzes von Gemüse- und Lustgärten finden sich weder Bäume, noch Häuser, noch sonst ein Zeichen, wodurch sich Grundbesitz von Grundbesitz unterscheidet. Da folgen sich grüne Hügel und Thäler und wellenförmige Ebenen, auf welchen einige Heerden weiden, deren Hirten man nicht sieht, oder über welche ein freies Pferd hinsprengt. Ein einziges Mal sah ich das Feld bebauen; ein Araber pflügte; der Pflug war klein und hatte eine uralte Gestalt, wie sie der Pflug vor Jahrtausenden schon gehabt haben mag. Mit diesem Geräthe riß er eine kaum sichtbare Furche in den mit Steinen und Gestrüpp bedeckten Boden, wobei ein Esel und eine Ziege sein Gespann bildeten. Man versicherte mir, daß man oft ein Weib und einen

Der Leuchtthurm am Kap Spartel.

Esel zusammen vor den Pflug gespannt sieht, und das kann einen Begriff von dem Zustande des Ackerbaues in Marocco geben. Der einzige Dünger, den man anwendet, ist die Asche des Strohes, welches nach der Ernte verbrannt wird, und die einzige Vorsichtsmaßregel gegen die gänzliche Erschöpfung des Bodens besteht darin, daß man jedes dritte Jahr das Feld als Weide benutzt, nachdem es die beiden anderen Jahre Weizen und Mais getragen hat. Allein das genügt nicht; der Boden wird nach jeder Ernte unfruchtbarer. Dann ziehen die Bauern wie Nomaden weiter und brechen ein neues Landstück um, welches sie später wieder verlassen um zu den alten Feldern zurückzukehren. So ist stets nur ein kleines Stück des Landes angebaut. Uebrigens trägt der Boden trotz der schlechten Pflege immer noch hundertfältige Ernten."

Einer der lohnendsten Ausflüge von Tanger ist der Weg längs des Meeres zum nahen Kap Spartel, den de Amicis also schildert:

„Der reizendste Spaziergang, den wir machten, ist der nach Kap Spartel; Ampelusisches Vorgebirge nannten es die Alten. Es bildet die äußerste Nordwestecke des afrikanischen Festlandes. Ein 300 m hoher Berg aus grauem Felsgestein ragt empor; sein Scheitel ist schroff und sein Fuß seit uralter Zeit von vielen großen Höhlen zerklüftet; die größte war dem Herkules geweiht. Auf der Spitze des Berges steht seit wenigen Jahren ein Leuchtthurm, zu dessen Unterhalt die meisten europäischen Staaten beitragen. Wir bestiegen ihn und traten in das Innere des Laternenraumes, der sein Licht bis zu einer Entfernung von 46 km hinaussendet. Von dieser Höhe schweift der Blick über zwei Meere und zwei

Vornehmer Maure. (S. 414.)

Continente. Man erblickt ein Stück des Mittelmeeres und den unabsehbaren Gesichtskreis des Atlantischen Oceans, des Bar-el-Dolma (Meer der Finsterniß), wie es die Araber nennen. Die spanische Küste ist vom Kap Trafalgar bis zum Kap Algesiras, die afrikanische Küste hin bis zu den Bergen von Ceuta, den „sieben Brüdern" der Römer, sichtbar, und in der Ferne dämmert in halbverschwommenen Umrissen der gewaltige Felsen von Gibraltar, diese ewige Schildwache am Thore der Alten Welt, diese Grenzsäule für die Schifffahrt des Alterthums, welche für die Schiffer unserer Zeit keine Schrecken mehr hat.

„Auf diesen Ausflügen begegneten wir sehr wenig Menschen, etwa einem Araber, der an uns vorübergeht, ohne uns anzubilden, oder einem berittenen Mauren, einem durch Reichthum oder Aemter einflußreichen Manne, der von einer Schaar bewaffneter Diener umringt ist und uns einen Blick voll Verachtung zuschleudert. Die Frauen sind noch dichter verschleiert, als in der Stadt; bei unserm Anblick murren sie entweder oder drehen uns barsch den Rücken. Mitunter blieben aber einige Araber stehen, schauten uns fest an und murmelten einige Worte in bittendem Tone; dann gingen sie ihres Weges ohne sich umzuwenden. Anfangs wußten wir nicht, was sie wollten; später erfuhren wir, daß sie uns bäten, für sie bei Gott eine Gnade zu ersflehen. Bei den Arabern ist nämlich der Glaube sehr verbreitet, daß Gebet der Muselmänner sei Gott so angenehm, daß er die Gewährung der Bitte absichtlich hinausschiebe, nur um das Vergnügen zu haben, ihre Gebete länger zu vernehmen; das Gebet eines Ungläubigen, eines Christen- oder Judenhundes dagegen sei ihm so widerwärtig, daß er es augenblicklich erhöre, nur um es nicht länger anhören zu müssen."

Was dem Europäer in den Straßen einer maroccanischen Stadt am meisten auffällt, das ist die bunte, malerische Tracht der Mauren, welche sich vor unserer nüchternen und geschmacklosen Modekleidung so vortheilhaft durch Farbe und Faltenwurf auszeichnet. „Ich schäme mich vor mir selber," sagt unser Italiener, „wenn ich mich neben diesen schönen Mauren in ihren Festgewändern sehe. Ich vergleiche meinen elenden Hut mit seinem prächtigen Turban aus Musselin, meine armselige Jacke mit seinem jasminfarbenen oder rosarothen Kaftan, meine enge, grauschwarze Kleidung mit seinem weiten, glänzendweißen, einfachen und edeln Gewande, und ich komme mir vor wie ein wüster Käfer neben einem Schmetterlinge. Vom Fenster meiner Wohnung aus kann ich mich nicht satt sehen an dem blutrothen Beinkleide oder einem goldgelben Pantoffel. Was mich aber am meisten entzückt, ist der Hark, diese lange Bahn aus weißer Wolle oder Seide mit durchschimmernden Streifen, welche den Turban umschlingt, auf den Rücken hinabfällt, um den Leib gezogen und über die Schultern zurückgeworfen wird, von wo sie bis auf die Erde hinabwallt, die satten Farben des Gewandes leicht verschleiernd; im sanftesten Windhauche erzittert sie, weht und bläht sich auf, scheint in den Strahlen der Sonne zu flammen und verhüllt dem Träger die duftigen Umrisse einer Vision." Diese Beschreibung gilt natürlich nur von den Festgewändern der Reichen; die Armen tragen gewöhnlich nur einen mehr oder weniger weißen Mantel, der überdies oft so zerrissen ist, daß ein Reisender sagt, ihre Kleidung bestehe aus vielen großen Löchern, welche mit ein wenig Zeug verbunden seien. Einen eigenthümlichen Anblick gewähren die Kinder der Araber. Die ganz kleinen, welche kaum gehen können, kamen de Amicis in ihrem blauen Gewande, dessen Hauptstück eine große Kapuze ist, wie wandelnde Löschhörnchen vor. Der Kopf ist glatt rasirt bis auf eine Locke auf dem Scheitel; einige haben auch

hinter dem Ohre oder an der Schläfe viereckige oder dreieckige Stellen, wo die Haare nicht wegrasirt wurden; das ist ein Zeichen, daß es nachgeborene Söhne sind. Die Kinder haben fast alle ein schönes bleiches Gesicht, einen schlanken Körperwuchs und einen frühreisen Ausdruck. In den belebteren Stadttheilen kümmern sie sich nicht um die vorübergehenden Europäer, in den einsameren Gassen aber werfen auch schon diese kleinen Geschöpfe dem Fremden Blicke voll Haß zu, und oft genug rufen sie ihm die Verwünschung nach: „Daß Allah deinen Großvater brate, du Christenhund!" Ueberhaupt muß sich der Fremde hüten, durch irgend eine Unvorsichtigkeit den Fanatismus wachzurufen, der auch in den Hafenstädten nur durch die Furcht vor dem Consuln niedergehalten wird. Namentlich aber geht man den als Heiligen verehrten, ganz oder halb wahnsinnigen Derwischen besser aus dem Wege, wenn man sich nicht einen derben Faustschlag ins Gesicht oder Schlimmeren aussetzen will. Am gefährlichsten aber sind die öffentlichen Aufzüge dieser Gesellen. De Amicis war in Tanger Zeuge eines solchen bei einem Aufzuge der berüchtigsten Bruderschaft von Marocco, welche wir oben bereits erwähnten.

4. Ein Aufzug der Aïssanas.

„Eines Abends verbreitete sich die Nachricht," erzählt unser Gewährsmann, „daß am nächsten Tage die Aïssanas, welche man schon länger erwartet hatte, in der Stadt einziehen würden. Die Aïssanas sind eine der angesehensten Derwischverbrüderungen Marocco's. Sie wurden, wie die übrigen, vorgeblich unter göttlicher Eingebung von einem ,Heiligen' Namens Sidi-Mohammed-ben-Aïssa gegründet, welcher vor 200 Jahren zu Mekines lebte und dessen Leben als eine verworrene Reihe fabelhafter Wunder und Abenteuer auf die verschiedenste Weise erzählt wird. Die Aïssanas wollen sich durch beständiges Gebet und die tollsten Uebungen, namentlich aber durch einen bis zum Wahnsinn gesteigerten Fanatismus die ganz besondere Gunst des Himmels erwerben; in diesem überreizten und fieberartigen Zustand thun sie die unsinnigsten und tollsten Dinge. Zu Fes besitzen sie eine große Moschee, welche gewissermaßen den Mittelpunkt ihrer Bruderschaft bildet; von da aus durchstreifen sie jährlich in Banden die verschiedenen Provinzen und ziehen zur Feier ihrer Feste die in Stadt und Land zerstreuten Brüder an sich. Ihr Gottesdienst besteht wie bei den heulenden und drehenden Derwischen im Morgenlande in einer Art wahnsinnigen Tanzes mit Luftsprüngen und Gliederverrenkungen, wobei sie schreien, hin und her wanken, immer toller werden und schließlich den Verstand so völlig verlieren, daß sie mit den Zähnen Holz und Eisen zerbeißen, sich das Fleisch mit glühenden Kohlen verbrennen, die Haut mit Messern zerschneiden, Knochen und Steine verschlingen, lebendige Thiere zerfleischen, sie roh verzehren, ihr Blut trinken und endlich ohne Kraft und Bewußtsein zu Boden stürzen. So weit trieben es nun die Aïssanas in Tanger, welche ich sah, nicht; aber sie geberdeten sich doch so, daß sie mir einen unauslöschlichen Eindruck hinterließen.

„Der belgische Consul hatte uns eingeladen, von der Terrasse seines Hauses an der Hauptstraße, wo die Aïssanas auf dem Wege zur Moschee gewöhnlich vorbeikamen, dem Aufzuge zuzusehen. Um 10 Uhr sollten sie vom Marktthore heruntergehen. Bereits eine Stunde vorher waren die Straßen gedrängt voll Menschen und die flachen Dächer der Häuser mit arabischen und jüdischen Weibern dicht besetzt, so daß ihre bunten Gewänder den Terrassen das Aussehen großer Blumenkörbe verliehen. Aller Augen wendeten sich nach dem Thore am Ende der Straße, und wenige

Minuten nach der angegebenen Zeit erschienen die Vorläufer der Bande. Die Straße war so voll Menschen, daß die Affanas bis ganz in unsere Nähe mit der Menge eine Masse bildeten. Längere Zeit sah ich nichts als einen Strom wogender, mit Kapuzen bedeckter Köpfe, aus dem eine Anzahl nackter Schädel auftauchte und untertauchte, als ob eine große Schlägerei stattfände. Einige Banner flatterten über diesem Gewoge von Köpfen. Von Zeit zu Zeit hörte man einen Schrei, der gleichzeitig von all diesen Kehlen ausgestoßen wurde, während der Zug sich langsam vorwärtswälzte. Nach und nach konnte man in dem Wirrwarr eine gewisse Ordnung erkennen. Die ersten bildeten einen Kreis, die folgenden eine Doppelzeile, dieser schloß sich wiederum ein Kreis an; dann löste sich der erste Kreis in eine Doppelreihe auf, während die folgende Doppelreihe jetzt einen Kreis schlang u. s. f. Es wurde mir übrigens schwer, die genaue Ordnung des Zuges aufzufassen, da meine Aufmerksamkeit gleichzeitig durch die Beobachtung der einzelnen Mithandelnden in Anspruch genommen war.

„Bald langte der Zug unter unserer Terrasse an. Mein erster Eindruck war ein Gemisch von Mitleid und Schauder. Zwei Reihen Menschen, die Gesichter sich gegenseitig zugewendet, mit Mänteln und weißen Unterkleidern bedeckt, fassen sich an den Händen, Armen oder Schultern, wiegen sich und wanken im Tacte auf den Füßen, werfen den Kopf nach vorn und hinten und lassen dabei ein dumpfes, unterdrücktes Grunzen hören, in das sich Seufzen, Röcheln, Stöhnen und Ausrufe der Wuth und Raserei mischen. Die Besessenen von Rubens, die von den Todten Auferweckten von Goya, der galvanisirte Leichnam von Volt können allein einen Begriff von dem Mienenspiel dieser Leichenfarbenen, verzerrten Gesichter, dieser aus ihren Höhlen tretenden Augen, dieses mit Schaum bedeckten Mundes geben. Einige hatten in ihren Zügen ein unheimliches Lachen, andere zeigten nur das Weiße der Augen, wieder andere schienen durch einen gräßlichen Krampfanfall entstellt, und noch andere waren bleich und starr wie das Antlitz einer Leiche. Von Zeit zu Zeit zeigten sie mit schlenkerndem Arme aneinander hin und wiederholten alle zusammen denselben zischenden, qualvollen Aufschrei, einem Sterbenden gleich, das den Todesstreich empfängt. Dann bewegten sie sich einige Schritte voran und begannen stöhnend und vor Zorn schnaubend den Tanz aufs neue. Nun sah man ein Gewoge von Kapuzen, weiten Aermeln, Schnüren, Troddeln, wirrem Haare und langen Zöpfen, die sich wie Nattern um die Köpfe schlangen. Einige, aufgeregter als die übrigen, sprangen zwischen die Reihen, wankten wie Trunkene, schlugen an Mauern und Thüren; andere wandelten einher wie in Verzückung, geradeaus, mit ernster Miene, erhobenen Hauptes, mit halbgeschlossenen Augen und herabhängenden Armen; mehrere waren zum Tode abgehetzt, konnten weder schreien noch sich regen und wurden in

den Armen ihrer Gefährten wie hin- und herschwankende Leichen durch die Menge geschleift. Mit jedem Augenblicke wurde der Hexentanz toller, das Gebrüll betäubender. Die Köpfe wackelten, daß man meinte, die Halswirbel müßten sich ausrenken, und es ertönte ein Röcheln, als ob die Brust am bersten sei. Schweiß rann an all diesen Gestalten nieder, und eine eckelhafte Ausdünstung verbreitete sich. So oft eines dieser verzerrten Gesichter sich unserer Terrasse zuwendete und seine verstörten Blicke auf mich heftete, mußte ich unwillkürlich meine Augen abwenden. . . . So führen sie fort zu stößen, Mann an Mann gedrängt, bleich, zerzaust, mit klagender, stoßweiser Stimme, als ob sie mit dem Laute die Seele aushauchen müßten. Ein wankender Greis, das Ebenbild des Königs Lear in seinem Wahnsinne, stürzte aus der Reihe heraus, als ob er sich den Schädel an der Mauer zerschmettern wollte; seine Gefährten hielten ihn zurück. Ein junger Mensch schlag starr und seiner Sinne beraubt zu Boden; ein anderer schritt mit fliegenden Haare, das Gesicht mit den Händen bedeckt und bis auf den Boden gebengt, einher wie ein von Gott Verfluchter. Beduinen, Mauren, Berber, Neger, Riesen, Mumien, Satire, Kannibalen, Raubvögel, Sphinxe, Hindugötzen, Furien, Fanne, Teufel zogen der Reihe nach vorbei; es mochten ihrer 300—400 sein. In weniger als einer halben Stunde war der Zug der Rasenden vorüber. Die letzten waren zwei Weiber (denn auch Weiber haben in diese Bruderschaft Zutritt), zwei Gestalten lebendig Begrabener, die ihre Gruft sprengten, zwei belebte Beingerüste, in weiße Laken gehüllt, die Haare im Gesicht, die Augen weit aufgerissen, Schaum vor dem Munde, zum Sterben erschöpft, aber noch mit so viel bewußtloser Kraft, daß sie ihre Glieder verrenkten und heulen konnten und dann wieder ermattet zusammenbrachen. Zwischen ihnen schritt ein reckenhafter Greis, die Gestalt eines Hexenmeisters, wohl hundertjährig, in ein weißes Kleid gehüllt, der seine langen Todtenarme erhob und bald das eine, bald das andere Weib mit seiner Hand schützte und stützte. Hinter diesen drei Gespenstern her wälzte sich eine Masse von Arabern, Bewaffneten, Weibern, Bettlern, Kindern, und dieser ganze wilde Aufzug, diese Raserei, dieses gräßliche Gemisch menschlichen Elends zog nach dem Platze, und fort war es!"

Aus diesem in hohem Grade unerquicklichen Gemälde mache man sich einen Begriff von der Natur der mohammedanischen Religion, welche solche entsetzliche Früchte, wahre Ausgeburten der Hölle, zeitigt und als Gottesdienst betrachtet. Dennoch fehlt es nicht an „christlichen" Schriftstellern, welche für einen solchen Hexensabbat Worte der Entschuldigung, ja selbst der Bewunderung haben, während sie über die herzerhebenden Ceremonien und Processionen der katholischen Kirche nur höhnisch die Nase rümpfen. Folgen wir nun zum Schlusse des Amicis zu einer freundlichern Scene: zu einer

Ein Maure aus dem Volke. (S. 411.)

Mahlzeit in einem reichen maurischen Hause, wobei wir Gelegenheit haben werden, dessen innere Einrichtung zu sehen und die Volkssitten näher kennen zu lernen.

5. Ein maurisches Gastmahl.

Ein reicher Maure hatte die Mitglieder der italienischen Gesandtschaft zu Tische geladen. „Wir machten uns also eines Abends spät auf den Weg", erzählt unser Gewährsmann, „und langten, von einem Dolmetsch und vier Dienern unseres Consuls begleitet, durch dunkle Gäßchen vor einem in maurischem Stil aufgeführten Thore an, das sich bei unserer Ankunft wie durch Zauberkraft öffnete und uns durch ein kleines, geweihtes, kahles Vorzimmer plötzlich mitten in die Wohnung eintreten ließ. Der erste Eindruck war verwirrend; der Anblick vieler Leute, eine seltsame Beleuchtung und der Glanz blendender Farben drang auf uns ein. Der Herr des Hauses, dessen Sohn und seine Vettern traten uns, mit großen Turbanen geschmückt, entgegen; hinter ihnen standen die Diener in Kapuzen; im Hintergrunde und halb in Dunkelheit unterschied man die Gestalten neugieriger Frauen und Kinder, welche hinter Säulen und Thüren hervorschauten. Trotz der großen Menge der Anwesenden herrschte tiefes Schweigen. Ich glaubte zuerst, wir seien in einem Saale; als ich aber die Augen erhob, erblickte ich über meinem Haupte die Sterne; denn wir befanden uns im Hofraume. Das Haus bildet nämlich, wie alle maurischen Wohnungen, ein Viereck mit einem Mittelhofe, auf den sich zwei lange, hohe, fensterlose Räume mittels einer großen, in einem maurischen Halbbogen überwölbten Thüre öffnen, welche durch einen Vorhang verschlossen werden kann. Die äußeren Mauern waren schneeweiß, die Bogen der Thüren mit Zahnschmuck verziert, der Fußboden mit Mosaik eingelegt. Hin und wieder erblickte man ein kleines Doppelfenster oder eine Nische für die Pantoffeln. Teppiche bedeckten die Fliesen. Zu beiden Seiten der Thüren hatte man große Leuchterständer mit rothen, grünen und gelben Wachskerzen gestellt; auf den Tischen standen Spiegel und ein Meer von Blumen. Die Gesammtwirkung all dieser Gegenstände, welche an sich nichts Ungewöhnliches hatten, war dennoch eine überraschende. Alles zusammen hatte etwas von der Ausschmückung einer Kirche, von dem Prunke eines Theaters, eines Ballsaales, von der Nachahmung eines Königspalastes; aber man mußte gestehen, das Ganze war voll Anmuth und Reiz. Die Vertheilung des Lichtes und die Zusammenstellung der Farben verlieh dem Schauspiele etwas Neues und gestattete uns einen Blick in die Denk- und Empfindungsart dieses Volkes.

„Man verlor einige Zeit mit gegenseitigen Verbeugungen und Händedrücken; dann wurden wir in das Familienzimmer eingeführt. Dieses Zimmer ist ein hoher, langgestreckter, aber schmaler Raum mit einer Thüre nach dem Hofe. Im Hintergrunde standen die Betten des Herrn und der Frau, beide mit reichen Stoffen von tiefrother Farbe, mit Spitzenbesatz, bedeckt. Dicke Teppiche von Rabat ¹ waren über den Fußboden gebreitet, während die Wände mit gelben und rothen Geweben behangen waren. Zwischen den Betten waren alle Kleider der Frau wie die Ausstattung einer Braut zur Bewunderung aufgestellt: Jacken, Juppen, Leibchen, Röcke von sonderbarem Schnitte und allen möglichen Farben und Blumen von Wolle, Seide, Sammt mit Tressen und Sternen von Gold und Silber geschmückt — eine Garderobe, der sich keine Prinzessin zu schämen gehabt hätte. Von hier begaben wir uns

¹ Stadt an der Westküste Marocco's.

in den Speisesaal. Da fanden wir wieder kostbare Teppiche und Tapeten, Massen von Blumen, Kandelaber auf dem Fußboden, Matten und buntfarbige Kissen längs den Wänden. Auch hier standen zwei Prachtbetten. Daneben war, dem Gebrauche der Araber entgegen, welche die Platten auf den Boden stellen und ohne Teller speisen, ein Tisch gedeckt, und auf demselben strahlte, dem Propheten zum Trotz, ein Kranz von Flaschen voll alter Weine. Bevor wir uns zu Tische setzten, lauerten wir mit untergeschlagenen Beinen rings um den Schreibtisch des Hausherrn auf dem Teppich nieder. Der Herr, ein schöner Maure, bereitete vor unseren Augen den Thee und schenkte dem Gebrauche gemäß für jeden von uns drei sehr stark gezuckerte und mit Pfeffermünz gewürzte Tassen ein. Wir streichelten inzwischen die Haarlocke und den kahlgeschorenen Kopf seines jüngsten Knaben, eines Kindes von vier Jahren, der verstohlen die Finger unserer Hand zählte, um sich zu versichern, ob wir wirklich auch ihrer fünf hätten wie die Muselmänner. Nach dem Thee setzten wir uns zu Tische. Auf unsere Einladung setzte sich der Herr des Hauses ebenfalls, um uns Gesellschaft zu leisten, und die arabischen Gerichte, auf welche wir sehr neugierig waren, begannen die Runde zu machen. Mit großem Appetit nahm ich das erste in Angriff; aber, lieber Himmel, mein erster Gedanke war, den Koch durchzuprügeln. Die Verzweiflung eines Menschen, der plötzlich von der Seekrankheit befallen wird, muß sich in meinen Mienen gespiegelt haben.

„Das Gefühl meines Gaumens kann ich nicht anders beschreiben als durch den Vergleich mit einem Menschen, der verurtheilt ist, alle Töpfchen eines Haarkünstlers auszuessen. In der That hatte ich den Geschmack von Pomade, Wachspflaster, Seife, Salbe, Farbenwasser, Schönheitspflästerchen und von anderen Dingen, welche mit dem menschlichen Gaumen unverträglich sind. Bei jedem Gerichte wechselten wir Blicke des Entsetzens. Der Stoff an sich war gut; es gab Geflügel, Schaffleisch, Wildbret, Fische, und zwar in riesigen Stücken und von einladendstem Aussehen. Aber all das schwamm in abscheulichen Brühen, fett, parfümirt, pomadeähnlich und so zubereitet, daß man sie eher für die Haare als für den Mund berechnet halten mußte. Dennoch sahen wir uns gezwungen, einiges hinabzuwürgen. Am genießbarsten war noch am Spieße gebratenes Schaffleisch. Nicht vergessen darf ich den Kuskus, das Nationalgericht der Mauren, welches aus zu Grieß gemahlenem Getreide besteht, das gedämpft und mit Milch oder Fleischbrühe angemacht wird. Manche Europäer lieben dieses Gericht; ich könnte es genießen, ohne die Farbe zu wechseln. Bei jedem Bissen fragte uns der Wirth mit seinem Blicke, wie es schmecke, und wir rollten die Augen und antworteten im Chore: „Ausgezeichnet! Vorzüglich!' und gossen sofort ein Glas Wein nach, um uns Muth zu machen!

„Plötzlich ertönte eine seltsame Musik. Nach maurischem Gebrauche waren drei Musikanten eingetreten, um das Mahl zu erheitern, drei Araber mit großen Augen und Habichtsnasen, in weißer und rother Kleidung. Der eine hatte eine Art Laute, der andere eine Mandoline, der dritte ein Tamburin. Vor der Thüre des Speisesaales waren sie neben einer Nische niedergelauert, in welche sie ihre Pantoffeln gelegt hatten. Inzwischen kreisten die Gerichte weiter — ich zählte, die Früchte eingerechnet, 23 Gänge, wenn ich mich recht erinnere. Unsere Mienen wurden in dem Maße belebter, als die Korke flogen. Der Wein, der Blumenduft, das Räucherwerk von Aloes, das in den schön ciselirten Räucherpfannen von Fes dampfte, die eigenartige arabische Musik, welche geheimnißvolle Klagelaute mit eindringlicher Kraft immer wiederholte,

versetzten uns in eine eigenthümliche phantastische Stimmung. End=
lich entrissen wir uns dieser Atmosphäre von Licht und Duft und
traten in tiefem Schweigen mitten durch die einsamen, stockfinsteren
Gäßchen beim Scheine einer Pechpfanne den Heimweg an."

6. Von Tanger nach Fes.

„Am nächsten Morgen", fahren unsere beiden Missionäre in
ihrer Beschreibung fort, „erhoben wir uns mit der Sonne. Wir
feierten das heilige Meßopfer und stärkten so unsere Seele für die
Reise durch das Brod des Himmels. Wie gerne hätten wir, wie
es in alter Zeit gestattet war, die heilige Hostie mit auf die Reise
genommen; denn lange Zeit sollten wir keine christliche Kirche
mehr antreffen. Kaum hatten wir eine Tasse Thee genommen und
den guten Franziskanern für ihre liebevolle Gastfreundschaft gedankt,
so meldete man uns auch schon, unser Führer Fernandez warte an
der Klosterpforte. Da standen drei gesattelte Kameele und ein Maul=
thier, mit zwei Zelten und mit Vorräthen aller Art beladen, wozu
noch unser kleines Reisegepäck kam. Noch einmal umarmten wir unsere
Gastfreunde; dann bestiegen wir unsere Pferde und ritten von dannen.

„Vielleicht wäre der Weg nach Fes längs der Meeresküste an=
genehmer; man würde so die Gebirge (des Rif) umgehen. Allein
zunächst würde man einen gewaltigen Umweg machen, und über=
dies müßte man acht oder neun Flüsse durchreiten, welche in reine
Brücken haben und in der Nähe des Meeres ziemlich tief und breit
sind. Wir zogen also die gerade Richtung vor; wir sagen absicht=
lich nicht ‚Straße‘; denn man würde sich darunter fälschlich einen
fahrbaren Weg vorstellen. Selbst die Bezeichnung ‚Weg‘ ist nur in=
sofern richtig, als man sich darunter einen Pfad denkt, welchen die
Sohlen der Reisenden dem Boden kaum sichtbar eingedrückt haben.
In Marocco kann sich jedermann seinen eigenen Weg bahnen.

„Die Sonne leuchtete am Himmel und versprach uns einen
herrlichen Reisetag. So zog unsere kleine Karawane freudig für=
baß. Wir ritten an endlosen Maisfeldern vorbei. Der Mais
bedarf keiner künstlichen Bewässerung; Sonne und Thau genügen
ihm; man gewinnt aus dem Mais vortrefflichen Alkohol. Auch an
weitläufigen Weingärten kamen wir vorbei. Die Reben werden
etwas anders behandelt als in Frankreich. Die einzelnen Wein=
stöcke sind in einem Abstand von 3—4 m gepflanzt, werden in
einer Höhe von etwa 50 cm abgeschnitten und bilden so einen
Busch, der ganz mit Trauben bedeckt ist.

„Plötzlich fiel hinter uns ein Schuß. Als wir uns umkehrten,
sahen wir Mehemet, den Diener, aus dem Sattel springen, ins
Feld eilen und triumphirend einen prächtigen Hasen an den Löffeln
emporhalten; nachdem er seine Beute am Sattelknopf befestigt
hatte, schwang er sich wieder auf den Rücken seines Maulthieres.
Es scheint, daß es in der Gegend von Hasen schwärmt. Der
Knall der Flinte hatte sie aufgescheucht, und man sah sie in Andern
nach allen Seiten über die Felder flüchten.

„Seit Tanger hatten wir schon zwei Flüßchen, welche vom
Berge Halib herabeilen, überschritten, und da die Hitze erdrückend
wurde, machten wir am Ufer des letztern Halt, um unser Mittags=
mahl einzunehmen. Der Leser ist wohl neugierig, was man hier=
zulande auf einer Reise haben könne. Unser Führer hatte sich
gut versehen; er konnte uns Brod, kaltes Huhn, harte Eier und
Orangen vorlegen und als Getränk einen Schluck Wein vom Rif
oder einen Becher Wasser aus den Flüßchen mit einigen Citronen=
saft anbieten. Während Fernandez den Tisch deckte, d. h. eine
Decke auf dem Rasen im Schatten der Citronenbäume ausbreitete
und die Speisen auf Tellern von Blech vorsetzte, der Diener aber

die Reitthiere fütterte, beteten wir einen Theil unseres Breviers.
Nach Tisch hielten die beiden einen Mittagsschlaf, während wir
das Breviergebet vollendeten. Eine weite Strecke Weges lag noch
vor uns, und wir sollten unser Nachtlager nicht vor Einbruch der
Dunkelheit erreichen; denn nur in der Nähe von Kars=el=Kebir,
‚der Stadt des großen Schlosses‘, durften wir unsere Zelte auf=
schlagen. Endlich brachen wir auf. Ein besonderes Ereigniß stieß
uns unterwegs nicht zu; wir begegneten einer friedlichen arabischen
Karawane, erblickten zwei Ketten Störche sowie ein Rudel Antilopen
und stießen gegen Abend auf einen Sumpf, den wir überwinden
mußten. Es war in der That Nacht, als wir das rechte Ufer
des Wadi Sullos erreichten, an dessen jenseitigem Ufer das ‚Große
Schloß‘ erbaut ist. Wir sahen seine dunkeln Umrisse, welche sich
von dem gestirnten Himmel abhoben, wagten aber nicht mehr über
den Fluß zu setzen. Der Tag war ermüdend gewesen. Rasch
nahmen wir unser kleines Abendessen, schlugen die Zelte auf, hüllten
uns in die Decken und schliefen unter dem Schutze Gottes und seiner
heiligen Engel sofort ein.

„Am Morgen waren wir vor Sonnenaufgang wieder auf den
Beinen und setzten, bevor die Nacht gänzlich wich, nicht ohne
einige Furcht über den Fluß. Doch war es hell genug, um die
berühmte Stadt Kars=el=Kebir zu sehen, welche schlecht gebaut
und schmutzig ist."

Kars=el=Kebir ist das alte Al=Kaser, traurigen Andentens für
jedes christliche Herz. Auf der Ebene, welche die beiden Missionäre
durchzogen, und an den Ufern des Flusses, über den sie setzten,
wurde am 4. August 1578 die unglückliche Schlacht! geschlagen,
in welcher der heldenmüthige König Don Sebastian von Portugal
mit seinem Christenheere verblutete. Mulei Mohammed hatte ihn
herbeigerufen, um mit Hilfe der Christen seinen Bruder Mulei
Moluk zu züchtigen, der ihn vom Throne gestürzt hatte. Alle drei
Könige, den beiden Mulei und Sebastian, fanden in der Schlacht
ihren Tod. Im christlichen Heere, das etwa 15 000 Mann zählte,
kämpften auch 3000 Deutsche mit Todesverachtung gegen einen
60 000 Mann starken Feind. Wunder der Tapferkeit geschahen,
drei Pferde wurden Don Sebastian unter dem Leibe getödtet;
allein die Uebermacht erdrückte die christlichen Streiter; kaum
1000 Mann entrannen dem erbarmungslosen Säbel der Mauren.
Heute erinnert nur noch der Pfeiler einer längst eingestürzten
Brücke, welche in jener Schlacht=Nacht hinein amstürzten an das
entsetzliche Blutbad. Bei Al=Kaser (Alkazar) hatte der Sultan
sein Lager, während das Heer der Christen von Arsila (Arzila)
heranzog. Aber die Stelle, wo Sebastian von einer Kugel getroffen
und von Säbelhieben zerfetzt niedersank, nicht mehr ihm die
Hoffnung Portugals, in den Staub sank, oder wo sein Bundes=
genoße Mulei Mohammed im Flusse den Tod fand, oder wo der
Sieger im Kreise seiner Officiere während der Schlacht einem Fieber=
anfall erlag, oder wo der Herzog von Ribeiro einen kühn siegreichen
Reiterangriff unternahm, oder wo die blutigen Hufe der Berber=
rosse an 6000 Mann christlicher Fußtruppen niederritten und in den
Staub stampften — kann heute niemand mehr dem Wanderer weisen.

„Die Gegend, die wir durchzogen," erzählen die beiden Mis=
sionäre weiter, „war nicht so gebirgig wie am Tage zuvor; sie
ist nur von einigen wellenförmigen Höhen durchzogen. Die Ein=
förmigkeit der Reise wurde durch die Unterhaltung unseres Führers
Fernandez gemildert, der uns interessante Einzelheiten über das
Land und seine Regierung erzählte. ‚Marocco‘, sagte er, ‚könnte
ein wahres Paradies sein. Alle Früchte gedeihen hier; es vereinigt
in sich alle Lagen und alle Höhen und alle Wärmezonen, Küsten=

landschaft, Ebenen, Berge, Thäler, und sein Boden ist unglaublich fruchtbar. Er bedarf nur geringer Pflege. Die Ackergeräthe sind die allerunvollkommensten, einige spitze Stecken und Eisenhaken, mit denen man den Boden aufreißt, und doch trägt das Samen-korn, das man in diese rohen Furchen wirft, hundertfältige Frucht. Der Grund, weshalb man nicht weit mehr aus dem Boden zieht, ist der Umstand, daß die Ausfuhr beinahe unmöglich gemacht ist; auch würde der Sultan den Bauern für die reichere Ernte um so viel höhere Steuern auferlegen, so daß dieselben keinen Vortheil für ihre größere Arbeit fänden. Darum erntet man nur so viel, als das Bedürfniß des Landes erheischt, und nur zu oft leidet der Bauer Hunger, weil sein Acker von drei Geißeln heimgesucht wird: von der Dürre, von den Heuschrecken, die manchmal erscheinen, und vom Sultan, der niemals ausbleibt.

„Man unterscheidet zwei Arten von Steuern: den Garahu oder die Grundsteuer und die eigentliche Steuer. Die erstere ist der Zehnte, den der Amin oder Steuereinnehmer von der Ernte in Empfang nimmt. Unter dem Namen Zehnten hat man aber manchmal den vierten Theil oder die Hälfte und mitunter sogar die ganze Ernte zu verstehen. Die indirecten Steuern sind dem-selben Mißbrauche unterworfen. Alles kann besteuert werden, und alles wird besteuert. Selbst die Feste des Islam, welche jährlich mehreremal gefeiert werden, sind dem Sultan steuerpflichtig; doch hat man dieser Steuer den schönen Namen Geschenk gegeben. Das gesammte Beamtenpersonal, Paicha, Vezir, Kaid, Scheik u. s. w., erhält keinerlei Besoldung; im Gegentheil, sie bezahlen bei der Uebernahme der Verwaltung das Geschenk des sogen. freudigen Amtsantrittes, wissen sich aber in der Folge durch Unterschlagung eines großen Theils der Steuern reichlich schadlos zu halten. Diese Bedrückungen haben einen Theil der Landbevölkerung der Empörung in die Arme getrieben, die Bergberber, welche nach eigenen Ge-setzen leben und sich als unabhängig betrachten. Sie verweigern dem Scherif die Steuern; aber der Amin nimmt ihnen mit Waffengewalt weg, was er findet: Früchte, Getreide und Vieh. Die Berber, welche die Ebene bewohnen, beklagen ihre Bedrückung nur mit den Worten des Koran: So ist es geschrieben!

„Die Millionen, welche durch die Steuern in die Staatskasse oder vielmehr in die Kasse des Sultans fließen (denn der Sultan ist der Staat), werden keineswegs zur Verbesserung oder zur Wohl-fahrt des Landes verwendet. Wie Sie gesehen, haben wir seit Tanger noch keine Brücke getroffen. Es gibt keine Straßen; die Häfen sind nicht in Stand gehalten; kein Leuchtthurm brennt an den Küsten Marocco's mit Ausnahme desjenigen von Spartel, und diesen haben Europäer erbaut. Alle Einnahmen werden zu einem doppelten Zwecke verwendet: die kleinere Hälfte erhält das Heer, welches aus 20000 Mann besteht. Der Sold beträgt täglich 2 Müsün (etwa 16 Pfennig) auf den Kopf; aber auch dieser geringe Sold wird oft nicht ausbezahlt. So fließt fast alles in die Privatkasse des Sultans, der das Geld zum Unterhalte seines Hofes und seiner 2000 Sklavinnen verwendet. Das Retru-tiren gestaltet sich höchst einfach. Eigentlich hat jeder Stamm von Malhzen einen Mann aus jeder Familie zu stellen; aber der Kadi, der diese Aushebung vornehmen soll, ergreift den ersten besten, legt ihn in Ketten und übergibt ihn dem Anführer, der ihn beim ihrer behält, bis derselbe stirbt oder bis ein Mitglied seiner Familie für ihn eintritt.'

„Fernandez unterbrach seine Belehrungen und zeigte uns die ersten Duars oder Zelthütten der Wessani. Am Südwestabhange des Bu-Hellil-Berges erblickten wir in der That einige zerstreute Hütten dieses einzigen Stammes von Marocco, der den Fremden nicht feindlich gesinnt ist. Ihr Scherif gilt im Lande als heiliger und edler als selbst der Sultan; er empfängt viele Geschenke und wird von zahlreichen Pilgern aufgesucht, welche von weither kom-men, um den Saum seines Haïk zu küssen. Wir zogen ohne Aufenthalt durch das Hüttendorf und bemerkten, daß uns die Leute mit einem gewissen Wohlwollen betrachteten. Bei der Mahl-zeit stellte uns Mehemet außer dem Hasen, den er erlegt hatte, auch eine Platte Heuschrecken vor, welche er auf dem Felde gesammelt hatte und welche in Marocco als Leckerbissen betrachtet werden.

„Wir erreichten jetzt die Ebene und gelangten nach einem scharfen Ritt von drei Stunden an die Ufer eines Flusses, dessen Name mir entfallen ist. Es ist der bedeutendste Nebenfluß des Sebu (der Wadi Wergha). Ein Mann, der bis zum Gürtel im Wasser war und einen Ledersack auf dem Kopfe trug, durchschritt ihn eben, und unser Führer sagte uns, das sei der Rekas oder Postbote, welcher den Dienst zwischen Fes und Tanger versieht. Eine einfachere Postverbindung kann es kaum geben. Etwa 10 km jenseits des Wadi schlugen wir am Fuße eines niedrigen Hügels noch einmal unsere Zelte auf. Am frühen Morgen weckte uns Fernandez mit dem Rufe: ,Nach Fes, nach Fes!' Wir werden es am Abend erreichen!"

„Zahlreichere Reisende zogen jetzt vorüber; die einen maßen uns mit zornigem Auge, andere erwiederten freundlich unsern Gruß. Der Boden war um so besser gepflegt, je näher wir der Stadt kamen. Lachende Gärten nahmen uns auf. Wir ritten zwischen herrlichen Feldern hin, welche mit Wassermelonen bepflanzt sind, und zwischen Apritosen-, Pflaumen-, Citronen- und Orangen-bäumen. Ueber den Sebusluß hatten wir gesetzt und ritten nun an seinen Ufern aufwärts. Immer mehr machte sich die Nähe einer großen Stadt bemerklich, und vor Sonnenuntergang schwangen wir uns unter den Mauern von Fes aus dem Sattel.'

7. Fes.

„Fes bedeutet Hacke, und die Stadt hat diesen Namen von dem Umstande, daß man beim Ausgraben ihrer Fundamente im 8. Jahrhundert unserer Zeitrechnung eine Hacke im Boden fand. Sie ist die heilige Stadt des Reiches, eine der drei Residenzen des Sultans (Fes, Mekines und Marocco) und die volkreichste von allen; mag sie doch 80000 Einwohner zählen. Ihre Lage ist überaus malerisch, indem sich ihre Straßen ringsum von einem Hügelkranze in eine trichterförmige Mulde hinabienten. Die Stadt zerfällt in zwei Theile: Fes-el-Bali, d. h. Alt-Fes, und Fes-el-Dschedid oder Neu-Fes; zwischen beiden Theilen liegt das Schloß-viertel. Wir betraten die Stadt auf der Seite von Alt-Fes, welches der bedeutendste Theil ist. Die Straßen sind enge, winkelig, und düster; zum größten Theile werden sie von den Galerien be-deckt, welche die oberen Geschosse der Häuser miteinander verbinden, deren erstes Stockwerk schon nach der Straße vorspringt. Die Häuser sind feucht und unreinlich. Die Bächlein, welche von dem Hügelkranz in die Tiefe rinnen, fließen durch die Gassen, bilden große Kothlachen und wälzen Schmutz und Abfälle mit sich. Man kann sich denken, daß die Bewohner dieser ungesunden Gäßchen kränkliche, bleiche, verkrüppelte Wesen sind.

„Wir betraten ein Gasthaus in der neuen Stadt, einen Rund-gang durch Fes für den nächsten Morgen festsetzend. Ein reich-liches Mahl wurde uns aufgetragen, ein Huhn auf einem Berge von Kuskus (Reis) — des Nationalgericht von Marocco. Das Brod war nicht schlecht, aber die Gemüse abscheulich. Früchte

wurden uns in Fülle vorgelegt, und der Wein von Sefru war
feurig. Eine solche Mahlzeit ist sehr wohlfeil, was man begreift,
wenn man erfährt, daß der Preis eines Huhnes nur 4 Müsün
(etwa 30 Pfennig) beträgt; für alles verlangte der Gastwirth von
uns drei Mann zusammen einen Mitkael (2 M. 40 Pf.). Zur
Nachtruhe führte uns Fernandez in einen Fondak, das ist ein
Gasthaus, in welchem der Fremde nur ein mäßiges Zimmer mit
einer Matte, aber nichts zu essen erhält.

„Am Morgen wurde es zu guter Stunde munter in den
Straßen, in denen überhaupt, wie wir es schon am Abend bemerkt
hatten, reges Leben herrschte. Was uns zunächst auffiel, waren
die kleinen Knaben, welche mit langen Brettern auf dem Kopfe
von Haushür zu Haushür liefen, um den Brodteig für die Back-
öfen abzuholen. Wenn die Brode dann gebacken sind, tragen sie
dieselben in die betreffenden Häuser zurück. Kaufläden finden sich
in bestimmten Straßen; außerdem wird ein Obstmarkt unter poli-
zeilicher Aufsicht gehalten. Die Bottari oder Polizisten sind Neger
aus dem Sudan; man kennt sie an der hohen Kopfbedeckung und
an einer biegsamen Ruthe, welche sie in der Hand führen. Auf
dem Marktplatze es wie auf unseren Messen eine
Menge Komödianten und Possenreißer, welche Schaaren von Neugierigen um sich versammeln. Wir drängten uns durch einen
solchen Kreis und sahen einen Aissaua, der, entblößt bis zum
Gürtel, tanzte und krampfhafte Verdrehungen seiner gebräunten
Glieder ausführte, während er mit heiserer Stimme schrie und
einer seiner Gehilfen wie wahnsinnig auf einer Pfeife blies. Neben
ihnen stand auf dem Boden eine halboffene Kiste, aus welcher der
Wahnwitzige eine ungeheure Schlange hervorlangte. Er spielte mit
dem Gewürm, wie ein Mädchen mit seiner Puppe, ringelte es
um seine Arme, seine Beine, seinen Hals und ließ sich schließlich
von ihm mehrmals in die Brust stechen. Wie manche der Zuschauer waren zuerst der Meinung, der Schlange seien die
Giftzähne ausgebrochen. Irrthum! Der Beschwörer ließ ein Huhn
vor unseren Augen von der Schlange stechen, und es war nach
einem Flügelschlage sofort todt. Geschah das durch natürliche Mittel
oder durch teuflische Hilfe?

„Man kann kaum einige Schritte in Fes machen, ohne auf eine
Moschee zu stoßen. Hat doch die Stadt deren 120, wovon freilich einige in Trümmern liegen und dann Culte nicht mehr geweiht
sind. In dreien wird das ‚Chothba‘ gebetet, das Gebet für den
Sultan, das Domine salvum fac des Islam. Die berühmteste
unter diesen Moscheen ist ohne Zweifel die des Mulei-Edris, des
Gründers von Fes. Sie liegt im Mittelpunkt und also an der
tiefsten Stelle der Stadt. Wir betraten den Vorhof; mehrere
Moslemin verrichteten daselbst an einem Brunnen die vom Koran
vor dem Gebete vorgeschriebene Waschung. Man verlangte zunächst
von uns, daß wir die Schuhe auszögen, als hielt sie aber endlich für
ein gutes Trinkgeld damit zufrieden, daß wir große rothe Pantoffeln darüber anzogen. So betraten wir also die Moschee, eine
große viereckige Halle ohne Säulen oder Gewölbe, mit einer Decke,
welche durch sonderbar verschlungene Arabesken verziert ist. Neben
dem Stuhle des Imam steht das Grabmal des Mulei-Edris; ein
bunter, aber mit Staub bedeckter Traghimmel breitet sich darüber.
Auf den Matten, welche den Fußboden bedecken, gebietet man
Muselmänner in den verschiedenen Stellungen des Gebetes, welche
der Koran verlangt und von welchen ich die wichtigsten anführen
will. Zuerst steht der Betende aufrecht mit herabhängenden oder
auf der Brust gekreuzten Armen und betet so die ‚Fatha‘ oder
das Anfangskapitel des Koran: ‚Lob sei Gott, dem Herrn der

Welten, dem Allbarmherzigen, dem Könige des Tages des Welt-
gerichtes! Wir beten dich an und flehen um deinen Beistand.
Leite uns auf den rechten Weg, den Weg derjenigen, welche du
mit deinen Gnaden überschüttet hast, welche ohne Makel sind und
nicht zur Zahl der Verirrten gehören.‘ Hierauf beugt der Betende
den Oberleib, indem er die Hände auf die Kniee legt und mit lauter
Stimme ausruft: ‚Gott ist sehr groß.‘ Dann richtet er sich wieder
auf und sagt: ‚Gott hört es, wenn man ihm sein Lob vorträgt.‘
Nun wirft sich der Betende so zur Erde, daß gleichzeitig seine Kniee,
seine Hände, seine Nase und Stirne den Boden berühren, und sagt:
‚Gott ist sehr groß.‘ Hierauf setzt er sich knieend auf die Fersen,
legt die Hände auf die Unterschenkel und wiederholt dieselben Worte,
und sie ein drittes Mal wiederholend, wirft er sich abermals auf
seine Hände nieder, mit der Stirne den Boden berührend. Dann stellt
er sich gerade hin und sagt: ‚Die Nachtwachen sind Gott zu Ehren,
wie auch die Gebete und die Almosen, und Friede sei über dich,
o Prophet Gottes!‘ Auch Gottes Barmherzigkeit und Segen sei
über dich. Heil und Friede sei über uns und alle Diener Gottes,
über alle Gerechten und Tugendhaften. Ich betheure, daß es keinen
Gott giebt außer dem einzigen Gott, und daß Mohammed sein
Knecht und Prophet ist; ich betheure, daß er Mohammed zu sich
gerufen hat, und ich betheure, daß es ein Paradies gibt und eine
Hölle, und den Sirat (die Brücke über die Hölle zum Paradies),
welche so schmal ist wie die Schneide eines Säbels), und eine
Wage, und ein ewiges Glück, das denjenigen zugesprochen ist, die
nicht zweifeln, und daß Gott in Wahrheit sie aus dem Grabe erwecken wird. O mein Gott, gib dein Heil und deinen Frieden
Mohammed und dem Geschlechte Mohammeds, wie du dein Heil
und deinen Frieden Abraham gegeben hast, und segne Mohammed,
wie du Abraham gesegnet hast und das Geschlecht Abrahams.
Dank und Lob und Erhebung deiner Glorie seien dir und Dir Gott.‘
Dieses ganze Gebet wird eingeleitet durch die Worte: ‚Gott ist sehr
groß,‘ welche mit bis an die Ohren erhobenen Händen gesprochen
werden, und abgeschlossen durch den Gruß oder Wunsch: ‚Der
Friede sei mit euch!‘, den man Umstehenden geboten wird, indem der
Betende sein Gesicht zuerst nach rechts und dann nach links wendet.

„Die Moschee des Mulei-Edris steht in so hoher Verehrung,
daß jeder Verbrecher, der sie erreicht, in Sicherheit ist; kein Bottari würde wagen, in dieselbe einzudringen und ihn da zu verhaften. Als wir die Moschee verließen, trafen wir im Vorhause
einen fast nackten Menschen, der mit zur Erde gewandtem Blick
geheimnißvoll einherschritt. Das war ein Derwisch aus der Bruderschaft der muselmännischen Einsiedler, welche in Höhlen, auf den
Gebirgen, manchmal auch einsam in der Stadt wohnen. Man
versichert alles Ernstes, ihre Seele weile im Himmel in der Gegenwart Allahs, während ihr Leib hier auf Erden wandere. Alle
Tollheiten werden ihnen nachgesehen; man wage es ja nicht, sich mit
einem Blicke, einem Worte, einer Geberde über sie lustig zu machen.
Das würde die schlimmsten Folgen haben, und nicht einmal der Sultan könnte einen Fremden schützen, welcher einen Derwisch beleidigte.

„Wir gingen durch ein Gäßchen neben der Moschee und kamen
an einen offenen Hof, aus dem uns der betäubende Lärm vieler
Kinderstimmen entgegenscholl. ‚Das ist die Mektib, die Schule‘,
sagte Fernandez. Ohne Umstände traten wir ein und fanden eine
wahre Heerde in Lumpen gehüllter Kinder. Ohne jede Ordnung
waren sie bunt durcheinander gewürfelt; die einen standen, andere
saßen auf der Erde, einige lagen auf dem Rücken, wieder andere
auf dem Bauche, wobei sie das Kinn auf die Hände stützten. Alle
waren damit beschäftigt, einige Koranverse herzusagen; dabei über-

wachte sie ein aller schmutziger Schulmeister, der mit einer langen Ruthe Hiebe unter diejenigen seiner Schüler vertheilte, welche die Worte des heiligen Buches ihren jungen Gehirn nicht einprägen wollten. Und man sage noch, der Unterricht in Marocco sei nicht obligatorisch! Freilich bleibt die ganze Wissenschaft beim Koran stehen. Von einem Unterricht in der Geschichte, in der Erdbeschreibung, in der Rechenkunst oder sonst in einem anderen Wissenszweige ist keine Rede. Der Name eines Landes wird mit dem einer Person verwechselt, und einen Kompaß sieht man für eine Uhr an. Wissenschaftliche Bildung wird unter diesem durch seinen Schicksalsglauben stumpfsinnigen Volke so wenig geachtet, daß ein Gelehrter geradezu gefürchtet würde und keinen Zutritt zum Sultan erhielte.

„Auf unserer Streife durch die Stadt zeigte uns Fernandez auch das Hospital, ein großes, düsteres, massives Gebäude. Es ist reich und hat große Einkünfte, von denen ein Theil eine sonderbare Bestimmung hat. Man verpflegt nämlich daselbst kranke Störche und bestattet die verendeten. Dieser bizarre Gebrauch beruht auf dem Glauben, die Störche seien Menschen, welche sich in das Gefieder dieses Vogels hüllten und von irgend einem fernen Gestade herkämen; nach einer bestimmten Zeit würden sie in ihre Heimat zurückkehren und dort ihre menschliche Gestalt wieder annehmen. Ueberhaupt genießen die Störche manche und sonderbare Vorrechte. (Wer erinnert sich nicht an Hauff's schönes Märchen vom Chalifen Storch?)

„Als wir zur Kasbah, zum Schlosse, hinanstiegen, begegnete uns ein langer Zug von Negern, Weiber und Kinder, alle gefesselt, und ein Araber mit einer Peitsche schritt vor ihnen her. ‚Sind das Uebelthäter?‘ fragten wir Fernandez. ‚Nein, es sind Sklaven‘, antwortete er. ‚Wie, herrscht hier noch öffentlich die Sklaverei?‘ — ‚Ja, der Sklavenhandel ist in Marocco noch im Schwunge. Jährlich führt man zu Tausenden Neger aus dem Sudan ein, wo man sie für ein wenig Salz oder einige Ellen Zeug einhandelt, während sie hier theuer verkauft werden. Durch diesen Handel hat schon mancher Kaufmann ein großes Vermögen erworben. Letztes Jahr war ich in Marokesch (Marocco) und ich daselbst den Sklavenmarkt; denn dort gibt es einen eigenen Sklavenmarkt, wie bei uns einen Gemüsemarkt. Während der Dellali diese menschliche Waare unter dem Hammer ausbot, untersuchten sie die Käufer gerade, wie die Roßkämme die Pferde auf einem Viehmarkt.‘

„Während dieses Gespräches hatten wir durch schmutzige Gäßchen ansteigend den Hügel erklommen und das Judenviertel, die Mellah, erreicht, welches zur Neustadt gehört und in der Nähe des Schlosses liegt. Die Häuser dieses Viertels scheinen von außen ebenso armselig und verfallen, wie die übrigen Wohnungen von Fes. Wir wunderten uns darob, da die Juden sehr reich sind. ‚Ihr dürft nicht nach dem Aeußern urtheilen‘, sagte unser Führer. ‚Sie sind im Innern sehr reich und manche geradezu fürstlich eingerichtet. Das ist nur eine List der Juden; sie verbergen auf diese Art ihre unermeßlichen Schätze, die Habgier der Mauren nicht wachzurufen. Ihr könnt euch selbst überzeugen, wenn ihr mit mir das Haus eines Juden betreten wollt, der hier wohnt und den ich sehr gut kenne.‘ Wir waren es gerne zufrieden und gingen in das Haus. Wirklich war dasselbe im Innern ebenso schön und reich, wie es von außen häßlich und armselig schien. Der Jude nahm uns steif, aber höflich auf; er stellte uns seine kleine Familie vor und bot uns einen Honigzwieback und eine Tasse Thee an. Unter anderem erzählte er uns, daß die jüdische Gemeinde eine Schule, eine wahre Universität im kleinen, gegründet habe, und daß dieselbe bereits von etwa 100 Schülern besucht werde.

„Da stehen wir vor der Kasbah (dem Schlosse). Vor uns kauern zwei Gruppen in ihre Schleier gehüllte Frauen, welche leise miteinander reden, und da und dort rauchen Araber in halb liegender Stellung ihren Haschisch und überlassen sich dem Hochgenusse des süßen Nichtsthuns. Wir ließen unsere Blicke über die Doppelstadt schweifen, welche sich zu unseren Füßen ausbreitete. Es war die Stunde, da der Schatten eines Stockes seiner Höhe gleich ist; auf den Terrassen aller Minarets standen die Muezzins und sangen aus aller Kraft die Worte des Gebetrufes, welche also lauten: ‚Es gibt keinen andern Gott als Gott, und Mohammed ist sein Prophet! Kommet zum Gebet, bevor die Zeit entflieht! Beeilet euch, Buße zu thun, bevor der Tod euch ereilt!‘ Der Muezzin ist die Kirchenglocke, und die Sala, die er ruft, fordert die Gläubigen zum Gebete auf. Da verrichten alle frommen Moslemin ihr Gebet, die einen in den Moscheen, die anderen auf offener Straße, auf dem Marktplatz, in den Häusern, wo immer sie sich befinden mögen. Und fünfmal im Tage wird dieser Ruf wiederholt. Wir stiegen zum kaiserlichen Garten hinab, der den üppigsten Pflanzenwuchs entfaltet; breite Alleen durchziehen ihn, und ein Arm des Wed-el-Fes führt ihm sein Wasser zu. In dieser Stunde sitzt der Sultan zu Pferde, nicht weil er das Reiten liebt, wie man uns sagt, sondern um sich dem Grundsatze eines seiner Vorgänger zu fügen, der gesagt hat: ‚Das Roß ist der Thron der Kaiser von Marocco.‘ Der gegenwärtige Sultan heißt Mulei Hassan. (Vgl. das Titelbild.) Dem Aussehen nach mag er 40—45 Jahre alt sein; seine Gestalt ist unbedeutend, sein Charakter schwach. Was schadet das? Es herrscht ja doch nicht er, sondern sein Leibminister, der Mathfen, wie einst der Majordomus für unsere Schattenkönige. Seine ganze Politik beschränkt sich auf den Wunsch, im Innern mit seinen Schätzen, Rossen und Weibern unbehelligt zu leben und noch außen mit den europäischen Mächten Frieden zu haben. Wenn dieselben ihm diplomatische Noten mitzutheilen haben, so wenden sie sich an seinen bevollmächtigten Minister, der in Tanger, am äußersten Ende seines Reiches, wohnt.

„Während die fernblende Sonne sich zum Untergange neigte, verließen wir die Stadt durch ein stolzes maurisches Thor, um von einer benachbarten Höhe aus in einem leuchtenden Gesammtbilde die Doppelstadt mit ihrer Hügelkrone, ihrem Gartenkranze, ihrem grauen Häusermeere zu sehen, aus dem zahlreiche Minarets aufragen, jedes von einem Halbmond und drei vergoldeten Kugeln gekrönt.

„Den zahlreichen Mühlen, welche Fes umgeben, den berühmten Gerbereien, wo die feinen Lederwaaren verfertigt werden, welche man in Europa unter dem Namen Maroquins verkauft, den Werkstätten, wo die Schleier gewoben werden, zart, wie die feinste Gaze, den Fabrikanten, welche die rothen Türkenmützen machen, die man Fes nennt, konnten wir nur im Vorbeigehen einen Besuch abstatten. Die farbigen Töpferwaaren und die damascirten Waffen hatten wir in den Bazars bewundert. Wer sollte es glauben, daß in dieser heiligen Stadt, wo der Gebrauch geistiger Getränke den Söhnen des Propheten streng verboten ist, auch eine Schnapsbrennerei besteht? Freilich gehört dieselbe den Juden, und diese sollen das Getränke, welches sie aus den Früchten gewinnen, theils selbst trinken, theils ausführen.‘

8. Mekines und Marakesch.

Etwa 10 Stunden westlich von Fes liegt die zweite Residenzstadt des Reiches Marocco, Mekines, das man sein Versailles genannt hat. Unsere beiden Missionäre fanden nicht die Zeit, dieser merkwürdigen Stadt einen Besuch zu machen. Wir wollten deshalb de Amicis, der auf seiner Rückreise dieselbe berührte, dorthin begleiten.

Die Straße zwischen den beiden benachbarten Hauptstädten war so belebt, wie der Reisende in Marocco nichts Aehnliches gesehen

hatte. Kameelkarawanen, große Heerden, Kaufleute, welche zahlreiche Prachtrosse auf den Markt nach Fes führten, Derwische, die auf offenem Felde predigten, Boten zu Fuß und zu Pferd, Schaaren mit Sicheln versehener Araber, die zur Ernte auszogen, mehrere

Der Palast zu Meknes. (S. 422.)

maurische Familien, die mit Kind und Kegel nach Fes übersiedelten, begegneten dem Reisenden. Kaum zwei Stunden unterwegs sah man über eine unermeßliche Ebene her schon die weißen Minarets von Meknes in schwachen Umrissen schimmern, als suchten sie die

Fremden über ihre Entfernung zu täuschen. Bald waren sie sichtbar, bald entschwanden sie wieder, bis endlich die langersehnte Stadt beim Austritte aus einem Walde wilder Oelbäume vor den erstaunten Blicken stand. „Meknes bedeckt einen langgestreckten Hügel, ist von Gärten und einem dreifachen Kranze mit Zinnen gekrönter Mauern umgeben und wird von Minarets und Palmen überragt. Freundlich und majestätisch stand es plötzlich vor unseren Augen, einer der prachtvollen Vorstädte Constantinopels ähnlich; scharf hoben sich ihre Hunderte von weißen Terrassen von dem azurblauen Himmel ab. Auch nicht ein einziges Rauchwölkchen stieg aus der Häusermasse auf; keine lebende Seele zeigte sich, weder auf den flachen Dächern noch auf den Ringmauern; kein Laut drang an unser Ohr. Man hätte die Stadt für unbewohnt, für einen gemalten Theaterhintergrund halten können."

Der Ruhm von Mekines sind seine Gärten und sein Kaiserpalast; die Gärten halten die Maroccaner für die schönsten Afrika's, das Sultansschloß für den herrlichsten Bau der Welt. Dasselbe ist nicht alt; Mulei-Ismael gründete es zu Ende des 17. Jahrhunderts. Der Palast hatte 2000 Schritt im Umfang und wurde mit Säulen geschmückt, die theils aus einer benachbarten Ruinenstadt, theils aus Livorno und Marseille bezogen wurden. Er soll einen großen Bazar enthalten haben, in welchem die kostbarsten Gewebe Europa's zum Kauf auslagen; eine Straße mit 100 Springbrunnen verband den Markt mit der Stadt. Ferner fanden sich da ein riesiger Park mit schattigen Oelbäumen, sieben große Moscheen, eine gefürchtete Artillerie, welche die Berber der nahen Berge im Zaume hielt, der kaiserliche Schatz, angeblich eine halbe Milliarde, und die Bevölkerung, welche auf 50 000 Seelen angegeben wird, soll die gebildetste und gastfreundlichste des Landes sein. Noch immer spielt der Schatz des Sultans, der inzwischen doch bedeutend zusammengeschmolzen sein mag, wenn er überhaupt noch besteht, eine große Rolle in der Einbildungskraft der Maroccaner, wie aus folgender Schilderung hervorgeht, welche einer der Führer de Amicis' entwirft: "Im Palaste des Sultans findet sich ein abgesondertes Schloß, das ganz aus Stein aufgeführt ist, nur durch das Dach Licht empfängt und von einer dreifachen Mauer umschlossen wird. Durch ein Thor von Eisen tritt man ein und gelangt an ein zweites und drittes Eisenthor. Hinter diesem letzten Thore kommt man in einen niedern und dunkeln Gang, den man mit Lichtern durchschreiten muß. Der Boden ist mit schwarzem Marmor belegt, die Wände sind schwarz und das Gewölbe ist schwarz; dumpfe Grabluft füllt den Corridor. An seinem Ende öffnet sich ein großer Saal, in dessen Mitte ein Schacht angebracht ist, der in ein unterirdisches Gewölbe führt. Durch diesen Schacht schaufeln viermal im Jahre 300 Negersklaven das Gold und Silber, welches der Sultan sendet. Der Sultan überwacht die Arbeit persönlich. Die Neger, welche diese Arbeit zu besorgen haben, sind für ihr ganzes Leben im Schlosse eingethürmt, und wer von ihnen das unterirdische Gewölbe betritt, verläßt es nie mehr lebend. Rings um den Saal stehen 10 irdene Töpfe mit 10 Schädeln von Sklaven, welche zu stehlen versuchten. Mulei-Soliman ließ überhaupt allen Sklaven den Kopf abschlagen, sobald das Gold an Ort und Stelle gebracht war. Niemals hat ein Mensch lebend dieses Schloß verlassen als der Sultan, unser Herr."

Der Maroccaner erzählte das mit geheimnißvoller Ehrfurcht, als ob sowohl solche Grausamkeit wie solcher Reichthum bei einem Sultan ganz selbstverständlich wären. De Amicis schildert seine Eindrücke von Mekines wie folgt:

"Nachdem wir zwei durch einen steilen Aufstieg getrennte Thore hinter uns hatten, befanden wir uns in der Stadt. Wir waren zuerst angenehm enttäuscht. Wir hatten nämlich erwartet, daß Mekines einen traurigen Anblick als Fes darbieten werde, und fanden nun im Gegentheil eine freundliche Stadt voll grüner Gärten,

mit vielen zwar krummen, aber breiten Gassen, welche von kleinen Häusern und niedrigen Gartenmauern eingesäumt werden, über die hinweg die schön geschwungenen Hügellinien der Umgegend sichtbar sind. Von allen Seiten ragen hier ein Minaret, dort eine Palme oder eine mit Zinnen gekrönte Mauer über die Wohnungen empor; bei jedem Schritt trifft man einen Brunnen oder ein mit Arabesken geschmücktes Thor. Eichen und Gruppen von Feigenbäumen stehen mitten in den Straßen und öffentlichen Plätzen; überall freie Luft, Licht, Blumengeruch und die liebliche Ruhe eines zwar gesunkenen, aber doch immer noch nicht ganz erloschenen Hoslebens.

"Nach manchen Umwegen erreichten wir einen weiten Platz, der sich vor der monumentalen Front des Palastes ausdehnt, welchen jetzt der Gouverneur bewohnt. Die Mauern leuchten von den wundervollsten Mosaiken, welche in hundertfarbiger Schmelzarbeit ausgeführt sind. Jetzt, da die letzten Strahlen der Sonne sie streifen, funkeln die Wände über und über, als ob sie mit Perlen bedeckt wären gleich den orientalischen Palästen in 'Tausend und eine Nacht'.

Die berittene Wache ließ ,das Pulver reden' (d. h. feuerte ihre Flinten ab und führten einen Scheinangriff aus), während wohl 50 Diener und Soldaten schweigend vor dem Thore auf der Erde lauerten. Sonst war der Platz menschenleer. Welch herrliches Schauspiel! Diese strahlende Façade, diese Reiter, diese Thürme, diese Einsamkeit und dazu der Sonnenuntergang vereinten sich zu einem echt maurischen Bilde und brachten uns den Glanz vergangener Jahrhunderte in träumerischer Dichtung vor Augen, so daß wir wie verzückt in seinem Anblick dastunden. Die Soldaten führten uns um den Palast herum und zeigten uns noch ein anderes Thor, das im reinsten maurischen Stile aufgeführt und vom Sockel bis zum Gesimskranze mit den zartesten buntfarbigen Mosaiken bedeckt ist, welche in den Sonnenstrahlen wie Tausende von Rubinen, Saphiren und Smaragden blitzten, die in einen Triumphbogen von Elfenbein gefaßt sind. Unsere Zeichner versuchten eine Skizze dieser Herrlichkeit zu entwerfen. (Vgl. das Bild S. 423.) Dann kehrten wir in die Stadt zurück.

"Bis jetzt hatten die Leute, welche wir in den Gassen trafen, uns zwar neugierig, aber nicht unfreundlich beobachtet, ja es schien uns sogar, daß sie besser gesinnt seien, als die Bewohner von Fes. Aber plötzlich änderte sich die Stimmung ohne die geringste Veranlassung. Einige alte Weiber sahen uns scheel nach; dann warfen ein paar Straßenjungen Steine nach unsern Maulthieren, und im Nu sahen wir uns von einer Wolke von Gesindel umringt, das vor und hinter uns einherschwärmte und einen Höllenlärm verführte. Steine, faule Orangen, Gossenabfälle und Schlimmeres kamen von allen Seiten dahergeflogen. Als wir schon das Stadtthor erreicht hatten und zum Lager hinabritten, hörten wir noch von den Mauern herabschreien: ,Verflucht sei dein Vater! Dein ganzes Geschlecht sei dem Verderben geweiht! Gott möge die Ahnen braten!' So empfing uns das ,gastliche' Mekines!

"Am nächsten Tage gegen Abend brachen wir auf und durchzogen während zwei Stunden die lieblichste Landschaft, die sich ein Maler denken kann. Noch sehe ich, noch schwebet mir im Geiste die mit fast überirdischer Schönheit verklärten Hügel vor, deren sanfte, grüne Flanken Rosen- und Myrthenbüsche, Oleander und Aloëen trugen; noch sehe ich die Pracht von Mekines im Goldglanze der sinkenden Sonne, das langsam unseren Blicken entschwindet, Minaret um Minaret, Palme um Palme, Terrasse um Terrasse; noch athme ich in der Erinnerung die mit Wohlgerüchen gesättigte Luft; noch schaue ich den Wasserspiegel, der die buntfarbige Begleitung und die unaussprechliche Zartheit des in Rosatönen schwimmenden Himmels zurückstrahlt; noch sehe ich und fühle ich das alles: aber beschreiben kann ich es nicht."

Auch der dritten Hauptstadt, Marakeïch, von welcher das Reich seinen Namen Marocco hat, wollen wir einen kurzen Besuch abstatten. Der Engländer Sir Joseph Hooker, der diese Stadt und den Großen Atlas im Jahre 1871 besuchte, möge uns hier als Führer dienen.

Ein Thor des Palastes in Meïnes. (S. 422.)

Er trat die Landreise an von der südmaroccanischen Hafenstadt Mogador aus, welches Sidi Mohammed erst vor etwas mehr als 100 Jahren, im Jahre 1760, gegründet hat. Jetzt zählt sie eine wohlhabende Bevölkerung von vielleicht 12 000 Seelen. Der Weg führt zuerst zwei Tagereisen weit durch das wellige Hügelland der Küste und erreicht dann die große maroccanische Hochebene, welche fast unmerklich der Atlaskette zu ansteigt. Niedrige, abgestumpfte Hügel erheben sich über die Fläche; Kalksteintrümmer bedecken die Erde; drei mühsame Tage geht es durch diese öde, wasserlose Wüste, an deren Südrand immer deutlicher die Kette des Großen Atlas sich abhebt. Jetzt zeigt sich davor ein schlanker, hochragender Thurm. „Die Kutubia von Marakesch!" ruft der Führer. Statt der weißen kahlen Kalkbene tauchen rechts und links kleine Wälder von Oliven- und Feigenbäumen auf; dann folgen von hohen Mauern unfriedete Gärten, und bald liegt die mächtige Stadt vor den Augen der Reisenden, weit sich ausdehnend und rings von einer 10 m hohen Mauer umschlossen, welche im Abstande von etwa 120 m von viereckigen Thürmen vertheidigt wird.

Hooker und seine Gefährten fanden trotz des Empfehlungsschreibens des Sultans eine nichts weniger als freundliche Aufnahme in der südlichen Hauptstadt des Reiches. Zu der äußersten Feindseligkeit der Bewohner gegen alle Fremden, namentlich alle Christen, kam noch eine Fehde zwischen dem Gouverneur der Stadt, welcher dem Sultan feindselig war, und dem Vicekönig. So ließ der erstere die vom Sultan empfohlenen Fremden von Soldaten am Thore in Empfang nehmen und durch die schmutzigsten Gäßchen zu einem von Unrath starrenden Häuschen führen, das er ihnen als Wohnung anzubieten wagte. Die Engländer weigerten sich, diese Herberge zu beziehen, und nachdem sie auf offenem Platze übernachtet hatten, wurde ihnen endlich am folgenden Morgen in einer Vorstadt eine anständigere Wohnung angewiesen.

Die einzigen Sehenswürdigkeiten der Stadt sind die Kutubia, die große Moschee und einige Theile des alten Sultanspalastes, welche aus der Blütezeit des alten Maurenreiches, aus dem 14. und 15. Jahrhundert, herstammen. Der reichverzierte Thurm der Kutubia hat eine Höhe von 90 m. All die kunstreich und zierlich behauenen Steine sollen aus Spanien herübergebracht und von Christensklaven zu diesem gewaltigen Bau zusammengesetzt worden sein. Der Bazar der Stadt hatte nichts Bemerkenswerthes; billige und dauerhafte Teppiche sind das einzige Erzeugniß der einheimischen Industrie. Die Bevölkerung, welche auf 50 000 Seelen angegeben wird, zeigte den Fremden andauernd eine so feindselige Stimmung, daß sie froh waren, als sie der Stadt Lebewohl sagen und die Weiterreise in die Hochthäler des Atlasgebirges antreten konnten.

Schluß.

Von Fes aus wandten sich die beiden Missionäre aus Lyon ostwärts nach der Grenze Algiers, wohin wir ihnen folgen, um am Ausgangspunkte unserer Rundfahrt um den dunkeln Erdtheil noch einmal U. L. Frau von Afrika in der schönen Kirche zu besuchen, welche ihr Cardinal Lavigerie bei Algier erbaut hat. (Vgl. das Bild S. 5.)

Ein Dichter aus der Provence hat dieses Heiligthum wunderschön also besungen:

> Auf sonnumflammter Felsenhöhe
> Bau'n, Jungfrau, wir ein Kirchlein dir,
> Daß treu es gleich dem Wächter stehe,
> Des Landes Hort, der Wüste Zier.
> Es sei das Haus, die Heimat aller,
> Klar aufgeführt aus Marmorstein,
> Es lade gastlich jeden Waller
> Zur Rast an heil'ger Schwelle ein.

Rose der Wüste! Milde Frau!
O laß erbarmen dich die Noth!
Sieh, glutverbrannt ist unsre An',
Die Herzen aber kalt und todt!
Holdsel'ge Rose, sende da
Der Blume Thau und Düften,
Erfrischend Herz und Triften,
Wie sanften Maienregen zu!

Fern in der See wildwogend Toben,
Fern in die Wüsteneinsamkeit
Dein gold'nes Bildniß schaut von droben
Und kündet Hoffnung weit und breit.
Im Wogendrang der arme Ferge,
Der Berber auf des Saumthiers Pfad
Blickt grüßend auf zum heil'gen Berge
Und fühlet froh, daß Rettung naht.
Rose der Wüste u. s. w.

Und wo im Flugsand glutgeblendet
Die Karawane eilig zieht,
Zur Jungfrau sich der Pilger wendet,
Wenn er verschmachtet, krank und müd:
O, milde Mutter, laß zum Baume
Den kleinen Rosenstrauch erblüh'n,
Daß ja im Wüste letztem Saume
Frischkühlend seine Schatten zieh'n!
Rose der Wüste u. s. w."

Vor dem Bilde der seligsten Jungfrau, welche so schön „die Rose der Wüste" genannt wird, wollen wir noch einmal zusammen niederknien und für die Bekehrung der unglücklichen Völker beten, welche wir auf unserer Rundreise besucht haben. Die ganze Welt war eine Wüste, als die seligste Jungfrau Maria wie eine wunderbare Rose den Thau der Gnade, ja den Urquell aller Gnade vom Himmel in ihren Schoß herabzog. Alle Gnade und aller Segen kommt uns durch ihren göttlichen Sohn zu theil. O, daß nun auch die Wüste Afrika's im Schatten dieser Wanderblume erblühe! Daß die 200 Millionen Menschen, welche Afrika bewohnen, durch die mächtige Fürbitte Maria's ihrem göttlichen Kinde zugeführt werden! Wie wenige von dieser großen Zahl gehören bis jetzt unserer heiligen Kirche! Der Norden Afrika's bis an den Senegal und bis an die Quellen des Nil zählt mit geringer Ausnahme zu den Anhängern des Islam; Abessinien liegt in den Banden des Irrthums verstrickt; fast der ganze Süden und Westen und das ungeheure Binnenland der großen Welttheiles schmachtete im Abgrunde des verkommensten Heidenthums, betet statt den wahren Gott die lächerlichsten Fetische an und ehrt dieselben mit Greueln aller Art. In welchem Elende seufzen die armen Menschen dort in diesem Leben! Denket nur an die Greuel der Sklaverei, welcher jährlich Tausende anheimfallen, und an die entsetzlichen Menschenopfer in Dahomeh. Wie unglücklich wären wir, wenn wir statt fromme, katholische Eltern von unseligen Fetischdienern zu Vater und Mutter hätten! Danken wir dem lieben Gott, daß er uns das Glück zutheilte, von Kindheit an der heiligen katholischen Kirche anzugehören. Und nun noch einmal knien wir nieder vor dem Bilde U. L. Frau von Afrika, dankend für unser Glück und betend, daß dasselbe auch den armen Kindern Afrika's zugewendet werde.

Date Due

Druck:
Customized Business Services GmbH
im Auftrag der KNV-Gruppe
Ferdinand-Jühlke-Str. 7
99095 Erfurt